Schirmherr
Erwin Teufel MdL
Ministerpräsident
des Landes Baden-Württemberg

Sponsoren

Adolf Würth GmbH & Co. KG
74650 Künzelsau
http://www.wuerth.com

Badenia Bausparkasse AG
76114 Karlsruhe
http://www.badenia.de

BBBank eG
76119 Karlsruhe
http://www.bbbank.de

Privatbrauerei Hoepfner GmbH & Co. KG
Karlsruhe
http://www.hoepfner.de

Kooperation mit der Universität Karlsruhe (TH)

Studienzentrum Multimedia der Fakultät für Geistes- und Sozialwissenschaften

Fakultät für Informatik. Institut für Logik, Komplexität und Deduktionssysteme. Lehrstuhl für Logik und Grundlagen, Neuroinformatik

Fakultät für Architektur. Institut für Industrielle Bauproduktion

Fakultät für Geistes- und Sozialwissenschaften. Institut für Soziologie

Medienpartnerschaften

Kooperation für das Zukunftsforum

Fraunhofer Institut Chemische Technologie (ICT)
76372 Pfinztal/Berghausen
http://www.ict.fhg.de

Karlsruher Existenzgründungs Impuls
http://www.keim-online.de

Pfizer GmbH
Karlsruhe
http://www.pfizer.de

Reinisch GmbH & Co.KG Ingenieurdienstleistungen
Bretten
http://www.reinisch.de

Landesbildstelle Baden, Karlsruhe

Landeszentrale für politische Bildung, Stuttgart

Kooperation für das Filmprojekt „Hoffnung und Angst zur Jahrhundertwende“

ERB Medien GmbH
76133 Karlsruhe
http://www.ERBmedien.de

Thomas Gerwin, *inter* ***art*** **project**, Studio für Medienkunst und akustische Gestaltung, Karlsruhe
http://www.swo.de/ThomasGerwin

Landesausstellung

im Karlsruher Schloss

vom 11.12.1999 bis 7. 5. 2000

Badisches
Landesmuseum
Karlsruhe

Jahrhundertwenden 1000–2000

Rückblicke in die Zukunft

Herausgegeben vom

Badischen Landesmuseum Karlsruhe

NOMOS Verlagsgesellschaft
Baden-Baden

Die Deutsche Bibliothek – CIP-Einheitsaufnahme

Ein Titeldatensatz für diese Publikation ist bei
der Deutschen Bibliothek erhältlich

ISBN 3-923132-78-6 Badisches Landesmuseum
ISBN 3-7890-6315-0 Nomos Verlagsgesellschaft Baden-Baden

Dieses Buch ist aus säurefreiem Papier hergestellt und entspricht den Frankfurter Forderungen zur Verwendung alterungsbeständiger Papiere für die Buchherstellung.

Umschlaggestaltung
& Layout: Kurt Ranger Design, Stuttgart
Satz: Nomos Verlagsgesellschaft Baden-Baden
Technische Koordination
und Druck: die Mediamacher GmbH, München

ISBN 3-923132-78-6 Badisches Landesmuseum
ISBN 3-7890-6315-0 Nomos Verlagsgesellschaft Baden-Baden

Impressum

Gesamtleitung
Prof. Dr. Harald Siebenmorgen

Projektleitung
Dr. Jutta Dresch

Ausstellungskonzeption
Prof. Dr. Harald Siebenmorgen
Dr. Jutta Dresch
Heidrun Jecht M.A.
Die Mitglieder des Wissenschaftlichen Beirats

Leihverkehr / Fotoredaktion
Heidrun Jecht M.A.

Öffentlichkeitsarbeit / Marketing
Claudia Seiffert M.A.
Nina Gothe M.A.
Dr. Karen Bork

Ausstellungsarchitektur, Ausstellungsgrafik
Kurt Ranger Design, Stuttgart
Kurt Ranger, Mike Naegele, Götz Lieber

Katalogredaktion
Dr. Jutta Dresch

Redaktionelle Mitarbeit
Heidrun Jecht M.A.
Heidi Fischer M.A.

„Zeitleiste" in Ausstellung und Katalog
Prof. Dr. Hermann Glaser

Zukunftsforum / Museumspädagogik
Dr. Gabriele Kindler
Folker Metzger
Dipl.-Soz. Andreas Haller
Dipl.-biol. Martina Parrisius
Doris Moyrer
Sabine Dannebauer
Rena Skarabis

Fotografie
Thomas Goldschmidt

Fotoarbeiten
Ursula Grether, Michael Hofmann, Anita Kühn

Bibliothek, Bibliografie
Sabine Müller-Wirth, Birgit Wendel, Angelika Moll, Christa Müller

Sekretariat
Nuria Buisán-Sola, Erika Dolch, Regina Linder, Hilde Pinnel

Verwaltung
Priska Weßbecher
Ingrid Draksler, Flora Lukas, Gerhard Mühlwald, Gabriele Roth, Lieselotte Schmidt, Marlene Schneider, Ursula Strauß, Ina Twelker, Michaela Simon, Renate Winteroll

Transporte
Fahrbereitschaft der Oberfinanzdirektion Karlsruhe
Koordination: Wolfgang Knobloch

Ausstellungsaufbau und -technik
Otto Alexander Nuss
Karl Beck, Siegfried Blädel, Oliver Föll, Wilhelm Hossu, Manfred Krüger, Werner Lauber, Anton Mayer, Josef Schmidt, Günther Wagner

Restaurierung und Präsentation
Wolfgang Knobloch
Christoph Adler, Bettina Bombach, Dieter Decker, Christine Fabricius, Gerd Güntert, Monique Heigel, Nicole Freivogel-Sippel, Otto Kiesel, Hee Sung Park, Detlev Sippel, Peter Stief, Karin Vollmer, Andrea Wähning, Julia Wicha

Ausstellungstexte
Dr. Jutta Dresch

„ZeitKlang" in der Ausstellung
Thomas Gerwin, inter art project, Karlsruhe

Webdesign und CD-ROM-Präsentation
Studienzentrum Multimedia der Fakultät für Geistes- und Sozialwissenschaften der Universität Karlsruhe (TH)
Dipl.-Kunst. Ulrich Höhne (Leitung)
Oliver Andre, Angela Jakob

Leihgeber

Angers, Musées d´Angers
Augsburg, Staats- und Stadtbibliothek
Augsburg, Universitätsbibliothek
Bad Aussee, Ausseer Kammerhofmuseum
Bad Homburg, Saalburg-Musem, Saalburg-Kastell
Basel, Historisches Museum
Berlin, Staatliche Museen zu Berlin – Preußischer Kulturbesitz, Kunstbibliothek
Berlin, Staatsbibliothek zu Berlin – Preußischer Kulturbesitz
Bern, Kunstmuseum
Biberach a. d. Riß, Zimmerer-Ausbildungszentrum
Bregenz, Voralberger Landesmuseum
Bremerhaven, Deutsches Schiffahrtsmuseum
Calw, Palais Vischer, Stadtmuseum
Colmar, Bibliothèque de la ville de Colmar
Dresden, Staatliche Kunstsammlungen, Münzkabinett
Düsseldorf, Kunstmuseum
Frankfurt a. M., Deutsches Filmmuseum
Frankfurt a. M., Historisches Museum
Frankfurt a. M., Liebieghaus, Museum Alter Plastik
Frankfurt a. M., Museum für Post und Kommunikation
Freiburg, Augustinermuseum
Freiburg, Landesdenkmalamt Baden-Württemberg, Archäologie des Mittelalters
Freiburg, Münsterbauverein
Freiburg, Universitätsbibliothek
Furtwangen, Deutsches Uhrenmuseum
Genf, Cabinet des Estampes
Genf, Internationales Rotkreuz - und Rothalbmondmuseum
Göppingen, Städtisches Museum
Göttingen, Gemeinde St. Jacobi
Göttingen, Niedersächsische Staats- und Universitätsbibliothek
Hamburg, Kunsthalle
Hamburg, Museum für Hamburgische Geschichte, Münzkabinett
Hamburg, Museum für Kunst und Gewerbe
Hannover, Kestner Museum
Heidelberg, Ruprecht-Karl-Universität, Rektorat
Heidelberg, Universitätsbibliothek
Hildesheim, Roemer- und Pelizaeusmuseum
Karlsruhe, Badische Landesbibliothek
Karlsruhe, Bundesgerichtshof, Bibliothek
Karlsruhe, Bundesverfassungsgericht, Bibliothek
Karlsruhe, Firma Comics Informationssysteme GmbH
Karlsruhe, Generallandesarchiv
Karlsruhe, Staatliche Kunsthalle
Karlsruhe, Sammlung „Öffentliche Uhren", Peter Leonardy, Rittnerthof
Karlsruhe, Stadtarchiv
Karlsruhe, Thomas Gerwin, inter art project
Karlsruhe, Universität (TH), Fakultät für Architektur, Institut für Baugeschichte
Karlsruhe, Universität (TH), Fakultät für Architektur, Institut für Industrielle Bauproduktion
Karlsruhe, Universität (TH), Fakultät für Geistes- und Sozialwissenschaften, Institut für Soziologie, Bibliothek
Karlsruhe, Universität (TH), Fakultät für Informatik, Institut für Logik, Komplexität und Deduktionssysteme, Lehrstuhl für Logik und Grundlagen, Neuroinformatik
Karlsruhe, Universität (TH), Studienzentrum Multimedia der Fakultät für Geistes- und Sozialwissenschaften
Karlsruhe, Universitätsbibliothek
Karlsruhe, Verkehrsmuseum der Deutschen Verkehrswacht Karlsruhe e.V.
Kassel, Gesamthochschulbibliothek Kassel, Landesbibliothek und Murhardsche Bibliothek der Stadt Kassel
Köln, Historisches Archiv der Stadt Köln
Köln, Käthe-Kollwitz-Museum, Träger: Kreissparkasse Köln
Köln, Schnütgen Museum
Köln, Stadtmuseum
Konstanz, Rosgartenmuseum
Konstanz, Universitätsbibliothek
Leimen, Heidelberger Zement, Firmenarchiv
Lübeck, Bereich Archäologie der Hansestadt Lübeck
Lübeck, Museum für Kunst und Kulturgeschichte
Ludwigsburg, Städtisches Museum
Mainz, Deutsches Rotes Kreuz, Landesverband Rheinland-Pfalz
Mainz, Bischöfliches Ordinariat, Diözesanbauamt
Mainz, Römisch-Germanisches Zentralmuseum
Mannheim, Landesmuseum für Technik und Arbeit
Mannheim, Reiss-Museum
Mannheim, Städtische Kunsthalle
Mannheim, Universitätsbibliothek
Marbach a. N., Deutsches Literaturarchiv
München, Deutsches Museum
München, Konrad Balder Schäuffelen
München, Hansjörg Voth
München, Staatliche Münzsammlung
Nürnberg, Germanisches Nationalmuseum

Nürnberg, Museen der Stadt Nürnberg
Oberkochen, Optisches Museum
Oldenburg, Stadtmuseum
Paris, Bibliothèque Nationale
Paris, Galerie Denise René
Pfinztal, Fraunhofer Institut für Chemische Technologie (ICT)
Rabenau, Antiquariat Köberich
Rastatt, Stadtarchiv
Rosengarten-Ehestorf, Freilichtmuseum am Kiekeberg, Kreismuseum des Landkreises Harburg
Rüschlikon, Sammlung Anette Beyer
Schramberg, Firma Junghans Uhren GmbH
Schramberg, Stadtmuseum
Schwäbisch Hall, Hällisch-Fränkisches Museum
Schwäbisch Hall, Stadtarchiv
Speyer, Historisches Museum der Pfalz
St. Peter, Erzbischöfliches Priesterseminar
Straßburg, Fondation Saint-Thomas
Stuttgart, Hauptstaatsarchiv
Stuttgart, Haus der Geschichte Baden-Württemberg
Stuttgart, Manus-Presse
Stuttgart, Staatsgalerie
Stuttgart, Stadtarchiv
Stuttgart, Württembergische Landesbibliothek
Stuttgart, Württembergisches Landesmuseum
Tübingen, Universität, Institut für Mineralogie, Petrologie und Geochemie
Tübingen, Universitätsbibliothek
Villingen, Franziskanermuseum
Wolfenbüttel, Herzog August Bibliothek
Zittau, Christian-Weise-Bibliothek
Zürich, Kunsthaus
Zwiefalten, Katholische Kirchengemeinde

sowie zahlreiche private Leihgeber

Wissenschaftlicher Beirat

Prof. Dr. Marcel Baumgartner, Justus-Liebig-Universität Gießen
Prof. Dr. Wolfgang Behringer, Ludwig-Maximilians-Universität München
Prof. Dr. Hartmut Boockmann, Georg-August-Universität Göttingen (†)
Prof. Dr. Wolfgang Braungart, Universität Bielefeld
Dr. Arndt Brendecke, Ludwig-Maximilians-Universität München
Prof. Dr. Gerhard Dohrn-van Rossum, Technische Universität Chemnitz-Zwickau
Dr. Stephan Freund, Friedrich-Schiller-Universität Jena
Prof. Dr. Hermann Glaser, Technische Universität Berlin
Prof. Dr. Sönke Lorenz, Eberhard-Karls-Universität Tübingen
Prof. Dr. Hans-Peter Schwarz, Medienmuseum im Zentrum für Kunst und Medientechnologie Karlsruhe
Prof. Dr. Johannes Zahlten, Hochschule der Künste Braunschweig

Das Badische Landesmuseum dankt allen nachstehend Genannten für Hilfe und Unterstützung bei der Vorbereitung der Ausstellung

Dr. Grit Arnscheidt, Reiss-Museum, Mannheim
Dr. Klaus Aurisch, Generalkonsul der Bundesrepublik Deutschland in Straßburg
Dr. Otto N. Bretzinger, Nomos Verlagsgesellschaft, Baden-Baden
Wolf-Dieter Burak, Landesmuseum für Technik und Arbeit, Mannheim
Dieter Dümas, Städtisches Reiss-Museum, Mannheim
Käte und Werner Dresch, Karlsruhe
Dieter Ehret, Hemsbach
Stephan Eisler, [abart], Karlsruhe
Hans Happes, Geschichts- und Museumsverein Mosbach e. V.
Christian Heinzel
Thomas Huber, Botanischer Garten am Schloss, Karlsruhe
Dipl.-Math. techn. Kai Jendrian, Karlsruhe
Prof. Dr. Hans Joachim Klein, Universität Karlsruhe (TH), Institut für Soziologie
Dr. Annette Köger, Deutsches Spielkarten-Museum, Leinfelden-Echterdingen
Dr. Thomas Kosche, Landesmuseum für Technik und Arbeit, Mannheim
Prof. Dr. Jakob Messerli, Deutsches Uhrenmuseum, Furtwangen
Dr. Heinz-Peter Mielke, Niederrheinisches Freilichtmuseum, Grefrath
Dr. Nicolai Riedel, Deutsches Literaturarchiv, Marbach
Dr. Stefanie Roth, Landesmuseum für Technik und Arbeit, Mannheim
Dr. Peter Rückert, Hauptstaatsarchiv, Stuttgart
Evelyn Schiel, Nomos Verlagsgesellschaft, Baden-Baden
Christine Stumpf, Karlsruhe
Dr. Otto Teschauer, Landesdenkmalamt, Karlsruhe
Dr. Hans-Jürgen Vogt, Karlsruhe
Peter Wendel, Stadtmuseum Mosbach
C. Sylvia Weber, Museum Würth, Künzelsau
Marion Wechsler, Nomos Verlagsgesellschaft, Baden-Baden
Thomas Worschech, Deutsches Filmmuseum, Frankfurt a.M.
Gabi Zachmann M.A., Universität Karlsruhe (TH)
Dr. Gerhard Zweckbronner, Landesmuseum für Technik und Arbeit, Mannheim

Autoren der Katalognummerntexte

Marcel Baumgartner	M. B.
Wolfgang Behringer	W. Be.
Wolfgang Braungart	W. Br.
Arndt Brendecke	A. B.
Gerhard Dohrn-van Rossum	G. D.
Jutta Dresch	J. D.
Sybille Eckenfels-Kunst	EfK
Heidi Fischer	H. F.
Irmela Franzke	I. F.
Stephan Freund	St. F.
Nina Gothe	N. G.
Constanze Itzel	C. I.
Christoph Haas	C. H.
Brigitte Herrbach-Schmidt	B. H.-S.
Heidrun Jecht	H. J.
Claudia Kanowski	C. K.
Christine Krüger	C. Kr.
Lothar van Laak	L. v. L.
Friederike Lindner	F. L.
Sönke Lorenz	S. L.
Peter-Hugo Martin	P.-H. M.
Wolfram Menzel	W. M.
Helmut Nägele	Ng.
Ute Obhof	U. O.
Karl Pichol	K. P.
Anita Raith	A. R.
Volker Rödel	V. R.
Jörg Rügemer	J. R.
Reinhard Walter Sänger	R. W. S.
Hans Schadek	H. Sch.
Bernhard Schäfers	B. S.
Stefan Scherer	St. S.
Jürgen Michael Schmidt	J. M. S.
Harald Siebenmorgen	H. S.
Katharina Siefert	K. S.
Volker Steck	V. S.
Claudia Stockinger	C. S.
Bernd Thum	B. Th.
Johannes Zahlten	J. Z.

Von Jahrhundert zu Jahrhundert
Eine Phantasie

Ludwig Hevesi

Es schlug Mitternacht. Von der Erde stieg etwas in den Raum empor. Etwas Gewichtloses und Gestaltloses, etwas eigentümlich Begriffliches. Und doch sah es aus wie eine Form, eine Person. Es war wie ein Mensch. Ein hagerer, brünetter Herr in elegantem Abendanzug und dem schwarzen Macfarlane darüber. Er kam vom Silvesterpunsch beim Direktor der Sternwarte zu Greenwich. Er flog gegen das Sternbild des Zentauren hin, oder vielmehr, er zuckte durch den Raum wie ein Blitz; noch viel schneller. Im Sternbild der Jagdhunde setzte er sich einen Augenblick auf einen Meteorbrocken und steckte sich eine ägyptische Zigarette aus Mumientabak an. Da hüstelte etwas dicht neben ihm; er hatte sich im Dunkeln beinahe darauf gesetzt. Es war eine Dame in eleganter Reisetoilette und flaumigem Überwurf; hellblond, etwas üppig.

„Pardon, Madame", sagte der Herr, „ich sah nicht, daß die Bank schon besetzt war. Der Rauch geniert Sie." Er warf die Zigarette in den Weltraum; funkensprühend schwebte sie dahin. „Ein teleskopischer Nachzügler der Leoniden", brummte Herr Dr. Palisa an seinem Kometensucher auf der Wiener Sternwarte.

Die Dame drehte einen Ring an ihrem Finger; der Brillant daran leuchtete wie eine elektrische Laterne. Dem Herrn schien das etwas Neues zu sein.

„Das ist eine praktische Erfindung", sagte er. „Ach, sie sind wohl ein künftiges Jahrhundert, Madame? Ich hielt Sie für ein vergangenes; Sie sehen so jugendlich aus."

Jedes von ihnen heftete die Augen auf die Stirnlocke des anderen und zählte.

„Zwanzig", sagte er, sichtlich erfreut. „Neunzehn", sagte sie, nicht ohne Interesse.

Sie hatten jedes die weißen Haare des anderen gezählt. Alle hundert Jahre wird nämlich ein Haar am Kopfe jedes Jahrhunderts weiß, man braucht also nur seine weißen Haare zu zählen, um zu wissen, das wievielte es ist.

„Ich komme von einer gewissen »Erde«, die zum System einer gewissen »Sonne« gehört", sagte er, „und habe dort als neunzehntes Jahrhundert gewirkt."

„Ach, das ist mir sehr interessant", rief die Dame lebhaft, „das ist ja gerade der Planet, wo ich hin muß, um ihm als zwanzigstes Jahrhundert zu dienen. Was ist denn das für eine Art von Ort, wenn ich fragen darf?"

„Ich bedauere Sie, meine Gnädige", sagte er, „die Erde ist ein elendes, schmutziges Quartier. Die reine Bude, voll Ungeziefer. Kein Wunder, da die Sonne selber ein verkrachter Fixstern ist. Bald verliert sie ihre Bieliden, bald ihre Leoniden. Sie kann ihr Hab und Gut nicht zusammenhalten; sie geht langsam ein, die Gute."

„Na, ich danke", seufzte die Dame, „das wird eine schöne Arbeit für mich sein. Ich komme von einem recht angenehmen Planeten: W_2, bei 42 Cygni. Unser Fixstern brennt noch famos, ohne Schlackenflecken, und W_2 ist just in der richtigen Entfernung. Dort war es ein Vergnügen, zwanzigstes Jahrhundert zu sein. W_2 ist Ihrer famosen Erde um hundert Jahre voraus. Sagen Sie mal, gibt es auf der Erde noch Religionen?"

„Na, und wie viele!" rief der Herr, „ich selbst mußte mich vor zehn Jahren taufen lassen, denn der Antisemitismus war zu stark."

„So, so", sagte die Dame kopfschüttelnd, „dann gibt es jedenfalls auch noch Kriege – und Krankheiten – und arme Leute – und Unglücksfälle..."

„Aber Liebste, wir haben ja die ganze Zeit nichts anderes gesehen als solche Dinge. Sie sollten mal eine irdische Zeitung lesen. Na, ich bedauere Sie von Herzen. Sie sind eine reizende Person, liebe Kollegin, und Sie kommen da in einen Stall. Sie werden sich das Kleid sehr hoch aufheben müssen da unten, denn die Erde ist auch schlecht gefegt; ein schmutziger Winkel, sage ich Ihnen. Ob es Krieg gibt, fragen Sie? Gerade jetzt schlagen sich die Engländer mit den Buren herum..."

„Engländer? Buren?" sagte sie; „das sind wohl irdische Völker? Komische Namen das! Die irdische Sprache scheint überhaupt schwer zu sein. Ich werde in der ersten Minute nach meiner Ankunft alle Hände voll zu tun haben, sie zu erlernen."

Der Herr lachte. „Sie sprechen von einer irdischen Sprache, meine Gnädige? Aber es gibt ihrer tausend. Das reine Babel, sag' ich Ihnen. Da unten gibt es ja noch sogenannte Sprachenfragen; und ganze Staaten, ja die schönsten Parlamente gehen an solchen zugrunde."

„Parlamente gibt es auch noch", wunderte sich die Dame. „Das scheint ja noch ein förmliches Mittelalter zu sein... Nun ja, die Erde ist ihrer Sonne zu nahe. Es soll dort, etwas weiterhin, einen Planeten geben – Mars, glaub' ich, heißt er –, auf dem man schon halbwegs anständig existieren kann. Aber die Planeten der kleinen Fixsterne taugen alle nicht viel. Von mir ist es eine reine Gefälligkeit, daß ich so in die Provinz gehe. Familienangelegenheiten. Ich war schon für den Planeten Bbi im System des Arkturus ernannt, aber ich ließ mich zu einem Tausch herbei. Mein Mann war neunundsiebzigstes Jahrhundert auf Planet Nninn, System Spica in der Jungfrau, ging aber mit ihm zugrunde, als dieser schon sehr brüchige Planet platzte. Ich bin eine junge Witwe, mit einem Töchterchen von drei Jahren, das jetzt drittes Jahrhundert auf einem dunklen Mond des Planeten Mmimm, gleich hinter Nninn, ist. In der Spicawelt setzen wir die kleinen Kinder auf die lichtschwachen Monde, wo sie besser fortkommen."

Der Herr ergriff plötzlich ihre Hand und küßte sie feurig.

Sie schlug ihn mit dem Fächer ein wenig auf den Mund und meinte: „Wie veraltet! Das scheinen noch die dortigen Manieren zu sein. Sie sind ein junger Springinsfeld, lieber Kollege. Sie müssen da unten schön gewirtschaftet haben. Ich komme nicht gern auf Planeten, wo eben ein männliches Jahrhundert abgelaufen ist. Da ist immer eine fürchterliche Wirtschaft. Alles schlecht aufgeräumt, alle Einrichtungen verstaubt, wacklig: schleißige Verhältnisse. Dafür die Wände voll mit Gewehren, Pauksäbeln und dekolletierten Photographien – vermutlich noch nicht einmal farbigen."

„Oh, es ist nicht so arg", entgegnete der Herr etwas pikiert. „Sie müssen wissen, ich bin ein Genie. Ich war im ganzen Sonnensystem hoch angesehen. Meine Kollegen auf den übrigen Planeten wußten, daß ich unter sehr unerquicklichen Verhältnissen zu arbeiten hatte. Aber ich habe Kolossales geleistet. Mehr als alle achtzehn Jahrhunderte vor mir, zusammengenommen. Ich bitte Sie, die drahtlose Telegraphie allein ist eine Tat..."

Die Dame lächelte mitleidig.

„Was?" rief er, „Madame lächeln mitleidig? Der Schritt vom telegraphielosen Draht zur drahtlosen Telegraphie ist etwas so Großartiges, daß er dem größten Planeten des größten Fixsternes zur Ehre gereichen würde!"

„Blamieren Sie sich doch nicht, mein Lieber!" sagte sie trocken.

„Nun, ich wäre doch neugierig, wie man auf W_2 telegraphiert", sagte er sehr gekränkt und rückte von ihr weg.

„Telegraphiert?" sagte sie silbenweise und lächelte noch mitleidiger. „So ein *vieux jeu* gibt es auf W_2 längst nicht mehr."

„Also, was gibt es denn?" rief er und rückte ihr dicht an den Leib.

„Das werd' ich Ihnen nicht sagen, junger Herr", entgegnete sie. „Sie wissen, daß auf Verletzung des Amtsgeheimnisses schwere Strafe steht. Ich will nicht zum Jahrzehent degradiert werden, sondern im Gegenteil durch fabelhafte Diskretion zum Jahrtausend avancieren. Wenn wir schon eine Hierarchie haben, wollen wir doch in ihr vorwärtskommen."

„Sie haben recht, schöne Frau", sagte er wieder gefaßt. „Ich halte ja auch meinen Mund. Vielleicht hat man dann oben ein Einsehen und schickt mich auf komfortabler eingerichtete Planeten, als diese dumme Erde war... Ja, dumm ist sie! Das ist ihre Haupteigenschaft. Wäre ich nicht gar so ein Genie, ich hätte ihr schwerlich das Geringste beigebracht. Nach so einem weiblichen Jahrhundert, wie das achtzehnte, war sie ganz hirnschwach und knochenweich geworden. *A propos*, das interessiert mich doch, daß die Erde jetzt wieder ein weibliches Jahrhundert bekommt. Ein blondes, üppiges, germanisches Jahrhundert. Ich war ein hageres, brünettes, lateinisches Säkulum. Ich raufte, lumpte und spielte gern und war erklecklich sittenlos. Unter Ihnen wird sich das magere, knochige Ding, die Erde, einigermaßen erholen. Sie sehen danach aus, Sie sind ganz entzückend." Er küßte sie plötzlich auf die linke Wange, dicht unter dem Ohr.

Aber er fuhr zurück, wie bei einem elektrischen Schlag. Von ihrem Ohrläppchen aus hatte ihn etwas getroffen. Etwas Unvorhergesehenes, das er noch nicht kannte. Etwas aus dem zwanzigsten Jahrhundert, das erst entdeckt werden wird.

Die Dame leuchtete ihm mit ihrem Diamantring ins Gesicht und sah ihn ganz ruhig an, ohne den Zwischenfall eines Wortes zu würdigen. Dann fragte sie ihn recht wohlwollend, etwa wie eine große Dame ihren Schuster: „Nun, junger Mann, lassen Sie hören, was Sie denn eigentlich da unten geleistet haben."

„Ach Madame, es ist ja gar nicht der Rede wert", entgegnete er kleinlaut. „Lauter Nichtigkeiten. Den Darwinismus, die Bakteriologie, den Übermenschen..."

„Alles nicht wahr", murmelte sie.

„Das Telephon, den Phonographen, das Kinematoskop..."

„Kinderlallen", sagte sie.

„Das Jahr achtundvierzig, den Bismarck, den Richard Wagner..."

„Drei spezifische Formen der menschlichen Ohnmacht", warf sie hin.

„Die Dampfmaschine, die Elektrizitätswerke, den beinahe lenkbaren Luftballon..."

„Drei glänzende Armutszeugnisse des angeblichen Homo sapiens", sagte sie im Tone spöttischer Anerkennung.

„Das Bicycle, das Heilserum, den Heinrich Heine..."

„Drei sehr poetische Dinge, aber höchst unpraktisch", nörgelte sie weiter.

Der Herr wurde nun wieder ärgerlich und geriet ins Sprudeln: „Ja, Madame, wenn Ihnen Dinge wie das Automobil und die Mendelejeffschen Reihen, und die Influenza und die Hegelsche Weltseele, und Virchows Zellenlehre und die Ausgrabungen in Olympia, und die Hypnose und der Zündhölzchen-Automat nichts sind, dann bedauere ich, aber ich muß Sie für voreingenommen halten. Bedenken Sie auch, wie kurz dieses Jahrhundert war. Wäre es nur um zehn Jahre länger gewesen, so hätte ich gewiß auch noch die Erfindung der Entdeckung des Nordpols gemacht, denn Genie genug bin ich dazu. Ich bin überhaupt – verstehen Sie wohl, Madame –, ich bin das sogenannte naturwissenschaftliche Jahrhundert! Das induktive Jahrhundert bin ich, Madame!"

„Das ist weiter was Rechtes", sagte sie leichthin.

„Sogar die Spektralanalyse hab' ich erfunden!" sprudelte er weiter, „ist das auch nichts?"

„Ja, das ist etwas", sagte sie, „aber auch das einzige. Übrigens verdanken Sie es gerade einer jener Indiskretionen, von denen wir früher sprachen. Das einundzwanzigste Jahrhundert hat es Ihnen ausgeplaudert, als Sie es zufällig so trafen wie heute mich. Das arme Ding büßt es schwer. Es ist zum vierzigsten Jahrhundert vor Christi Geburt degradiert worden, auf dem Planeten Barbaria, der sich um den Kleinen Hund bewegt. Auch ein Vergnügen, sechzig Jahrhunderte lang wieder emporzuklimmen, bis man sich selber wieder eingeholt hat. Ich würde mich in einem solchen Falle aufhängen."

„Also die Spektralanalyse lassen Sie gelten?" rief der Herr triumphierend.

„Ja", entgegnete sie, „alles andere, was Sie mir da sagen, ist Aufwärmung von altem Zeug. Der Nietzsche auch und der Bismarck auch. Sie sind – Sie entschuldigen schon, aber Sie sind es wirklich – Sie sind ein von Herrschaften abgelegtes Jahrhundert."

Wütend sprang er auf und schrie: „Und die Sezession! Habe ich nicht auch die erfunden?"

„Nein, mein Herr", sagte sie trocken; „die Sezession ist gut, aber die hat sich selber erfunden."

Der Herr warf die Flügel seines schwarzen Macfarlane weit zurück und stürzte sich auf die Dame, um sie zu erwürgen.

Aber er hielt inne, zu Stein erstarrt.

Hoch über ihnen, irgendwo im Unendlichen, wurde ein seltsames Geräusch hörbar. Es war, wie wenn jemand im Parke wandelt, auf wohlgekiestem Pfade, und der Kies knirscht unter seinen Schuhen.

Das Gezänk der beiden Jahrhunderte verstummte. Beide griffen sich mit beiden Händen nach dem Kopfe, mit einer Bewegung, als wollten sie sich die Ohren zuhalten, um jenes Knirschen nicht zu hören.

Denn jener Pfad im Parke war die lange und breite Milchstraße, und der knirschende Kies unter jenen Tritten, das waren lauter Sterne. Jedes Sandkorn ein ungeheurer Fixstern, und die Stäubchen daran seine Planeten.

Die beiden blickten scheu empor und horchten. Langen, gemessenen Schrittes wandelte Es dort oben geruhig einher. Sie sahen Es nicht, denn Es war unsichtbar. Aber unter seinem Gewichte knirschte der Kies. Und wie Es dahinschritt, sahen sie den Atem seines Mundes. Sie merkten ihn an dem Gewirbel der Sterne, die der Hauch durcheinanderjagte. Und all das milliardenfache Gefunkel und Geflimmer wich vor ihm aus wie Wasser und schlug hinter ihm wieder zusammen wie schäumende Wogen.

Lange blickten sie ihm nach, den Schweigefinger auf den Lippen, und spannten das Gehör.

Dann reichten sie sich stumm die Hände und gingen auseinander, jedes nach seiner bestimmten „Erde".

Und all dies geschah in jener Billionstel-Sekunde, die zwischen dem Ende des alten und dem Anfang des neuen Jahrhunderts lag.

Erstveröffentlichung in:
Ludwig Hevesi: Die fünfte Dimension. Humore der Zeit, des Lebens, der Kunst, Wien, bei Carl Konegen, 1906, S. 97-108 (vgl. Kat.-Nr. 272).

Inhalt

Grußwort des Ministerpräsidenten des Landes Baden-Württemberg

Große Landesausstellungen bündeln wichtige Themen der Landes- und Kulturgeschichte Baden-Württembergs. Damit setzen sie wichtige Akzente in der Kulturpolitik unseres Landes. In meiner Regierungserklärung von 1996 habe ich erstmals solche jährlichen Veranstaltungen vorgeschlagen. Seither fanden insgesamt drei Große Landesausstellungen statt, die von der Öffentlichkeit auch weit über die Grenzen unseres Landes hinaus beachtet worden sind.

In diesem Jahr nun liegt es nahe, dass aus dem Kreis der staatlichen Museen unseres Landes die bevorstehende Jahrhundertwende zum Thema einer Großen Landesausstellung gemacht wird. Solche Zeitenwenden haben immer schon zum Rück- wie zum Ausblick gleichermaßen herausgefordert. Wie gehen wir mit diesem Thema um, lautet die Frage. Schwankend zwischen Apokalypse und utopischen Hoffnungen, wie dies in früheren Jahrhunderten oft der Fall war? Und welche Veränderungen werden durch Technologie, Forschung und neue kulturelle Entwicklungen im 21. Jahrhundert auf uns zukommen?

Zwei bedeutende staatliche Museen unseres Landes wenden sich diesem Thema nun gemeinsam in ihren Ausstellungen zu: das Badische Landesmuseum Karlsruhe mit einer umfangreichen Darstellung der Jahrhundertwenden vom Jahr 1000 n.Chr. an und das Landesmuseum für Technik und Arbeit in Mannheim, das sich speziell mit den technischen und sozialen Wandlungen um 1800, 1900 und 2000 beschäftigt. Ich freue mich, dass dabei eine neue Form der Zusammenarbeit gewählt worden ist und sich die beiden Museen auf eine gemeinsame Werbelinie verständigt haben.

Erleben wir im 21. Jahrhundert die *Brave New World* von Aldous Huxley oder behalten wir die gesellschaftlichen Kompetenzen, um auch die wirtschaftliche Globalisierung, Medienvernetzung und globale Kommunikation nach humanen und ethischen Grundsätzen weiterhin gestalten zu können? Was wäre aber, wenn am Ende der Herausgeber des *Le Monde diplomatique*, Ignacio Ramonet, Recht behielte, der über die Jahrtausendwende schreibt: *„Wirtschaftlich wächst alles zusammen, doch gesellschaftlich bricht Gewachsenes auseinander. Staaten zerfallen, Konzentration von Reichtum und Marginalisierung vieler Menschen kennzeichnen die Gesellschaften, ethnische Konflikte entflammen, die Ausbeutung der letzten natürlichen Ressourcen scheint unaufhaltsam. Wohin steuern wir? Wer steuert uns? Und wie können wir gegensteuern?"*

Unsere politische, geistige und ethische Verantwortung besteht darin, diesem pessimistischen Bild entschieden entgegenzutreten. Dafür werden wir im 21. Jahrhundert neue Regeln und Formen des gesellschaftlichen Umgangs entwerfen müssen. Anders als Ramonet befürchtet, wird dabei einer demokratisch legitimierten Politik die Rolle des Gestalters unseres Gemeinwohls zukommen – allein schon aufgrund des explodierenden Wachstums der Weltbevölkerung im nächsten Jahrhundert mit all seinen neuen Aufgaben und Herausforderungen.

Ich freue mich, dass das Badische Landesmuseum Karlsruhe dieses vielschichtige Thema für eine Landesausstellung aufgegriffen hat und dabei für ein vielfältiges Diskussionsangebot sorgt. Der Ausstellung wünsche ich einen ebenso großen Erfolg wie im vergangenen Jahr, als 150.000 Besucherinnen und Besucher zum Thema *1849/49. Revolution der deutschen Demokraten in Baden* in das Landesmuseum der Fächerstadt kamen.

Erwin Teufel

Vorwort

„Worauf stoßen wir an? Auf das kommende Jahrhundert, sagte er, das habt ihr wirklich nötig, dies war mein Jahrhundert, und ich bin ganz gut mit ihm zurechtgekommen, aber wer weiß, was ihr für Probleme mit dem haben werdet, das vor der Tür steht."

Antonio Tabucchi, einer der bedeutenden Schriftsteller unserer Gegenwart, läßt so in einer fiktiven Rede den großen portugiesischen Dichter des Jahrhundertbeginns, Fernando Pessoa, sprechen (*Lissaboner Requiem*, 1994). Welche Probleme werden wir mit dem beginnenden 21. Jahrhundert, gar dem dritten Jahrtausend, haben?

Jahrhundertwenden sind Brennspiegel des Denkens zurück und voraus, Rückblicke und Zukunftsblicke. Inwieweit sie dies schon immer waren, ist Thema dieser Ausstellung, die den Blick bis zum Jahr 1000, der ersten Millenniumswende, zurück und bis ins nächste Jahrtausend richtet.

Die Ausstellung hat vielerlei Neuland betreten und ihr Abenteuer viele Überraschungen besessen. Vom Jahr 1000, obwohl gerade dieses mit viel Mystifikation befrachtet ist, bis zum Jahr 1600 war die *Spurensuche* nach Zeugnissen des Jahrhundertwendebewußtseins nur von spärlichen Erfolgen gekrönt. Ab 1700 spielt das Wendebewußtsein um eine Jahrhundertwende eine zunehmend ausgeprägte Rolle. Das Jahr 1900 bildet den bisherigen Höhepunkt, für den der einleitende Text von Ludwig Hevesi ein höchst charakteristisches Zeugnis ist. Ob das *Wendedenken* im Hinblick auf 2000 bzw. 2001 (diese Frage ist hier nicht sehr relevant) eine neue Qualität erreichen wird, wird sich in den nächsten Wochen und Monaten abzeichnen.

Die Fragestellung unserer Ausstellung war neu und konnte auf wenig übergreifenden Forschungsarbeiten aufbauen. Erst mit der Arbeit von Arndt Brendecke 1999 kam – nach dem Buch von Hillel Schwartz 1992 – ganz zuletzt ein systematischer Zugriff auf das Thema an die Öffentlichkeit. Aber alle Angehörigen des Wissenschaftlichen Beirats unserer Ausstellung sahen dieses – wie breit und stark auch ausgeprägte – Wendebewußtsein und Wendeverhalten aller Jahrhundertwenden seit dem Jahr 1000 als eine legitime und wichtige Fragestellung an, die gemeinhin zwischen *Apokalypse* und *Utopie* angesiedelt wird.

So ist der Dualismus von apokalyptischem Endzeitbewußtsein und Zukunfts- und Aufbruchsstimmung die Matrix, aus der heraus die Konzeption der Ausstellung angegangen wurde. Wie weit sie tragfähig ist, möchten wir zur Diskussion stellen. Es sei nicht verhohlen, daß der neueste Forschungsstand der Geschichtswissenschaft, insbesondere der Mediävistik sowie die eigenen Recherchen im Zuge der Ausstellungsvorbereitungen die ursprünglichen Überlegungen, die an die z.B. von Joris-Karl Huysmans um 1900 formulierte These anknüpften *„Die Jahrhundertwenden gleichen einander; alle sind von Unsicherheit und Unruhe erfüllt."*, durchaus modifiziert haben.

Zahlen bedeuten zunächst im Denken der Menschen nicht viel, schon gar keine Jahres- und Jahrhundertzahlen. Andere Kulturkreise rechnen ohnedies anders als die christliche Welt: Das Jahr 2000 fällt im jüdischen Kalender ins Jahr 5760/61, im Islam ins Jahr 1421/22. Aber generell bedurfte es in der Welt des abendländischen Mittelalters überhaupt erst der Entwicklung eines Bewußtseins von Zeitepochen und damit Zeitgrenzen, die an Zahlen orientiert sind, und schließlich auch deren Verbreitung aus gelehrten Kreisen bis in das Wissen des Volkes.

Gewiß geben die Jahre 1000, 1300, 1500 auch vereinzelte Zeugnisse eines Jahrhundertwendebewußtseins her, aber erst mit dem Jahr 1600, nach den *Magdeburger Zenturien* (bis 1574) als Geschichtsschreibung nach Jahrhunderten, setzt sich ein *„chronikalisches Bewußtsein"* (Brendecke) durch. Dieser *„Jahrhundertbegriff"* von *„Blöcken"* war zunächst nötig, um nunmehr Wenden als „Grenzsteine" des Davor und Danach zu verstehen. Die individuelle (auch theologische) Erfahrung von *„Zeit"* wird zu einer historiographischen (Braungart). Die bewußten Wahrnehmungen der Wenden 1700, 1800 und 1900 lassen nunmehr eine zunehmende Fülle der Exponate in der Ausstellung zu. Hier hat dann auch mehr und mehr das Schwanken zwischen dem *„süßen Schmerz des Zuendegehens"* und den *„ungewissen Versprechungen eines Neubeginns"* (Hillel Schwartz) Platz gegriffen.

Die Landesausstellung *Jahrhundertwenden* zeigt – nach einem pointierten Prolog – die elf Wenden von 1000 bis 2000 in elf Kabinetten, in denen zunächst unmittelbare Wendezeugnisse, um die Wenden entstandene Apokalypsen und Utopien sowie die jeweils charakteristischen Zeugnisse der Zeitmessung und des Zeitbewußtseins im Mittelpunkt stehen. Da die Geschichte der abendländischen Utopien in der Neuzeit nicht ausschließlich auf die Zeiten von Jahrhundertwenden beschränkt ist, aber für das Zukunftsdenken insgesamt eine wesentliche Rolle spielt, ist sie – in Auswahl – jeweils als Sonderthema angeschlossen. Dies ist um so gerechtfertigter, als manche davon, wie Edward Bellamy 1887 oder populäre Sammelbildserien um 1900, gerade die Welt des Jahres 2000 zu ihrem Thema gemacht haben – Möglichkeit des Vergleichens von Utopie bzw. Prognose und eingetretener Wirklichkeit.

Jede der elf Stationen der Ausstellung wird ergänzt um Exponate, die die Themen Menschenbild, gebaute Umwelt, Verhältnis zur Natur und Technik und Kommunikation schlaglichtartig beleuchten wollen. Es handelt sich um Zeugnisse, die charakteristisch und innovativ für ihre Zeit, ob als *Wendezeit* bewußt oder nicht, sind und sie exemplarisch erläutern. Um die Phänomene der Jahrhundertwenden nicht unzulässig zu isolieren, hat Prof. Dr. Hermann Glaser 1000 Jahre abendländischer Geschichte in persönlicher pointierter Darstellung in einer *Zeitleiste* in die Ausstellung eingebracht, die zudem von Zeugnissen der Musik und der Kartographie ergänzt wird.

Abendländische Wendegeschichte von 1000 Jahren anhand von 350 Exponaten: Oft wurde eingefordert, Ausstellungen entsprechend thesenhaft zu konzentrieren. In der Regel ist aber auch die Kritik an Unvollständigkeit und Lückenhaftigkeit schnell herausgefordert. Beschränkte Mittel und begrenzte Leihmöglichkeiten haben aber ohnedies keine ausgreifendere Darstellung zugelassen. So will diese Ausstellung in erster Linie ein Essay sein, mit ausschnitthaften und zugespitzten Themen und Thesen und einer manchmal auch überraschenden Objektauswahl, die verschiedentlich die gekannten Pfade des stets Gezeigten verläßt.

Ist die Gesellschaft – die europäische – am Ende des Jahrtausends von Orientierungslosigkeit und Beliebigkeit geprägt; oder haben wir mit unseren politischen und sozialen Systemen den bestdenkbaren Endzustand (die beste aller Welten) erreicht, gar das *„Ende der Geschichte"*, weil sich nichts mehr wesentlich verändern soll und kann (Fukuyama)? Die jüngste Diskussion um Peter Sloterdijks Rede *„Regeln für den Menschenpark"* hat gezeigt, daß es Diskussionsbedarf um künftige Entwicklungswege und -grundsätze gibt. Viele andere Fragen ließen sich anschließen: Ob das System der wählergruppen- und lobbygeleiteten repräsentativen parlamentarischen Demokratien genügend Konsensstrukturen liefert, die Gesellschaften zu befrieden, ob die marktwirtschaftliche Wirtschaftsordnung den zunehmenden Mangel an (bezahlter) Arbeit und dem ebenso zunehmenden Überfluß freien Kapitals beherrschen kann, ob ökologisch Gebrauch und Verbrauch im Gleichgewicht zu halten sind, wie sich das alles in Anbetracht des explodierenden Wachstums der Weltbevölkerung als noch völlig vernachlässigter Problemstellung darstellt? Fragen übrigens, die die Utopien der Vergangenheit seit Thomas Morus auf ihre Weise zu ihrer Zeit bereits thematisiert haben.

Den Blick in die Zukunft, über das Jahr 2000 hinaus, nehmen in unserer Ausstellung Künstler, im Katalog Denker wie Franz Alt und Hermann Glaser vor; ihn präsentiert die Universität Karlsruhe (TH) auf verschiedenen Forschungsfeldern und schließlich können sich die Besucherinnen und Besucher, sogar die Nutzer des *world wide web* an der Diskussion über Zukunftsfragen im Internet-Zukunftsforum der Ausstellung, entwickelt zusammen mit dem Fraunhofer Institut für Chemische Technologie in Pfinztal-Berghausen, aktiv selbst beteiligen. So wird die Ausstellung nicht in Apokalypse und *Fin-de-siècle*-Stimmung Ende des 20. Jahrhunderts z.B. beim Computer-Problem 2000, bei Endzeitängsten und den *„Schrecken des Jahres 2000"* (Jean Baudrillard) stehenbleiben, sondern will engagierte Beiträge für die Zukunftsdiskussion leisten.

Diese Idee der Ausstellung, die ich seit etwa 1993 verfolgte, hat wie stets des selbständigen Engagements vieler bedurft, um sie wachsen zu lassen, zu entwickeln und schließlich zu realisieren. In erster Linie ist hier Dr. Jutta Dresch zu nennen, die das Projekt in jeglicher Hinsicht tatkräftig und umsichtig geleitet hat. Heidrun Jecht M.A. übernahm ebenso engagiert viele der für die Verwirklichung einer Ausstellung notwendigen Aufgaben. Wir danken den Mitgliedern des Wissenschaftlichen Beirates, der uns viele Ideen erschloß; hervorgehoben sei hier nur Prof. Dr. Hartmut Boockmann, der während der Erarbeitung des Bereichs Spätmittelalter für die Ausstellung überraschend verstarb. Kurt Ranger und sein Team sorgten für die gestalterische Realisierung. Auch allen im Haus Mitwirkenden, die von Claudia Seiffert M.A., Nina Gothe M.A. und Dr. Karen Bork betreute PR- und Marketingarbeit, die Restaurierungsabteilung, die unter Leitung von Wolfgang Knobloch auch für einen Großteil der Transporte sorgte, den verschiedenen Werkstätten und beteiligten Betrieben sei herzlich für ihre Arbeit gedankt. Die Museumspädagogik mit Dr. Gabriele Kindler, Andreas Haller und MitarbeiterInnen entwickelten die Idee des *Zukunftsforums* als interaktiven Beitrag zur Einbeziehung der Besucher und vor allem von Schulklassen. Das Zukunftsforum will mit dazu beitragen, daß die Ausstellung nicht nur auf die Vergangenheit bezogen ist, sondern auch die Zukunft in den Blick nimmt. In diesem Falle stimuliert durch ein Thema, das geradezu herausfordert, ist ein Museum auch Forum für Zukunftsfragen – ebenso durch ein vielfältiges Begleitprogramm zur Ausstellung. Jeder Blick in die Vergangenheit ist auch ein *Rückblick in die Zukunft*: immer im Blick auf Vergangenes auch an die Gegenwart und die Gestaltung der Zukunft zu denken, muß und wird auch verstärkt die Aufgabe der Museen im 21. Jahrhundert darstellen, um ein lebendiges Diskussionsforum von Kultur und gesellschaftlicher Verfaßtheit zu sein.

So kann auch für die kommende Wende gelten, was der Straßburger Theologe Theobald Ziegler 1899 in seinem vielbeachteten Buch über die geistigen und moralischen Grundlagen des 19. Jahrhunderts schrieb: *„[..] ein Altes ist im Ablaufen, ein Neues zieht herauf, und wir spüren es [..]. Aber eben weil wir Übergangsmenschen sind und weil wir das spüren, soll es uns auch an diesem Sylvesterabend des Jahrhunderts in Selbstbetrachtung und Einkehr zum Bewußtsein kommen, was dieser Übergang für uns bedeutet."*

Harald Siebenmorgen

Unsichtbare Schwellen: Jahrhundertwenden aus zeitgenössischer Sicht

Arndt Brendecke

Was sind Jahrhundertwenden? Die Frage ist einfach, allzueinfach: Jahrhundertwenden, so könnte man sagen, sind die Grenzscheiden zweier Jahrhunderte. Aber wer hat diese Grenze je gesehen, wer hat sie gespürt, oder ertastet? Die Jahrhundertwenden, die wir eigentlich meinen, finden in den Köpfen statt. Wir haben ihnen dort einen erstaunlich großen Raum eingerichtet, der vielerlei Vorstellungen und Assoziationen zu beherbergen vermag.

Selten wohl sind die Jahrhundertwenden, ihre Inhalte und Räume so unmittelbar vor Augen gestanden, ja begehbar geworden, wie in dieser Karlsruher Ausstellung. Man lädt ein zu einer Wanderung, die über die Schwellen der Zeit durch die Jahrhunderte führt. Hier erlebt man Geschichte, erfährt man historische Zeit als musealen Raum. Geschichte läßt sich freilich allenfalls in symbolische Zeit-Räume auflösen und die Frage drängt sich auf, mit welchen Gefühlen, Ängsten oder Erwartungen die Zeitgenossen jene unsichtbaren Schwellen überschritten, die von einem Jahrhundert in das andere führten.

Die Jahrhundertwenden finden in den Köpfen statt. Wir haben ihnen dort einen erstaunlich großen Raum eingerichtet.

Die Antwort liegt zum großen Teil dort, wo Jahrhundertwenden nun mal stattfinden, d.h. in den Köpfen ihrer Zeitgenossen. Zeit, das ist ein altes Paradox, ist überall gegenwärtig aber nirgends sinnlich wahrnehmbar. Wir können sie nur auf Umwegen, gleichsam durch den Spiegel der Veränderung, beobachten. Zunächst waren es die Rhythmen der Natur, der Jahres- und Tageskreis, das Hell und Dunkel, Warm und Kalt einerseits, die kulturellen Rhythmen, Feste und Termine andererseits, die die Zeit *erfahrbar* machten. Der Kalender und das Ticken der Uhren machten sie zählbar. Die *Jahrhunderte* sind eine späte Erfindung. Sie sind weitaus jünger als die *Woche*, der *Monat* oder auch die *Stunde*. Zwar gab es bereits in der römischen Antike die Idee des *saeculum*, einer längeren Zeitspanne, die die maximale Dauer einer lebenden Generation zu umfassen hatte. Doch das antike *saeculum* wurde nie zu einer fixen Zeiteinheit, an der man sich hätte orientieren können. Es begegnet mal mit 100jähriger, mal mit 110jähriger Dauer und sehr häufig als Ausdruck einer unbestimmten längeren Zeit, als *Zeitalter* oder *Generation*.

Das Ende eines *saeculum* wurde gemäß etruskischer Vorstellungen durch entsprechende Kulthandlungen und Spiele, die *ludi saeculares*, gefeiert. Der Vergleich mit modernen Jahrhundertwenden liegt dabei nahe, aber die Unterschiede überwiegen: So besaß das *saeculum* der Römer ausschließlich für den kultischen Bereich Bedeutung; niemand gliederte die Geschichte in eine Säkularreihe; niemand datierte im Rahmen ihrer Zählung.

Die Jahrhundertwenden sind ein fast ausschließlich neuzeitliches Phänomen. Das Mittelalter ließ zunächst auch die antiken Ansätze eines Säkularbrauches wieder in Vergessenheit geraten. Das *saeculum* stand nun schlicht für *Welt* oder *Zeitalter*. Was aber sollte am Ende eines Jahrhunderts Beachtung finden, solange es noch kein Jahrhundert gab? Die runde Zahl? Auch hier ernüchtern die Quellen, und dies in zweierlei Hinsicht. Zum einen hatte die runde Zahl noch lange nicht ihren heutigen Reiz erworben; Maße, Münzen und Zahlenspiele – all dies war noch lange nicht auf das Dezimalsystem geeicht, man hantierte viel lieber mit der 7, der 12 oder der 60. Zum anderen hatte die Jahreszählung *„nach Christi Geburt"* noch nicht jene Bedeutung als allgemeingültige Referenzzeit, auf die sich jeder für sich und alle zugleich bezogen. Man behalf sich auf anderen Wegen, datierte nach den Regierungsjahren von Fürsten oder Päpsten, und bis in das 6. Jahrhundert hinein war selbst die Zählung der Jahre *„nach Christi"* unbekannt. In der Folgezeit blieb diese Zählung – die Inkarnationsära – nur eine unter vielen. Die arithmetische Zahlenreihe der Jahre nach Christi Geburt war sehr viel abstrakter als etwa die natürliche Generationenfolge der Könige, die einem in Fleisch und Blut oder doch wenigstens in lebhafter Vorstellung vor Augen stand. Die Textur der Zeit hatte also noch ein anderes Muster und es bleibt zu fragen, wann sich dorthinein der Faden des Jahrhunderts wob, der heute so dominant geworden ist.

Wenn man all dies berücksichtigt, so ist es nicht verwunderlich, daß die Zeitgenossen wenigstens der frühen Jahrhundertwenden diese gar nicht wahrnahmen. Frühe Jahrhundertwenden lassen sich daher nur aus der Rückschau als solche bezeichnen, man könnte fast sagen, es hat sie gar nicht gegeben.

Die erste Jahrhundertwende, bei der wir guten Gewissens annehmen können, daß sie mehr war als ein Eckstein unserer eigenen Erinnerung, ist die von 1300. Schon während des 13. Jahrhunderts waren in verschiedenen Kontexten Ansätze eines mittelalterlichen Jahrhundertbegriffs aufgetaucht. Und Papst Bonifaz VIII. sah sich schließlich zu Beginn des Jahres 1300 – die Umstände sind kaum zu klären – mit einer Schar von Rompilgern konfrontiert, die annahm, man könne im *hundertsten Jahr* zu Rom einen Ablaß der Sündenstrafen erhalten. Diese Sache, so verwunderlich sie war, kam Bonifaz politisch gelegen. Er verkündete daher tatsächlich einen allgemeinen Ablaß der Sündenstrafen, der weitere Pilger nach

Rom zog. Bonifaz etablierte damit das Heilige Jahr oder, wie es in Anlehnung an das hebräische Jobeljahr, das in der Bibel im Buch Leviticus (Kap. 25) beschrieben ist, auch hieß, das Jubeljahr (*annus jubilaeus*). Das Heilige Jahr sollte seinem Willen zufolge alle hundert Jahre stattfinden. Da man es jedoch bereits 1350 wiederholte und bald im 25-jährigen Rhythmus ausrief, entwickelte es sich keineswegs zu einem religiösen Fest der Jahrhundertwende. Die Pilgerströme der Jubeljahre waren viel zu ertragreich für die Kassen Roms, als daß man sie nur alle hundert Jahre hätte begrüßen wollen.

In den Jahren 1400 und 1500 fanden abermals Heilige Jahre statt. Darüber hinaus findet man nur sehr wenige Hinweise auf die Besonderheit des Datums. Von Festen oder historischen Rück- und Ausblicken, die sich auf die runden Daten dieser Jahrhundertwechsel richteten, ist nichts in Erfahrung zu bringen. Noch immer waren die Jahrhundertwenden wenig markant, fiel das Licht und der Schatten der öffentlichen Aufmerksamkeit auf andere Daten und Ereignisse. Deutlich wird dies etwa im Bereich der christlichen Endzeiterwartungen, die, obwohl sie gerade im ausgehenden Mittelalter weit verbreitet waren und sich einer geradezu eklektischen Beliebigkeit öffneten, gegenüber dem Thema des Jahrhunderts und seiner Wende unempfänglich blieben.

Bis in das Jahr 1600 hinein hatte sich die Lage in zweierlei Hinsicht verändert. Zum einen war mittlerweile das Jahrhundert als historische Gliederungseinheit erfunden worden. Zum anderen hatte der römische Brauch des Jubeljahres ein Stück seiner Selbstverständlichkeit verloren. Schon Luther hatte sich ja entschieden gegen den Ablaß gewendet und tüchtig gegen das Jubeljahr polemisiert, das in den Jahren 1525, 1550, 1575 und 1600 wieder stattfand. Vielleicht kann man nun im Jahre 1600 davon sprechen, daß das Ereignis der Jahrhundertwende wirklich als solches wahrgenommen wurde, denn nun hielten einige protestantische Prediger zum 1. Januar 1600 feierliche Festpredigten, die zum einen den römisch-katholischen Brauch des Jubeljahres verurteilten, zum anderen auf das 16. Jahrhundert zurücksahen, das ja die neue protestantische Konfession hervorgebracht hatte. Ein neuer und zentraler Baustein der Jahrhundertwende war damit gefunden: Die festliche und termingerechte historische Rückschau auf ein Jahrhundert. Noch immer aber blieb die Jahrhundertwende ein Randphänomen, auf das nur wenige Prediger und einige Humanisten reagierten. Allzusehr fehlten noch die festen Formen, die lebendigen Vorstellungen und die Bedeutungszuschreibungen, die uns heute die Jahrhundertwende zu einem so hochwichtigen Ereignis machen. Immer noch fand der Vorgang der Jahrhundertwende in den Köpfen der Zeitgenossen kaum Platz, maß man ganz anderen Dingen und Zeichen ein größeres Gewicht bei.

Ein neuer und zentraler Baustein der Jahrhundertwenden war gefunden: Die historische Rückschau auf ein Jahrhundert.

1700 hatte sich diesbezüglich nur wenig geändert: Der Begriff des Jahrhunderts war nun zwar geläufiger, da er in den Geschichtsbüchern eine didaktische Schlüsselrolle übernommen hatte. Der größte Entwicklungssprung in der Geschichte des Jahrhundertwendephänomens vollzog sich jedoch erst im Laufe des 18. Jahrhunderts, als immer mehr Menschen begannen, dem Fortgang der Geschichte große Bedeutung beizumessen. Historische Zeit wurde nun immer häufiger durch die Reihe der Jahrhunderte vor Augen geführt, wobei man jedem einzelnen Jahrhundert einen bestimmten Geist oder Charakter beimaß, als wäre es ein lebendiges Wesen. Das eigene Jahrhundert hatte man in Frankreich bereits in den 1720er Jahren als *siècle de lumière* bezeichnet und auch in Deutschland sprach man am Ende des 18. Jahrhunderts – wenn auch teils mit Ironie – von einem *aufgeklärten* oder *philosophischen* 18. Jahrhundert. Wird man das kommende 19. Jahrhundert als ein *friedliches* bezeichnen dürfen? Eine Frage, die vor dem Hintergrund von Revolution und Krieg am Ende des 18. Jahrhunderts an Aktualität gewann. Von großer Bedeutung für die ansteigende Aufmerksamkeit für die Schwellen der Zeit war zweifelsohne der Fortschrittsgedanke, der das eigene und das gesellschaftliche Glück zu einer *Frage der Zeit* erklärte. Die Hoffnung des Fortschritts sensibilisierte für den Fortgang der Zeit, sie stellte Fragen in den Raum des öffentlichen Interesses, die man zuvor nicht oder nicht mit der selben Dringlichkeit zu hören bekam. Für Wilhelm von Humboldt war nun beispielsweise klar: *„An dem Schlusse eines vollendeten Jahrhunderts bietet sich unserm Nachdenken sehr natürlich die Frage dar: wo stehn wir? welchen Theil ihres langen und mühevollen Weges hat die Menschheit zurückgelegt?"*

Der größte Entwicklungssprung in der Geschichte des Jahrhundertwendephänomens vollzog sich im 18. Jahrhundert.

Es ist damit noch nicht viel darüber gesagt, wie der einzelne den Jahrhundertwechsel tatsächlich erlebte. *„Soll ich dir auch mein 12 Uhr beschreiben?"* schrieb Caroline Schlegel aus Braunschweig an Schelling: *„Es hatte blos ein innerliches Daseyn, rings herum kein Laut, kein einzig festlich Zeichen. Es gab allerley Gesellschaften, aber ich hätte bey keiner seyn mögen, auch die übrigen mochten nicht; Luise ging nur ein paar Stunden auf einen Ball und kam um 10 Uhr zurück. Schlegel befand sich nicht wohl, er schlief in meiner Stube auf dem Sopha den ganzen Abend. Ich war noch zu Luisen hinuntergegangen, denn zu Bett legen wollte sich doch keiner; wir brauten eine kleine Schale Punsch mit* huile de Canele, *der Schlag 12 überraschte uns, [...] Es war nicht eine einzige öffentliche Feyer hier angestellt, so dass sich ausser dem Nachtwächter, der ein langes Lied sang, nichts vernehmen liess."*

Was also für den einen ein großes Fest geworden war – und in vielen Dörfern und Städten vornehmlich des reichen Sachsens hatte es 1800/1801 anhaltende Jahrhundertwendefeierlichkeiten mit Festpredigten und -reden, mit nächtlichen Umzügen und Gesängen, gegeben – das war dem anderen eine Stunde der Ruhe oder der Besinnung. Im Süden und Westen des Reiches lagen die Dinge anders, denn hier hatten die Franzosen weite Landstriche besetzt.

Um 1900 gab es die Fin de siècle-Stimmung und den wilhelminischen Zukunftsoptimismus.

Die Jahrhundertwende 1900 hob sich von dem vergleichsweise unbekümmerten Enthusiasmus von 1800 ab. Schon im Vorfeld hatte man sich angeschickt, mehr das Ende als die Wende des Jahrhunderts zu betonen, am deutlichsten wohl im Schlagwort vom *Fin de siècle*, das seit den 1880er Jahren zunächst in Frankreich und schließlich auch in Deutschland kursierte. Aber auch hier kommt es sehr darauf an, wo man hinsieht: Während sich in der intellektuellen Kultur um 1900 eine Stimmung des Pessimismus und der Erschöpfung breit machte, schlug einem aus den Zeitungskolumnen wilhelminischer Optimismus entgegen. Dort zelebrierte man – nicht zuletzt in den Kommentaren zur Jahrhundertwende selbst – das junge deutsche Reich, das 1870/71 mit einem erfolgreichen Feldzug gegen Frankreich geeint worden war, und sagte ihm eine große wirtschaftliche und weltpolitische Bedeutung voraus.

Jahrhundertwenden, so viel ist deutlich geworden, sind äußerst schwer zu verallgemeinern. Zum einen deshalb, weil jede einzelne Jahrhundertwende in einem individuellen historischen Kontext stattfand. Zum anderen, weil sie in den Köpfen ihrer Zeitgenossen auf die verschiedensten Vorstellungen stießen, weil sie auf diese Weise bei dem einen Hoffnung, bei dem anderen Sorge auslösen konnten, und den dritten kaum berührten: *„Eigentlich mag ich ganz gerne an den zeitlichen Wendepunkten stillehalten und vor- und rückwärtsblicken"*, notierte die Gräfin Spitzemberg in ihrem Tagebuch am 31. Dezember 1899, *„aber gerade ein neues Jahrhundert sagt mir nichts Besonderes!"*

Literatur:

Brendecke, Arndt: Die Jahrhundertwenden. Eine Geschichte ihrer Wahrnehmung und Wirkung, Frankfurt am Main / New York 1999.

Müller, Winfried: Erinnern an die Gründung. Universitätsjubiläen, Universitätsgeschichte und die Entstehung der Jubiläumskultur in der frühen Neuzeit, in: Berichte zur Wissenschaftsgeschichte, Bd. 21, 1998, S. 79-102.

Schwartz, Hillel: Century's End. A Cultural History of the Fin de Siècle from the 990s through the 1990s, New York 1990.

Die deutschen Säculardichtungen an der Wende des 18. und 19. Jahrhunderts, hg. von August Sauer, Berlin 1901.

Spitzemberg, Baronin: Das Tagebuch der Baronin Spitzemberg geb. Freiin v. Varnbüler (1865-1914). Aufzeichnungen aus der Hofgesellschaft des Hohenzollernreiches. Ausgew. u. hg. v. Rudolf Vierhaus, Göttingen 1960.

Zehn Jahrhunderte Zeitrechnung und Zeitmessung

Gerhard Dohrn-van Rossum

Zeitrechnung und Zeitmessung wurden an der Wende zum zweiten Jahrtausend vor allem in den Klöstern betrieben. Die christlichen Festtage waren teils an den aus der römischen Antike übernommenen julianischen Kalender mit dem Sonnenjahr, teils an den jüdischen Mondkalender mit seinen gegenüber dem Sonnenkalender beweglichen Festen gebunden. Das Osterfest war nach der biblischen Überlieferung zeitlich an das jüdische Passahfest gebunden. Da die astronomischen Zyklen der Sonne und des Mondes nicht übereinstimmen, erforderte der stets notwendige kalendarische Kompromiß große Aufmerksamkeit, zumal die einheitliche Begehung des Osterfestes für die um das Mittelmeer und in Europa verstreute Christenheit von großer Bedeutung war.

Für die Christen bildeten die Festtage im Jahreslauf das Leben, Leiden und Sterben des Jesus Christus nach. Besonders in den Klöstern wurde auch die Liturgie der täglichen Gebete als Nachvollzug der Passion verstanden. Die Beachtung der Tageszeiten war daher für das Leben nach der Mönchsregel von großer Bedeutung. Tagsüber verfolgte man den Sonnenstand mit Hilfe meist noch einfacher Sonnenuhren, nachts verfolgte der Sakristan den Lauf der Sterne, brannte Kerzen ab oder zählte die eigenen Gebete. Schwierig vor allem bei bedecktem Himmel war die Ermittlung des Zeitpunkts für die kurz nach Mitternacht beginnenden Morgenoffizien. Deshalb verließ man sich in den Klöstern nicht nur auf astronomische Hilfsmittel, sondern versuchte auch, die eher vom Hörensagen bekannten antiken Wasseruhren zu verbessern. Stimulierend wirkten dabei Nachrichten und Beschreibungen aus der islamischen Welt von aufwendigen Wasseruhren mit Figuren- und tönenden Spielwerken. Die komplizierten arabischen Wasseruhren verdankten sich ihrerseits der im Westen weitgehend verlorenen Überlieferung antiker Mechanik. Ebenfalls durch den Islam vermittelt kam das Astrolab, ein astronomisches Beobachtungsgerät, das sich auch zur nächtlichen Zeitbestimmung eignete, nach Europa. Die mit Schwimmern und Gewichten, mit Zahnrädern und Zifferblättern, mit Schellen und Glöckchen immer aufwendiger gestalteten Wasseruhren in den mittelalterlichen Kirchen und Klöstern dienten vor allem als Wecker, seltener auch als Antriebe astronomischer Modelle. Aber sie waren nicht nur ungenau und unzuverlässig, sondern wegen der jahreszeitlich wechselnden Dauer der Nacht auch schwierig zu warten.

Um die Wende vom 13. zum 14. Jahrhundert wurde in Europa die mechanische Uhrwerkhemmung entwickelt, eine Vorrichtung, durch die die Drehung einer gewichtsgetriebenen Welle zuverlässig so reguliert werden kann, daß sie an einem Tag eine Umdrehung beschreibt. Zur Regulierung diente eine hin- und herschwingende kreis- oder balkenförmige Unruhe. Diese zukunftsweisende Neuerung wurde damals allerdings nicht wahrgenommen. Große Aufmerksamkeit erregte erst der zu Beginn des 14. Jahrhunderts zusätzlich entwickelte Mechanismus zum automatischen Schlag der Stundensequenz. Die stundenschlagenden Uhr wurde als erster Automat bewundert. Aber Uhrwerkhemmung und Stundenschlag ließen sich nur sehr schwer an die im Mittelalter üblichen jahreszeitlich unterschiedlich langen Tages- und Nachtstunden anpassen. Die Ausbreitung der neuen Uhren auch im städtischen Raum zog daher den Übergang zum Gebrauch der vierundzwanzig gleich langen Tagesstunden im bürgerlichen Leben nach sich. Ebenfalls im 14. Jahrhundert tauchten in Europa Sanduhren zur Bemessung von Stunden und Stundenteilen auf. Die Städte installierten Türmeruhren, Turmuhren und große Stundenglocken, in den Kirchen wurden monumentale Uhren mit astronomischen Indikationen, Musik- und Figurenspielwerken errichtet.

Die Entwicklung mechanischer Uhren führte im 14. Jahrhundert zur Einführung von 24 gleich langen Stunden.

Um die Wende zum 15. Jahrhundert begannen Versuche, den Gewichtsantrieb durch Antriebe aus aufgewickelten Stahlfedern zu ersetzen. Bald gab es nicht nur private Hausuhren, sondern auch transportable und dann auch Tischuhren und am Körper getragene Uhren, die in einiger Zahl erhalten sind. Durch die Verbindung der Federtrommel mit einer schneckenförmigen Welle wurde die nachlassende Zugkraft der Feder ausgeglichen. Alle Uhren wurden bis ins 19. Jahrhundert mit Hilfe von Sonnenuhren nach der Sonnenzeit des jeweiligen Ortes einreguliert. Neue Sonnenuhren mit einem parallel zur Erdachse montierten Schattenstab (Polstab) ermöglichten weit genauere Tageszeitbestimmungen nach gleichen und ungleichen Stunden auch unabhängig von der Jahreszeit. Der inzwischen merkbar gewordenen Differenz zwischen der christlichen Osterberechnung und den beobachteten Frühjahrsäquinoktien trug im Jahre 1582 die von Papst Gregor XIII. angeordnete, zunächst aber nur in katholischen Ländern eingeführte Kalenderreform Rechnung.

Die seit dem 16. Jahrhundert in eigenen Zünften organisierten Uhrmacher konzentrierten sich auf den Bau von kunsthandwerklich immer aufwendiger gestalteten Uhren für den privaten Gebrauch. Nur vereinzelt wurden zu astronomischen Zwecken Präzisionsuhren konstruiert, deren Genauigkeit im Sekundenbereich lag.

Am Ende des 16. Jahrhunderts entdeckte Galileo Galilei den Isochronismus des Pendels, d.h. das Prinzip, daß die Dauer einer Pendelschwingung nicht von seinem Gewicht, sondern nur von seiner Länge abhängig ist. Später hat er die Eignung des Pendels als Zeitnormal zwar erkannt, aber erst dem Holländer Christian Huygens gelang in der Mitte des 17. Jahrhunderts die Herstellung von minutengenauen Pendeluhren für den allgemeinen Gebrauch. Huygens gelang es auch, das Pendel durch eine schwingende Spirale zu ersetzen und damit ein Zeitnormal für die modernen tragbaren Uhren zu entwickeln.

Erst seit dem 17. Jahrhundert wußten die Menschen, in welchem Jahrhundert sie leben. Erst jetzt wurde diese neue Form der zeitlichen Gliederung der Weltgeschichte europäisches Allgemeingut. Jahrhundertwenden feiert man erst seit dem Jahre 1800.

Die Präzisionsfortschritte bei der Zeitmessung führten zur Entdeckung der *Zeitgleichung*: Infolge der Ellipsenbahn der Erde um die Sonne und der Neigung der Erdachse gegen ihre Bahnebene sind die Tage nicht gleich lang, sondern schwanken im Jahresverlauf bis -14 Minuten im Februar und +16 Minuten im November. Nach einem damaligen geflügelten Wort war damit der gestirnte Himmel als vollkommene Uhr durch menschlichen Erfindergeist entthront. Äquationsuhren, die die Zeitgleichung automatisch berücksichtigten, zeigten jetzt die korrigierte mittlere Sonnenzeit, die sich erst seit dem Ende des 18. Jahrhundert in der Öffentlichkeit durchsetzte. Das Leben nach der Uhr wurde zur bürgerlichen Lebensmaxime und sekundengenau gehende Uhren zu prestigeträchtigen Ausstattungsstücken. Für die Hochseenavigation wurde die Entwicklung der Schiffschronometer zu einer überlebenswichtigen Frage, und auf diesem Gebiet entwickelte sich in England und in Frankreich die Technik der Präzisionsuhren im 18. Jahrhundert besonders rasch.

Der Versuch der französischen Revolutionäre, die geschichtliche Zeitrechnung mit dem ersten Jahr der Republik neu beginnen zu lassen und die Woche und den Tag dezimal, das sollte heißen nach Vernunftprinzipien und frei von christlichem Aberglauben, zu unterteilen, endete schon kurz nach der Wende zum 19. Jahrhundert an der Macht alter Gewohnheiten und an der Unmöglichkeit, die revolutionäre Zeitrechnung in der konservativen europäischen Staatenwelt durchzusetzen.

Die rasche Entwicklung des Eisenbahnwesens seit Beginn des 19. Jahrhunderts machte für die Zeitgenossen nicht nur die Beschleunigung des technischen Fortschritts augenfällig, sie brachte dem reisenden Publikum auch die Bedeutung der Minutenpünktlichkeit der Fahrpläne nahe. Die Uhrtürme der Bahnhöfe lösten die Türme der Kirchen, Rathäuser und Poststationen als zentrale Orientierungspunkte ab. Der Zusammenschluß der regionalen Eisenbahnnetze warf die Frage nach der Vereinheitlichung der Ortszeiten in nationalem Rahmen oder für bestimmte geographische Regionen auf. Nachdem 1844 der Nullmeridian der Längengrade verbindlich durch das englische Observatorium in Greenwich gelegt worden war, wurde 1884 auf Vorschlag eines kanadischen Eisenbahningenieurs das heute noch gültige weltweite Zeitzonensystem zu jeweils 15 Graden eingeführt. In Deutschland wurde 1893 die mittlere Sonnenzeit des 15. Längengrades östlich von Greenwich als gesetzliche Zeit verbindlich. Das Eisenbahnwesen machte die elektrische oder drahtlose Übertragung der nationalen Zeitstandards erforderlich.

Im zwanzigsten Jahrhundert löste die Armbanduhr die Taschenuhr als notwendiges, aber auch modisches Alltagszubehör ab. Ihre Massenfertigung begann um 1930. In der jüngsten Zeit sind durch die Entdeckung der Eignung der Schwingungen des Quarzkristalls als Zeitnormal die mechanischen Uhrwerkhemmungen zu technischen Raritäten geworden. Durch die physikalische Neudefinition der Sekunde hat an der Wende zum 21. Jahrhundert die astronomische Zeitbestimmung ihre Jahrtausende währende Bedeutung verloren. Im Gegensatz zu den modernen Naturwissenschaften und anders als in der modernen Kommunikationstechnik ist der Lauf der Zeit für das alltägliche Bewußtsein aber erfahrbar und anschaulich geblieben.

Im 20. Jahrhundert wurde die Armbanduhr Alltagszubehör für Jedermann.

Endzeit-Visionen.
Zur Ikonographie von Apokalypse und Totentanz

Johannes Zahlten

Universale und individuelle Endzeiterwartungen sind als Thema künstlerischer Auseinandersetzung in den unterschiedlichsten Medien vom Mittelalter bis in unsere Zeit immer wieder anzutreffen, denkt man etwa an Francis Ford Coppolas Film *Apocalypse now* (1979) oder HAP Grieshabers Holzschnittfolge *Totentanz von Basel* (1966). Auch in der Gegenwartsliteratur bestimmt die Thematik des apokalyptischen Untergangs – um ein bekanntes Beispiel zu nennen – die Struktur von Umberto Ecos Roman *Der Name der Rose* (1980). Nicht nur in den Verweisen auf die Miniaturen im Apokalypse-Kommentar des Beatus von Liébana, sondern vor allem in der eindrucksvollen Predigt des blinden Jorge von Burgos wird dies deutlich, wenn er das Ende des Universums und den kommenden Schrecken ankündigt: *„[...] Es ist die* Bestia immunda: *Der Antichrist!"* und fortfährt: *„Vielleicht wollt ihr jetzt sagen: Nein, der ist noch nicht gekommen, wo sind die Vorzeichen seiner Ankunft? Toren, seid ihr mit Blindheit geschlagen? Wir haben sie doch tagtäglich vor Augen, die unheilverkündenden Katastrophen, im großen Amphitheater der Welt wie in ihrem verkleinerten Spiegelbild dieser Abtei [...]"*.

Zwei Aspekte werden hier angesprochen: Der Untergang der gesamten Schöpfung, wie ihn die Offenbarung des Johannes prophezeit, und der Tod des Einzelnen, worauf die Morde in der Abtei verweisen. Damit sind die beiden Themenkreise angerissen, die uns im Folgenden beschäftigen werden: Apokalypse und Totentanz. In gebotener Kürze sollen einige exemplarische Momente ihrer ikonographischen Entwicklung vorgestellt werden.

Vorausgeschickt seien einige Bemerkungen zur literarischen Quelle, die den bildlichen Darstellungen jener Endzeitvisionen in der christlichen Kunst zugrunde liegt. Es ist der Text der Apokalypse des Johannes aus dem Neuen Testament, geschrieben wohl zwischen 81 und 96 n.Chr. zur Zeit der Verfolgung der jungen Kirche durch den römischen Kaiser Domitian, unter dem der Schreiber nach Patmos verbannt worden war, wo das Buch entstand. Es ist in sieben Hauptteile gegliedert:

1. Nach der Eingangsvision mit der Berufung des Sehers folgen die sieben Sendschreiben an die christlichen Gemeinden in Kleinasien, in Ephesus, Smyrna, Pergamon, Thyatira, Sardes, Philadelphia und Laodicea (Kap. 2,1-3,20).
2. Die Offenbarung Gottes inmitten der 24 Ältesten und der vier Wesen; Vision des Lammes, das allein würdig ist, die Siegel des siebenfach versiegelten Buches zu lösen, worauf das Strafgericht beginnt: Erscheinung der vier apokalyptischen Reiter, Erdbeben und Verfinsterung der Welt (4,1-8,1).
3. Mit dem Lösen des letzten Siegels treten die sieben Posaunenengel, durch die die Katastrophen gesteigert werden, auf (8,2-11,19).
4. In der Mitte des Buches erscheint das apokalyptische Weib am Himmel, verfolgt vom Drachen, der von Michael besiegt und auf die Erde gestürzt wird, wo in seinem Gefolge zwei weitere Ungeheuer auftreten. Das Lamm und die 144.000 Gerechten finden Zuflucht auf dem Zion; das Gericht wird angekündigt (12-14).
5. In sieben Visionen werden von Engeln die sieben Schalen des Zornes als Strafe über die Erde ausgegossen (15,1-16,21).
6. Gericht über die Hure Babylon und Vernichtung Babylons unter dem Jubel des Himmels (17,1-19,10).
7. Wiederkunft Christi, Fesselung des Satans für 1.000 Jahre, Jüngstes Gericht, Vision des neuen Himmels und der neuen Erde, Erscheinen des Himmlischen Jerusalems (19,11-22,5). Beglaubigung der Offenbarung durch den Seher (22,6-21).

Wurde zunächst der hier skizzierte Text eschatologisch, d.h. als Vorhersage der Ereignisse beim Weltuntergang interpretiert oder symbolisch als Kampf der Kirche gegen den Satan verstanden, so trat später eine geschichtstheologische Deutung in den Vordergrund, etwa durch Joachim von Fiore (1130-1202), welche die Apokalypse zeitbezogen sah. Bis in die Neuzeit wurde immer wieder ihr Bezug zum jeweiligen Weltgeschehen hergestellt. So verwundert es nicht, daß auch die Kunstgeschichte Apokalypsebilder spekulativ mit Epochen der Endzeiterwartung in Zusammenhang brachte, eine These, die sich bei genauer Betrachtung nicht halten läßt. Zwar ist ein gehäuftes Auftreten solcher Motive zu gewissen Zeiten, etwa um 1000 oder um 1500, nicht zu leugnen, auch nicht ein Zusammenfallen von Entstehungsdaten künstlerischer Werke mit großen Ereignissen, aber ein konkreter, gesicherter Zusammenhang mit sogenannten Zeitenwenden ist kaum festzumachen. Dies gilt ebenfalls für das vermeintliche Wahrnehmen eines Wendebewußtseins an den Jahrhundertenden in früheren Zeiten.

Ein vermutlich erster monumentaler Apokalypse-Zyklus entstand 684 in England (Wearmouth-Yarrow), wie aus einer Notiz von Beda Venerabilis hervorgeht. Durch schriftliche Zeugnisse ausreichend gesichert ist jedoch erst eine solche Bilderfolge für die französische Abtei Fleury (St. Benoît-sur-Loire), die Abt Gauzelin um 1030 malen ließ. Der Inhalt der 18 großen Darstellungen ist durch die Tituli, die Bildunterschriften, bekannt.

Universale und individuelle Endzeiterwartungen sind Themen der Kunst vom Mittelalter bis heute.

In der Buchmalerei setzt eine Fülle von Illustrationen apokalyptischen Inhalts am Ende des 8. Jahrhunderts ein, angeregt durch den um 776 entstandenen Kommentar zur Apokalypse des oben erwähnten spanischen Mönches Beatus von Liébana. Allein mehr als zwanzig solcher illustrierter Beatus-Handschriften sind überliefert, die zwischen dem 10. und 13. Jahrhundert angefertigt wurden, wobei die bedeutendsten aus der 2. Hälfte des 10. Jahrhunderts stammen. Unter den karolingischen Handschriften muß zunächst die Trierer Apokalypse (nach 800) genannt werden, der mehrere spätkarolingische Werke folgten. Kurz nach 1000 entstand auf der Insel Reichenau die Bamberger Apokalypse, die 50 zum Teil ganzseitige Miniaturen zur Offenbarung des Johannes enthält. Die Häufung von Apokalypse-Illustrationen um die Jahrtausendwende hatte dazu geführt, eine Weltuntergangsstimmung in jener Epoche zu vermuten, bezogen auf die erwähnte Textstelle, daß nach 1.000 Jahren der gefesselte Satan wieder freigelassen würde, und die Aussage des Kirchenvaters Augustinus, daß diese 1.000 Jahre mit der Ankunft Christi begännen.

Während in den folgenden Jahrhunderten die Gesamtdarstellungen der Apokalypse abnahmen – ab dem 12. Jahrhundert trat vor allem das Jüngste Gericht in den Vordergrund, etwa in der Portalskulptur der Kathedralen –, bildete sich ab der Mitte des 14. Jahrhunderts ein zweiter Schwerpunkt, der diese Thematik bevorzugte. In einer Zeit großer Katastrophen (Pest, Seuchen, Kriege, Hungersnöte), in der übrigens auch Ecos Roman spielt, besaß sie eine neue Aktualität. So ließ Kaiser Karl IV. nach 1357 die Marienkapelle seiner Burg Karlstein mit Szenen aus der Apokalypse schmücken, die seine Lieblingslektüre war. Noch in die erste Hälfte des Jahrhunderts gehören die in Neapel entstandenen sog. Erbach'schen Tafeln in der Stuttgarter Staatsgalerie, deren zahlreiche Einzelszenen der zeitgenössischen Buchmalerei nahe stehen. Um 1375/80 ließ Ludwig I. von Anjou nach Entwürfen des königlichen Hofmalers Hennequin von Brügge durch Nicolas Bataille in den Pariser Hofwerkstätten die berühmte Teppichserie von Angers anfertigen. Sie umfaßt sechs große Teppiche (6 x 24 m) mit 84 Apokalypseszenen; die gesamte Folge ist 145 m lang. Wohl schon um 1400/1410 ist der aus dem Umkreis Meister Bertrams von Minden stammende Apokalypse-Altar zu datieren, der heute im Victoria and Albert Museum in London verwahrt wird. Diese exemplarische Aufzählung läßt sich mühelos durch weitere Beispiele, vor allem aus der Buchmalerei, ergänzen.

Vorbereitet durch Block-Bücher in den Niederlanden (um 1430) und Süddeutschland (um 1450) kennzeichnet Albrecht Dürers Holzschnittfolge *Die geheime Offenbarung Johannis* (Nürnberg 1498 – die lateinische 2. Auflage *Apocalipsis cum figuris* erschien 1511) mit ihren 14 Blättern einen dritten zeitlichen Schwerpunkt, der um das Jahr 1500 das Thema erneut aufleben läßt. Außer zahlreichen, zum Teil von Dürer angeregten graphischen Serien und der kurz zuvor beendeten Fensterrose an der Westfassade der Sainte-Chapelle in Paris müssen hier die monumentalen Wandfresken Luca Signorellis in der Capella di San Brizio am Dom von Orvieto genannt werden, die er zwischen 1499 und 1502 in kürzester Zeit ausführte. In ihnen nimmt das Wirken des Antichristen eine zentrale Rolle ein, verbunden mit Szenen des Jüngsten Gerichts. Zugleich endete mit diesem Auftrag auch die monumentale Darstellung des apokalyptischen Geschehens in der westlichen Kunst, während sie im Bereich der Ostkirche weiter bestehen blieb.

In der Druckgraphik hielt sich das Thema auch noch in der nachreformatorischen Zeit, löste sich aber immer mehr von den durch Dürer und Cranach vorgegebenen Schemata. Ein Wiederaufleben im 20. Jahrhundert belegen die Lithographie-Serien eines Odilon Redon (12 Blätter), eines Lovis Corinth (6 Blätter) und Max Beckmann (27 Blätter) oder die Holzstiche Karl Rössings (18 Blätter), zu denen noch viele Einzelblätter apokalyptischer Szenen kommen, wie von Kirchner, Dix, Grosz, Masareel oder Pankok, um nur einige zu nennen.

Im Totentanz rückt das individuelle Sterben des Menschen in den Vordergrund.

Im Gegensatz zum apokalyptischen Untergang als universales Ereignis, wie es in der Kunst bis gegen 1500 fast ausschließlich anzutreffen war, entwickelte sich um die Mitte des 15. Jahrhunderts eine neue Darstellungsweise, die das individuelle Sterben des Menschen in den Vordergrund rückte, der Totentanz. Wurde seine Entstehung in verschiedenen Formen der Dichtung vermutet, in der Volksanschauung vom nächtlichen Tanz der Toten über den Gräbern oder in einem Würzburger Bilderbogen (um 1350), so läßt sich seine bildnerische Umsetzung erst um die Mitte des 15. Jahrhunderts fassen. Als älteste erhaltene Darstellung gilt das 26 Meter lange Fresko an der Außenseite der nördlichen Chorschranke in der Abteikirche La Chaise-Dieu in der Auvergne (um 1460). Doch schon zuvor gab es bedeutende Wandmalereien zu diesem Thema, die alle der Zerstörung anheim fielen: Die *Dance macabre* an der Friedhofsmauer des Klosters Aux Innocents in Paris (1425), die Totentänze an den Mauern der Friedhöfe der Dominikanerkonvente in Großbasel und Klingenthal bei Basel (um 1440/50), von denen wir durch die Holzschnittfolge von Guyot Marchant (1485) und durch Nachzeichnungen bzw. wieder aufgetauchte Fragmente Kenntnis haben. Bernd Notkes Lübecker Totentanz, 1463 unter dem Eindruck der Pest für die Marienkirche entstanden, fiel 1942 den Bomben zum Opfer, während von seinem Revaler Totentanz (1468) Teile erhalten sind. Ein nahezu intaktes Beispiel ist in der Berliner Marienkirche (1484) zu sehen, der Berner Totentanz des Nikolaus Manuel Deutsch (1516/19) wiederum nur in einer Kopie von 1649 im Historischen Museum der Stadt. Gemeinsam ist diesen Darstellungen, daß Geistliche und Laien aller sozialen Schichten von Toten, die teilweise Totengräberwerkzeug tragen, zum Reigentanz gezwungen werden, zu dem ihnen in Anwesenheit eines Predigers auf der Kanzel von einem Tod als Dudelsackpfeifer oder einem mehrköpfigen Totenorchester aufgespielt wird. In einigen Fällen, wie in Berlin, sind die nach Geistlichen und Laien getrennten beiden Gruppen der Tanzenden auf das Mittelbild des Gekreuzigten ausgerichtet.

Sind die großformatigen Wandbilder des Totentanzes größtenteils zerstört worden, so haben sich doch eine Reihe von spätgotischen Holzschnittbüchern erhalten, welche die gleichen ikonographischen Motive zeigen: Ständepersonen im Tanz mit Gerippe oder halbverwesten Toten, zum Teil von entsprechenden Versen begleitet. Eines der ältesten ist das Münchner Blockbuch von 1465, gedruckt in Basel, dem 1485 *Der Doten Dantz mit Figuren* bei Knoblochzer in Heidelberg folgte, im selben Jahr wie Marchants *Dance macabre*. Zeigen diese Bildfolgen noch den friesartigen Charakter der vielfigurigen Wandbilder, so entwickelt sich am Beginn des 16. Jahrhunderts ein neues Bildkonzept, das Einzelszenen aneinander fügte und das Totentanzmotiv zu Bildern des individuellen Sterbens umwandelte. Ausgangswerk war hier die Holzschnittfolge Hans Holbeins d.J., zwischen 1523 und 1526 entworfen und vom Baseler Holzschneider Hans Lützelburger geschnitten, die Anregungen vom Großbaseler Totentanz empfing. Eine erste Ausgabe mit 41 Blättern erschien 1538 in Lyon unter dem Titel *Les simulachres & historiees faces de la mort [...] (Bilder des Todes)*. Sie ist unter dem Namen *Der Große Totentanz* bekannt, um sie von Holbeins Entwurf einer Totentanz-Dolchscheide und von seinem Totentanzalphabet zu unterscheiden. Klangen schon in Nikolaus Manuels Berner Totentanz politische und gesellschaftskritische Aspekte an, so spricht aus einigen Holzschnitten Holbeins deutlich die Kritik an sozialen, sittlichen und kirchlichen Mißständen und unterscheidet sie so von dem Aufmarsch der Stände in früheren Darstellungen.

Hier knüpften teilweise seine Nachfolger an, wandten sich aber zunehmend detaillierten Einzelszenen zu, welche Gewalt und Schrecken des Todes betonen. In Barock und Rokoko wurden die Bildfolgen durch Darstellungen des Sündenfalls, der Vertreibung aus dem Paradies und ähnliche Szenen erweitert. In diesen Epochen treten auch wieder monumentale Totentanzzyklen auf, von denen exemplarisch drei genannt seien: Eine umfangreiche Serie von Totentanz-Gemälden hat sich in der Petri-Kirche zu Wolgast/Vorpommern erhalten, die ursprünglich die Emporenbrüstung der Gertrudenkapelle schmückten. Sie sind mit Caspar Sigmund Köppe signiert, in das Jahr 1700 datiert und können als freie, volkstümliche Nachahmung holbeinscher Anregungen aufgefaßt werden. Um 1741 entstand die Ausmalung der sog. Krypta, eines Raumes unter der Bibliothek des Stiftes Altenburg in Niederösterreich mit grotesken Totentanz- und *Memento-Mori*-Motiven. Ikonographisch interessant sind hier vor allem jene gemalten Skelette, die ihren Attributen nach olympische Götter darstellen. Schließlich sei noch Felix Hölzls Totentanz von 1763 in der Totenkapelle auf dem St. Petersfriedhof in Straubing erwähnt. Gemalte Rocaillerahmen, die oft mehrere Szenen zusammenfassen, zeigen ausgehend vom Sündenfall Adams und Evas genrehafte Todesszenen in Kostüm und Umgebung des 18. Jahrhunderts, durch darunter stehende Verse erläutert. Ist hier die religiöse Substanz durchaus noch erkennbar, tritt am Ende des Jahrhunderts eine Verweltlichung der Totentanzidee ein und führt zu anderen Fragestellungen der Todesikonographie.

Ausgangspunkt dieser Ausführungen waren Apokalypse und Totentanz als universale und individuelle Visionen des Untergangs, die Welt als Ganzes, aber auch den einzelnen Menschen betreffend. Beide stehen miteinander in Beziehung, verknüpft in der bildenden Kunst durch ein drittes endzeitliches Motiv, das des Jüngsten Gerichts. In der Offenbarung des Johannes heißt es im 20. Kapitel, Vers 12f.: *„Es wurden gerichtet die Toten nach dem, was in den Büchern geschrieben ist, gemäß ihren Werken. Das Meer gab seine Toten wieder, Tod und Totenreich gaben ihre Toten wieder, und sie wurden gerichtet, ein jeder nach seinen Werken."* Die hier geschilderte Auferstehung der Toten ist fester ikonographischer Bestandteil vieler Darstellungen des Jüngsten Gerichts. Der individuelle Tod, wie er in den Totentanzbildern dargestellt wird, der ohne Rücksicht auf jeglichen Stand das Ende des menschlichen Lebens charakterisiert, bildet nur eine erste Phase in jenem apokalyptischen Prozeß, dessen Fazit *„gemäß ihren Werken"* am Jüngsten Tag gezogen wird.

Im 15. Jahrhundert erfährt die Ikonographie des Jüngsten Gerichts eine Veränderung. Sein universaler Anspruch geht zugunsten der bildlichen Darstellung eines individuellen Todes verloren, wenn bereits am Sterbebett die Kämpfe zwischen den Mächten des Guten und des Bösen um die Seele des Sterbenden ausgefochten werden.

Literatur:

Apokalypse. Ein Prinzip Hoffnung?, Ausst.-Kat. Ludwigshafen, Heidelberg 1985.

Ariès, Philippe: Geschichte des Todes, München 1980.

Bilder und Tänze des Todes. Gestalten des Todes in der europäischen Kunst seit dem Mittelalter. Ausst.-Kat. Unna/Paderborn, Paderborn 1982.

Chadraba, Rudolf: Apokalypse des Johannes, in: Lexikon der christlichen Ikonographie. Bd.1. Rom, Freiburg, Basel, Wien 1968, Sp.123-142.

Eco, Umberto: Der Name der Rose, München, Wien 1982.

Groteskes Barock. Ausst.-Kat. Stift Altenburg, Wien 1975.

Himmel, Hölle, Fegefeuer. Das Jenseits im Mittelalter, Ausst.-Kat. Zürich, Köln, Zürich 1994.

Nikolaus Manuel Deutsch. Maler, Dichter, Staatsmann, Ausst.-Kat. Bern 1979.

Rosenfeld, Hellmut: Der mittelalterliche Totentanz. Entstehung, Entwicklung, Bedeutung, Köln 1968.

Rosenfeld, Hellmut: Totentanz, in: Lexikon der christlichen Ikonographie, Bd. 4. Rom, Freiburg, Basel, Wien 1972, Sp.343-347.

Thema Totentanz. Kontinuität und Wandel einer Bildidee vom Mittelalter bis heute, Ausst.-Kat. Mannheim 1986.

Williams, John: Frühe spanische Buchmalerei, München 1977.

Die Bilder der Jahrhundertwenden

Jutta Dresch

Im Mittelalter war für die Wahrnehmung größerer Zeiträume nicht die kalendermäßige Aneinanderreihung der Jahre entscheidend. Diese zählte man in der Regel nach der Regierungszeit des aktuell regierenden Landesherren oder des Bischofs. Vielmehr waren der Kreislauf der Jahreszeiten und die im Jahreszyklus aufgehobenen Monate das Maß der Zeit. Denn in der agrarischen Gesellschaft war das Leben bestimmt von den in den Ablauf der Jahreszeiten eingepaßten bäuerlichen Tätigkeiten, ein Tun, das Voraussetzung für die ausreichende Nahrungsmittelproduktion war und damit existenzielle Bedeutung hatte.

Dieses Verständnis von Zeit fand seinen Niederschlag in künstlerischen Darstellungen. Sinnbilder des übergeordneten Jahres waren die Personifikation des Annus und die Reihe der zwölf *Monatsbilder*. Der Annus wurde in der Regel in der Mitte eines Zeitrades als bärtiger, zum Teil fellbekleideter Mann dargestellt. Monatsbilder gibt es seit dem 9. Jahrhundert. Sie weisen auf die landwirtschaftlichen Arbeiten und auf die kirchlichen Feste des jeweiligen Monats hin. Anfänglich waren es nur Einzelfiguren, die mit Attributen ausgestattet wurden, z.B. mit Werkzeugen oder mit den im entsprechenden Monat reifenden Früchten. Später entstanden Monatsbilder auch als figurenreiche Szenen vor Landschaftshintergrund (aus denen sich die autonomen Genre- und Landschaftsbilder entwickelten). Bisweilen wurden den Monatsbildern die zugehörigen Tierkreiszeichen beigefügt. Insgesamt stehen die Monatsbilder für den immer wiederkehrenden Kreislauf des Jahres, nicht aber für die geschichtliche Fortentwicklung der Zeit.

Als Mahnung im Sinne des *memento mori* wurden seit dem 14. Jahrhundert vor allem in druckgraphischen *Totentanz*-Folgen verwesende Leichname oder Sensenmänner dargestellt, die den Lebenden jeglichen Alters und Standes begegnen und diese zum Mitkommen ins Jenseits auffordern. Totentanz-Bilder gemahnen deshalb an die Vergänglichkeit des irdischen Daseins. In diesem Zusammenhang halten die Sensenmänner häufig als Hinweis auf die verrinnende Zeit Stundengläser, also Zeitmeßgeräte, in Händen. Hier wird zwar die begrenzte individuelle Lebenszeit des Menschen angesprochen, aber es finden sich keine Andeutungen auf die Thematisierung des historischen Zeitverlaufs.

Die antike Mythologie lieferte die Vorbilder: Chronos Thanatos, Janus.

Erst mit dem Aufkommen des Bewußtseins für das Jahrhundert als Ordnungsprinzip der Zeit und dem damit verbundenen Bewußtsein für die Jahrhundertwenden entstand ein Bedarf an solchen Bildern. Folgerichtig finden sie sich seit 1700, als die Jahrhundertwende erstmals von politischer Seite und in der Bevölkerung gewürdigt wurde. Für die Darstellungen der Zeit und der Jahrhundertwenden griffen die Künstler auf ikonographische Vorbilder aus der antiken Mythologie zurück, auf die Darstellungen des *Chronos*, des *Thanatos* und vor allem des *Janus*. Diese Bilder blieben dann bis zur Jahrhundertwende 1900 im wesentlichen unverändert.

Aufgrund der Wortgleichheit war *Kronos*, der Titan aus der griechischen Mythologie und Vater des Zeus, schon in der Antike mit *Chronos* (griechisch: Zeit) gleichgesetzt worden. In der europäischen Kunst erscheint Chronos als Personifikation der Zeit. Er wird dargestellt als geflügeltes Wesen, meist als alter, bärtiger und sehr hagerer Mann, der nur in ein Tuch gehüllt ist. Als Attribute sind ihm – wie den *memento mori*-Figuren – Sense und Stundenglas beigegeben. Eine inhaltliche Nähe zu diesen Darstellungen wird auch dadurch offensichtlich, daß Chronos besonders in der Barockzeit häufig auf Grabmälern erscheint. Als Sinnbild der Jahrhundertwende wurde Chronos unterschiedlich dargestellt. Insbesondere wird gezeigt, wie er aus massiven Steinblöcken einen pyramidenartigen Turm aufbaut. Durch entsprechende Inschriften gekennzeichnet, steht dabei jeder Stein für ein seit Christi Geburt vergangenes Jahrhundert. An jeder Jahrhundertwende wird dem massiven Bauwerk ein weiterer Stein hinzugefügt, der – je nach Darstellung – Symbol des ausgehenden oder des anbrechenden Jahrhunderts ist. In diesem Bildzusammenhang erscheint in der Figur des Chronos die Zeit als Architekt der Menschheitsgeschichte, die mit jedem Jahrhundert einen weiteren Baustein erhält. In dem wachsenden „*Denkmal der letzten Zeiten*" (so auf einer Medaille von 1700) ist damit die Gesamtheit der Menschheitsgeschichte seit Christi Geburt gemeint.

Mit dem Bewußtsein für die Jahrhundertwende und ihrer sinnbildlichen Verkörperung in menschlicher Gestalt kam auch die Vorstellung auf, das zur Neige gehende Säkulum würde tatsächlich sterben. Damit lag es nahe, daß das in der griechischen Mythologie vorgeformte Bild des Todes, das des *Thanatos*, als Zeichen der zu Ende gehenden Epoche in die Ikonographie der Jahrhundertwenden aufgenommen wurde. Thanatos wird traditionell als geflügelter Jüngling dargestellt und hat als Attribut eine nach unten gerichtete, verlöschende Fackel bei sich. Ist dem Bild des sterbenden Jahrhunderts in einer weiteren Figur das beginnende Jahrhundert beigegeben, so hält diese als Zeichen des Neuanfangs eine eben angezündete Fackel in die Höhe.

Aus der Vorstellung vom sterbenden Jahrhundert ergibt sich zudem die Darstellung einer alten, greisenhaften Personifikation

1800 vereinten sich im Bild der aufgehenden Sonne die Hoffnungen für das neue Jahrhundert: Frieden und Vernunft.

für das ausgehende Jahrhundert und folgerichtig eine jugendliche, kindliche und gar als neugeborenes Kind erscheinende Gestalt für das anbrechende Jahrhundert.

In der römischen Antike war *Janus* der Gott der Tordurchgänge sowie des Aus- und Eingangs. So wie jede Tür nach zwei Seiten weist, wurde Janus doppelköpfig dargestellt und zwar mit zwei gleichartigen männlichen Gesichtern, die in entgegengesetzte Richtungen blicken. Im Staats- und Privatleben des antiken Rom wurde der Anfang wichtiger Unternehmungen unter den Schutz des Janus gestellt. Insbesondere galt dies für Kriegshandlungen. Der als überwölbtes Doppeltor gebaute Janus-Tempel auf dem Forum Romanum war Sinnbild dafür, denn er war nur in Friedenszeiten geschlossen. Schon in der Antike war Janus auch Personifikation des Anfangs und des Endes – hatte also eine zeitliche Dimension: Der Neujahrstag und alle Monatsersten waren ihm gewidmet. Der erste Monat des Jahres, der Januar, ist nach ihm benannt. Mit dieser traditionellen Bedeutung bot sich Janus ideal an, in der europäischen Kunst Sinnbild des Jahrhundertwechsels zu werden.

So taucht er dann auch bereits 1700 bei der ersten überlieferten Feier aus Anlaß einer Jahrhundertwende auf. Bei einem Straßenumzug in Zittau trennte eine Janus-Figur symbolisch die beiden Teile des Festzuges, von denen der eine das ausgehende 17. und der andere das beginnende 18. Jahrhundert thematisierte. Auch auf Medaillen, die zur Jahrhundertwende 1700 geprägt wurden, erscheint das Bild des Janus. In Abwandlung des antiken Vorbilds wurde er hier nicht mehr gleichgesichtig dargestellt, sondern mit einem greisenhaften Gesicht, das die vergangene Zeit symbolisiert, und mit einem jugendlichen Gesicht für das beginnende Zeitalter. Dies entspricht der schon beschriebenen Vorstellung vom sterbenden und vom neu geborenen Jahrhundert. In einer weiteren Abwandlung des Motivs wurde als Zeichen für die Jahrhundertwende auch das Gesicht eines alten Mannes und das einer jungen Frau zum Janus-Kopf zusammengefügt.

Die Zweigesichtigkeit des Janus fand in der Ikonographie der Jahrhundertwenden weitere Variationen: Die Münchner Kunstzeitschrift *Jugend* stellte sich mit dem Titelblatt ihrer ersten Ausgabe des Jahres 1900 in diese Tradition. Hier erscheint das Bild des Janus als eine monumentale, wie aus Sandstein gehauene Doppelbüste, die schräg ins Bild gesetzt ist. Das zu Ende gegangene 19. Jahrhundert ist als alte Frau dargestellt und wird vom Betrachter abgewandt gezeigt. Das beginnende 20. Jahrhundert ist durch eine dem Betrachter zugewandte junge Frau verkörpert; ihr sind als zukunftsweisende Sinnbilder ein frühlingshaft blühender Strauch und ein in die Ferne und damit in die Zukunft blickender Jüngling zugeordnet.

Ein Bild der Jahrhundertwende, das vor allem an der Wende zum 19. Jahrhundert benutzt wurde und auch noch hundert Jahre später auftaucht, steht in keinem Zusammenhang mit der antiken Ikonographie: *Die aufgehende Sonne*. Die Sonne gilt als Zeichen der Unsterblichkeit und des Neubeginns, da sie sich jeden Morgen aufs neue aus dem Dunkel erhebt. Sie ist Quelle des Lichts, der Wärme – des Lebens schlechthin. Für die Zeit um 1800 ist die Sonne in unmittelbarer Beziehung zu den Ideen der *Aufklärung* zu sehen, wenn diese auch an der Realität der Französischen Revolution und dem Ausgreifen des revolutionären Frankreich auf Europa zerbrochen waren. Dieser Zusammenhang ergibt sich aus den unterschiedlichen Bedeutungen des Wortes *aufklären*, das zum einen für *eine Sache aufklären/erklären* steht und andererseits *aufhellen* meint.

An der Jahrhundertwende 1800 vereinten sich im Bild der aufgehenden Sonne die Erwartungen, die in das neue Zeitalter gesetzt wurden: Hoffnung auf Frieden, Hoffnung auf eine politisch aufgeklärte Epoche. Karl Ludwig Knebel, der in Weimar dem Kreis um Goethe und Schiller angehörte, beschreibt in einem *Dem neuen Jahrhundert* gewidmeten Gedicht einen Sonnenaufgang und endet dann mit den Worten: *„Und auf Blindheit und Nacht folge nun Licht und Vernunft."* Und Jean Paul zeichnet in seiner *Huldigungspredigt vor und unter dem Regierungsantritt der Sonne, gehalten am Neujahr 1800 vom Frühprediger dahier* ein pessimistisches Bild seiner Zeit und formuliert dann doch einen an die Sonne gerichteten Wunsch für das neue Jahrhundert: *„Ach! wirst du dann noch, segnendes Gestirn, unter unsern Füßen auf eine ganz neue Welt voll geraubter, mit Narben und Schweiß bedeckter Menschen scheinen, welche dein heiliges Licht nur quälen kann? – O gib Liebe der alten Welt und Freiheit der neuen! –"*

1800, 1900: Jahrhundertwenden als Übergangsrituale

Wolfgang Braungart

In den zweiten Band seines Hyperion-Romans von 1799 fügte Friedrich Hölderlin ein Gedicht ein, das unter dem Titel *Hyperions Schicksalslied* bekannt geworden ist. Trotz seiner freirhythmischen Formen evoziert das Gedicht durch seine Typographie, daß es in einer ästhetischen Tradition mit der Antike steht und einen geschichtlichen Zusammenhang zwischen Antike und Moderne ästhetisch herstellt. Das Gedicht erinnert in seiner Form an die antike Ode.

Hyperions Schicksalslied

Ihr wandelt droben im Licht
Auf weichem Boden, selige Genien!
Glänzende Götterlüfte
Rühren euch leicht,
Wie die Finger der Künstlerin
Heilige Saiten.

Schicksallos, wie der schlafende
Säugling, atmen die Himmlischen;
Keusch bewahrt
In bescheidener Knospe,
Blühet ewig
Ihnen der Geist,
Und die seligen Augen
Blicken in stiller
Ewiger Klarheit.

Doch uns ist gegeben,
Auf keiner Stätte zu ruhn,
Es schwinden, es fallen
Die leidenden Menschen
Blindlings von einer
Stunde zur andern,
Wie Wasser von Klippe
Zu Klippe geworfen,
Jahr lang ins Ungewisse hinab.[1]

Götter und Menschen werden in dieser Ode einander schroff entgegengesetzt. Die Götter *„droben"* sind *„schicksallos"*; in ihrer kindlich-idealen Existenzform stehen sie völlig außerhalb der Geschichte. Deshalb vermittelt sich ihr Geschick auch nicht mit dem der Menschen[2]. Deren Existenzform ist die des Leidens, des Stürzens und Fallens im reißenden Fluß der Zeit. Man hört es förmlich am Rhythmus der poetischen Sprache; die einzelnen Verse stürzen über ihre Grenzen hinweg und in den nächsten Vers hinein. Das Gedicht trifft also eine ganz grundlegende Aussage über die *condition humaine:* Sinn, Ziel und Zweck menschlichen Lebens sind den Menschen selbst aufgegeben; das übernehmen die Götter nicht (mehr) für sie. Es gibt keine Struktur von Geschichte, durch die das je konkrete geschichtliche Ereignis von vornherein seinen Platz zugewiesen bekäme. Die Menschen müssen in der reißenden Zeit ihren Rhythmus, ihre Struktur selbst finden. Genau dies bedeutet nämlich Rhythmus von der Herkunft des Wortes her: Rhythmus ist das Haltgebende, Strukturierende im Fließenden. *„Daß im Finstern für uns einiges Haltbare sei"*, heißt es in Hölderlins großer geschichtsphilosophischer Elegie *Brot und Wein* (1800/1801)[3]. Die Aufgabe, bei deren Lösung Hölderlin und mit ihm auch die Frühromantiker der Poesie eine entscheidende Rolle zuweisen, könnte größer nicht sein. Sie charakterisiert die geistesgeschichtliche Situation um 1800, den Anbruch der Moderne.

Friedrich Schillers Jenaer Antrittsvorlesung vom Revolutionsjahr 1789 *Was heißt und zu welchem Ende studiert man Universalgeschichte?,* die noch stark der aufklärerischen Geschichtsphilosophie (Lessing, Herder) verpflichtet ist, skizziert das Programm einer Geschichtswissenschaft, in der das Subjekt nun die Fülle der Einzeldaten auswählt und auf den Menschen als Gattungswesen hin ordnet. Das Subjekt hat darum auch die Ordnungsvorstellungen, die Theorie zu liefern, in die die historischen Einzelbeobachtungen eingefügt werden, durch die sie zu allererst *Sinn* bekommen. Geschichtlicher Sinn braucht also zugleich eine Erinnerungs- und Reflexionskultur. Der *„philosophische Kopf"* stellt den Zusammenhang zwischen den Einzeldaten her[4]. *„Er steht immer im Mittelpunkt des Ganzen"*. Durch seinen *„harmonisch wirkenden Verstand"* verknüpft er *„das Große"* und *„das Kleine"*[5]. Die *Harmonie* in der Geschichte ist demnach auch hier nicht mehr von vornherein gegeben, insofern diese etwa heilsgeschichtlich auf ihre Erlösung am Ende der Zeit zuliefe; sie wird vielmehr zur stets neu zu leistenden Aufgabe. Diese so verstandene Konzeption der aufs Subjekt zulaufenden Universalgeschichte wird zum alles umgreifenden Ordnungsinstrument. Die vom Menschen geschaffene Universalgeschichte *„gibt Antwort"*, sie *„löst"* die einzelnen Fragen der Geschichte[6], indem sie aus *„der ganzen Summe dieser Begebenheiten [...] diejenigen heraus[hebt], welche auf die* heutige *Gestalt der Welt und den Zustand der jetzt lebenden Generation einen wesentlichen, unwidersprechlichen und leicht zu verfolgenden Einfluß gehabt haben."*[7] So kommt der Universalhistoriker *„zu einem vernunftmäßig zusammenhängenden Ganzen"*[8]. Diese Aufgabe, Geschichte selbst zu ordnen, selbst Ordnung in die Dinge zu bringen, hat jede Epoche neu zu leisten.

Weil diese Ordnungsleistung einerseits also vom Selbstbewußtsein und vom Vertrauen des Subjekts in sich selbst abhängt, andererseits immer erst im Nachhinein möglich und so der Sinn von Geschichte erst nachträglich sichtbar wird, also immer schon zu spät kommt, ist das Gelingen dieser Ordnungsleistung immer auch von Skepsis und Melancholie bedroht. Die Eule der Minerva, der Weisheit und der Einsicht, beginnt, wie Hegel in jenen berühmten, seltsam poetischen Sätzen der Vorrede zu den *Grundlinien der Philosophie des Rechts* (1821) formuliert hat, erst in der *„Dämmerung ihren Flug"*. Dort heißt es weiter über die Philosophie: *„Um noch über das* Belehren, *wie die Welt sein soll, ein Wort zu sagen, so kommt dazu ohnehin die Philosophie immer zu spät. Als der* Gedanke *der Welt erscheint sie erst in der Zeit, nachdem die Wirklich-*

keit ihren Bildungsprozeß vollendet und sich fertiggemacht hat. [...] Wenn die Philosophie ihr Grau in Grau malt, dann ist eine Gestalt des Lebens alt geworden, und mit Grau in Grau läßt sie sich nicht verjüngen, sondern nur erkennen; die Eule der Minerva beginnt erst mit der einbrechenden Dämmerung ihren Flug."[9]

Damit ist nur in den gröbsten Zügen ein Problem umrissen, das sich in solcher Entschiedenheit und Deutlichkeit erst am Ende des Jahrhunderts der Aufklärung stellt. Angesichts des realen Verlaufs, den die Französische Revolution nimmt, zerbrechen nun die letzten aufgeklärten Utopien einer kontinuierlichen, vernünftigen Vervollkommnung und Selbsterlösung menschlicher Geschichte. Schon um die Mitte des Jahrhunderts hatte Rousseau die Debatte darüber eröffnet, wie der Prozeß menschlicher Kultur grundsätzlich zu bewerten sei. Seit der in den 50er Jahren des 18. Jahrhunderts einsetzenden Rousseau-Rezeption wurde auch die deutsche Aufklärung mehr und mehr aufklärungsskeptisch.

Erstmals wurde nun die Jahrhundertschwelle und die Offenheit am Beginn eines neuen Jahrhunderts als ein tatsächlich möglicher Epochenwechsel wahrgenommen. Mit der Jahrhundertschwelle bot sich die *säkulare* Möglichkeit zur Strukturierung von Zeit, zur Rhythmisierung großer zeitlicher Verläufe. Es ist nicht zu übersehen, wie die Zeit um 1800 – und ihr ganz entsprechend die nächste Jahrhundertwende um 1900 – diesen Übergang nach dem Strukturmuster von Apokalypse und Utopie gestaltet und damit – sozusagen – semantisch angereichert hat. Der bloße Wechsel des Jahrhunderts ist als solcher ja nur formal und semantisch schwach. Daß er wahrgenommen wird, setzt voraus, daß andere Möglichkeiten, Zäsuren zu setzen und damit zu gliedern, an Bedeutung verloren haben. Im sogenannten *Ältesten Systemprogramm des Deutschen Idealismus,* an dessen Abfassung aller Wahrscheinlichkeit nach Hegel, Hölderlin und Schelling 1795/96 gemeinsam gearbeitet haben, werden rigoros alle Heilserwartungen verworfen, die in den Staat gesetzt werden könnten. Gezeigt werden soll, *„daß es keine Idee vom Staat gibt, weil der Staat etwas* mechanisches *ist, so wenig als es eine Idee von einer* Maschine *gibt. Nur was der Gegenstand der* Freiheit *ist, heißt* Idee. *Wir müssen also über den Staat hinaus! – Denn jeder Staat muß freie Menschen als mechanisches Räderwerk behandeln; und das soll er nicht; also soll er* aufhören. *[...] Zugleich will ich hier die Prinzipien für eine* Geschichte der Menschheit *niederlegen, und das ganze elende Menschenwerk von Staat, Verfassung, Regierung, Gesetzgebung – bis auf die Haut entblößen. Endlich kommen die Ideen von einer moralischen Welt, Gottheit und Sterblichkeit – Umsturz alles Afterglaubens, Verfolgung des Priestertums, das neuerdings Vernunft heuchelt, durch die Vernunft selbst – absolute Freiheit aller Geister, die die intellektuelle Welt in sich tragen, und weder Gott noch Unsterblichkeit* außer sich *suchen dürfen."*[10] Auch hier formuliert das Ich die *„Prinzipien für eine Geschichte der Menschheit"*. Indem die bedeutendsten Institutionen, Staat und Religion, verworfen werden, weil sich in ihnen die *Idee* des Menschen nicht darstellt, werden damit freilich zugleich auch zwei grundlegende Möglichkeiten verworfen, an denen sich gesellschaftliches Leben entwickeln, darstellen und strukturieren könnte. Der zweite Teil des kurzen Textes ist deshalb visionär, utopisch; aber er findet bei all seiner Emphase keine neue explizite, die soziale Welt prägende Struktur. Die Poesie soll *„Lehrerin der Menschheit"*, die Religion sinnlich und die Mythologie vernünftig werden, so daß es zu einer *„gleichen Ausbildung aller Kräfte, des Einzelnen sowohl als aller Individuen"* kommen kann[11]. Das wäre zugleich eine neue Religion, die hier aber ganz abstrakt bleibt und so – zum Beispiel – keine sinnlich erfahrbare Ordnung des Kirchenjahres mit seinem Wechsel von Alltag und Fest ersetzen könnte.

Mit ähnlichem Pathos entwirft 1799 Novalis in seinem Fragment *Die Christenheit oder Europa* die Utopie einer radikal erneuerten Christenheit, in der von *„Europas Versöhnung und Auferstehung"* ein Impuls für die *„andern Welttheile ausgeht: Aus dem heiligen Schooße eines ehrwürdigen europäischen Consiliums wird die Christenheit aufstehen, und das Geschäft der Religionserweckung, nach einem allumfassenden, göttlichen Plane betrieben werden. Keiner wird dann mehr protestieren gegen christlichen und weltlichen Zwang, denn das Wesen der Kirche wird ächte Freiheit seyn, und alle nöthigen Reformen werden unter der Leitung derselben, als friedliche und förmliche Staatsprozesse betrieben werden."*[12] Man kann hier und erst recht dann um 1900 von einem Jahrhundertwende-Syndrom sprechen. Um diese Jahrhundertwenden herum entsteht ein Bewußtsein, daß eine neue Zeit anbricht, mit all ihren *Offenheiten* und Risiken. *„Komm! ins Offene, Freund!"*, fordert Hölderlin in der Elegie *Der Gang aufs Land. An Landauer* 1800/1801.

1800 wurde erstmals die Jahrhundertschwelle als ein Epochenwechsel wahrgenommen.

Das bloße Datum erklärt dabei aber wenig. Die in ihm wahrgenommene Epochenschwelle wird von anderen Ereignissen überlagert und als solche noch verstärkt: vom revolutionären Geschehen in Frankreich natürlich, von den napoleonischen Kriegen, vom Frieden von Lunéville, den nicht nur Hölderlin begeistert aufgenommen hat.

Auch für die Zeit um 1900 lassen sich viele Gründe angeben, warum es im Blick auf den Wechsel des Jahrhunderts zu einer wirklichen End- und Wendezeit-Stimmung gekommen ist. Noch viel stärker als um 1800 wirkt das Datum als Katalysator, an dem sich eine tiefe Enttäuschung über die bürgerliche Epoche, ein tiefer Kulturpessimismus, Untergangs- und Todesahnungen, ja Todessehnsüchte artikulieren. Aber wie gesagt: Dafür ist der Jahrhundertwechsel nicht selbst verantwortlich; er bietet nur ein Strukturierungsangebot; er ist ein Katalysator. Der Jahrhundertwechsel wird nach dem Strukturmodell von Apokalypse und Utopie ausgelegt, also auch gestaltet.

Wie wohl nie zuvor in der deutschen Geschichte sind diese auf die letzte Jahrhundertwende bezogenen apokalyptischen Vorstellungen, die bis mindestens in den Ersten Weltkrieg hineinreichen, zugleich Impulsgeber für ein utopisches Denken, das sich auf verschiedenste Weise Bahn bricht: in Entwürfen und tatsächlich praktizierten Formen neuer sozialer Gemeinschaft, in kommunistischen und anarchistischen Projekten, in reformpädagogischen Versuchen, besonders aber – und darin ist die Wende zum 20. Jahrhundert der Zeit um 1800 durchaus vergleichbar – in Literatur, Kunst und neuer Religiosität. Das ist vielfach dargestellt worden[13]. Die utopische Phantasie, die nun in einem großen Schub neu aufbricht und über szientistische und technizistische Fortschrittsutopien weit hinausgeht, schließt die Apokalypse ein, ja setzt sie voraus: Nur wenn das Alte hinweggefegt wird, kann das ganz Neue anbrechen. So ist es schon in der Johannes-Apokalypse, der wichtigsten und bildmächtigsten biblischen Vision vom Weltende; und auch für die frühneuzeitlichen Utopien, ja für utopisches Denken überhaupt, ist konstitutiv, daß sie die Erfahrungswelt hinter sich lassen. Und so ist es noch in der Moderne, in der utopisches Denken jedoch unter einem grundsätzlichen Vorbehalt steht[14].

Jahrhundertwenden sind Schwellen- und Übergangszeiten, wenn dafür ein Bedarf da ist. Mit dem Anbruch der Moderne am Ende des 18. Jahrhunderts ist der Bedarf da. Schwellen- und Übergangszeiten bzw. Schwellen- und Übergangssituationen aber sind zugleich immer auch Situationen potentieller Verunsicherung und Desorientierung. Schon 1909 hat Arnold van Gennep in seinem bis heute wichtigen Buch *Les rites de passage*[15] deutlich gemacht, wie solche Situationen des Übergangs (z.B. von der primären zur sekundären Sozialisation, von einem Lebensalter zum anderen, von einem sozialen Raum, einem sozialen Stand zum anderen, von einer sozialen Gruppe oder Schicht zur anderen) durch den wiederholten Vollzug von Übergangsritualen geregelt, sozial verbindlich definiert und auf diese Weise stabilisiert werden. Bewältigung solcher Situationen heißt, sie in Ritualen zu gestalten. Läßt man sich durch diese Thesen van Genneps anregen, so scheint die Zuwendung zu Literatur und Kunst um 1800 und um 1900, die sich zugleich als eine geradezu religiöse Überhöhung von Kunst und Literatur darstellt, so daß Kunst und Religion bis zur Ununterscheidbarkeit ineinander aufgehen können, kein Zufall. 1800 und 1900 sind Wendezeiten der Moderne, in denen sie ihr Wendebewußtsein selbst inszeniert. In Kunst und Literatur hat sie die Medien ihrer Übergangsrituale wie auch die Gegenstände selbst, auf die hin sich das Wendebewußtsein ausrichtet und so konkretisiert – nicht selten in kultisch verehrender Form.

Anmerkungen:

1 Hölderlin, Friedrich: Gedichte, hg. von Jochen Schmidt (= Friedrich Hölderlin: Sämtliche Werke und Briefe. 3 Bde. Hg. von Jochen Schmidt, Bd. 1), Frankfurt a. M. 1992, S. 207.

2 Bei dieser Entgegensetzung von Göttern und Menschen bleibt Hölderlin freilich nicht stehen; sie erklärt sich in dieser Ode vor allem aus dem Romanzusammenhang heraus.

3 Hölderlin, Gedichte (wie Anm. 1) S. 286.

4 Schiller, Friedrich: Sämtliche Werke. Hg. von Gerhard Fricke und Herbert Göpfert. Bd. IV, Historische Schriften, 6. Auflage München 1980, S. 753.

5 Ebenda.

6 Ebenda., S. 758.

7 Ebenda., S. 762.

8 Ebenda., S. 763.

9 Hegel, Georg Wilhelm Friedrich: Werke in 20 Bd. Theorie Werkausgabe, Redaktion Eva Moldenhauer und Karl Markus Michel, Frankfurt a. M. 1971ff., hier: Bd. 7, S. 27f.

10 Hölderlin, Friedrich: Hyperion. Empedokles. Aufsätze. Übersetzungen, hg. von Jochen Schmidt in Zusammenarbeit mit Katharina Grätz (Hölderlin, Sämtliche Werke, [wie Anm. 1], Bd. 2, S. 575f.)

11 Ebenda, S. 576f.

12 Novalis: Schriften. Bd. III. Das Philosophische Werk II, hg. von Richard Samuel in Zusammenarbeit mit Hans-Joachim Mähl und Gerhard Schulz, Darmstadt 1968, S. 524.

13 Zur Einführung: Fischer, Jens Malte: Fin de siècle. Kommentar zu einer Epoche, München 1978 (Einleitung).

14 Vgl. dazu meinen Versuch: Apokalypse und Utopie, in: Poesie der Apokalypse, hg. von Gerhard R. Kaiser, Würzburg 1991, S. 63-102. – Zur Apokalypse in der Literatur und Kunst, insbesondere der Moderne: Apokalypse. Ein Prinzip Hoffnung? Ausst.-Kat. Ludwigshafen, Heidelberg 1985. – Apokalypse. Weltuntergangsvision in der Literatur des 20. Jahrhunderts, hg. von Gunter E. Grimm / Werner Faulstich / Peter Kuon, Frankfurt a.M. 1986. – Vondung, Klaus: Die Apokalypse in Deutschland, München 1988. – Experiment Weltuntergang. Wien um 1900, hg. von Werner Hofmann, Ausst.-Kat. München 1981.

15 Deutsche Übersetzung: Übergangsriten, Frankfurt a.M. / New York / Paris 1986.

Die Pariser Weltausstellung von 1900

Claudia Kanowski

Am 14. April 1900 öffnete die Pariser Weltausstellung ihre Pforten. Seit der Londoner Schau von 1851 war es die zehnte Weltausstellung. Zum fünften Mal fand sie in Paris statt. Es wurde eine Schau, die alle bisherigen übertraf: an Ausmaßen, Kosten, aber auch an Einnahmen und Besucherzahlen. 40 Länder waren beteiligt, die Kosten überstiegen 119 Millionen Francs, es kamen rund 50 Millionen Besucher[1]. Das Areal umfasste beide Ufer der Seine. Die meisten Pavillons standen zwischen dem Champ-de-Mars und der Esplanade des Invalides.

Wie in den Jahren zuvor bot die Weltausstellung von 1900 einen internationalen Überblick über die aktuellen Entwicklungen in Technik, Industrie, Kunst und Gesellschaft. Allerdings forderte der Zeitpunkt der Ausstellung – die Jahrhundertwende – zu besonderen Anstrengungen heraus. Die Stadt Paris hatte Gelegenheit, eine Schau der Superlative zu inszenieren und somit auch im neuen Säkulum ihre Position als Weltmetropole zu behaupten.

Jubiläen, Geburtstage oder eben Jahrhundertwenden reizen zu Rückblicken; je runder die Zahl, desto weiter wird zurückgegriffen. So war eines der Hauptmerkmale der Weltausstellung von 1900 die Rückbesinnung auf Vergangenes. Die Gastgeber gingen mit gutem Beispiel voran. Im *Petit Palais* war die französische Kunst *„von den Anfängen bis zum Jahr 1800"* zu sehen, im *Grand Palais* gab es die *Exposition centennale* mit Kunstwerken von 1790 bis 1890 sowie eine größere Ausstellung über die aktuelle französische Kunst. Hier fanden die Impressionisten und Symbolisten erstmals offizielle Anerkennung und sollten auf diese Weise in die lange Tradition französischen Kunstschaffens eingebunden werden.

Das deutsche Reich präsentierte sich mit einem am Quai d'Orsay gelegenen Pavillon ebenfalls retrospektiv. Die Außenarchitektur war in jenem historisierenden Stil gestaltet, der seit der Reichsgründung von 1871 für offizielle Bauaufträge gerne gewählt und über den viel geschrieben wurde: der Stil der sogenannten *deutschen Renaissance*. Damals suchten die Länder fieberhaft nach ihrem jeweiligen Nationalstil. In Deutschland knüpfte man bewusst an die bürgerlich-städtische Tradition des 15. und 16. Jahrhunderts an, nicht zuletzt, um sich von Frankreich abzugrenzen, wo die höfisch geprägten Stile des Louis XV. und Louis XVI. wieder in Mode kamen[2].

Das Innere des deutschen Pavillons verwies allerdings gerade auf das Zeitalter von Versailles, als der Geschmack in Europa vom französischen Vorbild bestimmt war. In betonter Geste den Gastgebern gegenüber zeigte Deutschland die hervorragende französische Kunstsammlung des preußischen Königs Friedrich II. (was allerdings von manchem Franzosen als Affront interpretiert wurde). Die Innenausstattung war der Einrichtung von Schloss Sanssouci in Potsdam nachgebildet, also im Neorokokostil gestaltet. In sehr zeittypischer Weise vermischten sich Originale des 18. Jahrhunderts und deren historistische Nachschöpfungen.

Über den deutschen Pavillon berichtete ein damaliger Kommentator: *„Es ist eine denkwürdige Thatsache: Wir haben den Franzosen unsere Solidität annehmbar gemacht dadurch, dass wir ihrem Geschmack eine höfliche Verbeugung gönnten. Das tritt nirgends so augenfällig zu Tage wie im deutschen Hause am Quai d'Orsay. In Anlehnung an die Formen der deutschen Renaissance ist hier etwas durchaus Neues und was mehr sagen will, Praktisches geschaffen worden. Man darf sich durch die Erker und Türmchen nicht täuschen lassen, drinnen ist alles Luft und Licht und – ernste Arbeit."*[3]

Neben der Rückschau auf die Geschichte war es natürlich auch ein Anliegen der Organisatoren der Weltausstellung, die neuesten industriellen und gesellschaftlichen Entwicklungen zu dokumentieren. Wirklich bahnbrechend für das neue Jahrhundert sollte die Verbreitung der Elektrizität werden. Die Weltausstellung fand an der *„Schnittstelle zwischen dem* dampfenden *und dem elektrischen Jahrhundert"* statt[4]. Schon 1900 zeichnete sich ab, dass die neuen Möglichkeiten der Elektrizität und Elektrotechnik in noch stärkerem Maße das alltägliche Leben verändern würden, als es die Erfindung der Dampfmaschine vermocht hatte. Es war also naheliegend, die Elektrizität zum beherrschenden Thema der Weltausstellung zu machen. Mit dem *Palais de l'Electricité* wurde ihr ein prachtvoller Palast gewidmet: eine über und über mit Glühbirnen versehene Architektur, deren Dach ein großer Stern aus Leuchtröhren zierte. Davor fanden Wasserspiele statt. Von Scheinwerfern angestrahlt, muss die Anlage vor allem bei Nacht einen eindrucksvollen Anblick geboten haben.

Die neuen elektrischen Beleuchtungsmöglichkeiten erklären zum Teil auch den Wandel der Architektur. Da geschlossene Bauten nun

Neben der Rückschau auf die Geschichte dokumentierte die Weltausstellung die neuesten Entwicklungen.

taghell erleuchtet werden konnten, war man nicht mehr auf helle Glas- und Kristallpaläste angewiesen, die die Weltausstellungen seit 1851 charakterisiert hatten. Der Reiz bestand nun gerade darin, das Tageslicht durch die elektrische Beleuchtung zu ersetzen. Das elektrische Licht erhielt eine neue, ästhetische Dimension: *„[...] was die Verbreitung der elektrischen Beleuchtung angeht, so sind wir erst bei den Anfängen und tastenden Versuchen [...] Es gab vieles, womit zu brechen war [...]: mit den alten Beleuchtungsformen – den Kerzenhaltern, Öl-, Petroleum- oder Gaslampen; unsere Augen mussten sich an eine neue Ästhetik gewöhnen."*[5] Nicht von ungefähr lieferten die Jugendstilkünstler so viele Entwürfe für elektrische Beleuchtungskörper.

Den Besuchermassen der Ausstellung sowie dem allgemeinen Wachstum der Städte trug man mit neuen Verkehrsmitteln Rechnung. So gab es auf der Weltausstellung einen rollenden Bürgersteig. Mit einer durchschnittlichen Geschwindigkeit von 4 bis 8 km/h konnten die Besucher sich bequem an den Bauten entlang fahren lassen: *„Der rollende Bürgersteig ist die Hauptsehenswürdigkeit und, für viele, eine der Annehmlichkeiten der Ausstellung von 1900. [...] Man sehe sich diese Bilder des rollenden Bürgersteigs genau an; hier liegt die Straße der Zukunft."*[6] Sollte auch der *Trottoir roulant* ein weniger zukunftsträchtiges Fortbewegungsmittel werden, so war der neuen Stadtbahn (*Métropolitain*) ein weitreichenderer Erfolg beschieden. Im Juli 1900 wurde der erste Teilabschnitt eröffnet: die Métrolinie zwischen Vincennes und Maillot.

Zahlreiche Automobilunternehmen stellten sich auf der Weltausstellung von 1900 erstmals einem größeren Publikum vor: Daimler, Benz, Peugeot, Renault, Ford und Fiat. War noch vor nicht langer Zeit die Eisenbahn das modernste Verkehrsmittel, so sollte das Automobil bald hinzutreten: *„Die Fahrräder und Automobilen [...] ergänzen die Eisenbahn, sie machen den Einzelnen frei von dem Schienengleise und gewähren dennoch den Vortheil schnellen Fortkommens."*[7]

Interessant für die Bedeutung des Automobils und zugleich Beleg für ein verändertes Frauenbild ist folgende Beobachtung aus dem Jahre 1900: *„Es ist gewiss eine höchst sonderbare Erscheinung, dass alle modernen Vehikel erst dann wirklich populär werden, wenn die Frauen beginnen, sich ihrer zu bedienen. Man konnte diese Merkwürdigkeit beim Fahrrad beobachten und man hat jetzt wieder Gelegenheit, sich davon bei den Automobilen zu überzeugen. [...] In Paris, der Sportstadt par excellence, sind die radelnden Frauen fast ganz verschwunden, dafür giebt es jetzt Hunderte von* Chauffeusen, *die auf ihren flinken Automobilen durch die Strassen sausen."*[8] Erwähnenswert ist auch, dass in Paris 1900 erstmals ein *Palais de la femme* errichtet wurde. Die Frau spielte nicht nur als Motiv in der Kunst der *Belle-Epoque* eine besondere Rolle. Ganz allmählich begann sich auch das Frauenbild in der Gesellschaft zu verändern. Der *Palais de la femme* reflektierte diesen Wandel. *„Es gehört wirklich mit zu den Triumphen des Feminismus, dass man der Frau in dem grossen Reiche des Fortschrittes, das die Ausstellung bietet, einen so bevorzugten Platz eingeräumt hat."*[9] Hier gab es unter anderem ein Forum für Komponistinnen, Musikerinnen und Autorinnen von Theaterstücken.

Architektur und Ausstattungskunst waren auf der Pariser Weltausstellung insgesamt noch stark vom Historismus geprägt. Reiche Stuckornamente in den vielfältigsten europäischen und außereuropäischen Stilen verzierten die Bauten. Heute noch erhalten sind die neobarocken Kunstpaläste, der *Grand Palais* und der *Petit Palais* an der damals neu erbauten Avenue Nicolas II. (heute: Avenue W. Churchill). Als Verbindung zum anderen Seineufer wurde die Pont Alexandre III. errichtet. Auch sie legt heute noch Zeugnis ab vom üppigen Zeitgeschmack des *Fin de siècle*. Nach der Weltausstellung wieder abgerissen wurden der Elektrizitätspalast, das davorliegende Wasserschloss, die diversen Pavillons der beteiligten Nationen sowie das an der Place de la Concorde gelegene Eingangsportal. Letzteres war ein gigantisches Bauwerk im orientalisierenden Stil. Wie eine Moschee mit seitlichen Minaretten gestaltet, war das Innere üppig vergoldet und umschloss die 32 Eintrittsschalter. Glühbirnen ließen den Bau nachts in bläulichem Schimmer erstrahlen. Die gigantische Statue *La Parisienne* bekrönte das Monument.

Unter den zeitgenössischen Beobachtern gab es durchaus kritische Stimmen, die sich an der überreichen Architektur stießen. Friedrich Naumann zum Beispiel hob die Modernität des Eiffelturms hervor, der als Wahrzeichen der vorangegangenen Pariser Weltausstellung von 1889 stehengeblieben war: *„Der Stil des Eiffelturms, das heißt der reine Eisenstil, kehrt in verschiedenen Ausstellungshallen wieder, sobald man sie von innen betrachtet. Überall dort, wo die eisernen Knochen der Konstruktion offen zu tage liegen, sind die weiten Räume schön, und überall, wo man es für nötig befunden hat, das Eisen mit Stuck, Gips, Zement oder Stein zu verkleiden, ist die Sache langweilig."*[10]

Um 1900 herrschte absolut keine Sicherheit darüber, was denn nun der *moderne Stil* sei. Es gab allerdings vielfältige Versuche, sich von den Leitbildern vergangener Epochen zu befreien. In der Nähe des Invalidendoms hatte Samuel Bing für die Weltausstellung den *Pavillon Art Nouveau* errichten lassen, womit er den Namen seiner berühmten Pariser Kunstgalerie aufgriff. *Art Nouveau* wurde später zum Begriff der ganzen Stilepoche. Ein französischer Kommentator beschreibt den Pavillon wie folgt: *„[...] unter den Baumkronen der Invalides erstreckt sich die klare Fassade. Bekrönt von einem Fries aus Orchideen, mit buntfarbigen Feldern, wellenförmigen Linien, alles von seltener Harmonie, wird sie geschmückt von Frauenfiguren, Blumen und symbolischen Landschaften [...]: die* Maison de l'Art Nouveau*! Ihr Modernismus [...] reizt das Auge und verführt den Geist."*[11]

Die Elektrizität war das beherrschende Thema der Weltausstellung 1900. Ihr wurde der Palais de l'Electricité gewidmet.

1895 hatte der in Deutschland geborene Kunsthändler Samuel Bing die Galerie *Art Nouveau* gegründet. Hier konnte man sich über die modernen Kunstströmungen informieren. Gemälde, Grafiken und Skulpturen wurden ebenso angeboten wie Kunstgewerbe. Bings Ziel war es, die Grenze zwischen der freien und der angewandten Kunst aufzuheben und somit eine Einheit von Kunst und Leben zu schaffen. So beauftragte er zum Beispiel den belgischen Künstler Henry van de Velde damit, vier Räume seiner Galerie komplett einzurichten. Dessen für die Zeit sehr schlichten Möbel kamen allerdings beim Pariser Publikum wegen der vermeintlich fehlenden Eleganz schlecht an.

Bing wählte für den *Pavillon Art Nouveau* überwiegend französische Künstler aus. Es entstand ein luxuriöses Musterwohnhaus mit Mobiliar und Ausstattungsgegenständen nach Entwürfen von Eugène Gaillard, Georges de Feure, Edward Colonna und anderen. Besonders Gaillards Entwürfe waren von van de Veldes Ornamentlehre beeinflusst, wonach Ornament und Konstruktion eines Gegenstands miteinander verschmelzen sollten. Van de Velde verwies dabei auf Vorbilder aus der Natur: Pflanzen und Blumen, die schön anzusehen sind und an denen doch jedes Detail nur seine Funktion erfüllt. Gaillard versuchte, die neuen vegetabilen Formen mit der Eleganz französischer Ausstattungstradition des 17. und 18. Jahrhunderts zu verbinden.

In der deutschen kunstgewerblichen Abteilung gab es Wegweisendes, zum Beispiel einfach und funktional gestaltete Möbel.

Auch in der deutschen kunstgewerblichen Abteilung gab es einiges wirklich Wegweisendes, so zum Beispiel die Möbel nach Entwürfen von Bruno Paul und Richard Riemerschmid. In ihrer einfachen und funktionalen Gestaltungsweise unterschieden sie sich von den üppig-floralen französischen Entwürfen. Der damalige Direktor des Berliner Kunstgewerbemuseums Julius Lessing erkannte die Modernität dieser Möbel: *„Die moderne Maschine mit ihren rein aus der Technik erwachsenen Formen, die als Nähmaschinen, Kraftmaschinen, Fahrräder u.s.w. in unseren Haushalt eindringen, hat das Auge dahin gewöhnt, die ausgesprochene Zweckmäßigkeit einer Linie als befriedigend auch im ästhetischen Sinne zu empfinden.“*[12] In der Tat war von hieraus der Schritt zum industriellen Designermöbel nur noch klein.

Am 12. November 1900 endete die Pariser Weltausstellung. Viele ihrer Merkmale wurzelten noch im 19. Jahrhundert: der Anspruch auf Universalismus, der Glaube an eine vermeintlich der Natur überlegene Menschheit, die Suche nach einem zeitgemäßen Nationalstil, das Schwanken zwischen Traditionsliebe und Fortschrittseuphorie. Im neuen Jahrhundert entwickelte sich vieles anders als erwartet. Das friedliche Nebeneinander der Nationen erwies sich als Illusion, die uneingeschränkte Industriebegeisterung nahm zunehmend skeptische Züge an, neue politische Konstellationen entstanden. Auch die Weltausstellungen verloren an Bedeutung. Überschaubarere Spezialmessen wurden zu Foren für die neuesten industriellen und künstlerischen Entwicklungen. Zweifel am Sinn einer großangelegten Weltausstellung klingen bereits in den zeitgenössischen Berichten von 1900 an: *„Die Kultur aller Völker und aller Zeiten für die Dauer von sechs Monaten in einer Stadt zur* Ausstellung *zu bringen, ist ein Unternehmen, wie der Turm von Babel, der bis zum Himmel reichen sollte: gigantisch und unausführbar, aber von berauschender Grossartigkeit für den Besucher, selbst bei unvollkommener Ausführung.“*[13]

Anmerkungen:

1 Die genauen Zahlenangaben sind allerdings widersprüchlich. Vgl. Beutler, Christian: Weltausstellungen im 19. Jahrhundert, München 1973, S. XXXff. – 150 Jahre Faszination Weltausstellung, Spezialheft der Zeitschrift Damals (30) 1998, S. 44. – Kuchenbuch, Thomas: Die Welt um 1900. Unterhaltungs- und Technikkultur, Stuttgart, Weimar 1992, S. 173ff.

2 Vgl. Kanowski, Claudia: Städtischer Tafelschmuck des Historismus. Der Pariser „Surtout de la Ville“ und die deutschen Ratssilber, Magisterarbeit (masch.-schr.), Berlin (Freie Universität) 1993.

3 Die Pariser Weltausstellung in Wort und Bild, Redaktion Georg Malkowsky, Berlin 1900, S. 172 (Georg Malkowsky).

4 Salewski, Michael: Technik als Vision der Zukunft um die Jahrhundertwende, in: Moderne Zeiten. Technik- und Zeitgeist im 19. und 20. Jahrhundert, hg. von Michael Salewski und Ilona Stölken-Fitschen, Stuttgart 1994, S. 82f. – Vgl.: Radkau, Joachim: Technik im Temporausch der Jahrhundertwende, in: Moderne Zeiten (wie oben), S. 72.

5 Le livre des expositions universelles 1851-1989, Paris 1983, S. 113 (Gustav. Soulier, in: Art et décoration. – Übersetzung der Verfasserin).

6 Le Livre des expositions universelles (wie Anm. 5) S. 112 (Sur le trottoir roulant, o.J. – Übersetzung der Verfasserin).

7 Weltausstellung in Paris 1900. Amtlicher Katalog der Ausstellung des Deutschen Reichs, Berlin 1900, S. 404 (W. Hartmann).

8 Die Pariser Weltausstellung in Wort und Bild, 1900, S. 109f. (Hans Forsten).

9 Ebenda S. 15f. (Anne St. Cère).

10 Zitiert nach Kuchenbuch (wie Anm. 1) S. 183.

11 Le Livre des expositions universelles (wie Anm. 5) S. 114 (G. Mourey, 1900. – Übersetzung der Verfasserin).

12 Weltausstellung in Paris 1900 (wie Anm. 7) S. 319, vgl. auch S. 324ff.

13 Die Pariser Weltausstellung in Wort und Bild (wie Anm. 3) S. 65 (J. Jastrow)

Medienkunst um die Jahrtausendwende

Hans-Peter Schwarz

Es ist sicher nicht ungewöhnlich, wenn sich auch vor der Wende zum 21. Jahrhundert, die ja gleichzeitig eine Jahrtausendwende ist, die Position der Retrospektiven und der Prospektiven nicht immer unversöhnlich, aber deutlich geschieden gegenüberstehen. Die Vertreter des Jahrhunderts der Moderne sehen sich noch immer aufgerufen, das unvollendete Projekt der Avantgarden einer wie auch immer gearteten Vollendung entgegen zu führen. Dabei verbünden sich interessanterweise traditionsbewusste Kunstkritiker, die mit dem möglichen Ende der Moderne auch das Ende der Kunst insgesamt gekommen sehen, mit Kunsttheoretikern, denen die Tendenz der Gegenwartskunst – zumindest in einigen ihrer Bereiche – einem Verrat der Kunst an die Massenkultur gleichkommt. Dies gilt für die Fälle, in denen sich die Kunst zum einen um das Verständnis des Publikums bemüht, das ohne theoretische Ent- oder Verschlüsselung auskommen möchte, und gleichzeitig die Arbeit des Theoretikers zumindest nicht mehr als integralen Bestandteil der Rezeption voraussetzt.

Allerdings scheint das ein eher akademisches Problem zu sein. Die Kunst ist keineswegs am Ende. Sie hat ihr Blickfeld über das Betriebssystem Kunst hinaus ausgeweitet. Wieder einmal! Vor allem das Verhältnis von Kunst und Technologie, die ja Ressource für die wichtigsten Paradigmen der letzten zwei Jahrhunderte ist, hat in der jüngsten Debatte um die *„Zweite"* oder die *„Reflexive"* Moderne, wie sie Ulrich Beck versuchsweise nennt, eine zentrale Rolle gespielt.

Wenn wir, zumindest was das letzte Jahrzehnt des 20. Jahrhunderts betrifft, von einem Aufbruch ins Informationszeitalter sprechen, so müssen wir auch akzeptieren, dass dieser Aufbruch weitgehend durch technologische Konzeptionen begründet wurde. Dies gilt selbst dann, wenn es sich um technologische Konzepte handelt, die mit der *„Großen Maschine"* des Industriezeitalters kaum noch etwas zu tun haben. Für die Kunst ist die Technologie vor allem dort interessant geworden, wo sie ihr gesellschaftliches Machtpotential auf einem Feld entwickelt, das traditionell Experimentierfeld der (bildenden) Künstler ist, dem der Bilder. Das Interesse der Künstler an Technologie ist zumindest in den letzten drei Jahrzehnten des 20. Jahrhunderts weitgehend eines an der Medientechnologie gewesen.

„Are our eyes targets?" Wenn in Lynn Hershmans Miniatur-Environment *Room of One's Own* diese Frage aufscheint, wird damit nicht nur ein neuer Akt im Drama jenes multimedialen Voyeurismus angekündigt, mit dem sich die Arbeit der kalifornischen Künstlerin so oft beschäftigt. Die Frage, ob unsere Augen gewissermaßen militärische, jedenfalls strategische Ziele sein könnten, könnte man ohne weiteres als das Problem schlechthin beschreiben, um das es der Medienkunst in allen ihren Facettierungen wesentlich zu tun ist – ganz gleich, ob man ihren Gründungsvorgang kunstmarktpolitisch korrekt in jenem Wuppertaler Ereignis vom 11. März 1963 sieht, als der damals 31jährige Nam June Paik in den Räumen der Galerie Parnaß sein *Electronic Television* (de-)konstruierte oder in dem interessanterweise etwa gleichzeitig entwickelten *Scatch-Pad*-Programm Ivan Sutherlands, durch das der Computer in die Welt der Ab-Bilder eindrang.

Und mit diesem Grundinteresse enden die Gemeinsamkeiten der beiden wichtigsten Medienkonzeptionen Video und Computer, vorerst, wenn sie auch seit den achtziger Jahren längst im digitalen Schein miteinander verschmolzen sind.

Denn als Nam June Paik 1963 in der Galerie Parnaß seine ersten manipulierten TV-Geräte aufstellte, unter denen das *Zen für TV* mit seinem auf einen vertikalen Streifen von weniger als einem Zentimeter komprimierten Fernsehbild die vielleicht programmatischste Arbeit war, und als Wolf Vostell im selben Jahr in New York einen Fernseher bei laufendem Programm in die Erde versenkte, wurde ein gesellschaftliches Phänomen, das zuvor nur als Folie für die Polemik zwischen Elitekunst und Massenunterhaltung gedient hatte, endlich zum Aktionsfeld der bildenden Künstler: Das Fernsehen.

Auch wenn es sicherlich zu kurzsichtig ist, in diesen beiden Ereignissen so etwas wie die Geburtsstunde der Medienkunst zu sehen, zeigen die Ansätze von Paik und Vostell Gemeinsamkeiten, die sie erst einmal von denen der Künstler unterscheiden, die sich gleichzeitig mit dem Computer beschäftigen. Da ist vor allen Dingen die Aggression gegen die objektive Emanation des Fernsehens, den Monitor. Die Gestik der Zerstörung oder der Zweckentfremdung wird deutlich an Wolf Vostells frühen *dé-coll/agen,* in denen er beispielsweise vorschlägt, Fernsehprogramme durch gegen den Monitor geworfene Sahnetorten zu sehen. Das gleiche gilt für Wolf Kahlens verspiegelte Bildröhren, die den Raum des Betrachters zum Inhalt des Fernsehens machen, für Günther Ueckers vernagelte TV-Monitoren oder für Joseph Beuys' vielleicht bekannteste Auseinandersetzung mit dem Fernsehen, den Filz-TV-Apparat von 1968, wo er einen Fernsehapparat mit seinem mit einer Filzfläche verkleideten Bildschirm gegen eine Wand richtet, auf der ebenfalls eine Filzfläche befestigt wurde.

Die Kunst ist keineswegs am Ende. Sie hat ihr Blickfeld über das Betriebssystem Kunst hinaus ausgeweitet.

Diese überwiegend auf das Objekt TV-Gerät gerichtete Auseinandersetzung mit dem Medium Fernsehen hängt natürlich auch mit der Tatsache zusammen, dass es für die Künstler nicht möglich war, die technischen Ressourcen der professionellen Fernsehanstalten zu nutzen. Dies änderte sich erst, als 1965 die Firma Sony eine tragbare Videoausrüstung zu einem erschwinglichen Preis auf den Markt brachte. Und nicht von ungefähr war Nam June Paik einer der ersten Käufer und präsentierte im selben Jahr sein Do-it-yourself-Fernsehen im New Yorker *Café A Gogo*. Jetzt eröffneten sich ganz neue Möglichkeiten, dem Medium Video auch neue Sprachformen zu entlocken, und es konnte eine Videokunst entstehen, die zeitweise das öffentliche Bild der Medienkunst insgesamt dominierte.

In der Medienkunst wurde durch die Möglichkeiten der Interaktivität das gesamte Verhältnis von Kunst und Technologie verändert.

Allerdings sind es sehr verschiedene Künstler, die an den Entwicklungsmöglichkeiten des neuen Mediums Video interessiert sind: Da gibt es Musiker wie Nam June Paik oder Steina Vasulka, die durch die *Intermedia-Szene* der sechziger Jahre geprägt wurden. Hinzu kommen Künstler der *Pop-art* wie Robert Rauschenberg oder Oijvind Fahlström, die durch ihr eher allgemeines Interesse an einer Erweiterung der künstlerischen Ausdrucksformen durch die banalen Gegenstände des Alltags auf die Medientechnologie stießen. Schließlich interessieren sich aber auch solche Künstler für das Video, denen die Medien ihre in der *Happening-* und *Fluxus-Szene* formulierten Konzepte realisieren oder dokumentieren helfen. Genannt seien hier Valie Export, der schon erwähnte Wolf Vostell und auch Otto Piene.

Es gibt *site-specific* worker und Filmer wie Lynn Hershman oder Woody Vasulka sowie die politisch motivierten Künstler wie Hans Hake oder Ingo Günther, für welche die neuen Medien, vor allem das Video, Mittel zum direkten Eingriff in gesellschaftliche Prozesse werden: Ingo Günthers jüngstes auch im Internet präsentiertes Projekt einer *Refugee Republic* zeigt, dass sich diese Tradition bis heute lebendig erhalten hat.

Vor allem die letztere Gruppe signalisiert einen Bruch, der sich durch die ganze Geschichte der Medienkunst hindurchzieht und auch heute noch, wenn auch abgeschwächt durch eine allgemeine politische Desillusionierung, spürbar ist: Der Dissens zwischen Medien-*Künstlern* und Medien-*Arbeitern.*

Auf die Politisierung der Medien-Arbeiter sind auch die vielen wichtigen, allerdings meist gescheiterten Versuche zurückzuführen, neue Organisations- und Verbreitungsmöglichkeiten zu finden, die geeignet sein sollten, die damals relativ neue Technologie als Sprengsatz in die monolithe Massenmedienkultur hineinzutragen. Dazu gehörten die Bestrebungen, günstige Sendezeiten in den Fernsehprogrammen zu bekommen ebenso, wie die Entwicklung neuer Distributionsformen, unter denen das von 1982 bis 1991 erscheinende Videomagazin Infermental herausragt.

Es entstanden auch neue, selbständige Institutionen wie die New Yorker *Kitchen*, wie Gerry Schumskohts kurzlebige *Fernsehgalerie* oder die Versuche des WGBH-TV-Kanals in Boston, die Produktion und Präsentation der Videokunst auf eine neue, gesellschaftlich relevante Stufe heben sollten. Allerdings erwies sich das Massenmedium Fernsehen als äußerst resistent gegenüber diesen Versuchen, wenn auch eine ganze Reihe von ästhetischen Strukturen, unter denen die Entstehung des Musikvideos sicherlich nicht die unproblematischste ist, davon zeugen, dass die Videokunst durchaus ihren Einfluss auf das Massenmedium ausübte.

Im wesentlichen aber entfaltete die frühe Videokunst ihre Wirkung auf speziellen Festivals und konnte sich im Betriebssystem Kunst erst behaupten, als sie ihre *Museumsreife* mit einem Hang zum abgeschlossenen Werk erkaufte, gewissermaßen zur Videoskulptur oder zum Videoenvironment erstarrte.

Aufgefangen und weitergespielt wurde der Ball der kritischen Medienauseinandersetzung, den die Videokunst auf ihrer Flucht zurück ins Betriebssystem Kunst fallengelassen hatte, gewissermaßen durch einige Künstler, Designer, Architekten, Ingenieure und Computerfachleute, die sich in verschiedenen Ausbildungszentren trafen oder auf Ausstellungen und Festivals wie *Siggraph*, *Imagina* und vor allem dem *Prix Ars Electronica.*

Interaktivität war das Schlagwort der Stunde. Und hier kam es gewissermaßen zu einem Paradigmenwechsel, der das gesamte Verhältnis von Kunst und Technologie in der Moderne veränderte.

Myron Krüger, selbst Pionier der interaktiven Medienkunst, hat schon in seiner Dissertation von 1983 darauf hingewiesen, dass eine ganze Reihe technologischer Entwicklungen, die das Konzept Multimedia seit den späten achtziger Jahren für die gesamte gesellschaftliche Kommunikationssphäre so bedeutend machten, in künstlerischen Problemlösungen ihre Ursache hatten, vom Datenhandschuh über das *Head-mounted-Display* bis zum projizierten *Cyberspace.*

Interaktive Medienkünstler gehörten plötzlich zu den Erfindern und Entwicklern der Technologien selbst, versuchten wenigstens, ihre *Sprache* zu verstehen, um die künstlerische Technologiekritik quasi von innen neu und fundierter zu formulieren. Die Phase des *„schamanistischen Handauflegens"* der am wilden Denken eines Claude Levi-Strauss geschulten Künstlergeneration war vorbei, wie es Beat Wyss neulich festgestellt hat. Die Medienmacht erforderte eine ganz neue Professionalisierung auch der Künstler, wenn sie sich mit einiger Aussicht auf Erfolg mit ihr auseinandersetzen wollten.

Die Kunst, die so entstand und deren Bezeichnung als *interaktive Medienkunst* sicher nur ein Arbeitsbegriff sein kann, brach aber auch in anderer Hinsicht mit einem Paradigma der Moderne, mit ihrem *Reinheitsgebot*. Es ist eine *„hybride Kunst, die mehr als nur die Fähigkeiten des Künstlers erfordert. Sie umfasst Fachgebiete, die in sich selbst hybrid sind: Die Erkenntniswissenschaften und ihre neuronalen Netze, Biotechnik und ihre genetischen Manipulationen, die Physik des Bewusstseins"*, bringt Roy Ascott diesen neuen, ganz und gar unmodernen Ansatz auf den Punkt.

Wenn man die durch Computertechnologie ermöglichte Interaktion als kleinsten gemeinsamen Nenner dieser Phase der Medienkunst nehmen will, so lassen sich an Hand der hier wirksamen Technologiekonzepte vier unterscheidbare ästhetische Strategien herausarbeiten, die sich zwar überschneiden, in ihren Interaktionsangeboten aber deutlich voneinander geschieden sind: Das *interaktive Video*, die *Echtzeit-Interaktion*, die *telematische Interaktion* und die *Augmented-reality-Interaktion*.

Kunsthistorisch bedeutsam sind die von Jeffrey Shaw treffend als *„Virtual Voyaging"* beschriebenen Eingriffsmöglichkeiten in die Zweidimensionalität der Produktion vor allen Dingen deshalb geworden, weil sie eine radikale Veränderung in der Zeitstruktur des Bildes ermöglichen. Die Entwicklung vom *Raumbild* zum *Zeitbild*, die Gilles Deleuze überzeugend als die zentrale Entwicklung in der Bildvorstellung der Moderne insgesamt beschrieben hat, wird gewissermaßen umgedreht, zumindest angehalten.

Eines der frühesten *interaktiven Videos* ist Lynn Hershmans *Lorna*-Installation. *Lorna* ist, und diese *„kunstferne"* Wurzel hat der interaktiven Medienkunst kapitale Missverständnisse eingetragen, ein künstlerisches Video-Spiel, das allerdings keinen agonalen oder teleologischen Charakter hat, wie er kommerziellen Videospielen eigen ist. Der Benutzer der Installation kann in die Erzählung eingreifen, kann die Geschichte einer jungen, klaustrophobischen Frau auf unterschiedliche Weise zusammensetzen, ist aber, wie Söke Dinkla sehr schön herausgearbeitet hat, in einem *Circulus vitiosus* gefangen, da ihm dieselben medialen Zwänge aufoktroyiert werden wie der Protagonistin des interaktiven Kunststücks. Von *Lorna* aus vollzog sich die Entwicklung zu etwas, was man als *Interactive Cinema* bezeichnen könnte und für das Künstler wie Graham Weinbren mit *Earl King* und *Sonata* oder Jill Scott mit ihrer großen *Trilogie Machine Dreams / Frontiers of Utopia* und *Body Automata* stehen. Die Weiterentwicklung der interaktiven Videoerzählung durch das Medium der CD-ROM scheint mir im wesentlichen in den Ansätzen stecken geblieben zu sein.

In die Gruppe der *Echtzeit-Interaktion* fallen vor allem die technisch aufwendigen, mit Reality Engines betriebenen Großinstallationen. Als Pioniertat gehören Myron Krügers *Video-Places* dazu, Jeffrey Shaws *Legible City* oder David Rockebys *Very Nervous System*, später dann auch die Experimente von Char Davies. Allen gemeinsam ist, und deswegen vielleicht sind die Echtzeit-Interaktionen auf besondere Weise *museumsreif* geworden, dass sie den ganzen Körper des Benutzers als Handlungsinstrument nutzen, um in den von ihnen geschaffenen *Cyberspace* zu gelangen. In diesem Sinne sind vielleicht die wenigen künstlerisch akzeptablen *CAVE*-Installationen die konsequente Weiterentwicklung dieses Ansatzes.

Während die *Echtzeit-Interaktionen* ihre kunsthistorischen Wurzeln in *Performance, Aktionismus* oder gar *Fluxus* haben, kann die *telematische Interaktion* ihre Herkunft aus der *Communication Art* nicht leugnen. Das Werk Paul Sermons gibt einen Weg vor, der mehr oder weniger direkt in die aktuelle *Web-Art* führt oder zumindest in einen bestimmten Bereich der auf Vernetzung angewiesenen Kunstformen.

Für die *Augmented-reality-Interaktion*, der es darum geht, die Transition zwischen realen und virtuellen Wirklichkeiten zu erproben, kann wieder eine Installation Lynn Hershmans als Paradigma dienen, ihre *Difference Engine #3*. In dem noch relativ wenig erprobten Bereich der *Augmented-reality-Interaktion* entstehen für mich gegenwärtig die vielleicht spannendsten und künstlerisch überzeugendsten Experimente der Medienkunst insgesamt. Masaki Fujihatas *Nuzzle Afar* gehört beispielsweise dazu, eine Installation, die gegenwärtig als Prototyp des *ENCART*-Projektes fungiert, in dessen Rahmen die wichtigsten europäischen Medienzentren zu einem virtuellen Multimedialabor vernetzt werden sollen, oder Perry Hobermans *System Maintenance*, um nur zwei Beispiele zu nennen.

Aber die Zukunft gehört sicherlich dem, was gegenwärtig noch etwas unscharf als *Web*-Art bezeichnet wird. Die auf *Reality Engines* angewiesenen Großinstallationen mit ihren nur für eine relativ begrenzte Zahl von Künstlern zugänglichen High-Tech-Komponenten wirken schon fast wie Saurier – eine junge Generation von Medienkünstlern ist weniger daran interessiert, die technologischen als vielmehr die kommunikativen Möglichkeiten des *Cyberspace* auszuloten. Interessanterweise begegnen sich so die neueste Experimentierphase der Medienkunst und die frühe Videokunst. Damit ist die Medienkunst aber noch keineswegs am Ende, wenn auch ihre heroische Phase mit ihrer Lust am High-Tech-Experiment zu einem gewissen Abschluss gekommen zu sein scheint. Vielleicht wird die Medienkunst zum Beginn des nächsten Jahrhunderts in eine Phase eintreten, in der sie, befreit vom Zwang sich dem rasanten Entwicklungstempo der Medientechnologieindustrie unterwerfen zu müssen, sich wieder mehr auf das ästhetische Experiment konzentrieren kann.

Das neue Jahrtausend: New Work im solaren Informationszeitalter

Franz Alt

„Ein Volk ohne Visionen hat keine Zukunft" – meinte schon einer der Autoren des Alten Testaments. Und Jesus von Nazareth träumte vor 2.000 Jahren von einem neuen Menschen, einer neuen Erde und einem neuen Himmel. Aber es kamen die real existierenden Verhältnisse. Droht jetzt im 21. Jahrhundert ein Paradies? Wie stellen wir uns positive Entwicklungen für die Jahre 2100 oder 2500 vor?

Jüngere Buchtitel zum Thema neue Medien und Zukunft nähren zumindest den Verdacht: Alles wird gut. Dazu gehören: *Das digitale Nirwana* (Bernd Guggenberger), *Die magischen Kanäle* (Marshall Mc Luhan), *Die kollektive Intelligenz* (Pierre Lévy), *Die virtuelle Demokratie* (Leo Scheer), *Cyber – Die Kultur der Zukunft* (Mark Dery) oder *Der Schlüssel zur Globalisierung* (Dudley Lunch / Paul Kordis). Erzeugt elektronische Technik eine schöne, neue Zukunft?

An das Nächstliegende wie Arbeitserleichterung, Rettung unserer Lebensgrundlagen, weniger Verkehr oder eine Entlastung der Umwelt und des Klimas für eine gute Zukunft in den nächsten Jahrzehnten und Jahrhunderten scheint kaum jemand zu denken. Die *„Mystik der neuen Medien"* (*Die Zeit)* produziert zwar immer neue Mythen, aber wenig wirkliche Orientierung. Von der *„elektrischen Vergeistung des Globus"* ist die Rede. Ist die Zeit erfüllt? Steht Pfingsten online bevor? Wirft Gott für das nächste Jahrtausend endlich Hirn vom Himmel? Kommt ein Pontifex Maximus Electronicus? Gibt es ein planetarisches Erwachen im Cyberspace? Ist der ewige Frieden wirklich nicht mehr aufzuhalten?

Zunächst einmal werden die neuen Medien im neuen Jahrtausend unseren Alltag verändern. Dazu brauchen wir eine Kultur des Lernens und eine Kultur des Wandels – das heißt: Wir werden innovativ sein müssen, ohne das Gleichgewicht zu verlieren. Wenn 80 Prozent der Technologien, die unsere Kinder benutzen werden, heute noch gar nicht erfunden sind, dann muß die heutige Generation in Schulen und Hochschulen hauptsächlich das Lernen lernen und das Erfinden. Zu den Instrumenten des Wandels gehören die neuen Medien. Welchen Sinn macht ihre Produktion und ihr Einsatz für das neue Jahrtausend?

Neue Informationstechnologien wie PC, Internet, Teleworking, Telebanking, Teleshopping, Superhighwaysysteme und Telekonferenzen spielen im 21. Jahrhundert neben der Solartechnologie eine Schlüsselrolle. Sie sind für den überlebensnotwendigen Prozeß der Dematerialisierung unserer Produktionsweise unerläßlich. Wir werden bis zum Jahr 2100 lernen, um den Faktor zehn rationeller mit den vorhandenen Ressourcen umzugehen. Die Entwicklung wird in diese Richtung gehen: Weniger Naturverbrauch, mehr Wohlstand. Die Dematerialisierung unserer gesamten Stoffverbräuche wird das entscheidende Kriterium für moderne Volkswirtschaften und für ein ökologisches Wirtschaftswunder werden. Wegweiser zu einem ökologischen Wirtschaftswunder und zum solaren Informationszeitalter für die nächsten Jahrhunderte werden sein: Solare Energiewende, Bevölkerungsrückgang, Ökologische Verkehrswende, New Work, Macht Euch der Erde untertan.

Droht im 21. Jahrhundert ein Paradies? Wie stellen wir uns positive Entwicklungen für die Jahre 2100 oder 2500 vor?

Erster Wegweiser: Die solare Energiewende. Die heutigen Energieträger wie Erdöl, Erdgas und Uran gehen in wenigen Jahrzehnten zu Ende. Kohle in etwa 250 Jahren. Das vielbeschworene Informationszeitalter wird es nicht geben ohne neue Energiequellen. Wer es ernst meint mit dem Informationszeitalter muß auf das solare Informationszeitalter setzten. Viele neue Medien brauchen künftig viel Strom. Wir können ihn in Zukunft nur aus Sonne, aus Wind, Wasserkraft, nachwachsenden Rohstoffen und solarem Wasserstoff gewinnen – umweltfreundlich und billig. Denn: Sonne, Wind und Wasser schicken uns keine Rechnung. Ergebnis: Chips statt Atome und Datenbahn statt Autobahn. Bis zur Mitte des 21. Jahrhunderts können wir weltweit *alle* Energie regenerativ erzeugen, meint die Europäische Kommission. Der Shell-Konzern meint in einer soeben veröffentlichten Studie, dieses Ziel sei frühestens bis zum Jahr 2100 zu erreichen. Wie auch immer: Der wichtigste Lernprozeß heißt: Weg mit dem Brett vor der Sonne. Die Sonne schickt uns jeden Tag 15.000 mal mehr Energie wie alle Menschen verbrauchen und dieses Geschenk spendet sie uns noch etwa 4,5 Milliarden Jahre. Wer weiterhin auf Kohle, Öl und Atomenergie setzt, gehört zu den Verlierern der Zukunft. Zukunftsfähiges Bauen ist solares und ökologisches Bauen und ökologisches Renovieren. Aus 24 Millionen Häusern in Deutschland werden in 50 oder 100 Jahren 24 Millionen kleine Solarkraftwerke. Wie soll das konkret und praktisch gehen?

Meine Frau und ich wollten es 1993 genau wissen. Bis dahin hatte ich in vielen Fernsehsendungen Sonnenkollektoren und Photovoltaikanlagen, Windräder und kleine Wasserkraftwerke, Biogasanlagen und Schilfgrasfelder zur Energiegewinnung vorgestellt. Es waren jedoch immer die Projekte anderer Menschen. Die großen Energiemonopole hatten und haben hauptsächlich zwei Einwände gegen erneuerbare Energiequellen. Erstens, sie seien viel zu teuer, und zweitens, wir hätten in Deutschland gar nicht genügend Fläche, um alle Energie regenerativ zu erzeugen. Also beschlossen wir, daß zwei Solaranlagen auf unser Dach kommen: eine Sonnenkollektoranlage zur Warmwasseraufbereitung und eine Photovoltaikanlage, die Strom produziert. Für beide Anlagen zusammen brauchen wir etwa 25 Prozent unserer Dachfläche. Das Flächenproblem, von denen die Energiemonopole immer so sehr besorgt reden, ist kein Problem. Wir empfehlen jedem und jeder, es einfach selber auszuprobieren. Dann müssen Sie nichts mehr glauben, dann wissen Sie es.

„Und was macht, wer kein eigenes Haus besitzt?", werden wir immer wieder gefragt. Sie können sich an einer Gemeinschaftsanlage beteiligen, die zum Beispiel auf öffentlichen Gebäuden wie Schulen, Kirchen, Gemeindehäusern usw. installiert werden. Solche Beteiligungen werden im 21. Jahrhundert so selbstverständlich werden wie der Besitz von Solaraktien und Windkraftaktien. Wir werden dabei von *ethischem Investieren* sprechen wie heute schon in den USA. Der Bundesligafußballverein SC Freiburg hat eine 1000 m^2 große Solaranlage auf seinem Stadiondach installiert. Die Fans dieses ökologisch vorbildlichen Fußballclubs haben die Anlage finanziert und sich dadurch ganz nebenbei noch eine Dauerfreikarte für die knappen Plätze im stets ausverkauften Dreisam-Stadion gesichert. Pfiffige Ideen sind gefragt, wenn es um den Durchbruch ins Solarzeitalter des dritten Jahrtausends geht. Tausende von Investoren beteiligen sich bereits an Windparkanlagen. *Wo* Sie umweltfreundlichen Strom erzeugen, ist gleichgültig, wichtig allein ist, *daß* immer mehr Menschen die ersten Schritte ins Solarzeitalter zurücklegen. Wenn 24 Millionen Gebäude in Deutschland 24 Millionen kleine Solarkraftwerke werden, dann können wir problemlos allen Strom, den das hochindustrialisierte Deutschland braucht, mit Hilfe der Sonne produzieren. Das brauchen wir aber gar nicht, denn wir haben ja noch weitere regenerative Energiequellen.

Eine Studie des Newcastle Photovoltaic Application Centre ergab: wenn die Photovoltaik in die vorhandenen Gebäude integriert wird, reichen 10 Prozent der heute überbauten Fläche aus, um allen Strom Großbritanniens mit Hilfe von Sonnenstrahlen zu produzieren. Inzwischen können wir Photovoltaikanlagen nicht nur auf der Schräge unserer Dächer, sondern auch an den Senkrechten unserer Hauswände anbringen, wie es zum Beispiel die Stadtwerke in Aachen, das Umweltministerium in München, Greenpeace in Hamburg und viele Menschen an ihren Häusern schon getan haben. Das Flächenproblem ist in der Praxis längst widerlegt. Was für England gilt, gilt auch für Frankreich und Deutschland, für Österreich und die Schweiz, Norwegen und Schweden und erst recht für Spanien, Italien und Griechenland. In 50 Jahren spätestens werden wir unsere Dächer wie selbstverständlich mit Solarziegeln bedecken – Ziegel, die mit integrierten Solarzellen unseren Strom erzeugen. Auch Solarvorhänge an unseren Fenstern werden dazu einen Beitrag leisten.

Unsere beiden Solaranlagen machen jetzt von April bis Oktober unser Wasser warm und bringen soviel Strom wie eine durchschnittliche deutsche Familie verbraucht. Wenn wir sparsam sind, reicht es sogar noch für ein Solarauto. Und wie ist es mit dem Preis? Zunächst einmal: unsere Solaranlagen sind uns ihren Preis wert, denn sie ersparen der Umwelt jedes Jahr fünf Tonnen CO_2-Treibhausgase. Heutige Solaranlagen haben eine Laufzeit von 30 bis 40 Jahren. Unsere Sonnenkollektoranlage wird sich nach etwa 12 Jahren gerechnet haben, danach verdienen wir noch 20 bis 30 Jahre gut Geld mit ihr. Ökonomie und Ökologie kommen zusammen. Wer sich keine Sonnenkollektoren kauft, verfeuert sein Geld durch den Schornstein.

Photovoltaik-Anlagen sind heute in Deutschland noch teuer. Sie rechnen sich allerdings in den 30 Kommunen, die bereits kostendeckende Vergütung für Solarstrom bezahlen wie z.B. Bonn und Berlin, Aachen und Freising, Pforzheim und Schwäbisch Hall, Lemgo und Nürnberg, Hammelburg und Remscheid, München und Heidelberg. Diese kostendeckende Vergütung beträgt zur Zeit etwa 1,60 DM bis 1,80 DM pro kWh. Fast jeden Monat gesellen sich weitere Kommunen zu diesen Pionieren, die der Solarenergie wenigstens auf kommunaler Ebene zum Durchbruch verhelfen. Als die Stadt Bonn die kostendeckende Vergütung für Solarstrom beschlossen hatte, hat sich in den zwölf Monaten danach die Quadratmeterzahl für Photovoltaikanlagen verhundertfacht, in Lemgo verzehnfacht und in Aachen verdreißigfacht. In zwanzig Jahren wird Solarstrom um den Faktor zehn preisgünstiger sein als heute. Strom aus Windkraftanlagen, die im Meer stehen, kann für fünf Pfennig je Kilowattstunde gewonnen werden – weltweit.

„Energie sparen, die Sonnenkraft nutzen und dabei viel Lebensqualität haben", heißt das Credo des Freiburger Sonnenpapstes Rolf Disch. Das *Heliotrop* – griechisch: der Sonne zugewandt – des genialen Solararchitekten am südlichen Stadtrand Freiburgs dreht sich einmal am Tag um die eigene Achse und bietet jede Stunde einen anderen Ausblick auf die sanft hügelige, grüne Umgebung des Schwarzwaldes. Disch hat den richtigen Dreh gefunden. Seine Sonnenwohnung mit integriertem Solarbüro für sich und seine Frau Hanna wendet der Sonne mal die verglaste und mit Sonnenkollek-

Wegweiser für die nächsten Jahrhunderte werden sein: Solare Energiewende, Bevölkerungsrückgang, ökologische Verkehrswende, New Work, Macht Euch der Erde untertan.

Wer sich im Einklang mit der Natur erleben will, installiert technische Intelligenz, um die lebensfreundliche Sonnenenergie zu nutzen.

toren bestückte Hälfte zu und mal die dick isolierte Rückseite mit den kleinen Fenstern. Mal Sonnenschutz, mal Sonnennutz – je nach Belieben. In Abwandlung des schönen ADAC-Slogans *„Freie Fahrt für freie Bürger"* feixt Disch: *„Freie Wahl für die schönste Aussicht".* Tatsächlich: Dieser richtige Dreh bringt dem Auge und der Seele bisher ungeahnte Lebensqualität. Ein neues Wohnerleben! Ästhetik und Komfort sind Rolf Disch besonders wichtig. Natur und Wohnen und Arbeiten sind nicht mehr getrennt – sie fließen ineinander. Was heute noch außergewöhnlich und ein Projekt für die Expo 2000 ist, wird 2050 ganz normaler Standard sein.

Auf dem Dach dreht sich Dischs *Sonnensegel*, eine Photovoltaikanlage, die mit 55 Quadratmetern Fläche etwa fünfmal mehr Strom erzeugt als in dem modernen Büro- und Wohnhaus mit seinen vielen technischen Geräten verbraucht wird. Dischs Solarhaus ist so konstruiert, daß es auch auf kleinem Grundstück gebaut werden kann. Das Haus läßt sich exakt so drehen, daß die Wohn- und Büroräume im Sommer im Schatten liegen und im Winter der wärmenden Außenstrahlung nachgeführt werden. An sehr kalten Tagen wird Erdwärme ins Haus geleitet. Dieser Mann *„setzt neue Maßstäbe für künftiges Bauen"*, urteilt die Fachzeitschrift *Bauen mit Holz.* Der Mann, der früher einmal Weltmeister in Solarautorennen war – sein Fahrzeug hatte er selbst gebaut – gehört heute zur Avantgarde der deutschen Solararchitekten. Ihm kommt zugute, daß er Möbelschreiner gelernt und eine Maurerlehre absolviert hatte, bevor er Architektur studierte. *„Man muß alles in Frage stellen. Nur dann kommen wir weiter. Wir brauchen Visionen"*, sagt der Solar-Praktiker und pragmatische Architekt und fügt nachdenklich hinzu: *„Und vor allem ein neues Lebensgefühl, dessen Mittelpunkt wieder die Sonne ist."*

In Dischs Heliotrop dreht sich alles um eine zentrale Achse, die vollständig aus Holz konstruiert wurde. *„Wir können künftig nur verbrauchen, was nachwächst – und Holz macht niemand krank!"* Holz ist als nachwachsender Rohstoff ein umweltfreundlicher Baustoff. Holzhäuser sind solide und langlebig. Holz ist Natur und der einzige nachwachsende Rohstoff, der uns von Kindheit an vertraut ist. Dischs Heliotrop ist ein attraktives Solarkraftwerk. Hausbesitzer sind hier zugleich Energieunternehmer. Sie erzeugen Energie mit einem Rohstoff, der – im Unterschied zu Kohle, Gas, Öl oder Atomenergie – nichts kostet. Denn: Die Sonne schickt uns nie eine Rechnung. Wenn sich das erst mal herumspricht ... *o sole mio!*

Die Solarenergie und die Solararchitektur kommen langsam, aber unaufhaltsam. In den letzten 25 Jahren hat sich die Produktion von Solarzellen um das 25fache erhöht. Kann Öko auch schön sein? Schönheit und Vernunft, Ästhetik und Ökologie müssen keine Gegensätze sein. Rolf Disch ist ein Vertreter der neuen Eleganz des ökologischen Bauens. Wir werden im 21. Jahrhundert lernen: Nachhaltig ist schön und schön ist nachhaltig. Schönheit und Ästhetik werden zu den Grundbedürfnissen des Menschen gehören, nachdem im 22. Jahrhundert die materiellen Bedürfnisse mit unendlicher Sonnenenergie befriedigt sein werden. Schönheit wird eine zentrale Dimension der Nachhaltigkeit und der bisher zu wenig beachtete Aspekt von Zukunftsfähigkeit im dritten Jahrtausend. Die Schönheit des rechten Maßes, des behutsamen Umgangs mit den Ressourcen, aber auch die Schönheit ökologischen Bauens und Wohnens sowie der kulturellen Vielfalt sind Identitäten des postindustriellen Zeitalters.

Kluge Unternehmer wissen, daß sie in Zukunft hauptsächlich mit grünen Ideen schwarze Zahlen schreiben. Rolf Disch umschreibt diese Philosophie so: *„Architekten sollten doch zuerst einmal das nutzen lernen, was nichts kostet, zum Beispiel die Sonne und die Luft".* Als Rolf Disch von der Wirtschaftszeitung *Capital* zum *„Ökomanager 1997"* gewählt war, nannte ihn die *Badische Zeitung* einen *„Visionär mit Realitätssinn".* Er ist kein Ökoromantiker, sondern ein erfolgreicher Unternehmer. Rolf Disch ist nicht trotz seines Umweltengagements, sondern wegen dieses Engagements erfolgreich. Ein Unternehmer für das 21. Jahrhundert.

Hartnäckig hält sich das Vorurteil, daß Wohnen mit der Sonne viel technischen Aufwand mit Sonnenkollektoren, Photovoltaikanlagen und Wintergärten bedeute. Doch Solararchitektur ist älter als die heutige High Tech. Jeder Bauherr und jede Baufrau kann die Sonne auch ohne großen technischen Aufwand *passiv* nutzen. *„Ist es nicht angenehm"*, so fragte schon vor 2.500 Jahren der griechische Philosoph Sokrates, *„im Sommer ein kühles Haus zu haben und im Winter ein warmes?"* Der lebensnahe Denker fuhr fort: *„Muß man also nicht die Seite gegen Mittag niedrig bauen, damit der Wintersonne der Zutritt nicht verwehrt wird, die Seite gegen Norden hingegen höher, damit die kalten Winde nicht eindringen?"* Diese Empfehlung gilt natürlich vor allem für das antike Haus im milden Mittelmeerklima, aber auch heute noch, 2.500 Jahre nach Sokrates, können Architekten, Bauherren, Stadtplaner und Kommunalpolitiker vom griechischen Meisterphilosophen lernen. Diese Erkenntnis wird auch im Jahr 3000 noch gelten.

Leben mit der Sonne ist gesund, spart Geld, schont die Umwelt und ist schön. Wer sich im Einklang mit der Natur erleben will, baut mit der Sonne, öffnet sein Haus nach Süden, installiert mit wenig Aufwand technische Intelligenz, um die lebensfreundliche Sonnenenergie zu nutzen. Die Sonne liefert Tageslicht, behagliche Wärme und bietet als schönstes Geschenk Vitalität, Gesundheit und Lebensenergie. In den USA heißen Sonnenhäuser auch *vital buildings.* Das Sonnenlicht ist die Universal-Arznei aus der Himmelsapotheke. Wir sind Kinder des Lichts. Das natürliche Sonnenlicht unterstützt den inneren Stoffwechsel und stärkt unser Immunsystem. Natürliches Licht regt auch die Selbstheilungskräfte unseres Körpers an, indem es uns heilende Energie zuführt. Der Mediziner Jörg Tingelhoft drückt es drastisch aus: *„Leben nach Nord ist Mord".* Feng Shui-Weisheit aus China besagt: *„Kommt die Sonne nicht ins Haus, kommt der Doktor."* Irgendwann im dritten Jahrtausend werden uns Theologen sagen: Das neue Wort für Gott heißt Licht und Energie.

Ein nach der Sonne gebautes Haus schläft nachts und nutzt, optimal isoliert, die Restwärme des Tages. Bei Sonnenaufgang wacht das Haus auf. Die Sonne weckt unsere Lebensgeister. Menschen im Sonnenhaus sind Sonnenpartner statt Morgenmuffel. Wenn eine kreative Bauplanung – wie bei Rolf Disch oder zum Beispiel beim Solarhausproduzenten *Trisolar* – den Sonnenverlauf berücksichtigt, dann harmonieren auch Ökologie und Ökonomie – Voraussetzung für ein gutes Leben im neuen Jahrtausend. Am Mittag hat sich ein nach der Sonne gebautes Haus wie eine Blüte komplett zur Sonne hin geöffnet. Und am Abend sorgt nicht eine Ölheizung, sondern ein moderner Wintergarten für mollige Wärme. Sonnenhäuser sind nicht teurer als konventionelle Gebäude – sparen allerdings riesige Energiemengen ein.

Die Bauphilosophie im dritten Jahrtausend heißt: Solares Bauen ist soziales Bauen und ökologisches Bauen und gesundes Bauen. Viele wissenschaftliche Studien belegen, daß Menschen in Solarhäusern weit weniger krank werden als in herkömmlich gebauten Häusern. Sonnenlicht und frische Luft sind wichtige Lebensmittel. In der konservativen Architektur wird einfach übersehen, daß Licht ein existentielles Grundnahrungsmittel ist.

Langfristig war es für die Menschen zu allen Zeiten günstiger, mit der Natur zu leben als gegen sie. Solararchitektur und Solarenergie sind Voraussetzung dafür, daß die Erde für unsere Kinder bewohnbar bleibt. Die sauberste, umweltfreundlichste und langfristig billigste Energie der Welt läßt sich ohne nennenswerte Belastung auf fast jedes Haus bequem installieren. Jedes Dach ist ein potentielles Solarkraftwerk.

Solarauto, Solarhaus, Heliotrop, Solarsiedlung, Plusenergiehaus: Stichworte für das neue Jahrtausend. Wenn sich viele auf diesen Sonnenweg machen, entstehen Millionen neue Arbeitsplätze. Auf die Frage, ob und wie dieser Weg finanziert werden soll, sagt der Ökomanager Disch ganz pragmatisch: *„Dies ist gescheiter und billiger als Arbeitslosigkeit zu finanzieren.“* Wenn Architekten mal lernen, wo Süden ist, können wir allein durch diese schlichte Erkenntnis die Hälfte unserer bisherigen Heizenergie einsparen. Energiewende, Verkehrswende, Wasserwende – all dies wird nicht klappen ohne eine Wende beim Bauen. Ein Gebäude steht durchschnittlich 100 Jahre. Macht es heute noch Sinn, eine Ölheizung einzubauen, wenn bekannt ist, daß es in etwa 40 Jahren kein Erdöl mehr gibt?

Ökologisches Bauen ist keine Modeerscheinung, sondern eine Herausforderung an unseren Überlebenswillen. Solararchitektur wird integraler Bestandteil einer zukünftigen regenerativen Energiewirtschaft sein. Solarpolitik und Solararchitektur bedeuten: Eine in der Geschichte der Menschheit noch nie dagewesene Anstrengung ist nötig, weil wir der größten Bedrohung in der Geschichte der Menschheit gegenüberstehen, dem Klimakollaps.

Mit ökonomischer Entwicklung, wird das Bevölkerungswachstum gestoppt, ja sogar zurückgeführt.

Bis 2050 können wir in den Industriestaaten ohne Wohlstandsverlust die Hälfte des heutigen Energieverbrauchs einsparen. Diese Energie-Effizienz-Revolution wird dazu führen, daß wir bis 2100 etwa 80 Prozent und bis 2200 mindestens 90 Prozent weniger Energie für dieselbe Dienstleistung wie heute brauchen. Die Menschen der heute noch sogenannten Dritten Welt werden dann etwas mehr Energie verbrauchen als heute. Größere Energie-Effizienz und Ressourcen-Effizienz ist Voraussetzung dafür, daß wir nicht nur in frommen Sprüchen, sondern wirklich die *eine Welt* schaffen.

Zweiter Wegweiser: Bevölkerungsrückgang. Die künftige Energieversorgung ist der Schlüssel für ein gutes drittes Jahrtausend. Ohne neue und umweltfreundliche Energie aus Sonne, Wind, Wasser und Biomasse gibt es keine ökonomische Entwicklung in den heute noch armen Ländern des Südens. Dort ist Armut und Hunger Ursache des starken Bevölkerungswachstums. Doch mit ökonomischer Entwicklung dank erneuerbarer Energie wird das Bevölkerungswachstum gestoppt, ja sogar zurückgeführt wie heute schon in den reichen Ländern des Nordens. Wieviele Menschen kann die Erde tragen? Welche Entwicklung der Weltbevölkerung bis zum Jahr 2500 ist am wahrscheinlichsten? Den 12. Oktober 1999 haben die Vereinten Nationen zum *Tag der sechs Milliarden* bestimmt. Im Jahr 1900 waren wir noch 1,6 Milliarden, 1987 gab es fünf Milliarden Menschen. Wenn diese Entwicklung so weiterginge, wären wir 2100 schon 50 Milliarden und 2200 mehr als 1.000 Milliarden Menschen.

Doch es wird so nicht weitergehen. Überall dort, wo Frauen freien Zugang zur Bildung, eigenem Einkommen und zu Verhütungsmitteln haben, sinkt schon heute die Geburtenrate drastisch. Jetzt zur Jahrtausendwende zeichnet sich bereits eine Trendwende bei der Entwicklung der Weltbevölkerung ab. Die Zahl der Paare in den Entwicklungsländern – auch in den katholischen –, die mit modernen Methoden Schwangerschaften verhüten, ist in den letzten 30 Jahren von 14 auf 57 Prozent gestiegen. Deshalb fiel die durchschnittliche Kinderzahl je Paar von 6,8 auf 3,5.

Ungeplante Geburten, der Wunsch nach möglichst vielen Kindern wegen mangelnder Altersvorsorge und die *junge* Altersstruktur waren bisher die Hauptgründe für die *Bevölkerungsexplosion*. Doch alle drei Faktoren sind beeinflußbar und werden beeinflußt – künftig noch stärker als schon heute. Allein ein späterer Zeitpunkt der ersten Geburt schwächt die Wachstumsdynamik enorm ab. Es ist absehbar, daß spätestens 2050 die durchschnittliche Kinderzahl pro Frau in den Entwicklungsländern auf zwei sinken wird. Bis dahin werden wir etwa acht bis neun Milliarden Menschen sein. Danach wird die Zahl zurückgehen wie heute schon in Deutschland, Frankreich, Italien und der Schweiz. Denkbar ist, daß wir 2100 noch fünf Milliarden, 2300 noch drei Milliarden und im Jahr 3000 noch eine Milliarde Menschen auf diesem Planeten sein werden. Selbstverständlich werden bis dahin Erdbewohner auch auf anderen Planeten leben können – aber nicht in nennenswerten Größenordnungen. Wir sind für ein dauerhaftes Leben auf anderen Planeten nicht vorbereitet. Ein Urlaub im Schwarzwald wird auch in 1.000 Jahren mehr Vergnügen bereiten als ein dauerhaftes Leben in einem künstlichen Hotel auf dem Mond, Mars oder Saturn.

Die Verfünffachung des öffentlichen Verkehrs in den nächsten 30 Jahren führt zur ökologischen Verkehrswende.

Dritter Wegweiser: Die ökologische Verkehrswende. Darunter verstehe ich eine Verfünffachung des öffentlichen Verkehrs. Die alte Autogesellschaft hat ökonomisch und ökologisch keine Zukunft. In Bangkok beträgt heute die durchschnittliche Geschwindigkeit eines Pkw drei Kilometer pro Stunde, in deutschen Innenstädten 16,2 km/h. Tendenz abnehmend. Pferdefuhrwerke im Mittelalter fuhren 17,2 km/h. Flächenbahn statt Autowahn *plus* Telekommunikation sind Voraussetzungen für humane Mobilität und eine intakte Umwelt im 21. Jahrhundert. Neue Medien machen *New Work* flüssig. Ergebnis: Daten statt Kilometer. Internationale Datenhighways statt noch mehr deutsche Autobahnen.

Jährlich werden zur Zeit weltweit noch etwa 50 Millionen Autos produziert. Doch die heutigen Autos passen nicht in ein lebensfreundliches 21. Jahrhundert. Die Bundesregierung wird mit ihrer heutigen Verkehrspolitik ihr Ziel, die Treibhausgase bis zum Jahr 2005 um 25 Prozent zu reduzieren, nicht erreichen. Ökologische Verkehrswende heißt Abschied nehmen von einer Verkehrspolitik, die sich als Autopolitik versteht. Die Monokultur Auto ist so wenig lebensfreundlich wie jede Monokultur. Sie zerstört unsere Überlebenselemente Wasser, Luft und Boden und die Nerven der Menschen. Und sie führt exakt in die Immobilität. Manchmal sind im Radio die Staunachrichten schon länger als die Weltnachrichten! Jahr für Jahr gibt es neue Rekordmeldungen für Autostaus. Der bisherige Spitzenwert liegt bei 140 Kilometer Stau zwischen Hamburg und Flensburg. Der deutsche Mensch verbringt zur Jahrtausendwende mehr Stunden im Stau (67) als beim Sex (40) pro Jahr. Welch armselige Lebensqualität!

BMW-Forscher haben die Staukosten für die deutsche Volkswirtschaft jährlich auf 200 Milliarden Mark geschätzt. Rasender Stillstand! Mobiler Wahnsinn! In vielen Großstädten dienen bis zu 40 Prozent der Innenstadtfahrten der Parkplatzsuche. Stuttgarts früherer Oberbürgermeister Manfred Rommel spottet: *„Die einen fahren in die Stadt und suchen einen Parkplatz, und andere kommen ihnen entgegen, weil sie keinen gefunden haben. So treffen sich die Menschen, das nennt man Stadtbelebung."* Keine guten Aussichten für das neue Jahrtausend. Doch zum Glück ist eine ökologische Verkehrswende bis 2030 machbar.

Positive Beispiele dafür, daß kluge Verkehrspolitik mehr sein kann als nur stupide Autopolitik:

1 In der Schweiz gibt es nicht nur eine nostalgische Zuneigung zum öffentlichen Verkehrsmittel Bahn, die Schweizer benutzen die Bahn sogar! Und fahren dreimal mehr Bahnkilometer als wir in Deutschland – trotz schwieriger geografischer Voraussetzungen. Wo in der Schweiz mehr als zehn Häuser zusammen stehen, gibt es einen Bahnhof. Die Züge fahren in jedes Gebirgstal hinein. Wo sie nicht mehr weiter kommen, schlängelt sich anschließend eine Schmalspurbahn an Hängen entlang. Und wo sie steckenbleibt, wird eine Zahnradbahn gebaut und wo selbst das nicht mehr geht, gibt es eine Seilbahn. Wenn es in der Schweiz ein Referendum zur Verkehrspolitik gibt, entscheidet sich das Volk meist gegen Straßen und gegen noch mehr Lkw und Pkw und für den Ausbau der Eisenbahn. Deshalb hat die Schweiz die größte Modelleisenbahn der Welt. Die Schweizer fahren am liebsten mit dem Zug. Hauptsächlich deshalb, weil es in der Schweiz eine gute Eisenbahnpolitik gibt: der Service stimmt, der Takt stimmt, die Vernetzung zwischen Bahn und Bus, zwischen Regionalbahn und Straßenbahn stimmt und der Preis stimmt – hauptsächlich der für Familien.

2 Die Stadt Karlsruhe betreibt seit Jahrzehnten die effektivste Straßenbahnpolitik in Deutschland. In Karlsruhes Hauptgeschäftsstraße fährt die Straßenbahn im Takt von 50 Sekunden. Deshalb sieht man in der Innenstadt der badischen Metropole weniger Autos als anderswo. Seit einigen Jahren fahren Karlsruhes Straßenbahnen auf den Schienen der Deutschen Bahn bis zu 50 Kilometer nach Nord und Süd und Ost und West aus Karlsruhe hinaus ins Umland. Die Nutzungsraten stiegen in drei Jahren um bis zu 600 Prozent. Ab September 1997 wird in einigen Karlsruher Straßenbahnen den Gästen ein Frühstück angeboten. Vorbild für intelligenten Schienenverkehr mit gutem Service.

3 Die Stadt Lemgo hat 1994 ihre alten Busse ausrangiert und durch moderne und bequeme Niedrigflurbusse ersetzt. Die Zahl der Haltestellen wurde versechsfacht. Die Busse fahren jetzt im Zehn-Minuten-Takt statt wie früher im Stundentakt. Eine gute Agentur übernahm die Werbung. Ergebnis nach drei Jahren: die Automobilität ist stark rückläufig. Die Teilnehmerzahl am öffentlichen Verkehr hat sich verdreißigfacht! Aus 80.000 Teilnehmern am öffentlichen Verkehr jährlich wurden jetzt 2,4 Millionen!

4 In der österreichischen Stadt Dornbirn hat sich die Kundenzahl mit demselben System in sechs Jahren sogar verfünfzigfacht. Aus 100.000 Benutzern des Bussystems wurden fünf Millionen. Ganz offensichtlich gibt es nicht nur Millionen autoverrückte Deutsche und Österreicher, sondern auch eine Riesensehnsucht nach intelligenten Lösungen der Verkehrsprobleme.

5 Münster hat die meisten Radfahrer Deutschlands. Gelungene fußgängerfreundliche Planungen gibt es in Wismar. In Berlin und München floriert *car-sharing*, das heißt, mehrere Menschen oder Familien unterhalten gemeinsam ein oder mehrere Autos. *Car-sharing* spart Geld und schont die Umwelt! Freiburg hat ein gut funktionierendes Verbundsystem von Fußgänger-, Fahrrad- und öffentlichem Verkehr.

6 Die schöne Bodenseestadt Lindau drohte am Autoverkehr zu ersticken. Es gab nur Regionalbusse. Da hat sich die Stadtverwaltung ein neues Stadtbussystem geleistet mit dem beinahe unvorstellbaren Ergebnis, daß die Fahrgastzahlen um das hundertfache gestiegen sind: von 30.000 auf drei Millionen. Solche Erfolge sind nur möglich, wo sie wirklich gewollt werden und wo die Verantwortlichen daran glauben.

7 Nordrhein-Westfalen hat schon in den 80er Jahren 1.600 Hauptverkehrsstraßen stadtverträglich umgestaltet – ohne Tunnelbau oder Umgehungsstraßen. Durch Tempolimits, das Pflanzen von Bäumen, Mittelinseln und vielen Fußgängerüberwegen wurden von Autos zerstörte Räume wieder menschengerecht zurückgebaut.

8 In Holland werden 50 Prozent aller Wege mit dem Fahrrad zurückgelegt, in Deutschland sieben Prozent. Bei unseren holländischen Nachbarn ist ein Fahrradfachgeschäft eine Mobilitätszentrale. Die Fahrräder der Zukunft müssen, um attraktiv zu sein, weitgehend wartungsfrei und wesentlich komfortabler sein. Das Zweit- und Drittfahrrad wird ebenso selbstverständlich werden wie Elektrofahrräder. Zum Einkaufen werden wir in Zukunft das City-Bike, für die Reise den Elektrotourer mit eingebautem Elektromotor benutzen.

Das Zukunftsauto verbraucht ein bis zwei Liter Biosprit pro 100 Kilometer.

Meine Vision ist eine Verfünffachung des öffentlichen Verkehrs in den nächsten 30 Jahren. Nur eine solche Politik löst die Umwelt- und Verkehrsprobleme eines Industriestaates wie Deutschland. Die Autos, die es dann noch geben wird – vielleicht 10 Millionen statt wie heute 40 Millionen –, sind Solarautos oder Autos, die mit Biosprit oder mit solarem Wasserstoff und Brennstoffzellen betrieben werden. Ihre Merkmale gegenüber den heutigen Autos: leichter, leiser, langsamer, langlebiger! Diese Produktion der *vier „l"* wird ergänzt werden müssen durch eine Verkehrspolitik der *vier „v":* vermeiden, verlagern, verträglicher abwickeln und vernetzen.

Es ist zur Jahrtausendwende höchste Eisenbahn für diese Verkehrswende. Sie ist möglich und schafft etwa eine Million neue Arbeitsplätze. Hauptsächlich in der Fahrzeugindustrie, in der Bauindustrie und ihren Zuliefererbetrieben, beim technischen und kaufmännischen Servicepersonal. Durch die Erweiterungen des Bahnnetzes, die Produktionsweise moderner Züge, das Sanieren der Bahnhöfe, den Ausbau aller Bahnhöfe zu modernen Kommunikations- und Einkaufszentren und das Verbessern des Lärmschutzes gibt es unendlich viel Arbeit und viele sinnvolle Arbeitsplätze – auch für den Export dieser zukunftsfähigen Mobilitätssysteme der *vier „l"* und *vier „v"*.

„Visionen brauchen Fahrpläne" hat Ernst Bloch gemeint. Die wichtigsten Schritte für eine zukunftsfähige Mobilität sind:

1 Ausbau des öffentlichen Verkehrs wie Umwandlung von Kfz-Spuren in Bus- und Taxispuren, 20.000 Kilometer Neu- und Ausbaustrecken für ein flächendeckendes Bahnnetz, Ausbau des Straßenbahnnetzes wie in Karlsruhe, bessere Vernetzung von Bus, Bahn und Straßenbahn, 250 neue Regionalbahnsysteme, bessere Kundeninformation, besserer Service.

2 Rückgang des motorisierten Individualverkehrs durch eine moderate ökologische Steuerreform, Rückbau von Straßen zugunsten der Schiene, weniger Parkplätze, autofreie Innenstädte.

3 Ausbau von Fahrradwegen, Öffnung aller Einbahnstraßen für Fahrräder in beide Richtungen, bequeme Radmitnahme in Zügen, Bussen und Straßenbahnen, mehr Fußgängerwege. Fahrradzentren in allen großen Bahnhöfen mit Fahrradausleihe, Fahrradkauf, Fahrradreparatur und Fahrradbewachung. Ein ordentliches Bewachen von Fahrrädern ist wichtiger als viele Leser vermuten. Einem meiner Bekannten sind am Heidelberger Hauptbahnhof in zehn Jahren sieben Fahrräder gestohlen worden.

Natürlich wird es auch in 20 und 30 Jahren noch Autos geben – aber andere als heute. PS-Protzerei, Elektronic-Klimbim und Höchstgeschwindigkeit sind Merkmale der heutigen Autos. Es ist aber technisch möglich, Pkw zu produzieren, welche den Komfort und die Sicherheit eines Mercedes, das Beschleunigungsvermögen eines BMW und den Preis eines VW-Passat in sich vereinigen. Dieses Zukunftsauto verbraucht ein bis zwei Liter Kraftstoff pro 100 Kilometer, der – wenn es sich um Biosprit handelt – null Treibhausgase produziert. Amerikanische Autohersteller haben, inspiriert vom genialen Leiter der Forschungsabteilung des Rocky Mountain Institut in Colorado, Amory Lovins, in der Entwicklung dieses Superautos einen großen Vorsprung vor europäischen Autoproduzenten. Solche Autos werden wir in 20 Jahren fahren können.

Amory Lovins dazu in der *Frankfurter Allgemeine Zeitung* vom 31. März 1998: *„Die deutsche Automobilindustrie verfügt über alle Fähigkeiten, die erforderlich sind, um sich ihren Anteil an diesem neuen Billionen-Dollar-Geschäft zu sichern, agiert jedoch in Bezug auf derart fundamentale Innovationen noch nicht schnell und flexibel genug. Ich hoffe, daß sich dies bald ändert, solange noch genug Zeit bleibt, sicherzustellen, daß es auch in der nächsten Generation noch eine deutsche Automobilindustrie gibt."* In etwa einer Generation, also bis zum Jahr 2030, kann die eben beschriebene Mobilitäts-Vision realisiert sein. Dieses Verkehrswirtschaftswunder wäre ein wesentlicher Baustein für ein gesamtes ökologisches Wirtschaftswunder, das wir für das 21. Jahrhundert organisieren können, so wie die Aufbaugeneration nach 1945 das klassische Wirtschaftswunder geschafft hat. Autofahren ist heilbar.

Vierter Wegweiser: New Work. Dies bedeutet Flexibilisierung und Feminisierung der künftigen Arbeitsstrukturen. Mit Hilfe der neuen Medien ergibt sich die Chance für mehr Partnerschaft und mehr

Weniger Arbeitszeit in Büro und Fabrik und mehr Arbeitsmöglichkeit zu Hause bringen im 21. Jahrhundert mehr Lebensqualität.

Umweltfreundliche Technologien und neue Medien gestalten die Zukunft und schaffen Millionen neue Arbeitsplätze .

Väterlichkeit. Wirkliche Emanzipation erfordert mehr freie Zeit füreinander. Weniger Arbeitszeit in Büro und Fabrik und mehr Arbeitsmöglichkeit zu Hause sind wohl die größte Chance für mehr Lebensqualität im 21. Jahrhundert. Mögliches Ergebnis: Mehr Liebe – weniger Arbeit!

Ein Blick ins 21. Jahrhundert läßt ahnen, daß nicht nur ökonomisch, sondern auch kulturell und religiös aus monokulturellen Gesellschaften multikulturelle werden. Globalisierung wird der rote Faden des künftigen Zivilisationsprozesses. Einfach gesagt: Unser Horizont wird sich erweitern – über unseren Planeten hinaus in den Kosmos. Dabei wird der alte Rohstoff Handarbeit vom neuen Rohstoff Wissens- und Bewußtseinsarbeit teilweise abgelöst. Die Arbeit der Zukunft und die Zukunft der Arbeit wird nicht mehr nur von Ausdauer, sondern mehr von Flexibilität bestimmt, Phantasie wird wichtiger als Einordnung, Kommunikation wesentlicher als Funktionieren und Vernetzung erfolgreicher als Hierarchie. Die Arbeitsbiografien von Frauen und Männern werden im 21. Jahrhundert entschieden vielgestaltiger als im 20. Jahrhundert. Phasen des Angestelltseins werden wechseln mit Phasen der Selbstständigkeit – es wird eine neue Unternehmenskultur entstehen. Die Mehrheit der Menschen erleben mehr Brüche, mehr Veränderungen, mehr Komplexitäten in ihrer Biografie als noch ihre Eltern und Großeltern. Matthias Horx sieht als entscheidende Sozialtechniken im 21. Jahrhundert: Kommunikative Intelligenz, mediale Intelligenz und emotionale Intelligenz. EQ wird wohl so wichtig wie IQ.

In Deutschland sind wir jedoch noch weit entfernt davon, diese Chancen für *New Work* auch nur zu sehen. Der deutsche Katzenjammer und die deutsche Bedenkenträgerei sind nicht zukunftsfähig. Deutschland hat eine Art Zukunfts-Aids. Dieser Virus entspringt der Denkfaulheit. Ein Land, dessen Regierung heute noch Kohle subventioniert und mit über 20 Milliarden Mark Steuergeldern den *Eurofighter* finanziert, ist auf der Verliererfahrbahn. Zukunftsfähige Politiker sind *Solarfighter* und finanzieren nicht mehr länger *Eurofighter*.

Anders Japan und die USA: Im Frühjahr 1996 haben Bill Clinton und sein Vize Al Gore mit 20.000 Freiwilligen an einem Tag 200 km Telefonkabel in 3.000 kalifornischen Schulen verlegt. Die Begeisterung war riesig. Diese Schulen werden künftig per Telekommunikation miteinander verbunden sein. Eine ähnlich spektakuläre Aktion mit einem der bisherigen Bundeskanzler an der Spitze ist in Deutschland heute noch undenkbar. Wir bauen in den nächsten zehn Jahren für 200 Milliarden Mark neue Autobahnen, die US-Amerikaner für mehr Dollars Daten-Bahnen. So wie uns im nächsten Jahrhundert die Japaner in der *Solar-Technologie* – nachdem sie in den letzten sechs Jahren sämtliche deutschen Solarpatente aufgekauft haben – abhängen werden, so verweisen uns die US-Amerikaner in der Entwicklung der modernen Kommunikationstechnologien auf die hinteren Plätze. In Deutschland herrscht noch immer das Dinosaurier-Prinzip – viel Masse, wenig Hirn – während uns Japaner und Amerikaner zeigen wie man mit Hilfe des Schmetterlings-Prinzips – leicht, bunt, beweglich, anpassungsfähig, transformativ – mit umweltfreundlichen Technologien und neuen Medien die Zukunft gestaltet und Millionen neue Arbeitsplätze schafft. Während der Amtszeit von Bill Clinton wurden in den USA 16 Millionen neue Arbeitsplätze geschaffen – davon neun Millionen im Bereich der neuen Medien.

Während in Deutschland Politiker, Gewerkschaftler und Unternehmer sich im Jammern über die schlechte Lage überbieten, weckt ein Bill Clinton in den USA Begeisterung: *„Es ist das erklärte Ziel meiner Regierung bis zum Ende des Jahrzehnts jedes Klassenzimmer, jedes Krankenhaus und jede Bibliothek in den Vereinigten Staaten mit der Datenautobahn zu verbinden."* Daß *Be-geist-erung* etwas mit Geist zu tun hat, wurde im verfetteten Deutschland fast vergessen. Das Hauptproblem unserer Misere ist die Geist-Vergessenheit und die fehlende Begeisterung für Innovationen, für Visionen, für ökologische Jahrhundert-Projekte wie die solare Energiewende und das solare Informationszeitalter, den ökologischen Landbau, die Solararchitektur, die ökologische Wasserwende und eine ökologische Steuerreform, die diesen Namen verdient.

Deutsche Obrigkeiten haben eher Angst vor viel Information mit Hilfe der elektronischen Datenbahnen. In den USA aber sagt der Präsidentenberater Gregory S. Simon: *„Ursprünglich wurde die Datenautobahn für Wissenschafts- und Forschungszwecke genutzt, später auch für wirtschaftliche Zwecke. Die Datenautobahn wird jedoch künftig auch erheblichen Einfluß auf die Politik haben, denn sie ermöglicht es den Bürgern, sich in stärkerem Maße über die Dinge zu informieren, die sie in ihrem täglichen Leben bewegen. Das bedeutet aber auch, daß man die öffentliche Debatte nicht mehr länger dadurch kontrollieren kann, daß man die Information kontrolliert. Im öffentlichen politischen Forum wird es zukünftig eine ganze Menge mehr Stimmen geben, und das ist gut so."* Politikern in Deutschland fällt zur Zeit im Zusammenhang mit den neuen Medien hauptsächlich das Wort *Kontrolle* oder *Zensur* ein. Tatsächlich steckt im Netz viel Rebellion und Anarchie. Surfer pfeifen auf die Rechtschreibreform! Alle reden mit – und keiner hat das Sagen! Chance für mehr Demokratie und zwar weltweit. So wie die osteuropäischen Diktaturen – neben ökonomischer Stümperei – an westlichen Fernsehprogrammen gescheitert sind, wird schon am Beginn des 21. Jahrhunderts das kommunistische China am freien Informationsfluß im Internet scheitern. Die Tibeter und andere Minderheiten in China werden bald frei sein. Die nationalistischen Exzesse gehören nicht nur in Westeuropa, sondern auch bald in Osteuropa der Vergangenheit an.

Auf internationalen Konferenzen erkennt man zur Zeit deutsche Menschen meist daran, daß sie als erste erklären, warum etwas Zukunftsweisendes nicht geht. Amerikaner und Japaner argumentieren in aller Regel pragmatischer, weniger ideologisch und mehr zukunftsoffen. So haben auch nach dem G7-Gipfel über die Zukunft der elektronischen Datenautobahnen die Mehrheit der Leitartikler in Deutschland weniger die Chancen der Verkehrsreduzierung, der flexibleren Arbeitszeiten, der Entmaterialisierung von Produktion, Information oder Lernen sehen wollen, sondern hauptsächlich und vor allem sehr grundsätzlich vor der *„Vereinsamung durch die Vernetzung"* gewarnt.

Werden wir wirklich einsam, wenn wir künftig weniger oft im Stau stehen? Werden wir wirklich einsamer, wenn wir künftig nur noch zweimal pro Woche ins Büro oder in die Fabrik oder zur Universität fahren? Werden wir wirklich einsamer, wenn wir künftig dank der Informationstechnik vier statt acht Stunden pro Tag arbeiten? Schon in wenigen Jahrzehnten können wir Milliarden Pkw-Kilometer und hunderte Millionen Liter Sprit einsparen.

Vor einiger Zeit hielt ich eine Vorlesung für Studenten der Humboldt-Universität in Berlin – auf dem Stuhl eines Büros in Baden-Baden via Datenautobahn. Die Studenten in Berlin sahen mich auf einer Leinwand von 6 mal 8 Metern. Ich konnte bei guter Bild- und Tonqualität mit ihnen diskutieren. Dabei sparte ich mindestens 12 Stunden Reisezeit. Der Energieaufwand wäre etwa 500 bis 1.000 mal höher gewesen, wenn ich nach Berlin gereist wäre. Ein Gewinn für die Umwelt, für mich und meine Familie. Das Tennisspiel mit meiner Frau macht mir mehr Spaß als die Reise nach Berlin wegen eines Vortrages. Paradiesische Zustände durch die neuen Medien? Der Himmel auf Erden? Ich surfe – also bin ich?

Fünfter Wegweiser: Macht Euch der Erde untertan. Die neuen Medien sind keine neuen Götter, wohl aber neue Dienstleister. Immerhin eine Chance für mehr Lebensqualität in einem besseren 21. Jahrhundert. Viele Studien belegen, daß hauptsächlich die Ökologisierung der Wirtschaft und die Flexibilisierung der Arbeitszeiten wieder Vollbeschäftigung bringen wird. Beispiele:

1 die solare Energiewende etwa eine Million neue Arbeitsplätze (nach Eurosolar);

2 die ökologische Verkehrswende bei bestem Service, Vernetzung und Vertaktung aller Verkehrssysteme ebenfalls eine Million neue Arbeitsplätze (nach Professor Heiner Monheim);

3 eine ökologische Steuerreform nach Professor Bernd Meier von der Universität Osnabrück in zehn Jahren 1,5 Millionen neue Arbeitsplätze;

4 die ökologische Bauwende (Solararchitektur, ökologisches Renovieren und Restaurieren) 300.000 neue Arbeitsplätze;

5 die ökologische Wasserwende 250.000 neue Arbeitsplätze (nach Volker Hassemer, CDU);

6 der biologische Landbau macht Schluß mit dem Bauernsterben (siehe schon heute die Entwicklung in Österreich, Schweiz und Neuseeland).

Zukunft haben wir nur, wenn wir lernen, uns wieder einzuklinken in die Kreisläufe der Natur.

Umweltschutz ist kein Arbeitsplatzkiller, es ist *der* Arbeitsplatzknüller der Zukunft. Zukunftsmusik? Ja, natürlich. Also genau das, was wir weltweit am Beginn des 21. Jahrhunderts dringender als alles andere brauchen. Die Technik allein wird uns freilich nicht retten. Sonst müßten die oben beschriebenen Modelle mit positiven Beispielen längst den generellen Durchbruch erzielt haben. Doch davon sind wir um die Jahrhundertwende noch weit entfernt. Beispiel: Mit der alten Energiegewinnung aus Kohle, Erdöl, Erdgas, Benzin und Uran verbrauchen wir heute an einem Tag soviel wie in 500.000 Tagen von der Natur geschaffen worden ist. Das hat keine Zukunft. Wir müssen zu 100 Prozent auf erneuerbare Energien umsteigen. Wir haben keinen Mangel an Energie, wohl aber einen Mangel an Intelligenz, bisher die richtige Energie zu nutzen. Wo aber liegt der Rettungsanker? Der wichtigste Lernprozeß einer guten Zukunft heißt: Wir können im dritten Jahrtausend nur verbrauchen, was nachwächst, nachdem wir in den letzten 200 Jahren verbraucht haben, was in 100 Millionen Jahren gewachsen war. Diese Erkenntnis führt auch zu einer Umkehr des bisherigen Bevölkerungswachstums. Eltern, die nicht mehr hungern müssen, werden weit weniger Kinder bekommen. Ohne Umweltschutz kein Wohlstand für alle und ohne Wohlstand für alle kein Geburtenrükkgang. Die Frage des Bevölkerungswachstums ist keine Frage des Schicksals, sondern verantwortbarer Gestaltung.

Das ist nur mit einer neuen Ethik zu schaffen. Das christliche Abendland hat sich an dem fatalen Satz des alten Testamentes *„Macht Euch die Erde untertan"* orientiert. In den wunderbaren ökologischen Bildern des Neuen Testaments erkenne ich die Intention eines ökologischen Jesus, die heißt: Macht Euch *der* Erde untertan. Zukunft haben wir nur, wenn wir lernen, uns wieder einzuklinken in die Kreisläufe der Natur. Die Natur hat immer recht. Wir werden als Species homo sapiens von der Erde verschwinden, wenn wir dieses Überlebensprogramm nicht verstehen und praktizieren lernen. Eine neue Öko-Spiritualität in der Schule des ökologischen Jesus, des ökologischen Buddha, des ökologischen Lao Tse läßt uns auf ein gutes drittes Jahrtausend hoffen. Welch eine Freude, daran mitarbeiten zu können.

Literatur:

Alt, Franz: Die Sonne schickt uns keine Rechnung – Die Energiewende ist möglich, München 1994.

Derselbe: Das ökologische Wirtschaftswunder – Arbeit und Wohlstand für alle, Berlin 1997.

Derselbe: Der ökologische Jesus – Vertrauen in die Schöpfung, München 1999.

Prolog

„Die Jahrhundertwenden
gleichen einander;
alle sind von Unsicherheit
und Unruhe erfüllt."

(Joris-Karl Huysmans, Schriftsteller, um 1900)

Das Jahr 2000 – ist das Datum Stichwort eines neuen optimistischen Aufbruchs oder Sinnzeichen des nahenden Untergangs einer Kultur, der abendländischen, gar der Menschheit? In vielerlei Facetten wird diese Frage am Ausgang des 20. Jahrhunderts gestellt. Zum Symbol für die Paralyse unserer Zivilisation ist zunehmend, und mancherorts in dramatischer Weise, das vermutete Versagen der meisten Computer mit der Umstellung auf den 1. 1. 2000 geworden, das teilweise endzeitliche Ängste auslöst. Gehen damit die materiellen und technischen Mechanismen unseres Zusammenlebens zugrunde, wie dies vor knapp 2000 Jahren schon einmal mit der römischen Weltkultur durch den *Ansturm barbarischer Mächte* geschehen sei? Versagen unsere Fähigkeiten in der Gestalt unseres fortgeschrittensten Werkzeuges, dem Computer, wie die Zeugnisse der altrömischen Hochkultur funktionsuntüchtig wurden?

Nostradamus, der provenzalische Astrologe Michel de Nostredame am französischen Königshof, sagte 1555 für das Jahr 1999 in seinen merkwürdigen Reimen das Kommen eines *„großen Schreckenskönigs"* voraus. Anschließend übrigens einen langen Frieden, aber das tut apokalyptischen Stimmungslagen und Konjunkturen, die sich darauf berufen, keinerlei Abtrag. Demgegenüber hat man vor 100 Jahren, zur Jahrhundertwende 1900, das *Jahr 2000* euphorisch als geradezu erfülltes Paradies auf Erden prognostiziert und gefeiert. Der technische Fortschritt lasse die Menschheit in einer Welt unbegrenzter Machbarkeit und des vollkommenen Glücks leben. In diesem Spannungsfeld entfaltet sich in vier exemplarischen Exponaten der Prolog der Ausstellung in seiner zeitlichen und geistigen Polarität.

Harald Siebenmorgen

Das Jahr 2000 – ist das Datum Stichwort eines neuen optimistischen Aufbruchs oder Sinnzeichen des nahenden Untergangs?

1

1 Eimer mit Werkzeugen

Römisch, Ende 3. Jahrhundert n.Chr.
Eisen
H. 44 cm, B. 27 cm
Bad Homburg, Saalburg Museum, Saalburg-Kastell, Inv.-Nr. S 3209

Wie als Sinnbild einer untergegangenen Kultur kann ein Fundkomplex gelten, der 1875 auf dem Areal des römischen Limeskastells Saalburg/Taunus ausgegraben wurde. Es handelt sich um einen Eimer, der eine große Anzahl verschiedener Werkzeuge – Beile, Meißel, Bohrer, Schlüssel, Nägel, Beschläge – enthält. Möglicherweise gehörten die Geräte – zusammen mit einigen nahebei gefundenen Tongefäßen – einem römischen Schmied, der sie bei einem Überfall oder der Flucht schnell zusammenraffte und auf dem Gelände versteckte. Da die Römer nicht mehr zurückkehrten, rosteten die Eisengegenstände im Laufe der Jahrhunderte zu einem einzigen großen, unbrauchbaren Klumpen zusammen.

Literatur: Jacobi, L.:, Das Römerkastell Saalburg bei Homburg vor der Höhe, Homburg v. d. H. 1847, S. 442, Taf. XXXXVI.

H. S.

2 Computer, der die Wende zum Jahr 2000 nicht schafft

Firma Siemens
Computer PCD-2 mit 80386 Prozessor
1986
H. 47 cm, B. 50 cm, T. 41,5 cm
Karlsruhe, Firma COMICS Informationssysteme GmbH

Zum Paradigma der apokalyptischen Ängste am Ende des 20. Jahrhunderts ist die Frage des *Computer-Crashs* geworden. Als *Millennium-Fehler* gilt die Unfähigkeit vieler Rechner, die vor 1995 produziert worden sind, am 1.1. 2000 auf das korrekte Datum umzuspringen, da bei ihnen die Jahreszahl nur mit den beiden letzten Ziffern gespeichert ist. Sie interpretieren „00" als das Jahr 1900. Untergangspropheten im neuen Gewand des Technologen sagen einen Ausfall von bis zu 50 Prozent aller rechner- und chipgesteuerten Systeme der gängigen Kultur- und Zivilisationstechniken voraus. Die befürchtete Funktionsuntüchtigkeit der Technik stimuliert die Endzeitangst, eine Projektion (sei sie real oder fiktiv), die in der Geschichte nicht neu ist.

H. S.

2

„Im Jahre 1999 im siebten Monat / Wird am Himmel ein großer Schreckenskönig erscheinen."

3a **3b**

3 Michel de Nostredame, genannt Nostradamus

a) Porträt
Paris, bei Daumont
Kupferstich, Radierung
H. 14,6 cm, B. 10 cm
Wolfenbüttel, Herzog August Bibliothek, Porträtsammlung
A 15130

b) „Les prophéties de Michel de Nostredame"
(„Die Prophezeiungen des Michel de Nostredame")
Marseille, 1643 (Erstausgabe: Lyon, 1555)
H. 14,5 cm, B. 10 cm
Tübingen, Universitätsbibliothek, DK VI 58a

Der unter seinem lateinischen Namen Nostradamus legendär gewordene Arzt und Astrologe Michel de Nostredame (1503-1566) schrieb seine berühmten, in zehn Centurien (Hundertschaften) aufgeteilten und in Vierzeilern verfaßten Orakelsprüche in den Jahren 1555 bis 1568. Gemäß dem Vorwort verdankt er seine Weissagungen astronomischen Berechnungen und nächtlichen Visionen. Die vorausgesagten Ereignisse betreffen die Länder und Städte des damals bekannten Erdkreises und erstrecken sich zeitlich bis weit in das vierte Jahrtausend nach Christus. Jedoch verschlüsselte Nostradamus seine Verse; außerdem verzichtete er auf eine chronologische und geographische Ordnung der Prophezeiungen.

Einige der rätselhaften Weissagungen des Nostradamus bezogen die Menschen schon zu seinen Lebzeiten auf konkrete Vorkommnisse, beispielsweise auf den tragischen Tod des französischen Königs Heinrich II. im Jahre 1559, unter dessen Regentschaft Nostradamus zum Hofrat ernannt worden war. Die Gemahlin Heinrichs II., Katharina von Medici, glaubte ebenfalls an seine visionären Fähigkeiten und ließ sich durch ihn Horoskope für ihre beiden Kinder erstellen.

Selbst heute sehen viele die bedrohlichen Zukunftsvisionen des Nostradamus im aktuellen Weltgeschehen bestätigt. Tatsächlich erstaunt die Genauigkeit einiger der Ankündigungen. Beispielsweise sagte Nostradamus die am 11. August 1999 in Südwestdeutschland sichtbare totale Sonnenfinsternis mit dem folgenden Spruch voraus: *„Im Jahre 1999 im siebten Monat / Wird am Himmel ein großer Schreckenskönig erscheinen [...]"* (Centurie 10, 72).

Literatur: Nostradamus. Prophetische Weltgeschichte. Übersetzt und gedeutet von N. Alexander Centurio, 9. Auflage Bietigheim 1989.

H. J.

4 „Ja das Jahr 2000 ist das reinste Paradies"
Folge von 12 Sammelbildern von Hildebrands Deutsche Schokolade
Um 1895-99
Farblithographien
H. jeweils 7 cm, B. jeweils 11 cm
Rabenau, Antiquariat Köberich

Jedes der Bilder ist auf der Rückseite mit einer Erklärung in Reimform versehen, die schon in der Überschrift auf das *„Jahr 2000"* Bezug nimmt. Diese Welt in hundert Jahren besitzt Luftschiffe, Schönwettermaschinen, bewegliche Trottoirs (die es schon auf der Weltausstellung 1900 in Paris wirklich gab), Wasserfahrräder und -eisenbahnen. Die Städte stehen – als Wetterschutz – unter Glasdächern, Häuserblocks lassen sich auf Schienen versetzen. Es gibt eine Art Fernseher und Unterwasserboote. In Stil und Vorstellungsvermögen des 19. Jahrhunderts wird eine paradiesische Welt des Jahres 2000 ausgemalt, die durch Fortschritt und Erfindungen *„immer schöner"* wird. *„Wie in einem Paradiese, leben wir jetzt auf der Welt"*, *„Ja es ist das Jahr 2000, wirklich groß, fast glaubt man's nicht"*.

Literatur: Ciolina, Erhard und Evamaria: Reklamebilder und Sammelalben, Augsburg 1995.

H. S.

Luftschiff im Jahr 2000.

Will man heute hinaus in's Freie
Machen eine Landpartie,
Braucht man dazu keinen Wagen
Nein heut fliegt man wie noch nie,
Statt des Dampfers, statt des
Kremsers
Nimmt ein lenkbar Luftschiff man

Ohne Hindernis zu haben
Fliegt so weit man sehen kann
Ueber Dörfer, Städte, Wälder
Ueber jeden Höhenzug
Trägt uns dieses Luftschiffs
Wunder
Leicht dahin im schnellen Flug.

Theater im Jahre 2000.

Früher mußte man sich drängen,
Wenn man in's Theater wollte,
Um die Sängerin zu hören,
Der man großen Beifall zollte.
Heute giebt's nicht mehr Theater,
Denn die neusten Telephone
Lassen den Gesang uns hören,
Gleich sich's bleibet, wo man wohne.

Doch noch nicht genug des Guten,
Außerdem sieht man erscheinen
An der Wand das Bild der Diva,
Um das Ganze zu vereinen.
So kann man im Jahr 2000
Eine Oper hör'n und sehen,
Ohne sich dabei zu drängen,
Ohne durch die Stadt zu gehen.

Unterseeische Schiffe im Jahr
2000.

Schätze birgt der Meeresboden
Denn so manches stolze Schiff
Ging durch einen Sturmwind unter
Oder durch ein böses Riff.
Und so liegen Millionen
Auf des Meeres tiefem Grund
Alles wird jetzt aufgehoben
Vorn das Bild giebt es Euch kund.
Unter Wasser fährt das Schifflein

Bis zum Grunde tief hinab
Hebt und sammelt dort die
Schätze
Aus dem großen Wassergrab
Schiffe, die dereinst gesunken
Bringt man so an's Tageslicht
Ja es ist das Jahr 2000
Wirklich groß, fast glaubt man's
nicht.

Ueberdachte Städte im Jahr 2000.

Ja, der Fortschritt, die Erfindung
Sie geraten nie ins Stocken,
Auf der Welt wird's immer schöner
Uns're Stadt bleibt rein und trocken.
Denn so weit die Blicke schweifen
Schützt ein Glasdach uns vor'm
Wetter

Ob es hagelt, regnet, schneiet,
Die Bedachung ist ein Retter.
Selbst der Kälte könn'n wir trotzen,
Wenn wir mit dem Holz nicht geizen,
Lassen sich die größten Städte
Mollig wie 'ne Stube heizen.

Weltkarte aus der Beatus-Apokalypse von St.- Sever
Frankreich, 11. Jahrhundert
Paris, Bibliothèque Nationale, Lat. 8878, fol. 44-45ter

Die Karte ist geostet und zeigt die von einem Ozean umschlossene ovale Erdscheibe. Das Mittelmeer ist umgeben von den drei Erdteilen Europa auf der nördlichen, linken Seite sowie Asien und Afrika auf der westlichen, rechten Seite der Karte. Die Städte und Flussläufe sind durch Inschriften deutlich zu erkennen, genauso wie die im Mittelmeer gelegenen Inseln „Sicilia", „Creta", „Corsica" oder „Cipros" (Zypern). Ganz im Osten, am oberen Ende der Karte, liegt das Irdische Paradies mit Darstellungen von Adam und Eva.

1000

Vision vom Weltuntergang

Die biblische Apokalypse prophezeite das Ende der Welt nach einem 1000jährigen christlichen Reich. Tatsächlich sind aus der Zeit um das Jahr 1000 verschiedene Belege überliefert, dass sich Menschen auf den unmittelbar bevorstehenden Weltuntergang vorbereiteten. Es ist jedoch ein Mythos der Neuzeit, dass diese Angst ein Massenphänomen gewesen sei.

„Etwa im dritten Jahr nach dem erwähnten Jahrtausend trug es sich fast im ganzen Erdkreis zu, besonders aber in Italien und in Gallien, daß die Kirchen erneuert wurden [...] es war ganz so, als ob die Welt sich geschüttelt, das Alter hinter sich gelassen und allerorten den Kirchen ein weißes Kleid übergestreift hätte." (Rodulf Glaber, Historiarum Libri, Buch III, 4).

Im Jahr 1000 sollen Angst und Schrecken vor dem bevorstehenden Weltende und dem Nahen des Jüngsten Gerichts die Menschen zutiefst beunruhigt haben.

Im Jahr 1000 sollen Angst und Schrecken vor dem bevorstehenden Weltende und dem Nahen des Jüngsten Gerichts die Menschen zutiefst beunruhigt haben. In diesem Jahr wurde in Gnesen am Grab des hl. Adalbert in Anwesenheit Kaiser Ottos III. und weiterer hoher geistlicher und weltlicher Würdenträger das Erzbistum Gnesen gegründet und im selben Jahr auf dem isländischen Althing per Gesetz das Christentum eingeführt. Für den Mittelalterhistoriker, der im Rahmen einer Ausstellung zu Jahrhundertwenden von 1000 bis 2000 nach Fixpunkten für das Jahr 1000 sucht und damit die erste Jahrtausendwende ins Auge faßt, scheinen dies Glücksfälle zu sein, doch die Maßnahmen fielen lediglich durch Zufall genau in das Jahr 1000. Keinesfalls handelte es sich dabei um bewußt in dieses Jahr gelegte Vorgänge. Für die allermeisten Menschen an der Schwelle vom ersten zum zweiten Jahrtausend war das Datum ohne Belang.

Die nach Jahrhunderten gegliederte Betrachtung der Geschichte ist ein neuzeitliches Phänomen. Mittelalterliche Autoren pflegten in der Regel anders zu kategorisieren. Sie verstanden die Weltgeschichte als Heilsgeschichte und folgten zumeist entweder dem Schema der Schöpfungsgeschichte, teilten ihre Darstellung also nach den sechs Tagen der Schöpfungswoche in sechs Weltalter ein, oder sie nahmen die Unterscheidung nach den vier Weltreichen vor. Auf das Reich der Babylonier folgte das der Meder-Perser, sodann das der Griechen und schließlich das der Römer. Das Römische Reich, das nach der Vorstellung der Zeitgenossen von den Römern auf die Franken übertragen worden war, sollte bis ans Ende der Zeiten dauern. Neben diesem großen Bezugsrahmen bildete die Regierung der einzelnen Herrscher den durchweg regional eng begrenzten zeitlichen Horizont und markierte Einschnitte im historischen Geschehen. Dies wird besonders deutlich in der strikt nach Jahren aufgebauten Annalistik, den vor allem in Klöstern entstandenen Jahrbüchern. Die Einteilung der Weltgeschichte in Jahrhunderte, mit denen jeweils Zäsuren verbunden wurden, ist wesentlich geprägt von der protestantischen Geschichtsschreibung der Magdeburger Zenturiatoren. Sie unternahmen im 16. Jahrhundert erstmals den Versuch, die Kirchengeschichte aus reformatorischer Sicht darzustellen und teilten dabei die Geschichte in Jahrhunderte ein. Die katholische Erwiderung, die *Annales ecclesiastici* des Kardinals Caesar Baronius (1538-1607), der seit 1597 Bibliothekar der Römischen Kirche war, folgte diesem Gliederungsschema, das bis heute die Geschichtsbetrachtung in hohem Maße beeinflußt. Baronius nahm zum Jahr 1000 einen Einschnitt vor und eröffnete den 11. Band seiner kirchlichen Jahrbücher mit den Worten: *„Das neue Jahrhundert begann. Es begann das erste Jahr nach dem Millenium, das nach der leeren Behauptung einiger das letzte der Welt sein sollte oder diesem das nächste; in diesem sollte nämlich jener Mensch der Sünde zu enthüllen sein, der Sohn der Hölle, mit Beinamen Antichrist genannt. Diese Ankündigungen wurden in Gallien verbreitet und besonders in Paris gepredigt und über den ganzen Erdkreis verbreitet; von den meisten geglaubt, von den Einfacheren freilich mit Schrecken aufgenommen, von den Gelehrteren aber nicht gebilligt."* Damit war der Boden für den Mythos des Jahres 1000 bereitet. Der französische Historiker Jules Michelet (1798-1874) verschaffte dieser Auffassung weitere Verbreitung, als er im Jahr 1831 in seiner *Introduction à l'histoire universelle*, einer universalhistorischen Gesamtdarstellung, das Bild von den Schrecken des Jahres 1000 zeichnete: Endzeiterwartungen sollen die Menschen vor dem Jahr 1000 zutiefst beunruhigt haben. Unheilverkündende Zeichen am Himmel, Seuchen und Hungersnöte kündeten demnach das Nahen des Jüngsten Gerichts. Die Prophezeiungen der Apokalypse des Johannes schienen sich zu bewahrheiten. Sorge um das Seelenheil und Weltflucht machten sich breit und brachten das alltägliche Leben fast zum Erliegen.

Michelet hatte damit einen Mythos geschaffen, der zur romanhaften Ausgestaltung anregte, den spanischen Kulturphilosophen José Ortega y Gasset (1883-1955) zur Widerlegung herausforderte und Generationen von Historikern des 19. und 20. Jahrhunderts Anlaß zu intensiven, bis heute nicht gänzlich verstummten Debatten bot. Die Belege für die vermeintliche Endzeiterwartung der Menschen vor dem Jahr 1000 waren rasch gefunden. Hatte nicht der eingangs zitierte cluniazensische Mönch Rodulf Glaber († um 1047) berichtet, daß die Menschheit in den Jahren 1000 und 1033 das Weltende erwartet und nach dessen Ausbleiben begonnen hatte, zum Lobpreis Gottes neue Gotteshäuser zu errichten und der Kirche somit ein neues Gewand anzulegen? Waren nicht tatsächlich kurz nach der Jahrtausendwende eine große Anzahl von Kirchenbauten entstanden und präsentierte sich die mittelalterliche Welt binnen weniger Jahrzehnte mit prächtigen neuen Bauten? Hatten nicht Mönche wie Adso von Montier-en-Der († 992) in Traktaten versucht, das Ende der Welt zu berechnen, und waren wie er nicht viele andere, wie Abt Odo von Cluny († 942), der Komputist Abbo von Fleury († 1004) oder der Geschichtsschreiber Ademar von Chabannes († 1034), vor der Jahrtausendwende beunruhigt über das mögliche Kommen des Jüngsten Gerichts? Hatte es nicht tatsächlich unheilverkündende Zeichen gegeben, wie Mißgeburten, Hungersnöte, Blutregen und ähnliches mehr, Zeichen, die man als sichere Vorboten der sich ankündigenden Apokalypse zu deuten glaubte? Waren nicht schließlich in jener Zeit auffallend viele Handschriften entstanden, in denen die Darstellung der Apokalypse des Johannes in reicher Bebilderung farbenprächtig ausgestaltet wurde? Läßt sich nicht damit der bis heute sichtbare Beleg erbringen, daß das Bewußtsein von der Endzeit allgegenwärtig war und man mit Sorge und Angst, aber auch in der Hoffnung auf die Erlösung dem Kommen des Weltendes entgegenfieberte und alles tat, um dafür gerüstet zu sein? Durch Stiftungen erwarben die Menschen, die für das eigene Seelenheil, aber auch für das der verstorbenen Verwandten, Vorsorge treffen wollten, Gebetsleistungen von Klöstern. Vielen erschien dies noch zu wenig, sie entschlossen sich daher, der irdischen Welt bereits jetzt zu entsagen, sich von ihrem bisherigen Leben radikal abzuwenden, eine sogenannte *conversio* zu vollziehen, den weltlichen Besitz aufzugeben und sich einer monastischen Gemeinschaft anzuschließen. Die Klöster wurden auf diese Weise vermögend und sie füllten sich mit Mitgliedern.

Unterzieht man diese Phänomene einer kritischen Betrachtung, so macht sich Ernüchterung breit und ergibt sich ein erheblich nuanciertes Bild, das regional, aber auch zeitlich von dem scheinbar allgemeinen Befund deutlich abweicht.

Ein großer Teil der geschilderten Ereignisse hat sich erst nach der Jahrtausendwende vollzogen und läßt sich auf konkrete Ursachen zurückführen, die nicht mit Endzeitangst in Verbindung stehen: Schenkungen entsprachen vielfach dem allgemeinen Stiftungsgebaren, das in dieser Form lange Zeit vor und weit nach der Jahrtausendwende gleichermaßen anzutreffen ist. Derartige Besitzübertragungen waren bei kinderlosen Ehepaaren mitunter durch die Sorge um das Seelenheil und mangelnde Gebetsleistungen nach ihrem Tod motiviert. Die Klostereintritte erfolgten vielfach gegen Lebensende und sind in anderen Zeiträumen ebenso anzutreffen. Schließlich sind vor allem die Kirchen- und Klosterneubauten in den allermeisten Fällen auf konkrete, lokal begründete Motive, wie Brände oder Überschwemmungen, zurückzuführen und wurden zum Teil auch bereits deutlich vor der Jahrtausendwende begonnen. Vor allem jedoch verraten die Handlungen der Mächtigen keine Anzeichen von Endzeiterwartung. Kaiser Otto III., dessen früher Tod im Jahr 1002 nicht wenig dazu beigetragen hatte, daß man die Jahrtausendwende später als Zäsur verstand, traf eine ausgesprochen zukunftsgerichtete Maßnahme, als er im März 999 dem Grafen Bertold das Marktrecht für Villingen verlieh. In einem Diplom des Jahres 1000 sprach der Kaiser explizit vom Ende der Welt und dem Tag des Jüngsten Gerichts, die noch lange entfernt seien. Auch die von Papst Silvester II. (999-1003) am 1. Januar 1001 ausgesprochene Bestätigung der Privilegien der Paderborner Kirche widerspricht der Annahme einer Naherwartung des Weltendes. Sie belegt hingegen ein wieder steigendes Vertrauen in die Schriftlichkeit infolge der allmählichen Beruhigung des politischen Lebens zur Zeit der ottonischen Herrschaft.

Dennoch, die Vorstellung von Endzeiterwartungen des Jahres 1000 und der sich darum rankende Mythos sind kein reines Phantasieprodukt von Historikern, sondern beruhen auf der Wahrnehmung von Phänomenen, die das von Rodulf Glaber gezeichnete Bild bestätigen. Allerdings entsprechen sie der vorgenommenen zeitlichen Zuspitzung nicht.

Für die mittelalterlichen, christlich geprägten Menschen bestand kein Zweifel, daß das Alter der Welt begrenzt war, daß an ihrem Ende das Kommen des Herrn im Jüngsten Gericht stehen werde und daß dies eine Möglichkeit war, die jederzeit eintreten konnte. So riet der Geschichtsschreiber Thietmar von Merseburg († 1018) zu ständiger Vorsicht und Wachsamkeit, warnte jedoch zugleich vor Befürchtungen, das Weltende stünde unmittelbar bevor. Außergewöhnliche Phänomene, so stand es in der Apokalypse des Johannes, würden diesem Ereignis vorausgehen und sein nahes Kommen ankündigen. In diesem Sinne gab es ganz sicher auch vor dem Jahr 1000 Endzeiterwartungen, doch in dieser allgemeinen Form waren sie auch in den Jahrzehnten und Jahrhunderten vor und nach der Jahrtausendwende anzutreffen, können daher nicht als Beleg für eine weitverbreitete Endzeitstimmung gelten.

Die Fixierung auf das Jahr 1000 hat neben den eingangs geschilderten Gründen vor allem zwei weitere Ursachen, die es von anderen Jahren unterscheiden: So entspricht die Zahl 1.000 der Verheißung vom Kommen des Antichrist nach eintausend Jahren und dem sich anschließenden Jüngsten Gericht in der Apokalypse des Johannes (20,7-12).

Die Zahl 1.000 entspricht der Verheißung vom Kommen des Antichrist nach eintausend Jahren und dem sich anschließenden Jüngsten Gericht.

In gelehrten kirchlichen Kreisen wurden die sich aus derartigen Berechnungen ergebenden Gefahren bereits früh erkannt. Der Kirchenlehrer Augustinus († 430) hatte Versuchen, das Ende der Welt festlegen zu wollen, einen entschiedenen Riegel vorgeschoben. Augustinus erklärte, daß die in der Apokalypse genannten 1.000 Jahre nicht wörtlich zu verstehen seien. Der Mensch könne wissen, *„wie das Ende der Welt sein werde, aber nicht wann"*. Barsch fügte er hinzu: *„Gott wollte Christen machen, nicht Mathematiker"*. Augustinus' Aussage bestimmte die offizielle kirchliche Doktrin.

Die Kirche hatte kein Interesse daran, daß sich die allgemeine, dem Leben immanente Endzeiterwartung in einer unmittelbaren Naherwartung konkretisierte. Man wußte zu gut um die Gefahren eines derartigen Chiliasmus, der sich rasch zu unkontrollierbaren Bewegungen entwickeln konnte, die die kirchliche Autorität in Frage stellten und deshalb energisch zurückgedrängt werden mußten. In der Diözese Konstanz hatte sich ein derartiger Fall im Jahr 847 zugetragen. Die Behauptung der Alemannin Thiota, ihr sei der Tag des bevorstehenden Weltuntergangs in einer Vision verkündet worden, hatte für erheblichen Aufruhr gesorgt. Thiota wurde auf einer Kirchenversammlung in Mainz zur Rechenschaft gezogen und hart bestraft.

In theologisch hochgebildeten Zirkeln, heute würde man von Intellektuellen sprechen, gab es gleichwohl Diskussionen über das Weltende und mitunter wurde sogar der Versuch unternommen, es konkret zu berechnen. Doch keine der das ganze Mittelalter hindurch anzutreffenden Prophezeiungen hat sich erfüllt: Weder sollte Bernhard von Morlas († vor 1105) Recht behalten, der glaubte, das Weltgericht stehe unmittelbar bevor, noch Gerhoh von Reichersberg († 1169), wonach das Weltende nah sei, und auch die Prognose des Giovanni Pico della Mirandola († 1494), im Jahr 1994 werde das Jüngste Gericht kommen, erwies sich als falsch. Derartige Debatten blieben jedoch auf einen sehr kleinen Kreis begrenzt. Es gibt weder Anhaltspunkte dafür, daß diese Aussagen breiter rezipiert wurden, noch Anzeichen, daß bei den damals lebenden Menschen ein entsprechendes Zeitbewußtsein, das die Voraussetzung für die Magie der Jahreszahl 1000 gebildet hätte, existierte. Werke wie Adsos Antichrist-Traktat wurden abgeschrieben und verbreitet. Die Rezeption beschränkte sich jedoch in erster Linie auf geistliche Leser. Keinesfalls fanden seine Aussagen die Aufmerksamkeit weiterer Teile des Adels, geschweige denn der einfachen Bevölkerung. Das Werk Rodulf Glabers ist nur in wenigen Handschriften überliefert und gelangte erst durch die Aufnahme in den 11. Band von Caesar Baronius' *Annales ecclesiastici* ans Licht einer breiteren Öffentlichkeit. Auch Zeitbewußtsein im modernen Sinne, das Wissen um Jahr und Tag, sucht man im früheren Mittelalter vergeblich. Der Verlauf eines Jahres gliederte sich durch den Rhythmus des Tages mit Sonnenauf- und -untergang, er orientierte sich am Ablauf der Jahreszeiten, vor allem aber am kirchlichen Festkalender. Er bildete die Orientierungspunkte, deren Beachtung für das Leben entscheidend war: Die Kirchenfeste, die Fastenzeiten etc. Die lokale Gebundenheit der Menschen tat ein übriges. Zu erwarten ist daher nicht das Wissen um das jeweilige Jahr im Lauf der Weltgeschichte, sondern allenfalls die Kenntnis, im wievielten Jahr der Regierungszeit des Herrschers, des Königs, Herzogs, Grafen oder Bischofs man sich befand. Von den komplexen Problemen der mittelalterlichen Chronologie mit den unterschiedlichen, teils sogar innerhalb eines Reichs regional differierenden Jahresanfängen, wie Nativitätsstil, Osterstil, Circumcisionsstil etc., ist hier ganz zu schweigen.

Auch das Wissen über den Inhalt der Apokalypse war weit weniger verbreitet, als man heute vielleicht annehmen möchte. Die Entscheidung, welche Teile daraus den Gläubigen vorgetragen wurden, lag in den Händen des Klerus, der bis weit ins Hochmittelalter hinein gewissermaßen ein Bildungsmonopol besaß. Erst mit der allmählichen Verbreitung der Lese- und Schreibfähigkeit auch bei Laien entstanden die ersten volkssprachlichen Vollbibeln. Dies war nicht vor dem 12. Jahrhundert der Fall. Ähnliches gilt für die Apokalypse-Handschriften des 10. und 11. Jahrhunderts. Bei der Diskussion um ihre Entstehungszeit wurde vielfach nicht berücksichtigt, daß in Spanien bis weit ins Mittelalter hinein nach der *aera Hispanica* datiert wurde, die um 38 Jahre älter war als die Christliche Zeitrechnung. Dies bedeutet, daß eine große Anzahl von Handschriften als Zeugen für Endzeiterwartungen um die Jahrtausendwende nicht in Anspruch genommen werden kann. Zum anderen belegt der außerordentlich gute Erhaltungszustand der meisten einschlägigen Handschriften, daß es sich dabei um ausgesprochene Prunkhandschriften gehandelt hat, die sorgsam aufbewahrt und nur zu besonderen Anlässen ausgewählten Gästen vorgezeigt wurden, also keinerlei Breitenwirkung entfalten konnten.

Es gibt keine Anzeichen dafür, dass bei den damals lebenden Menschen ein Bewusstsein für das Jahr 1000 existierte.

Die bis heute anzutreffende Faszination des Jahres 1000 besitzt noch eine weitere Erklärung. Vor allem für den aus der rückwärtsblickenden Perspektive urteilenden Beobachter entsteht der Eindruck, daß um das Jahr 1000 manche Entwicklungen ihren Ausgangspunkt nahmen, die dem 11. Jahrhundert den Charakter einer Wendezeit verliehen haben. Verbunden mit dem von Michelet ins Leben gerufenen Mythos des Jahres 1000 konnte das Jahr somit den Charakter einer Zäsur, einer Jahrhundertwende erhalten, den es in den Augen der Zeitgenossen nicht besaß. Aus diesem Grund bildet die Fixierung auf die Wende zum zweiten Jahrtausend einen Anachronismus, findet aber dennoch zurecht ihren Platz in einer Ausstellung über Jahrhundertwenden.

Man kann im Rückblick konstatieren, daß um das Jahr 1000, wenngleich nicht auf das Jahr selbst zu begrenzen, mehrere Entwicklungen ihren Ausgang genommen haben, die dazu beitrugen, daß Europa am Ende des Jahrhunderts ein anderes Antlitz trug als 100 Jahre zuvor; um das Bild Rodulf Glabers zu gebrauchen, daß die Erde ein neues Gewand erhalten hatte. Man spricht deshalb mit gutem Grund von der *„Wende des 11. Jahrhunderts"* und forscht nach ihren Ursachen. Die Wurzeln für diesen Wandel liegen zum Teil bereits im 10. Jahrhundert. Mit der Konsolidierung des Reiches durch die ottonischen Herrscher, mit der Beseitigung der Ungarngefahr und der Ausschaltung der normannischen Bedrohung, kam es zu einer Stabilisierung des alltäglichen Lebens. Verlassene oder zerstörte Klöster konnten wieder besiedelt werden, die Mönche konnten sich wieder auf ihr gottgegebenes Leben konzentrieren und mußten nicht in beständiger Angst vor Überfällen leben. Die Bauern mußten nicht länger Kriegsdienste verrichten, sondern konnten ihren Aufgaben in der Bewirtschaftung von Grund und Boden nachgehen. Dies kam der gesamten Bevölkerung zugute, denn dadurch besserten sich die Umstände der Lebenshaltung. Dieser Aufschwung wurde durch das Ende einer kalten Klimaperiode und die Erfindung neuer landwirtschaftlicher Bearbeitungsmethoden zusätzlich begünstigt. Die Anbauflächen erweiterten sich, und die Ernteerträge fielen üppiger aus. Die Bevölkerungszahlen begannen allmählich wieder zu steigen, Handel und Verkehr prosperierten. All dies wirkte sich auch positiv auf Kirchen und Klöster aus. Die Einkünfte aus ihren Liegenschaften flossen regelmäßig. Innerklösterliche Reformen zeitigten Wirkung, das monastische Leben nahm wieder seinen geregelten Gang und das Ansehen der Klöster stieg beträchtlich. Damit nahm auch die Schenkungsbereitschaft des Adels zu und wurde die Attraktivität des Klostereintritts für Eintrittswillige erhöht. Diese Entwicklung führte dazu, daß die geistlichen Gemeinschaften daran denken konnten und mußten, bereits bestehende Kirchenbauten zu erneuern oder zu klein gewordene Kirchen durch Neubauten zu ersetzen, die der steigenden Zahl der Gläubigen Raum boten und die zudem Gott preisen sollten. Der wenige Jahre nach der Jahrtausendwende begonnene Bau der Michaelskirche in Hildesheim ist eines dieser Beispiele.

Der Mythos des Jahres 1000 hat mit der historischen Wirklichkeit nur wenig gemein. Die Beschäftigung mit den in diesem Zusammenhang evozierten Phänomenen trägt jedoch zum besseren Verständnis der Welt vor tausend Jahren bei und will zugleich einen Beitrag dazu leisten, die Entstehung wissenschaftlicher Topoi aufzuzeigen.

Literatur:

Bois, Guy: Umbruch im Jahr 1000. Lournand bei Cluny – ein Dorf in Frankreich zwischen Spätantike und Feudalherrschaft, Stuttgart 1993.

Borst, Arno: Computus – Zeit und Zahl im Mittelalter, in: Deutsches Archiv für Erforschung des Mittelalters 44 (1988) S. 1-82.

Brincken, Anna-Dorothee von den: Studien zur lateinischen Weltchronistik bis in das Zeitalter Ottos von Freising, Düsseldorf 1957.

Cardini, Franco: Zeitenwende. Europa und die Welt vor tausend Jahren, Stuttgart und Zürich 1995.

Carozzi, Claude: Weltuntergang und Seelenheil. Apokalyptische Visionen im Mittelalter, Frankfurt a. M. 1996.

Esch, Arnold: Zeitalter und Menschenalter. Die Perspektiven historischer Periodisierung, in: Historische Zeitschrift 239 (1984) S. 309-351.

Freund, Stephan: Das Jahr 1000. Ende der Welt oder Beginn eines neuen Zeitalters?, in: Der Tag X in der Geschichte: Erwartungen und Enttäuschungen seit tausend Jahren, hg. von Enno Bünz, Rainer Gries, Frank Möller, Stuttgart 1997, S. 24-49, 335-341.

Fried, Johannes: Endzeiterwartung um die Jahrtausendwende, in: Deutsches Archiv für Erforschung des Mittelalters 45 (1989) S. 381-473.

Graus, František: Epochenbewußtsein im Spätmittelalter und Probleme der Periodisierung, in: Epochenschwelle und Epochenbewußtsein, hg. von Reinhart Herzog und Reinhart Koselleck, München 1987, S. 153-166.

Jedin, Hubert: Kardinal Caesar Baronius. Der Anfang der katholischen Kirchengeschichtsschreibung im 16. Jahrhundert, Münster 1978.

Landes, Richard: Relics, Apocalypse, and the deceits of history. Ademar of Chabannes, 989-1034, Cambridge, London 1995.

Pognon, Edmond: La vie quotidienne en l'an mil, Paris 1981.

Riché, Pierre: Der Mythos von den Schrecken des Jahres 1000, in: Der „Schrecken" des Jahres 2000, hg. von Henry Cavanna, Stuttgart 1977, S. 10-19.

Scheible, Heinz: Die Entstehung der Magdeburger Zenturien. Ein Beitrag zur Geschichte der historiographischen Methode, Gütersloh 1966.

Struve, Tilman: Die Wende des 11. Jahrhunderts. Symptome eines Epochenwandels im Spiegel der Geschichtsschreibung, in: Historisches Jahrbuch 112 (1992) S. 324-365.

Töpfer, Bernhard: Das kommende Reich des Friedens. Zur Entwicklung chiliastischer Hoffnungen im Hochmittelalter, Berlin 1964.

Stephan Freund

5

5 Adso von Montier-en-Der: „De ortu et tempore Antichristi. Necnon et tractatus qui ab eo dependunt"
(„Über den Ursprung und die Zeit des Antichrist. [...]")
12. Jahrhundert
Pergamenthandschrift
H. 15 cm, B. 11 cm
Paris, Bibliothèque Nationale, Ms. Lat. 3701, fol. 234-240v

Adso (910/15-992) kam als Sohn hochadeliger Eltern bereits als Kind ins Kloster Luxeuil und gelangte 934 ins Kloster Montier-en-Der (Diözese Châlons), zu dessen Abt er 968 gewählt wurde. Adso verfügte über eine vorzügliche Bildung. Er kannte insbesondere viele römische Autoren, galt als ausgezeichneter Stilist und hat eine Reihe von Heiligenleben und Mirakel-Sammlungen verfaßt (vielfach auf Bitten benachbarter Klöster). Laut Widmungsinschrift auf Wunsch Gerbergas (um 913 – 968/69), der Königin von Frankreich und Schwester Ottos des Großen, behandelte Adso zwischen 949 und 954 in Briefform Fragen hinsichtlich der Ankunft des Antichrist.

Das Werk wird in einer Handschrift des 12. Jahrhunderts präsentiert. Dabei handelt es sich um einen von lediglich neun Codices, die noch die ursprüngliche Form bewahrt haben. Die aus dem Besitz des Priesters Louis de Targny stammende Handschrift zählt daher zu den wichtigsten Überlieferungszeugen. Adso sah einen Zusammenhang zwischen dem Ende des Römischen Reiches und dem Ende der Zeiten. Das Weltende stand jedoch seiner Ansicht nach nicht unmittelbar bevor. Die Würde, *dignitas*, des Römischen Reiches sei nämlich auf die fränkischen Könige übergegangen und werde von diesen bewahrt. Der Antichrist werde erst nach der Herrschaft eines letzten fränkischen Herrschers kommen, der noch einmal über das ganze Römische Reich gebieten werde.

Adsos Werk entfaltete in der Folgezeit eine große Wirksamkeit und wurde vielfach auch unter fremdem Namen (Augustinus, Hrabanus Maurus, Alkuin, Methodius und Anselm) verbreitet. Der Text bezeugt die Diskussionen über das Kommen des Antichrist in gebildeten Kreisen, verdeutlicht jedoch zugleich, daß eine unmittelbare Naherwartung gegen Ende des 10. Jahrhunderts nicht bestand.

Edition: Adso Dervensis, De ortu et tempore antichristi. Necnon et tractatus qui ab eo dependunt, hg. von D. Verhelst, Turnhout 1976.

Literatur: Erdmann, Carl: Endkaiserglaube und Kreuzzugsgedanke im 11. Jahrhundert, in: Zeitschrift für Kirchengeschichte 51 (1932) S. 384-414. – Freund, Stephan: Das Jahr 1000. Ende der Welt oder Beginn eines neuen Zeitalters?, in: Der Tag X in der Geschichte: Erwartungen und Enttäuschungen seit tausend Jahren, hg. von Enno Bünz, Rainer Gries, Frank Möller, Stuttgart 1997, S. 24-49, 335-341. – Fried, Johannes: Endzeiterwartung um die Jahrtausendwende, in: Deutsches Archiv für Erforschung des Mittelalters 45 (1989) S. 381-473. – Konrad, Robert: De ortu et tempore Antichristi: Antichristvorstellungen und Geschichtsbild des Abtes Adso von Montier-en-Der, Kallmünz 1964. – Rangheri, Maurizio: La „Epistola ad Gerbergam reginam de ortu et tempore Antichristi" di Adsone di Montier-en-Der e le sue fonti, in: Studi medievali, 3. Serie 14 (1973) S. 677-732.

St. F.

Adsos Text bezeugt die Diskussionen über das Kommen des Antichrist, aber keine unmittelbare Naherwartung.

6 Rodulf Glaber: „Quinque libri Historiarum"
(„Fünf Bücher der Geschichten")
Cluny, vor 1047
Pergamenthandschrift
H. 25 cm, B. 19 cm
Paris, Bibliothèque Nationale, Ms. Lat. 10912 i

Der burgundische Mönch Rodulfus Glaber (der Glatzköpfige; † wohl 1047) verfaßte auf Wunsch seines Abtes Wilhelm von Volpiano († 1031) in Cluny ein Geschichtswerk, in dem er Ereignisse seit dem frühen 10. Jahrhundert bis an sein Lebensende behandelte. Rodulf verrät darin großes Interesse für außergewöhnliche Erscheinungen wie Wunder, Visionen, unheilverkündende Himmelserscheinungen und Hungersnöte. Er faßte seine Epoche als Endzeit auf und hielt dabei insbesondere die Jahre um 1000 und 1033 für bedeutsam, da er offensichtlich die in der Apokalypse des Johannes genannten tausend Jahre bis zum Kommen des Antichrist und des Jüngsten Gerichts wörtlich nahm. In seiner Darstellung wird daher der (unzutreffende) Eindruck erweckt, um die Jahre 1000 bzw. 1033 hätten die Menschen das Ende der Welt erwartet. Die Arbeiten seien infolgedessen nahezu zum Erliegen gekommen, weil die Sorge um das Seelenheil Vorrang hatte und man versuchte, sich durch Schenkungen und Stiftungen oder sogar durch Klostereintritte auf das Kommen des Jüngsten Gerichts vorzubereiten. Nach dem Ausbleiben des Weltendes hätten die Menschen dann zum Lobpreis Gottes mit dem Bau neuer Kirchen begonnen.

Rodulfs Werk, das als Geschichtsquelle für wenig glaubwürdig gehalten wird, jedoch kulturhistorisch interessante Beobachtungen mitteilt, war im Mittelalter kaum verbreitet. Erst durch die Aufnahme in die einflußreichen *Annales Ecclesiastici* des Caesar Baronius wurde seiner Darstellung größere Aufmerksamkeit zuteil. Der französische Historiker Jules Michelet berief sich auf Glabers Bericht, als er 1840 in seiner *Geschichte Frankreichs* (vgl. Kat.-Nr. 7) das Jahr 1000 als Zeit charakterisierte, in der eine weitverbreitete Endzeitstimmung geherrscht hat. Damit schuf Michelet den Mythos des Jahres 1000.

Die Bücher eins und zwei sowie ein Teil des dritten entstanden zwischen 1030 und 1035 in Cluny. Die Fertigstellung der Bücher drei und vier erfolgte zwischen 1035 und 1041 in Auxerre. Anschließend faßte Rodulf den Entschluß, ein fünftes Buch zu verfassen, das bis zu seinem Tod 1047 fertiggestellt wurde. Zu diesem Zeitpunkt, das ergaben sorgfältige paläographische Untersuchungen der in der Ausstellung präsentierten Handschrift, die Rodulf zumindest teilweise selbst schrieb, wurde seine Hand bereits immer schwächer.

Im 4. Kapitel des 3. Buches schildert Rodulf, daß nach dem Ausbleiben des Weltendes im ganzen Erdkreis die Kirchen erneuert wurden, *„es war ganz so, als ob die Welt sich geschüttelt, das Alter hinter sich gelassen und allerorten den Kirchen ein weißes Kleid übergestreift hätte“*.

Editionen: Rodulfi Glabri historiarum libri quinque, eiusdem auctoris vita domni Wilhelmi abbatis, hg. von J. France, N. Bulst, Oxford 1989. – Rodolfo il Glabro: Cronache dell'anno Mille, hg. von G. Cavallo, G. Orlandi, Mailand 1989.

Literatur: France, John: Rodulfus Glaber and French Politics in the Early Eleventh Century, in: Francia 16/1 (1989) S. 101-112. – Freund, Stephan: Das Jahr 1000. Ende der Welt oder Beginn eines neuen Zeitalters?, in: Der Tag X in der Geschichte: Erwartungen und Enttäuschungen seit tausend Jahren, hg. von Enno Bünz, Rainer Gries, Frank Möller, Stuttgart 1997, S. 24-49, 335-341. – Fried, Johannes: Endzeiterwartung um die Jahrtausendwende, in: Deutsches Archiv für Erforschung des Mittelalters 45 (1989) S. 381-473. – Garand, Monique-Cécile: Un manuscrit d'auteur de Raoul Glaber?, in: Scriptorium 38 (1983) S. 5-28.

St. F.

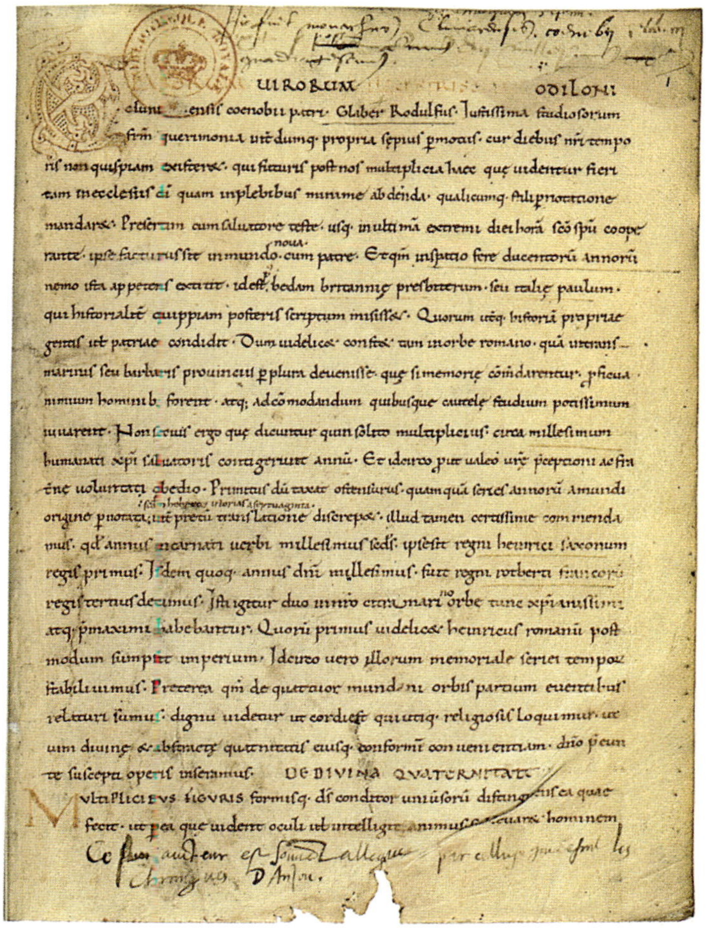

6

Rodulf fasste seine Epoche als Endzeit auf. Er nahm die in der Apokalypse genannten tausend Jahre bis zum Kommen des Antichrist wörtlich.

7 Jules Michelet: „L'histoire de France", Bd.1

(„Geschichte Frankreichs")
Paris, 1840
Typendruck
H. 23,8 cm, B. 15,8 cm
Konstanz, Universitätsbibliothek, gsa/711/m 42 a-1

Jules Michelet (1798-1874), seit 1833 Professor für Geschichte an der Universität Sorbonne in Paris, von 1838 bis 1851 am Collège de France und von 1830 bis 1852 zugleich Leiter des Nationalarchivs, zählt zu den einflußreichsten französischen Historikern des 19. Jahrhunderts. Michelets betont patriotische, demokratische und antiklerikale Gesinnung, die 1852 die Aufgabe seiner öffentlichen Ämter erzwang, fand auch in der subjektiven, leidenschaftlichen Form seiner Geschichtswerke ihren Niederschlag. Seine Arbeiten sind durch starke Beachtung persönlicher Empfindungen und dramatische Darstellungsweise gekennzeichnet. Zu seinen bedeutendsten Werken zählen die siebzehnbändige *Geschichte Frankreichs* (1833-1867) sowie seine *Geschichte der Französischen Revolution* (1847-1853).

Das von Michelet 1840 in der *Geschichte Frankreichs* gezeichnete Bild von den Schrecken des Jahres 1000 war von großem Einfluß auf die französische Geschichtsschreibung. Es hat die Vorstellungen vom Leben vor der Jahrtausendwende außerordentlich geprägt und einen entscheidenden Beitrag zur Entstehung des Mythos von den Schrecken des Jahres 1000 geleistet. Neben der Rezeption von Michelets Ansichten ist es in der Folgezeit jedoch auch zu heftigen Kontroversen gekommen. Die Kritiker Michelets haben vor allem betont, seine Darstellung werde nicht hinreichend durch Quellenbefunde gestützt.

Insbesondere die nach der Jahrtausendwende entstandenen Kathedralen legen nach Michelets Ansicht Zeugnis ab vom Erstaunen der Menschen über das Ausbleiben des Weltendes. Als Beleg gilt ihm der Bericht von Rodulfus Glaber im vierten Kapitel des dritten Buches: *„Um das Jahr 1000 machte sich die Welt des Mittelalters, erstaunt diese Epoche überlebt zu haben, für die seit so langer Zeit das Ende der Welt angekündigt worden war, mit kindlicher Freude ans Werk, und erneuerte den größten Teil der kirchlichen Gebäude"* (vgl. Kat.-Nr. 6).

Literatur: Le Goff, Jacques: Pour un autre Moyen Age: Temps, travail et culture en Occident, Paris 1978, S. 19-45. – Milo, Daniel: L'an mil: un problème d'historiographie moderne, in: History and Theory 27 (1988) S. 261-281. – Riché, Pierre: Der Mythos von den Schrecken des Jahres 1000, in: Der „Schrecken" des Jahres 2000, hg. von Henry Cavanna, Stuttgart 1977, S. 10-19. – Weber, Eugen: Great Man at Work: Michelet Reconsidered, in: American Scholar 60 (1991) S. 53-72.

St. F.

8 José Ortega y Gasset: „Die Schrecken des Jahres eintausend. Kritik an einer Legende"

(„Los terrores del ano mil. Crítica de una Leyenda")
Leipzig, 1992 (deutsche Übersetzung; entstanden: Madrid,1905; Erstveröffentlichung: Madrid, 1909)
Typendruck
H. 17,7 cm, B. 10,6 cm
Privatbesitz

Das Werk des spanischen Kulturphilosophen und Soziologen Ortega y Gasset (1883-1955) wurde am 15. Dezember 1905 von der Fakultät für Philosophie und Literatur der Universität Madrid als Dissertation angenommen und 1909 in Madrid publiziert. Ortega y Gasset nimmt das Bild von den Schrecken vor dem Jahr 1000, das die französische Geschichtsschreibung des 19. Jahrhunderts gezeichnet hat (vgl. Kat.-Nr. 7), zum Ausgangspunkt seiner Untersuchung. In deutlichem Kontrast zu den tatsächlichen Quellenbefunden habe man damals, so der Autor, den Eindruck erweckt, die Menschen hätten am Ende des 10. Jahrhunderts den Weltuntergang befürchtet. Infolgedessen sei es zu massenhaften Klostereintritten sowie zum Erliegen jeglicher Arbeiten gekommen. Den Grund für diese, den historischen Tatsachen nicht entsprechende Darstellung sieht Ortega y Gasset in den durch Hungersnöte und Bedrohungen geprägten Existenzbedingungen der damaligen Menschen, die die Epoche als eine Zeit *„schlimmster Bedrückung und Angst"* (S. 5) erscheinen ließen und den Menschen das Gefühl der *„allgemeine[n] Ungewißheit"* (S. 9) und der Ausweglosigkeit vermittelt habe. Ortega y Gasset schildert die Willkürherrschaft des Adels, den Niedergang der Bildung, die Bedrückung der Menschen durch die Kirche, innerkirchliche Auseinandersetzungen und Häresien sowie einige Persönlichkeiten der Zeit wie König Robert den Frommen, Gerbert von Aurillac und Rodulfus Glaber (vgl. Kat.-Nr. 6). Abschließend gibt der Autor einen Überblick über die allmähliche Entstehung der Legende von den Schrecken des Jahres 1000 seit dem 16. Jahrhundert bis zu Michelets Darstellung. Er kommt schließlich zu dem Fazit, daß die Vorstellungen von Weltuntergangsängsten vor dem Jahr 1000 den Quellenbefunden nicht entsprächen, sondern lediglich als *„Idee"* geeignet seien, zur Vermittlung des damaligen Empfindens beizutragen. Ortega y Gassets Untersuchung wurde nach 1909 nicht mehr veröffentlicht und hat auch in Werkeditionen des Autors keinen Eingang gefunden.

Literatur: Borel, Jean-Paul: Introduccion a Ortega y Gasset, Madrid 1969. – Curtius, Ernst-Robert: Kritische Essays zur europäischen Literatur, 3. Auflage Bern / München 1963, S. 249-281. – Tuttle, Howard Nelson: The dawn of historical reason: the historicality of human existence in the thought of Dilthey, Heidegger and Ortega y Gasset, New York u.a. 1994.

St. F.

Der französische Historiker Jules Michelet schuf den Mythos von den Endzeiterwartungen um das Jahr 1000.

9 Georges Duby: „L'an mil"
(„Das Jahr 1000")
Paris, 1967
Typendruck
H. 18,3 cm B. 11,2 cm
Karlsruhe, Badische Landesbibliothek, 90 A 4201

Georges Duby (1919-1996), seit 1970 am Collège de France tätig, zählte zu den führenden Mittelalterhistorikern Frankreichs nach dem Zweiten Weltkrieg. Sein Werk ist stark beeinflußt von Marc Bloch, der 1929 gemeinsam mit Lucien Febvre die Zeitschrift *Annales d'histoire économique et sociale* gegründet hat. Deren interdisziplinärer Ansatz, der insbesondere die Anstöße der Anthropogeographie sowie der Sozialanthropologie aufgreift, wurde auch für Dubys Arbeiten prägend. Dubys Forschungen sind durch das Bestreben gekennzeichnet, die Denkweisen mittelalterlicher Menschen unter Berücksichtigung der sie umgebenden gesellschaftlichen und geographischen Strukturen zu verdeutlichen und Erkenntnisfortschritt mit sprachlich und literarisch anspruchsvoller Form zu verbinden. Duby ist es damit nicht nur gelungen, historischen Darstellungen ein breites Publikum zu verschaffen, sondern auch den Prozeß des *Erzählens von Geschichte* mit wissenschaftlichen Erfordernissen in Übereinstimmung zu bringen.

L'An mil, in dem er *„ein quellennahes und differenziertes Bild der abendländischen Mentalität um die Jahrtausendwende"* (Ehlers) zeichnet, zählt zu Dubys weniger bekannten Studien. Der Autor entwirft darin eine Skizze des Lebens in Frankreich im Zeitraum von etwa 980 bis 1040, die Persönlichkeiten, Empfindungen und Strukturen umfaßt. Die in jener Zeit anzutreffende starke Beachtung von außergewöhnlichen Erscheinungen wie Himmelszeichen und Hungersnöten werden durch die Einbettung in den historischen Kontext als zeitgebundene Phänomene verständlich und lassen den mythenhaften und damit anachronistischen Charakter der vermeintlichen Weltuntergangsängste deutlich hervortreten.

Literatur: Duby, Georges: Über einige Grundtendenzen der modernen französischen Geschichtswissenschaft, in: Historische Zeitschrift, 241 (1985) S. 543-554. – Ehlers, Joachim: Frankreich im Mittelalter. Von der Merowingerzeit bis zum Tode Ludwigs IX. Neuerscheinungen von 1961 bis 1979, in: Historische Zeitschrift, Sonderheft 11, München 1982. – Moore, Robert I.: Duby's Eleventh Century, in: History 69 (1984) S. 36-49. – Raphael, Lutz: Die Erben von Bloch und Febvre. Annales-Geschichtsschreibung und nouvelle histoire in Frankreich 1945-1980, Stuttgart 1994.

St. F.

Georges Duby verfasste ein differenziertes Bild der Mentalität um die Jahrtausendwende.

10 „Vita Meinwerci Episcopi Paderbornensis"
(„Die Vita des Bischofs Meinwerk von Paderborn")
Darin: Bericht über die Bestätigung der Privilegien der Kirche von Paderborn durch Papst Silvester II. am 1. Januar 1001
Anonymer Mönch des Klosters Abdinghof; wahrscheinlich Abt Konrad (1142-1173)
Paderborn, zwischen 1155 und 1165 (mit jüngeren Nachträgen)
Pergamenthandschrift, Ledereinband auf Holz
H. 17,8 cm, B. 14,5 cm
Kassel, Gesamthochschul-Bibliothek, Landesbibliothek und Murhardsche Bibliothek der Stadt Kassel, Cod. ms. hist. 4° 12, fol. 1r-72v

Die Handschrift beinhaltet die Lebensbeschreibung Bischof Meinwerks von Paderborn (1009-1036), in dessen Amtszeit das relativ arme Bistum einen erheblichen wirtschaftlichen Aufschwung nahm. Als Autograph, das heißt als eigenhändiges Exemplar des Verfassers, bei dem es sich vermutlich um Abt Konrad von Abdinghof (1142-1173) handelt, ist die Handschrift besonders wertvoll, da sich an den vorgenommenen Korrekturen und Nachträgen der Entstehungsprozeß mittelalterlicher Texte eindrucksvoll nachvollziehen läßt.

In den ersten Kapiteln wird die Geschichte des Bistums seit der Gründung durch Karl den Großen im Jahr 799 bis zu Meinwerk geschildert. Im Jahr 1000 hatte ein Brand die durch den hl. Badurard errichtete Kirche von Paderborn mit allen Büchern, Privilegien und kirchlichen Ausstattungsgegenständen vernichtet. Retharius, der Bischof der Paderborner Kirche (983-1009), sandte daraufhin Boten nach Rom, die am Weihnachtsfest des Jahres 1000 Kaiser Otto III. († 1002) und Papst Silvester II. (999-1003) das erlittene Unheil zur Kenntnis brachten. Die Gesandten baten darum, die Bestätigungen und Vergünstigungen der Paderborner Kirche, die diese von den kaiserlichen und päpstlichen Vorgängern erhalten hatte, zu erneuern und zu bekräftigen. Als Papst und Kaiser die Nachricht vom Brand der Kirche und der Stadt gehört hatten, bedauerten sie dies zutiefst und bestätigten dem Bittsteller in großzügiger Weise alles, was der Kirche von Paderborn zu Ehren und zu Nutzen dienen könnte: Die Gründung des Bistums und den Königsschutz, die Einkünfte des Zehnten, den Kirchenbesitz, das Recht der Bischofswahl, die Vogteigerichtsbarkeit, ferner die Paderborner Grafenrechte, die Einzugsberechtigung für den Nachlaß verstorbener Kleriker, drei Mansen und einen Forst. Nach dem Bericht der Vita Meinwerci ließen Kaiser und Papst von ihren Notaren darüber Urkunden ausstellen, die sie durch die Anbringung ihrer Siegel bekräftigten. Die kaiserliche Urkunde vom 1. Januar 1001 ist in Kopie erhalten geblieben und bezeugt die Aussagen der Vita, die päpstliche ist heute verloren.

Die dem siebten Kapitel entstammende Passage illustriert anschaulich Inhalte und Formen der Kommunikation um das Jahr 1000 und belegt zudem, daß man in diesem Jahr keineswegs von Gedanken an das bevorstehende Ende der Welt erfüllt war, sondern sich im Gegenteil tatkräftig darum bemühte, die zukünftige ungestörte Entwicklung der Paderborner Kirche durch päpstliche und kaiserliche Schriftstücke sicherzustellen.

Edition: Vita Meinwerci Episcopi Patherbrunnensis, ed. Franz Tenckhoff, Hannover 1983 (unveränderter Nachdruck der Ausgabe Hannover 1921). – Die Urkunde Kaiser Ottos III.: Die Urkunden Ottos III., hg. von Theodor Sickel, Hannover 1893, Nachdruck 1980, S. 816f., Nr. 387.

Literatur: Honselmann, Klemens: Der Autor der Vita Meinwerci vermutlich Abt Konrad von Abdinghof, in: Westfälische Zeitschrift 114 (1964) S. 349-352. – Bannasch, Hermann: Das Bistum Paderborn unter den Bischöfen Rethar und Meinwerk (983-1036), Paderborn 1972. – Brandt, Hans Jürgen / Hengst, Karl: Die Bischöfe und Erzbischöfe von Paderborn, Paderborn 1984. – Meinwerk von Paderborn. 1009-1036. Ein Bischof in seiner Zeit. Ausst.-Kat. Paderborn 1986.

St. F.

Zukunftsorientiert sollte die Entwicklung der Paderborner Kirche sichergestellt werden.

11

11 Urkunde über die Verleihung des Marktrechtes an Villingen

Rom, 29. März 999
Pergament, Siegel
H. 63,5 cm, B. 53 cm
Karlsruhe, Generallandesarchiv, A 72
Villingen, Franziskanermuseum (Faksimile)

Am 29. März 999 verlieh Kaiser Otto III. dem Grafen im Thurgau, Bertold, das Recht, einen Markt in Villingen einzurichten. Damit verbunden waren Einnahmen aus Münzprägung und Zoll. Im Jahr zuvor hatte sich Bertold, wohl ein Vorfahre der Herzöge von Zähringen, auf einer Romfahrt Ottos III. verdient gemacht, als seine Heeresabteilung den antikaiserlichen Gegenpapst Johannes Philagathos gefangennahm (und verstümmelte). Noch in Rom wurde das Marktprivileg ausgestellt, das erste erhaltene für einen weltlichen Herrn.

Rechteverleihungen und die damit verbundenen Einkünfte waren schon vor tausend Jahren eine vielfach genutzte Methode, sich der Treue seiner Helfer zu versichern. Gelang die Einrichtung z.B. eines Marktes oder einer Münzstätte, so war dies auch dem Landesausbau förderlich. Langfristig gesehen stärkten diese Rechtsvergaben aber die Macht des Adels und schwächten die zentrale Reichsgewalt, den König bzw. Kaiser.

Die Rechte und die sich daraus eventuell ergebenden Einkünfte zielen in die Zukunft. Auch sichert die Urkunde ausdrücklich ihre Erblichkeit. So belegt diese kurz vor dem Jahr 1000 ausgestellte Urkunde, daß in der politischen und wirtschaftlichen Praxis Endzeitvorstellungen keine entscheidende Bedeutung hatten. Geplant wurde weit über das Jahr 1000 hinaus.

Literatur: Althoff, Gerd: Warum erhielt Graf Bertold im Jahre 999 ein Marktprivileg für Villingen?, in: Die Zähringer. Schweizer Vorträge und Forschungen, hg. von Karl Schmid, Sigmaringen 1990. S. 269-274. – Zettler, Alfons: Graf Berthold, sein kaiserliches Marktprivileg für Villingen und der Aufstieg der Zähringer in Schwaben, in: Menschen, Mächte, Märkte. Schwaben vor 1000 Jahren und das Villinger Stadtrecht, Ausst.-Kat. Villingen-Schwenningen 1999, S. 117-139.

V. S.

12

13

12 Sonnenuhr
Modell
Ausführung: Christoph Adler, Badisches Landesmuseum
Karlsruhe
Ahornholz
H. 35 cm, B. 50 cm
Karlsruhe, Badisches Landesmuseum

Die Beobachtung der Veränderung des Sonnenschattens ist sicher das älteste Verfahren der Zeitbestimmung. Sonnenuhren mit Schattenstab und Skalen mit Stundenangaben waren seit der Antike in Gebrauch. Die vertikale plattenförmige Sonnenuhr wurde von der Spätantike ins Mittelalter tradiert. Mit dem Schattenstab wurde die Sonnenhöhe gemessen und als Tagesstunde auf der Skala abgelesen. Bis weit in die Neuzeit waren komplizierte Ausführungen für verschiedene geographische Breiten verbreitet. Für sie bürgerte sich die Bezeichnung Reisesonnenuhren ein. Noch im 19. Jahrhundert war die Zeitbestimmung mit Hilfe des Sonnenstandes die präziseste: Mechanische Uhren wurden mit Hilfe von Sonnenuhren nach der Sonnenzeit des jeweiligen Ortes einreguliert.

Literatur: Drecker, J.: Theorie der Sonnenuhren, Geschichte der Zeitmessung und der Uhren, Bd. 1, Lfg. E, Berlin Leipzig 1925. – Zinner, E.: Deutsche und niederländische astronomische Instrumente des 11. bis 18. Jahrhunderts, 2. erg. Aufl., München 1967, Ndr. 1972. – Kren, C.: The Traveler's Dial in the Late Middle Ages: The Chilinder, in: Technology and Culture 11 (1970) S. 419-35.

J. D.

13 Zwei Glocken
Nachgüsse
Bronze (71,2% Kupfer, 23,36% Zinn und 4,23% Blei)
a) H. 53 cm, Dm. 42,4 cm
b) H. 48 cm, Dm. 36,4 cm
Mainz, Bischöfliches Ordinariat, Diözesanbauamt
Mainz, Deutsches Rotes Kreuz, Landesverband Rheinland-Pfalz

Seit dem 5. Jahrhundert gab es Glocken in Kirchen und Klöstern. Für mehrere Jahrhunderte diente ihr Läuten als Signal zu den Gebetszeiten in den Klöstern. Das Läuten der Kirchenglocken zu festgesetzten Zeiten war aber auch für die Menschen in den Dörfern und Städten Orientierungspunkt bei der Einteilung ihres Tagesablaufs.

J. D.

Das Läuten der Kirchenglocken war für die Menschen Orientierungspunkt bei der Einteilung ihres Tagesablaufs.

14

14 Apokalypse des Beatus von Liébana

Faksimile der illustrierten Handschrift
Spanien, Mitte 10. Jahrhundert
H. 35,5 cm, B. 27 cm
Karlsruhe, Badische Landesbibliothek, Ne 102

„Ich schreibe dies in Ehrfurcht vor dem hohen Patron, auf Befehl des Abtes Victor und aus Liebe zum Buch der Offenbarung des geliebten Jüngers Johannes. Als Teil des Schmuckes habe ich eine Reihe von Bildern für die wunderbaren Worte seiner Geschichten gemalt, damit die Weisen das Kommen des künftigen Gerichtes am Ende der Welt fürchten." Mit diesem Eintrag informiert der Mönch und Maler Maius aus dem Kloster San Miguel de Escalada bei León über Auftrag und Zweck des Buches. Die um die Mitte des 10. Jahrhunderts entstandene Handschrift, deren Original in der Pierpont Morgan Library, New York, verwahrt wird, gehört zu den ältesten Zeugnissen einer Neubelebung der Apokalypse-Tradition in Spanien, angeregt durch den um 776 verfaßten Kommentar des Mönches Beatus von Liébana zur Offenbarung des Johannes. Ihre Neugestaltung der bildlichen Ausstattung macht sie zum Prototyp für die Bild- und Ornamenttradition und zugleich zu einer der am reichsten illustrierten leónesischen Handschriften des am häufigsten kommentierten Buches der Bibel. Am Ende des 10. Jahrhunderts kam es allgemein zu einer Häufung von illuminierten Handschriften.

Literatur: Beatus-Apokalypse der Pierpont Morgan Library. Ein Hauptwerk der spanischen Buchmalerei des 10. Jahrhunderts. Einführung und Kommentar John Williams, Stuttgart/Zürich 1991. – Williams, John: Frühe spanische Buchmalerei, München 1977.

J. Z.

15 Bamberger Apokalypse

Faksimile der illustrierten Pergamenthandschrift
Skriptorium des Klosters Reichenau, um 1002
H. 44 cm, B. 34 cm
Karlsruhe, Badische Landesbibliothek, 58 C 28

Als sich um die Wende zum neuen Jahrtausend Apokalypsehandschriften häuften, entstand um das Jahr 1002, dem letzten Regierungsjahr Kaiser Ottos III. und in seinem Auftrag auf der Insel Reichenau die Bamberger Apokalypse, die von ihrem späteren Aufbewahrungsort her ihren Namen trägt. Ottos Nachfolger Heinrich II. und seine Frau Kunigunde schenkten sie dem Bamberger Kollegiatsstift St. Stephan (heute in der Staatsbibliothek Bamberg). Die Prunkhandschrift, ein wichtiger Vorläufer für Heinrichs berühmtes Perikopenbuch, enthält mit ihren 50 meist ganzseitigen Miniaturen, zu denen noch sieben weitere eines angefügten Evangelistars kommen, den umfangreichsten Bilderzyklus der Geheimen Offenbarung des Johannes im frühen Mittelalter im deutschsprachigen Raum. In den Darstellungen der Fesselung Satans, des zum Jüngsten Gericht erscheinenden Christus und des verheißenen Neuen Jerusalems erfährt die Endzeitvision besonders eindrucksvolle Formulierungen.

Literatur: Die Bamberger Apokalypse. Die Miniaturen der Apokalypse und des Evangelistars in der Staatlichen Bibliothek Bamberg Bibl. 140 (A II 42), hg. von Alois Fauser, Wiesbaden 1958.

J. Z.

„Ich habe eine Reihe von Bildern gemalt, damit die Weisen das Kommen des künftigen Gerichtes am Ende der Welt fürchten."

15

16 Stebbacher Kästchen
Westdeutsch (?), 10./11. Jahrhundert (?)
Bein auf Holzkasten, Bronze, Eisen, Glasperlen
H. 18 cm, B. 38,5 cm, T. 20,7 cm (alle Maße ohne Beschläge)
Karlsruhe, Badisches Landesmuseum, Inv.-Nr. 74/106

Das Stebbacher Kästchen wurde 1968 bei einer archäologischen Grabung in Zimmern bei Stebbach (Kreis Heilbronn) in der dortigen Kirche St. Veit gefunden, wo es im Chorfundament aus dem 13. Jahrhundert vergraben lag. Der Ort selbst sowie die Kirche wurden im 14. Jahrhundert aufgegeben. Das Kästchen besteht aus einem Holzkern, auf den unterschiedlich ornamentierte Beschläge aus Knochen aufgebracht wurden. Zum Teil sind diese Beschläge durchbrochen gearbeitet oder tragen Glasperlen als zusätzliche Zierelemente. Vergleichbare Kästchen finden sich seit dem 5./6. bis in das 13. Jahrhundert in Westeuropa. Das Stebbacher ist jedoch das größte und das motivisch reichste dieser erhaltenen Kästchen. Eine genaue Datierung und Lokalisierung ist nicht möglich. Anhand der Motive der verwendeten Beschläge setzt man die Entstehungszeit des Stebbacher Kästchens in das 10./11. Jahrhundert. Wo es hergestellt wurde, etwa in einem Ort oder Kloster in der Umgebung von Stebbach, läßt sich nicht mehr rekonstruieren. Es ist anzunehmen, daß das Kästchen ursprünglich auf dem Altar der Kirche stand und als Reliquienbehältnis, vielleicht für Reliquien des Patrons der Kirche, verwendet wurde.

Literatur: Beuckers, Klaus G.: Mittelalterliche Elfenbeinarbeiten aus der Sammlung des Badischen Landesmuseums Karlsruhe, Karlsruhe 1999, Nr. 14.

EfK

Um das Jahr 1000 entstanden zahlreiche illustrierte Handschriften mit Darstellungen zur Apokalypse des Johannes.

16

17

17 Glöcklehof-Kapelle St. Ulrich in Bad Krozingen

Modell, Maßstab 1:20
Styropor, Papier, Karton
H. 45 cm, B. 30 cm, T. 60 cm
Freiburg, Landesdenkmalamt, Abt. Archäologie des Mittelalters

Der Ursprungsbau der ältesten erhaltenen Dorfkirche in Südwestdeutschland entstand wohl in der zweiten Hälfte des 10. Jahrhunderts als Saalkirche mit Rechteckchor (Länge: 11,7 m, Breite: 6 m). Der aus verschiedensten Steinarten gemauerte Bau erhielt einen Verputz, der als gestalterisches Mittel eingesetzt wurde. Neben einem braunen Verputz für die großen Flächen wurden die Fenster mit weißem Putz umrandet, um sie zu betonen. 1936 wurden im Chor Wandmalereien wiederentdeckt, die vermutlich zwischen 1010 und 1050, also bald nach der Errichtung der Kapelle entstanden sind. Erhalten sind nur die Konturen der Vorzeichnung, die Ausführungsschichten sind zerstört. Zwei Szenen zeigen den Märtyrertod Johannes des Täufers. Dazwischen ist erhöht und zentral in einem Medaillon die Halbfigur des triumphierenden Christus dargestellt. Darunter befinden sich in den Nischen eines Fensters Darstellungen der opfernden Kain und Abel.

Die Bauherren und die ersten Besitzer der Kapelle sind unbekannt. Erst für das Jahr 1382 nennt die Überlieferung das Augustiner-Chorherrenstift Beuron als Besitzer.

Literatur: Hecht, Josef und Konrad: Die frühmittelalterliche Wandmalerei des Bodenseegebiets, Sigmaringen 1979, Bd. 1, S. 210-219, Bd. 2, S. 704-711. – Vollmer, Eva / Grether, Eberhard: Die Glöcklehof-Kapelle St. Ulrich in Bad Krozingen. Bauarchäologische und restauratorische Untersuchung, in: Denkmalpflege in Baden-Württemberg 27 (1998) S. 220-231. – Wischermann, Heinfried: Romanik in Baden-Württemberg, Stuttgart 1987, S. 242.

V. S.

18 Klosterkirche St. Michael in Hildesheim

Modell, Maßstab 1:100
Hildesheim, 1662-1673
Holz, Eiche, bemalt
H. 46 cm, B. 84 cm, T. 40 cm
Hildesheim, Roemer-Museum, Stadtgeschichtliche Sammlung im Knochenhaueramtshaus, Inv.-Nr. G 389

Die benediktinische Klosterkirche St. Michael in Hildesheim stellt das wohl vollkommenste Beispiel ottonischer Sakralarchitektur um die Jahrtausendwende dar. Bischof Bernward von Hildesheim, ihr Gründer, hat im Jahr 1010 den Grundstein für den Bau gelegt, der – obwohl noch unvollendet – 1022 geweiht wurde. Im selben Jahr starb Bernward und wurde in der westlichen Krypta beigesetzt.

Das barocke Holzmodell gibt den mittelalterlichen Baukörper in seinen wesentlichen Elementen wieder, allerdings in etwas verzerrten Proportionen. Der ottonische Bau zeichnet sich durch seine bestechende Klarheit und Einfachheit aus: Das Vierungsquadrat ist das Ausgangsmaß für die dreischiffige, vom niedersächsischen Stützenwechsel bestimmte Basilika mit doppeltem Querhaus und Doppelchoranlage. Achteckige Treppentürme erschließen die Emporen der Querhäuser, die von quadratischen Vierungstürmen überragt sind. Ausgerichtet ist der Bau durch die Grablege seines Stifters nach Westen.

Literatur: Bernward von Hildesheim und das Zeitalter der Ottonen, Ausst.-Kat. Hildesheim 1993, Bd.2, S. 520-530. – Beseler, Hartwig / Roggenkamp, Hans: Die Michaelskirche in Hildesheim, Berlin 1954.

J. Z.

18

19 Bauernhaus aus dem Dorf Zimmern

Modell, Maßstab 1:30
Entwurf: A. Kluge-Pinsker; Ausführung: M. Augustin (beide Römisch-Germanisches-Zentralmuseum Mainz)
H. 17 cm, B. 21 cm, T. 34 cm
Mainz, Römisch-Germanisches Zentralmuseum

Das Modell rekonstruiert ein Bauernhaus, das im 11. Jahrhundert im Dorf Zimmern (bei Gemmingen-Stebbach im heutigen nordbadischen Kraichgau) stand. Die Siedlung aus 5 bis 10 Gehöften wurde im 13. Jahrhundert aus unbekannten Gründen aufgegeben. Charakteristisch für die Bauernhäuser dieser Zeit sind Holzhäuser in Pfostenbauweise: Mehrere Pfosten, hier je Seite fünf Stück, halten das Strohdach. Zwischen den Pfosten befinden sich lehmverkleidete Flechtwerkwände, manchmal auch Bretter. Neben dem Haupthaus, in dem auch Tiere gehalten werden konnten, gab es verschiedenste Nebenbauten für spezielle Aufgaben: Scheunen, Speicher, Öfen oder Brunnen. Die Gehöfte waren von einem Zaun umgeben.

Das einschiffige Haus in Zimmern hatte nur einen Raum von ca. 50 Quadratmetern. Die etwa zwei Meter lange, in den Boden eingetiefte Feuerstelle macht es wahrscheinlich, daß es sich um das Wohnhaus des Gehöfts handelte. Zu diesem gehörten noch zwei Grubenhäuser, deren Funktion nicht geklärt ist.

Literatur: Dickmans, Friederike: Die Wüstung Zimmern – ein mittelalterliches Dorf im Kraichgau, in: Eppingen – Rund um den Ottilienberg 6 (1994) S. 7-27.

V. S.

20

20 Psalterium mit der Miniatur von pflügenden Bauern

Elsaß, 13. Jahrhundert
Illuminierte Pergamenthandschrift
H. 15,5 cm, B. 12,5 cm
Karlsruhe, Badische Landesbibliothek, St. Georgen 17, fol. 3v

Das elsässische Psalterium enthält auf der Kalenderseite des Monats Juni neben den üblichen Eintragungen der Heiligenfeste ein Monatsbild mit pflügenden Bauern, die das um 1000 modernste Ackergerät benutzen, den Beetpflug. Bis dahin war die primitivere Form des Hakenpfluges in Gebrauch. Bereits Anfang des 9. Jahrhunderts ist er auf einer Salzburger Miniatur der zwölf Monatsbilder (heute Österreichische Nationalbibliothek in Wien) zu sehen, hier ebenfalls der Tätigkeit im Monat Juni zugeordnet. Erst vom 13. Jahrhundert an wurde der mitteleuropäische Pflug vervollkommnet, durch Räder und eine Festigung der Konstruktion. Die massiven hölzernen Bestandteile, die auf der elsässischen Miniatur zu sehen sind, brachten eine große Gewichtszulage mit sich, die nach und nach durch leichtere und gleichzeitig festere Eisenbestandteile abgelöst wurden. Damit konnte auch die Anzahl der Zugtiere reduziert werden, und das Gerät wurde einfacher handhabbar.

19

Literatur: Braunfels, Wolfgang: Die Welt der Karolinger und ihre Kunst, München 1968, S. 182, 386, Abb. 233. – Husa, Václav: Homo faber. Der Mensch und seine Arbeit. Die Arbeitswelt in der bildenden Kunst des 11. bis 17. Jahrhunderts, Prag 1967 (Lizenzausgabe: Wiesbaden 1971), S. 39f. und Abbn.1-8. – Kalender im Wandel der Zeiten, Ausst.-Kat. Karlsruhe 1982, S. 107, Nr. 6.2.

J. Z.

21 Der Evangelist Markus als Schreiber
Trier (?), um 980/90
Pergament, Deckfarben
H. 24 cm, B. 17 cm
St. Peter, Erzbischöfliches Priesterseminar, Ms. 25

Das Einzelblatt mit dem Evangelisten Markus entstand vermutlich um 980/990 im Umkreis des sog. Meisters des Registrum Gregorii, des führenden ottonischen Buchmalers in Trier. Es fand zunächst als Schmuck eines älteren Evangelistars Verwendung, wurde aber im frühen 19. Jahrhundert aus diesem wieder herausgetrennt. Der Evangelist ist identifizierbar durch die Inschrift auf dem hellvioletten Band, die übersetzt lautet: *„Siehe, Markus hat die Gestalt des schrecklichen Löwen"*, und durch sein Attribut, den geflügelten Löwen. Eine wohl später hinzugefügte Minuskelbeischrift neben dem Evangelistensymbol stellt dessen Bezug zu Christus her: *„Siehe, gesiegt hat der Löwe aus dem Stamme Juda, der Sproß aus der Wurzel Davids."* Der Verfasser des Evangeliums ist am Schreibpult, auf dem ein Tintenfaß mit einer weiteren Feder steht, beim Niederschreiben des inspirierten Evangelientextes auf eine Schriftrolle dargestellt und veranschaulicht so eine Frühform der Verschriftlichung, die zur Entstehungszeit der Miniatur längst durch das Buch abgelöst worden war.

Dieser Rückgriff auf ein antikes Vorbild hat seine Parallele auch in der Malweise und der psychologisch hervorragenden Gestaltung des Evangelistenkopfes mit seinem fast hellenistischen Aussehen. Die dekorative Organisation des Bildganzen und die Kraft der plastischen Figurengestaltung legen Zeugnis ab von einem hochbegabten, wenn auch namenlosen Künstler, der im Umkreis des bibliophilen Trierer Erzbischofs Egbert tätig war und von der differenzierten Kultur, die zumindest in den Zentren der kirchlichen Hierarchie anzutreffen war.

Literatur: Vor dem Jahr 1000. Abendländische Buchkunst zur Zeit der Kaiserin Theophanu. Ausst.-Kat. Köln 1991, S. 148f. – Unverrückbar für alle Zeiten. Tausendjährige Schriftzeugnisse in Baden-Württemberg. Ausst.-Kat. Karlsruhe / Stuttgart 1992, S. 40f., Nr. 3, farb. Abb. – Das Vermächtnis der Abtei. 900 Jahre St. Peter auf dem Schwarzwald. Ausst.-Kat. St. Peter. Karlsruhe 1993, S. 466-469, Nr. 225.

J. Z.

Der Evangelist Markus erscheint im Rückgriff auf ein antikes Vorbild.

21

Kaiser, Kirche, Kreuzzug

Das Heilige römische Reich deutscher Nation

Der deutsche Kaiser Otto III. starb **1002** im Alter von 22 Jahren. Dem genialen, aber auch grausamen Herrscher war Karl der Große Vorbild.

Otto III. konnte das christliche Imperium seines Großvaters Otto I., der 962 vom Papst in Rom zum Kaiser gekrönt worden war, weiter festigen.

Als Zeichen der Untrennbarkeit von weltlicher und kirchlicher Macht war in der zweiten Hälfte des 10. Jahrhunderts die deutsche Kaiserkrone angefertigt worden. Das „Heilige römische Reich deutscher Nation" bestand als erstes Deutsches Reich bis 1806.

Burgen des Glaubens

Seit dem **frühen 11. Jahrhundert** kam es zu vielen Neu- und Umbauten von Kirchen im frühromanischen Stil. Genannt seien die Dome zu Speyer, Bamberg, Worms, Würzburg und Mainz, die Münster von Straßburg und Basel sowie die Klosterkirche St. Michael in Hildesheim.

Weltliche Dichtung

Während die althochdeutsche Dichtung christlichen Themen zugewandt war, entstand mit der in lateinischen Hexametern geschriebenen Dichtung „Ruodlieb" um **1030** das erste fiktive Epos des deutschen Mittelalters. Verfasser war ein Mönch vom Tegernsee. Sein Epos hat lehrhafte Züge, lobt den Verzicht auf Gewalt und preist Versöhnungsbereitschaft. Die nicht religiöse Thematik wurde freilich als Verweltlichung empfunden. Dem trat die kirchliche Mahnung entgegen, die dem Teufel verfallene Welt zu meiden. „Ihr müsset alle sterben." („Memento mori.")

Schreckliches Dasein

Wieder einmal wütete im Jahr **1043** eine Hungersnot in Europa, besonders unter den „Leibeigenen", die quasi als Sklaven dem Grundherrn gehörten. Die „apokalyptischen Reiter", wie sie in der Bibel die „Offenbarung des Johannes" beschrieb, waren nicht nur Endzeitvision, sondern bestimmten die Realität des Daseins: Krieg, Hunger, Teuerung und Not, begleitet vom Tod. Aus dem schrecklichen Diesseits sehnte man sich nach dem Jenseits, dem „himmlischen Reich", als Lohn für die irdischen Mühen.

Großreich im Norden

Mit dem Tod Knuts des Großen 1035 zerfiel das im Norden Europas entstandene Großreich, das Dänemark, England, Norwegen und Schleswig umfaßte. Der Däne war **1018** zum König gewählt worden. Er hatte die Einzelstämme der kriegerischen Wickinger (Nordmänner, Normannen) einigen können. Diese waren auf ihren Eroberungszügen bis Unteritalien und auch an die nordamerikanische Ostküste vorgestoßen. Knut hatte England zur Basis seiner Herrschaft auserwählt. Die Angelsachsen übernahmen bevorzugt öffentliche Stellungen. 1066 wurde England erneut von den inzwischen in Frankreich seßhaft gewordenen Normannen unter Wilhelm Herzog der Normandie erobert und zum Lehnsstaat gemacht.

Rom, Haupt des deutschen Leibes
Mönche im Gebet ohn' Unterlaß
Der Träger der Krone auf den Knien vor dem Papst

Erneuerung des Mönchtums

Hugo der Große war seit **1049** Abt des Klosters Cluny. Hochverehrt starb er nach 60jähriger Amtszeit 1109. Unter ihm gewann die benediktinische Reformbewegung, die auch andere Klöster (wie das alemannische Hirsau) prägte, großen Einfluß.

Der Ordensgründer Benedikt von Aniane (gest. 821) sah den Weg der Vollkommenheit im

christlichen Gehorsam. Und im Gebet ohne Unterlaß. In Cluny wurden aber auch 17.000 Armenspeisungen pro Jahr ausgegeben.

Blutspur zum Heiligen Grab

1096 begann der erste Kreuzzug, der von Papst Urban II. ausgerufen wurde. 1099 wurde Jerusalem erobert. Im Kreuzzug vermischte sich Realpolitik mit religiösem Wahn: zum einen wollte man das „von den Feinden Gottes" bedrohte Byzanz unterstützen und so die griechische Kirche für eine Union mit Rom gewinnen.

Zum anderen wurde die Ritterschaft von der Glaubensinbrunst getrieben, das Grab des Herrn in Besitz zu nehmen. Der Glaubenshaß führte dabei zu Massenmetzeleien, Rechtsbrüchen, vor allem zu verheerenden Ausschreitungen gegenüber den Juden.

Investiturstreit

Durch den Bußgang zur lombardischen Felsenburg Canossa, in der sich Papst Gregor VII. aufhielt, konnte sich der deutsche Kaiser Heinrich IV. **1077** vom Bann lösen, der ein Jahr vorher über ihn verhängt worden war. Mit dieser Demutsgeste kam er dem Papst zuvor. Dieser war auf dem Weg nach Deutschland, um dort die Bischöfe und Fürsten für das Primat zu gewinnen, das den Papst als Inhaber der obersten Kirchengewalt gegenüber der weltlichen Macht sah. Doch wurde Gregor VII. von einem Gegenpapst vertrieben, der Heinrich IV. 1084 in Rom zum Kaiser krönte.

Weltkarte aus der Beatus-Apokalypse
von San Andrea de Arroyo
Spanien, Ende 12. Jahrhundert
Paris, Bibliothèque Nationale, Nouv. Acq. Lat. 2290, fol. 13v-14r

Die geostete Karte gibt die Erde als eine von einem Ozean umgebene runde Scheibe wieder. Darauf sind Städte durch Inschriften und stilisierte Gebäude markiert. Die gewellten Doppellinien stellen keine Flüsse dar, lediglich die Mittellinie und die Horizontale oben links kennzeichnen das Mittelmeer und die Ägäis. Steinpyramiden verdeutlichen verschiedene Gebirge, beispielsweise oben links den Sinai.

1100

Zeit des ersten Kreuzzuges

Die Zeit um 1100 war geprägt vom ersten Kreuzzug. 1095 rief Papst Urban II. dazu auf, das Grab Christi aus der Hand der Muslime zu befreien. In allgemeiner Erwartung des nahen Weltuntergangs schlossen sich dem Kreuzfahrerheer unzählige einfache Gläubige an, da ihnen für den Zug ins Heilige Land der vollständige Ablass ihrer Sündenstrafen versprochen wurde.
1099 erreichte der Kreuzzug sein Ziel: Jerusalem wurde erobert.

Einen zeitgenössischen Betrachter, der im Jahr 1100 das zu Ende gehende Jahrhundert im resümierenden Rückblick Revue passieren läßt, sucht man vergeblich. Derartige Betrachtungsweisen waren dem Mittelalter fremd. Daher fand auch das Jahr 1100 bei den damals schreibenden Autoren keine besondere, dem Datum einen eigenständigen Wert zuerkennende Aufmerksamkeit. Dabei hätte ein mittelalterlicher Chronist durchaus Grund gehabt, die Wende vom 11. zum 12. Jahrhundert als Einschnitt aufzufassen und zurückschauend innezuhalten. In der Retrospektive sind es vor allem zwei, nur wenige Jahre zurückliegende Ereignisse, in denen sich längerfristige Prozesse schlaglichtartig gebündelt haben und die auch von Zeitgenossen als epochemachend empfunden wurden: Canossa und das Kreuzzugsunternehmen.

Im Jahre 1100 war der Kampf zwischen Königtum und Papsttum noch nicht beendet.

Die Bannung und Absetzung Kaiser Heinrichs IV. durch Papst Gregor VII. im Jahr 1076 war ein unerhörtes, nie dagewesenes Ereignis, das den Erdkreis erzittern ließ, wie der Kirchenreformer Bonizo von Sutri († vor 1099) unter dem unmittelbaren Eindruck des Geschehens berichtet hat. Auch wenn es Heinrich IV. nach einer dramatischen Alpenüberquerung im Januar 1077 gelungen war, in Canossa durch öffentlich zur Schau gestellte Buße den Papst zur Aufhebung des Bannfluchs zu bewegen, so war der Konflikt damit noch keineswegs ausgestanden. Die Auseinandersetzung zwischen Gregor VII. und Heinrich IV., die über das Aufeinanderprallen zweier ausgeprägter Persönlichkeiten weit hinausreichte und säkulare Dimensionen erlangte, stellte eine Wende dar, die bereits damals so aufgefaßt wurde.

Das Ringen zwischen *regnum* und *sacerdotium*, zwischen Königtum und Papsttum, hatte zu einem Auseinanderbrechen der bisherigen Einheit der beiden Gewalten und damit zu einem Bruch der scheinbar festgefügten Weltordnung geführt. Im Jahr 1100 war dieser Kampf noch nicht beendet. Noch war nicht entschieden, wer insbesondere im Streit um die Investitur, die Einsetzung der geistlichen Würdenträger, obsiegen würde. Heinrich IV. hatte deshalb für das Weihnachtsfest des Jahres 1100 zu einem Reichstag nach Mainz eingeladen, um mit dem 1099 neugewählten Papst Paschalis II. zu einer Einigung zu gelangen. Doch der Versuch scheiterte. Manch banger Gedanke, auch einfacher Menschen, mag diesen Konflikt begleitet haben, wußte man doch in einigen Diözesen nicht, welchem Bischof, dem Gregorianer, also dem Vertreter der päpstlichen Partei, oder dem Heinricianer, dem Anhänger der königlichen Seite, man Gehorsam schuldete; schlimmer noch war die damit verbundene Unsicherheit, welcher Bischof im Zweifelsfall die wirksameren Gebete für das Seelenheil sprechen würde. Auch für das Königtum und dessen Verhältnis zu den Fürsten hatten die Geschehnisse weitreichende Konsequenzen nach sich gezogen. Trotz der Lösung Heinrichs IV. vom päpstlichen Bann hatten die Fürsten im März 1077 in Forchheim Rudolf von Rheinfelden, den Herzog von Schwaben, zum Gegenkönig gewählt. Auch dies ein bis dahin nie dagewesener Vorgang, der sichtbar machte, wie sehr das Ansehen des Königtums gelitten hatte. Der Gedanke, daß das Königtum durch die Wahl der Fürsten konstituiert wurde, sollte in immer deutlichere Konkurrenz zu der bis dahin verbreiteten Vorstellung eines besonderen Königsheils treten, die die Auffassung des Erbkönigtums gestärkt hatte.

Auch die gesellschaftliche Ordnung geriet im Gefolge dieser Kämpfe in Bewegung. Die kirchlichen Würdenträger dienten dem Königtum nicht mehr in dem Maße wie bisher als herrschaftsstabilisierender Faktor, sondern, dies hatte sich für Heinrich IV. in aller Klarheit gezeigt, waren durchaus schwankend und konnten seiner Herrschaft sogar gefährlich werden. Auf der Suche nach anderweitiger Unterstützung rückten daher die Ministerialen und die Städte in den königlichen Blickpunkt. Ihr Aufstieg begann im letzten Viertel des 11. Jahrhunderts. Für den Aufschwung des Städtewesens schufen die Auseinandersetzungen Heinrichs IV. mit seinen Gegnern wichtige Voraussetzungen, da der Salier vielfach auf den Beistand der Bürger gegen Geistlichkeit und Fürsten zurückgegriffen hatte und die Bürger im Gegenzug mit Privilegien entschädigte. Für Worms (1111) und Speyer (1114) sind erste königliche Freiheitsbriefe überliefert, die Hörigen, die in die Stadt gingen und von ihren Grundherren nicht binnen einer gewissen Frist zurückgeholt wurden, die Freiheit und eine bürgerliche Stellung sicherten (*„Stadtluft macht frei“*).

Unruhe herrschte um das Jahr 1100 allenthalben. Mit dem Aufruf zur Befreiung der östlichen Christenheit und der heiligen Stätten in Jerusalem von der muslimischen Bedrohung hatte Papst Urban II. im November 1095 auf dem Konzil von Clermont die Christenheit in Aufregung versetzt. Herzöge und Grafen, Bischöfe und Äbte hafteten sich Stoffkreuze auf die Schultern und rüsteten zum Aufbruch. Aber auch für nachgeborene, einer ungewissen Zukunft entgegensehende Söhne von Adelsfamilien eröffneten sich plötzlich verheißungsvolle Perspektiven: Die Aussicht auf militärische Betätigung und reichen Gewinn lockte, zumal Urban II. den Besitz der eroberten Gebiete versprochen hatte. Zugleich konnte man damit einen vollständigen Ablaß der irdischen Bußstrafen erwerben, der dann in den Kreuzzugspredigten zu einem Erlaß aller zeitlichen Sündenstrafen erweitert wurde. Zudem wußte man sich im Falle des Todes während des Zugs nach Jerusalem auf einem besonders heilversprechenden Weg. Gerade dieser letzte Aspekt bewog eine große Anzahl von einfachen Gläubigen, sich dem Kreuzfahrerheer anzuschließen. Sie sollten die überwiegende Mehrheit der Kreuzfahrer (wohl um die neunzig Prozent) bilden. Die Motive dieser armen Laien waren vor allem religiöser Natur und spiegeln die allerorten zu beobachtende starke Zunahme der Frömmigkeit im Lauf des 11. Jahrhunderts wider, die sich in unterschiedlichsten Ausdrucksformen manifestierte. So hatte die Laienfrömmigkeit in der zweiten Hälfte des 11. Jahrhunderts, noch vor Beginn der Kreuzzüge, nicht nur zu einer starken Zunahme der Pilgerfahrten ins Heilige Land geführt, sondern beispielsweise in Schwaben zur Folge, daß sich mitunter ganze Dörfer entschlossen, in der Nachfolge Christi enthaltsam zu leben. Von den bislang bekannten Wallfahrten unterschied sich das nunmehr begonnene Kreuzzugsvorhaben jedoch in zwei wesentlichen Punkten: Es handelte sich um ein bewaffnetes Unternehmen und es war durch den Ablaß mit außergewöhnlichen geistlichen Privilegien ausgestattet.

Himmelszeichen wie Sternenregen und Mondfinsternisse, seltsame Erscheinungen wie Heuschreckenplagen und Mißgeburten, sollen sich vor der Jahrhundertwende im Umfeld des Kreuzzugs gezeigt haben. Krankheiten ängstigten die Menschen und nahmen zum Teil epidemische Ausmaße an, vor allem der Mutterkornbrand, das sogenannte Heilige Feuer oder Antoniusfeuer, eine durch Getreiderost ausgelöste Vergiftung, die bereits 1076 und 1089 aufgetreten war, wütete auch 1094. Eine große Hungersnot suchte im Jahr 1095 ganz Europa heim und führte dazu, daß insbesondere in Gallien Elend und Sterblichkeit herrschten. Sie beförderte den Entschluß der einfachen Menschen, die Heimat zu verlassen und verstärkte die eschatologische Stimmung, die den Berichten einiger Geschichtsschreiber zufolge, vor allem der französische Benediktinerabt Guibert von Nogent († um 1125) wäre hier zu nennen, bereits in der Kreuzpredigt Urbans II. in Clermont zum Ausdruck gekommen war.

Im Frühjahr 1096 brachen die Kreuzfahrer schließlich auf. 1099 wurde nach großen Schwierigkeiten und Entbehrungen das Heilige Land erreicht. Jerusalem! Der bloße Name rief bei vielen Kreuzzugsteilnehmern Gedanken an Tod und Wiederauferstehung Christi hervor, evozierte aber auch das Bild des himmlischen Jerusalem als Stadt des Paradieses. Die Eroberung der Stadt am 15. Juli 1099 glaubte man dem Eingreifen Gottes zu verdanken. Die Anspannung und die Strapazen des Unternehmens, das mehrfach dem Scheitern nahe gewesen war, entluden sich in der völligen Plünderung der Stadt und einem dreitägigen grausamen Blutbad unter Muslimen und Juden, dem mehrere tausend Menschen zum Opfer fielen. Doch das Kreuzzugsunternehmen hatte sein Ziel erreicht: Das Grab Christi war befreit, Jerusalem wieder in christlicher Hand.

Die durch die Kreuzzugsbewegung ausgelöste Begeisterung und der damit zum Teil verbundene religiöse Fanatismus hatten aber nicht nur im Heiligen Land selbst zu erschreckenden Greueltaten geführt. Bereits zuvor war es 1096 in den Rheinlanden, insbesondere in Worms und Mainz, zu bislang unbekannten Judenpogromen gekommen. Die Gründe für diese Ausschreitungen, die vor allem durch die ungeordneten Horden einfacher Kreuzfahrer begangen worden waren, werden von einem Teil der Forschung auf eschatologische Erwartungen und eine mißverstandene vulgärchristliche Volksfrömmigkeit zurückgeführt. Doch auch der wirtschaftliche Wandel des 11. Jahrhunderts mag die Judenverfolgungen begünstigt haben, da auf dem Gebiet des Handels bisweilen die Juden als unangenehme Konkurrenten empfunden wurden, weshalb die Pogrome in manchen Kreisen durchaus willkommen gewesen sein mögen. Für die Juden und ihre Situation im mittelalterlichen Europa verband sich mit diesen Ausschreitungen eine einschneidende Zäsur. Das neue Jahrhundert begann für sie unter keinen guten Vorzeichen. Bis zu diesem Zeitpunkt waren sie als Minderheit innerhalb der christlichen Gesellschaft geduldet worden und konnten sich unter bischöflichem, bisweilen auch königlichem Schutz in den Städten weitgehend sicher fühlen. Die Fragilität dieser Sicherheit war gegen Ende des 11. Jahrhunderts erstmals deutlich zutage getreten.

Die durch die Kreuzzüge bewirkten Veränderungen machten sich auch auf dem Gebiet der Wirtschaft bemerkbar: Auf längere Sicht führten sie zu einem gewaltigen Aufschwung. Die italienischen Seestädte profitierten davon als erste. Sie hatten durch den Transport der Kreuzfahrer erhebliche Einnahmen zu verzeichnen, vor allem aber prosperierten sie durch den kontinuierlich gewordenen Handel mit dem Heiligen Land. Diese wirtschaftlichen Erfolge, die sich bald auch auf die oberitalienischen Städte befruchtend auswirkten, hatten zur Folge, daß die Bürger Teilhabe an der politischen Macht forderten und es zur Ausbildung von Stadtrechten und kommunalen Verwaltungen kam. In Deutschland sollten derartige Tendenzen erst im zweiten Drittel des 12. Jahrhunderts stärkeres Gewicht entfalten.

1099 eroberten die Kreuzfahrer Jerusalem. Das Grab Christi war befreit. Die Stadt wieder in christlicher Hand.

Neben Canossa und dem Kreuzzug hätte ein im Jahr 1100 resümierender Autor sicherlich eine ganze Reihe weiterer Beobachtungen mitgeteilt, die den Rahmen des Investiturstreits und des Kreuzzugsunternehmens bildeten, aber nicht so deutlich wahrnehmbar in punktuellen Ereignissen kulminierten, sondern als allmähliche Entwicklungen über einen längeren Zeitraum hinweg Wirksamkeit entfalteten. So hätte ein Chronist wohl nicht versäumt, auf Glanz und Größe Clunys hinzuweisen, dessen Konvent in der Amtszeit Abt Hugos (1049-1109) auf dreihundert Mitglieder angewachsen war und auf viele weltliche Große eine starke Anziehungskraft ausübte, die sich in Klostereintritten, aber auch großen Schenkungen niederschlug. 1088 hatte man mit dem Neubau der Klosterkirche begonnen (Cluny III), die mit 187 Metern Länge die größte Kirche des Mittelalters werden sollte. Um das Jahr 1100 dürfte zumindest der Chor weitgehend fertiggestellt gewesen sein. Im Schwarzwald hatte sich Kloster Hirsau im letzten Drittel des 11. Jahrhunderts zu einem der bedeutendsten Reformzentren im deutschen Bereich entwickelt. In den hirsauischen Konstitutionen, den strengen Regeln des monastischen Lebens, nach denen in der Folgezeit viele klösterliche Gemeinschaften leben sollten, kam es dabei zur Verschmelzung von gorzisch-lothringischen Elementen mit cluniazensischen Einflüssen.

Einem rückblickenden Betrachter wäre vielleicht nicht verborgen geblieben, daß an der prachtvollen cluniazensischen Liturgie auch

Das lange Zeit kaum beachtete römische Recht wurde gegen Ende des 11. Jahrhunderts im Umkreis Heinrichs IV. wieder zitiert.

Kritik laut wurde. Von der monastischen Gegenbewegung, die sich seit 1098 im burgundischen Cîteaux formierte, hätte er jedoch wohl noch kaum etwas gehört. Diese Bewegung, die gegenüber der starken, als übertrieben empfundenen Betonung des Gottesdienstes, wie sie im cluniazensischen Verband anzutreffen war, die Rolle der Handarbeit im monastischen Leben stärker hervorheben wollte, hatte im Jahr 1100 durch Papst Paschalis II. erstmals eine Schutzurkunde erhalten. Der große Aufschwung der Zisterzienser, die sich unter ihrem Abt Bernhard von Clairvaux († 1153) im 12. Jahrhundert in ganz Europa ausbreiten sollten und so große Bedeutung erlangten, daß man vom *„bernhardinischen Zeitalter"* gesprochen hat, setzte jedoch erst im ersten und zweiten Jahrzehnt des Jahrhunderts ein.

Investiturstreit und Kreuzzugsbewegung, Cluniazenser und Zisterzienser sind Teil der religiösen Bewegtheit des 11. Jahrhunderts, die auch zu einer tiefgreifenden Reform der Kirche führte. Seit der Mitte des 11. Jahrhunderts hatten die Bemühungen innerkirchlicher Kreise um die Reform des Papsttums und der Kirche durch den Salier Heinrich III. handfeste Unterstützung erhalten und zunehmend an Stärke gewonnen. Hauptanliegen der Kirchenreformer war der Kampf gegen die Simonie, den Kauf kirchlicher Ämter, und damit um die Wiederherstellung der kirchlichen Unabhängigkeit, die *libertas ecclesiae*, sowie das Vorgehen gegen den sogenannten Nikolaitismus, die Durchsetzung der priesterlichen Ehelosigkeit. Durch ihre Forderungen waren die Reformer zunehmend in den eingangs geschilderten Konflikt mit den Interessen des Königtums geraten.

Die Auseinandersetzungen zwischen beiden Parteien wurden nicht nur mit dem Schwert, sondern zunehmend auch mit der Feder geführt. Im Umfeld des Investiturstreits kam es zur Verbreitung umfangreicher Schriften, mit denen beide Lager ihre Standpunkte zu rechtfertigen und die jeweilige Gegenseite ins Unrecht zu setzen suchten. In diesen sogenannten *libelli de lite*, Streitschriften, findet die Aufwärtsentwicklung des geistigen Lebens im 11. Jahrhundert einen deutlichen Niederschlag. Der Gregorianier Bernold von Konstanz († 1100) wandte in seinem Werk bereits die dialektische Methode an. Damit kündete sich der Beginn der Scholastik an, der Petrus Abaelardus (1079-1142) endgültig zum Durchbruch verhelfen sollte. Die für sie typische *quaestio*, die Behandlung eines Problems oder einer Frage durch die Erörterung von Pro und Contra, sollte für lange Zeit auf Philosophie und Theologie prägenden Einfluß ausüben. Auch Anselm von Canterbury († 1109) beschritt neue, in die Zukunft weisende Wege, als er vom bloßen Glauben zur Vernunftgemäßheit der Glaubenswahrheit gelangen wollte (*fides quaerens intellectum*) und mit Hilfe der Vernunft die Glaubensinhalte zu durchdringen trachtete (*credo, ut intelligam*). Neben die bisher ausschließlich in Klöstern und an Kathedralen anzutreffenden Bildungsstätten traten nun auch Schulen in Städten. Insbesondere die Schulen in Frankreich, vor allem in Paris, begannen eine starke Anziehungskraft auf Schüler aus allen Teilen Europas auszuüben. Wanderlehrer wie Manegold von Lautenbach zogen umher und sorgten für eine weitere Verbreitung des Wissens.

Das Kirchenrecht erfuhr in der Zeit um 1100 ebenfalls einen deutlichen Aufschwung. Zahlreiche kanonistische Sammlungen entstanden, in denen kirchenrechtliche Bestimmungen systematisch zusammengetragen wurden und vorhandene Widersprüche harmonisiert werden sollten. Auch das lange Zeit kaum beachtete römische Recht wurde gegen Ende des 11. Jahrhunderts im Umkreis Heinrichs IV. erstmals wieder zitiert.

Kennzeichnend für die Wende vom 11. zum 12. Jahrhundert ist schließlich auch das Aufkommen einer Friedensbewegung, die über die sogenannten Gottesfrieden von Lüttich (1082) und Köln (1083) das Reichsgebiet erfaßte und 1093/94 als Landfrieden erlassen wurde. Ziel war es, eine Eindämmung des Fehdewesens und der Kriminalität zu erreichen. 1103 kam es zum Reichsfrieden von Mainz, dem sich die mächtigsten Fürsten anschlossen. Der Friede sollte vier Jahre gelten. Diebstahl, Raub und Brandstiftung sollten mit Blendung oder Handverlust bestraft werden, einige Gruppen der Gesellschaft, darunter die Juden, wurden unter besonderen Schutz gestellt. Diese Entwicklung markierte den Beginn des Strafrechts. An die Stelle der älteren Form, die Verhängung von Bußen, trat die Anwendung von sogenannten peinlichen Strafen – ein Vorgang, den man als *„Kriminalisierung des Strafrechts"* (Karl Kroeschell) bezeichnet hat.

Der Strukturwandel und die Bewegung, die sich in allen Lebensbereichen bemerkbar machten und zu umfangreichem Landesausbau durch Rodungstätigkeit, Eindeichung und Entwässerungsmaßnahmen führten, der das Reich auch äußerlich veränderte und eine deutliche Ausweitung des Kulturlandes bedingte, ergriffen nicht zuletzt den Adel. Der *miles christianus*, der christliche Ritter, sollte nach dem durch Bonizo von Sutri in seinem *Liber de vita christiana* niedergelegten Tugendkatalog als Idealbild dienen und den Schutz der Witwen und Waisen gewährleisten, Armen und Bedrückten beistehen, aber auch Kirche und Klerus beschirmen. Etwa zeitgleich begannen die einzelnen Adelsgeschlechter allmählich, sich ihrer selbst, ihrer Zusammengehörigkeit und ihrer Geschichte, kurz ihrer Identität, bewußt zu werden. Sie gaben die bisherige Praxis der Einnamigkeit auf und benannten sich nunmehr nach ihrem Stammsitz oder einer Burg. Dahinter verbirgt sich ein sehr viel tiefgreifenderer Prozeß der Ablösung des vom Königtum abhängigen Adels älteren Typs durch Adelsfamilien, die bestrebt waren, gestützt auf Kirchenvogteien vom König unabhängige Herrschaftskomplexe zu errichten. Das Königtum antwortete auf diese Bestrebungen durch die Heranziehung von Ministerialen, königlichen Dienstmannen unfreien Standes, denen Aufgaben und Ämter übertragen wurden, die vormals kirchlichen und weltlichen Würdenträgern vorbehalten gewesen waren. Der Aufstieg der Ministerialen gelangte in staufischer Zeit zur vollen Entfaltung. Er führte zu einer erheblichen Mobilität innerhalb der Gesellschaft, beschwor aber zugleich eine Reihe von Auseinandersetzungen herauf.

Nicht alle der hier aufgezeigten Aspekte wurden von den im Jahr 1100 lebenden Menschen wahrgenommen und konnten folglich in ihrer weiterreichenden Bedeutung nicht immer erkannt werden. Das Bewußtsein, in einer Zeit des Wandels zu leben, war in gebildeten, größere Räume und Zusammenhänge überblickenden Kreisen jedoch wohl anzutreffen. Die einfache Bevölkerung, die die Hauptlast des Landesausbaus zu tragen hatte, davon aber auch in Form eines deutlich verbesserten Nahrungsangebots profitierte, dürfte diese sich allmählich vollziehenden Veränderungen hingegen vielfach in Form von Verunsicherung wahrgenommen und die Wende vom 11. zum 12. Jahrhundert nicht als bewußte Zäsur erlebt haben. Erst für den heutigen Betrachter präsentieren sich die Entwicklungen des 11. Jahrhunderts in ihrer ganzen Dimension und wird das Umstürzende der Ereignisse deutlich sichtbar. Die Welt um 1100 ist mit der vor einhundert Jahren nicht mehr zu vergleichen. Sie hat ein anderes Gesicht.

> *Im Jahr 1100 gab es das Bewusstsein, in einer Zeit des Wandels zu leben.*

Literatur:

Canossa als Wende. Ausgewählte Aufsätze zur neueren Forschung, hg. von H. Kämpf, Darmstadt 1963, 2. Auflage 1969.

Erdmann, Carl: Die Entstehung des Kreuzzugsgedankens, Stuttgart 1935 (Nachdruck Darmstadt 1980).

Hartmann, Wilfried: Der Investiturstreit, München 1993.

Lobrichon, Guy: Die Eroberung Jerusalems im Jahre 1099, Sigmaringen 1998.

Mayer, Hans Eberhard: Geschichte der Kreuzzüge, 8. Auflage Stuttgart/Berlin/Köln/Mainz 1995.

Rösener, Werner: Bauern in der Salierzeit, in: Die Salier und das Reich, hg. von S. Weinfurter, Bd. 3: Gesellschaftlicher und ideengeschichtlicher Wandel im Reich der Salier, Sigmaringen 1992, S. 51-73.

Weinfurter, Stefan: Herrschaft und Reich der Salier. Grundlinien einer Umbruchzeit, Sigmaringen 1992.

Wollasch, Joachim: Cluny – Licht der Welt. Aufstieg und Niedergang der klösterlichen Gemeinschaft, Zürich / Düsseldorf 1996.

Zimmermann, Harald: Der Canossagang von 1077. Wirkungen und Wirklichkeit, Wiesbaden 1975.

Zotz, Thomas: Die Formierung der Ministerialität, in: Die Salier und das Reich, hg. von S. Weinfurter, Bd. 3: Gesellschaftlicher und ideengeschichtlicher Wandel im Reich der Salier, Sigmaringen 1992, S. 3-50.

Stephan Freund

22

22 Grabplatte des Gegenkönigs Rudolf von Rheinfelden

Nachstich von P. A. Dethier
aus: Neue Mittheilungen auf dem Gebiete historischer antiquarischer Forschungen, Bd. 1, Heft 2, Halle/Saale 1834, S. 22f.
H. 40,4 cm, B. 14,7 cm
Wolfenbüttel, Herzog August Bibliothek, Porträtsammlung A 4763

Rudolf von Rheinfelden (um 1020/30-15. Oktober 1080), seit 1057 Herzog von Schwaben, hatte Heinrich IV. nach einer vorübergehenden Entfremdung in den Auseinandersetzungen mit seinen sächsischen Gegnern unterstützt. Spätestens nach der Bannung und Absetzung des Königs durch Papst Gregor VII. im Februar 1076 stellte sich der reformfreundliche Rudolf auf die Seite der Fürstenopposition. Er wurde am 15. März 1077 in Anwesenheit eines päpstlichen Legaten in Forchheim von sächsischen und schwäbischen Fürsten zum Gegenkönig gewählt und am 26. März von Erzbischof Siegfried I. von Mainz gekrönt. Die Wahl Rudolfs, der ausdrücklich auf das Recht zur Benennung eines Nachfolgers verzichtet hatte, stellte eine entscheidende Stärkung des Gedankens des Wahlkönigtums gegenüber der Erbmonarchie dar. Rudolfs Position gegenüber Heinrich IV. war jedoch schwach, er blieb weitgehend auf Sachsen beschränkt. Auch die Anerkennung seines Königtums im Jahr 1080 durch Gregor VII., der Heinrich erneut gebannt hatte, verbesserte seine Lage nicht mehr. In einer (siegreichen) Schlacht an der Elster verlor Rudolf die rechte Hand und starb an dieser Verletzung. Der Verlust der Schwurhand wurde von den Zeitgenossen als Gottesurteil zugunsten Heinrichs IV. aufgefaßt.

Rudolf wurde nach seinem Tod in der Chormitte des Merseburger Domes (und damit an repräsentativer Stelle) beigesetzt. Das vermutlich im Auftrag Bischof Werners von Merseburg entstandene, ursprünglich vergoldete Grabmal ist im Merseburger Dom erhalten und zählt zu den ältesten Beispielen seit römischer Zeit, die wieder das Porträt des Toten zeigen. Es gilt *„als die älteste figürliche Grabplastik des Mittelalters überhaupt"* (Struve, S. 473). Rudolf von Schwaben wird in Lebensgröße mit den königlichen Insignien, Bügelkrone, kostbar verziertem Reichsapfel und Szepter dargestellt. Die beigefügte Grabinschrift läßt die Platte zum politischen Denkmal werden, sie stellt Rudolf in die Tradition Karls des Großen und apostrophiert ihn als Vorkämpfer der kirchlichen Reformbewegung.

Literatur: Hinz, Berthold: Das Grabdenkmal Rudolfs von Schwaben: Monument der Propaganda und Paradigma der Gattung, Frankfurt am Main 1996. – Schubert, Ernst: Epigraphik und Kunstgeschichte – Die Grabplatte König Rudolfs von Schwaben im Merseburger Dom, in: Epigraphik 1982. Fachtagung für mittelalterliche und neuzeitliche Epigraphik, Klagenfurt 30. 9. bis 3. 10. 1982. Referate, redigiert von Walter Koch, Wien 1983, S. 87-100. – Sciurie, Helga: Die Merseburger Grabplatte König Rudolfs von Rheinfelden und die Bewertung des Herrschers im 11. Jahrhundert, in: Jahrbuch für Geschichte des Feudalismus 6 (1982) S. 173-183. – Struve, Tilman: Das Bild des Gegenkönigs Rudolf von Schwaben in der zeitgenössischen Historiographie, in: Ex ipsis rerum documentis. Festschrift H. Zimmermann, hg. von K. Herbers u.a., Sigmaringen 1991, S. 459-475.

St. F.

23 Guibert von Nogent: „Dei gesta per Francos"
(„Gottes Taten durch die Franken")
Nogent-sous-Coucy, 1104/08; Fortsetzung 1111
Pergamenthandschrift des 12. Jahrhunderts, vermutlich zwischen 1131/37 und 1180
H. 22,5 cm, B. 15,5 cm
Paris, Bibliothèque Nationale, Ms. Latin 18416, fol.1-133v

Guibert (um 1055 – um 1125), jüngster Sohn einer hochadeligen Familie, war mit etwa zwölf Jahren ins Kloster St-Germer-de-Fly (Diözese Beauvais) gekommen und wurde u.a. durch Anselm von Canterbury († 1109) erzogen. Nach seiner Wahl zum Abt von Nogent-sous-Coucy (Diözese Laon) im Jahr 1104 widmete sich Guibert vor allem schriftstellerischen Tätigkeiten und verfaßte mehrere historische und theologische Werke sowie eine Autobiographie. Die *Dei gesta per Francos* gelten als eine der wichtigsten Darstellungen zur Geschichte des ersten Kreuzzugs. Der Pariser Codex Ms. Latin 18416 zählt zu den ältesten und besten Handschriften des Überlieferungszweiges β. Charakteristisch für Guiberts Werk ist die Beachtung endzeitlicher Phänomene, die seiner Darstellung zufolge die Ereignisse um den ersten Kreuzzug begleitet haben sollen. Andere Quellen bestätigen dies nicht.

Im vierten Kapitel des zweiten Buches referiert Guibert die Kreuzzugspredigt Urbans II., die vom Papst im November 1095 auf dem Konzil in Clermont gehalten wurde. Guibert war nicht selbst Teilnehmer dieser Predigt, sondern stützt sich auf eine anonyme Chronik sowie auf Nachrichten von Augenzeugen. Guibert zufolge habe der Papst von der nahen Zeit des Antichrist, *„propinqua Antichristi tempora"*, gesprochen und die Gläubigen aufgefordert, vor dem bevorstehenden Ende der Welt, *„fine seculi iam propinquo"*, das Reich der Christenheit wiederherzustellen und die Christenheit zu befreien.

Edition: Guibert de Nogent, Dei gesta per Francos et cinq autres textes, hg. von R.B.C. Huygens, Turnhout 1996.

Literatur: Boehm, Laetitia: Studien zur Geschichtsschreibung des ersten Kreuzzuges: Guibert von Nogent, Diss. München 1954. – Coupe, N. D.: The Personality of Guibert de Nogent reconsidered, in: Journal of Medieval History 9 (1983) S. 317-329. – Erdmann, Carl: Endkaiserglaube und Kreuzzugsgedanke im 11. Jahrhundert, in: Zeitschrift für Kirchengeschichte 51 (1932) S. 384-414. – Garand, Monique-Cécile: Guibert de Nogent et ses Secrétaires, Turnhout 1995. – Huygens, R. B. C.: La tradition manuscrite de Guibert de Nogent, Steenbrugis 1991.

St. F.

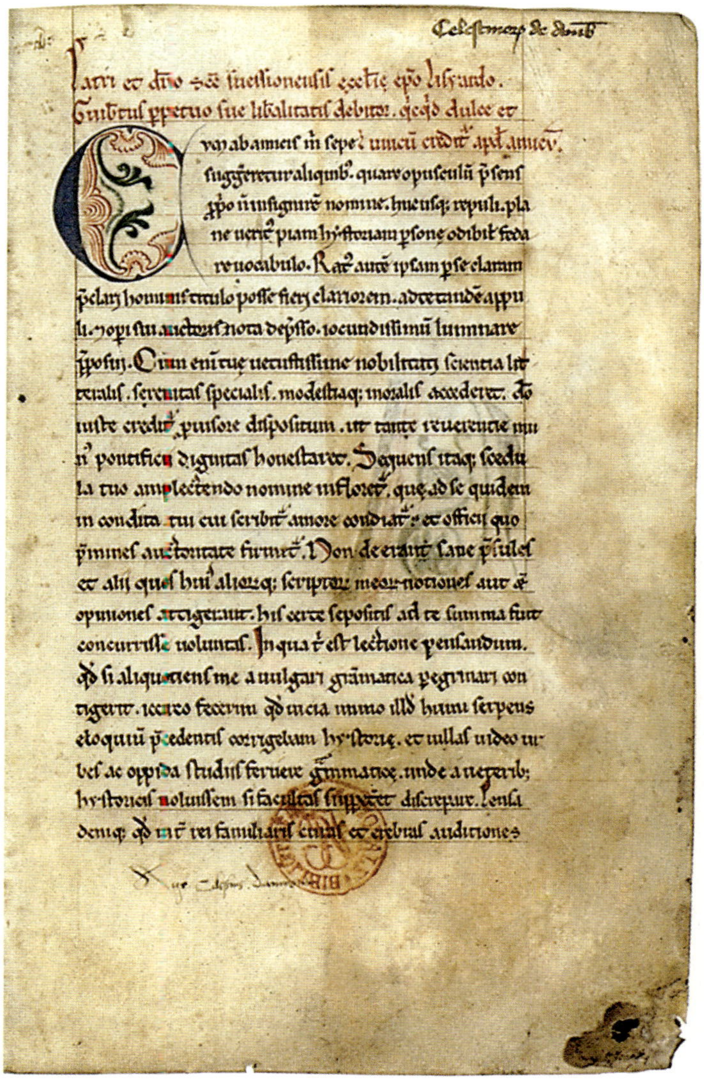

23

Papst Urban II. fordert die Gläubigen auf, vor dem bevorstehenden Ende der Welt mit einem Kreuzzug die Christenheit zu befreien.

24

24 Kreuzreliquiar
Zwiefalten, um 1138 und um 1620
Eichenholzkern; Gold- und Silberblech; Zellenschmelz;
Edelsteine, Bergkristall, Perlen
H. 39,5 cm, B. 18 cm, T. 2,5 cm
Zwiefalten, Katholische Kirchengemeinde

Die Reliquie vom Wahren Kreuz Christi in Gestalt eines Doppelkreuzes bildet den Mittelpunkt des in Form eines rudimentären Kreuzes gestalteten romanischen Reliquiars. Als sogenanntes *sprechendes Reliquiar* nimmt die singuläre äußere Form Bezug auf den kostbaren Inhalt. Die Ausschmückung verstärkt diesen Eindruck: Vier Emailmedaillons in der Rahmenleiste stellen das Haupt, die Hände und die Füße Christi dar. Das Fehlen der Wundmale und die geöffneten Augen des frontal wiedergegebenen Antlitzes Christi deuten darauf hin, daß vermutlich Darstellungen des Weltenherrschers oder des segnenden Christus bei der Gestaltung als Vorbild gedient haben.

Die Reliquie wurde von dem Schaffhausener Abt Gerhard in Jerusalem – möglicherweise nach der Eroberung der Stadt im Zuge des ersten Kreuzzuges – erworben und dem Pilger Berthold von Sperberseck überlassen, der sie womöglich zu Beginn des 12. Jahrhunderts (1102?) Kloster Zwiefalten schenkte. Dort wurde sie in der Amtszeit Abt Ulrichs (1095-1139) in den Klosterwerkstätten gefaßt. Das Reliquiar ist nämlich bereits in den beiden Zwiefaltener Chroniken der Mönche Ortlieb und Berthold, die 1135/37 bzw. 1137/38 entstanden sind, erwähnt. Obwohl es sich bei der in Zwiefalten verehrten Reliquie um eine sogenannte *Sekundärreliquie* handelt (im Unterschied zu den *Körper- oder Primärreliquien*), zählten die Splitter vom Kreuz Christi zu den begehrtesten Reliquien des Mittelalters.

Kloster Zwiefalten, eine Gründung der kinderlosen Grafen von Achalm, wurde 1089 in Anwesenheit Abt Wilhelms von Hirsau († 1091; vgl. Kat.-Nr. 29) gestiftet und mit Mönchen aus Hirsau besetzt. 1091 zur selbständigen Abtei erhoben, erhielt das Kloster bereits 1093 die *Libertas Romana*, wurde also direkt dem Papst unterstellt. Nach einer anfänglichen Blütezeit unter Abt Ulrich in der ersten Hälfte des 12. Jahrhunderts ging die Bedeutung des Klosters allerdings rasch zurück. In der Amtszeit von Abt Michael Müller (1598-1628) wurde das Reliquiar mit einem barocken Sockel und einer Bekrönung (in der Mitte, unmittelbar über dem Christuskopf das Wappen des Abtes), die jeweils mit Engelsköpfen verziert sind, versehen, wodurch der unmittelbare Eindruck der ungewöhnlichen äußeren Form heute beeinträchtigt ist.

Literatur: Halder, Reinhold: Zur Bau- und Kunstgeschichte des alten Zwiefaltener Münsters und Klosters, in: 900 Jahre Benediktinerabtei Zwiefalten, hg. von H. J. Pretsch, Ulm 1989, S. 161, Abb. 3. – Heinrich der Löwe und seine Zeit. Herrschaft und Repräsentation der Welfen 1125-1135, Ausst.-Kat. Braunschweig, München 1995, Bd. 1, S. 99-101, Nr. B 16 (Regine Marth). – Spilling, Herrad: Sanctarum reliquiarum pignera gloriosa: Quellen zur Geschichte des Reliquienschatzes des Benediktinerklosters Zwiefalten, Bad Buchau 1992. – Suevia Sacra. Frühe Kunst in Schwaben, Ausst.-Kat. Augsburg 1973, Nr. 120 (Hannelore Müller).

St. F.

Reliquie vom Wahren Kreuz Christi.

25

25 Sphaera Wilhelms von Hirsau

Nachguß
Original: Regensburg, vor 1069 (Sockel um 1230)
Kalkstein
H. 211 cm, B. 41 cm, T. 28,5 cm, Dm. 61,5 cm (Scheibe)
Karlsruhe, Badisches Landesmuseum

Die Sphaera Wilhelms von Hirsau (vgl. Kat.-Nr. 29) ist ein astronomisches Lehrgerät mit Visiervorrichtung. Die nach dem Vorbild erhaltener Handschriften durchgeführten Ritzungen auf der senkrechten runden Scheibe zeigen die Parallelkreise, Breitengrade und den Horizont für 48° nördlicher Breite, das ist annähernd die Polhöhe von Regensburg. Nach der Umschrift soll die Sphaera das Klima, d.h. den Breitengrad, den Himmelspol und den Ort der Tierkreiszeichen zeigen. Die Skulptur auf der Rückseite zeigt den griechischen Dichter und Astronomen Aratos (3. Jh. v. Chr.). Das früher wegen seiner Eignung zur astronomischen Zeitbestimmung auch als Nachtuhr bezeichnete Gerät war nicht nur ein Demonstrations- und Beobachtungsgerät, sondern ist auch ein einzigartiges Denkmal der Leistungen der klösterlichen Astronomie des 11. Jahrhunderts, die sich nicht nur mit den antiken Lehrschriften, sondern auch mit der Konstruktion verschiedener astronomischer Geräte, z.B. das über den islamischen Raum bekanntgewordene Astrolab, beschäftigte.

Literatur: Wiesenbach, Joachim: Wilhelm von Hirsau. Astrolab und Astronomie im 11. Jahrhundert, in: Hirsau: St. Peter und Paul 1091-1991, hg. vom Landesdenkmalamt Baden-Württemberg, Teil 2: Zur Geschichte eines Reformklosters, Stuttgart 1991, S. 109-156. – Derselbe: Wilhelm von Hirsau und die Sphaera: zum sogenannten Astrolabium von St. Emmeram, in: Romanik in Regensburg, Regensburg 1996, S. 108-114.

G. D.

26 Klosterkirche St. Aurelius in Hirsau

Modell, Maßstab 1:50
Original: 2. Hälfte 11. Jahrhundert
H. 47 cm, B. 85 cm, T. 45 cm
Ausführung: Ingenieurbüro Burghard Lohrum, Ettenheimmünster
Karlsruhe, Badisches Landesmuseum

Die karolingische, dem heiligen Aurelius geweihte Klosterkirche aus der ersten Hälfte des 9. Jahrhunderts, ein Saalbau mit eingezogenem Chor wurde durch den Grafen von Calw zwischen 1059 und 1071 durch eine dreischiffige, kreuzförmige Säulenbasilika mit Zweiturmfassade und Atrium ersetzt. Als sich unter Abt Wilhelm von Hirsau (vgl. Kat.-Nr. 29) das Kloster zu einem Mittelpunkt der klösterlichen Erneuerungsbewegung entwickelte und 1079 die Regeln der cluniazensischen Reform einführte, schlug sich das auch in Baumaßnahmen nieder. Die neuen Klosterregeln sahen eine betont feierliche Liturgie vor, für die ein größerer Chor benötigt wurde. Um dieser Anforderung gerecht zu werden, baute man nach dem Vorbild der Klosterkirche Cluny II (Weihe 981) an die Querhausapsiden rechteckige Chornebenräume an, die von außen das Bild eines benediktinischen Staffelchors bewirkten und so dem Reformanspruch Hirsaus sichtbaren Ausdruck verliehen.

Literatur: Herrbach-Schmidt, Brigitte / Westermann, Claudia: Klostermuseum Hirsau. Führer durch das Zweigmuseum des Badischen Landesmuseums, Karlsruhe 1998. – Hirsau: St. Peter und Paul 1091-1991, hg. vom Landesdenkmalamt Baden-Württemberg, Teil 1: Zur Archäologie und Kunstgeschichte, Stuttgart 1991, S. 11-62. – Hoffmann, Wolfbernhard: Hirsau und die „Hirsauer Bauschule", München 1950. – Braunfels, Wolfgang: Abendländische Klosterbaukunst. Köln 1969, S. 66-110.

J. Z.

26

27

27 Das „Staufische Jahr". Miniatur mit Monatsdarstellungen, Tierkreiszeichen und Personifikation des Annus

Faksimile aus einer illustrierten Handschrift
Original: Zwiefalten, um 1160
H. 29,6 cm, B. 19 cm
Karlsruhe, Badisches Landesmuseum

Auf äußerst anschauliche Weise zeigt die enzyklopädische Miniatur auf fol. 17v einer Zwiefaltener Handschrift, deren Original in der Württembergischen Landesbibliothek Stuttgart (Cod. hist. 2° 415, fol. 17v) verwahrt wird, das Verhältnis der Menschen des 12. Jahrhunderts zur Natur. Im Zentrum der Kreiskomposition thront die bärtige Personifikation des Jahres (*Annus*) mit Sonne und Mond in den Händen, unter denen Tag und Nacht erscheinen. Ein erster konzentrischer Ring enthält in zwölf gleichen Abschnitten die Tierkreiszeichen, denen in einer äußeren Kreisbahn die Monatstätigkeiten entsprechen, außen kombiniert mit den zwölf Winden. In den Ecken der Buchseite erscheinen die vier Jahreszeiten, die mit den Allegorien der Tageszeiten korrespondieren. Zu dieser zeitlich differenzierten Darstellung des Jahreslaufs mit der entsprechenden Abfolge bäuerlicher Tätigkeiten gehört wesentlich die Vorderseite desselben Blattes, die in ähnlicher Komposition den Weltenschöpfer inmitten des Sechstagewerks wiedergibt.

Literatur: Die Romanischen Handschriften der Württembergischen Landesbibliothek Stuttgart, bearbeitet von Sigrid von Borries-Schulten, Teil 1: Provenienz Zwiefalten, Stuttgart 1987. – Flad, Max: Das bäuerliche Jahr. Überlieferte Monatsbilder und Arbeitsregeln aus dem Schwäbischen, Ravensburg 1991, S. 4. – Irtenkauf, Wolfgang: Das Staufische Jahr. Die Jahresminiatur aus der Zwiefaltener Handschrift Cod. hist. 2°415 der Württembergischen Landesbibliothek Stuttgart, Stuttgart 1976. – Zahlten, Johannes: Creatio mundi. Darstellungen der sechs Schöpfungstage und naturwissenschaftliches Weltbild im Mittelalter, Stuttgart 1979, S. 51, 54.

J. Z.

28 Armbrust

Mitteleuropa, 14. Jahrhundert
Holz, Bein, Metall
H. 11 cm, B. 72 cm, T. 113 cm
Köln, Stadtmuseum, Inv.-Nr. W 1109

Diese älteste erhaltene deutsche Armbrust verkörpert jenen Typus, wie er in Mitteleuropa bis zur Hochgotik üblich war. Als Fernwaffe für Krieg und Jagd war sie aufgrund ihrer größeren Reichweite, höheren Durchschlagskraft und der Möglichkeit, sie gespannt zu tragen, dem Bogen überlegen. Diese Einfußarmbrust (*arcubalista ad unum pedem*) mit einem an den Sarazenerbogen erinnernden Reflexbogen wurde durch das Einstellen des Spannfußes des Schützen in den an der vorderen Armbrustsäule befindlichen Steigbügel (hier nicht mehr vorhanden) und das Einlegen der Sehne in einen am Gürtel getragenen Spannhaken gespannt. Mit dem Aufkommen der Feuerwaffe im 15. Jahrhundert und deren Verbreitung im 16. Jahrhundert wurde die Armbrust – nun mit einem Stahlbogen ausgestattet – vorwiegend als lautlose Jagdwaffe und zum sportlichen Scheibenschießen eingesetzt.

Literatur: Hartmuth, Egon: Die Armbrust, Graz 1986.

R. W. S.

28

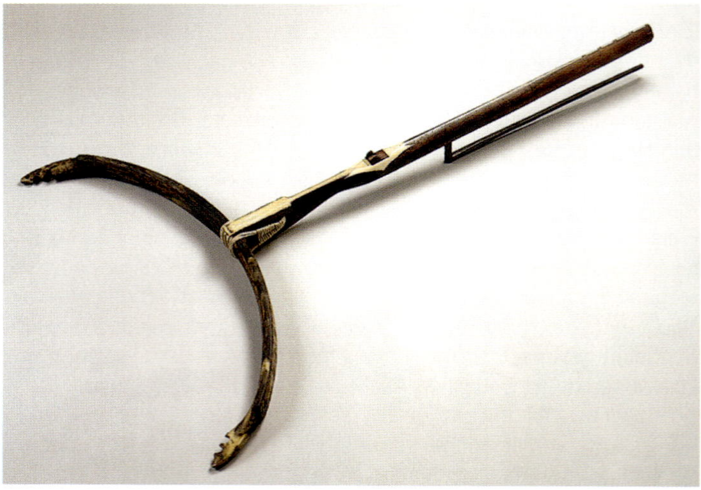

29 Bildnis des Abtes Wilhelm von Hirsau im Klosterreichenbacher Schenkungsbuch

Klosterreichenbach, 1143/52
Pergamenthandschrift
H. 23,5 cm, B. 16,2 cm
Stuttgart, Württembergische Landesbibliothek, Cod. hist. 4° 147, fol. 1r

Das Bild des großen Hirsauer Abtes Wilhelm (gestorben 1091) wurde dem Buch vorangestellt, das die Schenkungen verzeichnet, mit denen das Priorat Klosterreichenbach bei seiner Gründung ausgestattet worden war und diejenigen, die später dazugekommen waren (die ältere Fassung des Schenkungsbuches von 1099/1105 ist in der Abtei St. Paul im Lavanttal erhalten). Als Beweismittel in Besitz- und Rechtsstreitigkeiten waren solche Verzeichnisse von großer Bedeutung. Abt Wilhelm hatte sie wohl in Hirsau eingeführt; in bayerischen Klöstern lassen sie sich schon früher nachweisen.

Unter Abt Wilhelm aus dem Kloster Emmeram in Regensburg war das Kloster in Hirsau tiefgreifend reformiert und dann zum Zentrum einer Reformbewegung geworden, die weit in den gesamten mitteleuropäischen Raum ausstrahlte: Konvente, die von Hirsauer Mönchen besiedelt oder zumindest reformiert wurden, gab es von Mettlach an der Saar bis Melk an der Donau, von Rosazzo bis Königslutter bei Braunschweig. Inspiriert wurde die Reform durch Cluny, die große burgundische Abtei, die allerdings die von ihr reformierten Abteien in ein Abhängigkeitsverhältnis brachte. Dies war bei den Hirsauer Reformbestrebungen nicht der Fall. Abt Wilhelm übernahm und überarbeitete aber die *Consuetudines* (Gewohnheiten) der Cluniazenser, die neben der Benediktiner-Ordensregel (*Regula*) ganz entscheidend die Lebensform und Spiritualität der betroffenen Klöster prägte.

Wenn auch eindeutig mit diesem hageren Mönch, der einen Abtstab und ein Buch hält, Wilhelm von Hirsau gemeint ist, so doch nicht im Sinn eines neuzeitlichen Porträts, sondern als Darstellung eines vollkommenen Abtes. Da der Codex mit dem Gründungsbericht des Abtes beginnt (*„Ego Willehelmus [...]“*), ist das Bild zugleich Stifter- und Autorenbild.

Literatur: Molitor, Stephan: Das Reichenbacher Stiftungsbuch, Stuttgart 1997.

B. H.-S.

29

Ritterstand und Bürgertum

Erforschung der Wahrheit

1109 starb Anselm Bischof von Canterbury. Der in Italien geborene Theologe und Philosoph hatte die Scholastik begründet, die das Weltbild des Mittelalters maßgebend prägte: „Ich glaube, um zu erkennen." Es ging um eine von den Problemen der Lebensdienlichkeit freigesetzte Erforschung der Wahrheit. In Anlehnung an den Theoriebegriff des griechischen Denkers Aristoteles wurde „Schule" (griechisch Schole = Muße) der Ort für die Entwicklung der Verstandeskräfte. Dementsprechend entstanden, zunächst in Paris und Bologna, erste Universitäten. Geprägt von Bernhard von Clairvaux entwickelte sich gleichzeitig die Mystik als Gegenströmung zu dem als Gefahr empfundenen zergliedernden und folgernden Denken.

Edler Ritterstand

Das um **1130** entstandene „Rolandslied" des Pfaffen Konrad aus Regensburg besang den Tod des treuen Ritters Roland, der unter Karl dem Großen am Kriegszug gegen die Mauren teilgenommen hatte. Karl erscheint als Idealbild des Ritters. Der Ritterstand begriff sich im 12. Jahrhundert zunehmend als die christlich-abendländische gebildete Elite. Die Verfeinerung spiegelte sich auch in der Entwicklung der Turnier-„Kunst" und führte zur Verherrlichung der Frau (frouwe) im Minnesang.

Leidenschaft der Liebe

Der französische Scholastiker Abaelard, der „disputierend die Gegend durchzog", verstarb **1142**. Er war ein Meister der Dialektik. Vor allem wurde er berühmt, weil man ihn wegen einer Liebesbeziehung zu Heloise, der Nichte eines Abtes, entmannte. Leidenschaft und Leiden ist das Thema des dann berühmt gewordenen Briefwechsels zwischen den beiden, der eine sich neu herausbildende „Weltzuwendung" zeigt.

Staufer und Welfen

1152 wurde der zum Geschlecht der Staufer gehörende Herzog von Schwaben als Friedrich I. deutscher König und kurz darauf Kaiser. Wegen seines rotblonden Bartes nannten ihn die Italiener „Barbarossa". Nach der Herrschaft der Sachsenkönige (919-1024) und der Salierdynastie, vom Stamm der salischen Franken (1024-1125), war es zwischen Staufern und Welfen zum Kampf um die Vorherrschaft gekommen. Die Staufer hatten ihre Stammburg bei Göppingen, die Welfen waren ein ursprünglich fränkisches Adelsgeschlecht. Ihr Gegensatz führte immer wieder zu offenem Kampf und bestimmte auf verhängnisvolle Weise für Jahrzehnte das Geschehen in Deutschland.

Vernunftmäßiger Glauben

Gottes Huld und der Welt Ehre

Stadtluft macht frei

Aufstieg der Städte

Barbarossa hat vielen Orten im deutschen Königsland Stadtrecht verliehen. Die Welfen begünstigten Lübeck und zogen durch den Bau der wohl ersten steinernen Brücke in Regensburg über die Donau (1146) den Handel dorthin. In Italien waren Venedig, Genua und Pisa Wirtschaftsmetropolen. In Flandern konzentrierten sich die großen Handelswege des Nordwestens. „Burg" bedeutete nun zunehmend „Stadt", in der die Bürger „privilegiert", d.h. mit Freiheiten ausgestattet waren. „Stadtluft macht frei." Zum ersten Mal seit dem Zusammenbruch des Römerreiches erlebte Europa in der **zweiten Hälfte des 12. Jahrhunderts** die Anzeichen einer wirtschaftlichen Blüte.

Besitz, Ehre, Gottes Huld

Um **1170** entfaltete sich die Ritterdichtung – stolz, weltfroh und weltgewandt, aber auch religiös durchdrungen. Höfisch bekam den Sinn von „höflich". Abgewertet wurde der Dorfbewohner (dörper – Tölpel). Es wirkten Heinrich von Veldeke, der den Äneas-Stoff aufgriff, Hartmann von Aue, der sich auf die Artus-Sage bezog, und Wolfram von Eschenbach, der mit dem Parzival-Epos den ersten deutschen Entwicklungsroman schuf („laien munt nie baz gesprach").

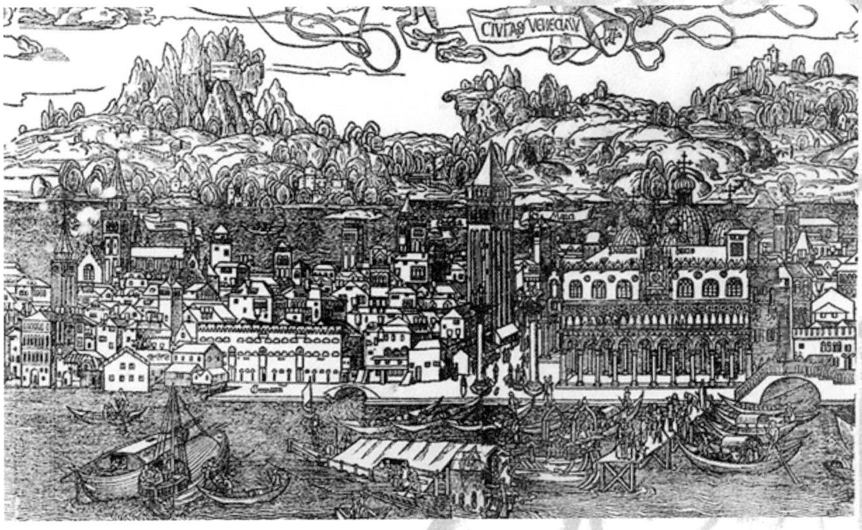

Tod im Fluß

Der deutsche Kaiser Friedrich Barbarossa ertrank **1190** in dem kleinasiatischen Fluß Saleph auf dem dritten Kreuzzug, der so zu einem Fehlschlag wurde. „Ehre und Erneuerung des Reichs" („Honor imperii") war das Leitmotiv seiner Politik gewesen. Dies geschah durch den Ausbau der Reichskirche, des Königsguts, des Städtewesens und der Reichsministerialität (Dienstmannen des Königs). Der Streit mit dem Welfen Heinrich dem Löwen (Herzog von Sachsen und Bayern) endete mit dessen Unterwerfung. Bayern fiel an den Pfalzgrafen von Wittelsbach. Der oft grausam geführte Kampf mit den eigenständigen italienisch-lombardischen Städten und dem Papst endete mit einem Kompromiß.

Namensgebung

Seit **Mitte des Jahrhunderts** entstanden die ersten deutschen Familiennamen – oft aus mittelhochdeutschen Berufs- und Herkunftsbezeichnungen:
webaere (Weber),
smit (Schmied),
bütenaere (Büttner),
muraere (Maurer).

Mord im Dom

Nach dem Aussterben der normannischen Dynastie war der englische Thron an die „Plantagenets" aus Anjou in Frankreich gefallen. König Heinrich II. ließ **1170** Thomas Becket, den Erzbischof von Canterbury und vormaligen Lordkanzler, in seiner Kathedrale ermorden. Als Kanzler war Becket der Krone treu ergeben gewesen, hatte aber dann als Erzbischof hartnäckig auf den kirchlichen Privilegien bestanden. König Heinrich II. schuf die Grundlage für die Ausbildung des „Common law", dem für alle Personen einheitlich geltenden Recht, das den öffentlichen Frieden förderte.

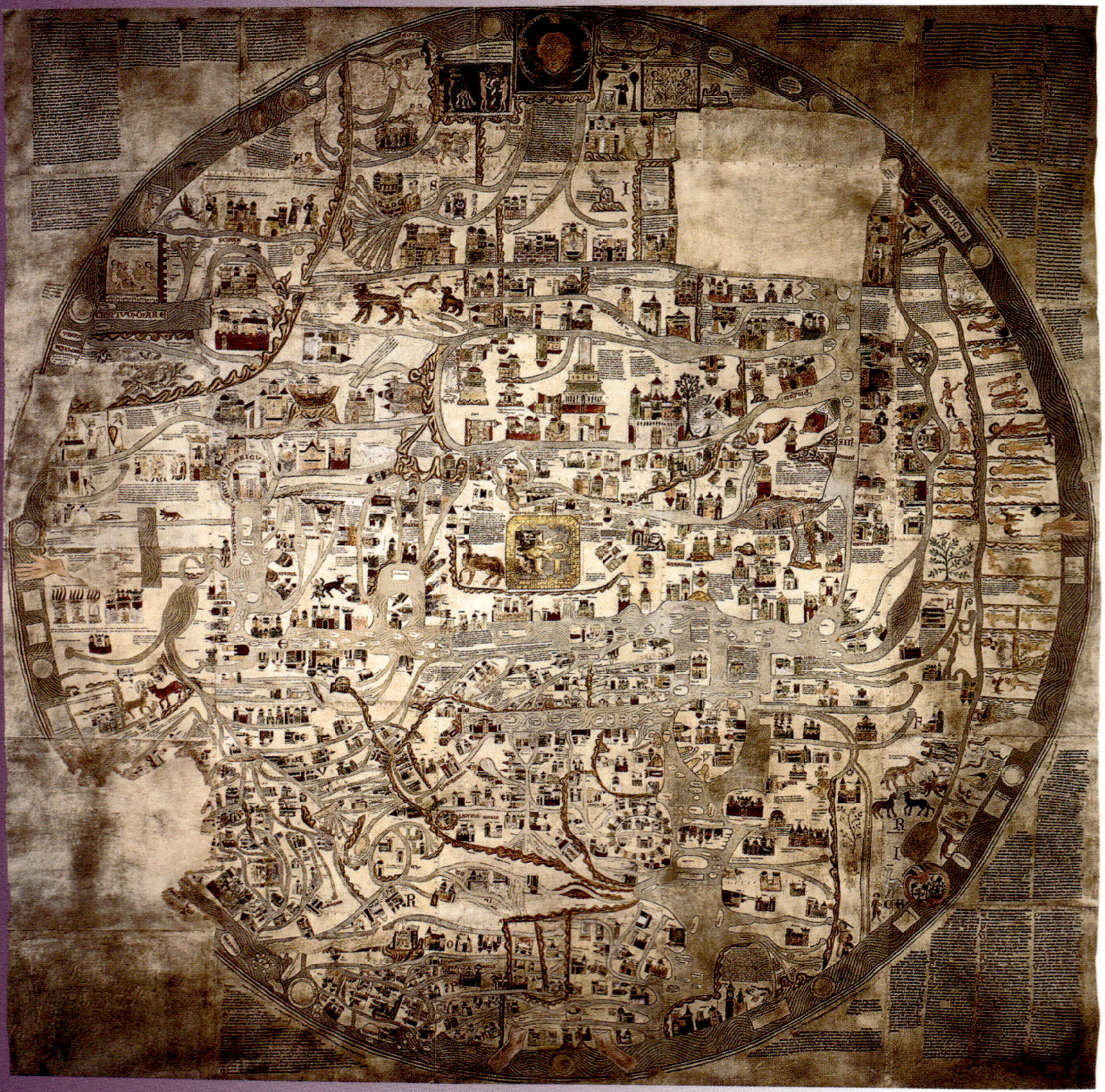

Ebstorfer Weltkarte
Deutschland, Anfang 13. Jahrhundert
(Original nicht erhalten)

Die Karte zeigt eine betont christliche Auffassung. Den Mittelpunkt bildet das mächtige Mauerquadrat der Stadt Jerusalem. Dort thront der Weltenrichter. Kopf, Hände und Füße erscheinen am Rand des Weltkreises und kennzeichnen ihn als „Träger der Welt“. Die Karte ist, gemessen am geographischen Inhalt, die reichste ihrer Art. Das Mittelmeer teilt die Karte T-förmig in drei Teile, „Asia“ im Osten (oben), „Africa“ im Süden (rechts) und „Europa“ im Norden (links). In den bildlichen Darstellungen sind nicht nur Städte angedeutet, sondern auch heils- und profangeschichtliche Stoffe wie beispielsweise die Kreuzzüge oder die Sintflut mit der auf dem Berg Ararat gestrandeten Arche Noah.

1200

Neuordnung der Macht

1197 starb Kaiser Heinrich IV., 1198 starb auch der Papst. So kam es um 1200 zu massiven Veränderungen im europäischen Machtgefüge. Der neue Papst Innozenz III. wollte den Einfluss der Kirche stärken. Um den deutschen Thron rangen Staufer und Welfen. Ihr Kampf wurde erst entschieden, als der Staufer Friedrich II. 1212 zum König und 1220 zum Kaiser gewählt wurde.

„gewalt vert ûf der strâze: fride unde reht sint sêre wunt" – die Klage Walthers von der Vogelweide im sogenannten Reichston (Lachmann 8, 25 f.) über die Gewalttätigkeit auf den Straßen und den Verlust von Friede und Recht spiegelt gewissermaßen leitmotivisch die politische Situation des Reiches an der Wende vom 12. zum 13. Jahrhundert wider. Waren es um 1100 mit Canossa und dem Kreuzzugsaufruf zwei Begebenheiten, in denen längerfristige Entwicklungen kulminierten, so ist es gegen Ende des 12. Jahrhunderts ein einzelnes, völlig unerwartet hereingebrochenes Ereignis, das die politische Konstellation jäh veränderte: *„Et totus orbis in morte ipsius conturbatus fuit"* – *„die ganze Weltordnung geriet durch seinen Tod in Unordnung"* – berichten die Marbacher Annalen anläßlich des Todes Heinrichs VI. zum Jahr 1197. Der Annalist, ein entschiedener Anhänger der Staufer, fährt fort: *„und es entstanden viele Übel und Kriege, die nachher lange Zeit andauerten"*.

Wie kein anderes Geschehen bildet der plötzliche Tod des Kaisers eine Zäsur innerhalb der Geschichte der staufischen Familie und des Reiches, das unter Friedrich Barbarossa und seinem Sohn und Nachfolger Heinrich VI. die beherrschende Stellung auf der politischen Landkarte Europas eingenommen hatte. Nur wenige Monate zuvor schien die Errichtung eines Erbkönigtums in staufischen Händen zum Greifen nahe gewesen, schienen die Bemühungen des Kaisers, mit Hilfe des sogenannten Erbreichsplans die Fürsten für dieses geradezu revolutionäre Vorhaben gewinnen zu können, von Erfolg gekrönt zu sein. Durch weitreichende Zugeständnisse hoffte der Staufer, der verfassungsgeschichtlichen Entwicklung des deutschen Reiches eine entscheidende Wendung verleihen zu können. Die häufigen Dynastiewechsel und die damit einhergehenden Königswahlen hatten zur Stärkung der Fürstenmacht bei gleichzeitiger empfindlicher Auszehrung der finanziellen Grundlagen des Königtums geführt. Dies sollte ein Ende haben. Das Reich sollte eine staufische Erbmonarchie werden und entsprechende Stabilität erhalten. Auch eine Ausdehnung des deutschen Reiches nach Süden, die Vereinigung mit dem weite Teile Mittelitaliens und Unteritalien umfassenden Königreich Sizilien, das Heinrich VI. durch seine Ehe mit Konstanze, der einzigen Tochter und Erbin Wilhelms II. von Sizilien, zugefallen war, schien nicht ausgeschlossen. Durch die in Norditalien gelegenen Mathildischen Güter, die Heinrich seinem Bruder, Herzog Philipp von Schwaben, der zugleich zum Herzog von Tuszien ernannt worden war, zur Verwaltung übertragen hatte, hätte sich mit Ausnahme des Kirchenstaates ganz Italien in der Hand des Reichs befunden.

Heinrichs plötzliches Ende hat einen anderen Verlauf der Reichsgeschichte verhindert. Die Konsequenzen standen bereits dem im frühen 13. Jahrhundert im Schwarzwald schreibenden Mönch Otto von St. Blasien klar vor Augen: *„Sein Tod sollte dem Stamme der Deutschen und allen Völkern Germaniens auf ewig beklagenswert sein."* Die moderne Forschung hat sich seinem Urteil angeschlossen und Heinrichs Tod als *„die furchtbarste Katastrophe der mittelalterlichen Geschichte Deutschlands"* bezeichnet (Karl Hampe; ähnlich Horst Fuhrmann).

Heinrichs Tod und die daraus für das Reich resultierenden Folgen bilden den ereignisgeschichtlichen Hintergrund, vor dem sich die Wende zum 13. Jahrhundert vollzog. Der Marbacher Annalist beobachtete eine auffällige Häufung merkwürdiger Erscheinungen und Himmelszeichen, er verzeichnete Mißernten und Hungersnöte, die zeitgleich mit dem Erscheinen eines Kometen aufgetreten waren. Unruhe und Unsicherheit machten sich auch in anderen Teilen Europas breit: Der kalabresische Zisterzienserabt Joachim von Fiore († 1202), der im Winter 1190/92 in Messina mit dem englischen König Richard Löwenherz zusammengetroffen war, glaubte, der das Ende des zweiten Zeitalters kündende Antichrist sei bereits geboren. Im Jahr 1260 werde das dritte, und nach Joachims Auffassung letzte Zeitalter, die Herrschaft des Heiligen Geistes, beginnen. Schenkt man dem Zeugnis Rigords († 1207), des Biographen des französischen Königs Philipp August, und dem englischen Chronisten Roger von Hoveden († 1201/02), Glauben, so war diese Auffassung zwischen 1197 und 1201 weit verbreitet.

Die politischen Vorzeichen, unter denen das neue Jahrhundert begann, waren ungünstig: Die Nachfolge Heinrichs VI. im deutschen Reich warf große Probleme auf, in Sizilien gab es Aufstände gegen die staufische Herrschaft und in Rom saß ein neuer Papst auf dem Stuhl Petri.

Nur wenige Monate nach dem Tod Heinrichs VI. war es zu einem Wechsel auf dem päpstlichen Stuhl gekommen. Lothar von Segni trat als Innozenz III. die Nachfolge des am 8. Januar 1198 verstorbenen Coelestin III. an. Die politische Konstellation hatte sich damit binnen kurzer Zeit grundlegend geändert, denn der neue Papst, ein Jurist, war von der Würde seines Amtes zutiefst durchdrungen und entwickelte die überkommenen Gedanken zur Stellung des Papsttums in den ersten Pontifikatsjahren entschieden weiter. Er verstand sich als *vicarius Christi,* als Stellvertreter Christi, nicht mehr wie seine Vorgänger als *vicarius Petri.* Er betonte den Primat der römischen Kirche, die ihm als die *mater omnium ecclesiarum* galt. Der römische Stuhl beanspruchte die absolute Jurisdiktionsgewalt und war nach Innozenz Auffassung die Quelle allen kirchlichen Rechts.

Daß Innozenz III. die päpstlichen Rechte entschieden durchzusetzen beabsichtigte, wurde für das Reich auf mehreren Ebenen rasch deutlich. Nach dem Zusammenbruch der staufischen Herrschaft in Mittelitalien bemühte sich Innozenz energisch um die Rückgabe der entfremdeten kirchlichen Gebiete (sog. Rekuperationen) und wurde damit zum eigentlichen Begründer des Kirchenstaates, vor allem in Tuszien und in der Campagna. Doch auch auf die inneren Belange des Reiches nahm der Papst Einfluß. Heinrich VI. hatte es erreicht, daß die Fürsten im Dezember 1196 seinen Sohn, den zweijährigen Friedrich, zum deutschen König wählten und damit den Weg für die spätere Nachfolge bereiteten. Der frühe Tod Heinrichs VI. hatte jedoch verhindert, daß es zu einem geordneten Machtwechsel kam. Die Leitung der staufischen Partei lag nunmehr in den Händen Philipps von Schwaben, der sich gerade auf dem Weg nach Italien befunden hatte, um Friedrich zur Königskrönung über die Alpen zu bringen. Auf die Nachricht vom Tod des Kaisers hin mußte er sein Vorhaben aufgeben und nach Deutschland zurückkehren, um die staufischen Interessen zu wahren. Konstanze, die Witwe Heinrichs VI., hatte in der Zwischenzeit den zum deutschen König gewählten Friedrich nach Palermo bringen und zum König von Sizilien krönen lassen. Sie leistete dem Papst den Lehnseid für Sizilien, verzichtete auf Friedrichs Titel als *rex Romanorum* und damit faktisch auf das deutsche Königtum ihres Sohnes und begann, die Vertreter des Reiches aus Sizilien auszuweisen. Dem Papsttum kam diese Entwicklung sehr gelegen, da damit eine drohende Umklammerung des Kirchenstaates von Norden und Süden durch die Vereinigung beider Reiche, die *unio regni ad imperium*, verhindert wurde.

Das Reich hatte somit einen gewählten, aber nicht gekrönten vierjährigen König, der kaum in der Lage sein würde, seine Ansprüche verteidigen zu können. Das Königtum war quasi vakant. Die Gegner der Staufer handelten rasch. An Stelle des dafür eigentlich zuständigen Mainzer Erzbischofs, der auf dem noch durch Heinrich VI. begonnenen Kreuzzug weilte, berief Erzbischof Adolf von Köln, ein entschiedener Widersacher des Erbreichsplans Heinrichs VI., Wahlversammlungen mit dem Ziel, die Staufer auszuschalten. Philipp von Schwaben, der ursprünglich beabsichtigt hatte, die Anwartschaft seines Neffen auf den Thron aufrechtzuerhalten, sah sich zur Reaktion gezwungen und ließ sich am 8. März 1198 im thüringischen Mühlhausen zum König wählen. Die in der Minderheit befindliche antistaufische Seite wählte hingegen im Juni 1198 Otto IV. von Braunschweig, einen am englischen Königshof erzogenen Sohn Heinrichs des Löwen. Philipp wurde am 8. September in Mainz mit den echten Reichsinsignien vom Erzbischof von Tarentaise gekrönt. Otto IV. war indessen bereits am 12. Juli am nach damaliger Rechtsvorstellung richtigen Ort, nämlich in Aachen, vom dafür zuständigen Koronator, dem Kölner Erzbischof, mit allerdings falschen Reichsinsignien gekrönt worden. Es war somit zu einer Doppelwahl gekommen, die nur durch Kampf zu entscheiden war.

Unsummen an Bestechungsgeldern wurden von den beiden Lagern aufgewendet, um Anhänger zu gewinnen. Allein der thüringische Landgraf Hermann I. († 1217) wechselte gegen reiche Entschädigung zwischen 1198 und 1199 wiederholt die Seiten. Doch die Auseinandersetzung besaß von Anbeginn an auch eine europäische Dimension. Otto IV. hatte als Lehnsmann und Verwandter von Richard Löwenherz († 1199) die Unterstützung des englischen Königtums (seit 1199 König Johann Ohneland) sicher. Philipp von Schwaben hingegen konnte auf die Hilfe des französischen Königs Philipp II. August von Frankreich (1180-1223) zählen, der bereits kurz nach der Wahl Ottos das staufisch-kapetingische Bündnis erneuerte. In Sizilien hatte sich in der Zwischenzeit die Situation durch den Tod Konstanzes im November 1198 ebenfalls verändert. In ihrem Testament bestimmte Konstanze den Papst zum Vormund Friedrichs II. Die in der Folge in Sizilien ausbrechenden Kämpfe zwischen den einzelnen Parteiungen, in deren Verlauf Friedrich mehrfach hin- und hergeschoben wurde, blieben auf die Entwicklung in Deutschland zunächst jedoch ohne Einfluß.

Die beiden Gewählten, Philipp von Schwaben und Otto IV., sandten, wie es üblich war, eine Wahlanzeige an den Papst. Damit fiel dem Papst eine Schiedsrichterrolle zu. Otto stellte in Aussicht, alle Rechtstitel der Kurie zu respektieren und zu schützen. Innozenz III. mußte daran gelegen sein, die Rekuperationen des Kirchenstaates in Mittelitalien, die nach dem Tod Heinrichs VI. vorgenommen worden waren, durch Rechtsmittel abzusichern. Ottos Versprechen deckte sich daher mit den päpstlichen Interessen. In Philipps Anzeige tauchte hingegen die Formulierung auf, er sei *in imperaturam,* zum Kaisertum, gewählt. Damit wurde die Wahl durch die Fürsten für konstitutiv erklärt und der päpstliche Anspruch auf Mitsprache bei der Königswahl und künftigen Kaiserkrönung zurückgewiesen. Innozenz III. erklärte, er werde prüfen und entscheiden, wen er zu krönen habe. In den Jahren 1200 und 1201 formulierte Innozenz III. schließlich unumwunden den päpstlichen Rechtsstandpunkt auf die Approbation und entschied sich für Otto IV. Philipp von Schwaben wurde als Mitglied der staufischen Familie, die – so die päpstliche Begründung – das Papsttum wiederholte Male bedrängt hatte, abgelehnt.

Im Sommer 1201 beschwor Otto IV. in Neuß sein Versprechen, die Rekuperationen in Mittelitalien und die päpstliche Sizilienpolitik anzuerkennen und für seine Maßnahmen in der Lombardei und der Toskana den Rat des Papstes einzuholen sowie mit Frankreich Frieden zu schließen. Die Position Philipps von Schwaben sollte durch Bannung geschwächt werden. Am 3. Juli 1201 wurde in Köln die Entscheidung Innozenz III. bekanntgemacht, die dieser in geheimem Konsistorium vor den in Rom anwesenden Kardinälen getroffen hatte – die *Deliberatio de tribus electis.*

Gegen diese päpstliche Sicht und gegen die Einmischung in die Königswahl protestierte eine Fürstenversammlung in Halle 1202, der Papst konterte mit der Bulle *Venerabilem* im März 1202. Innozenz III. charakterisierte darin die Krönung Karls des Großen als eine Übertragung der Kaiserwürde von den Griechen auf die Franken zum Schutz der Römischen Kirche durch den Willen des Papsttums. Von ihm hätten die Fürsten das Recht, den deutschen König als künftigen Kaiser zu wählen. Da der Papst diesen aber krönen müsse, sei er berechtigt, den Gewählten auf seine Eignung hin zu prüfen. Damit war der Kern des päpstlichen Approbationsanspruchs begründet.

Trotz der Entscheidung des Papstes für Otto IV. und gegen Philipp von Schwaben, von dem er eine Fortsetzung der staufischen Italienpolitik befürchtete, konnte sich der Welfe nicht entscheidend durchsetzen. Im Jahr 1204 begann sein Anhang zu schwinden. Es kam schließlich zu einem nochmaligen formalen Wahlakt zugunsten Philipps von Schwaben und am Dreikönigstag 1205 in Aachen zu seiner Krönung durch den Kölner Erzbischof. Nachdem der Staufer am 27. Juli 1206 dem Welfen eine entscheidende Niederlage beigebracht hatte, wurden Verhandlungen mit Innozenz III. aufgenommen, die 1208 kurz vor dem Abschluß standen, als Philipp von Schwaben in Bamberg durch den Pfalzgrafen Otto von Wittelsbach wegen eines nicht eingehaltenen Eheversprechens ermordet wurde. Innozenz III. wertete den Mord als Gottesurteil, die Fürsten erkannten Otto an und am 11. November 1208 wurde er erneut zum König gewählt. Doch auch diesmal war der Friede nur von kurzer Dauer. Otto zog nach Italien und wurde vom Papst im Oktober 1209 zum Kaiser gekrönt. Danach wollte er von seinen früheren Zusagen nichts mehr wissen und lenkte in die Bahnen der staufischen Reichspolitik. Innozenz III. mußte erkennen, daß auch Otto die für das Papsttum gefährliche Vereinigung des Reiches mit Sizilien anstrebte: *„Es reut uns, den Menschen gemacht zu haben“*, klagte er. Der Papst setzte von nun an auf Friedrich II., der sich in der Zwischenzeit in Sizilien durchgesetzt hatte. Im September 1211 zum deutschen König gewählt, zog Friedrich II. – *das chint von pülle,* das Kind Apuliens, so Walther von der Vogelweide – im Jahr 1212 nach Deutschland, erhielt dort rasch großen Zulauf und wurde am 9. Dezember 1212 in Mainz zum König gekrönt. Die endgültige Entscheidung im deutschen Thronstreit fiel am 27. Juni 1214 in der Schlacht von Bouvines, als Philipp II. von Frankreich Otto IV. und seine englischen Verbündeten besiegte. Otto spielte bis zu seinem Tod im Jahr 1218 in der Reichspolitik keine Rolle mehr. Der Thronstreit war nach über fünfzehnjährigen Auseinandersetzungen beendet.

Um das Jahr 1200 entwickelten sich glanzvolle Prunkentfaltung und eine geistige Blüte diametral zum Streit der Könige.

Die um 1200 formulierte Klage Walthers von der Vogelweide über die Zerrüttung der öffentlichen Ordnung, die, wie man weiß, auch eng mit der ungeklärten persönlichen Situation des Dichters und mit dem Wunsch nach wirtschaftlicher Absicherung seiner Existenz zusammenhing, charakterisiert die düsteren Aspekte des Lebens um 1200. Sie zeigt aber zugleich die Zwiespältigkeit zwischen der politischen Lage und dem kulturellen Leben um 1200 auf. Walther selbst war dabei Protagonist jener Seite der Welt, die in vollkommenem Gegensatz zu den Wirren des Thronstreits stand. Die in den vergangenen Jahrzehnten unter Friedrich Barbarossa und Heinrich VI. angebahnten Entwicklungen auf geistigem Gebiet wurden durch den Tod des Kaisers nicht abgebrochen, sondern im Gegenteil, sie gelangten um das Jahr 1200 zu ihrem Höhepunkt: Glanzvolle Prunkentfaltung und eine geistige Blüte entwikkelten sich diametral zum Streit der Könige.

Die volkssprachliche Literatur entfaltete sich zu einem Gipfelpunkt: In den Gattungen Minnesang, höfischer Roman und Heldenepik wurden um oder kurz nach 1200 Glanzleistungen vollbracht. Neben Walther von der Vogelweide zählen der Thüringer Heinrich von Morungen und der Schwabe Heinrich von Rugge zu den bekanntesten Minnesängern; möglicherweise hat sogar Kaiser Heinrich VI. Minnelieder verfaßt. Hartmann von Aue, der zwischen 1180 und 1185 mit seinem *Erec*-Epos die Rezeption des höfischen Romans aus Frankreich eingeleitet hat, schloß um 1200 seinen *Iwein*-Roman ab. Heinrich von Veldeke vollendete vermutlich vor 1190 den *Eneas.* Um 1204/06 dichtete Wolfram von Eschenbach den *Parzival*, in dem der Artusroman eine christlich-religiöse Dimension erhielt und in dem zum Teil Zeitereignisse unmittelbar verarbeitet wurden. Im ersten Jahrzehnt des 13. Jahrhunderts schuf Gottfried von Straßburg den höfischen Liebesroman *Tristan und Isolde.* Die Rezeption französischer Werke hatte somit zwischen 1170 und 1220 das höchste Ausmaß erreicht und zu einer *„Blütezeit um 1200"* (Bumke) geführt. Dabei handelte es sich keineswegs um eine unreflektierte Übernahme der französischen Vorbilder. Die Bearbeitungen der französischen Vorlagen stellen keine reinen Übersetzungen dar, sondern führten zu eigenen, hohe Bildung und literarisches Können verratenden Akzentsetzungen. Etwa zeitgleich entstand auch das *Nibelungenlied*, das bedeutendste Heldenlied des Mittelalters. Ermöglicht wurden diese Werke durch großzügiges Mäzenatentum der Höfe. Der Königshof bildete dabei beileibe nicht den Mittelpunkt. Landesherren, so etwa der ludowingische Landgraf Hermann I. von Thüringen, boten Künstlern die Voraussetzungen für die Schaffung literarischer Meisterwerke und übten starke Anziehungskraft auf fahrende Sänger aus. Doch auch die Zähringer im Breisgau und die Babenberger in Österreich, später die Andechs-Meranier und die Wittelsbacher, betätigten sich als Förderer der Dichtkunst.

Die höfische Kultur präsentierte sich in allen Bereichen auf höchstem Niveau: Die *mâze,* das Maßhalten, die *staete,* die Beständigkeit sowie die *zucht,* die Tugend, galten als Inbegriffe ritterlichen Verhaltens. 1198 war es in Jerusalem zur Gründung des geistlichen Ritterordens *S. Mariae Theutonicorum* gekommen, der die Templerregel befolgte. Die ritterliche Kultur, die sich in den vergangenen hundert Jahren ausgeprägt hatte, fand in stattlichen Turnieren ihren Ausdruck. Auf Repräsentation wurde höchster Wert gelegt. Gesellschaftliche Ereignisse, wie die im Jahr 1200 begangene Schwertleite des Babenbergers Leopold VI., wurden mit aufwendigen, glanzvollen Festen gefeiert. Dieser Prunkaufwand schlug sich auch in einem Wandel der Kleidung nieder: Die Stoffe wurden edler: Seide, Brokat und Scharlach, aber auch feine Wollstoffe aus England und Flandern fanden Verwendung. Die Farben wurden bunter und riefen mitunter scharfe Kritik von kirchlicher Seite hervor, die jedoch vor allem bemängelte, daß sich die Form der Kleidung verändert hatte. An die Stelle der lange Zeit üblichen, von Frauen und Männern gleichermaßen getragenen sackartigen Obergewänder, trat seit dem 12. Jahrhundert eine zunehmende Vielfalt an Kleidern und vor allem eine deutliche Unterscheidung der Kleidung von Männern und Frauen. Lange Schleppen und Hängeärmel kamen für Frauen in Mode. Die den weiblichen Oberkörper betonenden neuen Schnitte galten den Geistlichen als anstößig und wurden mit heftigen Worten getadelt.

Innerhalb des Adels hatte sich seit 1100 ein tiefgreifender Veränderungsprozeß vollzogen, als dessen Folge die Reichsfürsten um 1200 einen eigenen, etwas weniger als hundert geistliche und weltliche Reichsfürsten umfassenden Stand bildeten. Dem königlichen Beispiel folgend, hatten auch die weltlichen Fürsten immer größere Teile ihrer Verwaltung Ministerialen übertragen, deren Lebensstil sich um 1200 dem des alten Adels weitgehend angeglichen hatte.

Nicht zuletzt hatte sich auch das Dasein der einfacheren Menschen verändert. Zwar kam es noch immer zu Mißernten und daraus resultierenden Hungersnöten. Auch die Auseinandersetzungen zwischen Philipp von Schwaben und Otto IV. hatten mehrfach zu bewußter Zerstörung der Felder geführt, durch die die Bevölkerung in Mitleidenschaft gezogen wurde. Insgesamt scheint sich die Ernährungssituation jedoch deutlich verbessert zu haben und infolgedessen die Bevölkerungszahlen stark angestiegen zu sein. Die Gründe dafür waren Entwicklungen in der Landwirtschaft. Die Dreifelderwirtschaft hatte sich inzwischen weitgehend durchgesetzt und mit der für sie typischen Fruchtfolge zu einer intensiveren Nutzung des Bodens beigetragen. Denselben Effekt hatte die Einführung des

Scharpfluges, der an die Stelle des alten Hakenpflugs getreten war. Damit konnte die Erde umgewendet werden, nicht mehr nur wie bisher aufgerissen. Vor allem jedoch hatte sich der Einsatz des als Zugvorrichtung für Kampf- und Prunkwagen bereits seit längerem bekannten Kummets, einer Art Schulterkragen, positiv ausgewirkt. Es ermöglichte die Verwendung des Pferdes in der Landwirtschaft, das als Zugtier wesentlich ausdauernder als der Ochse war. Damit wurde die Bearbeitung größerer und von den Höfen weiter entfernt liegender Flächen möglich. Dies führte ebenfalls zu einer Erhöhung des Nahrungsangebots.

Für Handel und Verkehr stellte das Fehlen eines starken, für die Einhaltung von Friede und Recht sorgenden Königtums zwar eine erhebliche Beeinträchtigung dar, doch um 1200 ist eine Ausweitung des Handels bislang unbekannten Ausmaßes zu beobachten. Frankreich, insbesondere die Messen in der Champagne, bildete ein Zentrum des europäischen Handels, an dem um 1200 auch deutsche Kaufleute großen Anteil hatten. So spielte beispielsweise die Stadt Köln, die verkehrsgünstig an der Rheinroute sowie an dem von Flandern nach Sachsen führenden Handelsweg lag, im internationalen Güteraustausch eine bedeutende Rolle als Umschlag- und Etappenplatz. Die von Herzog Leopold IV. von Österreich um 1200 erlassene Mautordnung von Stein vermittelt einen genauen Einblick in den Warenverkehr auf der Donau: Neben Metallen, den daraus gefertigten Produkten und Lebensmitteln aller Art waren besonders Gewürze sowie Felle und Stoffe beliebte Handelsobjekte.

Noch immer lebte der größte Teil der Bevölkerung auf dem Land, doch die Städte waren im Laufe des 12. Jahrhunderts an Zahl und Größe deutlich gewachsen. Stadtmauern (in Köln um 1180 begonnen) und erste Steingebäude veränderten das bisherige städtische Erscheinungsbild. Innerhalb der Städte machte das wirtschaftlich erstarkte Bürgertum zunehmend auch politische Ansprüche geltend. Man versuchte, die bischöfliche oder königliche Stadtherrschaft abzuschütteln und das Recht auf Selbstverwaltung zu erringen. Bei den innerstädtischen Berufsgruppen, insbesondere im Handwerk, setzte eine immer stärkere Spezialisierung ein und begannen die einzelnen Berufsgruppen allmählich, sich in Zünften oder Gilden zusammenzuschließen.

Das geistige Leben begann sich zu internationalisieren. Die ersten Universitäten entstanden um 1200. Bologna wurde zum Zentrum des Rechtsstudiums. In Paris vereinigten sich Schüler und Lehrer zu einer Genossenschaft, der *universitas magistrorum et scolarium Parisiensium,* und standen schon bald unter dem besonderen Schutz König Philipps II. August. Aus ganz Europa strömten Studenten zum Studium nach Frankreich. Wie aus den *Carmina Burana*, der bekanntesten Sammlung der sogenannten Vagantenlyrik, zu erfahren ist, brachen auch schwäbische Studenten zum Studium in die Ferne auf: *„Leb wohl, liebes Vaterland, liebliches Schwaben! Sei gegrüßt, geliebtes Frankreich, du Hof der Philosophen!"*

Innerhalb der Kirche entstanden neue religiöse Bewegungen. Die Forderungen der Franziskaner und der Dominikaner nach einem Leben in Armut wurden von großen Teilen der Kirche als radikal empfunden. Papst Innozenz III. erkannte jedoch die Kraft, die diesen Bewegungen innewohnte und integrierte beide Gemeinschaften in die Kirche. Die Geschichte hat ihm Recht gegeben. Beide sogenannten Bettelorden verbreiteten sich unwahrscheinlich rasch über ganz Europa und stießen insbesondere beim Bürgertum auf großen Widerhall. Andere religiöse Gruppen, wie die Katharer und die Waldenser, blieben hingegen außerhalb der kirchlichen Organisation und bekamen als Häretiker die Härte der päpstlichen Inquisition zu spüren.

Zunehmende Buntheit und Vielgestaltigkeit charakterisierten in steigendem Maße das Leben im 13. Jahrhundert. Der Tod Friedrichs II. im Jahr 1250 bedeutete den Untergang der staufischen Herrschaft in Deutschland. Damit endete nach allgemeiner Auffassung das Hochmittelalter. Der *„Herbst des Mittelalters"* (Huizinga) begann.

Literatur:

Borst, Arno: Die Katharer, 2. Auflage Stuttgart 1992.

Bumke, Joachim: Mäzene im Mittelalter. Die Gönner und Auftraggeber der höfischen Literatur in Deutschland 1150-1300, München 1979.

Derselbe: Höfische Kultur: Literatur und Gesellschaft im hohen Mittelalter, Bd. 1.2, München 1986.

Curialitas. Studien zu Grundfragen der höfisch-ritterlichen Kultur, hg. von J. Fleckenstein, Göttingen 1990.

De Boor, Helmut/Newald, Richard: Die höfische Literatur. Vorbereitung, Blüte, Ausklang 1170-1250, bearb. von Ursula Hennig, 11. Auflage München 1991.

Elm, Kaspar: Franziskus und Dominikus. Wirkungen und Antriebskräfte zweier Ordensstifter, in: Saeculum 23 (1972) S. 127-147.

Geschichte der Universität in Europa, hg. von W. Rüegg, Bd. 1: Mittelalter, München 1993.

Grundmann, Herbert: Ketzergeschichte des Mittelalters (Die Kirche in ihrer Geschichte. Ein Handbuch, Bd. 2, Lieferung G, Teil 1), Göttingen 1963.

Höfische Literatur, Hofgesellschaft, Höfische Lebensformen um 1200, hg. von G. Kaiser und J.-D. Müller, Düsseldorf 1986.

Keller, Hagen: Zwischen regionaler Begrenzung und universalem Horizont. Deutschland im Imperium der Salier und Staufer 1024 bis 1250, Frankfurt a. M./Berlin 1990.

Das ritterliche Turnier im Mittelalter. Beiträge zu einer vergleichenden Formen- und Verhaltensgeschichte des Rittertums, hg. von J. Fleckenstein, Göttingen 1985.

Schulen und Studium im sozialen Wandel des hohen und späten Mittelalters, hg. von J. Fried, Sigmaringen 1986.

Schulz, Knut: „Denn sie liebten die Freiheit so sehr ...". Kommunale Aufstände und Entstehung des europäischen Bürgertums im Hochmittelalter, 2. Auflage Darmstadt 1995.

Die Stadt. Gestalt und Wandel bis zum industriellen Zeitalter, hg. von H. Stoob, 2. Auflage Köln 1985.

Stephan Freund

30

30 Kaiser Friedrich I.

(sogenannter Cappenberger Barbarossa-Kopf)
Kopie
Original: Westdeutschland, um 1160
Bronze, vergoldet
H. 31,4 cm
Göppingen, Städtisches Museum, Inv.-Nr. 65/1

Prägende Gestalt der Zeit vor 1200 war der staufische Kaiser Friedrich I., genannt Barbarossa, der 1152 König und 1155 Kaiser geworden war. Sein politisches Programm war zum einen die Festigung der königlichen Autorität im Reich. Zum anderen wollte er das Heilige Römische Reich Deutscher Nation in seiner alten Form wiederherstellen. Er zielte auf die Angliederung Siziliens, auf eine dauerhafte Präsenz des Reichs in Burgund und vor allem in Italien. Friedrich ertrank 1190 auf dem dritten Kreuzzug.

Aus der undatierten Schenkungsurkunde Ottos von Cappenberg für die von ihm gegründete Stiftskirche geht hervor, daß *„das silberne Haupt nach dem Bildnis des Kaisers"* ein Porträt Friedrich Barbarossas darstellt. Otto, der Taufpate Friedrichs I., hatte den Bildniskopf als Geschenk erhalten, ihn aber aus Anlaß der Schenkung durch Einfügen von Haaren Johannes' des Evangelisten zum Kopfreliquiar umfunktioniert – so die später eingravierte Inschrift. Der in der Art römischer Imperatorenbüsten mit Stirnband geschmückte Kopf ist auf einem (wohl ursprünglichen) Sockel befestigt, der, auf Drachenfüßen ruhend, aus einem achteckigen Mauerkranz mit vier Ecktürmen und drei Engeln gebildet wird. Letztere tragen eine obere Deckplatte mit Zinnenkranz. Die Büste ist das erste Beispiel, das Antlitz eines mittelalterlichen Kaisers zu charakterisieren und zugleich die antike Tradition des Kaisertums mit Rom als imperialer Stadt zu betonen, wie es gleichzeitige Siegel zeigen.

Literatur: Die Zeit der Staufer, Ausst.-Kat. Stuttgart 1977, Bd.1, S. 393f., Nr. 535 (Hermann Fillitz), Bd. 2, Abbn. 324f. – Kötzsche, Dieter: Zum Stand der Forschung der Goldschmiedekunst des 12. Jahrhunderts im Rhein-Maas-Gebiet, in: Rhein und Maas. Kunst und Kultur 800-1400, Ausst.-Kat. Köln 1973, Bd. 2, S. 215-217.

J. Z.

31 Teil eines Schatzfundes aus der Zeit des dritten Kreuzzuges

Münzen aus zahlreichen europäischen Münzstätten des 12. Jahrhunderts
Silber, geprägt
Verschiedene Durchmesser
Karlsruhe, Badisches Landesmuseum, Münzkabinett, Inv.-Nr. 83/79

In der ersten Hälfte der achtziger Jahre tauchte in Europa in verschiedenen Partien ein Schatzfund auf, der dem Vernehmen nach aus einer Gegend der Süd-Ost-Türkei stammen mußte, die das Kreuzfahrerheer des dritten Kreuzzuges etwa zwei bis drei Wochen nach dem Tode Kaiser Friedrich I. Barbarossa im Flusse Saleph am 10. Juni 1190 passiert hat. Der gesamte Fund muß ungefähr 8000 Münzen umfasst haben. Einschließlich einiger Silberbarren und zerhackter Schmuckstücke hat er wohl sieben bis acht Kilogramm gewogen. Das entspricht der auf zwei Jahre veranschlagten Mindestausstattung von 10 Teilnehmern an diesem Kreuzzug. Warum die Barschaft von Mitgliedern des nach dem Tode Barbarossas in Auflösung befindlichen Heeres verborgen wurde, kann natürlich nur der Phantasie überlassen bleiben. Der Fund ist heute über viele Museen und Privatsammlungen verteilt. Das Badische Landesmuseum besitzt 475 Stück daraus.

Die Herkunft der Münzen verteilt sich über ganz Mitteleuropa, von England und Frankreich bis an die Donau, von Norddeutschland bis Norditalien, mit einigen Einsprengseln aus der Levante. Er bietet so einen guten Überblick über das europäische Geldwesen der zweiten Hälfte des 12. Jahrhunderts und gewährt Einblicke in die Finanzierung eines solch gewaltigen logistischen Unternehmens wie es ein Kreuzzug darstellte. Durch sein inzwischen gesichertes Vergrabungsdatum im Zusammenhang mit dem Tode Barbarossas bietet er auch die Möglichkeit genauerer Datierung bisher zeitlich nur schwer oder nur unsicher einzuordnender Gepräge. Wenn auch seine wissenschaftliche Auswertung bis heute noch nicht ganz abgeschlossen ist, ist der *Barbarossa-Fund* – unter dieser Bezeichnung ist er in die Literatur eingegangen – eine der wichtigsten Quellen der Numismatik der Staufer-Zeit geworden. Es stellt aber auch ein beeindruckendes Dokument aus einer der brutalsten und grausigsten Epochen der Beziehungen zwischen Orient und Okzident dar.

Literatur: Klein, Ulrich: Die deutschen Münzprägungen gegen Ende des 12. Jahrhunderts und der „Barbarossa-Fund", in: Schweizerische Numismatische Rundschau Bd. 65 (1986) S. 205-229.- Derselbe: Die nichtdeutschen Münzen des „Barbarossa-Funds", ebenda Bd. 66 (1987) S. 193-203.

P.-H.M.

32 Klösterliche Wasseruhr mit akustischer Signalgebung
Modell
Ausführung: Dr. Karl Pichol und Paul Zurstraßen, Institut für Technik und ihre Didaktik der Universität Münster
H. 80 cm, B. 60 cm, T. 80 cm
Karlsruhe, Badisches Landesmuseum

Wasseruhren sind schon aus der Antike bekannt, vor allem vom östlichen Mittelmeerraum und aus dem Zweistromland. Ihre Funktion basierte wesentlich auf einer Schwimmerregelung für einen konstanten Wasserfluß. Unter der mittelalterlichen maurischen Herrschaft in Spanien kamen dort Wasseruhren eines neuen Typs auf, deren Aufbau und Wirkungsweise bisher nicht genau ermittelt werden konnte. Eine bruchstückhafte Beschreibung von dem Läutwerk einer Uhr stammt aus dem Benediktinerkloster von Ripoll in Nordspanien. Die Entstehungszeit der Uhr ist ebenso unklar wie die der Beschreibung, die wahrscheinlich aus dem 11. Jahrhundert stammt. Der streng nach zeitlicher Einteilung geregelte Tagesablauf in den Klöstern des Mittelalters erklärt ein besonderes Interesse der Mönche an Uhren, vor allem denjenigen mit einem Läutwerk. Wasseruhren mit Läutwerk wurden in den Klöstern fast ausschließlich als Nachtwecker benutzt.

Das Modell einer klösterlichen Wasseruhr lehnt sich in der Konstruktion des Läutwerks eng an den Text aus Ripoll an. Durch das Uhrlaufwerk wird ein Fallgewicht bewegt, das die Verdrehsicherung einer Welle löst. Die Welle – durch ein Gewicht in Drehung versetzt – schlägt mit Zapfen zwei Glocken an. Die Konstruktion des Uhrlaufwerks basiert auf einer Skizze aus einem katalanischen Manuskript aus der Zeit um 1300. Verwendet wurden aber auch Elemente, die mit Sicherheit schon zu Beginn des Hochmittelalters Anwendung fanden.

In einem mit Wasser gefüllten Faß schwimmt ein Gewicht. Sobald das Wasser abläuft, senkt sich das Gewicht. Es treibt über ein Seil eine Welle an, auf der das Anzeigerad der Uhr sitzt. An dem Umfang des Anzeigerades läßt sich entsprechend der gewünschten Uhrzeit ein Brettchen in Schlitze stecken. Dieses Brettchen setzt mit der Drehung des Anzeigerades das Fallgewicht für das Läutwerk in Gang. Die Ausflußgeschwindigkeit des Wassers verringert sich mit der Abnahme des Wasserstandes im Faß. Ein gleichmäßiges Sinken des Schwimmergewichtes kann trotzdem erreicht werden. Dazu muß nur der Faßquerschnitt mit sinkendem Wasserstand entsprechend abnehmen. Dies ist in dem Modell durch die konische Verjüngung des Fasses nach unten angedeutet.

32

Literatur: Farré-Olivé, Eduard: A medieval catalan clepsydra and carillon, in: Antiquarian Horology, 14. April 1989, S. 371-380. – Mayr, Otto: Zur Frühgeschichte der technischen Regelungen, München / Wien 1969.

K. P.

Wasseruhren mit Läutwerk wurden in den Klöstern fast ausschließlich als Nachtwecker benutzt.

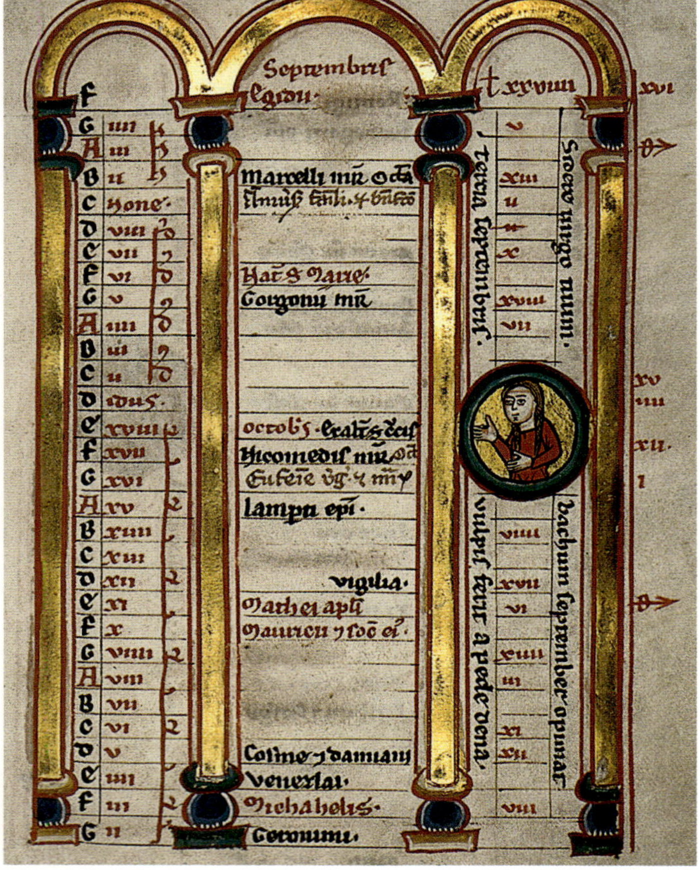

33

33 Kalendarium eines Psalters

Oberrhein, Anfang 13. Jahrhundert
Illuminierte Pergamenthandschrift
H. 25 cm, B. 17,5 cm
Karlsruhe, Badische Landesbibliothek, St. Peter perg. 122, fol. 5r

Für den Gebrauch beim Gottesdienst wurden im Mittelalter oft aufwendig ausgestattete Textbücher benutzt. Die Handschriften mit dem Psalter enthielten öfter kalendarisches Material, das für die gleichbleibende jahreszeitliche Gestaltung der Liturgie wichtig war. Im Kalendarium aufgeschlagen ist der Monat September. Unter vergoldeten Arkaden enthalten die Kalendertafeln den Sonntagsbuchstaben, der das Datum des ersten Sonntags im Jahr angibt, das Monatsdatum nach der römischen Monatsteilung in Kalenden, Nonen und Iden, die Tagesheiligen, eine astronomisch-astrologische Spalte mit Angaben über die Neumonde, Merkverse zur Stellung der Sonne im Tierkreis sowie die Unglückstage, die sogenannten *ägyptischen Tage*, die zusätzlich durch ein von einem Pfeil durchschossenen *D* am rechten Rand gekennzeichnet sind. Dazu kommt jeweils ein Medaillon mit dem entsprechenden Tierkreiszeichen, hier: Jungfrau. In solchen Kalendarien waren liturgische, astronomisch-astrologische und kalendarische Zeitbestimmungen eng verbunden.

Literatur: Kalender im Wandel der Zeiten, Ausst.-Kat. Karlsruhe 1982, S. 64, Abb.
G. D.

34 Joachim von Fiore: „Expositio in Apocalypsim"

(„Darlegung zur Apokalypse")
Venedig, 1527 (Original: 1184 bis ca. 1200)
Typendruck
H. 21 cm, B. 17 cm
Stuttgart, Württembergische Landesbibliothek, Theol. qt 3599

Der am Hofe des Normannenkönigs Wilhelm I. von Sizilien in Palermo ausgebildete Joachim von Fiore (ca. 1135-1202) wandte sich nach einem Bekehrungserlebnis und einer Pilgerfahrt ins Heilige Land (1166/67) einem religiösen Leben zu. Nach Aufenthalten in wechselnden zisterziensischen Klöstern gründete er um 1189 in Kalabrien das Kloster S. Giovanni in Fiore, dem er bis zu seinem Tod als Abt vorstand. Joachim von Fiore, der unter anderem mit dem englischen König Richard Löwenherz sowie mit Kaiser Heinrich VI. und Kaiserin Konstanze zusammengetroffen war, gilt als einer der bedeutendsten Mönchstheologen des 12. Jahrhunderts.

Joachim deutete den historischen Ablauf in heilsgeschichtlicher, kontinuierlich zur Herabkunft des himmlischen Jerusalems fortschreitender Perspektive. Er gliederte die Geschichte in drei einander überschneidende Perioden, die er mit dem Wirken der Trinität in Verbindung brachte. Auf die Zeit des Vaters (Altes Testament) folge die des Sohnes, die mit dem Neuen Testament begonnen habe und bis in die Zeit Joachims reiche und schließlich in die Ära des Heiligen Geistes münde. Ihr gehe die Ankunft eines ersten Antichrist voraus, der nach Joachims Ansicht bereits zu seiner Zeit gegenwärtig war. Dieses sogenannte *Mönchszeitalter* werde zur vollständigen Erfüllung der Forderungen der Bergpredigt führen und dem Armutsgedanken zum Durchbruch verhelfen. Die 1184 begonnene und bis etwa 1200 fertiggestellte *Expositio in Apocalypsim* bildet den letzten Teil von Joachims exegetisch-prophetischem Schaffen. Seine Werke erlangten rasch große Verbreitung und wurden insbesondere von Teilen des Franziskanerordens rezipiert. Daneben kam es auch zur Entstehung umfangreicher pseudojoachitischer Schriften mit antihierarchischen Tendenzen.

Literatur: Lerner, Robert E.: Refreshment of the Saints: The time after Antichrist as a Station for Earthly Progress in Medieval Thought, in: Traditio 32 (1976) S. 97-144. – Derselbe: Antichrists and Antichrist in Joachim of Fiore, in: Speculum 60 (1985) S. 553-570. – McGinn, Bernard: The Calabrian abbot: Joachim of Fiore in the history of Western thought, New York 1985. – Selge, Kurt-Victor: Eine Einführung Joachims von Fiore in die Johannesapokalypse, in: Deutsches Archiv zur Erforschung des Mittelalters, Bd. 46 (1990) S. 85-131.

St. F.

34

35 „Das Jüngste Gericht". Miniatur im Psalter des Landgrafen Hermann von Thüringen

Faksimile
Original: 1208/11 bis 1213
H. 24,5 cm, B. 19 cm
Karlsruhe, Badische Landesbibliothek, 92 A 75126,1

Der vielleicht in einer im nördlichen Harzvorland zu lokalisierenden *„thüringisch-sächsischen Malerschule"* (Haseloff) entstandene sog. *Landgrafenpsalter* (Original in der Württembergischen Landesbibliothek Stuttgart, HB II 24) wurde geschaffen für den Hof des thüringischen Landgrafen Hermann I., der als einer der bedeutendsten landesherrlichen Kunstmäzene seiner Zeit gilt. Der Psalter verrät wie der etwa gleichzeitige *Elisabethpsalter* Hermanns Selbstverständnis in der Tradition seiner königlichen Verwandten. Am Ende des 12. Jahrhunderts hat sich insbesondere in fürstlichen Häusern ein neuartiges Interesse an der prachtvollen Ausgestaltung von Psalterien (liturgische Bücher, die die 150 Psalmen vollständig enthielten) entwickelt, nachdem zuvor in erster Linie Evangeliare illuminiert worden waren. Die beiden Psalterien Hermanns I. gehören zu den frühesten Beispielen dafür.

Die Abbildung des Weltgerichts zu Psalm 119 auf fol. 139v belegt die Omnipräsenz derartiger Gedanken im Mittelalter, die Gregor der Große († 604) folgendermaßen formuliert hat: *„Immer müssen wir den jüngsten Tag fürchten, den wir niemals voraussehen können."* Die Bildseite ist quergeteilt. Über einem Wolkenband ist in der oberen Hälfte der thronende Christus mit dem Schwert als Zeichen der Macht und der Gerechtigkeit abgebildet. Die erhobene Rechte und die gesenkte Linke deutet das Urteil über Gerettete und Verdammte an. Christus wird flankiert von den Fürbittern Maria und Johannes dem Täufer, die die Gruppe zur Deesis ergänzen. In der unteren Bildhälfte befinden sich links die Seligen und rechts die Verdammten. In beiden Gruppen sind Päpste sowie weltliche Herrscher zu sehen, links eine Königin, rechts ein König, die durch weitere Personen ergänzt werden. Die staunenden Gebärden und erhobenen Häupter der Seligen bilden einen auffallenden Kontrast zu den gesenkten Köpfen der Gruppe der Verdammten. Diese sind von einer Kette umschlungen, die ein großer Teufel, ein Dämon mit tierhaften Zügen, mit beiden Händen greift. Durch die zeitübliche Tracht der dargestellten Personen erhielt die Abbildung besondere Aktualität und Eindringlichkeit.

35

Literatur: Haseloff, Arthur: Eine thüringisch-sächsische Malerschule des 13. Jahrhunderts, Straßburg 1897. – Kroos, Renate: Drei niedersächsische Bildhandschriften des 13. Jahrhunderts in Wien, Göttingen 1964, S. 108 ff. – Bumke, Joachim: Mäzene im Mittelalter. Die Gönner und Auftraggeber der höfischen Literatur in Deutschland 1150-1300, München 1979, S. 159-168. – Der Landgrafenpsalter. Vollständige Faksimile-Ausgabe im Originalformat der Handschrift HB II 24 der Württembergischen Landesbibliothek Stuttgart (Codices Selecti), Graz 1992 (mit Kommentar und umfangreicher weiterer Literatur).

St. F.

Die Darstellung des Weltgerichts belegt die Omnipräsenz apokalyptischer Gedanken im Mittelalter.

36

Der Neubau, der die noch unter dem Stadtgründer Herzog Konrad errichtete erste, bereits mit Pfarrechten ausgestattete Kirche ersetzte, übertraf diese von Anfang an in Umfang, aufwendiger Formensprache und qualitätvoller Ausstattung. Orientiert an den Vorbildern der Bischofskirchen von Straßburg und insbesondere von Basel, zeugte die neue Pfeilerbasilika mit Querhaus und dreischiffigem Langhaus vom entschiedenen Engagement des Stadtherrn. Denn als Bauherr kommt nur der Zähringer in Betracht; nur dieser verfügte über die Mittel und weitreichenden Beziehungen, um eine Ausführung von so hohem stilgeschichtlichem Rang in die Wege zu leiten. In ihr kommt freilich nicht nur der Wunsch eines vornehmen Adligen nach herrschaftlicher Repräsentation und würdiger Ausstattung seiner Grablege zum Ausdruck, sondern auch – und mit wachsender Autonomie um so mehr – das Streben der Bürger nach tätiger Mitgestaltung beim Ausbau und Schmuck ihrer Pfarrkirche. Deren Zeugnisse liegen allerdings erst aus jenen Jahrzehnten vor, als die Erben der Zähringer, die Uracher, als Grafen von Freiburg das Münster in den neuen gotischen Formen vollendeten.

Literatur: Schadek, Hans / Untermann, Matthias: Gründung und Ausbau. Freiburg unter den Herzögen von Zähringen, in: Geschichte der Stadt Freiburg im Breisgau, hg. von Heiko Haumann und Hans Schadek, Bd. 1. Freiburg 1996, S. 80ff., S. 117f. – Kobler, Friedrich: Das Freiburger Münster. Die Baugeschichte, in: ebenda S. 343 ff. (dort jeweils auch die ältere Literatur).

H. Sch.

36 Das Münster Unserer Lieben Frau zu Freiburg i. Br.
Modell von Chor und Querhaus, Maßstab 1:30
Balsaholz, bemalt
H. 120 cm, B. 110 cm, T. 100 cm
Freiburg, Augustinermuseum, Inv.-Nr. 1999. 493

Der Bruch mit der eigenen Haustradition unterstreicht die hochrangige Qualität, die dem nach 1200 in Angriff genommenen Kirchenbau zugedacht war: Herzog Bertold V. von Zähringen, dessen Vorfahren ausnahmslos im Hauskloster St. Peter im Schwarzwald ihre letzte Ruhe gefunden hatten, bestimmte das Münster zu Freiburg zu seiner Grablege – eine auch für die Stadt und ihre Bürger höchst ehrenvolle und auszeichnende Entscheidung.

Im Bau des Münsters zu Freiburg i. Br. äußert sich der Wunsch der Zähringer nach einer Grablege und auch das Streben der Bürger nach Mitgestaltung ihrer Pfarrkirche.

37

37 Spätromanische Bilderfriese vom Eingang der Nikolauskapelle des Freiburger Münsters

Abgüsse
Originale: spätes 12. Jahrhundert
H. 50 cm, B. 100 cm, T. 20 cm
Freiburg, Münsterbauverein, Gipsarchiv

Zum plastischen Schmuck des romanischen Freiburger Münsters gehören figürliche Darstellungen, die sich am Eingangsportal zur ehemaligen Nikolauskapelle im Untergeschoß des südlichen Chorflankenturms (Hahnenturm) erhalten haben, durch die man heute vom Querhaus den gotischen Umgangschor betritt. Der Fries des linken Gewändes zeigt neben dem Kampf zweier geflügelter Kentauren einen Ritter im Kampf gegen einen Greifen, hier wohl als Kampf gegen die Laster zu interpretieren. Der gegenüber liegende Fries greift zwei Szenen aus der Fabel von der Wolfsschule auf: Ein Mönch versucht, einem in der Kutte steckenden Wolf das ABC beizubringen. Doch das gefräßige Tier wendet sich lieber einem hinter ihm stehenden Böcklein zu und erbeutet es in der folgenden Szene – trotz der Erziehungsversuche, zu denen der Mönch eine Rute zuhilfe nimmt. Rechts erscheint David als Hirte, der ein Schaf rettet. David als Prototyp Christi ist hier dem Wolf als Sinnbild des Teufels gegenübergestellt.

Literatur: Adam, Ernst: Das Freiburger Münster, Stuttgart 1968, S. 88-90. – Die Zähringer, Ausst.-Kat. Freiburg 1986, Bd. 2, S.141-143, Nr. 107, Abbn.

J. Z.

38

38 Doppelkapitell mit Tierkreiszeichen und Monatsbildern

Schwarzach, um 1200-30
Roter Sandstein
H. 26,5 cm, B. 55 cm, T. 23,7 cm
Karlsruhe, Badisches Landesmuseum, Inv.-Nr. C 93

Um sieben Monatsbilder samt Tierkreiszeichen auf dem Kapitell unterzubringen, mußten diese z.T. zeichenhaft verkürzt und ineinander verschachtelt werden. Der Zyklus beginnt an einer Schmalseite und läuft von rechts nach links: Ein Mann, der den Boden umgräbt, und ein Widder stehen für den Monat April. Die Ecke wird von einem auf zwei Hörnern blasenden Windgott gebildet. Auf der Langseite ein junger Mann mit einem Korb mit Blättern sowie einem Büschel von Blattzweigen, der *Maikönig*, zu seinen Füßen der Stier. Zwei sich umarmende Jünglinge (Zwillinge) und ein Schnitter stehen für den Juni. Im Zeichen des Krebses im Juli werden Früch-

39

te, wohl erste Äpfel, geerntet. Der Korb leitet um zur zweiten Schmalseite. Dort herrscht der Löwe, hinter ihm wird Getreide geschnitten (August). Auf der zweiten Langseite die Jungfrau mit offenem Haar, ihr gegenüber der Sämann (Saatbeutel verloren) für die Septemberarbeit (dazwischen fehlt eine Figur). In den Ranken, die nach der Weinlese im Oktober beschnitten werden, hängt die Waage. (Diese Zuordnung der Monate zu dem Sternzeichen, das den Monat hauptsächlich beherrscht, ergibt eine sinnvollere Zuordnung der Monatsbilder als die bisherige: Sauerländer hatte die Tierkreiszeichen mit den Monaten in Verbindung gebracht, in denen sie beginnen.)

In die Darstellung des jahreszeitlich bedingten Ablaufs bäuerlicher Tätigkeiten fließen bei aller nötigen Verdichtung und Abkürzung frisch und lebendig Beobachtungen aus dem täglichen Leben ein (Arbeitsgerät, Kleidung) – kein Wunder, daß für diese Zeit der Begriff der *Renaissance um 1200* geprägt wurde.

Literatur: Zimmermann, Eva: Die mittelalterlichen Bildwerke, Badisches Landesmuseum Karlsruhe, Karlsruhe 1985, S. 62-64, Nr. 31, Abbn. – Die Zeit der Staufer, Ausst.-Kat. Stuttgart 1977, Bd. 1, S. 364f., Nr. 481, Bd. 2, Abb. 286 (Willibald Sauerländer).

B. H.-S.

40

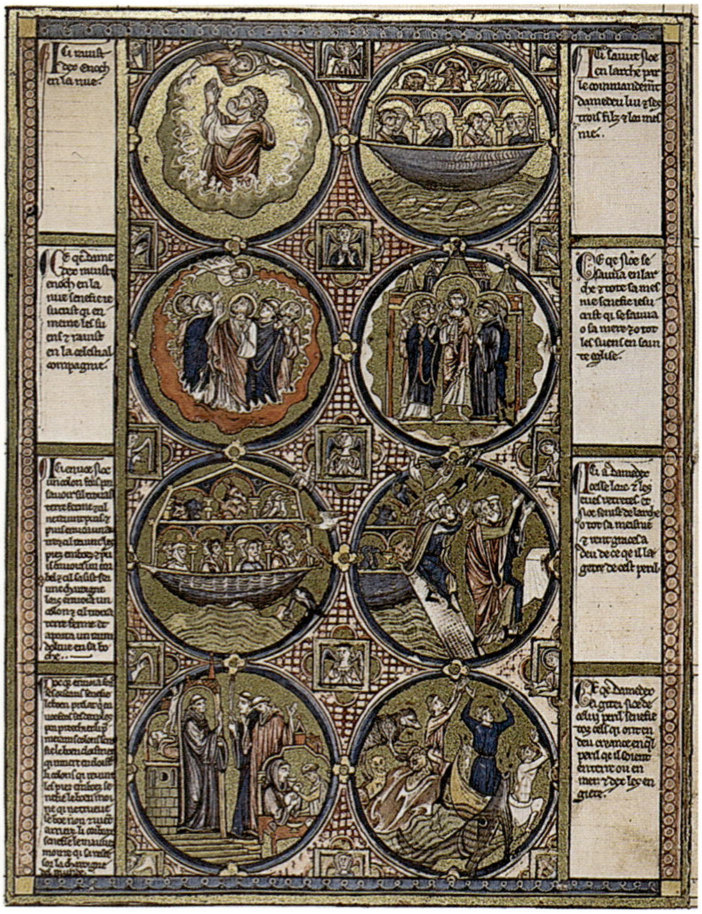

39 Bockwindmühle

Modell
Holz
H. 52,5 cm, B. 44 cm, T. 45 cm
Rosengarten bei Harburg, Freilichtmuseum am Kiekeberg, Kreismuseum des Landkreises Harburg

Seit den achtziger Jahren des 12. Jahrhunderts sind in Flandern, der Normandie und Ostengland erstmals Windmühlen nachzuweisen. Ihre Flügel – bespannte oder beplankte Holzrahmen – drehten waagerechte Wellen, so daß ein Getriebe eingesetzt werden mußte. Ursprünglich nur für eine Windrichtung gebaut, trug die Drehbarkeit zur erheblichen Verbreitung der Windmühlen bei. Dies gelang durch die bewundernswerte Konstruktion der sogenannten Bock- oder Kastenwindmühle, bei der das gesamte hölzerne Gebäude, der Kasten, karussellartig auf einem tief in die Erde eingelassenen Gestell aufgehängt war, dem Bock. Bei den später aufkommenden Turmwindmühlen wurde das Mahlwerk in einem feststehenden Gehäuse untergebracht: Die Flügel ließen sich mittels einer hölzernen drehbaren Dachhaube in den Wind stellen.

Literatur: Gleisberg, Hermann: Technikgeschichte der Getreidemühle, München und Düsseldorf 1956. – Artikel „Mühle", „Müller", in: Lexikon des Mittelalters Bd. 6 (1993) Sp. 885-891.

S. L.

40 Bible Moralisée

Faksimile einer illustrierten Handschrift
Original: Frankreich, vermutlich Reims, Mitte 13. Jahrhundert
H. 35 cm, B. 27 cm
Karlsruhe, Badische Landesbibliothek, Sc 22, 40 FAKS, fol. 6r

Die *Bible Moralisée* gehört neben der *Biblia pauperum,* der *Concordantia caritatis* und dem *Speculum humanae salvationis* zu den sogenannten typologischen Büchern, in denen alt- und neutestamentliche Bilder und Texte einander gegenüber gestellt wurden, um deutlich zu machen, daß nach mittelalterlicher Vorstellung die Heilsereignisse des Neuen Testaments bereits im Alten vorgeprägt waren. Treffend hat man sie als *„Zusammenstellung von Text und Kommentar, Textillustration und Kommentarillustration"* (Haussherr) bezeichnet. Die ausgestellte Handschrift, deren Original in der Österreichischen Nationalbibliothek in Wien (Cod. 2554) verwahrt wird, ist eines der ältesten französischen Beispiele einer *Bible Moralisée.* Hier sind pro Seite vier Bildpaare einander zugeordnet: neben dem manchmal gekürzten Vulgatatext erscheint im Medaillon dessen Illustration – hier die Sintflut; darunter der Text des Kommentars, der wiederum illustriert ist. Der Schwerpunkt solcher Darstellungen liegt im 13. Jahrhundert und vorrangig in Frankreich.

Literatur: La Bible moralisée illustrée conservée à Oxford, Paris et Londres, Teil 1-5, eingeleitet von Alexandre de Laborde, Paris 1911-1927. – Haussherr, Reiner: Sensus litteralis un sensus spiritualis in der Bible Moralisée, in: Frühmittelalterliche Studien, Bd. 6. Berlin / New York 1972, S. 358. – Bible Moralisée. Faksimile-Ausgabe im Originalformat. Commentarium Reiner Haussherr, Graz / Paris 1973.

J. Z.

41

41 Darstellung eines Ritterkampfes
Mittelrhein oder Trier, um 1200
Pergament, Buchmalerei mit Feder, Lavierungen und Deckfarben
H. 13,5 cm, B. 19,6 cm
Hannover, Kestner-Museum, Inv.-Nr. 3984

Die ritterliche Kampfszene zeigt detailgetreu die Kleidung und Bewaffnung der Zeit um 1200. So spiegelt sie in einer ersten Deutungsebene die Menschen jener Zeit wider, die die höfische Kultur und das Rittertum zur höchsten Blüte geführt hatten. Das Rittertum fand damals in stattlichen Turnieren seinen besonderen Ausdruck.

Die Darstellung stammt mit drei weiteren Miniaturen (in Bonn, Rheinisches Landesmuseum) aus der in Trier erhaltenen Handschrift eines *Speculum Virginum* (*Jungfrauenspiegel*). Dieses klösterliche Erbauungsbuch für Frauen und Führer zum tugendhaften Leben war seit dem 12. Jahrhundert weit verbreitet. Damit versteht sich von selbst, daß die Kampfszene keinen zeitgenössischen oder historisch belegten Kampf darstellt, sondern als Allegorie zu verstehen ist. Das ausgeschnittene Blatt gehört wohl zum vierten der elf Bücher, die das Werk umfaßt, und stellt den Sieg der Demut über den Stolz dar. In der Nachfolge der *Psychomachia* des Prudentius aus dem 5. Jahrhundert zählt es zu den oft geschilderten Kämpfen zwischen Tugenden und Lastern um die menschliche Seele.

Literatur: Katzenellenbogen, Adolf: Allegories of the Virtues an Vices in Mediavel Art, London 1939. – Ornamenta Ecclesiae, Ausst.-Kat. Köln 1985, Bd. 1, S. 72, Nr. A 19, Abb. S. 75. – Heinrich der Löwe und seine Zeit, Ausst.-Kat. Braunschweig 1995, Bd. 1, S. 600f., Nr. G 95, farb. Abb.

J. Z.

Christenheit in der Krise

Alte Mären

Das **um 1200** im Donauraum entstandene „Nibelungenlied" hat inhaltlich wenig mit der ritterlich-höfischen Welt des 12. und 13. Jahrhunderts zu tun. Es gibt Kunde von der altgermanischen Heldenwelt der Völkerwanderungszeit mit Betrug, Mord und Haß. Dunkle Schicksalsmächte bestimmen das Geschehen. Das Lied vom Tod der Burgunder an Etzels Hof wurde jedoch in leichter höfischer Sprach- und Versform verfaßt. Es wollte indirekt barbarischen Zorn und heidnische Rache verdammen und stattdessen christliche Vergebung und Barmherzigkeit anmahnen.

Gefährdete Ordnung

„Ich hân mîn lêhen." Der fahrende, ein unstetes Leben führende Dichter und Minnesänger Walther von der Vogelweide mußte nun nicht mehr den Winter „an den Zehen" spüren. **Um 1215** bekam er von König Friedrich II. einen kleinen Besitz in oder bei Würzburg. Walther sah den Untergang des deutschen Reiches heraufziehen und beklagte die allgemeine Zerrüttung: Um die „ordenunge" sei es schlecht bestellt.

Magna Charta

In England führten **1215** die Auseinandersetzungen zwischen den Baronen und dem König Johann Ohneland, der sich dem machtbesessenen Papst Innozenz III. unterworfen hatte, zur „Magna Charta". Dieses Grundgesetz beschnitt nicht nur die Königsautorität zugunsten der Freiheiten und Privilegien von Kirche und Adel, sondern bezog auch die Städte ein. Später wurde es zur Waffe des Bürgertums und öffnete die Tür für konstitutionelle und demokratische Entwicklungen. Papst Innozenz III. sah seinen Einfluß schwinden und wütete gegen die Charta: sie bringe die „ganze Sache Christi" in schwere Gefahr.

Rückzug der Kaisermacht aus Deutschland

Der Enkel Friedrich Barbarossas war elternlos im Süden aufgewachsen. Er wurde **1220** als Friedrich II. zum Kaiser gekrönt. In Sizilien baute er einen streng organisierten Beamtenstaat auf. Wegen seines eigenen Machtstrebens nahm Friedrich II. den Kampf mit dem Papst und den auf Selbständigkeit drängenden italienischen Städten auf. Spannungen ergaben sich auch in Deutschland, in dem der Kaiser von seinen 56 Lebensjahren nicht einmal zehn verbrachte. Insgesamt entfernte sich die Kaisermacht aus Deutschland. Fürsten und Städten gelang daraufhin der Aufstieg.

Die Kreuzzugs-Wahnidee

1204 wurde die byzantinisch-christliche Stadt Konstantinopel von dem christlichen Heer des vierten Kreuzzuges erobert, geplündert und zerstört. Die Adelsherren waren nicht vom Glauben, sondern von Habgier getrieben. (1261 wurde Konstantinopel von den Byzantinern zurückerobert.)

Der Ritterstand war ausgeblutet. Das Christentum hatte aufgrund der in seinem Namen begangenen Verbrechen an Ansehen verloren. „Wanderzüge" zum Heiligen Land gab es weiterhin. Ab 1212 kamen auf den „Kinderkreuzzügen" Tausende rheinische und französische Kinder um oder wurden als Sklaven verkauft.

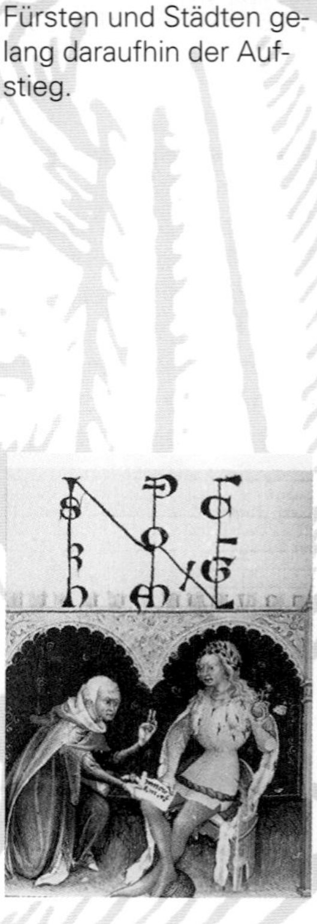

Trübe Zeit für Tugend und Sitte

Des Reiches Not

Denkverbot, Inquisition und Pogrom

Bettelorden

1226 starb Franz von Assisi. „In Sünden" hatte er eine „soziale Bekehrung" erfahren und widmete sich in der Folgezeit der Pflege von Lepra-Kranken. Der von ihm geschaffene „Orden der minderen Brüder" (Franziskaner) war ein Bettelorden, der sich seinen Lebensunterhalt durch Arbeit verdienen sollte. Man wollte kein Geld, sondern hoffte auf Almosen. Ein Bettelorden waren auch die von dem Spanier Dominikus 1216 begründeten Dominikaner. Als „Predigerorden" verwalteten sie bald die Inquisition, die 1232 als zentrale päpstliche Behörde zur Bekämpfung der Ketzer eingerichtet wurde.

Papsttum bekämpft philosophische Offenheit

1241 erließ Papst Gregor IX. ein Verbot, die naturwissenschaftlichen Schriften des griechischen Philosophen Aristoteles zu studieren. Doch bei den Scholastikern war dessen auf Alltag, Natur, Ethik und Politik ausgerichtetes „logisches" Denken beliebt. So schuf der Dominikaner Thomas von Aquin ein umfassendes System, das Theologie und Philosophie, Glauben und Wissen, Offenbarung und Vernunft zu verbinden suchte.

(In der toleranteren arabischen Philosophie hingegen konnten die Lehren des Aristoteles überleben. Schon im 12. Jahrhundert hatte der Philosoph, Theologe, Jurist und Mediziner Ibn Ruschd, genannt Averroes, wichtige Kommentare zu Aristoteles geschrieben und seine Schriften übersetzt.)

Judenverfolgung

Die seit den Kreuzzügen um sich greifende Verfolgung, Vertreibung und Ermordung von Juden sowie ihre Abtrennung in Gettos steigerten sich im 13. Jahrhundert weiter. Da der Talmud als besondere Quelle jüdischer Bosheit galt, wurden alle verfügbaren Handschriften **1242** in Paris öffentlich verbrannt. Beschuldigungen der Juden wegen Ritualmord, Hostienfrevel und Brunnenvergiftung führten zu vielen Pogromen. Sie wurden oft mit Hilfe langfristiger Feindstereotypen von christlich-theologischen „Schreibtischtätern" angezettelt.

Durchlichtete Architektur

Charakteristisch für die aus Frankreich kommende gotische Kirchenbau-Kunst war die Auflösung der Wandflächen, die Gestaltung von Spitzbögen sowie die Durchlichtung und Höhensteigerung der Räume. Die gotische Architektur breitete sich auch in Deutschland aus. Mit dem seit **1248** erbauten Kölner Dom wurde der Anschluß an die französische Hochgotik erreicht. Die italienische Gotik war vor allem das Werk der Franziskaner und Dominikaner. Als Mutterkirche erwies sich San Francesco in Assisi (1257 fertiggestellt).

Das Mongolenreich

Unter der von **1259 bis 1294** dauernden Herrschaft von Kublai Khan erreichte das Mongolenreich seine größte Macht. Es reichte von China bis Polen. Seit 1200 hatten sich die von Dschingis-Khan („großer Held") geeinten mongolischen Hirtenstämme ausgedehnt. Der Einfall in Europa hatte dort zunächst Entsetzen ausgelöst. Ein deutsch-polnisches Ritteraufgebot war 1241 bei Liegnitz vernichtend geschlagen worden. Aber dann knüpfte man vorsichtige Verbindungen an. Der Venezianer Marco Polo war 1275 bis 1292 für den Mongolenherrscher in verschiedenen Missionen tätig. Nach seiner Rückkehr verfaßte er einen Reisebericht, der vielfach als phantasievolle Erfindung betrachtet wurde.

Portolankarte
Italien, um 1300
Paris, Bibliothèque Nationale, Res Ge B 1118

Diese sogenannte Portolankarte basiert auf dem Kompass und ist folglich mit einem Netz von Kompasslinien überzogen. Es handelt sich hierbei um die erste Karte, die im geographischen Sinne ein getreues Bild des Mittelmeeres und des Schwarzen Meeres vermittelt. Im Bezug auf die atlantischen Küsten ist sie noch sehr ungenau, es fehlt zum Beispiel die Ecke der Iberischen Halbinsel. Derartige Karten dienten der Navigation auf dem Mittelmeer und werden bereits um 1270 erwähnt.

1300

Das erste Heilige Jahr

1300 war das erste Heilige Jahr. Gedrängt von Pilgerscharen aus dem Volk, verkündete Papst Bonifaz VIII. das Jubeljahr am 22. Februar 1300 in seiner Bulle „Antiquorum habet“. Wer im Heiligen Jahr andächtig nach Rom pilgerte, erhielt den vollständigen Ablass seiner Sündenstrafen. Ein Heiliges Jahr sollte nur alle hundert Jahre stattfinden, um seine Besonderheit festzuschreiben. Damit war erstmals das Jahrhundert als Zeitspanne definiert.

Am Freitag, den 1. Januar des Jahres 1300, also am Neujahrstag der bürgerlichen Jahresrechnung und nicht am 25. Dezember, mit dem die Kurie das neue Jahr begann, geschah in Rom – wenigstens in den Augen gewisser Zeitzeugen – etwas Seltsames und Merkwürdiges: Nach Sonnenuntergang strömten die Römer in Scharen zur Peterskirche und drängten sich zum Altar. Sie waren von der Vorstellung beseelt, am ersten Tag des Jahres 1300 könne man einen vollkommenen, im weiteren Verlauf dieses Jahres einen hundertjährigen Ablaß gewinnen. Der wichtigste Gewährsmann für die Ereignisse, die zur Bulle *Antiquorum habet* vom 22. Februar 1300 führten, der Kardinal Jacopo Stefaneschi (ca. 1270-1343), war als Domkapitular von St. Peter vermutlich Augenzeuge des Gedränges.

Was war geschehen, und wie kam es zu der Bulle, mit der nicht nur erstmals ein Heiliges Jahr dekretiert, sondern ein hundertjähriger Turnus festgeschrieben, das *Jahrhundert* also erstmals historisch augenfällig wurde? Darf man Kardinal Stefaneschi glauben, dann war bereits vor dem 1. Januar Papst Bonifaz VIII. das Gerücht zu Ohren gedrungen, es herrsche im Volk der Glaube, daß alle, die im Jahr 1300 nach Rom zur Basilika des Apostels Petrus kämen, einen vollständigen Erlaß ihrer Sündenstrafen erlangen würden. Der Papst habe daraufhin angeordnet, alte Bücher zu durchforsten. Als die Suche erfolglos geblieben sei, habe man das nicht mit Bücherverlusten zu erklären versucht, sondern es auch für möglich gehalten, daß die Gerüchte gar nicht der Wahrheit entsprochen hätten.

Als aber nach dem 1. Januar das Gerede von einem vollkommenen Ablaß nicht verstummen wollte und sich zudem nun unter die römischen Gläubigen auch auswärtige Pilger mischten, sah sich die Kurie zum Handeln gezwungen. Der Papst ging – wie neuerdings von Enno Bünz aufgezeigt – die Angelegenheit eher zögernd und abwägend an, beriet sich mehrfach mit dem Konsistorium und ließ – wieder vergebens – die päpstlichen Kanoneshandschriften durchsehen. Anscheinend unter dem Eindruck der Ereignisse wurde schließlich der Text der Jubiläumsbulle konzipiert, dann mehrfach diskutiert und umformuliert. Am 22. Februar 1300, an *Cathedra Petri*, der Thronbesteigung des Apostels und Hauptfest der Peterskirche, bestieg Bonifaz VIII. gemeinsam mit den Kardinälen den Ambo, hielt vor den versammelten Gläubigen die Festpredigt und ließ den Wortlaut der Jubiläumsbulle verlesen. Das bekannte Fresko von Giotto im Lateranpalast, das nur noch als Fragment erhalten ist, vermittelt einen ungefähren Eindruck vom Geschehen, auch wenn es nicht direkt mit dem Heiligen Jahr in Verbindung gebracht werden kann.

Bonifaz VIII. verkündete mit der Bulle *Antiquorum habet* das erste Heilige Jahr, *„damit die seligen Apostel Petrus und Paulus um so mehr verehrt werden, je andächtiger ihre Basiliken von den Gläubigen besucht werden, und damit diese Gläubigen immer mehr gestärkt werden durch die Erteilung geistlicher Gnadengaben, gewähren Wir, im Vertrauen auf die Barmherzigkeit des allmächtigen Gottes und auf die Verdienste und die Autorität dieser Apostel und nach Rat unserer Brüder und aus der Fülle der apostolischen Gewalt allen, die in diesem gegenwärtigen Jahr 1300 [...] und in jedem folgenden hundertsten Jahr die oben genannten Basiliken mit Ehrfurcht betreten und wirklich bereuen und gebeichtet haben [...] nicht nur volle und ganze, sondern übergroße Verzeihung ihrer Sündenstrafen"*[1]. Dieser vollkommene Ablaß – *il gran perdono* – sollte allen Pilgern der Christenheit zuteil werden, die im Heiligen Jahr 1300 nach Rom kamen und an 15 Tagen die Basiliken St. Peter und St. Paul besuchten. Für die stadtrömische Bevölkerung, die keine mehr oder weniger weite Anreise auf sich nehmen mußte, galt es, die beiden Kirchen an 30 Tagen aufzusuchen.

Es war das erste Mal, daß der vollkommene Ablaß in Rom zu erlangen war. Vorher konnten die Gläubigen ihn nur durch eine Wallfahrt nach Jerusalem gewinnen oder durch die Teilnahme am Kreuzzug. So erscheint es verständlich, daß der Papst die Möglichkeit, den vollkommenen Ablaß zu erlangen, stark einschränkte, indem er ihn lediglich nach Ablauf von hundert Jahren erneut erteilt wissen wollte. Der französische Kanonist Johannes Monachus (Jean Lemoyne, ca. 1240/50-1313) hat die Haltung des Papstes in seinem wohl noch 1300 entstandenen Kommentar zur Jubiläumsbulle verdeutlicht[2]. Bonifaz VIII. habe nach eigener Aussage die allgemeine Überzeugung beeindruckt, solche Ablässe würden im hundertsten Jahr nach Christi Geburt gewährt. Ferner berücksichtigte er die Sonderstellung der 100 beim Fingerzählen und beim Zählen im allgemeinen. Dem Papst stand also bereits – wie Arndt Brendecke betont – der dezimale Zählsprung plastisch vor Augen[3]. Seine Beobachtung

Der vollkommene Ablass sollte allen Pilgern zuteil werden, die im Heiligen Jahr 1300 nach Rom kamen und an 15 Tagen die Basiliken St. Peter und St. Paul besuchten.

ist präzise: Der vollkommene Ablaß sei auch deshalb durch den Hunderter (*centenarius*) bezeichnet, *„[...] weil bis zu selbigem Hunderter durch das ständige Hinzufügen einer Einheit zur vorausgehenden Zahl ein Aufstieg sei. Über diese Hundert aber wird nicht hinausgekommen, sondern es erfolgt eine Rückkehr an den Anfang der Zahl, das heißt in die Einheit* [unitas] *selbst"*[4].

Es gab verschiedene Begriffe für das Jahrhundert: saeculum, centenarium, annus centesimus.

Brendecke hat nicht nur auf die Bedeutung des Dezimalsystems bei den Überlegungen des Papstes hingewiesen, sondern zudem weitere zeitgenössische Ansätze eines Jahrhundertbegriffs ermittelt. Neben dem technischen Jahrhundertbegriff der Komputistik, wie er bei Johannes de Sacrobosco hervortritt (*saeculum* nennt man einen Zeitraum von hundert Jahren)[5], fand er einen zweiten zeitgenössischen Jahrhundertbegriff, der im Rahmen eschatologischer Deutungen auftaucht, die im 13. Jahrhundert erstmals statt mit dem Jahrtausend (*millenarium*) auch mit dem Jahrhundert zu experimentieren begannen, das sie als *centenarium* bezeichneten[6]. So verwendete der katalanische Arzt Arnald de Villanova († 1311) in seinem Traktat *Über die Ankunft des Antichrist* das Wort *centenarium* für Jahrhundert und gehörte damit zu den wenigen Zeitgenossen des Jahres 1300, die dieses Jahr ausdrücklich als das letzte eines Jahrhunderts bezeichneten, sprach man doch im Umkreis des Papstes und seines Jubeljahres lediglich vom *annus iubilaeus*, der in *quolibet anno centesimo* wiederkehren solle. Neben der eschatologischen Tradition und der weit verbreiteten Komputistik, die seit dem 13. Jahrhundert im Lehrbetrieb der Universitäten verankert war, bot auch die Rechtswissenschaft Gelegenheit, sich mit dem Jahrhundertbegriff zu beschäftigen. So diskutierte man zu Zeiten Bonifaz' VIII. in der Rechtsgelehrsamkeit über die Bedeutung der Hundertjahresfrist.

Insgesamt wird deutlich, daß bereits im 13. Jahrhundert Ansätze zu einem Jahrhundertbegriff existierten und, so Brendecke, daß diese Ansätze der Kurie mehr oder weniger deutlich vor Augen gestanden haben müssen[7]. Allerdings blieb die Wahl der Begriffe neutral, liest man doch weder von einem *saeculum* noch von einem *centenarium*, sondern lediglich vom wiederkehrenden *annus centesimus.* Dies setzt die Entscheidung des Papstes zugunsten einer hundertjährigen Jubeljahrsfrist in ein etwas anderes Licht. Zwar bewegt sich seine Begründung weitgehend im Rahmen einer religiösen Argumentation, doch orientierte sich Bonifaz VIII. bei der Bevorzugung der Hundertjahresfrist eher an einer antiken denn an einer biblischen Tradition. Nicht Psalm 90,2 mit seinem Hinweis auf das siebzigste und höchstens achtzigste Jahr als menschliche Lebensspanne bot ihm den zeitlichen Rahmen, sondern die antike Vorstellung vom hundertjährigen Maximalalter, wie sie dem Hochmittelalter durch den juristischen Jahrhundertbegriff erhalten blieb. *„Und so ist es wahrscheinlich, daß die Hundertjahrsfrist dem Juristen Bonifaz VIII. aus dem rechtlichen Erlaßrecht geläufig war. Ihre Übertragung auf den theologischen Bereich lag auch deshalb nahe, weil die Evidenz des Dezimalsystems gewachsen war, die den Symbolgehalt der Hundert neu profilierte"* (Brendecke). Wie immer sich die Dinge gestaltet haben, so führen doch die wenigen Hinweise zu der Annahme, daß dieser erste Ansatz zu einem Jahrhundertwendebrauch im Schnittpunkt diverser zeitgenössischer Ideen stand. Allerdings fand das Jahr 1300 höchstens als erstes Jubeljahr der Kirche Beachtung, als Wende wurde das Datum jedenfalls nicht empfunden[8]. So kann damit noch kein Rückblick auf das vergangene Jahrhundert oder eine wie auch immer geartete Erwartung des kommenden 14. Jahrhunderts verbunden gewesen sein. Auch entfernte sich das Jubeljahr selbst bald wieder von der Hundertjahresregelung. Schon 1350 setzte Clemens VI. erneut ein Heiliges Jahr an. Es folgten weitere Heilige Jahre 1390, 1400, 1423, 1450; seit 1450 etablierte sich schließlich ein 25jähriger Turnus.

Anmerkungen:

1 Bünz, Enno: Das Jahr 1300, Papst Bonifaz VIII., die Christenheit und das erste Jubeljahr, in: Der Tag X in der Geschichte, Erwartungen und Enttäuschungen seit tausend Jahren, hg. von Enno Bünz, Rainer Gries und Frank Möller, Stuttgart 1997, S. 50-78, Übersetzung S. 53.

2 Bünz (wie Anm. 1), S. 52, S. 63. – Brendecke, Arndt: Die Jahrhundertwenden. Eine Geschichte ihrer Wahrnehmung und Wirkung, Frankfurt am Main / New York 1999, S. 46.

3 Brendecke (wie Anm. 2) S. 50.

4 Ebenda S. 52.

5 Ebenda S. 53-55.

6 Ebenda S. 55-63.

7 Ebenda S. 70.

8 Graus, František: Epochenbewußtsein im Spätmittelalter und Probleme der Periodisierung, in: Epochenschwelle und Epochenbewußtsein, hg. von Reinhart Herzog und Reinhart Koselleck, München 1987, S. 153-166, hier S. 158.

Sönke Lorenz

42

42 Das Fresko von Giotto im Lateranpalast mit der Darstellung einer päpstlichen Verkündung
Reproduktion nach einer illuminierten Handschrift von 1622

Von der großen Freskendarstellung im Bereich der alten Benediktionsloggia des Lateranpalastes ist heute nur noch ein Fragment erhalten, das als Werk Giottos gesehen wird. Bonifaz VIII., mit der einreihigen Tiara gekrönt, wendet sich einem Diakon zu, als wolle er ihm ein Zeichen geben, die auf der Pergamentrolle stehende päpstliche Verlautbarung zu verlesen. Zu erkennen ist die Eingangsformel: *„Bonifacius episcopus servus servorum Dei ad perpetuam rei memoriam" („Bischof Bonifacius, der Diener der Diener Gottes zur ewigen Erinnerung der Sache [...]").* Lediglich eine illuminierte Handschrift des 17. Jahrhunderts (Original in Mailand, Biblioteca Ambrosiana, F inf. 227) gibt das gesamte Fresko wieder. Das Fresko wurde lange Zeit mit der Verkündung des ersten Heiligen Jahrs 1300 in Zusammenhang gebracht. Mit der am 22. Februar 1300 verlesenen Bulle *Antiquorum habet* eröffnete Papst Bonifaz VIII. offiziell das Jahr, in dem Rompilger den großen Ablaß ihrer Sündenstrafen erlangen konnten. Die Forschung hat mittlerweile jedoch Gründe dafür, daß das Fresko nicht dieses Ereignis, sondern wohl die Inbesitznahme des Lateran durch den Papst zeigt.

Literatur: Röttgen, Herwarth: Die Inbesitznahme des Lateran durch Bonifaz VIII., Überlegungen zur Wirklichkeit der Benediktionskanzel in Giottos Fresko und zur alten Benediktionskanzel des Lateran, in: Das Andere Wahrnehmen, Beiträge zur europäischen Geschichte, August Nitschke zum 65. Geburtstag gewidmet, hg. von Martin Kintzinger u.a., Köln / Wien 1991, S. 141-168.

S. L.

Mit der am 22. Februar 1300 verlesenen Bulle „Antiquorum habet" eröffnete Papst Bonifaz VIII. offiziell das Heilige Jahr.

43

43 Gotische Wanduhr mit mechanischer Uhrwerkhemmung

Deutschland, um 1400 (oder später?)
Eisenbänder, Radlager in Flachrahmen verstiftet bzw. vernietet, teilweise verändert und ergänzt.
H. 18,5 cm, B. 12 cm, T. 11 cm
Freiburg, Augustinermuseum, Sammlung Ehrensberger, Sammlungs.-Nr. XXVII

Um das Jahr 1300 tauchen Uhren mit Gewichtsantrieb und mechanischer Uhrwerkhemmung in Europa auf. Sie gehören zu den wichtigsten Innovationen des ausgehenden Mittelalters. Sie wurden zunächst als Wecker für die klösterlichen Nachtgebete, dann auch als Türmeruhren für die städtischen Glocken benutzt. Der Hemmungsmechanismus, das Zeitnormal, besteht aus dem vertikal angebrachten Kronrad, der Spindel mit Lappen und der hier verzierten radförmigen, hin- und herschwingenden *Waag*. Die *Waag* konnte auch als Flachbalken mit verstellbaren Gewichten ausgebildet werden. Erst durch diese frühesten Räderuhren wurde die kontinuierliche Indikation der Tageszeit ermöglicht. Das durch den Eingriff der Spindellappen in die Zähne des Kronrads erzeugte Ticken sollte denn hinfort den Lebensrhythmus der Moderne bestimmen. *„Die Uhr, nicht die Dampfmaschine ist die Schlüsselmaschine des Industriezeitalters."* (Lewis Mumford, Technics and Civilization, 1934)

Literatur: Dohrn-van Rossum, Gerhard: Geschichte der Stunde. Uhren und moderne Zeitordnungen, München 1992. – Uhren aus vier Jahrhunderten. Sammlung Ehrensberger. Ausst.-Kat. Freiburg 1998, S. 104, Nr. 103, Abb.

G. D.

44 Fachwerkhaus in Biberach a. d. Riß

Modell, Maßstab 1:10
Ausführung: Ingenieurbüro Burghard Lohrum, Ettenheimmünster
Original: 1318
Holz
H. 117 cm, B. 102 cm, T. 182 cm
Biberach a. d. Riß, Zimmerer-Ausbildungszentrum

Um 1300 wurden vermehrt Fachwerkhäuser gebaut. Das Haus Zeughausgasse 4 in Biberach a. d. Riß ist eines der seltenen erhaltenen Bürgerhäuser aus dem ersten Viertel des 14. Jahrhunderts in Südwestdeutschland. Die Untersuchung der Bauhölzer ergab, daß der Hauptbau 1318 errichtet wurde. Das Fachwerkhaus kann der zweiten mittelalterlichen Bauphase in Biberach, in der wohl erstmals Häuser mit mehr als einem Geschoss errichtet wurden, zugeordnet werden. Das unterkellerte Haus ist zweigeschossig, das Dach war ursprünglich mit Stroh bedeckt. Die Räume in Erd- und Obergeschoss sind relativ hoch (3,10 m bzw. 2,70 m), nur die Stube im Obergeschoss hat eine eingezogene Zwischendecke. So wurde der Raum verkleinert und leichter beheizbar. Ansonsten war nur eine zweite Stube im Erdgeschoss beheizbar. Vermutlich waren auch nur die Fenster dieser beiden Räume verglast, die der anderen wurden je nach Temperatur durch Klappen verschlossen oder belüftet. Der Bauherr des Hauses ist unbekannt, erst für das 18. Jahrhundert finden sich Angaben zu Bewohnern. Das Haus wurde in den achtziger Jahren vollständig saniert und dient heute musealen Zwecken.

Literatur: Schmitt, Günter: Zeughausgasse 4. Ein Biberacher Bürgerhaus von 1318, Biberach 1993.

V. S.

44

45 Einbaumtruhe
Göttingen, um 1310
Eichenholz mit Eisenbeschlägen (Geldeinwurftrichter des 16. Jahrhunderts, Farbfassung des 17./18. Jahrhunderts)
H. 45 cm, B. 172 cm, T. 45 cm
Göttingen, Evangelische Kirchengemeinde St. Jakobi

Die kastenartige, durch Ausgründung gefertigte und mit einem Klappdeckel versehene Einbaumtruhe steht als Möbeltyp im Beziehungsfeld zum Trog und zum Sarg. Sie gehört zu den Elementarmöbeln des Mittelalters. Die Göttinger Truhe, deren Entstehungszeit um 1310 durch eine naturwissenschaftliche Untersuchung des Holzes bestimmt wurde, ist eines der ältesten bekannten Möbel dieses ältesten Möbeltyps überhaupt. Sie ist aus einem nicht gerade gewachsenen Eichenstamm gearbeitet. Ihre vier Innenfächer sind mit massiven Trennwänden versehen. Als Verschluß dienten Eisenriegel und nicht erhaltene Schlösser. Die Truhe wurde ursprünglich vermutlich zur Aufbewahrung von Dokumenten und Wertgegenständen in einem städtischen Gebäude genutzt. 1529 wurde das an sich profane Möbel mit einem Geldeinwurftrichter versehen und als Gemeiner Kasten in den kirchlichen Bereich übernommen.

Literatur: Stadt im Wandel. Kunst und Kultur des Bürgertums in Norddeutschland 1150-1650, Ausst.-Kat. Braunschweig 1985, Bd. 1, S. 206, Nr. 140, Abb.

J. D.

46 Mechanisierte Säge nach Villard de Honnecourt
Modell
Ausführung: Dr. Karl Pichol und Paul Zurstraßen, Institut für Technik und ihre Didaktik an der Universität Münster
H. 35 cm, B. 50 cm, T. 80 cm
Karlsruhe, Badisches Landesmuseum

Die erhöhte Zunahme der Bevölkerung und Verstädterung mit Beginn des Hochmittelalters (1000 n. Chr.) wurde u.a. vom wachsenden Gewerbe getragen. Im Haus- und Schiffbau, dem zunehmenden Mühlenwesen und Bergbau wurde Holz als wichtiger Werkstoff für Vorrichtungen und Maschinen verstärkt in geschnittener Form benötigt. Spätestens mit dem ausgehenden 12. Jahrhundert läßt diese Entwicklung Überlegungen zur Mechanisierung der Schnittholzherstellung konsequent erscheinen. Einige Quellen verweisen tatsächlich darauf, daß zu jener Zeit sowohl für Stein- als auch Holzbearbeitung wassergetriebene Sägen bekannt waren.

Die bis heute frühest bekannte Skizze einer Sägemühle stammt vom Baumeister Villard (Wilars) aus Honnecourt in der Picardie und stammt wahrscheinlich aus der Zeit um 1235. Wenn auch Villards Skizze auf einer realen Ausführung beruhen könnte, so ist die Zeichnung sicher nur als Vorschlag für eine noch im Detail auszuführende Konstruktion einer Sägemühle zu verstehen. Das präsentierte Modell lehnt sich eng an die Skizze von Villard an, erforderte aber auch deren Interpretation. Grundsätzlich ist klar, daß Arme (Nocken) auf einer Wasserradwelle über ein Hebelsystem ein Sä-

45

46

geblatt nach unten ziehen und gleichzeitig einen Baum, an dem ein Sägeblatt befestigt ist, elastisch biegen. Der Rückhub der Säge erfolgt über die elastische Rückstellung des Baumes, sobald die Arme das Sägeblatt freigeben. Wie der Vorschub des zu sägenden Stammes erfolgte, ist nicht deutlich.

Zur Realisierung des Modells ist das Hebelsystem mit dem Sägeblatt als laufstabile Viergelenkkette ausgelegt worden. Dies macht die vieldiskutierte Drehrichtung des Wasserrades relativ unbedeutend. Dessen Antrieb ist als unterschlächtig angenommen, obwohl das nicht zwingend ist. Die Bedeutung des Zackenrades auf der Wasserradwelle in Villards Skizze ist umstritten. Es wird aber meistens als Vorschubrad für den zu sägenden Stamm gedeutet. Als solches ist seine Funktionstüchtigkeit infrage gestellt. In dem Modell ist eine Ausführung als lose auf der Welle sitzendes Hilfs-Vorschubrad und gleichzeitige Verdrehsicherung für den Stamm gewählt. Unter mechanischem Aspekt ist die Ausführung zwar nicht optimal. Sie stellt aber durchaus eine Möglichkeit dar, eine von einem Menschen aufzubringende Vorschubkraft gering zu halten.

Literatur: Hahnloser, Hans R.: Villard de Honnecourt. Kritische Gesamtausgabe des Bauhüttenbuches, 2. Auflage Graz 1972. – Finsterbusch, Edgar / Thiele, Werner: Vom Steinbeil zum Sägegatter, Leipzig 1987. – Jüttemann, Herbert: Wassergetriebene Bauernsägen in Mitteleuropa insbesondere im Schwarzwald bis etwa zum Jahre 1850, Karlsruhe 1982. – Paulinyi, Akos / Troitzsch, Ulrich: Mechanisierung und Maschinisierung. 1000 bis 1600 (Propyläen Technikgeschichte, Bd. 2), Berlin 1992, S. 94-96, Abb. 29.

K. P.

47 Nietbrille

Kopie
Original: Kloster Wienhausen, um 1350
Holz, Glas
H. 5 cm, B. 12 cm, T. 0,5 cm
Oberkochen, Optisches Museum, Inv.-Nr. SZB 01

Die Entwicklung von Lesehilfen beginnt bereits im 13. Jahrhundert. Die zunehmende Verschriftlichung sowie das wachsende Bildungsbedürfnis machten vielen die Einschränkung durch altersbedingte Kurzsichtigkeit offensichtlich. Die ersten Lesehilfen waren geschliffene Lesesteine aus Halbedelsteinen oder Bergkristall, die zur Vergrößerung auf das Buch gelegt wurden. Zum Schutz und zur besseren Handhabung versah man die immer flacher geschliffenen Steine mit einer hölzernen Fassung und einem Stiel. Derartige Eingläser waren die Voraussetzung für die weitere Entwicklung der Lesehilfe Ende des 13. Jahrhunderts: Durch das Zusammennieten der Stiele von zwei Einglässern entstand die sogenannte Nietbrille. Ihre Handhabung war noch sehr mühsam, denn sie saß nicht richtig auf der Nase fest und musste in der Mitte oder am Rand festgehalten werden. Erst das Aufliegen auf dem Nasenrücken, ermöglicht durch das Verkürzen und Krümmen der Stiele, gab zusätzlichen Halt.

Die ersten vollständig erhaltenen, um die Mitte des 14. Jahrhunderts entstandenen Nietbrillen wurden 1953 im Kloster Wienhausen bei Celle gefunden.

Literatur: Jockel, Nils: Formen, Geschichte und Wirkung der Brille, Museum für Kunst und Gewerbe, Hamburg 1986, S. 10-14. – Zeitspuren. Archäologisches aus Baden, hg. von Edward Sangmeister, Freiburg 1993, S. 206.

H. J.

47

48

48 Schulgerät mit Wachstäfelchen und Schreibgriffel
Lübeck, 14. Jahrhundert
Holz, Wachs, Knochen, Bronze
Lübeck, Museum für Kunst und Kulturgeschichte der Hansestadt Lübeck, Inv. Nr. 1582-90 und 1690
Lübeck, Bereich Archäologie der Hansestadt Lübeck (Schreibgriffel), Inv. Nr. 2/194; 6/167; 25/82; 30/13; 30/70; 30/103

Im 13. Jahrhundert setzte sich allmählich die Verschriftlichung im Handelswesen und in der städtischen Ratsverwaltung durch. Der Bedarf an ausgebildeten, der Schrift kundigen jungen Leuten stieg und erforderte den Ausbau des städtischen Schul- und Bildungswesens. Alleiniger Träger der Bildungseinrichtungen war bis dahin die Kirche, die in Klöstern, Dom- und Stiftskirchen Schulen betrieb. Um der erhöhten Nachfrage nach Schulplätzen gerecht zu werden, richteten Städte wie Lübeck oder Hamburg bereits im ausgehenden 13. Jahrhundert in ihren Pfarrkirchen zusätzliche Schulen ein. Die Lehrinhalte und die Vermittlung des Lateinischen entsprachen zunächst der Ausbildung in den geistlichen Schulen. Um 1400 wurden dann weitere Schulen eröffnet, die das Lesen und Schreiben der deutschen Sprache lehrten und somit auch den unteren Bevölkerungsschichten einen Schulbesuch ermöglichten.

Aus der Lübecker Stadtschule haben sich mit schwarzem Wachs gefüllte Täfelchen erhalten, die ursprünglich zu kleinen *Heften* zusammengebunden waren. Mit Hilfe von Schreibgriffeln ritzte der Schüler Texte oder Bilder in die Wachsschicht.

Literatur: Warncke, J.: Mittelalterliches Schulgerät, in: Zeitschrift für Geschichte in Erziehung und Unterricht II (1912), S. 227-250. – Lübecker Museumsführer, Bd. II, Lübeck 1969, Nr. 573. – Stadt im Wandel. Kunst und Kultur des Bürgertums in Norddeutschland 1150-1650, Ausst.-Kat. Braunschweig 1985, Bd. 1, S. 529f., Nr. 448, farb. Abb.

H. J.

49 Christus-Johannes-Gruppe
Heinrich von Konstanz (tätig um 1300)
Konstanz, um 1310/20
Birnbaumholz
H. 18,9 cm
Karlsruhe, Badisches Landesmuseum, Inv.-Nr. 80/26

Die *Augen schließen* (griech.: *myein*) ist die Wurzel des Wortes Mystik – deshalb erklärt sich eines der Lieblingsthemen deutscher Mystik fast von selbst. Der Apostel und Evangelist Johannes empfängt während des Abendmahls an der Brust des Herrn mit geschlossenen Augen himmlische Geheimnisse. Es war vor allem die besondere Art der Frömmigkeit schwäbisch-alemannischer Frauenklöster, die Gefallen an dieser Darstellung fand, die in sich die Erinnerung an das Abendmahl, die Hochzeit von Kanaan und an das himmlische Brautpaar des Hohen Liedes vereint. Die *Unio mystica* ist hier vor Augen gestellt, das völlige Einssein der Seele mit Gott, wonach die Nonnen strebten. An diesen Figuren konnte sich ihr Miterleben entzünden, wie ihr Mitleiden an anderen Andachtsbildern, Skulpturentypen, die ebenfalls um 1300 entstanden und im 14./15. Jahrhundert weite Verbreitung fanden (die Pietà, das sogenannte Pestkreuz, die Christkindwiege, der Schmerzensmann).

49

Die Basis für diese sensitive Mystik war im 12. und 13. Jahrhundert durch die spekulative Mystik des hl. Bernhard von Clairvaux und anderer Theologen gelegt worden. In Deutschland wurde sie später vor allem durch Meister Ekkhart, Heinrich Seuse und Johannes Tauler vertieft und durch Predigten verbreitet.

Literatur: Zimmermann, Eva: Die mittelalterlichen Bildwerke, Badisches Landesmuseum Karlsruhe, Karlsruhe 1985, S. 108-111, Nr. 70, Abb.

B. H.-S.

50 Zwei Stifterscheiben aus dem Kloster Lichtenthal
Straßburg, bald nach 1300
Farbige Gläser, Blei
H. je 78 cm, B. je 51 cm
Karlsruhe, Badisches Landesmuseum, Inv. Nr. 95/919

Zum Andenken an den 1243 verstorbenen Markgrafen Hermann IV. von Baden gründete seine Gemahlin Irmgard die Zisterzienserinnenabtei Lichtenthal, die zum Hauskloster der Markgrafen von Baden wurde. Rudolf I. von Baden (gest. 1288) vermachte dem Kloster testamentarisch Mittel für den Neubau von Totenkapelle und Klosterkirche. Als Dank- eher denn als Memorialstiftung wurde bei der Verglasung des Kirchenchores die Stifterfamilie dargestellt. Auf der Nordseite in einem zweibahnigen Fenster wurde der Stifter mit seiner Gemahlin auf einer Bahn, auf der anderen der Sohn dargestellt. Die ursprüngliche Abfolge der Bahnen ist nicht mehr festzustellen, in Analogie zu späteren Stifterbildern scheint es möglich, den Sohn vor die Eltern zu plazieren. Das dreibahnige Fenster im Chorhaupt hatte wahrscheinlich die Anbetung der Heiligen Drei Könige zum Gegenstand. Sie sind zusammen mit Maria die Patrone des Klosters. Gegenüber den erhaltenen Glasgemälden werden Darstellungen der Äbtissinnen Adelheid von Baden und Adelheid von Lichtenberg vermutet.

Die Stifterscheiben sind die ältesten bekannten Porträts der Markgrafen von Baden. Zudem gehören sie zu den frühesten Beispielen einer auf ein gemeinsames Zentrum ausgerichteten Reihe von Stiftern: über ihren eigenen Tod hinaus sind sie zu immerwährendem Gebet versammelt. Der Stiftungsbrief zu einer habsburgischen Fensterstiftung von 1311 (Ausführung der Chorfenster 1325-1330) in Königsfelden bringt genau dies zum Ausdruck.

Literatur: Becksmann, Rüdiger: Fensterstiftungen und Stifterbilder in der deutschen Glasmalerei des Mittelalters, in: Vitrea dedicata. Das Stifterbild in der deutschen Glasmalerei des Mittelalters, Berlin 1975, S. 65-85, hier S. 74. – Himmelslicht. Europäische Glasmalerei im Jahrhundert des Kölner Dombaus (1248-1349), Ausst.-Kat. Köln 1998/99, S. 228f., Nr. 44, farb. Abb.

B. H.-S.

50

1300

1310 1320 1330 1340 135

Ausklang des Mittelalters

Kolonisation im Osten

Ursprünglich ein Kreuzfahrerorden, bekam der Deutsche Ritterorden von Kaiser Friedrich II. die Herrschaft über die zu den baltischen Volksstämmen gehörenden Prussen (Preußen) zugesichert. **1309** wurde Marienburg Sitz des Hochmeisters des Ordens. Nach der Kolonisation und Christianisierung von Pommern, Brandenburg, des Gebiets östlich der Weser und Schlesiens entstanden deutsche Siedlungen bis zum finnischen Meerbusen. Im Zusammenwirken mit dem Städtebund der Hanse kam es zu einem regen Handelsleben. Dieses führte zum deutschen Übergewicht im Ostseeraum. Aber auch Polen, Litauen und Ungarn strebten nach Expansion.

Bauern gegen Habsburg

Wilhelm Tell, Nationalheld und Dramenfigur Friedrich Schillers, gibt es nur in der Sage. Realität aber war das Ringen der Schweizer um die Festigung ihrer Unabhängigkeit. Die Bauern der Gebirgskantone Schwyz, Uri und Unterwalden hatten sich 1291 zur Schweizer Eidgenossenschaft zusammengeschlossen. **1315** besiegten sie am Morgarten ein habsburger Ritterheer. Das Geschlecht der Habsburger verfügte u.a. über Besitztümer im Aargau und Zürichgau. Es hatte 1273 den König Rudolf I. gestellt. Dieser belehnte dann seine Söhne. Die Verbindung von Erbschaften, Zweckbündnissen und geschickter Heiratspolitik bestimmte fortan die Macht der deutschen Könige und Kaiser (Hausmachtspolitik).

Durch die Hölle zum Paradies

In seinem Todesjahr **1321** beendete Dante Alighieri, die „Divina Commedia" („Die Göttliche Komödie"). Sie war grundlegend für die Entwicklung der italienischen Schriftsprache. Der Inhalt ist die Vision einer Jenseitswanderung durch die Hölle, über den Berg der Läuterung zum Paradies. Der Dichter wird dabei erst von Vergil, dann von der engelgleichen Beatrice begleitet. Das Werk enthält eine Summe antik-christlicher Denk- und Glaubensvorstellungen sowie mittelalterlichen theologischen, naturkundlichen und astrologischen Wissens.

Neuerung in der Malerei

1337 starb in Florenz der italienische Maler und Baumeister der Gotik Giotto di Bondone. Schon die Zeitgenossen feierten seine Fresken und Tafelbilder als Erneuerungen der Malerei. Giotto war Wegbereiter einer auf persönlicher Beobachtung von Natur und Wirklichkeit beruhenden Gestaltung. Der Goldgrund der religiös bestimmten mittelalterlichen Malerei, der das Überirdische symbolisiert hatte, ging in seinen Bildern über in eine plastisch-räumliche Gliederung, die Vorstufe perspektivischen Sehens und Denkens war.

Gipfelblick und Gewissensbisse

Im April **1336** bestieg der italienische Dichter und Humanist Francesco Petrarca den in der Provence gelegenen Mont Ventoux – damals ein kühnes Unterfangen. Am selben Tag berichtete er darüber in einem langen Brief. Er empfand den Gipfelblick als Faszination, hatte dabei allerdings ein religiös begründetes schlechtes Gewissen: Dürfe man denn der weltlichen Schönheit sich überantworten?

Eine neue Epoche kündigte sich an – die Renaissance. Der Mensch als Subjekt erfuhr und genoß fortan lustvoll die irdische Wirklichkeit.

(Übrigens hat Petrarca seinen berühmten Brief erst 17 Jahre später geschrieben. Möglicherweise war er gar nicht auf dem Berg. Schon damals prägte „virtuelle Wirklichkeit" das Bewußtsein.)

Hausmacht und Familienpolitik
Inneres Gesicht und irdisches Erleben
Die Besitzkirche im Zerfall

Der schwarze Tod

Europa fühlte sich einem unerbittlichen Schicksal ausgeliefert. Von Asien kommend, überzog die Pest in immer neuen Wellen den Kontinent, vor allem von **1347 bis 1352**. Sie vernichtete ein Drittel, vielleicht sogar die Hälfte der damaligen Bevölkerung. Das Gottvertrauen erlitt angesichts des „schwarzen Todes" einen tiefen Bruch. Die Pest setzte alle Ordnungen außer Kraft. Weder Glauben noch Rituale waren ihr gewachsen. Die mittelalterliche ergebungsvolle „Kunst des Sterbens" (ars moriendi) versagte. Als Konsequenz wurde das Leben voller Leidenschaft genossen – eine „letzte Gelegenheit" vor dem Vergehen und Verwesen.

Die Goldene Bulle

Beim „Männleinlaufen" auf der Empore der Nürnberger Frauenkirche verneigen sich stündlich sieben Kurfürsten vor dem Kaiser: Die Kunstuhr entstand einige Jahre nach dem **1356** von Kaiser Karl IV. in der Stadt erlassenen Reichsgesetz, der „Goldenen Bulle". Darin wurde das Recht der sieben Kurfürsten zur ausschließlichen Königswahl bestätigt und somit eine Art föderalistischer Staatsaufbau sanktioniert. Karl IV. gehörte zum Grafengeschlecht der Luxemburger, die die Erbschaft des böhmischen Königshauses angetreten hatten. Der Kaiser machte seine Residenzstadt Prag zu einem Kulturmittelpunkt. Er war der bedeutendste Herrscher des Spätmittelalters: hochgebildet, von tiefer Frömmigkeit und zudem ein kluger Kaufmann wie Wirtschaftspolitiker.

Spaltung der Kirche

Nachdem der Papst 1309 seinen Sitz nach Avignon verlegt hatte und damit unter den Einfluß der französischen Könige geriet, kam die Krise der Kirche **1378** voll zum Ausbruch. Das Kardinalskollegium wählte zwei Päpste: einen römischen und einen französischen. Dieses Schisma (Spaltung) führte zu zwei politischen Lagern: Frankreich, Spanien und Schottland schlugen sich auf die Seite Avignons. Die durch die Pest bewirkte religiöse Unruhe wurde durch Mißstände in der Kirche verstärkt: u.a. durch die prunkvolle Hofhaltung des Papstes sowie ein ausbeuterisches Abgaben- und Pfründensystem. Der englische Theologe und Philosoph Wilhelm von Ockham forderte die Trennung von Kirche und Staat. Der englische Theologe John Wyclif bestritt den politischen Machtanspruch des Papstes. Mönchstum und Zölibat lehnte er ab. In Böhmen entstand eine starke vorreformatorische Bewegung mit dem Prager Universitätsprofessor Johannes Hus an der Spitze.

Die Mendelsche Stiftung

1388 begründete der Nürnberger Bürger Konrad Mendel eine Art Altenheim für „getreue Arbeiter, die sich mit ihrer harten Arbeit genährt haben und jetzt arm und krank sind". Die Reichen sollten mit ihrem Reichtum den „Armen und die in Gebrechen zu Hilfe und Trost" kommen.

Weltkarte von Abraham Cresques, der sog. „Katalanische Atlas“
(linker Teil: Europa)
Mallorca, 1375
Paris, Bibliothèque Nationale, Espagnole 30, fol. 3v-6r

Die Karte besteht insgesamt aus acht Teilen. Die Darstellung beginnt links, im Westen, mit der Wiedergabe von Europa und erstreckt sich bis nach Asien. Die verschiedenen Erdteile kennzeichnen auch die in unterschiedlicher Landestracht dargestellten Bewohner, beispielsweise der Kamelreiter mit verhülltem Haupt oder die wie Sultane aussehenden Figuren mit Turbanen.

1400

Krisen des Spätmittelalters

Um 1400 war das Leben der Menschen von verschlechterten Lebensbedingungen geprägt. Kälteres Klima hatte zunehmend die Versorgung mit Lebensmitteln erschwert. Furchtbar waren die Auswirkungen der Pest, die 1348/50 in Europa wütete. Etwa ein Drittel der Bevölkerung starb. Die Angst vor der Seuche entlud sich vielfach in Gewaltausbrüchen, auch in Judenpogromen.

Das Jahr 1400 wurde von den unmittelbaren Zeitgenossen nicht als Wende empfunden. Hinweise, die auf einen Rückblick auf das vergangene Jahrhundert oder auf eine wie auch immer geartete Erwartung des kommenden 15. Jahrhunderts deuten könnten, lassen sich nicht verdichten. In Rom fand wieder ein Heiliges Jahr statt. Aber angesichts der Tatsache, daß erst zehn Jahre zuvor, also 1390, ein *gran perdono* (vollkommener Ablaß) gewährt worden war, scheint dieses Ereignis nicht unbedingt für ein Jahrhundertwendebewußtsein zu sprechen. Zu beachten ist aber, daß der Anstoß für das Heilige Jahr 1400 – wie schon hundert Jahre früher – nicht bei der Kurie lag, sondern von der riesigen Pilgerschar ausging, die in Erwartung eines Generalablasses nach Rom strömte und Papst Bonifaz IX. mehr oder weniger nötigte, ein Jubeljahr auszurufen[1]. Arndt Brendecke konnte zudem zeigen, daß die 1399 einsetzende religiöse Friedensbewegung der italienischen *I Bianchi* die Erfüllung ihrer Erwartungen an das Jahr 1400 bzw. den Beginn des neuen Jahrhunderts knüpfte – wenn auch die nahe Jahrhundertwende nicht zu den ausschlaggebenden Motiven der ganz in weiß gekleideten Frommen gehörte[2].

Den Charakter einer wirklichen Wende schrieben die Menschen einem anderen Ereignis zu, dem Auftauchen der Pest in Europa in den Jahren 1348 bis 1350[3]. Die Pest war eine der schlimmsten Plagen der antiken Welt gewesen. In Europa aber war sie seit dem 9. Jahrhundert nicht mehr vorgekommen. Nun kehrte sie aus Indien ins Abendland zurück[4]. Entlang der Routen der Karawanen aus dem Fernen Osten und über das Schwarze Meer erreichte sie 1346 die Krim und gelangte 1347 in den Mittelmeerraum. 1348 brach die Pest in Genua und Marseille aus, am Ende des Jahres in England. 1349 wütete sie in Schottland und Norwegen, im folgenden Jahr dann auf dem gesamten Kontinent. Die Seuche trat in zwei Formen auf: Bei der Beulenpest lag die Mortalität zwischen vierzig und siebzig Prozent, bei der Lungenpest bei hundert Prozent. Im Durchschnitt soll der Epidemie in der Mitte des 14. Jahrhunderts ein Drittel der Bevölkerung zum Opfer gefallen sein, insgesamt rechnet man für die Pestwelle von 1348/50 mit etwa 25 Millionen Toten.

Die durch die Pest aufgestaute Angst der Menschen entlud sich in gewaltsamen Ausbrüchen, zu deren folgenreichsten die Judenpogrome zählten. Als die vom Massensterben erschütterten Zeitgenossen meinten, die Pest habe aufgehört, glaubten sie, Welt (*mundus*) und Zeit (*saeculum*) seien erneuert worden, ein neues Zeitalter (*nova aetas*) habe seinen Anfang genommen[5]. Aber schnell machte sich Enttäuschung breit. Die Chronisten sahen die Menschen nicht besser, sondern noch schlechter werden, die Erfahrung des großen Sterbens hatte nicht zu einer sittlichen Läuterung geführt, und vor allem begann sich die Pest auf Dauer einzunisten. Sie kehrte in immer neuen Wellen wieder, so daß man sich bald daran gewöhnte, mit der Pest zu leben. Das Interesse an ihrem ersten Auftauchen verschwand bald weitgehend. Schon nach wenigen Jahrzehnten verlor das Phänomen die Aufmerksamkeit und wurde von anderen zeitgenössischen Ereignissen verdrängt. Katastrophen machten zwar immer wieder einen nachhaltigen Eindruck auf die Zeitgenossen, so František Graus, oft vermeinte man in ihnen geradezu eine Zäsur zu sehen, auf die Dauer betrachtet war aber ihre epochenbildende Kraft erstaunlich gering[6].

In diesem Zusammenhang bleibt eine weitere Geißel der Menschheit zu nennen: die um das Jahr 1300 einsetzende Klimaverschlechterung. Der Klimaumschwung, der in Mitteleuropa zu einem Absinken der Jahresdurchschnittstemperatur um zwei Grad Celsius führte, nahm Grenzertragsböden aus der Produktion, senkte die Hektarerträge für Getreide und verkürzte die nutzbaren Ernteperioden. Damit ging eine ökologische Krise einher, die im ausgehenden 13. und im 14. Jahrhundert erstmals faßbar wurde – beispielsweise in Maßnahmen der Städte zum Schutze der Wälder. Man hat diese Krise wie folgt zu beschreiben und erklären versucht: Im ursprünglich dicht bewaldeten Mitteleuropa setzte im 10. Jahrhundert eine Rodungsperiode von bisher nicht gekannten Ausmaßen ein. Die Bevölkerungszahlen wiesen einen zügigen Aufwärtstrend aus. Zwischen den Jahren 1000 und 1340 verdreifachte sich die Zahl der Einwohner Mitteleuropas annähernd und stieg von vier Millionen auf etwa 11,5 Millionen an[7]. Infolgedessen mußten immer mehr Grenzertragsböden unter den Pflug genommen und bis dahin nicht genutzte Flächen für die Agrarproduktion gewonnen werden. Aus dem Wald wurde Acker- und Weideland; und als man den Höhepunkt der Bevölkerungsentwicklung erreicht hatte, war aus der ursprünglich von Wald bedeckten mitteleuropäischen Landschaft mit eingestreuten Siedlungskammern eine solche aus landwirtschaftlichen Fluren mit Waldinseln dazwischen geworden.

Der Wald hatte zu dieser Zeit eine Fläche von 10 Millionen Hektar, d.h. 100.000 Quadratkilometer, eingebüßt[8]. Das Verhältnis von bewaldeter zu unbewaldeter Fläche erreichte einen Zustand, der unserer heutigen Situation in etwa entspricht. Bei anhaltendem Druck auf das Ökosystem Wald wurde die Versorgung der Gesellschaft mit der Zentralressource Wald / Holz im weiteren Verlauf des 13. und 14. Jahrhunderts zunehmend schwieriger. Der Mangel wurde immer spürbarer. Agrarproduktion und Waldnutzung schienen an den durch die Natur vorgegebenen Grenzen angelangt zu sein. Immer mehr Menschen konnten unter den herrschenden Rahmenbedingungen kaum noch ernährt und versorgt werden. Die Lebensbedingungen verschlechterten sich von Jahr zu Jahr. Man war, so Rolf Peter Sieferle, bei der gegebenen technischen Ausstattung an die Grenzen des natürlichen Ökosystems gestoßen; die Übernutzung von Boden und Vegetation machte sich in einer generellen Krise geltend[9]. Das Elend scheint in den Jahren zwischen 1315 und 1319 begonnen zu haben. Die Menschen erlagen massenhaft den Hungersnöten und Krankheiten. Doch dies war nur der Anfang des allgemeinen Sterbens. Der Klimaumschwung bewirkte, daß das große Hungersterben anhielt. Als sich dann seit 1347 die Pestwellen über Europa ergossen und Millionen von Menschen dahinrafften, pendelte sich das ökologische Gleichgewicht auf Kosten des Störenfrieds Mensch und seiner sozialen Ordnung wieder ein. Innerhalb kurzer Zeit verödeten Dörfer und Städte, und die blühenden Gewerbe brachen zusammen. Große Flächen Kulturlands bedeckte bald wieder der Wald.

Es ist verständlich, daß sich Historiker dem Bild vom *„Herbst des Mittelalters"* (Huizinga) hingegeben haben, sind doch neben Pest und von Hungersnöten begleiteten Klima- und Agrarkrisen noch andere Erschütterungen zu verzeichnen. Seit dem katastrophalen Untergang eines Kreuzfahrerheeres bei Nikopolis in Nordbulgarien im Jahr 1396 begann die Türkengefahr ins Bewußtsein zu dringen. Unter den die Zeitgenossen beunruhigenden Ereignissen kommt dem Großen Schisma von 1378 eine herausgehobene Bedeutung zu. Die Kirchenspaltung führte bekanntlich zur Aufteilung Europas in verschiedene Oboedienzen, was beispielsweise die Pilgerfahrten zu den Heiligen Jahren von 1390 und 1400 erheblich tangieren mußte. Aber wenn es auch zutreffen mag, daß der gebildete urbane Mensch des späten Mittelalters das Gefühl hatte, in einer von krisenhaften Erscheinungen geprägten Umbruchzeit zu leben[10], so lassen sich doch neben den Krisen und Krisensymptomen auch Phänomene beobachten, die keinesfalls in das Bild von der Abenddämmerung eingeordnet werden können, sondern eher für eine Aufbruchstimmung – um diesen nicht unproblematischen Begriff einmal zu verwenden – und für die Bereitschaft zu Veränderungen zu sprechen scheinen.

Um 1400 herrschte eine ökologische Krise, doch setzte auch der technische Fortschritt ein.

So fällt zum Beispiel der Aufstieg Europas zur Vorherrschaft auf dem Gebiet der Technik in das ausgehende Mittelalter. Dieses Ereignis von weltgeschichtlicher Bedeutung wird charakterisiert von der Übernahme, Erfindung und Anwendung einer großen Zahl technischer Geräte und Verfahren – beispielsweise dem Wasserrad, der Windmühle, verschiedener Arten von Kränen, dem Kompaß, astronomischen Instrumenten, Brille, dem Hochofen, der mit Schießpulver geladenen Kanone, dem Buchdruck[11]. Während der auf Byzanz ausgerichtete Kulturkreis bereits im 8. Jahrhundert auf technischem Gebiet zu stagnieren begann, in den islamischen Ländern der Trend zu wissenschaftlicher und technischer Betätigung seit dem 12. Jahrhundert in eine Krise geriet, um schließlich zu erlöschen[12], gelang es dem Abendland offenbar bereits um 1400, auch China zu überholen, den bis dahin auf technischem Gebiet führenden Kulturkreis[13]. Zu diesem Bild paßt der beginnende Aufstieg der mathematischen Wissenschaften an den Universitäten, der nicht nur der Komputistik zugute kam, sondern der es in seinem ausgeprägten Bemühen um die Astrologie mit sich brachte, daß über den Weg der exakten Himmelsbeobachtungen mit der Zeit ein neues physikalisches Weltbild entstehen konnte.

Im Zusammenhang mit der Genese des Jahrhundertwendebegriffs sind es gerade Erfahrungen des Wandels, durch die sich die Zeitgenossen des späten Mittelalters veranlaßt fühlten, ein neues Verhältnis zur Zeit und zur Geschichte auszubilden[14]. Wie Klaus Schreiner herausgearbeitet hat, begann sich im ausgehenden Mittelalter die Wahrnehmung gegenwärtiger und vergangener Zeiten zu verändern. Zu beobachten sind eine zunehmende Aufmerksamkeit für die zeitliche Strukturiertheit der alltäglichen Lebenswelt, ein Bewußtsein um den Zeitbezug gesellschaftlicher Handlungszusammenhänge, deren zunehmende Verselbständigung den Bedarf an Zeit erhöhte, sowie wachsende Einsicht in die Besonderheit geschichtlicher Zeiten und Epochen[15]. So ist sicher zu Recht in einem Brief von Coluccio Salutati (1331-1406) an Francesco Zabarèlla (1360-1417) vom 30. August 1400, in dem es um die Frage geht, welcher Rechtsgelehrte das 14. Jahrhundert (*hoc quartodecimo seculo*) am besten repräsentiere, auch ein erster Ansatz zu einer jahrhundertkonformen Bilanzierung gesehen worden[16]. Besonders eindrucksvoll wirkt zudem das Bekenntnis Petrarcas (1304-1374) zum Wert der Zeit, eines Mannes, dem für die Entstehung des Mittelalter-Begriffes eine Schlüsselstellung zukommt: *„Die Zeit ist eine überaus kostbare, ja in ihrem Wert kaum abschätzbare Sache.“*[17]

Anmerkungen:

1 Brendecke, Arndt: Die Jahrhundertwenden. Eine Geschichte ihrer Wahrnehmung und Wirkung, Frankfurt am Main / New York 1999, S. 68.

2 Ebenda S. 67.

3 Graus, František: Epochenbewußtsein im Spätmittelalter und Probleme der Periodisierung, in: Epochenschwelle und Epochenbewußtsein, hg. von Reinhart Herzog und Reinhart Koselleck, München 1987, S. 153-166, hier S. 159.

4 Krüger, Klaus: Das Jüngste Gericht und die alltäglichen Katastrophen, Zur Prognose und Diagnose in der spätmittelalterlichen Stadtchronistik, in: Der Tag X in der Geschichte, Erwartungen und Enttäuschungen seit tausend Jahren, hg. von Enno Bünz, Rainer Gries und Frank Möller, Stuttgart 1997, S. 79-101, hier S. 80.

5 Schreiner, Klaus: „Diversitas Temporum“, Zeiterfahrung und Epochengliederung im späten Mittelalter, in: Epochenschwelle und Epochenbewußtsein, hg. von Reinhart Herzog und Reinhart Koselleck, München 1987, S. 381-428, hier S. 412.

6 Graus (wie Anm. 3) S. 159.

7 Russel, J. C.: Die Bevölkerung Europas 500 bis 1500, in: Europäische Wirtschaftsgeschichte, Bd. 1, hg. von C. Cipolla und K. Borchardt, Stuttgart, New York 1978, S. 13-44, hier S. 21-24. – Bevölkerungsgeschichte Europas, hg. von C. Cipolla und K. Borchardt, München 1971.

8 Gimpel, Jean: Die industrielle Revolution des Mittelalters, Zürich, München 1980, S. 52f.

9 Sieferle, Rolf Peter: Der unterirdische Wald, München 1982, S. 117.

10 Krüger (wie Anm. 4) S. 100.

11 Crombie, Alistair C.: Von Augustinus bis Galilei, Die Emanzipation der Naturwissenschaft, München 1977, S. 171-234: „Technik und Naturwissenschaft im Mittelalter“.

12 Pot, Johan Hendrik Jacob van der: Die Bewertung des technischen Fortschritts, Eine systematische Übersicht der Theorien, Bd. I, II, Assen 1985, hier I, S. 43.

13 Ebenda I, S. 42.

14 Schreiner (wie Anm. 5) S. 384.

15 Ebenda S. 426.

16 Brendecke (wie Anm. 1) S. 106.

17 Schreiner (wie Anm. 5) S. 384.

Sönke Lorenz

51

51 „Der Doten Dantz mit Figuren“
Sogenanntes „Heidelberger Blockbuch“
Deutschland, 1485
Typendruck, kolorierte Holzschnitte
H. 29 cm, B. 22 cm
Heidelberg, Universitätsbibliothek, Cod. Pal. germ. 438

In der Mitte des 14. Jahrhunderts wurde die Pest in Europa eingeschleppt. Ungefähr ein Drittel der Bevölkerung fiel in jener Zeit der Seuche zum Opfer. Das Sterben war allgegenwärtig. Etwa zur selben Zeit entstanden die literarischen und bildlichen Darstellungen des Totentanzes. Es entsprach also der realen Lebenserfahrung der Menschen des späten Mittelalters, wenn in der Bildwelt des Totentanzes der Tod in Gestalt eines menschlichen Skeletts (oder verwesenden Leichnams) einem Lebenden unmittelbar gegenübertritt und mit ihm ein „tanzendes“ Paar bildet. Totentanzdarstellungen sind Bildreihen, bei denen die auftretenden Menschen gleichzeitig als Vertreter der verschiedenen Stände und Lebensalter erscheinen: In Gegenwart des Todes sind alle gleich und alle sind betroffen. Den Bildern sind Texte beigefügt, die in Rede und Gegenrede die Aufforderung des Todes zum Mitkommen und das darauf bezogene Widerstreben des Lebenden beinhalten.

Insbesondere trugen Einblattdrucke und Blockbücher (zu Büchern zusammengefaßte Holzschnittfolgen) zur weiten Verbreitung des Totentanzmotivs bei. Das *Heidelberger Blockbuch* gilt als frühes und herausragendes Beispiel der Totentanzdarstellungen in Deutschland. Hier sind den Figuren des Todes jeweils unterschiedliche Musikinstrumente zugeordnet, so daß ein regelrechtes Totenorchester entsteht.

Literatur: Rosenfeld, Helmut: Der mittelalterliche Totentanz. Entstehung, Entwicklung, Bedeutung, Köln 1968. – Bilder und Tänze des Todes. Gestalten des Todes in der europäischen Kunst seit dem Mittelalter, Ausst.-Kat. Unna / Paderborn 1982, S. 9-27. – Thema Totentanz. Kontinuität und Wandel einer Bildidee vom Mittelalter bis heute, Ausst.-Kat. Mannheim 1986, S. 17.

J. D.

Totentanzdarstellungen entsprachen der realen Lebenserfahrung der Menschen des späten Mittelalters.

52 Vierfachsanduhr im Holzgestell
Bayern, 1751
Messingblech; Glas, bemalt; Silberdraht
H. 20,5 cm, B. 24,7 cm
Stuttgart, Württembergisches Landesmuseum, Inv.-Nr. 1968/366

Gleichzeitig mit den mechanischen Uhren tauchen im 14. Jahrhundert Sanduhren in Europa auf. Beide Uhrentypen ermöglichten und förderten den Gebrauch gleichlanger Stunden oder Stundenteile im alltäglichen Leben. Die Herstellung der Sanduhren aus zwei verbundenen Glaskörpern änderte sich über Jahrhunderte nicht. Bis ins 18. Jahrhundert waren Sanduhren billige und zuverlässige Geräte zur Messung kurzer Zeiträume. Sie fanden Anwendung zur Befristung von Arbeitspausen, Predigten oder Schulstunden. Viertelstundengläser wurden vielfach zur Pünktlichkeitskontrolle in städtischen Gremien benutzt. Die damaligen mechanischen Uhren waren auf See nicht zu gebrauchen. Hier waren Sanduhren von Bedeutung für die Bemessung der Wachen (*Glasen*), für die Bestimmung der Geschwindigkeit (*Loggen*) und in gewissem Umfang auch für die Versuche zur Bestimmung des Längengrads (*Gissen*).

Literatur: Dohrn-van Rossum, Gerhard: Geschichte der Stunde. Uhren und moderne Zeitordnungen, München 1992.

G. D.

53 Spätgotische Konsoluhr
Süddeutschland, 1. Hälfte 16. Jahrhundert
Eisen, Pfeilergestell mit spätgotischer Dekoration, mehrfach (z.B. von Pendel- auf Radunruh) zurückgebaut und ergänzt
H. 43,8 cm, B. 16,5 cm, T. 17 cm
Freiburg, Augustinermuseum, Sammlung Ehrensberger, Sammlungs-Nr. XI

Zu Beginn des 14. Jahrhunderts wurde das Stundenschlagwerk für gewichtsgetriebene Räderuhren in Italien entwickelt. Es ermöglichte die kontinuierliche akustische Anzeige der Tagesstunden auf Glocken, eine schon damals vielbewunderte Neuerung und Prototyp moderner Automaten. Zifferblätter und Zeigerwerke wurden erst am Ende des 14. Jahrhunderts üblich. Die Zahl der Glockenschläge wurde durch die unterschiedlich breiten Kerben auf der außen am Gestell sichtbaren Schloßscheibe geregelt. Die ausgestellte gotische Uhr steht für die Technik der großen Turmuhren, die im 14. Jahrhundert in fast allen europäischen Städten Verbreitung fanden. Sie zeigten durchweg die modernen, gleichlangen und jahreszeitlich unabhängigen Stunden. Im städtischen Alltag wurden so neue Formen der zeitlichen Koordination vieler Termine und präzisere Befristungen, z.B. der Arbeits- oder Schulstunden, möglich.

Literatur: Dohrn-van Rossum, Gerhard: Geschichte der Stunde. Uhren und moderne Zeitordnungen, München 1992. – Uhren aus vier Jahrhunderten. Sammlung Ehrensberger, Ausst.-Kat. Freiburg 1998, S. 109, Nr. 113, Abb.

G. D.

53

52

54

54 Die Gutleuthaus-Anlage in Mosbach

Modell
Ausführung: Ingenieurbüro Burghard Lohrum, Ettenheimmünster
B. 70 cm, T. 50 cm
Karlsruhe, Badisches Landesmuseum

Die mittelalterliche Stadt Mosbach verfügte über zwei soziale Einrichtungen: Das Spital in der Stadt und die Gutleuthaus-Anlage vor der Stadt. Gründungsgeschichte und Gründungsdaten der beiden Stiftungen sind nicht bekannt, sie werden erstmals 1417 als existent erwähnt.

Gutleuthäuser (Leprosorien) hatte man für die aus der Gesellschaft ausgeschlossenen Leprakranken in einiger Entfernung von der Stadt angelegt. Die Kranken lebten hier in einer Art religiöser Bruderschaft, weshalb ihnen nach dem 3. Laterankonzil (1179) ein Geistlicher und eine eigene Kirche gestellt werden sollte. Die Gutleuthaus-Anlage in Mosbach besteht aus dem Gutleuthaus, der Kapelle, dem Friedhof und einem Elendhaus. Baulich geht das bis heute hervorragend erhaltene Ensemble allerdings erst auf die 1430er Jahre (Kapelle) bzw. auf die Jahre um 1560 (übrige Gebäude) zurück. In dieser Zeit hat die Anlage wohl schon nicht mehr für Leprakranke gedient, sondern allgemeiner als Siechen- und Armenhaus.

Literatur: Ernst, Albrecht: Mosbach, in: Der Neckar-Odenwald-Kreis (Kreisbeschreibungen des Landes Baden-Württemberg), Bd. 2, Sigmaringen 1992, S. 98f. und S. 180f. – Lacroix, Emil: Die Gutleuthausanlage zu Mosbach, in: Mein Heimatland 28 (1941) S. 60-78. – Schott-Volm, Claudia / Keil, Gundolf: Artikel „Aussatz", in: Lexikon des Mittelalters, Bd. 1 (1980) Sp. 1249-1257.

J. M. S.

55 Das seit 1388 gebaute Kaufhaus zu Konstanz

Nach einer Vorlage von Matthäus Merian aus dem Jahr 1643
Adolf Weinbrenner (1836-1921)
1890
Feder, grau laviert
H. 20,2 cm, B. 29,8 cm
Konstanz, Rosgartenmuseum, Inv.-Nr. T 228

Bis in das hohe Mittelalter gehörte es zur Lebensform des Fernhändlers, daß er mit seinen Waren von Ort zu Ort reiste. Erst seit dem 13. Jahrhundert wurde der Kaufmann mit seinem Geschäftsbetrieb seßhaft, diente sein Haus als Warenlager. Bei dem Besuch der Warenumschlagplätze, besonders der großen Messen, benötigten die Kaufleute Unterkünfte und Warenlager, die sie anfangs bevorzugt in den Höfen von Klöstern, Stiften und Kirchen und – etwas später – des städtischen Patriziats fanden. Neben diesen älteren Formen trat der neue Bautyp des Kaufhauses, dessen Entstehung in der Zusammenfassung der Verkaufsauslage bestimmter Warengruppen und dem wachsenden Interesse der Stadtherrn an den Zolleinnahmen mitbestimmt war. Seine architektonische Grundform war die Halle, wie sie auch dem größten in Deutschland noch erhaltenen Kaufhaus in Konstanz zugrunde liegt. Dieses wurde ab 1388 direkt am Konstanzer Hafen gebaut. Es diente nicht nur dem Handel, sondern auch kommunalen Zwecken wie den alljährlichen Schwörtagen. Während des Konstanzer Konzils 1414 bis 1418 wurden für die Papstwähler 52 Kammern eingebaut – das Konzil selber fand im Münster statt.

Literatur: Meckseper, Cord: Kleine Kunstgeschichte der deutschen Stadt im Mittelalter, Darmstadt 1982. – Maurer, Helmut: Das Konstanzer Kaufhaus im Mittelalter, in: Konstanz in alten Ansichten, Teil 2, hg. von Brunhild Gonschor, Ausst.-Kat. Konstanz 1988, S. 11-15, S. 40f., Nr. 1.1.27, Abb.

S. L.

55

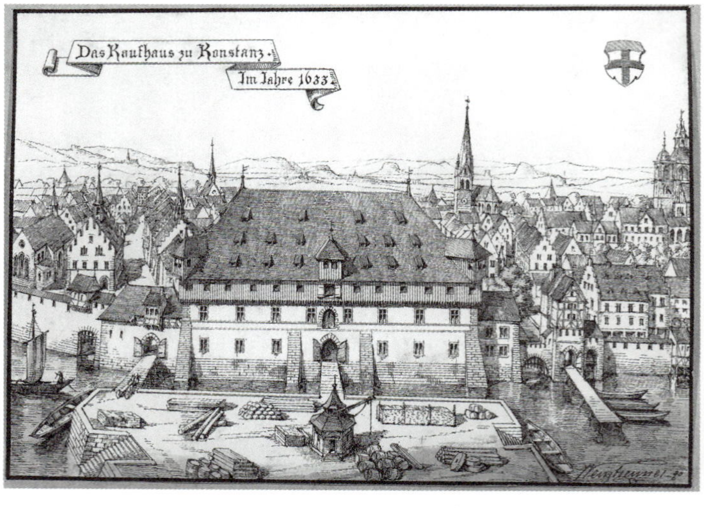

56 Kopialbuch der Ravensburger Handelsgesellschaft
ca. 1380 bis 1530
Feder auf Papier
H. 24 cm, B. 15 cm
Karlsruhe, Generallandesarchiv, 67/1686

Die Ravensburger Handelsgesellschaft wurde um 1380 gegründet und bestand dann bis 1530. Sie war die größte oberdeutsche Handelsgesellschaft des Spätmittelalters, vertrieb als wichtigste Exportgüter neben dem heimischen Leinen (Barchent) Metalle, Wollstoffe, Seide, Felle und Leder. Sie importierte ostindische Spezereien wie Pfeffer, Gewürznelken, Zimt und Ingwer, und handelte mit Safran, Zucker, Reis, Datteln und anderen südländischen Früchten sowie Edelsteinen. In seiner Blütezeit besaß das Unternehmen Niederlassungen in Venedig, Genua, Mailand, Lyon, Perpignan, Toulouse, Marseille, Aquila, Mallorca, Valencia, Alicante, Bilbao und Zaragozza. Kontore gab es zudem in Köln, Brügge, Antwerpen und London. Beziehungen bestanden auch zu Breslau, Ofen und Wien, doch bildete der Italienhandel das Kernstück der Gesellschaft.

Literatur: Schulte, Aloys: Geschichte der großen Ravensburger Handelsgesellschaft 1380-1530, 3 Bde., Stuttgart und Berlin 1923 (reprint: Wiesbaden 1964). – Schuler, Peter-Johann: Artikel „Ravensburger Handelsgesellschaft", in: Lexikon des Mittelalters, Bd. 7, 1995, S. 488f.

S. L.

Die Ravensburger Handelsgesellschaft war die größte oberdeutsche Handelsgesellschaft des Spätmittelalters.

57

57 Rechenbrett mit Rechenpfennigen
Brett: Rekonstruktion
Ausführung: Christoph Adler, Badisches Landesmuseum Karlsruhe
Eiche
H. 50 cm, B. 60 cm
Originale Rechenpfennige: Kupfer, Messing
Karlsruhe, Badisches Landesmuseum

Für den Waren- und Zahlungsverkehr war im Mittelalter das Rechnen ebenso notwendig wie heute. Man bediente sich dazu einer einfachen Rechnungs- und Zählmethode, des Rechnens „auf der Linie". Das dabei verwendete Rechenbrett (auch Rechentisch, Rechentuch) trug waagerechte Linien, von denen die unterste für die Einer bestimmt war, die zweite darüber für die Zehner, die dritte für die Hunderter, die vierte, welche durch ein Andreaskreuz gekennzeichnet war, für die Tausender usw. Durch Auflegen von entsprechend vielen *Rechenpfennigen*, eigens zu diesem Zweck geprägten Messing- oder Kupfermarken, konnten Zahlen aller Art dargestellt und alle Rechnungsarten durchgeführt werden.

Der berühmte Rechenmeister Adam Ries (1492-1559) (*„Nach Adam Riese"*) hat Handbücher sowohl für das Rechnen *„auf der Linie"* als auch für das Rechnen *„mit der Feder"*, das heißt die heute übliche schriftliche Rechnungsart unter Verwendung von arabischen Ziffern, geschrieben.

Literatur: Barnard, Francis Pierrepont: The Casting-Counter and the Counting-Board. A Chapter in the History of Numismatics and Early Arithmetic, Oxford 1917 (Nachdruck Castle Cary 1981).

P.-H. M.

58

58 Wilder Mann
Fragment eines Chorgestühls
Köln (?), spätes 14. Jahrhundert
Eiche
H. 31 cm
Köln, Schnütgen-Museum, Inv.-Nr. A 47

Mit der beginnenden Renaissance stellen sich in der nordeuropäischen Kunst die *Wilden Leute* ein: Menschen mit zotteligem Fell und barfüßig, die in einfachen Hütten hausen. Sie hantieren mit bäuerlichen oder höfischen Gerätschaften, führen Jagdhunde und Falken mit sich und kämpfen mit wilden Tieren oder reiten sie. Anklänge an Vitruv und Lucretius (*De natura rerum*) scheinen evident, sind aber im einzelnen noch nicht nachgewiesen. Wie beliebt sie waren, belegt die Tatsache, daß zahlreiche profane Wandteppiche des Spätmittelalters aus Basel und Straßburg *Wilde Leute* zeigen. Auch als Wappenhalter wurden diese Gestalten oft eingesetzt. Der *Wilde Mann* von einem Chorgestühl in Köln kämpfte ursprünglich gegen ein Untier, dessen Krallen noch zu erkennen sind, wahrscheinlich war es ein Greif, dessen Existenz im Mittelalter verbürgt schien – als Teil *wilder* Natur, während der *Wilde Mann* schon auf dem Weg zur Zivilisation war.

Literatur: Die Parler und der schöne Stil 1350–1400, Ausst.-Kat. Köln 1980, Bd. 3, S. 110 f., Abb.

B.H.-S.

59 Das Feuerwerkbuch „Bellifortis“
Konrad Kyeser (geb. 1366)
Schwäbisch?, ca. erstes Viertel 15. Jh., vermutlich vor 1430
Papier, kolorierte Federzeichnungen
H. 29,8 cm, B. 20,5 cm
Göttingen, Niedersächsische Staats- und Stadtbibliothek, 2° Cod. ms. Philos. 64 Cim.

Mit der Verbreitung und wachsenden Bedeutung des Schießpulvers kamen im 14. und 15. Jahrhundert in Deutschland als eine besondere Gattung Büchsenmeister- und Feuerwerksbücher auf. In ihnen werden die Herstellung und Handhabung des Pulvers, die Anfertigung und der Einsatz verschiedener Büchsen und Geschosse, verschiedenste Belagerungsmaschinen und Verteidigungswaffen sowie der Gebrauch von Feuerwerkskörpern demonstriert. Eine der ältesten Handschriften dieser Art, die artilleristisches und kriegstechnisches Wissen miteinander verband und mit 174 kolo-

59

rierten Federzeichnungen illustriert wurde, ist Konrad Kyesers *Bellifortis (Der Kriegsstarke)*. Sie soll 1405 fertiggestellt worden sein und hat auch aufgrund ihres Lehrbuchcharakters in zahlreichen Abschriften große Verbreitung gefunden.

Literatur: Götz, Dorothea: Die Anfänge der Artillerie, Berlin 1985. – Friedrich, Udo / Rädle, Fidel: Konrad Kyeser Bellifortis – Feuerwerkbuch, München 1995.

R. W. S.

60 Szepter der Universität Heidelberg
Heidelberg (?), 1387
Silber, (neu) vergoldet
H. 27,5 cm (ohne Stab)
Heidelberg, Rektorat der Universität

Das Aufkommen der modernen Universitäten im Europa des 12. Jahrhunderts verdankte sich sowohl dem neuen Wissenschaftsverständnis der Scholastik wie dem Drang zur Bildung von festen Korporationen, der in dieser Zeit die abendländische Gesellschaft prägte. Den Universitäten in Bologna und Paris folgend entstanden weitere Universitäten, bald jedoch nicht mehr evolutionär, wie noch das Erfurter Studium generale, sondern auf staatliche Initiative. Dieser Entwicklung deutlich hinterherhinkend begann im Deutschen Reich erst 1347/48 mit Prag eine Welle von Universitätsgründungen, die 1365 mit Wien fortgeführt wurde. Die dritte Gründung (aber erste auf dem Gebiet der heutigen Bundesrepublik Deutschland) war Heidelberg. Es dürfte nicht zuletzt politisches Geltungsbedürfnis in der Konkurrenz zu den Luxemburgern und Habsburgern gewesen sein, das den pfälzischen Kurfürsten Ruprecht I. zu diesem Schritt veranlaßte. Außerdem bot sich ein solches geistiges Zentrum als Klammer für die zersplitterte Kurpfalz und Orientierungspunkt für die Nachbarn an. Stark begünstigend wirkte dabei der Umstand, daß für die Neugründung Gelehrte und Studenten zur Verfügung standen, die durch das abendländische Schisma aus Paris und durch inneruniversitäre Konflikte aus Prag vertrieben worden waren. Vom Oktober 1385 datiert die Stiftungsbulle Urbans VI. für Heidelberg, am 26. Juni 1386 erfolgte die endgültige Stiftung durch den Kurfürsten. Die mittelalterlichen Universitätsgründungen waren Ausgangspunkt eines Prozesses, der über steigende Bildungsanforderungen an die Führungskräfte zu einer *Akademisierung* des öffentlichen Lebens führte, wie sie in der Neuzeit umfassend greifen sollte.

Universitätsszepter wurden den Rektoren bei besonderen Anlässen voraus getragen. Sie bezeugten die besonderen Hoheitsrechte, mit denen die Universitäten ausgestattet waren (akademische Gerichtsbarkeit, Graduierungsrecht). Das Heidelberger Universitätsszepter mit dem zwölfjährigen Jesus und vier Schriftgelehrten gilt als das älteste in Europa erhaltene.

Literatur: Wolgast, Eike: Die kurpfälzische Universität 1386-1803, in: Semper Apertus, Sechshundert Jahre Ruprecht-Karls-Universität Heidelberg 1386-1986, Bd. 1, Berlin u.a. 1985, S. 1-70. – Müller, Rainer A.: Geschichte der Universität. Von der mittelalterlichen Universitas zur deutschen Hochschule, München 1990. – Fritz, Johann Michael: Goldschmiedekunst der Gotik in Mitteleuropa, München 1982, S. 239f., Nr. 384, Abb.

J. M. S.

60

61

61 Stifterfigur des Johanniterkomturs Markward Stahl
Schwaben (Ulm?), um 1405/1406
Gelblicher Sandstein
H. 91 cm, B. 43 cm, T. 25 cm
Schwäbisch Hall, Hällisch-Fränkisches Museum, Inv.-Nr. 49

Markward Stahl ist kniend, in der für Stifterbilder typischen Adorantenhaltung dargestellt. Tonsur und das Kreuz auf seinem Chormantel kennzeichnen ihn als Ordensritter. Die verhaltene Monumentalität und individualisierte Physiognomie der Figur vermitteln eine neue, neuzeitliche Auffassung des Stifterbildes. In der zweiten Hälfte des 14. Jahrhundert beginnt das traditionelle Menschenbild, sich durch zunehmendes bürgerliches Selbstbewusstsein allmählich zu wandeln. Deutlich schlägt sich diese neue Geisteshaltung in der Grabmal- und Stifterfigur nieder: Imposant ins Bild gerückte, individualisierte Figuren mit zum Teil porträthaften Zügen verdrängen die traditionelle Bedeutungsperspektive und gleichen sich somit in ihrer Wertigkeit den Heiligenfiguren an. Die Skulptur des Markward Stahl, die zu den herausragenden Werken des für den Haller Raum selten nachzuweisenden *Weichen Stils* gehört, flankierte einst, zusammen mit einer verschollenen zweiten Figur, das nicht mehr erhaltene Sakramentshaus der Johanniterkirche in Schwäbisch Hall. Markward Stahl stiftete dieses Sakramentshaus im Jahre 1405 und setzte sich somit ein imposantes Denkmal.

Literatur: Decker, Bernhard: Hällisch-Fränkisches Museum. Die Bildwerke des Mittelalters und der Frührenaissance 1200-1565, Sigmaringen 1994, S. 41-45.

H. J.

In der individualisierten Physiognomie des Porträtierten spiegelt sich das zunehmende bürgerliche Selbstbewusstsein.

62 Madonna im „Schönen Stil"
Süddeutsch, um 1430
Pappelholz, vollrund; neue Fassung
H. 97,5 cm
Karlsruhe, Badisches Landesmuseum, Inv.-Nr. 62/111

Schöner, weicher, internationaler Stil: es gibt viele Bezeichnungen für die Kunst um 1400 und jeder ist treffend. In ganz Europa findet sich um diese Zeit Malerei und Skulptur mit fülligen Gewändern, deren Falten harmonisch-fließend geordnet sind. Besonders bekannt sind die *schönen Madonnen*, eine variantenreiche Gruppe von stehenden Marienfiguren mit dem meist nackten Kind auf dem linken Arm. Da Maria sinnend den Kopf neigt und die linke Hüfte als Stütze für das Kind aus der Körperachse weicht, ergibt sich ein S-Schwung, der die ganze Figur durchzieht. Die Marien sind schlank, mit schmalen Schultern und schmaler Taille, die Gesichter puppenhaft-lieblich mit heller Gesichtsfarbe und kleinem rotem Mund, die Haare, soweit sie unter dem reichen Schleier erkennbar werden, blond und gewellt. Damit entsprechen sie dem in der Literatur des Mittelalters formulierten Schönheitsideal, das als ganzheitliches auch ethische Qualitäten einschloß.

Die Nachfrage nach diesem neuen Madonnentyp war offenbar beträchtlich: er wurde in Holz, Ton, Stein und Kunststein ausgeführt und erstmals lassen sich – wohl wegen der relativ breiten Überlieferung – Hinweise auf serienmäßige Fertigung finden. Bei dem ausgestellten Bildwerk handelt es sich um eine späte Formulierung der Bildidee. Schleier und seitliche Faltenkaskaden folgen noch ganz dem traditionellen Schema, während in den Mantelfalten schon Straffungen und Knickungen auftreten, die auf den Madonnentyp der Jahrhundertmitte verweisen.

Literatur: Zimmermann, Eva: Die mittelalterlichen Bildwerke, Badisches Landesmuseum Karlsruhe, Karlsruhe 1985, S. 145-147, Nr. 92, Abb.

B. H.-S.

62

Aufstieg der Neuzeit

Kritik am Papst

Jan Hus wurde **1415** in Konstanz als „Irrlehrer" verbrannt. Das dort tagende Konzil hatte ihn als Ketzer verurteilt. Die Bischöfe und kirchlichen Amtsträger wollten mit diesem Urteil ihre Rechtgläubigkeit beweisen. Anders als bei früheren Konzilen war ihr Hauptziel nicht mehr die Unterstützung des Papstes, sondern die Bekämpfung seines Absolutheitsanspruchs. Insofern war der neue Konziliarismus eine Art republikanische Bewegung in der Kirche. Die Bischöfe erklärten sich als souverän und unter direkter göttlicher Leitung stehend. Nun begann die besondere Ausstrahlung des Papstes als Nachfolger Petri, Hirt der Völker und Statthalter Christi zu schwinden. Man empfand ihn zunehmend nur noch als mächtigen Herrscher „mit Krone, Geldsack und Kirchenstaat".

Erste Feuerwaffen

Der Freiburger Franziskanermönch Berthold Schwarz soll im 14. Jahrhundert das Schießpulver erfunden haben. Es war aber schon vorher bei den Chinesen, Mongolen und Arabern bekannt gewesen. Der Gebrauch der „Feuerwaffen" setzte sich nur langsam durch. Im Nürnberger Reichsabschied von **1431**, der die Truppenanteile des Hussitenfeldzuges regelte, wurde die Büchse erstmals mit der Armbrust gleichgestellt. Das Rittertum, das nach wie vor auf schwerfällig machende Rüstungen setzte, ging weniger an der neuen Waffentechnik, als vielmehr an innerer Zerrüttung zugrunde. Der Straßburger Prediger Geiler von Kaysersberg meinte, daß nur der Name des Adels geblieben sei, aber nichts von der „edlen" Sache: „keine Klugheit, keine Frömmigkeit, keine Liebe zum Staate, keine Leutseligkeit", stattdessen „Lüderlichkeit und Übermut".

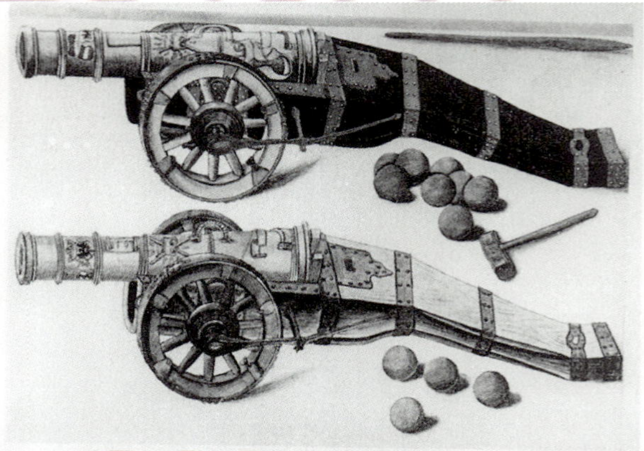

Die Jungfrau von Orléans

1429 wurde in Reims der französische Thronfolger als König Karl VII. gekrönt. Währenddessen tobte der Kampf gegen die Engländer, die das Land beanspruchten. Die entscheidende Wende des Krieges wurde durch das Bauernmädchen Jeanne d'Arc herbeigeführt. „Innere Stimmen" ließen sie für den König das Schwert ergreifen. Mit einem Heer von 10.000 Mann, das ihr aufgrund ihrer visionären Überzeugungskraft anvertraut wurde, durchbrach sie die englische Belagerung von Orléans und öffnete dem König den Weg nach Reims, der geheiligten Krönungsstätte. Dann freilich fiel sie in die Gefangenschaft der Engländer, die sie 1431 der Hexerei anklagten und verbrannten. 1456 wurde sie von einem französischen Gericht rehabilitiert.

Ketzer und Hexen
Beweglichkeit des Geistes
Entdeckungen durch Seefahrt

Die bewegliche Letter

1455 wurde in Mainz erstmals eine Bibel gedruckt. Johannes Gutenberg hatte eine neuartige Druckweise entwickelt. Mit aus Blei gefertigten, beliebig kombinierbaren Einzelbuchstaben konnten Bücher „schnell, geschmackvoll und schön" hergestellt werden. Die neue Technik verbreitete sich rasch. Die „Truck-Kunst" war auch Ausdruck des mit der Renaissance aufkommenden Individualismus. Die bewegliche Letter wurde so zum Symbol des Humanismus, der den Anspruch des Menschen auf Eigenwert betonte und, oft mit journalistischen Mitteln, gegen die „Dunkelmänner", vor allem der Kirche, vorging. Die humanistischen Aufklärer glaubten an die Vernunft, die ein friedvolles und vorurteilsfreies Zusammenleben der Menschen ermöglichen sollte.

Die Souveränität des Menschen

1486 veröffentlichte der italienische Humanist Giovanni Pico della Mirandola seine Abhandlung „De dignitate hominis" („Über die Würde des Menschen"). Daraufhin wurde er als Ketzer vom Papst verfolgt und starb mit einunddreißig Jahren. In seiner Schrift erweist sich Adam als ein von der Erbsünde befreites souveränes Subjekt, das im Mittelpunkt der Welt steht. Solche „Zentralität" wird von Gott selbst dem „neuen Adam" verkündet: „Du kannst zu den niedersten Geschöpfen der Tierwelt entarten. Du kannst dich aus eigenem Willensentschluß in die höheren, das heißt die göttlichen Regionen wiedergebären."

Hexenhammer

Die Inquisition griff im 15. Jahrhundert immer mehr um sich. Aus der portugiesischen Sprache entnommen, wurden

ven als Wettermacherinnen. – Titelseite von: Ulrich Molitor, De laniis et phito
lieribus, 1489.

Ketzergericht und Ketzerverbrennung „Autodafé" genannt (nach dem lateinischen Wort „actus fidei" – „Glaubensakt"). Allein dies zeigt das Ausmaß pervertierter Theologie. Sie war für die kirchlich organisierten Massenmorde verantwortlich. **1487** erschien in Deutschland der von zwei dominikanischen Inquisitoren verfaßte „Hexenhammer", ein barbarisches, durch sexuelle Obsessionen bestimmtes „Handbuch" für Hexenverfolgungen.

Aus Eva wird Venus

Um 1485 entstand das Gemälde „Die Geburt der Venus" von Alessandro di Mariano Filipepi, genannt Botticelli. Die Werke des Malers entsprachen mit ihrer Empfindsamkeit, Geistigkeit und Eleganz dem preziösen Geschmack der Humanisten. Auch förderten sie den Glanz seiner Heimatstadt Florenz, das von den Medici beherrscht wurde. Eva (und Adam) erfuhren eine Umwertung: die Vertreibung aus dem Paradies eröffnete dem Renaissance-Selbstbewußtsein die Möglichkeit eines irdischen Paradieses. Menschliche Erfindungsgabe vermöchte „den Garten auf Erden" zu schaffen.

Weltkarte von Juan de la Cosa
Spanien, um 1500
Berlin, Preußischer Kulturbesitz, Staatsbibliothek, Kartenabteilung
Kart U 3523 (Faksimile)

Die Karte ist die erste datierte Karte, die Amerika verzeichnet. Zur Zeit ihrer Anfertigung befand sich Kolumbus auf der dritten Reise, die ihn in das nördliche Küstengebiet Südamerikas führte. Cosa war sein Reisegefährte. Auf der Karte bezeichnet er die Entdeckung „Indiens" als „Land, entdeckt durch König Manuel, König von Portugal". Viele auf der Karte verzeichnete Schiffe mit portugiesischer Flagge weisen den Weg dorthin.

1500

Aufbruch in die Neuzeit

Das Jahr 1500 vollendete die erste Hälfte des Millenniums. Noch war das Jahrhundert nur in Gelehrtenkreisen als Begriff der Zeit bekannt. Doch neben den herkömmlichen Vorstellungen gab es nun ein Bewusstsein für die Jetztzeit mit einem neuen Verständnis für politische und religiöse Ordnung, für wissenschaftliche und technische Errungenschaften und für geographische Entdeckungen. Europa stand an der Schwelle zur Neuzeit.

Das Jahr 1500 scheint in besonderem Maße geeignet für die Suche nach einem Jahrhundertwendebewußtsein. Gibt doch der Abschluß eines halben Jahrtausends, der auch den in Kategorien wie *Mittelalter* und *Neuzeit* denkenden Historiker unserer Tage kaum unbeeindruckt läßt, Anlaß zu Hoffnungen, in den Quellen fündig zu werden. Zudem nährt das bekannte Interesse der Humanisten an der Geschichte Erwartungen, nun endlich auf dezidierte Aussagen zu stoßen. Und tatsächlich, kaum hingeschaut, gerät einem der berühmte Ausruf Ulrich von Huttens ins Blickfeld: *„Oh Jahrhundert, Oh Wissenschaften! Es ist eine Lust zu leben" („O saeculum, o litterae, juvat vivere").* Leider geht die Übersetzung fehl, es muß heißen: *„Oh welche Zeiten, welche Gelehrsamkeit"*[1]. Es bleibt nicht bei dieser Enttäuschung, fällt doch auch das Ergebnis einer breit angelegten Spurensuche tatsächlich eher mager aus.

Ausgehend von Dürers berühmtem Selbstbildnis aus dem Jahre *„1500"* in der Münchener Alten Pinakothek, wie es die von der Hand des Künstlers bemerkenswert gestaltete Datierung an exponierter Stelle festhält, hat Dieter Wuttke den Versuch unternommen, in dem Gemälde ein Dokument zu sehen, mit dem das Jahr 1500 in den Rang eines *„Epochenjahrs"* gehoben werden sollte[2]. Für seine Argumentation stützt er sich besonders auf eine Pergamenthandschrift von Konrad Celtis (1459-1508), die *Fünf Bücher Epigramme*[3]. Diese waren offensichtlich für den Druck vorgesehen, sind als solcher aber nicht erschienen. Die fünf Bücher enthalten jeweils 100, also insgesamt 500 Epigramme[4] (darunter vier Gedichte zum Lob Dürers). In der ersten Fassung der Schlußschrift des Manuskripts heißt es, es sei im Jahr 1500 vollendet worden[5]. Arndt Brendecke konnte das Bewußtsein um die Besonderheit des Jahres 1500 im Umkreis des *„Erzhumanisten"* noch erhärten, die schon deshalb zweifelsfrei feststeht, weil eine Reihe von Briefen an und von Celtis im Jahr 1500 mit *„annus saecularis"* datiert sind[6]. Zudem hat Celtis zum *„annus saecularis MD"* ein eigenes *carmen saeculare* abgefaßt.

Doch insgesamt sind die Zeitgenossen des Jahres 1500 vom Vorgang der Jahrhundertwende nicht oder kaum beeindruckt worden. *„Die Anzahl und Dichte der Quellen, der Tagebücher und Briefe, die über diese Jahre berichten, ohne die Jahrhundertwende zu erwähnen, läßt es unwahrscheinlich erscheinen, daß man hierzu viele Ausnahmen finden kann"*. Wo das Jahr 1500 thematisiert wurde, etwa in zeitgenössischen Datierungen, sprach man vom *„Heiligen Jahr"* 1500. In dieses Jahr – aber eben nicht in das 16. Jahrhundert – meißelte sich am 25. Dezember 1499 mit gemessenen Schlägen in die mit Ziegeln vermauerte Porta sancta der Peterskirche der Borgia-Papst Alexander VI. hinein[7]. *„Es gab zwar auch Endzeiterwartungen, die das Jahr 1400 und 1500 betrafen, doch in Anbetracht der anhaltenden Produktion christlicher Endzeitberechnungen müßte es verwundern, wenn diese Jahre ausgespart geblieben wären."*[8]

So findet sich jedenfalls auf das vergangene 15. Jahrhundert auch kein Rückblick, in dem Gewinn und Verlust bilanziert worden wäre. Ereignissen wie dem Fall von Konstantinopel, der Erfindung des Buchdrucks, dem Untergang des Reiches Karls des Kühnen oder gar den Entdeckungsreisen des Kolumbus blieb ihr epochaler Rang verwehrt. Auch der bereits 1500 bemerkenswerte Aufstieg des Hauses Habsburg zur Weltmacht war kein Thema saekularer Zuordnung. Ebensowenig wurden die weitgefächerten Bemühungen um eine Kirchenreform als ein beeindruckender – und heute oft übersehener – Aktivposten aufgelistet.

Aber etwas anderes fällt auf. In den Jahrzehnten um 1500 stößt man allenthalben auf etwas, das Jan-Dirk Müller als *„Jetztzeitbewußtsein"* umschrieben hat. Es ist das Bewußtsein, Neues im Gegensatz zu einem abgelebten *Alten* zu erfahren: Es dient der Selbstvergewisserung über den eigenen Standort, wie illusionär dies auch sein mag[9]. Dieses emphatische *„Jetztzeitbewußtsein"* scheint Ausdruck einer Krisenerfahrung zu sein, die die unterschiedlichsten Lebensbereiche erfaßt. Am spektakulärsten und wohl auch am nachhaltigsten artikuliert es sich in der *Intelligenz*. So führte die Ablehnung überkommener Bildungsziele und Wissenstraditionen bereits vor der Reformation zu einer Umgestaltung des Lehrplans der Artistenfakultät, in dem die bis dahin dominante Logik – und mit ihr die spätmittelalterliche *logica modernorum* – definitiv ihren Platz verlor. Breitenwirkung erhält das *„Jetztzeitbewußtsein"* in der frühen Reformation, doch sieht Müller es sich ebenso in den Versuchen einer politischen Neuordnung ausprägen wie in Urteilen über die geographischen Entdeckungen oder wissenschaftliche, zivilisatorische und technische Errungenschaften. Auch andere Zeichen einer veränderten Einstellung geben sich bei näherer Betrachtung zu erkennen. Der Jahrhundertbegriff gewann durchaus bereits an Wirkung, so daß das großangelegte Projekt einer evangelischen Kirchengeschichtsschreibung, das sich mit dem Namen der *Magdeburger Zenturien* verbindet, 1552 nicht aus dem Nichts entstand.

Um 1500 stößt man allenthalben auf ein Jetztzeitbewusstsein. Neues wird im Gegensatz zum Alten erfahren.

Zwar fehlte noch immer ein historischer Jahrhundertbegriff, der das Jahr 1500 als Wechsel zweier Jahrhunderte hätte erscheinen lassen, aber der *centenarius* war über die Komputistik bereits zum festen Bestandteil der Zeitrechnung geworden. Ein weitverbreiteter *Computus*, der in den dreißiger Jahren des 14. Jahrhunderts im Erfurter Wissenschaftsbetrieb entstand und von den Quellen zumeist einem gewissen Johannes de Erfordia zugeschrieben wird, beherrschte den Lehrbetrieb der mitteleuropäischen Artistenfakultäten des 15. Jahrhunderts10. In diesem viel und oft abgeschriebenen, bearbeiteten, kommentierten und um 1480/85 früh gedrucktem Werk, dessen kritische Ausgabe ein Desiderat der Forschung ist, findet sich der früheste Beleg einer mit dem centenarius arbeitenden Rechenmethode. Und so ist es vielleicht nicht ganz erstaunlich, wenn Johannes Kyll zum Beginn seines Rektorats der Universität Erfurt für das Sommersemester 1492 in die Matrikel ein ganzseitiges Bild mit der Überschrift versehen läßt: „In secundo centenario primus monarcha"[11]. Hundert Jahre früher, 1392, war der Erfurter Universitätsbetrieb aufgenommen worden.

Anmerkungen:

1 Brendecke, Arndt: Die Jahrhundertwenden. Eine Geschichte ihrer Wahrnehmung und Wirkung, Frankfurt am Main / New York 1999, S. 71. – Vgl: Graus, František: Epochenbewußtsein im Spätmittelalter und Probleme der Periodisierung, in: Epochenschwelle und Epochenbewußtsein, hg. von Reinhart Herzog und Reinhart Koselleck, München 1987, S. 153-166, hier S. 161.

2 Wuttke, Dieter: Dürer und Celtis: Von der Bedeutung des Jahres 1500 für den deutschen Humanismus: „Jahrhundertfeier als symbolische Form", in: The Journal of Medieval and Renaissance Studies 10 (1981), S. 73-129. – Vgl. Brendecke (wie Anm.1) S. 69-74.

3 Kassel, Murhardsche Bibliothek und Landesbibliothek, Ms. poet. fol. 7.

4 Wuttke (wie Anm. 2) S. 107.

5 Ebenda.

6 Brendecke (wie Anm. 1) S. 72f.

7 Vgl. Schwartz, Hillel: Zeitenwende – Weltenende? Visionen beim Wechsel der Jahrhunderte von 990-1990, Braunschweig 1992, S. 134. (Die Arbeit ist in den wesentlichen Fragen nach der Terminologie unpräzise und in ihren Prämissen unreflektiert.)

8 Brendecke (wie Anm. 1) S. 73.

9 Müller, Jan-Dirk: „Alt" und „Neu" in der Epochenerfahrung um 1500, Ansätze zur kulturgeschichtlichen Periodisierung in frühneuhochdeutschen Texten, in: Traditionswandel und Traditionsverhalten, hg. von Walter Haug und Burghart Wachinger, Tübingen 1991, S. 121-144, hier S. 122. – Vgl.: Fins de Siècle, How Centuries End, 1400-2000, hg. von Asa Briggs und Daniel Snowman, New Haven / London 1996.

10 Vgl.: Lorenz, Sönke: Studium generale Erfordense, Zum Erfurter Schulleben im 13. und 14. Jahrhundert, Stuttgart 1989, S. 249-260. – Vgl. Brendecke (wie Anm. 1) S. 55-63.

11 Erfurter Universitätsmatrikel, Bd. 1, fol. 265r (Erfurt, Stadtarchiv, 1-1/Gruppe X B XIII). – Vgl. Müller, Winfried: Erinnerung an die Gründung, Universitätsjubiläen, Universitätsgeschichte und die Entstehung der Jubiläumskultur in der frühen Neuzeit, in: Berichte zur Wissenschaftsgeschichte 21 (1998) S. 79-102, hier S. 82.

Sönke Lorenz

Zwar fehlte noch immer ein historischer Jahrhundertbegriff, aber der centenarius war fester Bestandteil der Zeitrechnung.

63

63 Tod in Mönchskutte
Süddeutsch, Ende 15. Jahrhundert
Lindenholz, vollrund, originale Fassung
H. 104 cm
Karlsruhe, Badisches Landesmuseum, Inv.-Nr. 61/59

1506 entstand im Auftrag des Berner Stadtschreibers Dr. Thüring Fricker ein Altarretabel für das Münster, auf dessen Außenflügel er einen Geistergottesdienst malen ließ (also eine von Toten für Tote gefeierte Messe). Auf den Innenseiten ließ er Tote darstellen, die in einer Schlacht helfend eingreifen. Zwar gab es schon im 12. Jahrhundert Legenden, die solche Geschichten erzählten von den Toten, den Armen (da noch nicht erlösten) Seelen, doch erst das Konzil in Florenz 1439 hatte den Armenseelenkult auch kirchlich sanktioniert. Waren Menschen in Gott verstorben, so hatten sie – nach dem Volksglauben –, auch wenn sie noch im Fegefeuer litten, gewisse Machtbefugnisse. Denn in der Ordnung der *Communio Sanctorum* (der Gemeinschaft der Heiligen im Sinne der Gemeinschaft aller Glaubenden) standen sie doch eine Stufe über den Lebenden.

Auch bei dem *Tod in Mönchskutte* handelt es sich wohl weniger um die Personifizierung des Todes selbst, der in den Totentänzen der Zeit als knochen-klapperndes Gerippe gezeigt wird, als um einen toten Mönch, eine *Arme Seele*. Wer für *Arme Seelen* betet, kann auf deren Hilfe rechnen – zudem wird dadurch der Blick auf das eigene Ende gerichtet. Das ermöglicht die frühzeitige und gründliche Einübung in die *Ars moriendi* (die *Kunst des Sterbens*), wie der Titel eines im Spätmittelalter weit verbreiteten Büchleins lautet. Damit aber hoffte man, die eigene Läuterungsstrafe im Fegefeuer mildern zu können.

Literatur: Hain, Mathilde: Arme Seelen und helfende Tote, in: Rheinisches Jahrbuch für Volkskunde 9 (1958) S. 54-65. – Zimmermann, Eva: Die mittelalterlichen Bildwerke, Badisches Landesmuseum Karlsruhe, Karlsruhe 1985, S. 355f., Nr. 198, Abb.

B. H.-S.

64 Spanische Fliesen in maurischer Tradition

a) Viererfeld mit Diagonalkreuz als Musterrapport
Sevilla, Ende 15. Jahrhundert
H. 27 cm, B. 27 cm (Gesamt)
Karlsruhe, Badisches Landesmuseum, ohne Inv.-Nr.
b) Fliese mit Teil eines Bukranion-Frieses
Sevilla, 16. Jahrhundert
H. 14,6 cm, B. 17,4 cm
Karlsruhe, Badisches Landesmuseum, ohne Inv.-Nr.

64a

64b

Eines der grundlegenden abendländischen Ereignisse zu Ende des 15. Jahrhunderts war der Abschluß der *Reconquista*, der vollständigen christlichen Rückeroberung des Südens von Spanien von der maurisch-islamischen Herrschaft durch die *Katholischen Könige*. Dieser fand statt mit der Einnahme Granadas 1492, nachdem Cordoba, Valencia und Sevilla bereits im 13. Jahrhundert wieder unter christliche Herrschaft gelangt waren. Der Bildhauer Rodrigo Alemán hat die einzelnen Stationen der Reconquista Ende des 15. Jahrhunderts im Chorgestühl der Kathedrale von Toledo wie in einem Aktualitätenreport geschildert.

Zahlreiche kulturelle und künstlerische Produktionsformen der hochstehenden maurischen Tradition wurden unter der christlichen Herrschaft weitergeführt (Mujedar-Stil). Dazu gehört die Herstellung keramischer Fliesen zur Wandausstattung von Gebäuden, bei denen, in der *cuenca*-Technik, in Dekor und Farbigkeit die islamische Tradition fortlebte (a). Erst allmählich drangen unter Kaiser Karl V. italienische Renaissance-Motive – unter Beibehaltung der herkömmlichen Technik und Farbigkeit – in die Fliesengestaltung ein (b). Andalusische Keramik ist ein exponiertes Beispiel für das Miteinander kultureller Traditionen in der Umbruchzeit um 1500.

Literatur: Kansy, Christine: Spanische Fliesen im Museum für Kunst und Gewerbe Hamburg, in: Jahrbuch des Museums für Kunst und Gewerbe Hamburg, Bd. 13 (1994) S. 35ff. (direkte Vergleichsstücke: Abb. 2, Abb.4). – Klesse, Brigitte: Majolika, Kunstgewerbemuseum der Stadt Köln, Köln 1966, Nr. 208 (Vergleichsstück zu a).

H. S.

65 Sebastian Brant: „Stultifera Navis"

(„Das Narrenschiff")
Basel, bei Johann Bergmann, 1497 (Erstausgabe:1494)
Typendruck
H. 21 cm, B. 16,5 cm
Heidelberg, Universitätsbibliothek, G 55352

Das volkstümliche und zugleich gelehrte Hauptwerk des Straßburger Humanisten Sebastian Brant (1457-1521) war eines der erfolgreichsten deutschen Bücher der Frühen Neuzeit überhaupt. Es begründete die Gattung der Narrenliteratur. In 112 Kapiteln unterzieht diese Moralsatire ebensoviele menschliche Torheiten einer scharfen Kritik. Im Aufbau ähneln die Kapitel zeitgenössischen Flugblättern: Sie beginnen zunächst mit einem Denkspruch; dann folgt ein Holzschnitt (bei Brant sind die meisten wohl vom jungen Albrecht Dürer); abgeschlossen werden die Kapitel schließlich durch eine unterschiedlich ausführliche, auslegende Darstellung in Reimpaaren.

Als ein Werk des Übergangs, das das Krisenbewußtsein der humanistischen Kultur um 1500 reflektiert, nimmt es einerseits spätmittelalterliche Traditionen in sich auf, wenn es im Sinne christlicher Ethik wirkliche Sünden geißelt (z.B. Streitsucht, Völlerei, Ehebruch, Gotteslästerung) und damit auch auf den Kanon der sieben Hauptsünden verweist. Andererseits führt es vor, wie die Narrheit zum Menschen gehört, gewissermaßen *normal* und nicht die Ausnahme ist, also auch nicht mehr allein als Sünde charakterisiert werden kann. Aus der religiös orientierten Lasterkritik wird so eine Anweisung zur Selbsterkenntnis und implizit eine humanistische Verhaltenslehre in lebenspraktischer, weltzugewandter Absicht.

Literatur: Lemmer, Manfred: Studien zur Wirkung von Sebastian Brants „Narrenschiff", Diss. Halle 1981. – Manger, Klaus: Das Narrenschiff. Entstehung, Wirkung und Deutung, Darmstadt 1983.

W. Br.

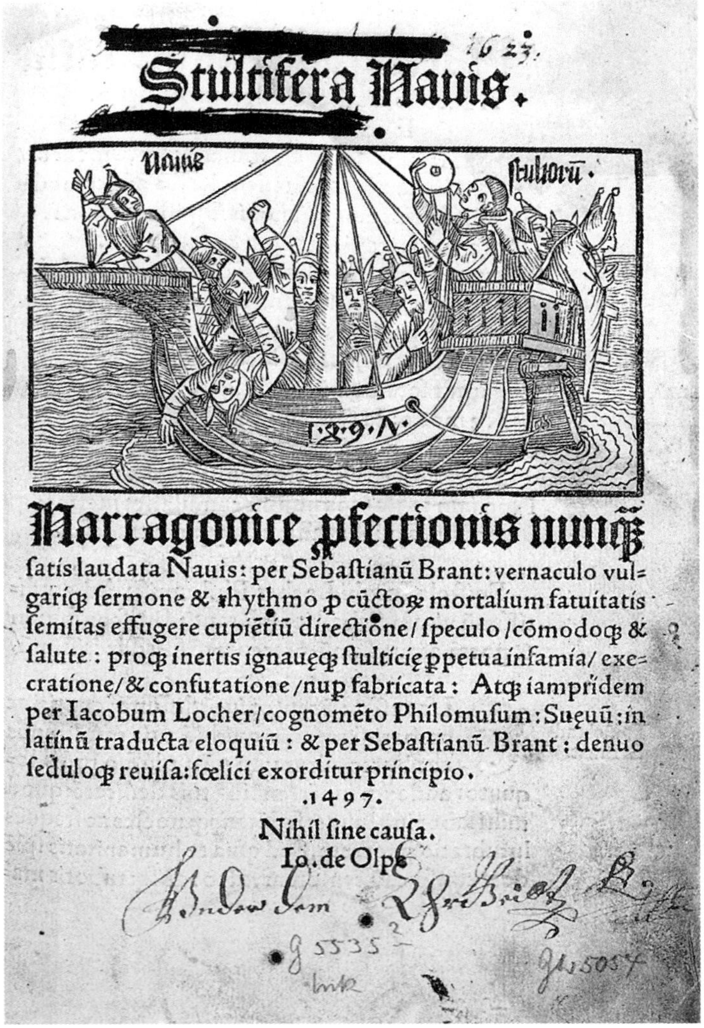

[redacted] 1623

Stultifera Nauis.

[redacted]

Narragonice pfectionis nūq̃ satis laudata Nauis: per Sebastianū Brant: vernaculo vulgariq̧ sermone & rhythmo p cūctoꝝ mortalium fatuitatis semitas effugere cupiētiū directiōne/speculo/cōmodoq̧ & salute: proq̧ inertis ignauęq̧ stulticię ppetua infamia/execratione/& confutatione/nup fabricata: Atq̧ iampridem per Iacobum Locher/cognomēto Philomusum: Suęuū: in latinū traducta eloquiū: & per Sebastianū Brant: denuo seduloq̧ reuisa: fœlici exorditur principio.

.1497.

Nihil sine causa.

Io. de Olpe

65

66

66 Girolamo Savonarola
Vermutlich Tobias Stimmer (1539-1584)
Holzschnitt
H. 14 cm, B. 8,1 cm
Wolfenbüttel, Herzog August Bibliothek, Porträtsammlung A 18802

„[...] wenn du siehst, daß die guten Menschen wünschen, es möchten Dolch und Pest und Hunger und die andern Geißeln Gottes kommen – dann ärgere dich nicht daran, denn sie tun es aus Eifer für die Kirche Gottes“, mit diesen Worten prophezeite der Florentiner Bußprediger aus dem Dominikanerorden Girolamo Savonarola (1452-1498) apokalyptische Strafen für seine Stadt, die er mit Babylon verglich und rief zur Buße auf für die Sünden der Kirche. Im Einmarsch König Karls VIII. von Frankreich in Italien sah er die Ankunft eines *„neue[n] Kyros“*, von dem die Apokalypse spricht.

Doch Savonarolas kurzfristig realisierter Versuch (1494/97), in Florenz die Utopie eines Gottesstaates zu errichten, scheiterte. Der Verfechter einer demokratischen Theokratie mit starker sozialer Komponente und asketischer Grundhaltung wurde exkommuniziert, der Ketzerei angeklagt, hingerichtet und sein Leichnam am 23. Mai 1498 öffentlich verbrannt.

Literatur: Herrmann, Horst: Savonarola. Der Ketzer von San Marco, München 1977. – Piper, Ernst: Savonarola. Umtriebe eines Politikers und Puritaners im Florenz der Medici, Berlin 1979. – Savonarola, Predigten und Schriften. Ausgewählt, biographisch geordnet und erläutert von Mario Ferrara, Salzburg 1957. – Zahlten, Johannes: Savonarola in Raffaels „Disputà del Sacramento“, in: Archiv für Kulturgeschichte, 79. Bd., Köln / Weimar / Wien 1997, S. 299-312.

J. Z.

67 Matthias Wurm von Geudertheim: „Buechli der 100 capiteln [...]"

(„Das Buch der hundert Kapitel [...]")
1498-1500
Handschrift, starke Holzdecken, Schweinslederrücken
H. 30,5 cm, B. 22 cm
Colmar, Bibliothèque de la ville de Colmar, Manuscrit 50

Zwischen 1490 und 1510 verfasste vermutlich Matthias Wurm von Geudertheim (ca.1438-1510), Ratssekretär in der Kanzlei König Maximilians I., diese Reformschrift. Sie besteht aus einem umfangreichen historischen Teil, der dem Leser im geschichtlichen Vergleich die Reformbedürftigkeit der eigenen Zeit vermitteln soll, sowie aus 40 Statuten, die sich dem Reformprogramm widmen. Es sind die drei großen Probleme des ausgehenden Mittelalters, die der Autor beschreibt: die Verweltlichung der Kirche, die die Gläubigen mit immer neuen Abgaben bedrängt, die Schwäche des Reiches gegenüber den Fürsten und die Not der Bauern.

Das *buechli* wendet sich an Maximilian, der als Zuständiger für die notwendigen Reformen sorgen soll. Gleichzeitig sieht der Autor aber dessen Unfähigkeit zu Reformen und entwirft das Bild einer *Selbsthilfe von unten:* Eine zu bildende Laienbruderschaft der Gläubigen, militärisch gesichert durch eine neue Ritterschaft, wählt einen der Ihren zum König, der als *„gerechter Herrscher"* die Reformen angeht. Das Endziel ist eine auf den Gemeinnutz ausgerichtete, mit Gott versöhnte Menschheit.

Literatur: Lauterbach, Klaus H.: Geschichtsverständnis, Zeitdidaxe und Reformgedanke an der Wende zum sechzehnten Jahrhundert. Das oberrheinische „Buchli der hundert Capiteln" im Kontext des spätmittelalterlichen Reformbiblizismus, Freiburg / München 1985.

V. S.

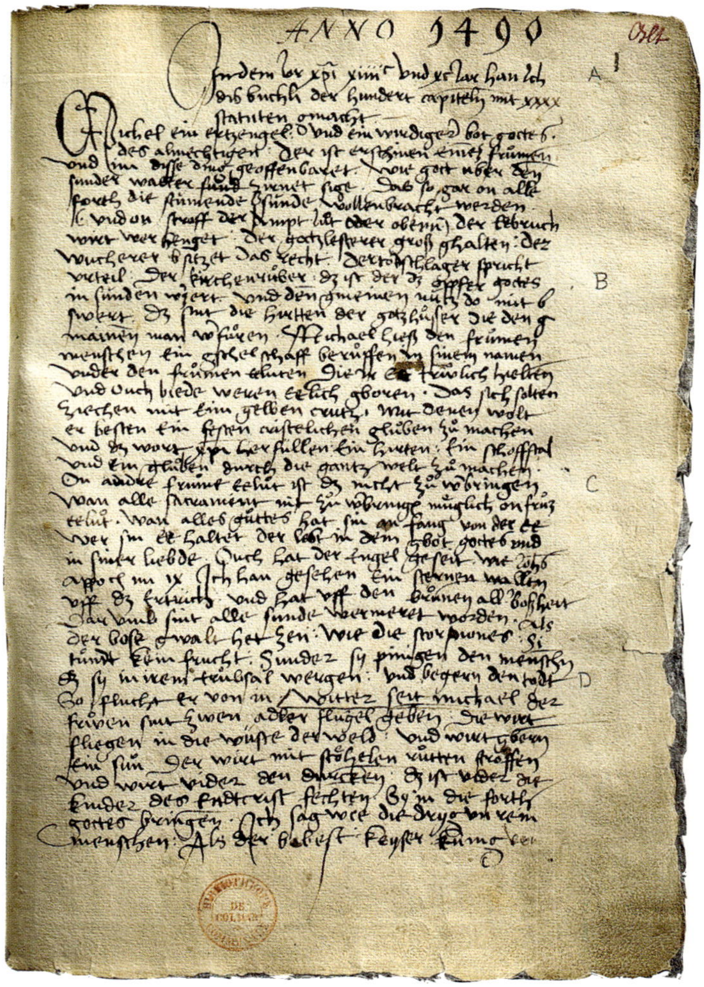
ANNO 1490

67

Girolamo Savonarolas Versuch, in Florenz die Utopie eines Gottesstaates zu errichten, scheiterte. Er wurde als Ketzer hingerichtet.

68

68 Konrad Celtis
Wolfgang Philipp Kilian (1654-1732)
Kupferstich
H. 12,4 cm, B. 9,7 cm (Bild)
Wolfenbüttel, Herzog August Bibliothek, Porträtsammlung A 3598

Der Kupferstich zeigt den Humanisten und neulateinischen Dichter Konrad Celtis (1459-1508) als Rückenfigur im Profil, nach rechts oben blickend. In der ausgestreckten rechten Hand hält er ein Buch. Die achtzeilige lateinische Legende darunter lautet in Übersetzung: *„Hervorragender Dichter und Gelehrter, der als erster Deutscher mit dem Dichterlorbeer geziert wurde, von der Hand Kaiser Friedrichs III. selbst, auf Vorschlag des Kurfürsten von Sachsen, Friedrichs des Weisen; später Prof. der Dichtkunst in Wien und um die Geschichte Deutschlands, insbesondere der Stadt Nürnberg hochverdient."* Celtis studierte in Köln und Heidelberg. Nach Studienaufenthalten in Italien und Krakau war er 1491/92 und 1494/95 Professor für Poetik und Rhetorik in Ingolstadt, seit 1497 in Wien. Der als *Erzhumanist* bezeichnete Gelehrte beeinflußte die Zeitgenossen mit seinem durch die italienische Renaissance geprägten humanistischen Wissen und war wegweisend in der Wiederbelebung der lateinischen Dichtkunst. In der Antrittsrede an der Universität Ingolstadt vom 31. August 1492 stellte der *poeta laureatus* sein Bildungsprogramm vor. Es ist beispielhaft für die Forderung der Humanisten nach Studium und Wissen mit dem Ziel, durch Weisheit unsterblichen Nachruhm zu erreichen. An die deutschen Fürsten appellierte Celtis, sich in allen Künsten zu bilden, so daß sie von anderen Nationen anerkannt würden. Bildung bedeutete die Erlangung von Ruhm und Festigung nationaler Interessen (vgl. Kat.-Nr. 69).

Literatur: Heger, Hedwig: Spätmittelalter, Humanismus, Reformation. Texte und Zeugnisse, Bd. 1, München 1975.

K. S.

69

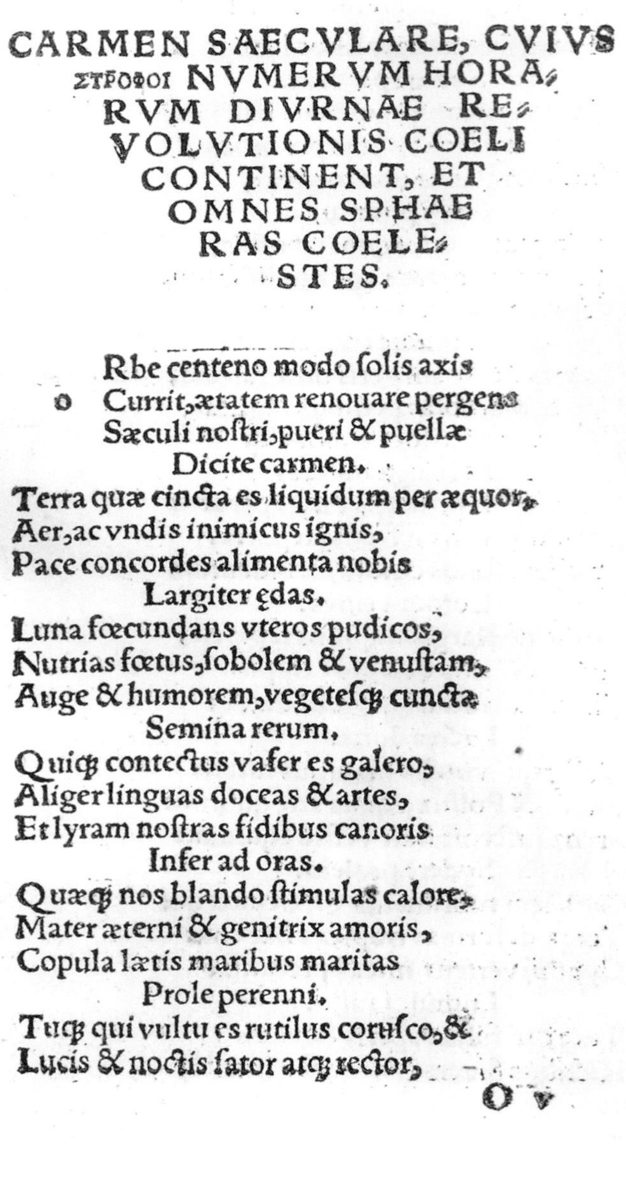
CARMEN SAECVLARE, CVIVS
ΣΤΡΟΦΟΙ NVMERVM HORA-
RVM DIVRNAE RE-
VOLVTIONIS COELI
CONTINENT, ET
OMNES SPHAE
RAS COELE-
STES.

Rbe centeno modo ſolis axis
O Currit, ætatem renouare pergens
Sæculi noſtri, pueri & puellæ
Dicite carmen.
Terra quæ cincta es liquidum per æquor,
Aer, ac vndis inimicus ignis,
Pace concordes alimenta nobis
Largiter ędas.
Luna fœcundans vteros pudicos,
Nutrias fœtus, ſobolem & venuſtam,
Auge & humorem, vegeteſcq; cuncta
Semina rerum.
Quiq; contectus vafer es galero,
Aliger linguas doceas & artes,
Et lyram noſtras fidibus canoris
Infer ad oras.
Quæq; nos blando ſtimulas calore,
Mater æterni & genitrix amoris,
Copula lætis maribus maritas
Prole perenni.
Tuq; qui vultu es rutilus coruſco, &
Lucis & noctis ſator atq; rector,
O v

69 Konrad Celtis: „Libri oduarum quatuor cum epode et saeculari carmine"

(„Vier Bücher; mit einem Epodenbuch und einem Lied zur Jahrhundertfeier")
Wien, bei Johannes Winterburger, 1513
Typendruck
H. 21 cm, B. 15 cm
Stuttgart, Württembergische Landesbibliothek, HB 423

Das *carmen saeculare* erschien im Juni 1500 in Wien bei Johannes Winterburger als Beigabe zu einem von Celtis herausgegebenen Band mit Lehrsätzen des Nicolaus Cusanus: *Propositiones domini cardinalis Nicolai Cuse De li non aliud. Conrad Celtis saeculare.*

Konrad Celtis (1459-1508; vgl. Kat.-Nr. 68), ein Schüler Agricolas, wurde 1487 als erster Nicht-Italiener zum *poeta laureatus* gekrönt. 1497 erhielt er einen Wiener Lehrstuhl für Poetik und Rhetorik. Mit dem *carmen saeculare* von 1500 eiferte Celtis seinem poetischen Vorbild Horaz nach. Horaz hatte im Jahr 17 v.Chr. ein *carmen saeculare* zu den Säkularspielen des Augustus verfaßt. Indem Celtis diese Tradition aufgriff, nahm er, was für diese Zeit ungewöhnlich war, auf das Thema des Jahrhundertwechsels explizit Bezug. Die aufziehende neue Zeit klingt in den ersten Zeilen an: *„Orbe centeno modo solis axis / Currit aetatem renovare pergens / Saeculi nostri. pueri et puellae, / Dicite carmen! / [...]"* (*„Im hundertsten Lauf kreist der Wagen der Sonne / zu verjüngen das Alter / unseres saeculums. Knaben und Mädchen, / singt das Lied! / [...]"*) Die 24 Strophen erbitten Wohlstand für die deutschen Lande und wenden sich dazu an die Kräfte der Natur, die Elemente, Sterne und heidnischen Götter. Dieter Wuttke nimmt an, daß man das *carmen* des Celtis wie auch Dürers Selbstportrait von 1500 (vgl. Kat.-Nr. 98) als eine *„Jahrhundertfeier als symbolische Form"* verstehen müsse.

Literatur: Ryan, Lawrence V.: Conrad Celtis' Carmen Saeculare: Ode for a New German Age, in: Acta conventus neo-latini Bononiensis. Proceedings of Fourth International Congress of Neo-Latin Studies, Bologna 1979, hg. von Richard J. Schoeck, New York 1985, S. 592-606. – Wuttke, Dieter: Dürer und Celtis. Von der Bedeutung des Jahres 1500 für den deutschen Humanismus. „Jahrhundertfeier als symbolische Form" (1980), in: Derselbe: Dazwischen. Kulturwissenschaft auf Warburgs Spuren, Bd. 1, Baden-Baden 1996, S. 313-388.

A. B.

70

70 Tischuhr

Jeremias Pfaff II (1651-1701)
Augsburg, um 1700
Überwiegend Messing, vergoldet
H. 11 cm, B. 13,5 cm, T. 13,5 cm
Stuttgart, Württembergisches Landesmuseum, Inv.-Nr. 1968/433

Tischuhren mit horizontalem Zifferblatt wurden seit dem 15. Jahrhundert in vielen künstlerisch wertvollen Ausführungen hergestellt. Die dosen- oder kastenförmigen Gehäuse waren gelegentlich mit drehbaren Figuren ausgestattet. Häufig waren sie mit Stunden- und Viertelstundenschlagwerk sowie Weckwerken versehen. Zentren ihrer Herstellung waren Wien, Innsbruck, München, Nürnberg und vor allem Augsburg. Die Pfaffs waren bekannte Augsburger Uhrmacher.

Durch die gläserne Seitenverkleidung ist die durch eine Kette mit der sogenannten Schnecke verbundene Federtrommel erkennbar. Feder und Schnecke sind technische Neuerungen des 15. Jahrhunderts, die den Bau kleiner und tragbarer Uhren ermöglichten. Die Schnecke gleicht die nachlassende Federspannung durch kontinuierlich steigende Übersetzung aus.

Literatur: Maurice, K.: Die deutsche Räderuhr. Zur Kunst und Technik des mechanischen Zeitmessers im deutschen Sprachraum, 2 Bde., München 1976. – Honig, P. S.: Geschichte und mathematische Analyse der Schnecke, in: Die Welt als Uhr, hg. von K. Maurice und O. Mayr, München 1980, S. 116-22. – Abeler, J.: Meister der Uhrmacherkunst, Wuppertal 1972.

G. D.

71

71 Glücksrad mit verschiedenen Berufsständen
Ulrich Geser (um 1500 in Bregenz tätig)
Bregenzer Oberstadt, um 1500
Fresko (Fragment)
H. 155 cm, B. 233 cm
Bregenz, Vorarlberger Landesmuseum, Inv.-Nr. Gem 700

Als Symbol des Wechsels von Gunst und Ungunst im menschlichen Leben paßt die Darstellung des Glücksrades gut in eine Epoche, die Themen der Endzeiterwartung immer wieder bildlich formulierte, wie es um 1500 mehrfach geschah. Die Inschrift auf dem Glücksrad am linken Rand rahmt das Zifferblatt einer Uhr und lautet: *„O Mensch, an der Zit ist dir jede Stund Kürtzerung dins Leben"*. Der Text gibt einen Verweis auf die Vergänglichkeit des Lebens und faßt damit die zentrale Aussage des Bildes zusammen. Im Sündenfall Adams und Evas, der direkt über dem Rad dargestellt ist, liegt diese Vergänglichkeit begründet. Die das Rad drehende Glücksgöttin Fortuna, die Auf- und Abstieg auf demselben bewirkt, befand sich auf der linken Seite, ist auf dem fragmentierten Fresko aber nicht erhalten. Papst, Kaiser, Geistlicher, Adliger und Patrizierin, die rechts vor der Kulisse einer Stadt stehen und von kommentierenden Banderolen umgeben sind, sind der Fortuna ausgeliefert. Gott allein, in Wolken über ihnen erscheinend, kann dem Wirken der Schicksalsgöttin Einhalt gebieten.

Literatur: Ilg, Karl: Landes- und Volkskunde. Geschichte, Wirtschaft und Kunst Vorarlbergs, Innsbruck / München 1967, S. 87f.

J. Z.

72 Sebastian Brant: Der Einschlag eines Meteoriten bei Ensisheim

Flugblatt
Reutlingen, bei Michael Greyff (Raubdruck), 1492
Holzschnitt, aquarelliert; Typendruck
H. 36,1 cm, B. 21 cm (Blatt)
Nürnberg, Germanisches Nationalmuseum, Inv.-Nr. HB 14584
Kapsel 1204

Am 7. November 1492 fiel um 11 Uhr 30 mit einem *„grausamen Donnerschlag"* ein 127 kg schwerer Meteorit in ein Feld nahe der Stadt Ensisheim im Elsass (vgl. Kat.-Nr. 73). Noch im selben Jahr erschien bei Johann Bergmann in Basel ein von Sebastian Brant (1457-1521) verfasstes Flugblatt, das durch zwei anonyme Nachdrucke schnelle Verbreitung erfuhr. Der hier vorliegende Raubdruck zeigt über lateinischer und deutscher Textkolonne in drei kleinen Bildern links die Stadt Ensisheim, in der Mitte den herabstürzenden Stein mit der Einschlagstelle sowie rechts einen Burgturm.

Einschläge von Meteoriten oder andere unerklärliche Phänomene galten als *Wunderzeichen,* durch die Gott seinen Zorn über die Menschheit kundtat und sie zu Buße und Läuterung ermahnte. In seinem Text deutet Brant den *„Donnerstein von Ensisheim"* politisch und interpretierte ihn als Zeichen für das sich wendende Kriegsglück Kaiser Maximilians I. gegen Karl VIII. von Frankreich – eine Deutung, die sich mit der vernichtenden Niederlage des französischen Heeres ein Jahr später bewahrheiten sollte.

Literatur: Janeck, Axel: Zeichen am Himmel. Flugblätter des 16. Jahrhunderts (aus den Beständen des Germanischen Nationalmuseums), Nürnberg 1982, S. 6f., Abb.

H. J.

72

73

73 Der Meteorit von Ensisheim

Niedergang: 1492
Metalle: Olivin, Orthopyroxen, Plagioklas, Troilit, Eisen, Nickel
H. 6 cm, B. 6 cm, T. 4 cm, Gewicht: 214,6 g (Bruchstück)
Universität Tübingen, Institut für Mineralogie, Petrologie und Geochemie, Inv.-Nr. 906 02 85

Der Stein ist ein Bruchstück des am 7. November 1492 nahe der Stadt Ensisheim im Elsass eingeschlagenen Meteoriten (vgl. Kat.-Nr. 72). Das Verbot Kaiser Maximilians I., vom ursprünglich 127 kg schweren Meteoriten Stücke abzuhauen, fand keine Beachtung. Allerdings hatte sich der Kaiser selbst während eines Aufenthaltes in Ensisheim zwei Stücke abschlagen lassen. Fragmente verschiedener Größe finden sich heute in allen großen Meteoritensammlungen der Welt. Das größte erhaltene Stück von 55,75 kg verwahrt das Rathaus in Ensisheim, nachdem es lange Zeit im Chor der Stadtkirche aufgehängt war. Dort bewunderte den Meteoriten auch Johann Wolfgang von Goethe, der selbst drei kleine Teile besaß. Das vorliegende Exemplar entstammt dem Besitz des Meteoritenforschers Freiherr Karl Ludwig von Reichenbach, der seine Sammlung 1869 der Universität Tübingen vermachte.

Gemäß der Meteoriten-Klassifizierung gehört der Meteorit von Ensisheim der Gruppe der Chondrite und darin der Untergruppe der eisenarmen Olivin-Hypersthen-Chondrite (LL-Chondrite) an. Die genaue Typisierung des Meteoriten in der Gesteinskunde lautet: LL6-Chondrite.

Literatur: Bühler, Rolf: Meteorite, Basel 1988, S. 15-21.

H. J.

74

Ad clarissimū Rhomanoꝝ Regis Cancellariū dñm Conradum Sturcel. Iuriū interpretem prestantissimū. de monstruoso partu apud Wormatiam. Anno dñi. M. cccclxxxxv. quarto idus Septembris edito. Explanatio Sebastiani Brant.

75

74 Sebastian Brant: „De monstruoso partu apud Wormatiam"

(„Von der wundersamen Geburt der Zwillinge zu Worms")
Flugblatt, lateinische Ausgabe
Augsburg, bei Johann Froschauer, nach 1495
Holzschnitt, Typendruck
H. 19,5 cm, B. 13,5 cm, insgesamt: 4 Blätter 4°
Karlsruhe, Badische Landesbibliothek, Te 86,8

Missgeburten wie die der siamesischen Zwillingsmädchen von Worms im Jahre 1495 galten genauso wie andere ungewöhnliche Phänomene (Kometen, Himmelserscheinungen etc.) als *Wunderzeichen.* Man verstand sie als göttliche Warnungen vor Unglück, Tod oder gar vor dem bevorstehenden Weltende. Das Flugblatt war ein weit verbreitetes Medium zur Verbreitung von Nachrichten aller Art. Die Bevölkerung erhielt durch die mit Schlagzeilen überschriebenen Abbildungen und die erläuternden Texte auch Kenntnis über *Wunderzeichen.* Solche Flugblätter befriedigten durchaus die Sensationslust der Menschen. Sebastian Brant (1457-1521) dokumentierte die Geburt der beiden an der Stirn zusammengewachsenen Kinder in mehreren deutschen und lateinischen Flugblättern. Der traditionellen, Unheil verheißenden Botschaft der *Wunderzeichen* stellt Brant im Falle der Wormser Missgeburt eine positive, politische Auslegung gegenüber: Das gemeinsame Gehirn in den zwei Köpfen der Zwillinge symbolisiere die im Zuge der Reformpolitik Kaiser Maximilians I. wiedererlangte Reichseinheit.

Literatur: Ewinkel, Irene: De Monstris. Deutung und Funktion von Wundergeburten auf Flugblättern in Deutschland des 16. Jahrhunderts, Tübingen 1995. – 1495. Kaiser, Reich, Reformen. Der Reichstag zu Worms, Ausst.-Kat. Worms 1996, S. 341f. Nr. H 26, Abb. – Wuttke, Dieter: Wunderdeutung und Politik. Zu den Auslegungen der sog. Wormser Zwillinge des Jahre 1495, in: Landesgeschichte, Geistesgeschichte. Festschrift Otto Herding, Stuttgart 1977, S.217-244.

H. J.

75 „Die Missgeburt des Schweins von Landser"
Albrecht Dürer (1471-1528)
Nürnberg, um 1496
Kupferstich
H. 12,1 cm, B. 12,6 cm
Karlsruhe, Staatliche Kunsthalle, Inv.-Nr. I 866

Der Kupferstich nimmt Bezug auf die Missgeburt eines zweileibigen, achtfüßigen, vierohrigen und zweizüngigen Schweins am 1. März 1496 im oberelsässischen Landser. Als Vorlage dienten Dürer zwei bereits von Sebastian Brant verfasste Flugblätter, die in Text und Bild über die Umstände der Geburt und die Art der Missgestaltung berichteten (vgl. Kat.-Nr. 74).

Literatur: Albrecht Dürer. Druckgraphik aus den Beständen des Kupferstichkabinetts (der Staatlichen Kunsthalle Karlsruhe), Ausst.-Kat. Karlsruhe 1994, S. 16f., S. 97, Nr. K 54, Abb. S. 17. – Ewinkel, Irene: De Monstris. Deutung und Funktion von Wundergeburten auf Flugblättern in Deutschland des 16. Jahrhunderts, Tübingen, 1995. – Major, Emil: Dürers Kupferstich „Die wundersame Sau von Landser" im Elsaß, in: Monatshefte für Kunstwissenschaft 6 (1913) S. 327-30.

H. J.

76 „Apokalypsis cum figuris"
(„Die heimliche Offenbarung Johannis")
Folge von 16 ganzseitigen Darstellungen und dazugehörigen Textseiten
Albrecht Dürer (1471-1521)
Nürnberg, 1511 (2. Auflage; 1. Auflage 1498)
Holzschnitt
H.40 cm , B. 28 cm
Nürnberg, Germanisches Nationalmuseum, Inv.-Nrn. STN 2236, 2237, 2238, 2240, 2241, 2242, 2243, 2244, 2245, 2247, 2248, 2250

Die Blätter in Folge sind:
Blatt 1: Maria erscheint Johannes (Titelblatt)
Blatt 2: Die Marter des Evangelisten Johannes
Blatt 3: Die Vision der sieben Leuchter
Blatt 4: Die Vision des geöffneten Himmels
Blatt 5: Die Apokalyptischen Reiter
Blatt 6: Die Einkleidung der Märtyrer und der Sternenfall
Blatt 7: Die Kennzeichnung der Auserwählten im Schutz der Windengel
Blatt 8: Die sieben Posaunenengel
Blatt 9: Die vier Euphratengel vom Euphrat
Blatt 10: Die Buchverschlingung
Blatt 11: Das Sonnenweib und der siebenköpfige Drache
Blatt 12: Michaels Kampf mit dem Drachen
Blatt 13: Der siebenköpfige Drache und das Tier mit den Lammhörnern
Blatt 14: Der Lobgesang der Auserwählten im Himmel
Blatt 15: Die babylonische Hure
Blatt 16: Der Engel mit dem Schlüssel zum Abgrund

Wie kein zweites Werk hat Albrecht Dürers Holzschnittfolge der Apokalypse die bildliche Formulierung dieses Themas in ganz Europa beeinflußt und den Künstler berühmt gemacht. Als illustriertes

76,5

76,11

77a

77b

Buch konzipiert, umfaßt es 15 ganzseitige großformatige Holzschnitte und das Titelblatt. Zwei Ausgaben erschienen 1498, bei denen jedes Blatt auf der Rückseite mit Text bedruckt ist. Die *Apocalypsis cum figuris* enthält den lateinischen Text der *Vulgata. Die heimlich offenbarung iohannis* enthält deren deutsche Übersetzung. Eine zweite Auflage mit neuem Titelblatt und nur in Latein kam 1511 zusammen mit der *Großen Passion*, dem *Marienleben* und der *Kleinen Holzschnittpassion* heraus. Dürers Holzschnittfolge verdichtet den künstlerischen Ausdruck der Apokalypsedarstellungen in bis dahin unbekannter Weise. Sie ist als bildliche Interpretation des biblischen Textes der Johannes-Offenbarung zu sehen, in die der Künstler Elemente seiner Zeit und Umwelt einfließen ließ.

Literatur: Albrecht Dürer 1471-1971. Ausst.-Kat. Nürnberg 1971, S. 320-323, Nr. 596, Abbn. – Apokalypse. Ein Prinzip Hoffnung?, Ausst.-Kat. Ludwigshafen a. Rh. 1985, S. 63-74, Nr.17, Abbn. – Dürers Apokalypse und ihre Wirkung, bearbeitet von Thomas Döring, Ausst.-Kat. Braunschweig 1994.

J. Z.

77 Die Wandgemälden von Luca Signorelli im Dom von Orvieto, um 1502

a) „Die Auferstehung am Jüngsten Tag"
b) „Der Sturz der Verdammten"
Nachzeichnungen
Johann Anton Ramboux (1790-1866)
1832-1842
Aquarell mit Bleistiftvorzeichnung
a) H. 49,7 cm, B. 58,2 cm
b) H. 49,5 cm, B. 56,8 cm
Düsseldorf, Kunstmuseum, Graphische Sammlung, Inv.-Nr. 143 a und b

Die wohl monumentalsten Darstellungen apokalyptischer Visionen um 1500, als das Thema in der bildenden Kunst vermehrt anzutreffen ist, hat Luca Signorelli in der Capella di S. Brizio im Dom von Orvieto ausgeführt. Sieben große Szenen bedecken die Wände: *Predigt und Wirken des Antichristen, Weltuntergang, Auferstehung des Fleisches, der Sturz der Verdammten, die Erwählten, das Paradies* und schließlich *die Hölle*. Der Trierer Maler Johann Anton Ramboux hat diese Gemälde auf seiner zweiten Italienreise festgehalten, als über 300 Aquarellkopien nach Fresken und Mosaiken entstanden. Das erste Blatt zeigt die zum *Jüngsten Gericht* gerufenen Toten, wie sie aus ihren Gräbern hervorkriechen, unter ihnen Skelette, die dabei sind, wieder ihre menschliche Gestalt aus Fleisch und Blut anzunehmen. Außer den biblischen Texten und der *Legenda Aurea* nahm Signorelli die Offenbarungen der Brigitta von Schweden (gedruckt 1492) als Anregung, vermutlich auch deutsche Holzschnittillustrationen aus Schedels Weltchronik oder Dürers Apokalypse (vgl. Kat.-Nr. 76).

Der Darstellung der Erwählten stellte Signorelli das Wandbild *Der Sturz der Verdammten* gegenüber. Hier führte der Maler ein neues Thema in die traditionelle Ikonographie des Jüngsten Gerichts ein: Den Überfall der teuflischen Mächte auf die zum ewigen Feuer Verdammten. Seine mit großer Erzählfreude geschilderten Schreckensvisionen, in der die Höllenschergen mit den Unglücklichen kämpfen und sie in die Flammen schleppen, nutzte der Künstler zur Demonstration seiner Fähigkeit, den menschlichen Körper in allen nur möglichen Drehungen und Verkürzungen zu präsentieren. Sein Fresko formuliert damit Voraussetzungen für die Darstellungen des Weltenendes bei Michelangelo in der Sixtinischen Kapelle (1534/41) oder für die Höllenstürze eines Peter Paul Rubens am Beginn des 17. Jahrhunderts.

Literatur: Apokalypse. Ein Prinzip Hoffnung?, Ausst.-Kat. Ludwigshafen a. Rh. 1985, S. 96, S. 106, Nrn. 34f., Abbn. S. 98f. – Chastel, André: L'Apocalypse en 1500, in: Humanisme e Renaissance XIV (1952) S. 124-140. – Paolucci, Antonio: Luca Signorelli. Antella / Florenz 1990, S. 44-65. – Salmi, Mario: Luca Signorelli, München 1955, S. 74-79.

J. Z.

78 „De signis portentis atque prodigiis"
(„Von Vorzeichen und Prodigien")
Jakob Mennel (um 1460–1526)
Freiburg, 1503
Papier, kolorierte Federzeichnungen, Handschrift
H. 28 cm, B. 21cm
Stuttgart, Württembergische Landesbibliothek, Cod. HB XI.3

Der aus Bregenz stammende Jurist Jacob Mennel war seit 1496 Stadtschreiber von Freiburg. Im Jahre 1505 begab er sich als kaiserlicher Rat in den Dienst von Kaiser Maximilian I., dem er auch die vorliegende Prodigiensammlung widmete. Die 1503 verfasste Handschrift berichtet in Text und Bild über außergewöhnliche *Wunderzeichen.* Neben Kometen, Mond- und Sonnenphänomenen oder Missgeburten erwähnt Mennel auch ein Erdbeben, eine Heuschreckenplage sowie den Einschlag des Meteoriten von Ensisheim im Elsass im Jahre 1492 (vgl. Kat.-Nrn. 72 und 73). Der Zusammenstellung derartiger, *Prodigien* genannter Ereignisse folgen abschließend mehrere Darstellungen der Leidenssymbole Christi.

Die in der Handschrift erwähnten Ereignisse sind weit verbreitete Motive der neuzeitlichen Wunder- oder Prodigienliteratur, die antiken Vorbildern folgen. Bücher über *Wunderwerck und Wunderzeichen* kamen verstärkt seit der Mitte des 16. Jahrhunderts auf den Markt und befriedigten die Sensationslust der Bevölkerung nach besonderen Vorkommnissen. Die Menschen verstanden diese als bewusst von Gott gesandte Botschaften, die auf kommendes Unheil hinweisen und die Menschheit zur Einkehr mahnen.

Literatur: Irtenkauf, Wolfgang: Jacob Mennel, Hofgenealoge Maximilians I., in: Literatur und Bildende Kunst im Tiroler Mittelalter, hg. von Egon Kühebacher, Innsbruck 1982, S. 53-66. – Schenda, Rudolf: Die deutschen Prodigiensammlungen des 16. und 17. Jahrhunderts, in: Archiv für Geschichte des Buchwesens, Bd. 4 (1961), Sp. 637-710.

H. J.

78

Die Menschen verstanden Wunderzeichen als bewusst von Gott gesandte Botschaften, die auf kommendes Unheil hinweisen und die Menschheit zur Einkehr mahnen.

79 „Prospect der Hauptkirchen St. Michael in der des H. Röm. Reichs Stadt Schwäbisch Hall"

Schwäbisch Hall, bei G. M. Mayer, 1717
Kupferstich
H. 15,2 cm, B. 16 cm (Platte)
Schwäbisch Hall, Stadtarchiv, Bibliothek des Historischen Vereins für Württembergisch-Franken, II/11

Um 1500 befanden sich viele Städte auf dem Höhepunkt ihrer wirtschaftlichen und kulturellen Blüte. Als Beispiel kann die Reichsstadt Schwäbisch Hall gelten. Sie wurde reich durch die Ausbeutung einer im Stadtgebiet gelegenen Salzquelle, deren Erträge zunehmend in bürgerliche Hand gelangten. 1495/96 weihte die Stadt mit großem Zeremoniell einen neuen Hallbrunnen, die Schöpfquelle der Salzlacke, ein. Anfang des 16. Jahrhunderts gelang es dem Bürgertum in der Stadt – Salzsiedern, Kaufleuten, Handwerkern –, die städtische Regierung zu übernehmen und die alten Adelsfamilien zu vertreiben. Dies ging mit einer großen Bauwelle in der Stadt einher: Die Stadtpfarrkirche St. Michael erhielt ab 1495 einen aufwendigen spätgotischen Hallenchor. 1507 wurde die Westfassade der Kirche von einer imposanten 56-stufigen Freitreppe untersockelt, bevor 1508 der städtische Rat die Patronatsrechte für die Kirche vollständig aus klösterlicher Hand (Comburg) erwerben konnte. Als mächtiges Zeugnis städtischen Selbstbewußtseins wurde der davorliegende Marktplatz neugestaltet: 1509 wurden der monumentale Fischbrunnen und der Bühnenpranger, der aufwendigste in Süddeutschland, geschaffen; schon ab 1505 wurde der Neubau, Büchsen- und Zeughaus, als größtes Profangebäude der Stadt im Auftrag des Rates errichtet. Der Höhepunkt *öffentlichen Reichtums* um 1500 schwand zunehmend seit Beginn der Reformationszeit.

Literatur: Ulshöfer, Kuno: Die Salzstadt Hall, in: Hall und das Salz, hg. von demselben und Herta Beutter, Sigmaringen 1982, S. 9ff.

H. S.

79

80

80 „Der Spaziergang"

Albrecht Dürer (1471-1528)
Nürnberg, 1496/97
Kupferstich
H. 19,6 cm, B. 12,1 cm (Blatt)
Karlsruhe, Staatliche Kunsthalle, Inv.-Nr. I 865

Bildfüllend steht ein junges, reich gekleidetes Paar auf einer Anhöhe. Hinter ihm führt der Blick in eine weite Landschaft. Der unverheiratete Mann (darauf verweist die Pfauenfeder an seinem Hut) blickt die Angebetete an und weist mit der rechten Hand nach vorn auf den Weg. Möglicherweise ist damit der künftige gemeinsame Lebensweg des Paares gemeint. Rechts hinter dem Paar verdeckt ein fast abgestorbener Baumstamm zur Hälfte eine verweste Gestalt des Todes, die eine Sanduhr über den Kopf hält und so auf die Endlichkeit des irdischen Daseins verweist. Es handelt sich bei der Darstellung also um ein Vanitasbild, das an die verrinnende Lebenszeit des Menschen unabhängig vom Alter gemahnt. Insofern ist der – historisch nicht belegte – Titel *Der Spaziergang* irreführend. Das Paar lustwandelt nicht in der Natur im Sinne eines Geborgenseins mit der umgebenden Landschaft. Obwohl diese weitgehend naturalistisch dargestellt ist, setzt Albrecht Dürer hier in einer noch spätmittelalterlichen Deutungsebene die Pflanzenwelt als Zeichen für etwas anderes ein, hier in der Bedeutung der Todessymbolik. So könnte die auffällige Pflanze am linken Bildrand bedeuten, daß das Leben des Menschen wie Gras vergeht (Psalm 103,15). Die Verbindung von Minne- und Vanitas-Allegorie war in Deutschland während des gesamten 15. Jahrhunderts bei Verlobungsbildern gebräuchlich, wo dem jungen Paar – meist auf der Bildrückseite – ein verwesendes Paar gegenübergestellt wurde.

Literatur: Albrecht Dürer. Druckgraphik aus den Beständen des Kupferstichkabinetts (der Staatlichen Kunsthalle Karlsruhe), Ausst.-Kat. Karlsruhe 1994, S. 10, S. 97, Nr. K 55, Abb. S. 10. – Anzelewsky, Fedja: Dürer-Studien. Untersuchungen zu den ikonographischen und geistesgeschichtlichen Grundlagen seiner Werke zwischen den beiden Italienreisen, Berlin 1983.

K. S.

81 „Der Saigerherd in Betrieb"

Illustration in: „De re metallica libri XII" („Vom Bergkwerck XII Bücher")
Georg Argicola (1494-1559)
Basel, bei Hieronymus Froben und Nikolaus Bischoff, 1557 (deutsche Ausgabe; lateinische Erstausgabe: Basel 1556)
Holzschnitt
H. 30 cm, B. 20 cm
Karlsruhe, Universitätsbibliothek, I E 10

In der Zeit zwischen 1450 und 1540 kam es in Mitteleuropa zu einer Steigerung der Silberproduktion um etwa 500 Prozent. Ein wesentlicher Faktor dafür war ein neues technisches Verfahren, das sogenannte Kupferseigern. Diese Technik der Kupferentsilberung gestattete nicht nur eine gegenüber der herkömmlichen Methode weitaus effektivere Gewinnung des Silbers aus dem silberhaltigen Kupfer, sondern auch die Entsilberung solcher Kupfererze, die wegen ihres geringen Silbergehalts bislang nicht genutzt werden konnten. Das Verfahren der Kupferseigerung fand in der metallurgischen Fachliteratur des 16. Jahrhunderts eine Beschreibung. Besonders das technologische Hauptwerk von Georg Agricola, die erstmal 1556 publizierten *De re metallica libri XII,* die bereits ein Jahr später unter dem Titel Vom *Bergkwerck XII Bücher* in deutsch erschienen, bot eine in apparativer und verfahrensmäßiger Hinsicht vorbildliche Darstellung. In Buch XI beschreibt Agricola sowohl die bauliche Gestaltung der Seigerhütte, die Geräte und die Konstruktion der Öfen als auch alle Arbeitsabläufe.

Literatur: Suhling, Lothar: Der Seigerhüttenprozeß, Die Technologie des Kupferseigerns nach dem frühen metallurgischen Schrifttum, Stuttgart 1976.

S. L.

81

Das Verfahren der Kupferseigerung steigerte die Silberproduktion erheblich.

82

82 Radschlosspistole
Französisch, um 1610
Stahl, Holz, Gold, Silber
L. 74,5 cm
Karlsruhe, Badisches Landesmuseum, Inv.-Nr. G 640

Um 1500 kam in Europa das Radschloss auf. Ein bestimmter Erfinder läßt sich nicht benennen, jedoch ist seine Entwicklung wie auch andere technische Neuerungen im Aufblühen der Städte und in der Schöpferkraft des aufstrebenden Bürgertums der Renaissance zu sehen. Die ältesten Konstruktionszeichnungen solcher Radschlösser gehen auf Leonardo da Vinci und auf süddeutsche Meister zurück. Gegenüber dem seit der Mitte des 15. Jahrhunderts gebräuchlichen Luntenschloss, bei dem stets eine brennende Lunte mitgeführt werden musste, ermöglichte das Radschloss, das im Prinzip wie ein Feuerzeug funktioniert, einen erheblich freieren und effektiveren Umgang mit der Handfeuerwaffe. Der komplexe, aus vielen Einzelteilen bestehende Mechanismus machte sie zunächst zur bevorzugten, prestigeträchtigen herrschaftlichen Reiterwaffe. Die vorliegende Pistole stammt aus der fürstlichen Rüstkammer der Markgrafen von Baden-Durlach. Lauf und Schloss sind mit dichten Blattranken mit Schnecken, Libellen, Schmetterlingen und Vögeln in Gold und Silber tauschiert, während der Holzschaft mit feinem Silberdraht figürlich und ornamental eingelegt ist. Von einem Basler Goldschmied ist das Silber in *„zum Theil diebischer Weis ausgegraben worden"*. Das Gegenstück dieser immer paarweise getragenen Pistole ist verschollen.

R. W. S.

83 Reichskammergerichtsordnung
Mainz, bei Peter Schöffer, 1495
Typendruck
H. 29 cm, B. 25 cm (8 Blatt)
Köln, Historisches Archiv der Stadt Köln, Inv.-Nr. Köln und das Reich 22, fol. 64r-70v

Unter den einzelnen Ergebnissen der großen Reformperiode um die Wende vom 15. zum 16. Jahrhundert steht das Reichskammergericht an erster Stelle. Reorganisiert auf dem Höhepunkt der Rezeption des römischen Rechts, also der Aneignung des auf der Grundlage des *Corpus iuris civilis* des oströmischen Kaisers Justinian von der mittelalterlichen Rechtswissenschaft entwickelten gemeinen Rechts (*ius commune*), unterschied es sich wesentlich von seinen mittelalterlichen Vorgängern. Als wichtigste Unterscheidungsmerkmale erweisen sich – dem Dualismus von König und Reich Rechnung tragend – die Loslösung von der Person des Königs in Form eines festen Gerichtsortes sowie die von König und Reichsständen gemeinsam vorzunehmende Besetzung des Gerichtshofs. Die gesetzliche Grundlage bildete die Reichskammergerichtsordnung vom 7. August 1495, laut der die Rechtsfindung von 16 Beisitzern zu besorgen war. Die Beisitzer sollten zur Hälfte aus Juristen, zur anderen Hälfte aus Rittern oder Edelleuten bestehen, die aber auch nach Möglichkeit *„der recht gelehrt"* sein sollten.

Literatur: Frieden durch Recht, Das Reichskammergericht von 1495 bis 1806, hg. von Ingrid Scheurmann, Mainz 1994.

S. L.

84 „Der kleine Postkurier"
Albrecht Dürer (1471-1528)
Nürnberg, um 1496
Kupferstich
H. 12 cm, B. 9 cm
Karlsruhe, Staatliche Kunsthalle, Inv.-Nr. I 852

Als Kaiser Maximilian I. 1490 durch Franz von Taxis (1459-1517) Botenketten zwischen Mechelen und Innsbruck errichten ließ, um seine niederländischen Besitzungen mit der eben erworbenen Grafschaft Tirol zu verbinden, markierte dies den Beginn des westeuropäischen Postwesens, das die Kommunikation über große Distanzen hinweg revolutionierte. Diente die Post zunächst nur staatlichen Zwecken, so wurde bereits 1500 auch private Korrespondenz befördert. Die Taxis-Post hielt im Abstand von 20 bis 40 Kilometern Boten und Wechselpferde bereit. Während ein einzelner Bote täglich maximal 50 Kilometer zurücklegen konnte, kamen die Briefe mit der Post-Stafette bis zu 150 Kilometer weit; in besonderen Fällen waren sogar 300 Kilometer möglich. Albrecht Dürers Kupferstich *Der kleine Postkurier* (in Abgrenzung zum Titel eines ähnlichen Blattes Der große Kurier) zeigt einen Reiter, der mit umgürtetem Schwert auf einem Weg durch eine Gebirgslandschaft galoppiert. Während er mit der linken Hand die Zügel des Pferdes hält, schwingt er mit der rechten seine Peitsche. Auf seiner Reise nach Italien hatte Dürer den Boten der Taxis-Post begegnen können. Allerdings ist die Identifizierung des dargestellten Reiters mit einem solchen Boten nicht unumstritten, denn es fehlen die typischen Zeichen der Taxis-Post, das Posthorn und der auf das Pferd geschnallte Postsack.

Literatur: Albrecht Dürer. Druckgraphik aus den Beständen des Kupferstichkabinetts (der Staatlichen Kunsthalle Karlsruhe), Ausst.-Kat. Karlsruhe 1994, S. 13, S. 96, Nr. K 51, Abb. S. 13.- Artikel „Post" in: Lexikon des Mittelalters, Bd. VII, München 1995, Sp. 126.

J. D.

84

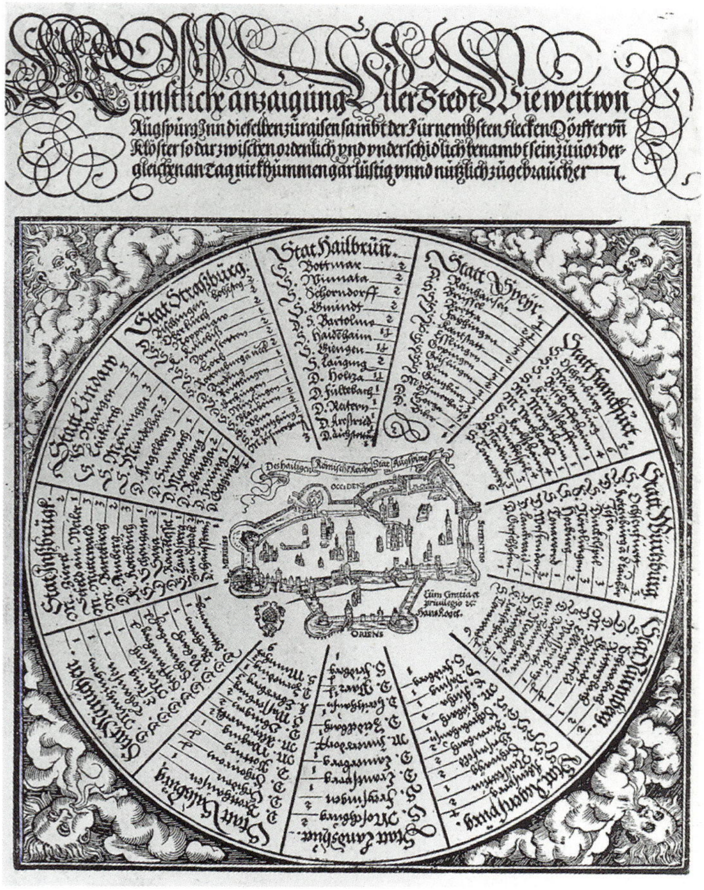

85

85 Augsburger Meilenscheibe
Hans Rogel (um 1532–1592/93)
Augsburg, um 1565
Holzschnitt (Einblattdruck)
H. 35,5 cm, B. 30 cm
Augsburg, Staats- und Stadtbibliothek, Graph. 29/140a

Der Augsburger Formschneider, Briefmaler, Zeichner und Verleger Hans Rogel gilt als Erfinder der sogenannten Meilenscheibe. Es ist dies die Darstellung von Straßenverbindungen von einem im Zentrum gelegenen Hauptort zu mehreren weit entfernt liegenden Orten. In dieser frühesten Ausführung bildet Augsburg den Ausgangspunkt. Die Stadt ist dargestellt in ihrem groben Umriß, mit Mauerkranz und den Hauptgebäuden. Von diesem Mittelpunkt gehen 12 Kreissektoren aus mit den Reiserouten nach Speyer, Frankfurt, Würzburg, Nürnberg, Regensburg, Landshut, Salzburg, München, Innsbruck, Lindau, Straßburg und Heilbronn. Zu jeder dieser Städte sind bis zu 15 weitere Orte angegeben, die an der Wegstrecke liegen und zwar mit der Angabe der Entfernungen (in Meilen) untereinander. So ist in dieser Meilenscheibe der Verlauf von Straßenverbindungen samt Entfernungsangaben zusammengestellt und damit erstmals ein Überblick über das Straßensystem in der frühen Neuzeit geschaffen.

Literatur: 500 Jahre Post, Ausst.-Kat. Regensburg 1990, S. 227f., Nr. 8, Abb. – Welt im Umbruch, Ausst.-Kat. Augsburg 1980, Bd. 1, S. 234, Nr. 179, Abb.

J. D.

Die Taxis-Post markierte um 1500 den Beginn des westeuropäischen Postwesens.

86

86 Guldiner

Bernhard Beheim (Münzmeister, 1435-1507), Wenzel Kröndl (Stempelschneider, tätig 1482-1493)
Grafschaft Tirol, Münzstätte Hall im Inntal, 1486
Gold, geprägt
Dm. 40 mm
Karlsruhe, Badisches Landesmuseum, Münzkabinett, Inv.-Nr. I 8.1

Vorderseite: *SIGISMVNDVS ARCHIDVX AVSTRIE („Sigismund Erzherzog von Österreich")*
Erzherzog Sigismund in ganzer Gestalt von vorn mit Erzherzogshut, in Rüstung und Mantel, in der rechten Hand ein Zepter, die Linke am Schwert; zu Seiten der österreichische Bindenschild und ein Turnierhelm mit Pfauenstutz als Helmzier.

Rückseite: Sigismund als Turnierreiter, umgeben von einem Kranz von 16 Wappenschilden, die den Titeln der Besitzungen des Erzherzogs entsprechen; unter dem Pferd die Jahreszahl *1486.*

Mit der Prägung des Guldiners im Jahre 1486 beginnt die numismatische Neuzeit. Er war die erste große Silbermünze seit der Antike und entsprach im Wert einem Goldgulden, der ihm auch den Namen gab. Das Bild der Vorderseite der neuen Münzsorte ist dem Goldgulden entliehen, die Rückseite geht auf das Reitersiegel Sigismunds zurück. Zu Repräsentationszwecken wurden auch einige wenige Goldabschläge angefertigt. Der Guldiner setzte sich rasch durch und beherrschte das deutsche Münzwesen fast vierhundert Jahre lang. Die noch heute gebräuchliche Namensform Taler erhielt die Silbermünze von den Prägungen der Grafen von Schlick, deren Joachimstaler Guldiner in der Münzstätte Joachimstal in Böhmen in großen Mengen geprägt wurden. Der Name lebt noch heute im amerikanischen Dollar weiter.

Literatur: Vom Taler zum Dollar. Ausst.-Kat. München 1986.

P.-H. M.

87 Kolumbus-Schiff „Santa Maria"

Modell, Maßstab 1:50
Holz, Metall, Textilien, Takellage
H. 67 cm, B. 17 cm, L. 85 cm
Bremerhaven, Deutsches Schiffahrtsmuseum, Inv.-Nr. I/4830/89

Der Seefahrer Christoph Kolumbus (1451-1506) war im Gegensatz zu den offiziellen geographischen Vorstellungen des ausgehenden 15. Jahrhunderts von der Kugelgestalt der Erde überzeugt. 1492 gelang es ihm schließlich, von der spanischen Krone den Auftrag für eine Westfahrt zu erlangen. Mit drei Segelschiffen (Karavellen), der *Niña,* der *Pinta* und der *Santa Maria,* segelte er über den Atlantik, um die Ostküste Indiens zu erreichen. Statt dessen landete er am 12. Oktober 1492 auf einer Insel, die einem in Europa bis dahin unbekannten Kontinent vorgelagert war, der später den Namen Amerika erhielt.

Die Entdeckung Amerikas durch Christoph Kolumbus markierte den Beginn einer neuen Epoche in der Menschheitsgeschichte und gilt als eine wesentliche Grundlage der Neuzeit. Gleichzeitig bedeutete sie den Beginn der Europäisierung der Erde, die rasch im Kolonialismus und in der damit verbundenen Unterdrückung und Ausbeutung der einheimischen Bevölkerung ihren Ausdruck fand (vgl. Kat.-Nr. 88).

J. D.

87

88

88 Amerigo Vespucci (?): „Von den nüwen Insulen und landen so yetzt kürtzlich erfunden synt durch den Künig von Portugall"

Straßburg, 1506
Typendruck; Holzschnitt, ankoloriert
H. 18,5 cm, B. 13 cm
Berlin, Staatsbibliothek zu Berlin – Preußischer Kulturbesitz, Ut 2780 R

Die Reisebeschreibungen der Entdecker stießen in Europa auf breites Interesse und fanden, begünstigt durch das neue Medium des Buchdrucks, rasch Verbreitung. Vier Briefe, die dem italienischen Seefahrer Amerigo Vespucci (1454-1512) zugeschrieben wurden, hatten einen so enormen Erfolg, daß sie in mehrere europäische Sprachen übersetzt und in zahlreichen Ausgaben verlegt wurden. Wie aus dem Titel der deutschsprachigen Straßburger Ausgabe von *De ora antarctica* hervorgeht, wird in den Briefen die Ansicht vertreten, die von Kolumbus entdeckten *nüwen Insulen und landen* gehörten nicht etwa zu Asien, wie zunächst angenommen, sondern zu einer bisher unbekannten, *neu erfundenen* Landmasse – die neuen Länder wurden deshalb 1507 auf der Weltkarte des deutschen Kartographen Martin Waldseemüller erstmals nach Amerigo Vespucci benannt.

Zur Überraschung der Europäer fand man auf den *nüwen Insulen* keine Ungeheuer, Riesen oder Zwerge, sondern, Kolumbus zufolge, *„Leute von angenehmem Äußeren"*. Dennoch verdeutlicht der Kontrast zwischen den in einen rituellen Tanz vertieften, nackten Wilden und den gesitteten, vornehmen Europäern auf dem Titelblatt der Straßburger Ausgabe die Sichtweise der Eroberer: Die Einwohner der *nüwen Insulen* sind noch unchristliche Wilde, die es mit Hilfe des europäischen Fortschritts zu zivilisieren gilt.

Literatur: Mundus Novus. Amerika oder die Entdeckung des Bekannten. Das Bild der Neuen Welt im Spiegel der Druckmedien vom 16. bis zum frühen 20. Jahrhundert, Ausst.-Kat. Dortmund, hg. von Peter Mesenhöller, Essen 1992, S. 11, Abb. 2, S. 162, Nr. 2.7.

C. I.

„Von den nüwen Insulen und landen so yetzt kürtzlich erfunden synt durch den Künig von Portugall"

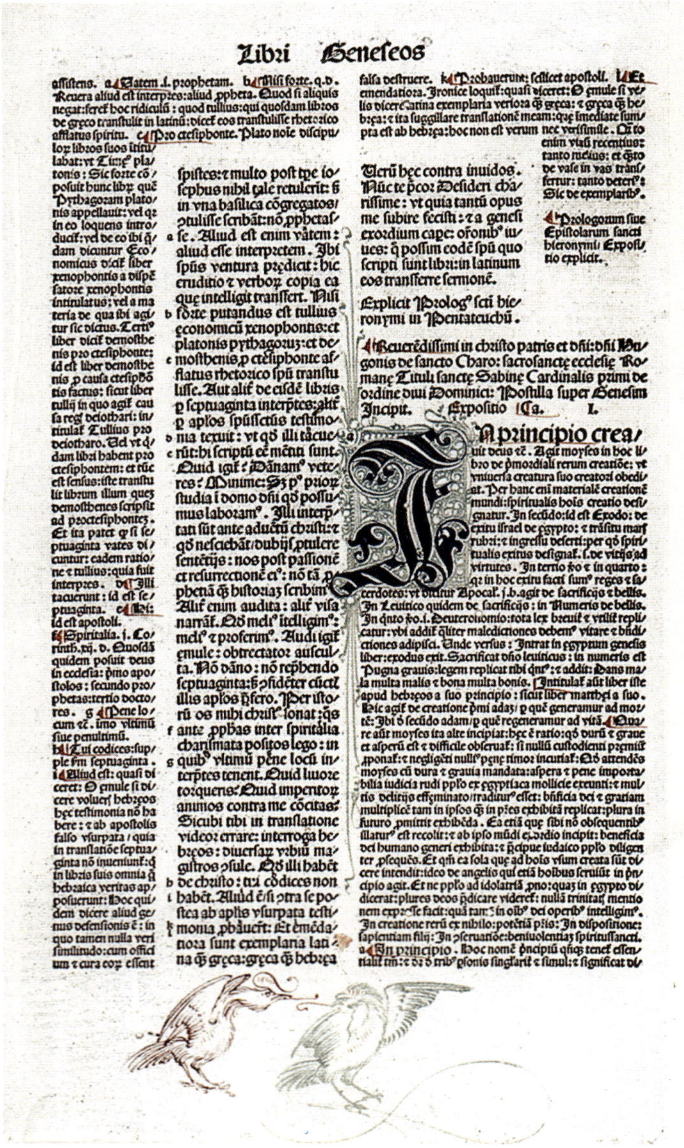

89

89 Gedruckte Bibel: „Biblia Latina cum postillis de Sancto Caro", Bd. 1

Johann Amerbach (1440-1513) für Anton Koberger (um 1440-1513)
Basel, 1498-1502
Typendruck, Buchmalerei
H. 35 cm, B. 25 cm
Freiburg, Universitätsbibliothek, Ink. 4.K.5580

Der von Johannes Gutenbeg um 1450 entwickelte Buchdruck mit beweglichen Lettern revolutionierte die Verbreitung des geschriebenen Worts und damit die Kommunikation an sich. Insgesamt erschienen bis 1500 ca. 27.000 verschiedene gedruckte Bücher (sogenannte *Inkunabeln*), darunter allein 94 Bibeldrucke in lateinischer Sprache. Vor Erscheinen der von Martin Luther 1521/22 neu übersetzten Bibel gab es bereits 18 deutschsprachige Bibeldrucke. Die Lutherbibel wurde über ihre theologische Bedeutung hinaus Grundlage der neuhochdeutschen Schriftsprache.

Johannes Amerbach, benannt nach seinem Geburtsort Amorbach, begründete die gleichnamige Schweizer Juristenfamilie. Sein Enkel Basilius war ein bedeutender Kunstsammler und Mäzen, dessen Kunstbesitz den Grundstock der Basler Öffentlichen Sammlungen bildet. Johannes Amerbach, der in Paris den Magister Artium erworben hatte, besorgte zahlreiche Buchausgaben, u.a. von dem Kirchenvater Augustinus und dem *Corpus Juris Civilis* (Gesetzgebung des römischen Kaisers Justinian). Mit dem bedeutenden Nürnberger Verleger Anton Koberger gab er in den Jahren 1498 bis 1502 eine lateinische Bibel in sieben Bänden heraus. Um 1500 gehörte die Druckerei Kobergers zu den leistungsfähigsten Offizinen seiner Zeit. Obwohl der Buchdruck mit beweglichen Lettern schon ausgereift war, orientiert sich die vorliegende Bibelausgabe noch an mittelalterlichen Handschriften, wenn innerhalb einer Spalte Raum für die Initiale freigelassen wird, um den Buchstaben mit Hand einzumalen.

Literatur: Sack, Vera: Die Inkunabeln der Universitätsbibliothek und anderer öffentlicher Sammlungen in Freiburg im Breisgau und Umgebung, Bd. 1, Wiesbaden 1985, S. 219, Nr. 659.

K. S.

Der Buchdruck mit beweglichen Lettern revolutionierte die Kommunikation. 1500 gab es bereits rund 27.000 verschiedene gedruckte Bücher.

90 Radulphus: „Vita Erminae"

(„Leben der Ermina von Reims")
Reims, um 1405-10
Handschrift
H. 20,5 cm, B. 14 cm
Freiburg, Universitätsbibliothek, HS 129

Der frühe Lehrbetrieb der Universität Freiburg i. Br. wurde verschiedentlich durch die Pest gestört. Studenten und Professoren flohen vor der Seuche aus der Stadt. Wiederholt sollte sich die gesamte Universität vorübergehend außerhalb einrichten. 1497 wurde bei der Anstellung der italienischen Rechtsgelehrten Angelus de Besutio und Paulus Cittadinus die Forderung erhoben, daß die Wissenschaftler in Pestzeiten auch an den Exilort der Universität folgen müßten.

Es verwundert daher nicht, daß der Freiburger Rektor Johannes Brisgoicus (gest. 1539; vgl. Kat.-Nrn. 91 und 92) eine Handschrift besaß, die im Zusammenhang mit der Pest zu nennen ist. Brisgoicus war 1502 aus Paris angeworben worden. Er sollte als Nachfolger des Theologen Martin Mölfeld eine Lücke füllen, die der *Schwarze Tod* ein Jahr zuvor in die Reihen der Freiburger Universitätslehrer gerissen hatte. Im Reisegepäck brachte Brisgoicus die Handschrift aus Frankreich mit. Ursprünglich war sie im Besitz der Augustinerchorherren der Reimser Niederlassung der Kongregation von *Vallis scholarium* gewesen. Laut eigenhändigem Vermerk hatte Brisgoicus das Manuskript den früheren Besitzern abgekauft. Später ließ er sich die Papierblätter zum Halblederband vereinen. Die Stempel, die der Buchbinder (Ludwig Wirtenberger?) zur Zierde ins Leder prägte, verraten, daß der Einband in Freiburg, wohl in der Buchbinder-Werkstatt der dortigen Kartause, hergestellt wurde.

Der Codex überliefert in lateinischer Fassung die Lebensbeschreibung der heiligen Ermina von Reims, verfaßt von dem Reimser Subprior Radulphus. Die fromme Witwe und Visionärin Ermine hatte sich während einer Pestepidemie, die Ende des 14. Jahrhunderts in der Stadt Reims wütete, um die Kranken gekümmert, bis sie schließlich selbst dem Leiden erlag. Der Text dürfte Brisgoicus als Ermutigung und – angesichts der Ratlosigkeit der damaligen Medizin – vielleicht auch als Schutz vor der Krankheit gedient haben.

Literatur: Hagenmeier, Winfried: Die lateinischen mittelalterlichen Handschriften der Universitätsbibliothek Freiburg im Breisgau, Hs. 1-230, Wiesbaden 1974, Bd. I, S. 101-103. – Obhof, Ute: Der Freiburger Theologe Johannes Brisgoicus, in: Schau-ins-Land 116 (1997) S. 193-197. – Schreiber, Heinrich: Geschichte der Albert-Ludwigs-Universität zu Freiburg im Breisgau, Bd. I, Freiburg 1857.

U. O.

91 Jacobus Faber Stapulensis: „Introductiones logicales"

Freiburg, bei Friedrich Riederer, 1500
Typendruck
H. 23 cm, B. 16,5 cm
Freiburg, Universitätsbibliothek, Ink. D. 1565

Johannes Brisgoicus, der gelegentlich auch unter dem Namen Johannes Sutter (Sutor) und Johannes Calceatoris firmierte, stammte aus Broggingen/Herbolzheim. Bei seiner Immatrikulation an der Universität Freiburg i. Br. im Jahre 1499 bezeichnete er sich als Magister Johannes Brysgoicus de Brokingen. Später war Brisgoicus an die Pariser Universität gezogen, wo er bereits seit 1494 Bibelvorlesungen hielt (vgl. Kat.-Nrn. 90 und 92).

In seinen Lehrjahren an der Sorbonne war Brisgoicus mit dem französischen Reformhumanisten Jakob Faber Stapulensis (gest. 1536) in Berührung gekommen. Fabers *Introductiones logicales* waren zunächst 1496 und 1497 in Paris in Druck gegangen. Im Januar des Jahres 1500 tauchte ein seitengetreuer Nachdruck des Pariser Produktes mit Beigaben von Johannes Brisgoicus in Freiburg auf. Dort hatte der gelehrte Friedrich Riederer die Druckerkunst seit 1493 für Stadt und Universität nutzbar gemacht. Brisgoicus muß Riederer bei einem seiner Besuche in der Stadt ein Exemplar des Pariser Lehrbuches verschafft haben, das dieser dann quasi in einem Raubdruck neu auflegte.

Literatur: Sack, Vera: Die Inkunabeln der Universitätsbibliothek und anderer öffentlicher Sammlungen in Freiburg im Breisgau und Umgebung, Wiesbaden 1985, Bd. 1, S. 464, Nr. 1399, Bd. 3, S. 1556.

U. O.

Um 1500 entstand auch das gedruckte akademische Lehrbuch.

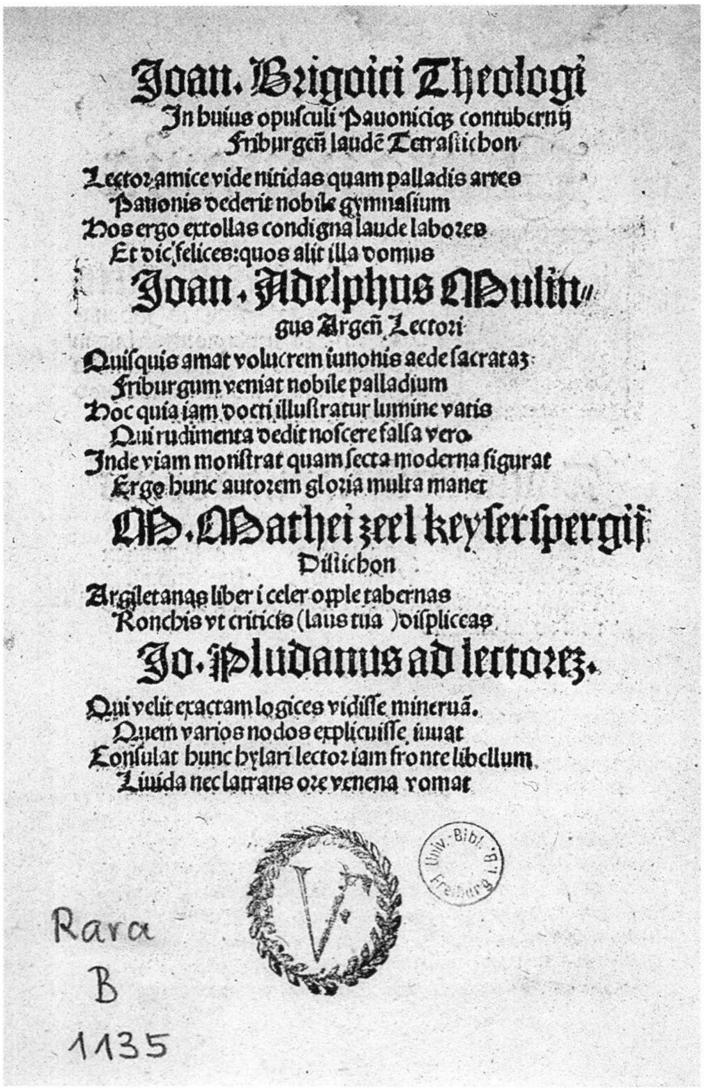
Joan. Brigoici Theologi
In huius opusculi Pauoniciqz contubernij
Friburgeñ laudē Tetrastichon
Lector amice vide nitidas quam palladis artes
Pauonis dederit nobile gymnasium
Hos ergo extollas condigna laude labores
Et dic felices: quos alit illa domus
Joan. Adelphus Mulin-
gus Argeñ Lectori
Quisquis amat volucrem iunonis aede sacrataz:
Friburgum veniat nobile palladium
Hoc quia iam docti illustratur lumine vatis
Qui rudimenta dedit noscere falsa vero.
Inde viam monstrat quam secta moderna figurat
Ergo hunc autorem gloria multa manet
M. Mathei zeel keysersperģ
Distichon
Argiletanas liber i celer opple tabernas
Ronchis vt criticis (laus tua) displiceas.
Jo. Pludanus ad lectorē.
Qui velit exactam logices vidisse mineruā.
Quem varios nodos explicuisse iuuat
Consulat hunc hylari lector iam fronte libellum
Liuida nec latrans ore venena vomat

92

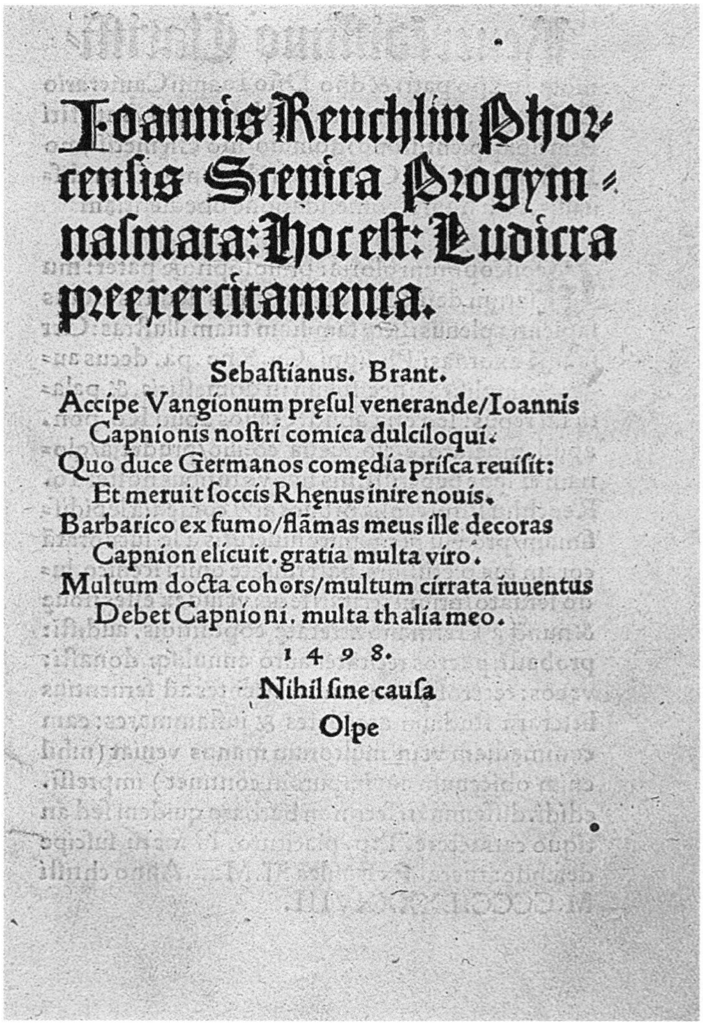
Joannis Reuchlin Phor-
censis Scenica Progym-
nasmata: Hoc est: Ludicra
preexercitamenta.

Sebastianus. Brant.
Accipe Vangionum presul venerande/Ioannis
Capnionis nostri comica dulciloqui.
Quo duce Germanos comedia prisca reuisit:
Et meruit soccis Rhenus inire nouis.
Barbarico ex fumo/flāmas meus ille decoras
Capnion elicuit. gratia multa viro.
Multum docta cohors/multum cirrata iuuentus
Debet Capnioni. multa thalia meo.
1498.
Nihil sine causa
Olpe

93

92 Johannes Eck: „Bursa pavonis. Logices exercitamenta"
Straßburg, bei Matthias Hupfuff, 1507
Typendruck
H. 21,5 cm B. 15,5 cm
Freiburg, Universitätsbibliothek, Rara B 1135

Das Werk ist ein Beispiel für ein akademisches Lehrbuch, das zu Beginn des 16. Jahrhunderts für Studenten der Artistenfakultät erarbeitet worden ist. Zunächst war es für die Universität Freiburg i. Br. bestimmt. Das Übungsbuch zur Dialektik ist nach dem ältesten Studienhaus der Freiburger Universität, der Pfauenburse (lat. *Bursa pavonis*), benannt. In solchen Häusern konnten die Studenten gemeinsam, nach Statuten geregelt, wohnen und ihrem Studium nachgehen.

Der Autor, der Theologe Johannes Eck (1486-1543), war 1505 zum Vorsteher der Pfauenburse ernannt worden. Eck unterrichtete in der Haus- und Studiengemeinschaft. Aus seinem bei den Studenten beliebten Unterricht ist die Lehrschrift entstanden. Eck ließ die Übungen 1507 in Straßburg bei Matthias Hupfuff im Druck vervielfältigen, um sie einem größeren Kreis zugänglich zu machen.

In der damaligen Zeit war es üblich, Druckwerken kurze Texte befreundeter Gelehrter und Autoritäten beizugeben, zum Beispiel Vorworte, Widmungen und Gedichte aller Art. In diesem Falle verfaßte u. a. Johannes Brisgoicus, Ecks Lehrer und Vorgänger in der Leitung der Pfauenburse, ein begleitendes vierzeiliges Gedicht (*Tetrastichon*) (vgl. Kat.-Nrn. 90 und 91).

U. O.

93 Johannes Reuchlin: „Scenica progymnasmata, hoc est ludrica praeexercitamenta"

(„Schulung durch das Theater")
Basel, bei Johannes Bergmann, 1498
Typendruck
H. 21 cm, B. 16 cm
Karlsruhe, Badische Landesbibliothek, Pc 1399

Johannes Reuchlin (1455-1522), mit dem Beinamen *uomo universale*, war Jurist und Humanist mit ausgezeichneten Latein- und Griechisch-Kenntnissen. Nach dem Richteramt trat er eine Professur in Heidelberg an. Das Stück *Scenica progymnasmata* in jambischer Versform erzählt die Geschichte von einem Knecht, der seinen Herrn betrügt. Reuchlin gibt hier auf humorvolle Weise ein Beispiel für die menschlichen Schwächen. Im Jahre 1497 in Heidelberg vor Pfalzgraf Philipp uraufgeführt, wurde es vorbildhaft für das lateinische Schuldrama des 16. Jahrhunderts.

K. S.

94 Erasmus von Rotterdam: „Enchiridion militis christiani"

(„Handbüchlein des christlichen Streiters")
Straßburg, 1521 (lateinische Ausgabe; Erstausgabe: 1503)
Typendruck
H. 16 cm, B. 11,5 cm
Freiburg, Universitätsbibliothek, N 850, i

Erasmus von Rotterdam (1469-1536) war der bedeutendste Vertreter des Humanismus. Seine Bücher erschienen in zahlreichen Auflagen in lateinischer und deutscher Sprache. Zentraler Gedanke seiner Philosophie ist das Postulat von der Freiheit des menschlichen Willens. Gleichzeitig ist sich Erasmus der menschlichen Unzulänglichkeiten bewußt. In seinen Schriften bringt Erasmus zum Ausdruck, daß er den Menschen mit all seinen Fehlern annimmt. Im *Enchiridion,* dem *Handbüchlein des christlichen Streiters,* das 1509 erschien und eine hohe Auflage und breite Rezeption erzielte, gibt Erasmus konkrete Anweisungen für das christliche Leben, wobei er der eigenen Einsicht und der Bildung des Menschen wesentliche Bedeutung zumisst und beispielsweise das Studium der *„heidnischen Dichter"* empfiehlt. Die Lektüre antiker Autoren diente der Aneignung von Wissen und Bildung, um ein gottgefälliges Leben zu unterstützen. Erasmus strebte an, der christlichen Philosophie die Errungenschaften des Humanismus zu vermitteln.

Literatur: Buck, August: Die Rangstellung des Menschen in der Renaissance: Dignitas et miseria hominis, in: Archiv für Kulturgeschichte 42 (1960) S. 61-75. – Siefert, Katharina: Adam und Eva-Darstellungen der deutschen Renaissance, Phil. Diss. Karlsruhe 1994, S. 16ff.

K. S.

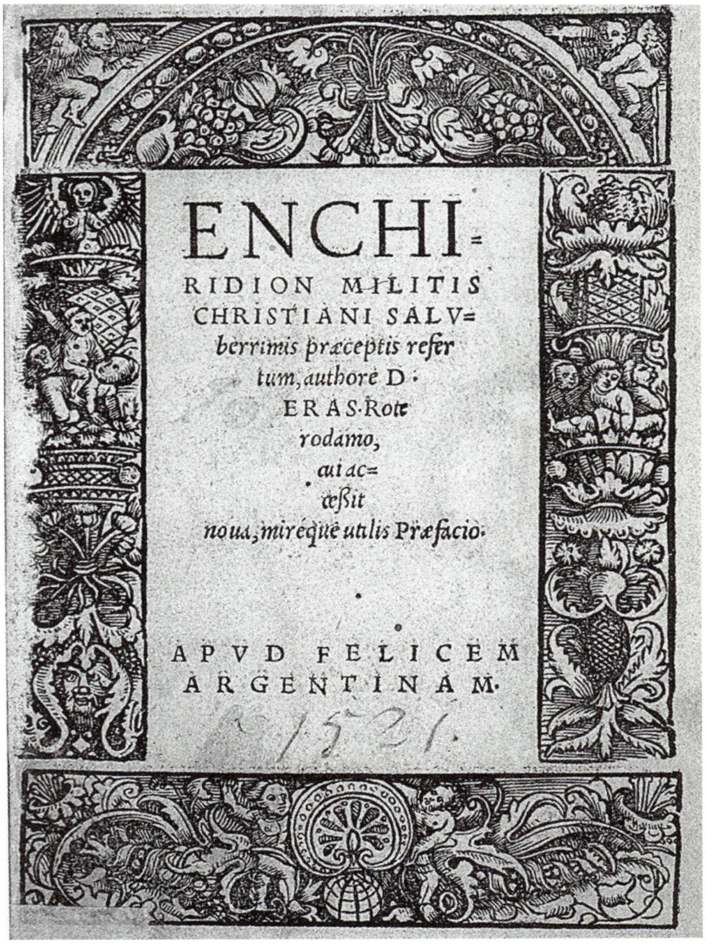

94

Der Humanist Erasmus von Rotterdam forderte die Freiheit des menschlichen Willens.

95

95 Jacob II. Fugger, genannt der Reiche
Hans Schwarz (1492–nach 1521)
Augsburg, 1518
Blei, gegossen
Dm. 61 mm
Dresden, Staatliche Kunstsammlung, Münzkabinett, Inv.-Nr. 4677

Vorderseite: *IAC FUGGER AUGUSTA VIN MDXVIII (Jakob Fugger aus Augsburg 1518)*
Brustbild Fuggers mit Drahthaube nach links, in einem aus Halbkreisen und Rosetten gebildeten Kreis.

Die Augsburger Familie Fugger steht für die um 1500 mögliche ökonomische und politische Macht des Bürgertums. Jacob II. Fugger, genannt der Reiche (1459-1525, seit 1514 Reichsgraf), war der dritte Sohn von Jacob I. Fugger, dem Gründer des Fuggerschen Handelshauses in Augsburg. Unter seiner Leitung wurden die Fugger zum größten europäischen Bankhaus der Zeit. Indem er die Mehrzahl der Kupferbergwerke in Spanien, Tirol, Kärnten und Ungarn erwarb, erlangte Jacob II. das Kupfermonopol in Europa. Auch beteiligte er sich am ostindischen Gewürzhandel. Er war Bankier der Päpste und Kaiser. 1490 verhalf er dem späteren Kaiser Maximilian I. zum Besitz der Grafschaft Tirol. 1519 finanzierte er die Kaiserwahl Karls V.

Literatur: Habich, Georg: Die deutschen Schaumünzen des XVI. Jahrhunderts, 5 Bde., München 1929-1934, Nr. 116.

P.-H. M.

96 Büste des Gaius Julius Caesar vom Grabmalprojekt Kaiser Maximilians I. in Innsbruck
Jörg Muskat (um 1450-1527)
Augsburg, um1508
Bronze, braune Patina, später mit schwärzlichem Lack überzogen
H. 48,6 cm, B. 43 cm
Karlsruhe, Badisches Landesmuseum, Inv.-Nr. 89/22

Von den vielen ehrgeizigen Projekten, die Kaiser Maximilian I. zur Festigung seiner Hausmacht und für die Erhaltung seines Andenkens unternahm, ist die Errichtung seines Grabmals in der Innsbrucker Hofkirche in materieller und zeitlicher Hinsicht das weitaus aufwendigste. Neben Statuen mit den Vorfahren des Kaisers und Statuetten mit Heiligen aus seiner *Sipp- und Magschaft* sollte eine Reihe von Cäsarenbüsten die Ahnen in der Herrschaft des Römischen Reiches darstellen. Das Bewußtsein einer Tradierung der Herrschaft von den Römischen Kaisern her war zwar das ganze Mittelalter über präsent, sollte hier nun aber im Zeichen der Renaissance auch bildlichen Ausdruck finden. Einundzwanzig der ehemals 34 geplanten Köpfe haben sich erhalten und befinden sich heute bis auf eine Ausnahme in Schloß Ambras, da sie nie in Innsbruck aufgestellt worden waren (das Grabmal wurde erst 1570 fertiggestellt).

Eine Sonderrolle spielt die großformige und präzise modellierte Karlsruher Büste, die in schwächerer Ausführung (in Messing) die Reihe der Grabmal-Büsten anführt. Die weiteren Porträts der Serie

96

(von denen jeweils nur ein Exemplar existiert) sind noch weniger flüssig modelliert, vor allem ist deutlich, daß die Verbindung von Profil und *En-face* in allen Fällen große Schwierigkeiten bereitet hat, eine Schwierigkeit, die aus der Verwendung von antiken Münzen als Porträt-Vorlage zu erklären ist. Damit zeigt gerade diese Cäsaren-Serie sehr deutlich ein Problem der nordischen Renaissance: die historisch/literarische Kenntnis antiker Überlieferung war durchaus vorhanden und wurde bewußt auch politisch eingesetzt – es fehlte aber den Künstlern die sinnliche Erfahrung antiker Kunstwerke, um die Inhalte adäquat umsetzen zu können.

Literatur: Herrbach-Schmidt, Brigitte: in: Jahrbuch der Staatlichen Kunstsammlungen in Baden-Württemberg, 27 (1990) S. 171-173.

B. H.-S.

97 „Garstige Alte"
Oberrhein, um 1500
Buchsbaumholz, vollrund, ungefaßt
H. 16 cm, B 4,3 cm, T. 4 cm
Frankfurt, Liebieghaus, Museum Alter Plastik, Inv.-Nr. 905

Gemäß dem Bibelvers: *„Wohl, Anmut ist Trug und Schönheit vergeht, / Doch zu preisen ist, die den Herrn fürchtet."* (Sprüche 31,30), ist die Buchsbaumstatuette der alten Frau als Symbol der Vergänglichkeit körperlicher Schönheit anzusehen und bietet eine einzigartige Sicht des Menschenbildes um 1500. Während die Rückenansicht einen jugendlichen weiblichen Körper zeigt, bietet die Vorderseite den schonungslosen Anblick eines häßlichen, alten Frauenaktes mit zahnlosem Mund, faltigem Gesicht und schlaffen, hängenden Brüsten. Entsprechend ist die Bezeichnung garstig im Titel im Sinne von unschön zu verstehen. Insgesamt faßt die Figur komprimiert eine Abfolge von mehrfigurigen Lebensalterdarstellungen zusammen, wie sie in der Spätgotik anzutreffen sind. Ebenso einmalig ist die Brust und Scham verdeckende Armhaltung, die in der Tradition der antiken Venus pudica steht, wie sie etwa die Mediceische Venus verkörpert, hier aber als Travestie des antiken Themas aufgefaßt wird.

Literatur: Himmel, Hölle, Fegefeuer. Das Jenseits im Mittelalter. Ausst.-Kat. Zürich 1994, S. 180, Nr.10, Abb. – Natur und Antike in der Renaissance., Ausst.-Kat. Frankfurt am Main 1985/86, S. 561f. Nr. 305. – Spätgotik am Oberrhein, Ausst.-Kat. Karlsruhe 1970, S. 150, Nr. 96.

J. Z.

97

98

98 Selbstbildnis Albrecht Dürers (1500)
Kopie von Abraham Wolfgang Küfner (1760-1870)
1817
Öl auf Holz
H. 67 cm, B. 48,7 cm
Nürnberg, Museen der Stadt Nürnberg, Inv.-Nr. Gm 51

Im Jahr 1500 schuf Albrecht Dürer ein Selbstbildnis, dessen Original in der Münchener Alten Pinakothek verwahrt wird. Dürer malte sich in idealisierter Frontalansicht und in einem strengen Proportionsschema, wie es nur bei Christusdarstellungen üblich war. In der lateinischen Buchschrift *Antiqua*, die in Deutschland noch nahezu unbekannt war, die Dürer aber wohl in Italien kennengelernt hatte, fügte der Künstler seinem Portrait auf Augenhöhe rechts eine Inschrift bei, die ihn als selbstbewußten Künstler ausweist. Diese lautet: *„Albertus Durerus Noricus / ipsum me propriis sic effin- / gebam coloribus aetatis / anno XXVIII" („So malte ich, Albrecht Dürer aus Nürnberg, mich selbst mit unvergänglichen Farben im Alter von 28 Jahren").* Links des Kopfes erscheint das Monogramm „AD" und die Jahreszahl „1500". Dürer stand in jener Zeit in engem Kontakt zum Humanisten Konrad Celtis, dessen Bewußtsein für die Jahrhundertwende bezeugt ist (vgl. Kat.-Nrn. 68 und 69). Hatte er sich zwei Jahre zuvor in seiner Holzschnittfolge zur Apokalypse (vgl. Kat.-Nr. 76) noch mit dem Thema Weltuntergang auseinandergesetzt, so malte er mit diesem Bildnis ein über die Kunst hinausreichendes Zeugnis einer neu anbrechenden Epoche.

Literatur: Wuttke, Dieter: Dürer und Celtis. Von der Bedeutung des Jahres 1500 für den deutschen Humanismus „Jahrhundertfeier als symbolische Form", in: Derselbe: Dazwischen. Kulturwissenschaft auf Warburgs Spuren, Bd. 1, Baden-Baden 1996, S. 313-388.

J. D.

Utopien des 16. Jahrhunderts

99 Thomas Morus: „Libellus vere aureus nec minus salutaris quam festivus de optimo reipublicae deque nova insula Utopia"
(„Von der wunderbarlichen Insel Utopia genannt")
Basel, 1518 (Erstausgabe: 1516)
Typendruck
H. 23 cm, B. 34 cm
Wolfenbüttel, Herzog August Bibliothek, P 520.4° Helmst.

Der Londoner Thomas More (lateinisch: Morus; 1477/78-1535) war Geistlicher und Lordkanzler des englischen Königs Heinrich VIII., der ihn in Ungnade hinrichten ließ. Mit seiner Schrift Utopia, die erstmals 1516 erschien, ist Morus der Begründer der neuzeitlichen utopischen Literatur. Utopia ist zwar ein Land im „Nirgendwo", tatsächlich aber eine Kritik der existenten Verhältnisse anhand der Alternative eines Idealstaats, den Morus auf einer fernen Insel ansiedelt. Er beschreibt sie: *„Die Insel der Utopier dehnt sich in der Mitte [...] auf zweihundert Meilen aus [...] Die Insel hat vierundfünfzig Städte, alle geräumig und prächtig [...] Sie haben alle dieselbe Anlage und [...] dasselbe Aussehen."* Hauptstadt ist Amaurotum, aber: *„Wer eine Stadt kennt, kennt sie alle."* Die Gesellschaft der Insel ist in Großfamilien und genossenschaftlich organisiert, die Staatsgeschäfte der gewählten Vertreter stehen unter öffentlicher Kontrolle. Im kollektiven Erziehungsstaat von Morus sind Arbeit und Freizeit des Menschen streng geregelt, er geht seiner Bildung und der Religion nach. Es herrschen strenge Sitten, auch in der Sexualmoral, aber auch pluralistische Toleranz. Abgeschafft sind das juristische Vertragswesen, möglichst weit auch der Krieg, aber vor allem Kapital und Geld, da sie nur Unfriede und Ungleichheit unter den Menschen stiften. *„Wo es noch Privatbesitz gibt, wo alle Menschen alle Werte am Maßstab des Geldes messen, da wird es kaum jemals möglich sein, eine gerechte und glückliche Politik zu* *treiben.*" Wie alle utopischen Konzeptionen ist auch die grundlegende erste von Thomas Morus letztlich vor allem Kritik an den aktuell herrschenden Verhältnissen, deren Hauptübel er im Frühkapitalismus sieht: *„Wenn ich daher alle unsere Staaten, die heute irgendwo in Blüte stehen, im Geiste betrachte, und darüber nachsinne, so stoße ich auf nichts anderes, so wahr mir Gott helfe, als auf eine Art Verschwörung der Reichen, die den Namen und Rechtsmittel des Staates mißbrauchen, um für ihren eigenen Vorteil zu sorgen.*" Alle späteren egalitären Gesellschafts- und Staatsutopien haben von Mercier bis Saint-Simon, Fourier und Marx Bezug auf Thomas Morus genommen, wie Ernst Bloch dies in einer großangelegten Zusammenschau utopischen Denkens von Freiheit, Gleichheit und Glück zusammengefaßt hat.

Edition: Morus, Thomas, Utopia, Nachwort von Eberhard Jäckel, Stuttgart 1983.

Literatur: Bloch, Ernst: Freiheit und Ordnung. Abriß der Sozialutopien, Frankfurt 1969. – Elias, Norbert: Thomas Morus' Staatskritik. Mit Überlegungen zur Bestimmung des Begriffs Utopie, in: Utopieforschung, hg. von Wilhelm Voßkamp, Bd. 2, Frankfurt 1985, S. 101ff.

H. S.

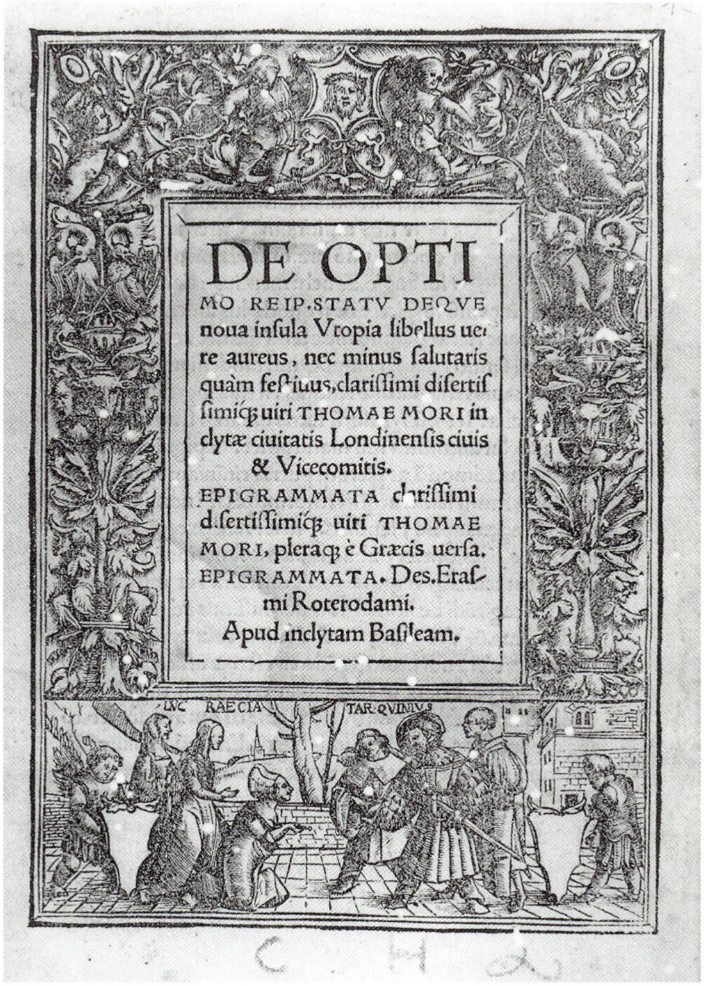

99

100 Jean Bodin: „Colloquium heptaplomeres de rerum sublimium arvanis abditis"

(„Siebenergespräche über die verborgenen Geheimnisse der Religion")
Berlin, 1841 (erster Druck; geschrieben 1593)
Typendruck
H. 21 cm, B. 14 cm
Berlin, Staatsbibliothek zu Berlin – Preußischer Kulturbesitz, Dd 5310

Die Herausbildung verschiedener Konfessionen im Gefolge der Reformation zerstörte endgültig die Glaubenseinheit des Mittelalters. Angesichts der in Frankreich mit äußerster Grausamkeit geführten Hugenottenkriege (1562-1598), die in der Bartholomäusnacht (1572) gipfelten, entwarf der als Schöpfer der Lehre von der Souveränität des Staates bekannt gewordene Jurist Jean Bodin (1530-1596) im Jahr 1593 in seiner Schrift *Colloquium Heptaplomeres [...]* einen Ausweg aus diesem Dilemma, indem er aus einem mutigen utopischen Ansatz heraus erstmals den religiösen Toleranzgedanken klar herausarbeitete. Wegen seiner unerhört scharfen Kritik am Christentum blieb das Werk bis 1841 ungedruckt, beeinflußte aber in zahlreichen Abschriften viele große europäische Geister. In fiktiven Gesprächen diskutieren ein Katholik in Venedig als Gastgeber, ein deutscher Lutheraner, ein französischer Calvinist, ein Mohammedaner, ein Jude, ein die Naturreligion vertretender Spanier und ein Atheist miteinander. Das Religiöse wird auf eine allen gemeinsame Plattform des Wesentlichen beschränkt; die Folge ist eine für jene Zeit atemberaubend anmutende Toleranzhaltung, die den Absolutheitsanspruch eines bestimmten Glaubens aufhebt. Erst 200 Jahre später begannen Verfassungsgebungen zögernd die grundsätzliche Gleichberechtigung von allen Religionen bzw. christlichen Konfessionen zu verankern.

Literatur: Jean Bodins Colloquium Heptaplomeres, hg. von Günther Gawlik und Friedrich Niewöhner, Wiesbaden 1996.

V. R.

Thomas Morus begründete die neuzeitliche utopische Literatur. Sein Idealstaat „Utopia" ist auf einer fernen Insel angesiedelt.

Kultur und Kirche im Umbruch

Selbstbewußtsein des Künstlers

Zu den **um 1500** wirkenden deutschen Renaissance-Malern gehören Lukas Cranach d.Ä., Hans Holbein d.Ä., Hans Baldung Grien. Albrecht Dürer aber war der bedeutendste. Seine Selbstbildnisse zeigen die Souveränität des neuen Künstlers. Seine Werke preisen die Schönheit der Landschaft wie des Menschen. Als erster deutscher Künstler zeigte er Adam und Eva in Aktdarstellungen. Er wandte sich dem Kleinen zu (z. B. im „Rasenstück"), fürchtete aber auch noch „mittelalterlich" die Hölle und das Höllische (Holzschnitte zur Apokalypse).

Der Protestant von Wittenberg

Mit seinen 95 Thesen, die Martin Luther **1517** an die Schloßkirche von Wittenberg genagelt haben soll, wandte er sich gegen die Mißstände in der Kirche. Luther protestierte vor allem gegen den Ablaßhandel mit dem Papst Leo X. versuchte, seinen notorischen Geldmangel zu beseitigen. „Wenn das Geld im Kasten klingt, die Seele in den Himmel springt." Die Revolution (Reformation) begann „sanft", erschütterte aber bald das kirchliche Herrschaftsgebäude bis auf die Grundfesten. Um Luther vor Verfolgung zu schützen, brachte ihn sein Landesherr Friedrich III. von Sachsen auf die Wartburg. Dort übersetzte der Reformator die Bibel, was sich als sehr wichtig für die Entwicklung der deutschen Sprache erwies.

Blüte der Wissenschaften und Künste

Ulrich von Hutten war neben dem mehr bedachtsamen Erasmus von Rotterdam ein kämpferischer Humanist. An den Nürnberger Ratsherrn Willibald Pirckheimer schrieb er **1518**: „O Jahrhundert, o Wissenschaften. Es ist eine Lust zu leben [...] Nimm den Strick, Barbarei, und suche dir einen Ort der Verbannung!" Solcher Optimismus wurde bestätigt durch den ungeheuren Aufschwung, der sich in allen Bereichen des Geistes, der Wissenschaften und der Künste vollzog. Selbstbewußter Verstand durchdrang Himmel und Erde – das unendliche Große und das unendliche Kleine (also Makro- wie Mikrokosmos). Der Idealtypus der Zeit war der Universalist (l'uomo universale), der möglichst viele Gebiete beherrschte. Es wirkten u.a. Michelangelo, Raffael, Leonardo da Vinci, Paracelsus, Martin Behaim.

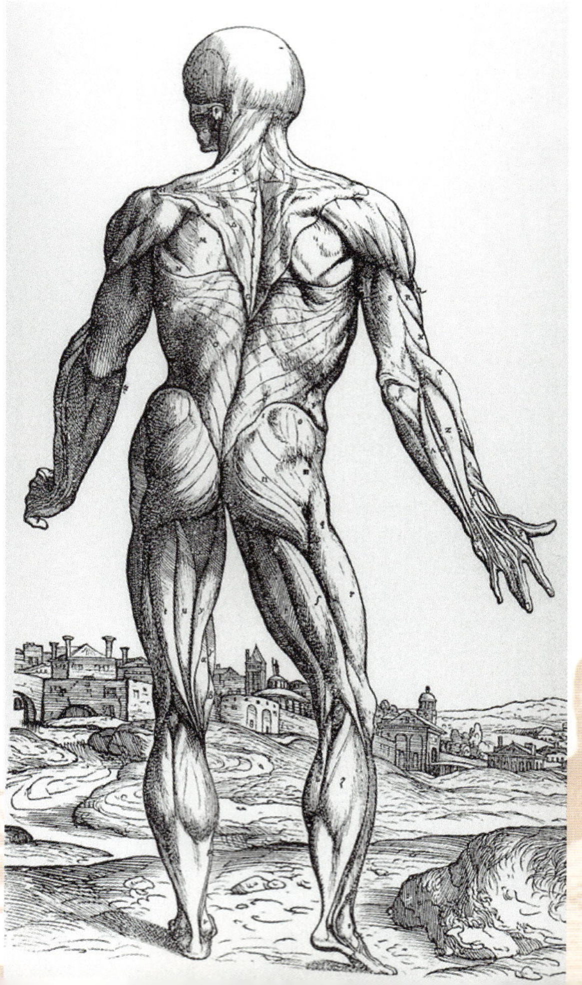

Umrundung der Welt

Der in spanischen Diensten stehende Portugiese Fernão Magalhães begann **1519** eine Seefahrt, die in 1200 Tagen um die Erde führte: die größte Entdeckertat dieses Zeitalters, das reich war an wagemutigen Seefahrern (darunter Vasco da Gama, Giovanni Caboto, Amerigo Vespucci, Bartholomëu Díaz).

Aufstand der Bauern

Thomas Müntzer war Anführer der „räuberischen und mörderischen Bauern" (so Luther). Er wurde von einem Heer von Adeligen mit ihren Söldnern besiegt und **1521** hingerichtet. Die Bauern hatten Luthers Lehre von der Freiheit des Christenmenschen in Hinblick auf ihre Versklavung und Ausbeutung durch die Lehensherren ernst genommen. Inzwischen hatte der Reformator bei seiner „Sach" Unterstützung von Landesfürsten und Stadtregimenten bekommen, was seine Abneigung gegenüber gesellschaftlichem Umsturz verstärkte. Der Protestantismus begann, eine Allianz zwischen Altar und Thron einzugehen.

Freiheit der Christenmenschen
Die Barbarei läßt sich nicht verbannen
Forscherleidenschaft

Mittelpunkt Sonne

1543 erhielt Nikolaus Kopernikus auf dem Totenbett das erste gedruckte Exemplar seines Hauptwerkes „Über die Kreisbewegung der Himmelskörper". Es war der Beginn der heliozentrischen Revolution: Die Sonne (und nicht die Erde) sei der Mittelpunkt des Planetensystems. Das Buch wurde 1616 in das kirchliche „Verzeichnis der verbotenen Bücher" aufgenommen. (Der „Index" war 1564 entstanden und wurde erst 1965 aufgehoben.)

Das habsburgische Weltreich

1556 dankte Kaiser Karl V. ab. Er war seit 1516 König von Spanien und seit 1519 deutscher Kaiser gewesen. In seinem Reich, so hieß es, ging die Sonne nicht unter. Als Habsburger besaß er die österreichischen Erbländer, zu denen bald Böhmen und Ungarn hinzukamen. Karl herrschte über die Niederlande, Teile von Süddeutschland und Italien. In Mittel- und Südamerika verfügte er über riesige Gebiete. Er kämpfte in wechselnden Allianzen gegen innere und äußere Feinde: aufständische Spanier und Niederländer, Päpste und Ketzer, deutsche Fürsten und tunesische Seeräuber, Franzosen und Engländer, Indianer und Türken. Begraben ist er im Kloster Escorial bei Madrid, dem „grandiosesten aller Königsgräber". Es ist zugleich ein düsteres Symbol für einen erstarrten Staat, der vergeblich gegen den neuen Geist von Renaissance und Reformation anging.

Die Neugier des Dr. Faust

Auf der Buchmesse in Frankfurt am Main von **1587** erschien „Die Historia von D. Johann Fausten", die rasch Verbreitung fand. Verfasser war ein Theologe. Dieser beabsichtigte, am Beispiel der historisch verbürgten Figur des Dr. Faust den frevelhaften Übermut eines Menschen anzuprangern, der „alle Gründ" am Himmel und auf Erden erforschen wollte. Die Intellektuellen der Zeit empfanden Faust, auch wenn er schließlich vom Teufel geholt wird, als Vorbild für den Aufstand des Geistes gegen Gängelung und Unterdrückung. Faust blieb, vor allem durch Goethes Dichtung, bis heute Symbol für unersättlichen Wissenshunger.

Königliche Piraten

Unter Königin Elisabeth I. erfolgte Englands Aufstieg zur See- und Großmacht. **1588** besiegte ihr Admiral Sir Francis Drake die spanische Flotte im Kanal. Die kleinen englischen Schiffe setzten sich gegen die Kolosse der spanischen Armada durch. Die englischen Seefahrer hatten ihre siegreiche Kampfstrategie bei Piratenzügen entwickelt. Diese waren durch königliche Privilegien unterstützt und richteten sich vor allem gegen die von Süd- und Mittelamerika zurückkehrenden, mit Gold und Schätzen beladenen spanischen Schiffe. Der „merchant adventurer", der raubritternde Kaufmann und Seefahrer, stand an der Wiege des englischen Kapitalismus.

Pariser Bluthochzeit

Anläßlich einer Hochzeitsfeier des französischen Königshauses kam es **1572** zur sogenannten Bartholomäusnacht. In Paris wurden etwa 3.000, in der Provinz etwa 10.000 Hugenotten ermordet. Sie waren Anhänger des französisch-schweizerischen Reformators Johannes Calvin. Die Bartholomäusnacht war ein furchtbarer Höhepunkt der Gegenreformation, deren geistiger Kern die von Ignatius von Loyola gegründeten Jesuiten (Societas Jesu) bildeten. Europa wurde zum Schlachtfeld sich bekriegender Kirchenparteien.

„Nova totius Terrarum orbis geographica ac hydrographica tabula"
Weltkarte von Gerhard Mercator
Niederlande, 1630
Berlin, Staatsbibliothek zu Berlin – Preußischer Kulturbesitz, Kartenabteilung

Die Karte gibt die westliche und östliche Erdhalbkugel in der sogenannten „Mercator-Projektion" wieder, wobei es bei zunehmendem Breitengrad zu einer starken Verzerrung der Landmassen kommt. Diese Projektion ermöglichte den Seefahrern durch das Aufzeichnen einer Geraden die genaue Kursbestimmung. Die einzelnen Kontinente zeichnen sich schon sehr exakt ab. Das noch unerforschte Australien ist auf der rechten Weltkugel mit „Terra Australis incognita" bezeichnet.

1600

Jahrhundertwende im Glaubensstreit

Bis 1574 erschienen die „Magdeburger Zenturien". Diese protestantische Kirchengeschichte führte die „Hundertschaft" der Jahre als Gliederungseinheit der Geschichtsschreibung ein. Als Folge gab es 1600 ein Bewusstsein für die Jahrhundertwende. Sie wurde im Rahmen der protestantischen Polemik gegen die im Heiligen Jahr 1600 nach Rom reisenden Pilger beachtet.

Man sagt, mit dem 16. Jahrhundert habe die Neuzeit begonnen. Und in der Tat: Die Welt des Jahres 1600 war in vielerlei Hinsicht eine neue Welt geworden, die sich von der des Jahres 1500 unterschied. Das zentrale Ereignis des Jahrhunderts war die Reformation. Seit 1517 brach in rasantem Tempo und an diversen Orten Europas das tausendjährige Monopol der römischen Papstkirche, so daß sich bald mehrere Konfessionen gegenüberstanden. Da es in der Folgezeit keinem Bekenntnis gelang, einen vollständigen Sieg über das andere zu erringen, blieb die Sache in der Schwebe, letztlich bis heute. Die katholische Gegenreformation, die innerhalb des Deutschen Reiches in der Regel auch die Sache des Kaisers war, gewann Terrain zurück, aber sie mußte doch die Existenz und Eigenständigkeit der Protestanten und ihrer Fürsten anerkennen. Der Kompromiß, den man auf dem Augsburger Reichstag von 1555 fand und später, nach dem Dreißigjährigen Krieg, bestätigte, war der des *cuius regio, eius religio*: Wer regiert, bestimmt die Konfession. Die Entscheidung über das Bekenntnis lag also nun bei den vielen einzelnen Landesherrn, keineswegs mehr bei Kaiser und Reich. Die konfessionelle Spaltung des Reiches war damit anerkannt. Für Baden, wie es in den Jahrzehnten um 1800 zusammenwuchs, bedeutete dies, daß es aus drei verschiedenen Teilfürstentümern auch drei verschiedene Konfessionen erben sollte.

Die Jahrhundertwende 1600 ist die erste Jahrhundertwende im eigentlichen Sinn. Nun finden sich Handlungsweisen, die die modernen Jahrhundertwenden bestimmen.

Das 16. Jahrhundert war indes nicht lediglich ein Zeitalter der konfessionellen Gegensätze. Man wird gut daran tun, derartige Totalen durch die Optik lokaler und sozialer Vielfalt zu brechen. Während im deutschen Südwesten teilweise mehrmals die Konfession gewechselt wurde, waren andere Landstriche vergleichsweise stabil und von der Reformation beinahe unberührt geblieben. Natürlich gibt es auch andere Sphären des damaligen Lebens, wie das Staatswesen, die Ökonomie, die Mentalitäten oder die Gelehrsamkeit, die sich mit einer gänzlich anderen Rhythmik, teils auch viel langsamer veränderten. Bemerkenswert ist etwa, daß im 16. Jahrhundert die Erfindung des Buchdrucks gegriffen hat: Eine Medienrevolution, wie man heute sagt, die in ihren Auswirkungen mit denen der Reformation vergleichbar ist, und die verschiedenen Räume enger zusammenband, ganz gleich ob sie sich konfessionell voneinander entfernten. Aus geistesgeschichtlicher Sicht wird die Zeit um 1600 als Späthumanismus bezeichnet, womit man anzudeuten versucht, daß die einst so große, von Italien ausstrahlende Bewegung des Humanismus in eine Krise geraten war, die wohl ihre letzte war. Das *„O saeculum! O litterae!"* eines Ulrich von Hutten von 1518 galt nicht mehr oder doch wenigstens nicht mehr mit jenem ungebrochenen Enthusiasmus, mit dem Hutten diesen Ausruf damals krönte: *„Juvat vivere!"* – es ist eine Lust zu leben.

Will man den Späthumanismus als Krise fassen, so lohnt sich der Blick nach Prag an den Hof Kaiser Rudolfs II. Des Kaisers gesundheitlicher und geistiger Zustand hatte schon in den 1590er Jahren gelegentlich zur Sorge gereicht, er verschlechterte sich im Sommer 1599 noch rapide, tauchte 1600 und dann erneut 1606 in eine ernste Krise. Die Blüte seines Hoflebens, das große Künstler, Astronomen wie Kepler und Tycho Brahe, Beichtväter aber auch selbsternannte Propheten und Scharlatane versammelt sah, wankte noch jahrelang zwischen Wahn und Größe.

Bemerkenswerterweise ist die Jahrhundertwende 1600 vielleicht die erste Jahrhundertwende im eigentlichen Sinne. Im Kern finden sich nun diejenigen Handlungsweisen, die die modernen Jahrhundertwenden bestimmen, also beispielsweise erste eigens abgefaßte Reden und Predigten sowie termingerechte Rück- und Ausblicke in das vergangene und das kommende Jahrhundert. Noch immer, so viel ist vorwegzunehmen, war jedoch die Jahrhundertwende kein allzu bedeutsamer Aspekt im Leben der Menschen. Daß sie etwa die Menschen am Prager Hof beeinflußte, ist eher unwahrscheinlich: Sie sorgen sich um Kometen oder die Melancholie des Kaisers, kaum aber um die *runde Zahl* 1600. Die Jahrhundertwende rückte nur leise und gleichsam durch die Hintertür ins Blickfeld einer begrenzten Aufmerksamkeit.

Erklärbar ist dies etwa dadurch, daß es bis in das 16. Jahrhundert hinein keinen festen Jahrhundertbegriff gab, mit dem man den Lauf der Geschichte gegliedert hätte. Das änderte sich, als die sogenannten *Magdeburger Zenturien* in den Jahren 1559 bis 1574 erschienen, eine erste große Kirchengeschichte von protestantischer Seite. Dieses neue, von einem Magdeburger Autorenkollektiv verfaßte Geschichtswerk war in Bände zu jeweils hundert Jahren, in *„Hundertschaften"*, lateinisch *„centuriae"*, gegliedert. Jede Zenturie wurde in einem Band gebunden, so daß die Bandzählung zugleich der Jahrhundertzählung entsprach. Wer mit diesem neuen Begriff des *Jahrhunderts* arbeitete, der konnte die Jahreszahl 1600 ganz anders deuten: Nun ging mit dem Jahr 1600 gewissermaßen ein Kapitel der Geschichte zu Ende. Fraglich ist natürlich, welche Bedeutung man einem solchen Wechsel beimaß.

Einige der Stimmen, die sich zum ersten Januar 1600 erhoben, sind uns im Druck erhalten; so etwa eine Neujahrspredigt des Tübinger Professors Matthias Hafenreffer. Er drückt sich noch ein wenig umständlich aus, um über das zu sprechen, für das die Sprache noch keine passenden Worte gefunden hatte, über die Jahrhundertwende. An den vorausgehenden Jahrhundertwenden schweigen die Quellen mit nur wenigen Ausnahmen oder sie gehen lediglich auf das Heilige Jahr oder Jubeljahr ein, jenes Jahr des Sündenerlasses, das mittlerweile im 25-jährigen Rhythmus stattfand. Um zu verstehen, in welcher Weise den Zeitgenossen das Jahr 1600 vor Augen stand, muß man die Kontexte dieses Ereignisses betrachten.

Wer mit dem neuen Begriff des „Jahrhunderts" arbeitete, der konnte die Jahreszahl 1600 neu deuten.

Zunächst: Das Jubeljahr war auch 1600 wieder ein Thema. In katholischen Kirchen hatte man bereits Ende 1599 die Ankündigungsbulle verlesen, um die Frommen von dem bevorstehenden Jubeljahr in Kenntnis zu setzen und sie zur Pilgerschaft nach Rom aufzufordern. Protestantische Prediger ignorierten diesen Vorgang nicht einfach: Viele attackierten den katholischen Brauch mit Inbrunst, sah man doch die schon von Luther angegriffene Praxis des Ablasses in neuer Blüte. Wenn auch die katholischen Gläubigen in diesem Fall nur mit den wunden Füßen ihres Pilgertums zu zahlen hatten, sie wanderten doch, und sie wanderten häufig sogar mitten durch protestantische Länder, um nach Rom zu gelangen und dort den Sonderablaß gewährt zu bekommen.

So rollte nun eine Welle protestantischer Kontroverspredigten an, und dieser Widerspruch gegen den römischen *Jubel* hatte bereits Tradition, denn schon die römischen Jubeljahre von 1525, 1550, und 1575 wurden – 1525 noch massiv durch Luther selbst – vom Protestantismus verurteilt. Es lohnt sich diesbezüglich der Blick auf die Tübinger Universität, an der Hafenreffer im Jahre 1600 seine Neujahrspredigt hielt. Tübingen war 1535 protestantisch geworden. Die neue Konfession bestimmte gelegentlich auch die akademische Themenwahl, so zum Jubeljahr 1575, als man eigens eine Disputation über das Jubeljahr abhielt, die die Herkunft der *Jubel*-Tradition erläuterte und sie in ihrer römisch-katholischen Variante zugleich verwarf. Es scheint kein Zufall, daß die Tübinger Universität drei Jahre später das Fest ihrer hundertjährigen Gründung mit dem selben Begriff eines Jubeljahrs (*annus jubilaeus*) schmückte. Natürlich grenzte man sich zugleich vom katholischen Jubelbrauch ab: Nein, das Jubelfest der protestantischen Universität sollte keinen Sündenablaß gewähren, es war indes ein Fest der Erinnerung: Das Prinzip des historischen Jubiläums, des fristgerechten Feierns und Erinnerns, war geboren. Es war aus einer Situation der Konkurrenz entstanden, eine Eigentümlichkeit, die sein *Feiern* und *Erinnern* auf eine klare Funktion verwies. So dient das Jubiläum in der Regel dazu, die eigene Gruppenidentität zu stärken.

Protestantische Prediger attackieren den katholischen Brauch, zum Heiligen Jahr nach Rom zu pilgern.

Das Jahr 1600 war ebenso wie 1575 ein Jubeljahr und so wuchs nicht nur erneut der Strom der Pilger, sondern auch die konfessionelle Spannung, die den einen das Jahr als heilig erscheinen ließ, während es den Protestanten allenfalls als eine Herausforderung vor Augen stand.

Die Antwort, die der Protestantismus fand, mutet paradox an, denn man beließ es nicht bei Spottpredigten auf den Katholizismus: Die junge lutherische Kirche betonte das, was sie kaum hatte, nämlich ihre eigene dauerhafte Tradition. Wie schon auf dem Tübinger Universitätsjubiläum von 1578 dankte man Gott für die Wohltaten, die er einem in den letzten hundert Jahren hat zukommen lassen und erzählte die Geschichte der eigenen Gruppe, die zugleich ein Stück der Geschichte der Reformation war. Dies ist der Kern von Hafenreffers Jahrhundertrede, man findet ihn auch in einigen anderen protestantischen Säkularpredigten, die von diesem Tag überliefert sind. Und was wichtiger ist: Noch heute pflegen wir diese gruppenbezogenen Rückblicke zum Jahrhundertende, etwa wenn wir Deutschlands Entwicklung im 20. Jahrhundert Revue passieren lassen. So gesehen hat mit dem 16. Jahrhundert in der Tat eine neue Zeit begonnen – oder doch wenigstens – eine neue Kultur, die *Schwellen* der Zeit zu zelebrieren.

Literatur:

Hafenreffer, Matthias: Concio Secularis, Das ist: Erinnerungs / unnd Danckpredigt / wegen der vielfältigen und grossen Gutthaten / welche der Allmechtige Gott / uns in den abgelauffenen hundert Jaren / Nämlich von Anno 1500. biß auff Annum 1600. von der Seeligmachenden Geburt / unseres lieben Herrn und Heylands Jesu Christi gezelet / zu Seel und Leib / Vätterlich und Reichlich erzeigt hat. Gehalten / zu Tübingen auff den Newen Jarstag des eingehenden 1600. Jars. Tübingen 1600.

Arndt Brendecke

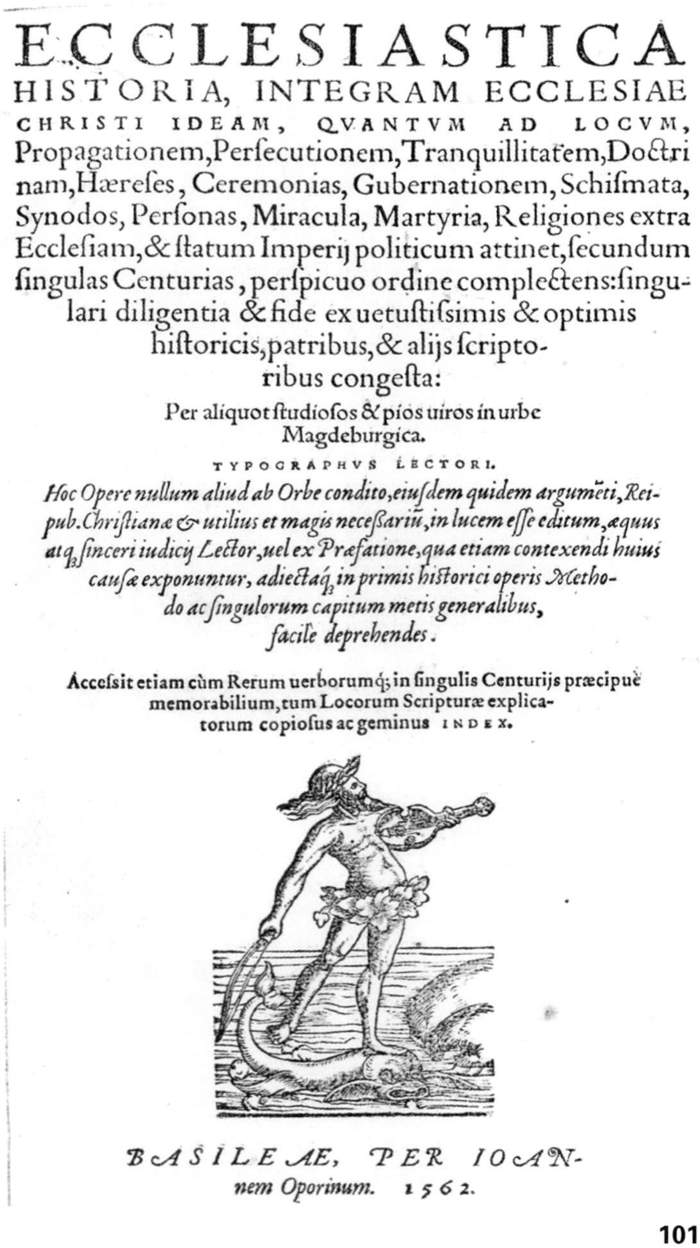

ECCLESIASTICA
HISTORIA, INTEGRAM ECCLESIAE
CHRISTI IDEAM, QVANTVM AD LOCVM,
Propagationem,Perſecutionem,Tranquillitatem,Doctri
nam,Hæreſes, Ceremonias, Gubernationem, Schiſmata,
Synodos, Perſonas, Miracula, Martyria, Religiones extra
Eccleſiam,& ſtatum Imperij politicum attinet,ſecundum
ſingulas Centurias, perſpicuo ordine complectens:ſingu-
lari diligentia & fide ex uetuſtiſsimis & optimis
hiſtoricis,patribus,& alijs ſcripto-
ribus congeſta:
Per aliquot ſtudioſos & pios uiros in urbe
Magdeburgica.

TYPOGRAPHVS LECTORI.

Hoc Opere nullum aliud ab Orbe condito,eiuſdem quidem argumēti,Reipub.Chriſtianæ & utilius et magis neceſſariū,in lucem eſſe editum,æquus atq; ſinceri iudicij Lector,uel ex Præfatione,qua etiam contexendi huius cauſæ exponuntur, adiectaq; in primis hiſtorici operis Methodo ac ſingulorum capitum metis generalibus, facile deprehendes.

Acceſsit etiam cùm Rerum uerborumq; in ſingulis Centurijs præcipuè memorabilium,tum Locorum Scripturæ explicatorum copioſus ac geminus INDEX.

BASILEAE, PER IOANnem Oporinum. 1562.

101

101 Sogenannte „Magdeburger Zenturien"

Magdeburger Autorenkreis um Matthias Flacius Illyricus (1520-1575)
Basel, bei Johannes Oporinus,1562 (hier: Bd. 1-3, in eins gebunden)
Typendruck
H. 32,5 cm, B. 22 cm
Heidelberg, Universitätsbibliothek, Q 2662 Res

Diese Kirchengeschichte, die man gemäß ihrem Entstehungsort und ihrem Gliederungsschema kurz *Magdeburger Zenturien (Centuriae Magdeburgenses)* nennt, entstand zwischen 1559 und 1574 und wurde in Basel bei Oporinus gedruckt. Ihr vollständiger lateinischer Titel lautet: *Ecclesiastica historia, integram ecclesiae Christi ideam, quantum ad locum, Propagationem, Persecutionem, Tranquilitatem, Doctrinam, Haereses, Ceremonias, Gubernationem, Schismata, Synodos, Personas, Miracula, Martyria, Religiones extra Ecclesiam, & statum Imperij politicum attinet, secundum singulas Centurias, perspicuo ordine complectens: singulari diligentia & fide ex vetustissimis & optimis historicis, patribus, & alijs scriptoribus congesta: Per aliquot studiosos & pios viros in urbe Magdeburgica. Basel 1560.*

Die Eigenart der Historiker, nach Jahrhunderten zu gliedern, führt man auf die *Magdeburger Zenturien* zurück. Diese erste große protestantische Kirchengeschichte wurde von einer Autorengruppe um Matthias Flacius Illyricus seit 1552 in Magdeburg vorbereitet und zusammengestellt. Sie gliederte den historischen Stoff zum einen in je 16 verschiedene Themenbereiche, zum anderen faßte sie in jeden Band jeweils eine Hundertschaft (*centuria*) an Jahren. Auf diese Weise entsprachen sich die Band- und Jahrhundertzählung des Werkes, numerierte man systematisch die *Jahrhunderte* seit Christi Geburt durch. Wie Uta Goerlitz kürzlich nachwies, hatte diese Jahrhundertzählung der *Magdeburger Zenturien* einen Vorläufer. So gliederte bereits die um 1520 entstandene, nur handschriftlich überlieferte Mainzer Chronik des Hermann Piscator ihren Bericht durch entsprechende Überschriften, die das jeweilige Jahrhundert anzeigten. Modellbildend für die Jahrhundertgliederung wurden jedoch die *Magdeburger Zenturien*, da diese viele Nachahmer fanden.

Literatur: Burkhardt, Johannes: Die Entstehung der modernen Jahrhundertrechnung. Ursprung und Ausbildung einer historiographischen Technik von Flacius bis Ranke. Göppingen 1971. – Goerlitz, Uta: Humanismus und Geschichtsschreibung am Mittelrhein. Das „Chronicon urbis et ecclesiae Maguntinensis" des Hermannus Piscator OSB, Tübingen 1999. – Scheible, Heinz: Die Entstehung der Magdeburger Zenturien. Ein Beitrag zur Geschichte der historiographischen Methode, Gütersloh 1966.

A. B.

102 Theodor Schnepff: „Oratio in laudem praepotentis Dei"

(Rede anläßlich des hundertsten Gründungsfestes der württembergischen Landesuniversität Tübingen)
Tübingen, bei Georgius Gruppenbachius, 1578
Typendruck
H. 19,5 cm, B. 16,5 cm
Tübingen, Universitätsbibliothek, Ka I 600-1429, 5. Stück

Man kann die Vorgänge, die die Jahrhundertwende 1600 begleiteten, kaum verstehen, wenn man nicht die Tradition des historischen Jubiläums betrachtet, die sich kurz vor dieser Jahrhundertwende zu entfalten begann. Der Text zeugt von einem dieser frühen Jubiläen, dem hundertsten Gründungsfest der württembergischen Landesuniversität Tübingen. Das mehrtägige Jubiläumsfest der Universität begrüßte u.a. den Landesherren und zeichnete sich durch Musik- und Theateraufführungen, Festbankette und -reden aus. Die 1477 gegründete Universität hatte diese Festlichkeiten wegen einer Pest im benachbarten Reutlingen vom Herbst 1577 auf den Februar 1578 verschoben. Eine der schließlich gehaltenen Hauptreden, die des Tübinger Theologieprofessors Theodor Schnepff (1525-1586), liegt hier in ihrer Druckfassung vor. Ihr vollständiger lateinischer Titel lautet: *Oratio in laudem praepotentis Dei, honorem illustrissimae domus Wirtenbergicae, celebrationem inclytae Academiae Tubingen-*

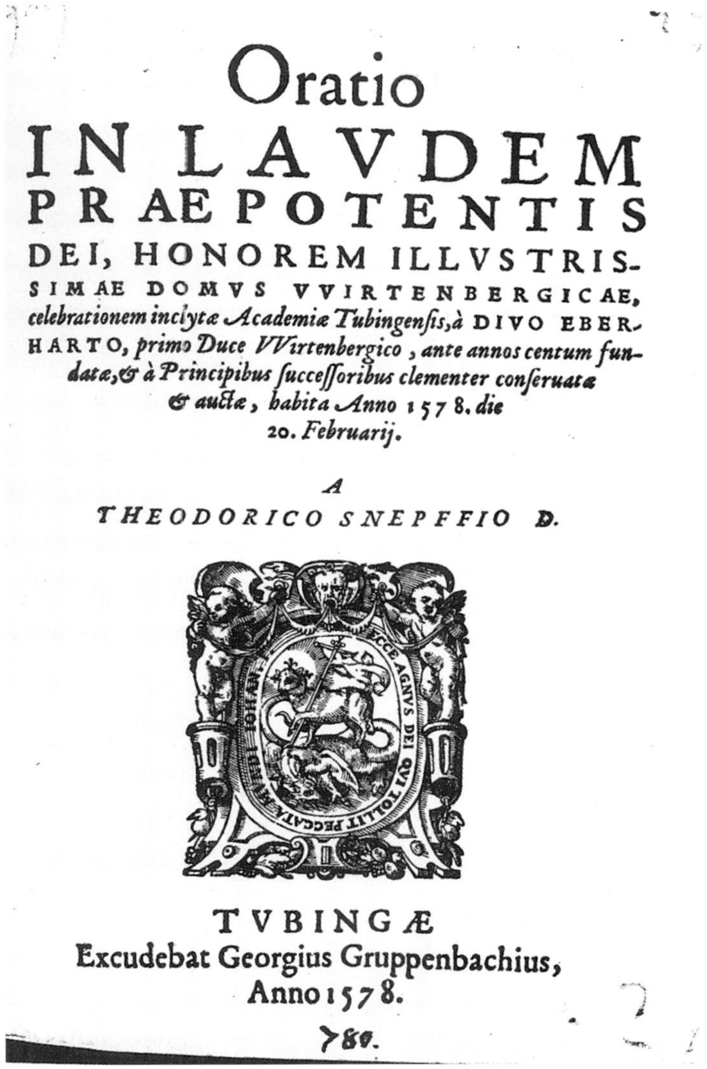
Oratio
IN LAVDEM
PRAEPOTENTIS
DEI, HONOREM ILLVSTRIS-
SIMAE DOMVS VVIRTENBERGICAE,
celebrationem inclytæ Academiæ Tubingensis, à DIVO EBERHARTO, primo Duce VVirtenbergico, ante annos centum fundatæ, & à Principibus successoribus clementer conseruatæ & auctæ, habita Anno 1578. die 20. Februarij.

A
THEODORICO SNEPFFIO D.

TVBINGÆ
Excudebat Georgius Gruppenbachius,
Anno 1578.

780.

102

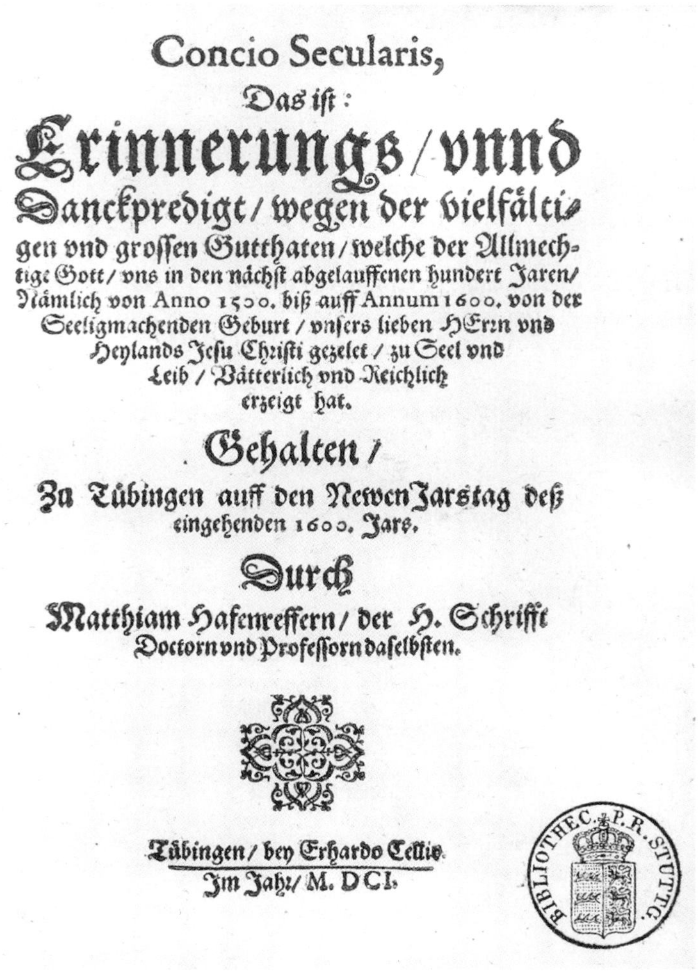
Concio Secularis,
Das ist:
Erinnerungs/vnnd Danckpredigt/wegen der vielfältigen vnd grossen Gutthaten/welche der Allmechtige Gott/vns in den nächst abgelauffenen hundert Jaren/Nämlich von Anno 1500. biß auff Annum 1600. von der Seeligmachenden Geburt/vnsers lieben HErrn vnd Heylands Jesu Christi gezelet/zu Seel vnd Leib/Vätterlich vnd Reichlich erzeigt hat.

Gehalten/
Zu Tübingen auff den Newen Jarstag deß eingehenden 1600. Jars.

Durch
Matthiam Hafenreffern/der H. Schrifft Doctorn vnd Professorn daselbsten.

Tübingen/bey Erhardo Cellio.
Im Jahr/M. DCI.

103

sis, a divo Eberharto, primo Duce Wirtenbergico, ante annos centum fundatae, & a Principibus successoribus clementer conservatae & auctae, habita Anno 1578. die 20. Februarii. Der Redner rekapituliert die Geschichte der Universität und unterschied sorgsam das eigene Festgebaren des Jubiläums von den römischen Säkularbräuchen einerseits und den hebräischen sowie den katholischen Riten des Jubeljahres andererseits.

Literatur: Kugler, Bernhard: Die Jubiläen der Universität Tübingen nach handschriftlichen Quellen, in: Beiträge zur Vierten Säcularfeier der Universität Tübingen im Sommer 1877, 1, Festprogramm der Phil. Fakultät, Tübingen 1877. – Müller, Winfried: Erinnern an die Gründung. Universitätsjubiläen, Universitätsgeschichte und die Entstehung der Jubiläumskultur in der frühen Neuzeit, in: Berichte zur Wissenschaftsgeschichte, Bd. 21, 1998, S. 79-102.

A. B.

103 Matthias Hafenreffer: „Concio secularis"
(Säkularrede der württembergischen Landesuniversität Tübingen auf das Jahr 1600)
Tübingen, bei Erhard Cellis, 1600
Typendruck
H. 18,5 cm, B. 15 cm
Stuttgart, Württembergische Landesbibliothek, Theol. qt 2963

Matthias Hafenreffer (1561-1619), Professor der Hl. Schrift, hielt am 1. Januar 1600 in der Tübinger Stiftskirche die *Säkularrede* der dortigen Universität. Die Praxis, eine Jahrhundertwenderede oder -predigt zu halten, war, nach allem was wir über frühere Jahrhundertwenden wissen, neu. Inhaltlich griff Hafenreffers Säkularrede indes auf Vorformen zurück. So enthielt seine Rede einen Rückblick auf die Entwicklung der Universität unter Berücksichtigung der eigenen Konfession und Landeszugehörigkeit, die den Reden ähnelte, die anläßlich des Tübinger Universitätsjubiläums von 1578 gehalten wurden (vgl. Kat.-Nr. 102). Als äußeren Anstoß zur Rede Hafenreffers darf man die beinahe gleichzeitig stattfindende Eröff-

104

nung des katholischen Jubeljahres in Rom nicht übersehen. Dieses Jubeljahr oder Heilige Jahr mit seinem Pilger- und Ablaßwesen erschien in den Augen des Protestantismus als Provokation.

Hafenreffers Säkularrede wurde drucktechnisch vervielfältigt unter dem Titel: *Concio Secularis, Das ist: Erinnerungs / unnd Danckpredigt / wegen der vielfältigen und grossen Gutthaten / welche der Allmechtige Gott / uns in den abgelauffenen hundert Jaren / Nämlich von Anno 1500. biß auff Annum 1600. von der Seeligmachenden Geburt / unseres lieben Herrn und Heylands Jesu Christi gezelet / zu Seel und Leib / Vätterlich und Reichlich erzeigt hat. Gehalten / zu Tübingen auff den Newen Jarstag des eingehenden 1600. Jars. Tübingen 1600.*

Literatur: Brendecke, Arndt: Die Jahrhundertwenden. Eine Geschichte ihrer Wahrnehmung und Wirkung, Frankfurt am Main / New York 1999.

A. B.

104 Giordano Bruno
Johann Georg Mentzel (1677-1743) (?)
Kupferstich, Radierung
H. 13 cm, B. 7,9 cm (Blatt, beschnitten)
Wolfenbüttel, Herzog August Bibliothek, Porträtsammlung
A 2957

Rom, 17. Februar 1600: Auf dem Campo dei fiori findet eine öffentliche Ketzerverbrennung statt. Der Verurteilte ist Giordano Bruno, der an Universitäten in ganz Europa Astronomie, Philosophie und Gedächtniskunst gelehrt hatte. Lehre und Schriften Brunos formulieren einen Angriff gegen die kirchlichen Dogmen und den damaligen Wissenskanon: so seine Thesen gegen die aristotelische Naturphilosophie und die euklidische Geometrie sowie seine Annahme, daß aus der Unendlichkeit Gottes auch die Unendlichkeit des Weltalls folge.

Bruno, geboren 1548 in Nola bei Neapel, war mit 17 Jahren dem Dominikanerorden beigetreten, doch schon bald hegte er Zweifel am christlichen Gottesbegriff. 1576 wurde er erstmals der Ketzerei beschuldigt. Aus Italien geflohen, zog er nach Toulouse, sodann nach Paris. Dort traf er mit König Heinrich III. zusammen, dem er seine Lehre über die Gedächtniskunst darlegte. Sein Weg führte weiter nach London, Prag, Helmstedt, Frankfurt und schließlich nach Venedig, wo er 1592 von der Inquisition gefaßt und nach einem langjährigen Prozeß verurteilt wurde.

Brunos Tod wird heute gedeutet als Folge des Konflikts eines an der Schwelle der Moderne stehenden Philosophen, ja gar eines Vordenkers der Aufklärung, mit den mittelalterlichen Normen.

C. Kr.

Am 17. Februar 1600
wurde der Astronom, Philosoph
und Lehrer der Gedächtniskunst
Giordano Bruno in Rom
als Ketzer verbrannt.

105

106 Automatenuhr mit Amor

Meister AS (Andreas Stahl ?)
Augsburg, um 1600
Vergoldetes Silber, Messing, Brillanten, Lapislazuli, Glas
H. 30 cm, L. 30,5 cm, T. 13,8 cm
Karlsruhe, Badisches Landesmuseum, Inv.-Nr. 62/30

Technisches Raffinement wird bei der Automatenuhr auf die Spitze getrieben, die wie ein luxuriöses Spielzeug auf uns wirkt: denn neben einem Stunden- und Schlagwerkziffernblatt sowie den im Takt rollenden Augen des Amor (Augenwender), der seinen Pfeil auf den sich wendenden Papagei abschießen konnte, kann der gesamte Wagen in Bewegung gesetzt werden, wobei die Ziegen wippen und ihre Köpfe drehen, der Hund auf und ab springt und ein kleiner silberner Drache auf dem Bodenblech sich hin und her bewegt. Diese technischen Kunst- und Wunderwerke wurden dem mechanistischen Weltbild des Humanismus entsprechend als größte Leistung menschlichen Erfindungsgeistes verstanden: denn das Zusammenspielen verschiedenster Elemente zum funktionierenden Ganzen einer Uhr wurde als Spiegelbild und Symbol der festen Gesetze der göttlichen Ordnung begriffen, in der alle Elemente ebenfalls in einem sinnvollen Verhältnis zueinander stehen.

Literatur: Uhrzeiten. Die Geschichte der Uhr und ihres Gebrauchs, hg. von Igor A. Jenzen, Frankfurt a.M. 1989.

R. W. S.

105 Bergkristall-Halsuhr

Baltasar de Paep
Um 1600
Feuervergoldetes Spindelwerk mit Schnecke und Darmsaite; feuervergoldetes Bronzegehäuse mit Edelsteinen
Dm. 5 cm
Furtwangen, Deutsches Uhrenmuseum, Inv.-Nr. K 458

Mit der Erfindung der Antriebsfeder war es erstmals möglich, mechanische Uhrwerke im Kleinformat herzustellen und damit die Uhr für den privaten Gebrauch dienstbar zu machen. Eine solche Halsuhr wurde wie ein kostbares Schmuckstück als Status- und Luxusobjekt um den Hals getragen; sie besteht aus einem vergoldeten, mit Edelsteinen besetzten Messinggehäuse und das Ziffernblatt wird von einem großen Stück geschliffenen Bergkristall abgedeckt (vgl. Kat.-Nr. 106).

Literatur: Mühe, Richard: Das Deutsche Uhrenmuseum, Furtwangen 1992, farb. Abb. S. 91.

R. W. S.

106

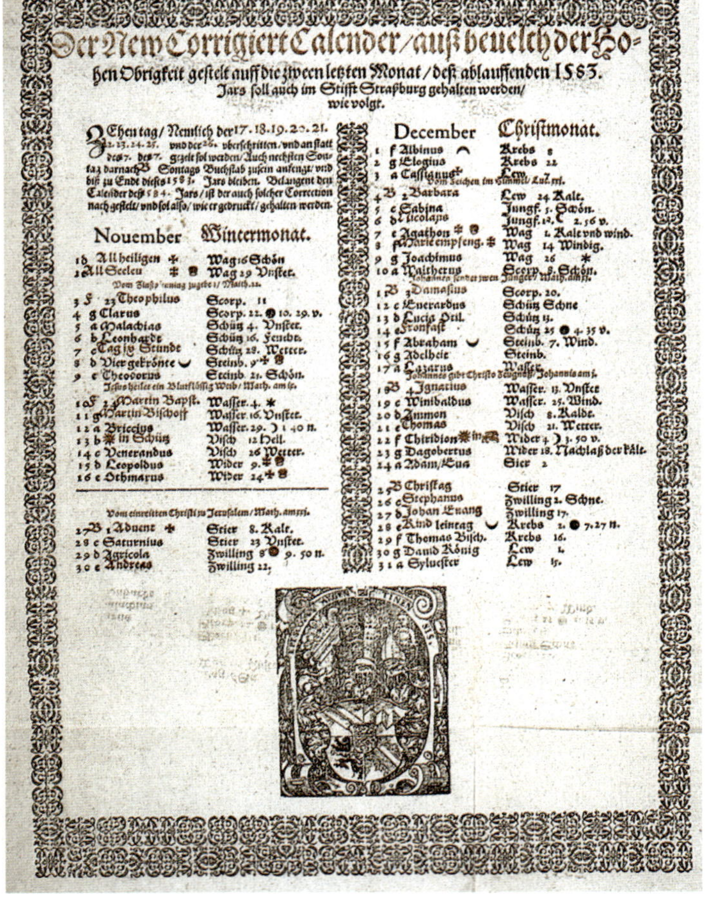
Der New Corrigiert Calender/auß beuelch der Hohen Obrigkeit gestelt auff die zween letzten Monat/deß ablauffenden 1583. Jars soll auch im Stifft Straßburg gehalten werden/ wie volgt.

Zehen tag/ Nemlich der 17. 18. 19. 20. 21. 22. 23. 24. 25. vnd der 26. vberschritten/ vnd an statt des 7. der 7. gezelt sol werden/ Auch nechsten Sontag darnach B Sontags Buchstab zusein anfengt/ vnd biß zu Ende dieses 1583. Jars bleiben. Belangent den Calender deß 1584. Jars/ ist der auch solcher Correction nach gestelt/ vnd sol also/ wie er gedruckt/ gehalten werden.

Nouember Wintermonat.

1 d	Allheiligen	Wag 16 Schön
2 e	All Seelen	Wag 29 Vnstet.
	Vom Zinßg[r]oschen/ Math. 22.	
3 F	23 Theophilus	Scorp. 11
4 g	Clarus	Scorp. 22. 10. 29. v.
5 a	Malachias	Schütz 4. Vnstet.
6 b	Leonhardt	Schütz 16. Feucht.
7 c	Tag vnd Stunde	Schütz 28. Wetter.
8 d	Vier gekrönte	Steinb. 9.
9 e	Theodorus	Steinb. 21. Schön.
	Jesus heilet ein Blutflüssig Weib/ Math. am 9.	
10 F	24 Martin Bapst.	Wasser. 4.
11 g	Martin Bischoff	Wasser. 16. Vnstet.
12 a	Briccius	Wasser. 29. 1. 40 n.
13 b	in Schütz	Visch 12 Hell.
14 c	Venerandus	Visch 26 Wetter.
15 d	Leopoldus	Wider 9.
16 e	Othmarus	Wider 24.
	Vom einreitten Christi zu Jerusalem/ Math. am 21.	
27 B	1 Aduent	Stier 8. Kalt.
28 c	Saturnius	Stier 23 Vnstet.
29 d	Agricola	Zwilling 8. 9. 50 n.
30 e	Andreas	Zwilling 22.

December Christmonat.

1 f	Albinus	Krebs 8
2 g	Elogius	Krebs 22
3 a	Cassianus	Lew 7
	Vom Zeichen im Himmel/ Luc. 21.	
4 B	2 Barbara	Lew 24 Kalt.
5 c	Sabina	Jungf. 5. Schön.
6 d	Nicolaus	Jungf. 12. 2. 56 v.
7 e	Agathon	Wag 1. Kalt vnd wind.
8 f	Marie empfeng.	Wag 14 Windig.
9 g	Joachimus	Wag 26
10 a	Waltherus	Scorp. 8. Schön.
	Johannes sendet zwen Jünger/ Math. am 11.	
11 B	3 Damasius	Scorp. 20.
12 c	Euerardus	Schütz Schne
13 d	Lucia Jr[n].	Schütz 13.
14 e	Fronfast	Schütz 25 4. 35 v.
15 f	Abraham	Steinb. 7. Wind.
16 g	Adelheit	Steinb.
17 a	Lazarus	Wasser.
	Johannes gibt Christo Zeugnuß/ Johannis am 1.	
18 B	4 Ignatius	Wasser. 13. Vnstet
19 c	Winibaldus	Wasser. 25. Wind.
20 d	Ammon	Visch 8. Kalte.
21 e	Thomas	Visch 21. Wetter.
22 f	Chiridion in	Wider 4. 3. 50 v.
23 g	Dagobertus	Wider 18. Nachlaß der kält.
24 a	Adam/ Eua	Stier 2
25 B	Christag	Stier 17
26 c	Stephanus	Zwilling 2. Schne.
27 d	Johan Euang	Zwilling 17.
28 e	Kindleintag	Krebs 2. 7. 27 n.
29 f	Thomas Bisch.	Krebs 16.
30 g	Dauid König	Lew 1.
31 a	Sylvester	Lew 15.

107

107 Der Gregorianische Kalender: „Der New Corrigiert Calender auß bevelch der Hohen Obrigkeit gestelt auff die zween letzten Monat, des ablauffenden 1583. Jars soll auch im Stifft Straßburg gehalten werden, [...]"

Straßburg, 1583 (Einblattdruck)
Typendruck
H. 41,5 cm, B. 32 cm
Karlsruhe, Generallandesarchiv, 74/1268

Grundlage unseres Kalenders ist der römische, unter Gaius Julius Caesar im Jahre 45 v. Chr. eingeführte *Julianische Kalender*, der auf einem mittleren Sonnenjahr mit 365 1/4 Tagen beruht. Die 12 Monate werden in 30 bzw. 31 Tage geteilt, nur der Februar dauert 28, in Schaltjahren 29 Tage. Festgelegt wurde auch die 7-Tage-Woche und der Jahresbeginn am 1. Januar. Trotz des vierjährigen Schaltrhythmus war das *Julianische Jahr* gegenüber dem Sonnenjahr um 11 Minuten und 42 Sekunden zu lang, und schon im Mittelalter war die Differenz bemerkt worden. Die für die Bestimmung des Ostertermins wichtige Frühjahrs-Tagundnachtgleiche war im 16. Jahrhundert vom 21. auf den 11. März vorgerückt. Der nach langen Vorarbeiten von Papst Gregor XIII. im Jahre 1582 eingeführte *Gregorianische Kalender* beseitigte die Differenz durch Auslassen von 10 Tagen: auf Donnerstag den 4. Oktober 1582 folgte Freitag der 15. Oktober. Außerdem wurden die Schaltregeln verbessert: Schaltjahre sind die Jahre, deren zwei letzte Zahlen durch vier teilbar sind, nicht aber die Säkularjahre, deren Zahlenwert nicht durch 400 teilbar ist: 1700, 1800, 1900 waren keine Schaltjahre, das Jahr 2000 ist ein Schaltjahr. Der verbleibende Fehler summiert sich erst in 3333 Jahren auf einen Tag.

Der Einblattdruck regelt den Übergang zum *Gregorianischen Kalender* im November 1583 im Stift Straßburg, dem Herrschaftsbereich des katholischen Bischofs, nicht in der protestantischen Stadt Straßburg (vgl. Kat.-Nr. 108).

Literatur: Grotefend, Hermann: Taschenbuch der Zeitrechnung des deutschen Mittelalters und der Neuzeit, Hannover / Leipzig 1898 (13. Auflage 1991). – Kalender im Wandel der Zeiten, Ausst.-Kat. Karlsruhe 1982, S. 80-81, Nr. 3.19, farb. Abb. – Zemanek, Heinz: Kalender und Chronologie: Bekanntes & Unbekanntes aus der Kalenderwissenschaft, 4. Auflage München / Wien 1987.

G. D.

Die 1582 von Papst Gregor XIII. durchgeführte Kalenderreform glich die 10-tägige Differenz zwischen Kalender- und Sonnenjahr aus.

108 Kritik am Gregorianischen Kalender: „Die new vermehrte, und gebesserte Bawrenklag, uber den Newen zugerichten Gregorianischen Bäpstischen Kalender [...]“

1584
Typendruck; Holzschnitt
H. 19 cm, B. 16 cm
Wolfenbüttel, Herzog-August-Bibliothek, Fd 8

Für die alltägliche Erfahrung war der Sprung des Tagesdatums durch den Übergang zum *Gregorianischen Kalender* kurzfristig sicher irritierend. Die päpstliche Autorität führte zwar zur raschen Einführung des *Gregorianischen Kalenders* in den katholischen Ländern (vgl. Kat.-Nr. 107), aber eben sie machte die Kalenderfrage auch zu einem langfristigen konfessionellen Streitpunkt. Die protestantischen Länder Deutschlands und Skandinaviens übernahmen den *„neuen Stil“* der Datierung erst um das Jahr 1700 (vgl. Kat.-Nrn. 153 bis 155), Großbritannien im Jahre 1752, die orthodoxen Länder Ost- und Südosteuropas erst in den ersten Jahrzehnten des 20. Jahrhunderts, Rußland z.B. nach der Revolution im Jahre 1918.

Der abrupte Datumssprung hat – weil Abgaben eher fällig, Dienste verkürzt und gewohnte Feste verschoben wurden – den jahreszeitlichen Rhythmus auf dem Lande insbesondere da gestört, wo katholische und protestantische Territorien aneinanderstießen. Die angeblichen Bauernpolemiken gegen die *„gestohlenen Tage“*, von denen z.B. die Tiere schließlich nichts wüßten, sind nur ein Ausschnitt einer damals verbreiteten Kalenderpolemik, in der es um theologische, wissenschaftliche und politische Streitfragen ging.

Literatur: Kalender im Wandel der Zeiten, Ausst.-Kat. Karlsruhe 1982. – Kaltenbrunner, Ferdinand: Die Polemik über die gregorianische Kalendereform, Sitzungsbericht der Akademie der Wissenschaften, Wien 1877, S. 485-586.

G. D.

Die New vermehrte/ vnd gebesserte Bawren klag/ vber den Newen zugerichten Gregorianischen Bäpstische Kalender.

In wölcher kürtzlich angedeutet wirdt/ das nicht allein vnder dem Bawersvolk/ sondern auch in den Kirchen übungen vnd Politeischen sachen/ für vnordnungen/ auß disem newen Kalender entsprungen vnd erwachsen seyen.

Neben einem sonderlichen begern an den Babst/ da er anderst wölle/ das man sich nach seinem Kalender halten solle.

Getruckt im jar nach Christi geburt/ M. D. LXXXIIII.

108

109

109 Memento mori
Augsburg (?), um 1600
Bronze, schwarz patiniert
H. 34,5 cm, Dm. 10,8 cm (Plinthe)
Karlsruhe, Badisches Landesmuseum, Inv.-Nr. 95/870

Zu den Kuriositäten mancher Kunst- und Wunderkammer der Renaissance gehörten Kleinplastiken des Todes als Skelett, mit Hautfetzen bekleidet und von grausiger Perfektion aller Details. Diese *Tödlein*, meist aus kostbaren Materialien wie Elfenbein, Buchsbaum oder Bronze gebildet, stellten in der frühen Neuzeit eine eigene Gattung der Kleinskulptur dar. Sie erinnerten als kunstvolles Meditationsobjekt an Tod und Vergänglichkeit und verkörpern in ihrer Gestalt konzentriert den gleichen Bildinhalt wie die mittelalterlichen Bildfolgen der Totentänze. So ergänzten sie auf ihre Weise den oft religiös motivierten enzyklopädischen Charakter jener Kunst- und Raritätenkabinette. Die ausgestellte Kleinbronze des Todes mit Stundenglas und Fragment einer Sense erinnert in ihrem Realismus an die verwesenden Leichname hochmittelalterlicher Tumbengräber, deren Motiv erstmals Hans Leinberger um 1520 in der Holzstatuette eines *Tödleins* aufgriff.

Literatur: „Für Baden gerettet", Ausst.-Kat. Karlsruhe 1996, S. 50f., Nr. 18, Abb.

J. Z.

Das „Tödlein" erinnerte als kunstvolles Meditationsobjekt an Tod und Vergänglichkeit.

110

110 Allegorische Darstellung der Seelenläuterung

Lorenz Lingg (1582- nach 1630)
Zürich, 1606
Feder in schwarz, braun laviert
H. 31 cm, B. 19,6 cm
Karlsruhe, Staatliche Kunsthalle, Inv.-Nr. XI 1113

Nach den großen Totentanzfolgen des Spätmittelalters treten ab dem 16. Jahrhundert zunehmend Einzelszenen auf, welche die Macht des Todes und die damit verbundene plötzliche Gefahr für die individuelle menschliche Seele, die vom Teufel bedroht wird, schildern. In allegorischer Form warnt davor der Entwurf für eine Kabinettscheibe. Seinen Inhalt benennt die Inschrift der von Putten gehaltenen Rollwerkkartusche: *„Der tigel biedt an deß menschen lijb / Das gold die seel so darin lijdt / Die von des tüffels list und anst / ouch von der wöllt angfochten hant / got aber durch sin krafft und gwallt / sin Engel sandt unnd uns erhallt. / wans ständlj uß zietst kompt der Tod / Dan macht uns Eewijg sölig got. A."* Das Gold im Schmelztiegel der Esse symbolisiert die menschliche Seele, die den Gefahren von Tod und Teufel ausgesetzt ist. Ihren Läuterungsprozeß ermöglicht der zur Rettung von Gott gesandte Engel, trotz der ablaufenden Sanduhr und der Versuchungen der Welt, der sie in Gestalt der verführerisch gekleideten jungen Frau ausgesetzt ist.

Literatur: Heilige, Adlige, Bauern. Entwürfe zu Kabinettscheiben aus der Schweiz und vom Oberrhein. Ausst.-Kat. Karlsruhe 1978/79, S. 38f., Nr. 46. – Rolf Hasler, Die Scheibenriss-Sammlung Wyss. Depositum der Schweizerischen Eidgenossenschaft im Bernischen Historischen Museum. Katalog. Bd. 2, Bern 1997, S. 274, Nr. 680.

J. Z.

111 „Der Turm zu Babel"

Friedrich Brentel (um 1580-1651)
Elsass, um 1610
Aquarell, Feder und braune Tusche
H. 30 cm, B. 39,5 cm
Karlsruhe, Staatliche Kunsthalle, Inv.-Nr. 1965-10

Auf den ersten Blick wirkt das Aquarell wie die detaillierte Schilderung einer frühneuzeitlichen Großbaustelle. Gerahmt wird die Szene von einem Felsen, an dessen Fuß Wassermühlen Baumaschinen antreiben, dem vor seinem Palast thronenden König Nimrod und einer Steinmetzwerkstatt im Vordergrund. In einer bis ans Meer reichenden Ebene erhebt sich der von Nimrod errichtete Babylonische Turm, der bis zum Himmel reichen sollte. Diese utopische Überheblichkeit menschlichen Tuns wird laut biblischem Bericht von Gott durch die Verwirrung der Sprache und die Zerstreuung des beteiligten Volkes in alle Welt bestraft. So wird der Turm zum Symbol der Vergänglichkeit und Sinnlosigkeit allen Menschenwerks. Das moralisierende, auf Pieter Bruegel d.Ä. zurückgehende Motiv, wird bei Cesare Ripa zur Allegorie der Verwirrung *(Confusione): „Gott thut Babels Hochnmuth straffen / und dem Bau ein Ende schaffen"*, heißt es in der deutschen Ausgabe der *Iconologia* von 1758/60 (vgl. Kat.-Nr. 131).

Literatur: Braungart, Wolfgang: Apokalypse und Utopie, in: Poesie der Apokalypse, hg. von Gerhard R. Kaiser, Würzburg 1991, S. 63-102. – Kluckert, Ehrenfried: Symbol menschlicher Hybris. Nocheinmal: Pieter Bruegels „Turmbau zu Babel", in: Kunst und Unterricht 42/1977, S. 39-41. – Minkowski, Helmut: Aus dem Nebel der Vergangenheit steigt der Turm zu Babel. Bilder aus 1000 Jahren, Berlin 1960. – Zahlten, Johannes: Pieter Bruegel d.Ä., Turmbau von Babel 1563, in: Meisterwerke der Kunst 29 (1981) S. 5f.

J. Z.

111

112 Tommaso Campanella: „Civitas solis"
(„Der Sonnenstaat")
1623 (lateinische Ausgabe; entstanden 1602; 2. Fassung 1611)
Typendruck
H. 24 cm, B. 18 cm
Wolfenbüttel, Herzog August Bibliothek, Li 1217

Die Staatsutopie *Der Sonnenstaat* wurde von dem Dominikanermönch Tommaso Campanella (1568-1639), der wegen Volksaufwiegelung 27 Jahre lang im Gefängnis der spanischen Inquisition saß, bereits im Jahre 1602 in Neapel verfaßt, konnte aber erst mehr als zwanzig Jahre später auf Lateinisch in Deutschland im Druck veröffentlicht werden.

Campanellas Utopie, auf der Insel Taprobana (Ceylon) angesiedelt, ist ein Staat strenger Ordnung. Privateigentum ist abgeschafft, damit sind die *„Laster der Armut und des Reichtums"* (Ernst Bloch) verschwunden, das Gemeinwohl ist die höchste Aufgabe aller. Alle Solarier, so heißen die Bewohner, müssen arbeiten, wenn auch nur in einem Vierstundentag. *„Die freie Zeit kann der Solarier mit angenehmem Studium, Spaziergang, geistigen und körperlichen Übungen und mit Vergnügen zubringen."* Die Fortpflanzung und die Kindererziehung werden kollektiv geregelt, was durch die Kaste von Beamten und Priestern kontrolliert wird. In Campanellas Vision hat der technische Fortschritt Einzug gehalten: Fahrzeuge mit maschinell betriebenen Schiffen, künstliches Licht, die Fähigkeit zum Fliegen. Staatsreligion ist ein astrologischer *Sonnenkult,* an der Spitze steht der Sonnenpriester Metafisico, von drei weiteren Regenten, Vertretern der Weisheit, Macht und Liebe unterstützt, die zusammen die göttliche Einheit auf Erden widerspiegeln. In der städtebaulichen Gestalt, die Campanella seiner Staatsutopie gab, steht daher ein Sonnentempel im Zentrum einer kreisförmigen Siedlungsanlage, umgeben von – entsprechend der Zahl der Planeten – sieben konzentrischen Ringmauern, auf deren Flächen das Volk mit Bildern über das Eingeweihtenwissen belehrt werden sollte. Ernst Bloch nannte Campanellas – von Platos *Politeia* beeinflußte – Utopie einen *„Zwangsrausch"*, der bereits die mißratene Idee des bürokratischen Staatssozialismus vorwegnahm. Nicht zufällig appellierte Campanella an Richelieu, einen solchen *Sonnenstaat* zu errichten, und widmete später eine andere seiner Schriften dem neugeborenen französischen *Sonnenkönig* Ludwig XIV.

Literatur: Bloch, Ernst: Freiheit und Ordnung. Abriß der Sozialutopien, Frankfurt 1969. – Heinisch, Klaus J.: Der utopische Staat, Reinbek 1960.

H. S.

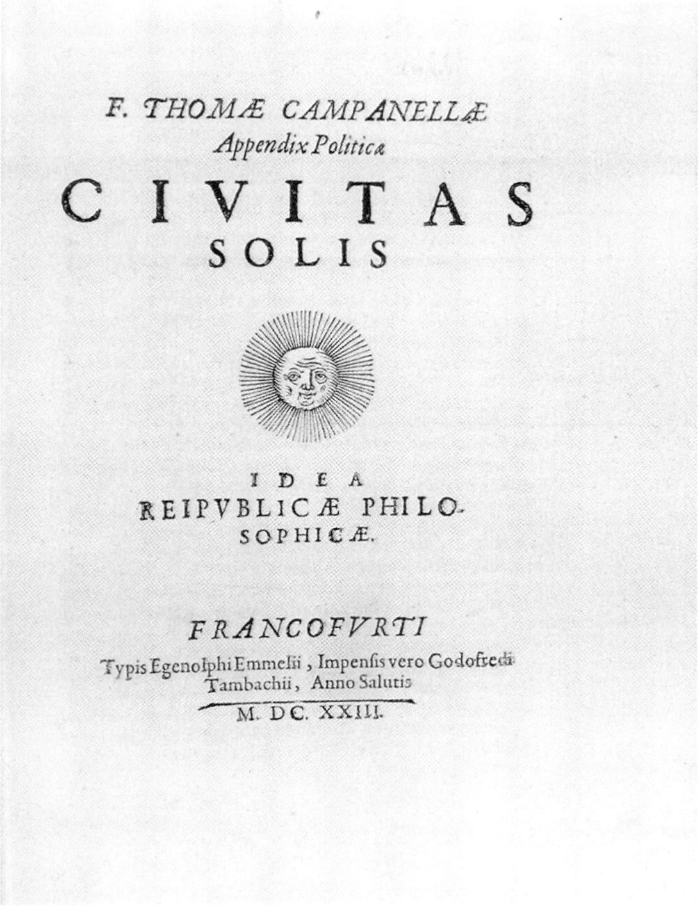

F. THOMÆ CAMPANELLÆ
Appendix Politicæ
CIVITAS
SOLIS

IDEA
REIPVBLICÆ PHILO-
SOPHICÆ.

FRANCOFVRTI
Typis Egenolphi Emmelii, Impensis vero Godofredi
Tambachii, Anno Salutis
M. DC. XXIII.

112

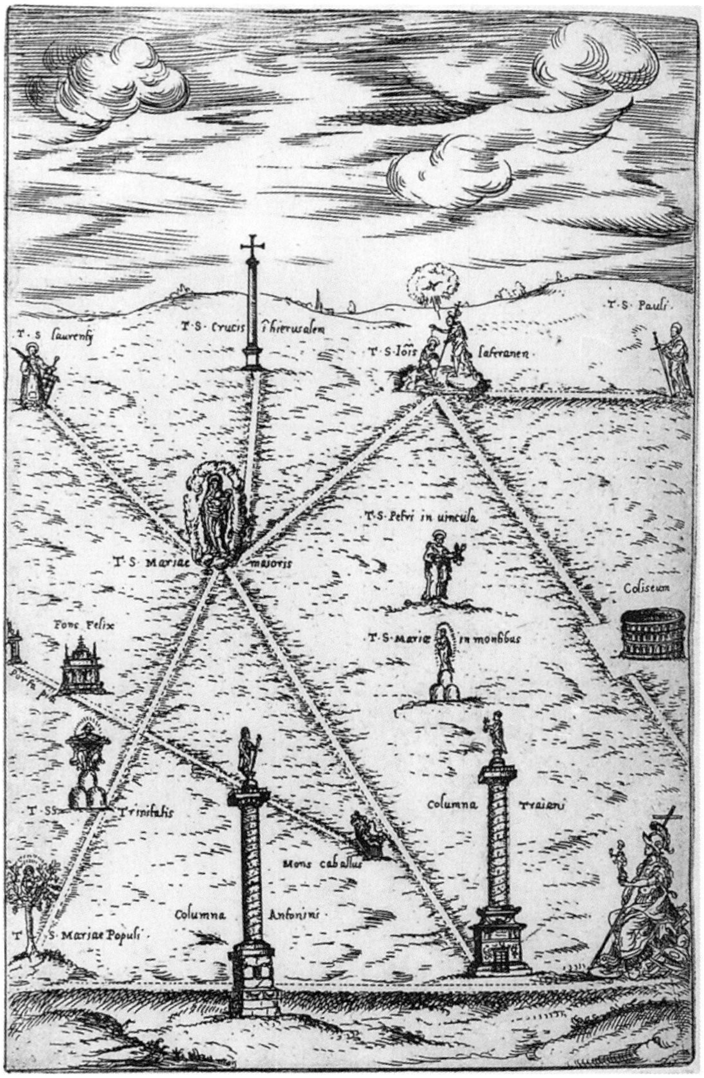

113

113 Idealer Straßenplan der Stadt Rom
aus: Giovanni Francesco Bordini, „De Rebus praeclare gestis", Tafel 13
Rom, bei Francesco Zantetto, 1588
Kupferstich
H. 24,5 cm, B. 18 cm
Heidelberg, Universitätsbibliothek, Q 2473

Durch eine utopisch anmutende städtebauliche Maßnahme sollten unter dem Pontifikat Sixtus V. (1585-1590) in Erwartung des Heiligen Jahres 1600 die wichtigsten Kirchen Roms, vor allem die sieben Hauptkirchen, miteinander verbunden werden. Der Idealplan sah vor, ein sternförmiges Straßennetz (*„in forma syderis"*) anzulegen, dessen Endpunkte durch Obelisken markiert waren. Im Zentrum des emblematischen Sterns sollte die Basilika S. Maria Maggiore liegen, inmitten einer neuen Straßenachse, die von S. Maria del Popolo nach S. Croce führte und teilweise Via Felice hieß (Felix war der Taufname des Papstes). Die Sternform bezog sich symbolisch auf die Jungfrau Maria, die in Gebeten mit einem Stern am Himmel verglichen wurde. Doch außer der Marienverehrung Sixtus' V. kann man in ihr auch eine Anspielung auf das Familienwappen des Papstes sehen, das über den drei Bergen einen Stern trägt.

Literatur: Benedetti, Sandro / Zander, Giuseppe: L'Arte in Roma nel Secolo XVI, Bd. 1., L'Architettura. Bologna 1990, S. 475-479. – Roma antica. Römische Ruinen in der italienischen Kunst des 18. Jahrhunderts, Ausst.-Kat. Dortmund 1994, S. 23, Abb. 5, S. 26. – Roma 1300-1875. L'Arte degli Anni Santi. Ausst.-Kat. Rom und Mailand 1984, S. 35. – Schiffmann, René: Roma felix. Aspekte der städtebaulichen Gestaltung Roms unter Papst Sixtus V., Bern 1985.

J. Z.

114

115

114 Wendel Dietterlin: „Architectura von Austheilung, Symmetria und Proportion der Fünff Seulen [...]"
Nürnberg, 1598 (teilweise publiziert ab 1593)
Ornamentstichwerk
H. 38 cm, B. 26 cm
Stuttgart, Württembergische Landesbibliothek, Sch.K.fol. 389

Zwei Jahre vor der Wende zum neuen Jahrhundert erschien das *Säulenbuch* des Straßburger Stadtbaumeisters und Architekturmalers Wendel Grapp, genannt Dietterlin (1550/51-1599), das den Höhepunkt der manieristischen Säulenspekulation darstellt. In ihm hat er seine Überlegungen zur architektonischen Anwendung der fünf Säulenordnungen (Tuscana, Dorica, Jonica, Korinthia und Komposita) für Portale, Fenstergewände, Kamine, Epitaphe und Brunnen in großer Variationsbreite auf über 200 großformatigen Kupferstichtafeln dargelegt. Nur vage auf die Ordnungen Vitruvs und seiner Bearbeiter in der Renaissance bezogen, liegt bei Dietterlin trotz strenger Beachtung menschlicher Proportionen der Schwerpunkt auf der mythologischen Bedeutung der Säulen und vor allem auf dem symbolisch verstandenen ornamentalen Schmuck. Die künstlerische Ausführung seiner Stichpublikation übertrifft weit die praktische Bedeutung als Vorlagewerk, auch wenn viele Aspekte des deutschen Hochbarock vorweggenommen werden.

Literatur: Architekt & Ingenieur. Baumeister in Krieg & Frieden. Ausst.-Kat. Wolfenbüttel 1984, S. 162-164. – Forssman, Erik: Säule und Ornament. Studien zum Problem des Manierismus in den nordischen Säulenbüchern und Vorlageblättern des 16. und 17. Jahrhunderts, Stockholm 1956, S.160-173. – Die Renaissance im deutschen Südwesten, Ausst.-Kat. Heidelberg 1986, Bd. 1, S. 126f., Nr. B5. – Theorie der Architektur, Ausst.-Kat. Stift Göttweig 1975, S. 67.

J. Z.

115 Sebastiano Serlio: „I Sette Libri dell'Architettura"
(„Die Sieben Bücher der Architektur")
Venedig, 1600 (Erstausgabe: Venedig 1584)
Typendruck, Holzschnitt (?)
H. 24,2, cm, B. 18 cm
Karlsruhe, Universität, Institut für Baugeschichte, Th 630

Sebastiano Serlio (1475-1553/4) schuf mit seinem mehrbändigen Werk erstmals ein Architekturhandbuch, das auf philosophische Abhandlungen verzichtete und stattdessen mit zahlreichen Illustrationen und erläuternden Texten die jeweilige Bauaufgabe darstellte. Die Bücher des zunächst auf fünf Bände angelegten Traktates erschienen ab 1537; dazu gehörte auch ein *Extraordinario Libro*. Das siebte Buch wurde 1575 veröffentlicht, Buch sechs und Buch acht wurden erst in den 60er Jahren unseres Jahrhunderts publiziert. Alle Bände wurden schon früh in deutschen, französischen und holländischen Übersetzungen angeboten. Serlios Arbeit gehört damit zu den einflußreichsten Architekturtraktaten seiner Zeit. Größte Bedeutung kommt dem vierten Buch über die Säulenordnungen zu. Darin findet sich auch ein Fassadenaufriß mit dem sogenannten *Serlio- oder Palladiomotiv*. Bei diesem dreiachsigen Fenster wird ein Bogen, auf Säulen gestützt, von zwei schmaleren Öffnungen flankiert, deren abschließendes Gebälk auch die Bogenkämpfer bildet. Der Architekt Andrea Palladio (1508-1580) verwendete diese Fensterordnung häufig, besonders markant am Palazzo della Ragione in Vicenza.

Literatur: Kruft, Hanno-Walter: Geschichte der Architekturtheorie. Von der Antike bis zur Gegenwart, München 1986, S. 80-87, Abbn. 36f.

K. S.

116 Daniel Specklin: „Architectura von Vestungen wie sie zu unseren zeiten an stätten Schlössern und Claussen [...] mögen erbauet [...] und nützlich sollen gebrachte werden [...]"
Straßburg, bei Lazarus Setzner,1599 (2. Auflage; Erstausgabe: 1589)
H. 35 cm, B. 24 cm
Karlsruhe, Badische Landesbibliothek, 68 B 570 RH

Der weitgereiste Straßburger Stadtbaumeister Daniel Specklin (1536-1589) schuf mit diesem, in seinem Todesjahr 1589 publizierten Traktat einen bedeutenden Beitrag zur Theorie des Festungsbaus am Ende des 16. Jahrhunderts. Gezielt wendet er sich, mit einem gewissen Patriotismus, an ein deutsches Publikum. Die Themen sind: Festungsbau in der Ebene, Festungsbau im Hügel- und Bergland und die Ausstattung von Festungen. Systematisch erläutert er die Grundlagen der Architektur, nämlich Mathematik und Geometrie, vor allem aber die für den Festungsbau erforderlichen Polygonalformen. In direktem Zusammenhang damit wird auch der befestigte Städtebau in idealtypischen Entwürfen behandelt. Religiöse, weltliche und wirtschaftliche Gebäude sind um einen zentralen Platz konzentriert. In der Nähe der Bastionen befinden sich die militärischen Einrichtungen. So entwickelt Specklin aufgrund seiner vielfältigen Erfahrungen durchdachte Stadtutopien in Verbindung mit praktischen Anweisungen.

Literatur: Kruft, Hanno-Walter: Geschichte der Architekturtheorie. Von der Antike bis zur Gegenwart, München 1986, S. 129f., Abb. 66f.

K. S.

116

Säulenordnungen
Fassadenaufriss
Festungsbau
Idealstadt

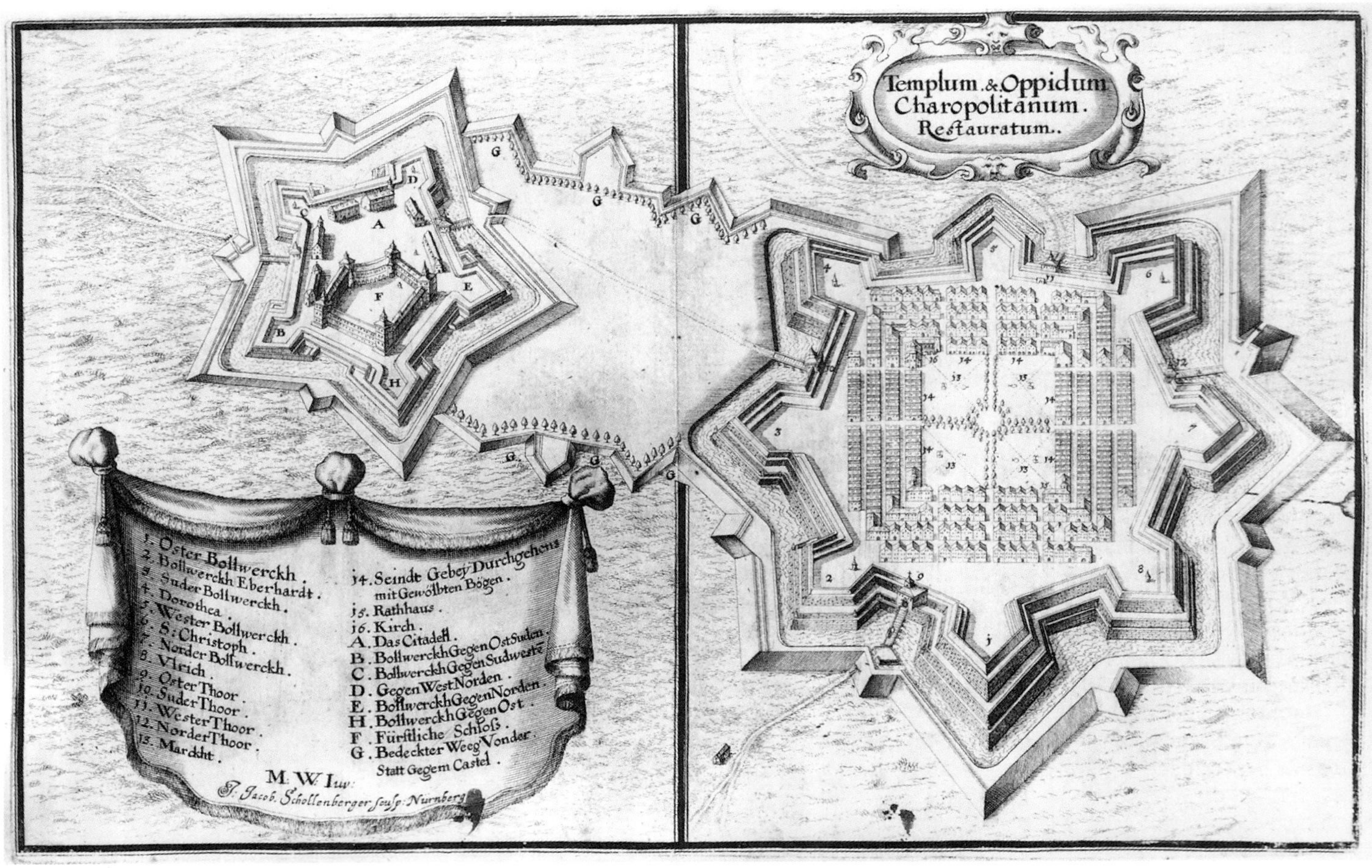

117

117 Planstadt Freudenstadt
Matthias Weiß (Zeichner, 1636-1707), Johann Jakob Schollenberger (Stecher)
Um 1650
Kupferstich
H. 19,5 cm, B. 31,5 cm
Stuttgart, Württembergische Landesbibliothek, ohne Inv.-Nr.

Herzog Friedrich I. von Württemberg gründete Freudenstadt 1599 auf den Höhen des Schwarzwaldes. Die Stadt sollte Stützpunkt zwischen dem württembergischen Kernland und den linksrheinischen Besitzungen sein. Auf Einladung des Herzogs ließen sich in Freudenstadt vor allem protestantische Glaubensflüchtlinge aus Österreich nieder. Der erste Plan des herzoglichen Architekten Heinrich Schickardt orientierte sich an Albrecht Dürers Entwurf einer Idealstadt aus dem Jahr 1527. Der überarbeitete Plan Schickhardts strukturierte die Stadt wie folgt: In der Mitte eines quadratischen zentralen Platzes steht, über Eck gestellt, ein ebenfalls quadratisch angelegtes Schloß. An den Ecken des Platzes finden sich die Winkelhakenbauten der wichtigsten öffentlichen Einrichtungen: Kirche, Rathaus, Kaufhaus und Spital. Um den Platz herum sind mühlebrettartig mehrere Häuserzeilen angeordnet. Eine Befestigungsmauer umschließt die Stadt.

Gemeinsam mit Stadtentwürfen von Jacques Perret (vgl. Kat.-Nr. 118) wurde dieser Plan von Freudenstadt Vorbild für die 1619 publizierte Stadtutopie *Christianopolis* des württembergischen protestantischen Theologen Johann Valentin Andreae (vgl. Kat.-Nr. 133). Die Stadtanlage von Freudenstadt hätte fürstliche Residenz und bürgerliche Stadt eng miteinander verbunden. Doch wurde sie nur ansatzweise realisiert, zumal das Schloß nicht gebaut wurde. Das vorliegende Blatt aus der Mitte des 17. Jahrhunderts zeigt eine gestaffelte Stadtmauer, die so nicht ausgeführt wurde, sowie eine zu dieser Zeit nahe der Stadt geplante, jedoch nicht ausgeführte Zitadelle.

Literatur: Freudenstädter Beiträge zur geschichtlichen Landeskunde zwischen Neckar, Murg und Kinzig Nr. 6 (1987), S. 162f., Abb. – Merten, Klaus: Residenzstädte in Baden-Württemberg im 17. und 18. Jahrhundert, in: „Klar und lichtvoll wie eine Regel." Planstädte der Neuzeit. Vom 16. bis zum 18. Jahrhundert, Ausst.-Kat. Karlsruhe 1990, S. 221-230, hier: S. 221f.

J. D.

118

118 Jacques Perret: „Des fortifications et artifices d'architecture et perspective"

(„Architectura et Perspectiva etlicher Festungen, Städte, Kirchen, Schlösser und Häuser")
Paris, 1601
Kupferstich
H. 42 cm, B. 28,5 cm
Karlsruhe, Universität, Institut für Baugeschichte, Th 510

Die fortschreitende Entwicklung leistungsstarker Schußwaffen führte im 16. und 17. Jahrhundert insbesondere in Frankreich und Italien zu einer spezialisierten Festungsarchitektur mit Bastionen auf regelmäßigen, geometrischen Grundrissen. Jacques Perret stellt in seiner Entwurfssammlung mehrere polygonale Festungsanlagen vor. Innerhalb einer 23-seitigen Festung plant Perret eine Stadt, in deren oktogonalem Zentrum ein Gebäude mit zwölf Stockwerken, das *grand pavillon Royal* steht. Dieses *Hochhaus* sollte nach Perrets Angaben 500 Personen Platz bieten. Zwar ist im erklärenden Text von einer zentralen Küche und Gemeinschaftsräumen die Rede, doch ist das Gebäude konstruktiv nicht durchgestaltet, so daß nur vage die Utopie eines gemeinschaftlich genutzten Gebäudes anklingt. Erst am Ende des 19. Jahrhunderts waren die technischen Voraussetzungen für die Entwicklung des Hochhausbaues in den USA vorhanden.

Literatur: Kruft, Hanno-Walter: Geschichte der Architekturtheorie. Von der Antike bis zur Gegenwart, München 1986, S. 131, S. 555, Abbn. 68f.

K. S.

119 Der Gründungsplan Mannheims 1606. Hier: Belagerung von Mannheim und der Zitadelle Friedrichsburg

Matthaeus Merian (1621-1687)
Kupferstich
H. 23 cm, B. 31,6 cm
Mannheim, Reiss-Museum, Inv.-Nr. Kat. A 3,1

Im Jahre 1606 gründete Kurfürst Friedrich IV. von der Pfalz im Zwickel nahe dem Zusammenfluß von Neckar und Rhein die befestigte Zitadelle Friedrichsburg. An sie schloß sich nach Norden eine Bürgersiedlung an, die schon 1607 städtische Privilegien erhielt. Der Kurfürst besiedelte die Anlage mit emigrierten Protestanten aus den Spanischen Niederlanden. Die Entwicklung der Idealstadtvorstellungen zeigte um 1600 die Tendenz, für zentralistische Bauaufgaben und -ideen radial angelegte Grundrißsysteme, für bürgerlich-egalitäre Siedlungskonzepte rasterförmige Anlagen zu bevorzugen. Die *bürgerliche Rasterstadt* verbreitete sich von den Niederlanden her, von wo auch der leitende Friedrichsburg-Architekt Borthel Janson stammte. Der siebenzackige radialförmige Festungsstern Friedrichsburg und die Bürgerstadt stehen so in der Anfangszeit Mannheims als antagonistische, abgeschirmte Systeme einander gegenüber. Nach Zerstörung der Stadt im 30jährigen Krieg wurde beim Neuaufbau das Rastersystem auch auf die Bebauung der Zitadellenfläche übertragen (Grundrißplan von J. v. Deyl, um 1663), bevor man ab 1665 Pläne verfolgte, mit dem Bau einer barocken Residenz anstelle der Zitadelle die Sphäre des Fürsten zur Stadt hin zu öffnen (vgl. Kat.-Nr. 162).

Literatur: Eimer, Gerhard: Die Stadtplanung im schwedischen Ostseereich 1600-1715. Mit Beiträgen zur Geschichte der Idealstadt, Stockholm 1961. – Merten, Klaus: Residenzstädte in Baden-Württemberg im 17. und 18. Jahrhundert, in: „Klar und lichtvoll wie eine Regel". Planstädte der Neuzeit. Vom 16. bis zum 18. Jahrhundert, Ausst.-Kat. Karlsruhe 1990, S. 221-230, hier: S. 222f.

H. S.

119

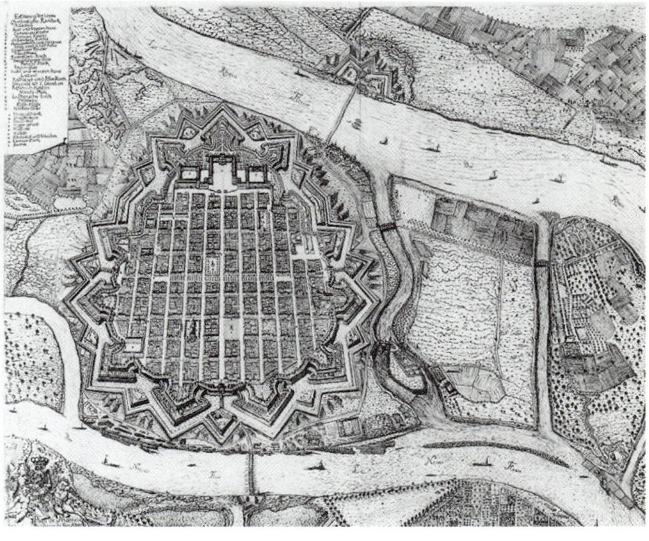

120

120 „Furstlicher Lustgarten zu Stuettgartt"
Matthaeus Merian d.Ä. (1593-1650)
1616
Radierung
H. 23 cm, B. 33,5 cm
Stuttgart, Stadtarchiv, B 7565

Die Ansicht zeigt einen Blick über den symmetrisch im Stil der Renaissance angelegten Garten mit repräsentativen Gebäuden Stuttgarts. Dazu gehören u.a. das *„Fürstliche Schloß"*, die *„Stifft Kirch"* und die *„Cantzley"*, vor allem das *„Neuw Lust Haus"*. Um 1580 wurde ein bereits vorhandener Garten zum sogenannten Lustgarten erweitert und mit Mauern und Türmen eingefasst. Nach italienischem Vorbild streng geometrisch abgegrenzt und mit Wegachsen durchzogen, entstanden ein separater Blumen-, Gewürz- und Pomeranzengarten, belebt durch Springbrunnen. Die Symmetrie solch eines Parks sollte der Symmetrie des Weltganzen entsprechen und so der göttlichen Schöpfung nacheifern. In der Mitte des Stuttgarter Lustgartens ließ Herzog Ludwig von Württemberg im Jahre 1584 den Grundstein für das *Große Lusthaus* nach dem Entwurf Georg Beers (1583-1593) legen. Es handelte sich um einen großzügig dimensionierten Saalbau mit prächtiger Ausschmückung (der Festsaal wurde von Wendel Dietterlin ausgemalt, vgl. Kat.-Nr. 114) und hohem Dach. Neu und von der Architektur der italienischen Renaissance beeinflusst, war die Öffnung des Gebäudes durch Arkaden in den umgebenden Garten. An den Langseiten führten Treppen vom Garten direkt in den Saal. Damit wurde die Gartenanlage mit der Architektur verknüpft. Das Gebäude gehörte bald zu den berühmtesten Bauten der deutschen Renaissance. Während der Aufenthalte in Stuttgart in den Jahren 1616/17, als Merian die Feierlichkeiten zweier fürstlicher Kindstaufen und einer Fürstenhochzeit in umfangreichen Radierfolgen festzuhalten hatte, entstanden eine Zeichnung und zwei Radierungen des *„Furstliche[n] Lustgarten zu Stuettgartt"*, wie das vorliegende Blatt bezeichnet ist.

Literatur: Fleischhauer, Werner: Renaissance in Württemberg, Stuttgart 1971, S. 54-74. – Matthaeus Merian d.Ä., Ausst.-Kat. Frankfurt a.M. 1993, S. 46, S. 73f. – Die Renaissance im deutschen Südwesten zwischen Reformation und Dreißigjährigem Krieg, Ausst.-Kat. Heidelberg, 1986, Bd. 1, S. 98ff., Abb. – Weber-Karge, Ulrike: „... einem irdischen Paradeiß zu vergleichen ...". Das Neue Lusthaus in Stuttgart. Untersuchungen zu einer Bauaufgabe der deutschen Renaissance, Sigmaringen 1989.

K. S. / J. Z.

Das Stuttgarter Lusthaus war von der Architektur der italienischen Renaissance beeinflusst.

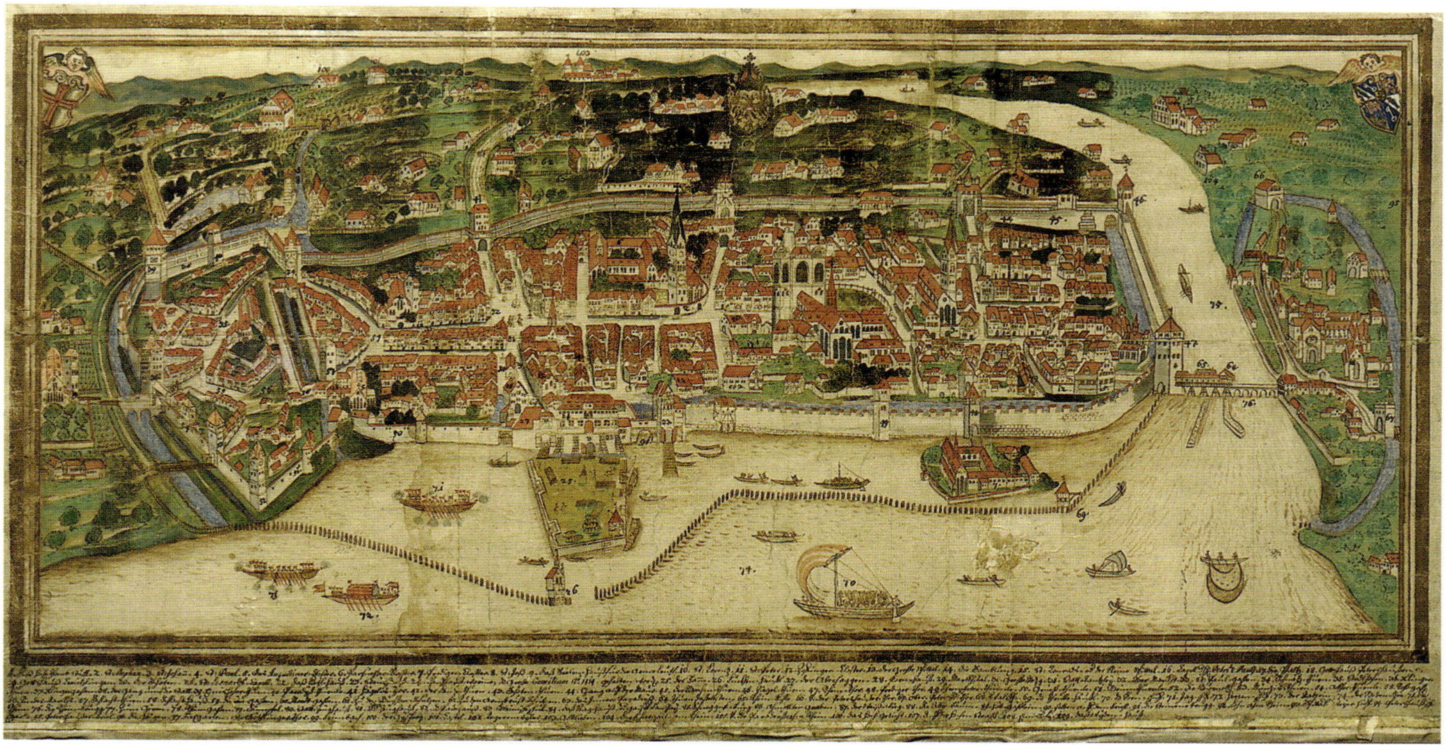

121

121 Ansicht von Konstanz aus der Vogelperspektive
Nikolaus Kalt (tätig um 1597) (?)
Konstanz, um 1600
Federzeichnung, koloriert
H. 54 cm, B. 123 cm
Konstanz, Rosgartenmuseum, Inv.-Nr. T 572

Die Zeichnung gibt eine Gesamtansicht der Stadt Konstanz einschließlich Petershausen und Kreuzlingen in der Vogelperspektive wieder. Es ist die früheste Ansicht der Stadt mit genauer Schilderung der einzelnen Straßen und Häuser. Wichtige Gebäude sind etwas vergrößert dargestellt, um sie in ihrer Bedeutung herauszustellen. Erkennbar ist die dichte Bebauung der Stadt; der Hafen ist bereits verfüllt. Die Zeichnung entstand im öffentlichen Auftrag, worauf die in den oberen Ecken angebrachten Wappen des Bistums sowie der Klöster Petershausen und Stein am Rhein verweisen. Sie bekunden das Interesse der Auftraggeber an einer realistischen Wiedergabe des Stadtbildes. Man schreibt das Werk dem bischöflichen Buchdrucker Nikolaus Kalt zu und datiert es um 1600, da die 1594 vollendete Stadtkanzlei eingezeichnet ist, jedoch nicht das 1603 errichtete Kapuzinerkloster im sogenannten Paradies. Kalts Zeichnung diente vielen späteren topographischen Ansichten der Stadt Konstanz als Vorbild, so auch dem Stich von Matthäus Merian in der *Topographia Sueviae* von 1643.

Die früheste Ansicht der Stadt Konstanz mit genauer Schilderung der einzelnen Straßen und Häuser.

Literatur: Konstanz in alten Ansichten Teil I,1, hg. von Björn R. Kommer, Konstanz 1987, S. 13, S. 28f., Nr. 2.1.6, Abbn. – Stadtluft, Hirsebrei und Bettelmönch. Die Stadt um 1300, Ausst.-Kat. Zürich und Stuttgart 1992/1993, S. 59, farb. Abb.

J. D.

122a

122b

122c

122 Das Naturalienkabinett
a) Kokosnußdeckelpokal
Hans Georg I. Brenner bzw. Prenner (um 1564-1632)
Augsburg, 1600-1605
Kokosnuß; Silber, vergoldet, getrieben, ziseliert
H. 29,7 cm
Karlsruhe, Badisches Landesmuseum, Inv.-Nr- 95/837
b) Nautiluspokal
Michel Frey d.Ä.
Straßburg, um 1610
Nautilus Pompilius, Koralle, Silber, vergoldet
H. 40 cm, Dm. ca. 15 cm
Karlsruhe, Badisches Landesmuseum Inv.-Nr. 61/63
c) Straußeneipokal
Hans Soer
Nürnberg, um 1590
Afrikanisches Straußenei, vergoldetes Silber
H. 44 cm, Dm. ca. 15 cm
Karlsruhe, Badisches Landesmuseum, Inv.-Nr. 65/25

Im Zuge der geographischen Welterkundung durch die Seefahrt im 15. und 16. Jahrhundert gelangten vermehrt exotisch anmutende Naturalien nach Europa. Als Belegstücke des rohen und doch *kunstvollen* Naturreiches und des göttlichen Schöpfungsaktes, verbunden mit wundersamen und heilbringenden Eigenschaften, wurden sie als Raritäten und Kuriositäten wesentlicher Bestandteil meist fürstlicher Sammlungen. Häufig wurden sie kunstvoll in vergoldetem Silber zu Trink- und Schaugefäßen gefaßt. So stammt der hier gezeigte Kokosnußpokal aus der ehemaligen markgräflich badischen Kunst- und Wunderkammer. Den Aspekt des Kuriosen vermehrt vernachlässigend, setzte im 17. Jahrhundert die systematische Anlage von Naturaliensammlungen ein – den Naturalienkabinetten, die als Vorläufer unserer heutigen naturwissenschaftlichen Museen gelten.

Literatur: Sänger, Reinhard / Siefert, Katharina: Die badische Kunst- und Wunderkammer, Karlsruhe 1997.

R. W. S.

123

123 Landschaft mit Urteil des Paris
Nicolas de Bruyn nach Gillis von Coninxloo (1544-1607)
um 1600
Kupferstich
H. 40,6 cm, B. 65 cm
Karlsruhe, Staatliche Kunsthalle, Inv.-Nr. VI 238

Für die Entwicklung der Landschaftsmalerei und die künstlerische Erforschung des Landschaftsraumes ist Gillis van Coninxloo, ein wegen der Glaubensverfolgung nach Deutschland emigrierter Flame und Haupt der sog. *Frankenthaler Malerschule*, von größter Bedeutung. Da ein Großteil seiner Werke als verloren gilt, muß man die um 1600 entstandenen Nachstiche zur Kenntnis seines Oeuvres heranziehen. Anregungen von den Weltlandschaften Pieter Bruegels d.Ä. und Werken Patiniers verband er mit Elementen venezianischer Landschaftshintergründe und kam so zu einer stärkeren Annäherung an die Natur. Dennoch bleiben seine Landschaften immer konstruiert. Bei der Landschaft mit dem Parisurteil füllen mächtige Bäume hinter der Figurengruppe die linke Bildhälfte, während rechts der Blick über einen Weiher in den Bildraum hineingeführt wird, der in der Ferne bei den Felsgipfeln endet. Unter Coninxloos Einfluß stehen die meisten niederländischen Landschafter um 1600.

Literatur: Krämer, Margaretha: Die Maler in Frankenthal, in: Die Renaissance im deutschen Südwesten zwischen Reformation und Dreißigjährigem Krieg, Ausst.-Kat. Heidelberg 1986, Bd.1, S. 226-228, Abb. S. 227. – Stechow, Wolfgang: Dutch Landscape Painting of the Seventeenth Century, Oxford 1966.

J. Z.

124

124 Tycho Brahe: „Astronomiae instauratae mechanica"
(„Mechanik der erneuerten Astronomie")
Aufgeschlagen: Darstellung des großen Mauerquadranten in Brahes Sternwarte Uranienborg
Nürnberg, 1602
Kupferstich; Typendruck
H. 29,5 cm, B. 20,5 cm
Tübingen, Universitätsbibliothek, Bd 11.2

Der Däne Tycho Brahe (1546-1601) gilt als der größte beobachtende Astronom vor dem Beginn der modernen Himmelsbeobachtungen, die mit der Erfindung des Fernrohrs möglich wurden (vgl. Kat.-Nr. 128). Seit 1599 war Brahe Astronom am Hof Kaiser Rudolfs II. in Prag. Seine Forschungen bildeten die Grundlage für das astronomische Weltgebäude, das sein Schüler Johannes Kepler entwickelte (vgl. Kat.-Nrn. 125 und 127). Tycho Brahe stand zwischen dem ptolemäischen geozentrischen System der Antike und dem heliozentrischen System des Kopernikus. Er suchte einen Kompromiß zwischen diesen beiden Vorstellungen und entwarf schließlich eine eigene astronomische Theorie, das *Tychonische Weltsystem*: Dieses sah die Erde im Zentrum und auch als Mittelpunkt der Sonnenbahn; die übrigen Planeten bewegten sich nach diesen Vorstellungen Brahes um die Sonne.

In den 1602 in Nürnberg erschienenen *Astronomiae instauratae mechanica* hat Tycho Brahe seine Forschungen zusammengefaßt. Die Schrift enthält ausführliche textliche und bildliche Beschreibungen der wichtigsten astronomischen Instrumente sowie einen Abriß seines wissenschaftlichen Werdegangs und seiner Entdeckungen. Zu den Illustrationen gehört eine Darstellung der Arbeit mit dem großen Mauerquadranten in der auf der dänischen Insel Hven gelegenen Sternwarte Uranienborg. Der Astronom wird bei dieser Arbeit von drei Gehilfen unterstützt.

Literatur: Mensch und Kosmos, Ausst.-Kat. Linz 1990, Bd. 2, S. 46, Nr. 48, Abbn.

J. D.

125 Johannes Kepler
Unbekannter Künstler
Um 1620
Ölgemälde
H. 74 cm, B. 61 cm
Straßburg, Fondation Saint-Thomas, Inv.-Nr. Chapitre de Saint-Thomas No.1

Johannes Kepler wurde 1571 in der Reichsstadt Weil der Stadt als Sohn des Bürgermeisters geboren. Schon 1575 zog er mit den Eltern in die württembergische Landstadt Leonberg. Nach dem Besuch der dortigen Lateinschule erhielt er in Adelberg und Maulbronn eine Ausbildung, die ihm 1589 schließlich den Weg zum Studium der Theologie im Tübinger Stift öffnete. Anfangs studierte er an der philosophischen Fakultät, wo er in Michael Mästlin einen ausgezeichneten Lehrer in der Sternenkunde fand. Nach dem Magisterexamen (1591) wechselte er an die theologische Fakultät, die er 1594 vor der Promotion verließ, um in Graz an der evangelischen Stiftsschule als Mathematiklehrer zu wirken. Als ihn 1600 die von den Habsburgern eingeleitete Gegenreformation vertrieb, bot ihm Tycho Brahe eine Arbeitsmöglichkeit in Prag am Hofe Kaiser Rudolfs II. an (vgl. Kat.-Nr. 124). Nach Brahes Tod (1601) ernannte ihn der Kaiser zu seinem Mathematiker. Als Rudolf II. 1612 starb, ging Kepler als Landschaftsmathematiker der oberösterreichischen Stände nach Linz. Doch auch hier brachte ihn die 1624 einsetzende Gegenreformation in Schwierigkeiten. 1628 trat er in die Dienste Wallensteins, der ihn nach der Eroberung Mecklenburgs an die Universität Rostock berief. Die Übernahme der Professur verhinderten die Kriegsentwicklung, Wallensteins Absetzung und schließlich Keplers Tod am 15. November 1630 in Regensburg.

Literatur: Das Kepler-Museum in Weil der Stadt, Weil der Stadt 1982, S. 57, Nr. 251, Abb. – Die Renaissance in Südwestdeutschland, Ausst.-Kat. Heidelberg 1986, Bd. 1, S. 221f., Nr. C 62, farb. Abb.

S. L.

126 „Exception und Defensionsschrift Catharina Keplerin von Leonberg v. Beklagtin contra unseres gnedigen Fürsten und Herrn (?) Vogt zu Güglingen, Anklägern"

Leonberg (?), 7. Mai 1621
Feder auf Papier
H. 35 cm, B. 21 cm
Stuttgart, Hauptstaatsarchiv, A 209 Bü 1056/7, Bl. 17-76

In Deutschland wurde die systematische Hexenverfolgung durch die 1484 verkündete Hexenbulle *Summis desiderantes affectibus* des Papstes Innozenz VIII. eingeleitet und durch das 1487 verfaßte Traktat *Hexenhammer (Malleus maleficarum)* des Dominikanerpaters Heinrich Institoris forciert. Seit der Mitte des 16. Jahrhunderts entwickelte die Hexenverfolgung eine Eigendynamik und ging dabei fast vollständig in die Hand der weltlichen Gerichtsbarkeit über. Die Verfolgung traf vor allem heilkundige Frauen (z.B. Hebammen) und Frauen, die sozial unangepaßt waren.

Im Sommer 1615 geriet Katharina Kepler, die Mutter des kaiserlichen Mathematikers und Hofastronoms Johannes Kepler (vgl. Kat.-Nrn. 125 und 127), in den Verdacht, eine Hexe zu sein. Obwohl sich die fast siebzigjährige Frau mit einer Beleidigungsklage gegen ihre Verleumder zur Wehr setzte und ihren Wohnort Leonberg für einige Jahre verließ, gelang es der Gegenpartei unter der Protektion des Leonberger Vogts, die Hexereibeschuldigungen gegen sie aufrechtzuerhalten. Als Katharina Kepler im Sommer 1620 nach Leonberg zurückkehrte, wurde sie auf Betreiben ihrer Nachbarn verhaftet und ein ordentliches Gerichtsverfahren wegen Hexereiverdachts eröffnet. Der Prozeß wurde auf Bitten des Sohnes Christoph Kepler, der als Leonberger Bürger um den Ruf seiner Familie und um seine berufliche Existenz als Handwerker fürchtete, an die Peripherie des Herzogtums Württemberg, nach Güglingen, verlegt. Während des Prozesses unterstützte der andere Sohn, Johannes Kepler, seine Mutter, indem er einen Verteidiger bezahlte und dafür sorgte, daß ihre Haftbedingungen durch regelmäßige warme Mahlzeiten und durch Beheizen der Gefängnisstube etwas erleichtert wurden. Der Kanzleiadvokat Hieronymus Gabelkover übernahm das Mandat und verfaßte am 7. Mai 1621 die vorliegende Verteidigungsschrift. An der Gerichtsverhandlung am 20. August nahm Johannes Kepler persönlich teil. Das Strafverfahren endete im Oktober 1621 mit Freispruch, nachdem Katharina Kepler den ersten Grad der Folter, die sogenannte *Territion*, durchgestanden hatte, ohne ein Geständnis abzulegen. Sie starb jedoch ein halbes Jahr nach der Entlassung aus dem Gefängnis.

Der Freispruch der Katharina Kepler ist kein Ausnahmefall. Wohl konnte der prominente Sohn Johannes Kepler sämtliche finanziellen und juristischen Mittel zugunsten der Beklagten ausschöpfen, entscheidend für den Ausgang des Prozesses war jedoch die rechtmäßige Durchführung des Verfahrens unter Aufsicht der herzoglichen Kanzlei. Gerade im Herzogtum Württemberg, wo weniger als 30% der Hexereibeschuldigungen mit dem Tod der Verdächtigten endeten, ist der Fall der Keplerin als repräsentativ für die moderate Haltung der Obrigkeit im Hexenprozeß anzusehen.

125

Literatur: Hexen und Hexenverfolgung im deutschen Südwesten, Ausst.-Kat. Karlsruhe 1994, S. 149f., Nr. 247, Abb. – Raith, Anita: Das Hexenbrennen in Leonberg, in: Nonne, Magd oder Ratsfrau, Frauenleben in Leonberg aus vier Jahrhunderten, bearb. von Renate Dürr, Leonberg 1998, S. 53-73. – Sutter, Berthold: Der Hexenprozeß gegen Katharina Kepler, Weil der Stadt 1979.

A. R.

Die Mutter des kaiserlichen Hofastronoms Johannes Kepler geriet in Verdacht, eine Hexe zu sein.

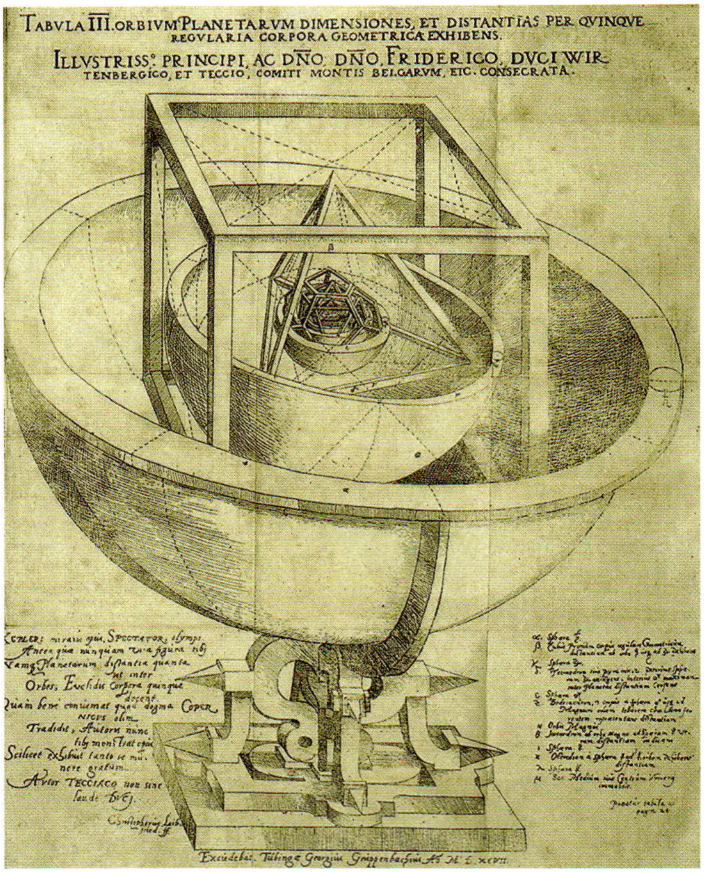

127

127 Johannes Kepler: „Prodomus Dissertationum Cosmographicarum continens Mysterium Cosmographicum"

(„Vorbote kosmographischer Abhandlungen enthaltend das Weltgeheimnis [...]")
Aufgeschlagen: Darstellung der Abstände der Plantensphären durch die fünf regelmäßigen Körper (Tafel 3)
1597
Kupferstich
H. 20,5 cm, B. 16 cm
Tübingen, Universitätsbibliothek, Bd 60.4

Johannes Kepler (1571-1630; vgl. Kat.-Nr. 125) war besonders am Planetensystem interessiert und suchte Antworten auf die Fragen nach Zahl, Größe und Bewegung der Planetenbahnen. Warum gibt es gerade sechs Planeten? Warum haben sie gerade diese Abstände und nicht andere? Warum haben sie gerade diese Umlaufzeiten und nicht andere? Für die beiden ersten Fragen fand er im Mai 1595 in Graz die – vermeintliche – Lösung, wie er sie auf Tafel 3 seiner Schrift *Prodomus Dissertationum Cosmographicarum continens Mysterium Cosmographicum [...]* einen graphischen Niederschlag finden ließ.

Literatur: Kepler und Tübingen, Ausst.-Kat. Tübingen 1971, S. 30, Nr. 65, Abb. – Mensch und Kosmos, Ausst.-Kat. Linz 1990, Bd. 2, S. 84f., Nr. 79, Abb.

S. L.

128 Fernrohr

Deutsch (?), spätes 17. Jahrhundert
Messingrohre, gelötet; fünf Auszüge; verlorene Gläser z. T. durch Fensterglasscheiben ersetzt
L. 34,5 cm, Dm. 4,3 cm (zusammengeschoben; ausgezogen max. 130 cm)
Karlsruhe, Badisches Landesmuseum, Inv.-Nr. D 259

Die Entwicklung des Fernrohrs in den Niederlanden um 1600, durch Lipperhey 1608 zum Patent angemeldet, 1610 von Galilei nachgebaut, führte zu jener raschen Verwissenschaftlichung der Astronomie, die am Beginn der sogenannten Wissenschaftsrevolution stand. Mit der Beobachtung der Jupitermonde mit dem Fernrohr und der exakten Protokollierung der Ergebnisse konnte Galilei nun rasch das bis dahin noch spekulative heliozentrische Weltbild beweisen. Trotz seiner Verurteilung durch die Inquisition, die erst 1998 von der katholischen Kirche bedauert wurde, war sich die gelehrte Welt aufgrund der experimentellen Beobachtungen jedoch bald sicher, daß die Erde um die Sonne kreiste. Kepler gelang daraufhin die Berechnung der Planetenbahnen und die Formulierung der nach ihm benannten Gesetze (vgl. Kat.-Nrn. 125 und 127). Durch das Fernrohr veränderte sich das Weltbild im wörtlichen Sinne. Darüber hinaus hatte seine Erfindung auch praktische Bedeutung, insbesondere in der Seefahrt – allgemeiner gesagt: bei der Erkundung der Welt, die seit dem 16. Jahrhundert zu einer besonderen Spezialität der europäischen Kultur geworden war. Als Pendant zum Fernrohr wurde wenig später das Mikroskop erfunden, welches nach dem Ausblick in die Makro- den Einblick in die Mikrowelten eröffnete.

Das vorliegende Exemplar gehört zur Karlsruher *Türkenbeute*. Es handelt sich um ein Auszugsfernrohr, also um eine technische Weiterentwicklung des Fernrohrs aus dem 17. Jahrhundert.

Literatur: Pauliny, Akos / Troitzsch, Ulrich: Mechanisierung und Maschinisierung, 1600-1840 (Propyläen Technikgeschichte, Bd. 3), Berlin 1991, S. 199-207. – Petrasch, Ernst / Sänger, Reinhard u.a.: Badisches Landesmuseum Karlsruhe. Die Karlsruher Türkenbeute, München 1991, S. 438, Nr. 377, Abb.

W. Be.

128

129 Himmelsglobus
Amsterdam, Willem Jansz Blaeu (1517-1638)
um 1630
Holzgestell, Messing, Pappmachée, Gips, Kupferstiche
Dm. 68 cm (Globus)
Karlsruhe, Badisches Landesmuseum, Inv.-Nr. 95/971

Die Vermessung und Standortbestimmung des Sternenhimmels geht bis in die Antike zurück. Der erste Himmelsglobus ist mit dem *Atlas Farnese* aus dem 1. Jh. v. Chr. überliefert. Der Kulturwelt des Islam war ein Himmelsglobus geläufig, in Europa ist er erst um 1000 nachweisbar. Er diente als wissenschaftliches Instrument zum Eintragen neuer Sternörter oder um sich am Himmel zu orientieren. Für die Seefahrt war er ebenso unabdinglich wie für den weit verbreiteten Sternenglauben, die Astrologie. Erst um 1500 gesellte sich der Erdglobus dazu. Beide waren im Zeitalter des Humanismus sowohl in der Gelehrtenstube, in der Bibliothek fürstlicher und geistlicher Würdenträger als Symbol ihrer umfassenden Gelehrsamkeit, wie im Kontor des Kaufmanns zu finden. Globen aus der Werkstatt des Willem J. Blaeu (1517-1638) waren im gesamten 17. Jahrhundert weit verbreitet. In der Inschrift unseres Himmelsglobus ist vermerkt, dass Blaeu Schüler des berühmten Astronomen Tycho Brahe (vgl. Kat.-Nr. 124) gewesen sei und dass er auf dem Globus die 1599 durch Frederic Hout neu vermessenen Zirkumpolarsterne eingetragen habe. Zu diesem Himmelsglobus gehört ein nicht ausgestellter Erdglobus, beide stammen aus dem Besitz der Markgrafen von Baden.

Literatur: Krogt, Peter van der: Globi Neerlandici, Utrecht 1994.

R. W. S.

129

Erdglobus und Himmelsglobus waren Symbole der umfassenden Gelehrsamkeit.

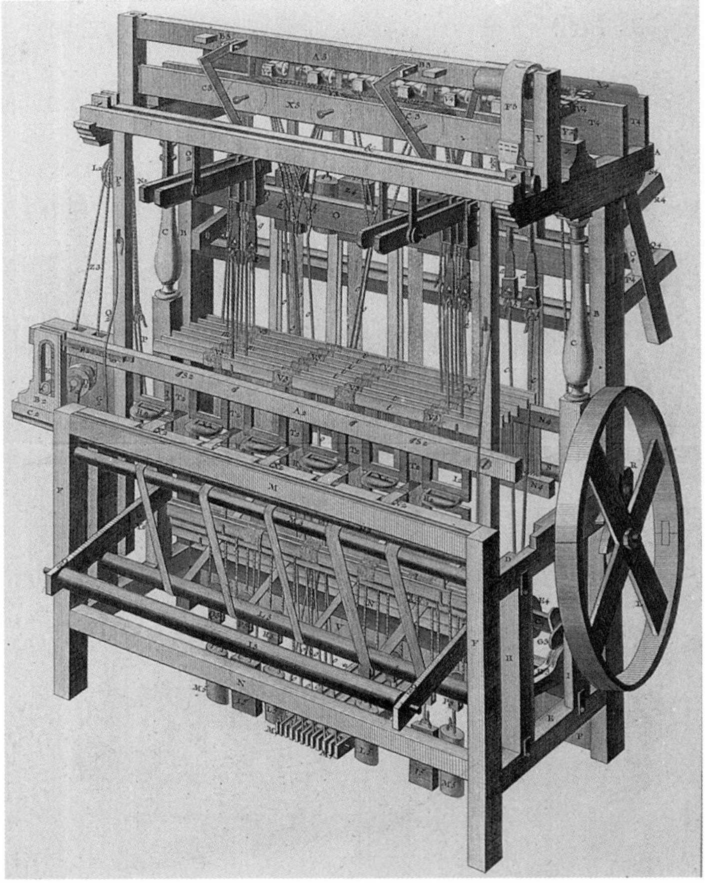

130

Herrn Cæsaris Ripa
von Perusien
Ritters von St. Mauritio
ünd Lazaro pp.
Erneuerte Iconologia
oder Bildersprach
Worinen allerhand anmühtige Aüsbildüngen.
Von den fürnehmsten Tügenden, Lastern,
Menschlichen Begierden Wissenschafften Künsten
Lehren, Elementen, himlischen Körpern, Italie-
nischen Landschaffen, Flüssen, und andern un-
zählichen Dingen hergenommen, gantz sinnreich
vorgestellet, und auß den bewehrteste Scribenten
erklaret werden
Allen Rednern Predigern Poeten Mahlern,
Bildhauern Reissern, ünd dergleichen Künstlern,
ins gemein, ünd einem Jeden Stüdierenden insonder-
heit, züerfindüng ahrtlicher Gedancken, nach denck-
licher Sinnbilder, ünd anderm sothanen vorhaben
aüf Hochzeiten, Leichbegangnüssen, undt
andern fürfallenden Begebenheiten,
sohoch nützlich, alß ergötzlich,
zü gebrauchen
Franckfürt Bey Wilhelm Serlin A°. 1669.

131

130 Mehrgängiger Bandwebstuhl
aus: Denis Diderot, Jean La Ronde d´Alembert: „Encyclopédie ou dictionnaire raisonné des science", Paris 1751
Kupferstich
H. 48 cm, B. 40 cm
Mannheim, Landesmuseum für Technik und Arbeit, Inv.-Nr. Encyclopädie Diderot, Bandweber, Nr. 2760

Der mehrgängige Bandwebstuhl wurde vermutlich um 1586 in Danzig erfunden. Dort hatten sich Jahre zuvor niederländische Glaubensflüchtlinge, vor allem mennonitische Bortenweber niedergelassen und Danzig zur größten Textilstadt im Ostseeraum gemacht. Da diese Zuwanderer in keiner Zunft organisiert waren, konnten hier technische Neuerungen erprobt werden. Die Einführung des Bandwebstuhls führte zu den Anfängen der Weberei in den vorindustriellen Manufakturen. An den Bandwebstühlen konnten mit Hilfe einer parallel zur Weblade laufenden hölzernen Stange mit rechtwinklig daran befestigten Metallzinken gleichzeitig mehrere Schiffchen bewegt werden, was die gleichzeitige Herstellung entsprechend vieler Bänder ermöglichte. Dies bedeutete einen ungeheuren Vorteil gegenüber der bis dahin üblichen Handweberei. Der großen Nachfrage nach Borten aus Leinen, Wolle und Seide für den Schmuckbesatz der Kleidung konnte nun erheblich besser nachgekommen werden.

Denis Diderot (1713-1784) nahm die Darstellung eines Bandwebstuhls aus dem frühen 18. Jahrhundert in seine 1751 bis 1780 in 35 Bänden erschienene *Encyclopédie* auf.

Literatur: Paulinyi, Akos / Troitzsch, Ulrich: Mechanisierung und Maschinisierung. 1600 bis 1840 (Propyläen Technikgeschichte, Bd. 3), Berlin 1991, S. 156-158, Abb. 66.

J. D.

131 Cesare Ripa: „Iconologia overo descrittione di diverse Imagini cavate dall'antichità & di propria inventione"
(„Allerley Künsten und Wissenschaften dienliche Sinnbilder und Gedancken")
Rom, 1603 (3. Auflage; Erstausgabe: 1593)
Typendruck, Holzschnitt
H. 23 cm, B. 16,5 cm
Heidelberg, Universitätsbibliothek, C 5456

Eine der wichtigsten kunsttheoretischen Publikationen der Zeit um 1600 mit ungeheurer Breitenwirkung stellt Cesare Ripas (geb. um 1560) *Iconologia* dar, die schon zu Lebzeiten des Autors mehrere Auflagen hatte und bis zum Ende des 18. Jahrhunderts das maßgebliche Nachschlagewerk für allegorische Darstellungen blieb.

Das gelehrte Sammelwerk, das auf der Kenntnis klassisch-antiker und mittelalterlicher Texte, antiker Statuen und Münzen basiert, diente unzähligen Künstlern im Barock und Rokoko als Handbuch bei der Erfindung von Allegorien. Die 1603 erschienene dritte Auflage behandelt 400 von ihnen und enthält zahlreiche Holzschnitte allegorischer Personifikationen. Noch während des 17. Jahrhunderts kamen Übersetzungen des Werkes in England, Frankreich und Holland heraus; die deutsche Ausgabe erschien bei Johann Georg Hertel in Augsburg unter dem Titel *Des berühmten italiänischen Ritters Caesaris Ripae Allerley Künsten und Wissenschaften dienliche Sinnbilder und Gedancken.* Der Zeitpunkt des Erscheinens war denkbar günstig, da er mit den Bestrebungen der katholischen Reform und der Gegenreformation zusammenfiel und so zur Visualisierung von Glaubensvorstellungen genutzt werden konnte.

Edition: Cesare Ripa. Iconologia, hg. von Erna Mandowsky (Reprint der Ausgabe Rom 1603), Hildesheim / New York 1970. – Des berühmten italiänischen Ritters Caesaris Ripae Allerley Künsten und Wissenschaften dienliche Sinnbilder und Gedancken verlegt bei Johann Georg Hertel in Augsburg. Nachdruck mit Einleitung und Kommentar von Ilse Wirth, München 1970.

Literatur: Praz, Mario: Studies in Seventeenth-Century Imagery. 2. Auflage Rom 1964.

J. Z.

132 Kaiser Rudolf II.

Lucas Schnitzer (tätig um 1634)
Radierung
H. 28,7 cm, B. 19,2 cm (Blatt)
Wolfenbüttel, Herzog August Bibliothek, Porträtsammlung A 4768

Mit Kaiser Rudolf II. (1552-1612) wird eine Herrscherpersönlichkeit vorgestellt, die um 1600 Prag und den Kaiserhof zum Zentrum des Reiches machte und damit ein Klima schuf, das für die Entfaltung von Wissenschaft und Kultur in ganz Europa fruchtbar werden sollte. Als Förderer von Künstlern (Hans von Aachen, Arcimboldo, Bartholomäus Spranger, Adriaen de Vries, Giambologna etc.) und Wissenschaftlern (Tycho Brahe, Kepler; vgl. Kat.-Nrn. 124 bis 127) war er bedeutender Sammler, aber auch Anhänger der Astrologie. Als Ritter des Ordens vom Goldenen Vlies, dem er seit 1585 angehörte, stellt ihn die ganzfigurige Radierung mit Rüstung und Reichsinsignien dar. Die von zwei Putten gehaltene Kartusche trägt die dreizeilige Inschrift: *„Rudolphus der andere diß namens / würde züm Römischen Kayßer er- / wöhlet A°.1577 Regieret 34 Jar."*

Literatur: Hofkunst der Spätrenaissance. Braunschweig-Wolfenbüttel und das kaiserliche Prag um 1600, Ausst.-Kat. Braunschweig 1998. – Prag um 1600. Kunst und Kultur am Hofe Rudolfs II., Ausst.-Kat. Essen und Wien 1988/89. – Rudolf II and Prague. The Court and the City, Ausst.-Kat. Prag und London 1997.

J. Z.

132

Kaiser Rudolf II. machte um 1600 seine Residenzstadt Prag zum kulturellen Zentrum.

Utopien des 17. Jahrhunderts

133b

133 Johann Valentin Andreae: „Rei publicae christianopolitanae, Descriptio, Psalm LXXXIII"
(„Reise nach der Insel Caphar Salama und Bescheibung der darauf gelegenen Republik Christiansburg")
a) Buchausgabe
Straßburg, bei Lazarus Zetzner, 1619
Typendruck, Kupferstich
H. 13,5 cm, B. 8,5 cm
Stuttgart, Württembergische Landesbibliothek, R 17 And 3
b) Modell der Stadt Christianopolis
Maßstab ca. 1:300
Holz
H. 20 cm, B. 85 cm, T. 85 cm
Calw, Palais Vischer, Museum der Stadt Calw

Der württembergische lutherische Pfarrer und spätere Generalsuperintendent Johann Valentin Andreae (1586-1654) aus Herrenberg ist der Verfasser der ersten deutschen Staatsutopie. In Kenntnis von Morus (vgl. Kat.-Nr. 99) und Campanella (vgl. Kat.-Nrn. 112) entwirft er das Modell einer weithin in christlicher Armut lebenden Gemeinde gleichberechtigter Bürger, die sich der Religion, den Wissenschaften und der Arbeit widmen. Zur Zeit der Entstehung des Werks hat der junge Andreae mit Freunden mehrfach versucht, ein solches Gemeinwesen zu gründen.

Andreaes Bauprospekt knüpft an Heinrich Schickhardts Freudenstadt-Planung (vgl. Kat.-Nr. 117) an. Mittelpunkt der quadratischen Anlage mit drei Häuserzeilen für ca. 400 Bewohner ist – ähnlich Campanella – ein runder Zentralbau, der eine Kirche und einen Ratssaal enthält. Die massive äußere Befestigung der Siedlungsanlage mit Namen Christiansburg weist darauf hin, daß Andreae sie ausdrücklich für *„religiös Verfolgte"* vorgesehen hat, die aus dem *„Reiche der Tyrannei"* auf eine ferne südliche Insel mit dem Namen Caphar Salama zur Gründung der Christiansburg emigriert waren.

133a

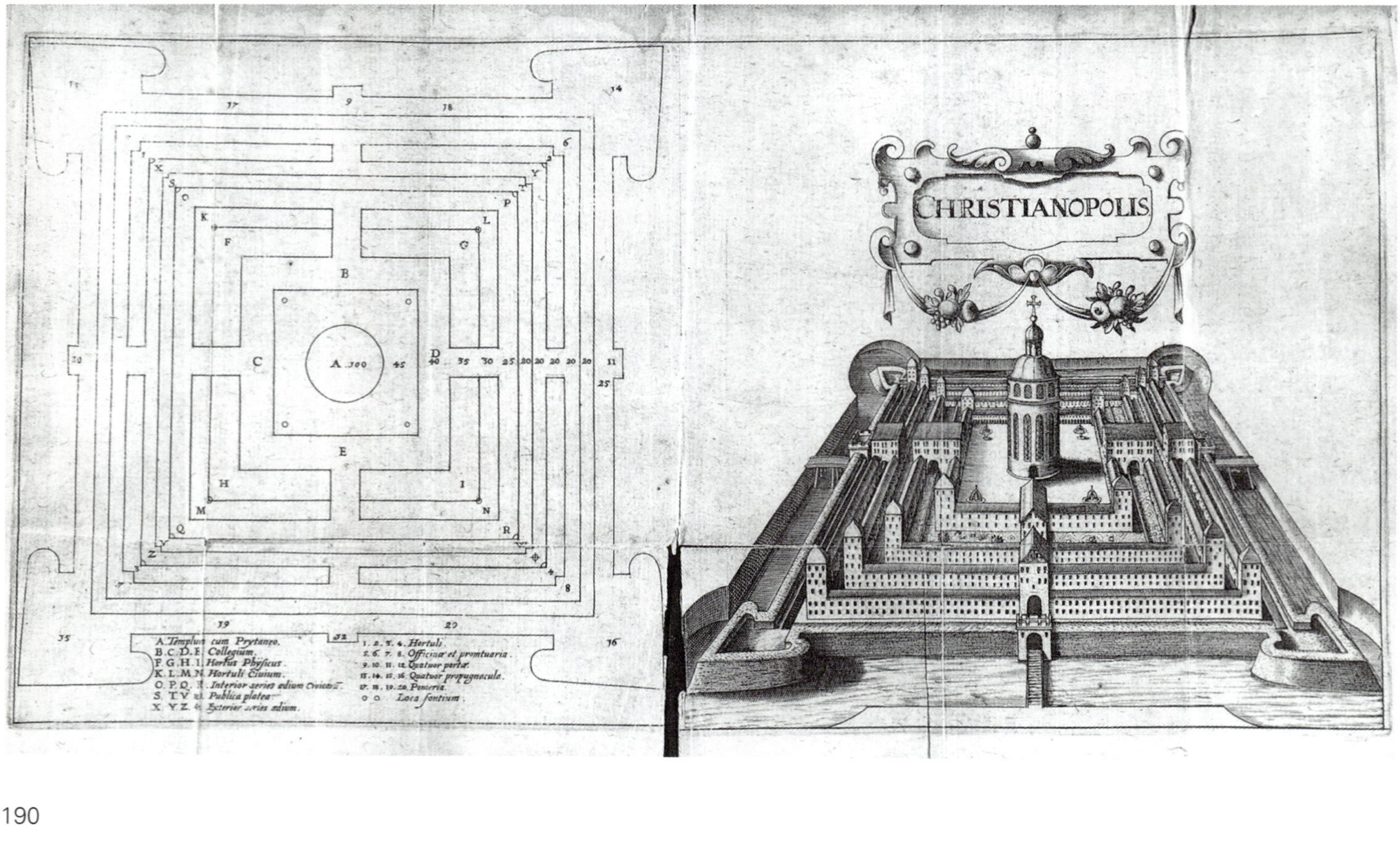

Edition: Andreae, Johann Valentin: Christianopolis 1619, Originaltext und Übertragung nach D. S. Georgi 1741, hg. von Richard van Dülmen, Stuttgart 1972.

Literatur: Dülmen, Richard van: Die Utopie einer christlichen Gesellschaft. Johann Valentin Andreae (1586-1654), Stuttgart / Bad Cannstadt 1978. – Kruft, Hanno-Walter: Städte in Utopia. Die Idealstadt vom 15. bis zum 18. Jahrhundert zwischen Staatsutopie und Wirklichkeit, München 1989, S. 79ff.

H. S.

134 Francis Bacon: „Nova Atlantis"
(„Neu-Atlantis")
London, 1638 (lateinische Fassung; englische Erstausgabe: 1624)
Typendruck
H. 30 cm, B. 21 cm
Wolfenbüttel, Herzog August Bibliothek, Ac 4° 1

Der englische Philosoph und Politiker Francis Bacon (1561-1626) schrieb seine – fragmentarische – Staatsutopie von der glücklichen Gesellschaft der Atlantier auf der Insel Bensalem (Nova Atlantis) 1624 nach seiner Entmachtung als Lordkanzler des Königreichs. Seine Staatsutopie, die auf die sagenhafte versunkene Insel *Atlantis* anspielt, ist eine Monarchie mit gerechter und glücklicher Verfassung. Eine oligarchische Elite von Naturforschern widmet sich der Wissenschaft zur Verbesserung der Menschheit und betreibt den technischen Fortschritt: die Erfindung neuer Pflanzen und Tiere, die Verlängerung des Lebens, die Fähigkeit zum Fliegen. Dahinter steht der Optimismus einer künftigen universalen Beherrschung der Welt durch den Menschen. Die Macht in den Händen von technischen Eliten (Bacon: *„Wissen ist Macht"*) blieb ein wichtiges Thema des Zukunftsglaubens bis in die Utopien des 19. und 20. Jahrhunderts.

Literatur: Biesterfeld, Werner: Die literarische Utopie, Stuttgart 1982.

H. S.

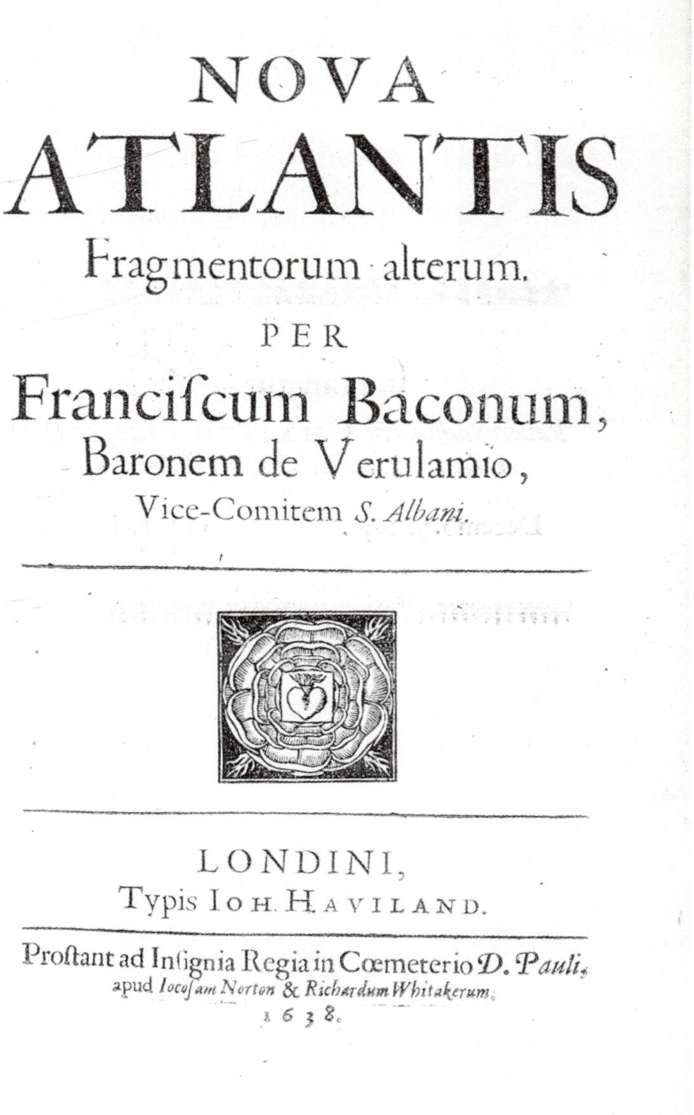
NOVA
ATLANTIS
Fragmentorum alterum.
PER
Franciſcum Baconum,
Baronem de Verulamio,
Vice-Comitem *S. Albani.*

LONDINI,
Typis IOH. HAVILAND.

Proſtant ad Inſignia Regia in Cœmeterio *D. Pauli*,
apud *Iocoſam Norton* & *Richardum Whitakerum*.
1638.

134

Bacons Staatsutopie „Nova Atlantis" beschreibt eine künftige universale Beherrschung der Welt durch den Menschen.

Teutscher Krieg
Französisches Grand Siècle

Der Triumph der Soldateska

Der „teutsche Krieg" war in Wirklichkeit ein europäischer Krieg in Deutschland und einer der längsten Kriege, den die Weltgeschichte kennt. Er begann **1618** und währte dreißig Jahre lang. Etwa 40 % der Bevölkerung auf dem Lande und 33 % in den Städten fanden den Tod.

Letztlich ging es um die Frage, ob Deutschland katholisch oder protestantisch werden solle. Die europäischen Mächte, darunter Schweden und Frankreich, versuchten, aus dem religiösen Konflikt machtpolitischen Vorteil zu ziehen. Dem schwedischen König Gustaf Adolf II. sowie Albrecht von Wallenstein aus Böhmen, dem Oberbefehlshaber der kaiserlichen Truppen, bot der Krieg eine strategische „Spielfläche". Die zügellose Soldateska betrieb Morden und Brandschatzung immer mehr als Selbstzweck.

Der Prozeß gegen Galileo Galilei

„Und sie [die Erde] bewegt sich doch". Dies soll der italienische Physiker, Astronom und Hofmathematiker aus Florenz Galileo Galilei gemurmelt haben, als er **1633** in einem Prozeß der katholischen Kirche in Rom wegen seiner „Irrlehren" verurteilt wurde und diesen abschwor. Seine Planetenbeobachtungen hatten ihn zum Vorkämpfer des heliozentrischen Weltbildes gemacht: die Sonne ist Mittelpunkt des Planetensystems. Außerdem war Galilei einer der Begründer der modernen Naturwissenschaft, die im selben Jahrhundert durch Isaac Newton, dem Entdecker des Gravitationsgesetzes, wesentlich vorangebracht wurde.

Der Sonnenkönig

Ludwig XIV. war seit **1643** König von Frankreich. „Sonnenkönig" wurde der absolutistische Herrscher genannt und als europäisches „Leitgestirn" empfunden. Die Residenz des Königs, das Schloß von Versailles, wurde mit seiner Garten- und Parkanlage Vorbild für viele Barockschlösser in ganz Europa. Der König beherrschte den Staat mit Hilfe eines gut organisierten Beamten- und Polizeiapparats. Die „Generalstände" berief er nicht mehr ein. Ludwig XIV. verkörperte mit seiner unbeschränkten Macht den Staat: „L'état c'est moi." („Der Staat bin ich".)

Das gespaltene Ich

Die barocke Epoche ist durch einen starken Gegensatz von Lebenslust („Carpe diem" – „Genieße den Tag") und Lebensangst (Vanitas - das Gefühl irdischer Eitelkeit) bestimmt. Im „Hamlet" **(um 1601)** hat der englische Dramatiker William Shakespeare den Prototyp melancholischer Weltverzweiflung auf die Bühne gebracht. Shakespeare war ein Meister des bühnenwirksamen Theaters. „Komödientruppen" brachten seine „Spektakelstücke" bald auch auf das Festland.

1660 1670 1680 1690 **1700**

Zerbrochene Menschen
Höfe des Absolutismus und Wohlbefinden der Patrizier
Glorious Revolution

Zum Beispiel Augsburg

Als **1648** der Westfälische Frieden den Dreißigjährigen Krieg beendete, waren viele Landstriche und Städte verwüstet. Zum Beispiel Augsburg, eine der größten deutschen Städte jener Zeit. Bei einer ursprünglichen Bevölkerung von rund 45.000 Menschen, meistens Protestanten, hatte Augsburg europaweite Handelsbeziehungen unterhalten. Belagerung, Besatzung, Hunger und Pest führten zur weitgehenden Entvölkerung und zum wirtschaftlichen wie politischen Niedergang der Stadt. Nicht nur „Pommernland" war abgebrannt. Das Kinderlied „Maikäfer flieg, der Vater ist im Krieg / die Mutter ist im Pommernland / Pommernland ist abgebrannt" geht auf Agneta Horn zurück, die mit ihrer Familie im Gefolge des schwedischen Invasionsheeres nach Deutschland gekommen war.

„Verfeinerung"

In London wurde **1652** das erste europäische „Coffee-House" eröffnet. Der Kaffee war von Arabern und Türken eingebürgert worden und erfreute sich zunehmender Beliebtheit so wie auch Schokolade, Tee und weiterhin Alkohol. Schnell verbreitete sich das Rauchen. „Verfeinerung" prägte die Barockzeit: Die Gabel setzte sich vom französischen Hofe aus durch. Das Hutabnehmen galt als Zeichen der Höflichkeit. Der „Prozeß der Zivilisation" verbesserte freilich die hygienischen Verhältnisse wenig. Private Bademöglichkeiten bestanden kaum. Die öffentlichen Bäder des Mittelalters und der Reformationszeit waren

verschwunden. Dafür gab es einen verschwenderischen Gebrauch von Parfüms, Schminkmitteln und Haarsalben für die bei den oberen Schichten obligatorische Perükke. Paris stank. Selbst im Bett des Sonnenkönigs gab es Wanzen.

Puritanische Revolution

1653 wurde in Großbritannien Oliver Cromwell „Lordprotektor" mit diktatorischen Vollmachten. Er war als Heerführer des Parlaments aus der „puritanischen Revolution" hervorgegangen. Dazu war es gekommen, als das Königshaus der Stuarts seine Macht absolutistisch ausbauen wollte. Der Puritanismus war eine religiöse Reformbewegung, die mit Hilfe einer strengen bibelbezogenen Frömmigkeit die anglikanische Staatskirche von katholisierenden Elementen zu befreien suchte. Nach Cromwells Tod 1658 wurde die Stuart-Herrschaft wieder hergestellt, worauf viele Puritaner nach Amerika emigrierten. Die „Glorious Revolution" beendete 1688 die Herrschaft der Stuarts. Mit der „Bill of Rights" wurde ein katholisches Königtum ausgeschlossen. Die Macht des Parlaments wurde bestätigt und ausgebaut.

Irdisches Jammertal

1664 starb Andreas Gryphius, die Zentralgestalt des deutschen literarischen Barock. Er war Mitglied der Weimarer „Fruchtbringenden Gesellschaft". Es war dies eine von vielen Sprachgesellschaften, die eine „sprachreine" deutsche Dichtung anstrebten und die „Schäferdichtung" („Pastoral-Poesie") propagierten. Sie sollte der Bösartigkeit der Zeit das Idealbild einer abgeschiedenen, naturverbundenen Lebensweise entgegenstellen. Dabei entstanden allerdings Schilderungen mit galant-höfischer oder großbürgerlicher Ausschmükkung. Gryphius empfand die Welt als Quelle der Lust wie als „irdisches Jammertal": „Die Herrlichkeit der Erden / muß Rauch und Aschen werden."

Niederländische Stilleben

1669 starb der Maler Rembrandt Harmensz van Rijn. Neben Peter Paul Rubens, Frans Hals sowie Anton van Dyck war er der herausragende Vertreter der hochentwickelten niederländischen Kunst, die eine umfassende bürgerliche Kultur widerspiegelte. Die Niederlande waren wirtschaftlich und kulturell blühende Territorien. Ihren Reichtum verdankten sie vor allem den Kaufleuten, die Handelsbeziehungen bis nach Ostasien unterhielten. Durch Erbfolge an das Haus Habsburg gefallen, hatten sich die Niederlande Ende des 16. Jahrhunderts von der Unterdrückung durch Spanien befreien können. Der Westfälische Frieden erkannte 1648 ihre Unabhängigkeit als „Vereinigte Generalstaaten" an. Mit ihrem republikanisch-föderativen Staatsaufbau standen sie im Gegensatz vor allem zum französischen Absolutismus.

„Planiglobii terrestris cum utroq hemisphaeria caelesti"
Weltkarte im Atlas von Johann Baptist Homann
Nürnberg, 1716
Berlin, Staatsbibliothek zu Berlin – Preußischer Kulturbesitz, Kartenabteilung

Diese Weltkarte ist in einen aus insgesamt 126 Karten bestehenden Atlas eingebunden. Der Herausgeber Johann Baptist Homann bemühte sich durch ständiges Aktualisieren um eine große Genauigkeit seiner Karten, so dass die hier wiedergegebene Erdkugel den Stand der Erforschung um 1716 widerspiegelt.

1700

Jahrhundertwende zwischen Terminstreit und Kalenderreform

An der Wende zum 18. Jahrhundert kam es erstmals zum Streit um den korrekten Termin. So wurde die Jahrhundertwende unterschiedlich 1700 oder 1701 gewürdigt. Sie war Anlass, resümierend auf das vergangene Jahrhundert zurückzublicken. Es gab erste Feiern zur Jahrhundertwende. 1700 schlossen sich die protestantischen Länder dem bereits seit 1582 in den katholischen Ländern geltenden Gregorianischen Kalender an.

Mit dem 17. Jahrhundert ging ein *eisernes* Jahrhundert zu Ende, ein Jahrhundert, dessen Kriege länger und schrecklicher waren, als man sie bisher kannte. Gerade der Südwesten des Deutschen Reiches war betroffen. Hier verwüstete nicht nur der Dreißigjährige Krieg ganze Landstriche, am Ende des Jahrhunderts schlug die Eroberungspolitik Ludwigs XIV. ihre Schneisen in Städte und Schlösser – manche von ihnen sieht man noch heute. Als wäre dies nicht genug gewesen, zeichnete sich zum Jahrhundertwechsel bereits der nächste Konflikt am Horizont Europas ab: Der kinderlose spanische König Karl II. verstarb am 1. November 1700, und der Krieg um die spanische Erbfolge nahm seinen Lauf. Nur einige Wochen später stieg ein neuer König auf einen ebenso neuen Thron. Brandenburgs Kurfürst Friedrich III. krönte sich selbst zum König Friedrich I. *in Preußen*. Die Politik war durch das kinderlose Ende des spanischen Habsburgers in Bewegung geraten, nicht durch das des Jahrhunderts. Aber zumindest rhetorisch ließ sich nun die Brücke schlagen, und Leibniz begann einen politischen Lagebericht mit dem Kommentar, das Ende des Jahrhunderts habe das neue Gesicht der Dinge enthüllt.

Wenn auch die Politik dieser Jahre und Jahrzehnte gewiß nicht mehr in dem selben Maße konfessionell geprägt war wie zuvor, so besaß der Glaube doch nach wie vor eine prägende Kraft für das Leben der Menschen. Nur in einzelnen Sphären, wie der der Wissenschaft, gewannen rationalistische oder skeptizistische Überlegungen an Einfluß. Als ein Zeichen für die Pragmatik, mit der man nun manche *Glaubensfrage* zu behandeln begann, mag man die Lösung des Kalenderproblems betrachten. Der 1582 eingeführte *Gregorianische Kalender* galt bisher nur in katholischen Landen. Anders als der vor allem in protestantischen Gebieten geltende *Julianische Kalender* sah er den Ausfall des Schaltjahres im jeweils hundertsten Jahr vor, so daß sich die störende Abweichung der beiden Kalenderzählungen im Jahre 1700 noch vergrößert hätte. Unter dem Druck dieses Sachzwangs einigten sich die protestantischen Stände des Regensburger Reichstags 1699 auf einen *verbesserten protestantischen Kalender*, der de facto einer Übernahme des *Gregorianischen Kalenders* der Katholiken gleichkam.

Für Leibniz, der sich gerade erst erfolgreich für die Gründung einer Akademie der Wissenschaften in Berlin eingesetzt hatte, wie auch für viele andere, gehörte das Jahr 1700 im übrigen noch zum Ende des 17. Jahrhunderts, nicht zum Beginn des 18ten. Erstmals war jener Streit um den korrekten Termin des Jahrhundertwechsels aufgetreten, der seither pünktlich zu jedem Jahrhundertende die Gemüter bewegt. Mathematisch korrekt ist es, wie schon Leibniz wußte, daß man das Jahrhundert erst mit dem Übergang zum Jahr 01 wenden läßt. Dies liegt nicht eigentlich daran, daß das Jahr Null im christlichen Kalender fehlt; die Ursache liegt tiefer: Das Jahr Null wäre schon deshalb ohne Sinn, weil man Jahreszahlen zunächst als Ordnungszahlen ausdrückte, also vom *ersten, zweiten, dritten* Jahr des Herrn sprach. Ein *nulltes* Jahr des Herrn kann es dabei nicht geben. Dieser Sprachgebrauch der Ordnungszahlen schliff sich allmählich ab, man zählte schließlich *eins, zwei, drei* und übersah, daß dies einen entscheidenden Unterschied macht: So lebten die Leute im Jahr 1700 eigentlich im siebzehnhundertsten Jahr, das natürlich erst verstrichen sein mußte, damit siebzehnhundert Jahre vergangen waren. Daß dieser Streit erstmals in den Jahren 1699 und 1700 geführt wurde ist schon deshalb bemerkenswert, weil es zeigt, wie viel mehr nun das Thema des Jahrhunderts und seines Endes interessierte. Das Jahrhundert war nun weitaus geläufiger als hundert Jahre zuvor, nicht zuletzt deshalb, weil viele historische Lehrbücher die Zeit mittlerweile in dezimale Abschnitte gliederten. Einige hatten gar begonnen, jedem dieser historischen Jahrhunderte einen besonderen Charakter zuzuschreiben, um es dem Gedächtnis einprägsamer zu machen. Der Jahrhundertwechsel wird – hat man sich erst an solche historischen Jahrhunderte gewöhnt – zu mehr als zu einem Nummernspiel: Jetzt wandelt sich die Zeit oder doch wenigstens ihr Name.

Was an der Wende zum 18. Jahrhundert indes noch immer fehlte, das war eine tiefergehende Begeisterung für diesen Wechsel. Man machte Witze über den Terminstreit, prägte Spottmedaillen, spielte in der ein oder anderen Rede der Jahre um 1700 auf das neue Jahrhundert an, einige Universitäten hielten eigene Disputationen ab, die das Jahrhundert als wissenschaftliches Phänomen betrachteten. Von entsprechenden Feierlichkeiten aber, etwa zum Silvesterabend oder Neujahrstag, haben wir nur in sehr wenigen Fällen Zeugnis.

Eine Ausnahme, die zwar nicht den kalendarischen Jahreswechsel ins neue Jahrhundert, wohl aber dieses Thema betraf, findet sich am Gymnasium Zittaus, das zu dieser Zeit von dem bedeutenden Dramatiker und Pädagogen Christian Weise geleitet wurde. Weise

Für Leibniz gehörte das Jahr 1700 noch zum Ende des 17. Jahrhunderts, nicht zum Beginn des 18ten.

In Zittau wurde mit einem Festzug Abschied vom verflossenen Jahrhundert genommen und das angehende Jahrhundert begrüßt.

hielt seine Schüler mehrmals jährlich dazu an, in oratorischen Übungen ihre rednerischen Fähigkeiten und ihre Sprache zu schulen. Diese Übungen wurden als regelrechte Schüleraufführungen inszeniert, man lud die Eltern, teilweise auch den Stadtrat dazu ein. Weise war um Aktualitätsbezug bemüht, für 1699 und 1700 hieß dies, daß man den Jahrhundertwechsel thematisierte. Zum gymnasialen Weihnachtsfest des 22. Dezember 1699 wurde beispielsweise ein Wechselgespräch einstudiert, das die Geschichte des 17. Jahrhunderts in Abschnitten zu jeweils 25 Jahren wiedergab. Eindrucksvoller noch ist der Beitrag der Schüler von 1699 zum Gregorifest der Stadt Zittau, das alljährlich in der zweiten Woche nach Ostern begangen wurde. Man formierte sich dieses Mal zu einem historischen Zug, der den *Abschied von dem verflossenen Seculo, so dann auch die vergnügte Hoffnung zu dem künfftig angehenden Seculo* darstellte. Der Zug bestand aus zwei Folgen. Vorweg ging das 17. Jahrhundert, bestehend aus allegorisch verkleideten Schülergruppen, die u.a. Türken und Ungarn darstellten, aber auch Allegorien für Krieg und Frieden, den Überfluß und die Gerechtigkeit. Noch vor dem zweiten Teil des Zuges, der dem kommenden 18. Jahrhundert reserviert war, erschien der Chor der Schüler und eine Janusfigur, die die beiden Jahrhunderte symbolisch trennte.

Sehr schön sieht man daran im Übrigen, wie sich das historische Jahrhundert, das doch erst mit den *Magdeburger Zenturien* der 1560er Jahre entstanden war, zu einer lebendigen Figur der historischen Imagination entwickelt hatte: Nicht zuletzt die Didaktiker der Geschichte, wie der Pädagoge Christian Weise, waren an einer lebendigen Jahrhundertvorstellung interessiert, die sich intensiv in das Gedächtnis der Lernenden einprägen konnte. Ein *lebendiges* Jahrhundert aber konnte auch *sterben*, so daß nun auch die Redewendung auftrat, man stehe am *„Grab"* oder *„Sterbebett"* des Jahrhunderts. Ein *gestorbenes* Jahrhundert verdiente eine Totenrede. Historische Bilanzen und Bücher, die den Verlauf des Jahrhunderts kommentierten, erschienen nun häufig und termingerecht zu seinem Ende. Und natürlich sucht man wenigstens jetzt, wo das Jahrhundert abgeschlossen war, nach einem passenden Namen. Das *eiserne* Jahrhundert war der traurige Favorit der Beinamen, die man dem scheidenden 17. Jahrhundert gab.

Literatur:

Kahl, Uwe: Ist das alles nur eine Frage der Zeit?, in: Bibliotheksjournal der Christian-Weise-Bibliothek Zittau, Heft 1, Zittau 1998, S. 13-17.

Leibniz, Gottfried Wilhelm: Status Europae incipiente novo saeculo. In: Ders.: Oeuvres. Publiées pour la première fois d'après les manuscrits originaux avec notes et introductions par Louis Alexandre Foucher de Careil, Paris 1861ff., Neudruck: Hildesheim 1969, III, S. 298-307.

Weise, Christian: Der Abschied Von dem verflossenen Seculo, So dann auch die vergnügte Hoffnung zu dem künfftig angehenden Seculo, Wird in dem gewöhnlichen GregoriFeste / Die Woche nach Quasimodogeniti MDCXCIX. im Zittauischen Gymnasio Bey dem angestellten Umgange vorgebildet werden; Gestaltet diese Jugend-Lust Allen Patronen / Gönnern und Freunden gebührender massen durch diese Vorschrifft recommendiren wil C[hristian]. W[eise]. R[ector], Zittau [1699].

Das gestorbene Jahrhundert verdiente eine Totenrede.

Weise, Christian: Die Christliche Betrachtung Der vergangenen / der gegenwärtigen / der instehenden Zeit. Wird nach Anleitung des andächtigen und beliebten Liedes verbum caro factum est. Den 22. Decembr. MDCC. im Zittauischen Gymnasio, Unter Anführung Christian Weisens / Gymnas. Rect. als eine Danckbarkeit wegen des verflossenen Seculi, als eine Praeparation Zu dem Heiligen Weinachts-Feste / so dann auch als ein kräfftiger Trost Zu dem Antritte des neuen seculi, in einen kurzen Lichten-Gange versprochen / Und alle Hochgeneigten / Gütigen und Liebreichen Anwesenden Zur gewöhnlichen Genehmhaltung recommendiret, Zittau [1700].

Arndt Brendecke

135

135 Entscheidung in den Türkenkriegen: Die Schlacht bei Slankamen 1691
Romeyn de Hooghe (1645-1708)
Amsterdam, 1691
Papier, Radierung mit Typensatz
H. 54 cm, B. 62,2 cm
Karlsruhe, Badische Landesbibliothek , O Map 6

Zwei Jahrhunderte lang bedrohten osmanische Sultane mit ihren Heerscharen das christliche Europa, zweimal standen sie gar vor Wien, 1529 und 1683. Nach zahlreichen Schlachten mit den Türken gelang dem Markgrafen Ludwig Wilhelm von Baden (1655-1707) ein entscheidender und die Türken auf Dauer schwächender Sieg in der Schlacht bei Slankamen am 19. August 1691. Die Radierung zeigt verschiedene Stufen des Verlaufs dieser kriegerischen Auseinandersetzung, u.a. den *Türkenlouis*, wie er vom Volksmund genannt wurde, zu Pferde neben dem Zelt des unterlegenen und gefallenen Großwesirs Mustafa Köprülü. Als Dank für seinen Sieg wurde Ludwig Wilhelm vom Kaiser zum Generalleutnant ernannt und mit dem Orden vom Goldenen Vließ ausgezeichnet. Sein Vetter Prinz Eugen übernahm ein Jahr später die Heerführung und konnte 1699 mit den Türken den Frieden zu Karlowitz schließen (vgl. Kat.-Nr. 136).

Literatur: Petrasch, Ernst / Sänger, Reinhard u.a.: Badisches Landesmuseum Karlsruhe. Die Karlsruher Türkenbeute, München 1991.

R. W. S.

136 „Historische Denckwürdigkeiten des 1699ten Jahrs"
Nürnberg, bei Christoph Weigel, 1700
Kupferstich, Radierung
H. 33,8 cm, B. 43,5 cm
Nürnberg, Germanisches Nationalmuseum, Inv.-Nr. HB 902
Kapsel 1333b

In zehn Bildfeldern sind verschiedene Ereignisse des Jahres 1699 szenisch dargestellt: So war ein Unwetter, das in Weimar große Schäden anrichtete, bildwürdig. Eine Szene zeigt die Verleihung der Kurwürde an den Herzog Georg Ludwig von Braunschweig-Hannover (den späteren König Georg I. von Großbritannien), obwohl diese bereits 1698 stattgefunden hatte. Zwei Bilder sind der Hochzeit des römisch-deutschen Königs und späteren Kaisers Joseph I. mit Prinzessin Wilhelmine Amalie von Hannover gewidmet: Das große Mittelbild des Blattes stellt die Ankunft der Braut in Wien dar; die andere Szene zeigt die Trauung. Drei Szenen thematisieren den am 26. Januar 1699 geschlossenen Frieden von Karlowitz. Die dort unterzeichneten Verträge zwischen dem Osmanischen Reich sowie Österreich, Polen und Venedig bedeuteten das Ende der Türkenkriege und der Türkengefahr für Mitteleuropa. Gleichzeitig bestätigte der Friedensschluß die habsburgische Herrschaft über Ungarn, Kroatien und Slawonien und besiegelte damit Österreichs Aufstieg zur europäischen Großmacht. Die bevorstehende Jahrhundertwende ist auf dem Blatt nicht thematisiert.

J. D.

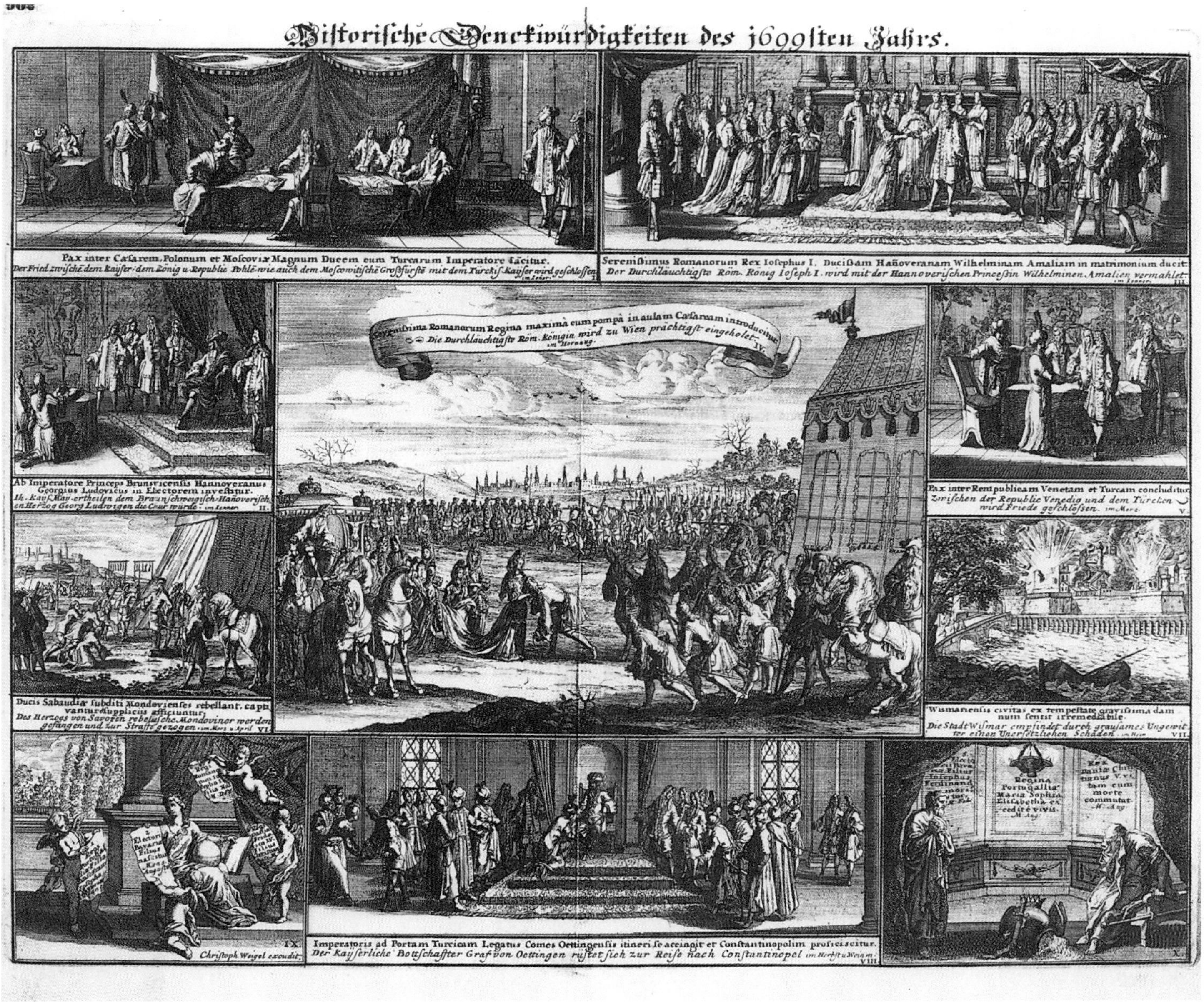
Historische Denckwürdigkeiten des 1699sten Jahrs.
Pax inter Caesarem, Polonum et Moscoviae Magnum Ducem cum Turcarum Imperatore facitur.
Der Fried zwischē dem Kayser, dem König u. Republic Pohlē wie auch dem Moscowitischē Großfürstē mit dem Türckis. Kayser wird geschlossen. I.
Serenissimus Romanorum Rex Iosephus I. Ducissam Hanoveranam Wilhelminam Amaliam in matrimonium ducit.
Der Durchläuchtigste Röm. König Ioseph I. wird mit der Hannoverischen Princessin Wilhelminen Amalien vermählet. III.
Serenissima Romanorum Regina maxima cum pompa in aulam Caesaream introducitur
Die Durchläuchtigste Röm. Königin wird zu Wien prächtigst eingeholet. IV.
Ab Imperatore Princeps Brunsvicensis Hannoveranus Georgius Ludovicus in Electorem investitur.
Ih. Kays. May. ertheilen dem Braunschweigisch-Hanoverischen Herzog Georg Ludwigen die Cur würde. II.
Pax inter Rempublicam Venetam et Turcam concluditur
Zwischen der Republic Venedig und dem Türcken wird Friede geschlossen. V.
Ducis Sabaudiae subditi Mondovienses rebellant, captivantur, supplicis afficiuntur.
Des Herzogs von Savoyen rebellische Mondoviner werden gefangen und zur Straffe gezogen. VI.
Wismariensis civitas ex tempestate gravissima damnum sentit irremediabile.
Die Stadt Wismar empfindet durch grausames Ungewitter einen Unersetzlichen Schaden. VII.
Imperatoris ad Portam Turcicam Legatus Comes Oettingensis itineri se accingit et Constantinopolim proficiscitur.
Der Kayserliche Bottschaffter Graf von Oettingen rüstet sich zur Reise nach Constantinopel. VIII.
IX
Christoph Weigel excudit.
X

136

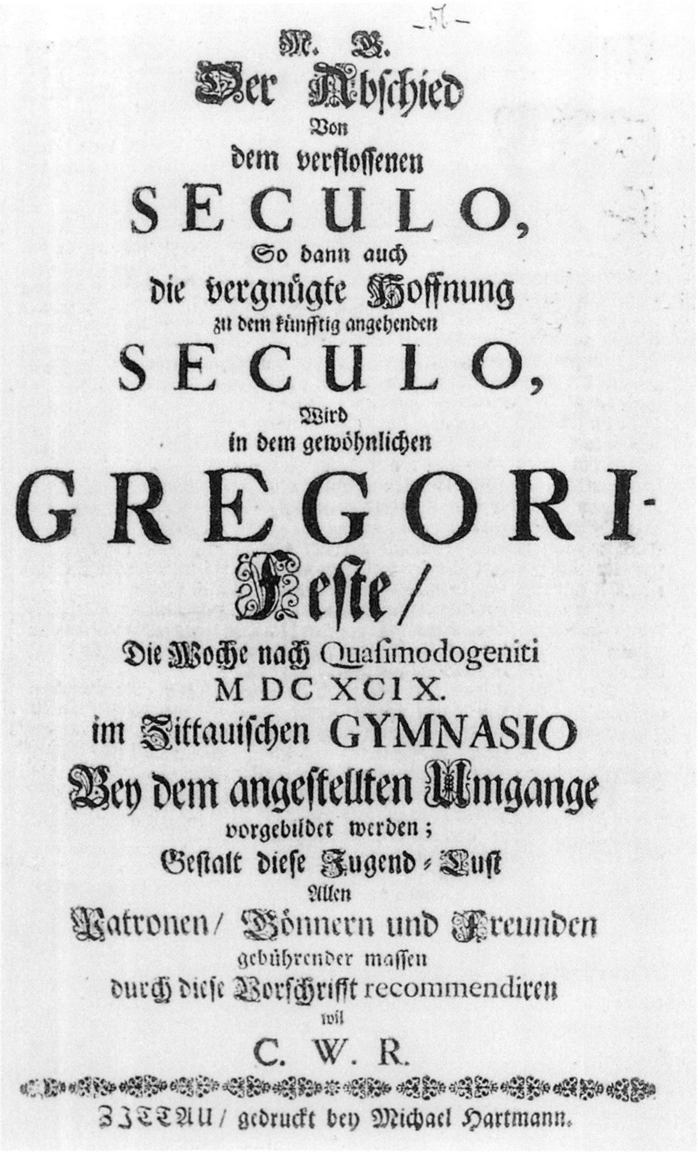
M. G.
Der Abschied
Von
dem verflossenen
SECULO,
So dann auch
die vergnügte Hoffnung
zu dem künfftig angehenden
SECULO,
Wird
in dem gewöhnlichen
GREGORI-
Feste/
Die Woche nach Quasimodogeniti
M DC XCIX.
im Zittauischen GYMNASIO
Bey dem angestellten Umgange
vorgebildet werden;
Gestalt diese Jugend-Lust
Allen
Patronen/ Gönnern und Freunden
gebührender massen
durch diese Vorschrifft recommendiren
wil
C. W. R.
ZITTAU/ gedruckt bey Michael Hartmann.

137

137 Die Feier des Zittauer Gymnasiums am Gregoriusfest 1699 mit Festumzug zur anstehenden Jahrhundertwende 1700

Christian Weise (1642-1708)
Zittau, bei Michael Hartmann, 1699
Typendruck
H. 32,5 cm, B. 22 cm
Zittau, Christian-Weise-Bibliothek, Mscr. A 26

Die vorliegende Schrift ist in einen 1700 datierten Handschriftenband von Abraham Frenzel eingebunden (S. 626ff.). Ihr Titel lautet: *„Der Abschied Von dem verflossenen Seculo, So dann auch die vergnügte Hoffnung zu dem künfftig angehenden Seculo, Wird in dem gewöhnlichen GregoriFeste / Die Woche nach Quasimodogeniti MDCXCIX. im Zittauischen Gymnasio Bey dem angestellten Umgange vorgebildet werden; Gestaltet diese Jugend-Lust Allen Patronen / Gönnern und Freunden gebührender massen durch diese Vorschrifft recommendiren wil C[hristian]. W[eise]. R[ector]. Zittau [1699]."*

Es gehörte zu den Besonderheiten des Zittauer Gymnasiums, daß sich seine Schüler an der Gestaltung des Gregoriusfestes beteiligten. Die Zusammensetzung des Festzuges, der in der zweiten Woche nach Ostern 1699 durch Zittau zog, geht auf den bedeutenden Reformpädagogen und Gymnasialrektor Christian Weise zurück. Der Zug der Schüler von 1699 bestand aus zwei Folgen, wobei die erste das 17. Jahrhundert darstellte und aus allegorisch verkleideten Schülergruppen bestand, die typische Ereignisse und Zustände des 17. Jahrhunderts darstellten. Im zweiten Teil des Zuges traten weitere Allegorien auf, wobei man das bevorstehende 18. Jahrhundert selbst mittels *„lauter unbekandten und masquirten Personen die theils feindselig, theils friedlich, theils galant, theils gering auffziehen"* verkörperte.

Auch die Weihnachtsaufführungen, die das Gymnasium Zittaus Ende 1699 und 1700 präsentierte, variierten in diesen beiden Jahren das Thema des Jahrhundertwechsels (vgl. Kat.-Nr. 138).

Literatur: Kahl, Uwe: Ist das alles nur eine Frage der Zeit. Bibliotheksjournal der Christian-Weise-Bibliothek Zittau, Heft 1, Zittau 1998, S. 13-17.

A. B.

138 Die Weihnachtsfeier 1699 des Zittauer Gymnasiums im Anblick der Jahrhundertwende 1700

Christian Weise (1642-1708)
Zittau, bei Michael Hartmann, 1699
Typendruck
H. 31 cm, B. 21 cm
Zittau, Christian-Weise-Bibliothek, Zitt. 29b

Beim vorliegenden Text handelt es sich wohl um die Einladung zur Weihnachtsfeier 1699 am Zittauer Gymnasium. Er ist eingebunden in einen Sammelband mit 244 Kleinschriften des Rektors Christian Weise (vgl. Kat.-Nr. 137). Sein ausführlicher und den Verlauf der Veranstaltung beschreibender Titel lautet: *M. G. Die gewöhnliche Weinachts Praeparation wird diesesmahl im Zittauischen Gymnasio vornehmlich auf die Gott-gefällige Betrachtung Des Großen Jubel-Jahres / Den 22. Decembr. MDCXCIX.* [= 1699 – J. D.] *Abends nach vier Uhr gerichtet seyn. Und weil beliebte und bekandte Personen Bey solcher Gelegenheit die Veränderungen des verlauffenen Seculi mehr mit Christlichen als Politischen Augen ansehen werden / Wie Gottes Providence mit Aller Menschen Macht und Weißheit gespieltet hat; Als werden Die geneigten Patronen / Gönner / und Liebhaber / Auch welche sonst der deutschen Beredsamkeit nicht zu wieder sind / Zu einer kurtzen Gedult / zu einer liebreichen Genehmhaltung / Zu einer ferneren recommendation um bestim[m]te Zeit ersuchet Von Christian Weisen / Rect[or].*

Literatur: Kahl, Uwe: Ist das alles nur eine Frage der Zeit. Bibliotheksjournal der Christian-Weise-Bibliothek Zittau, Heft 1, Zittau 1998, S. 13-17.

J. D.

139

139 Medaille auf die Jahrhundertwende 1700
Anonym
1700
Silber, geprägt
Dm. 32 mm
München, Staatliche Münzsammlung, ohne Inv.-Nr.
Stuttgart, Württembergisches Landesmuseum, Münzkabinett, ohne Inv.-Nr.

Vorderseite: *NOVA IVBILA NVNCIAT ORBI („Neue frohe Kunde verkündet sie dem Erdkreis")*
Die geflügelte Fama schwebt über der Erdkugel, sie schwingt ein Weihrauchfaß und bläst eine Fanfare, auf deren Standarte die lateinische Jahreszahl *MDCC* steht.

Rückseite: *TANDEM MELIORA SEQVENTVR („Endlich werden bessere Zeiten folgen")*
Die Arche auf den Wellen der Sintflut, darüber fliegt die Taube mit dem Ölzweig.

P.-H. M.

140

140 Medaille auf die Jahrhundertwende 1700 und die Kalenderreform
Martin Brunner (1659-1725) und Georg Friedrich Nürnberger (tätig seit 1655- nach 1721)
Nürnberg, 1700
Silber, geprägt
Dm. 35 mm
Dresden, Staatliche Kunstsammlungen, Münzkabinett, Inv.-Nr. 124
München, Staatliche Münzsammlung, ohne Inv.-Nr.

Vorderseite: *SIGNANTES TEMPORA FASTOS EMENDATE. („Nehmt eine Verbesserung des Kalenders vor")*
Der doppelköpfige Janus stehend, nur mit einem Lendentuch bekleidet. Mit dem älteren bärtigen Gesicht blickt er nach links in die Vergangenheit, mit dem jugendlichen Gesicht nach rechts in die Zukunft. In der Linken hält er den Schlüssel des neuen Jahrhunderts, in der Rechten ein langes Zepter. Rechts unten die ligierte Signatur *MB*.

Rückseite: *MAGNVS AB INTEGRO SECVLORVM NASCITVR ORDO. („Die Zeiten und die Zeitrechnung fangen von vorne an"* [aus: Vergil, Bucolica 4])
Im Feld groß die lateinische Jahreszahl *MDCC*. Unten die Signatur *GFN*.

P.-H. M.

141

141 Medaille auf die Jahrhundertwende
Martin Brunner (1659-1725) und Georg Friedrich Nürnberger (tätig seit 1655-nach 1721)
Nürnberg
Silber, geprägt
Dm. 41 mm
München, Staatliche Münzsammlung, ohne Inv.-Nr.

Vorderseite: *EDO VT EDAM („Ich verzehre, damit ich vermehre")*
Der nach links eilende Kronos verschlingt eines seiner Kinder, in der linken Hand hält er eine Sense. Links unten die ligierte Signatur *MB*.

Rückseite: *AVREVS HANC VITAM IN TERRIS SATVRNVS AGEBAT („Im Jahre 1700 der Welt brachte der goldene Saturn seine Lebenszeit auf Erden zu."* [aus: Vergil, Georgica 2]) Im Feld *ANNO MVNDI* und die große lateinische Jahreszahl *CICICCC* [Buchstaben zum Teil gespiegelt].

Randschrift: *REDEANT IN AVRVM TEMPORA PRISCVM („Die Zeiten mögen sich in das alte goldene Zeitalter wandeln"* [aus: Horaz, Oden IV,2]) und die Signatur *GFN*.

P.-H. M.

142

142 Huldigungsmedaille der Stadt Nürnberg aus Anlaß des neuen Jahrhunderts

Anonym
Nürnberg, 1700
Silber, geprägt
Dm. 43 mm
Dresden, Staatliche Kunstsammlungen, Münzkabinett, Inv.-Nr. 486
München, Staatliche Münzsammlung, ohne Inv.-Nr.

Vorderseite: *IMP. LEOPOLDVS P.F. AVG.-IOSEPHVS ROM ET HVNG REX. („Kaiser Leopold der fromme und glückliche Mehrer des Reichs – Joseph, römischer und ungarischer König")*
Die belorbeerten Büsten Kaiser Leopolds und König Josephs einander gegenüber. Darunter ein Medaillon mit einem Kleinkind – das neue Jahrhundert – auf einem Kissen, dazu die Inschrift *SPES PVBLICA. („Öffentliche Hoffnung").*

Rückseite: *SAECVLVM NOVVM („Neues Jahrhundert")*
Zwischen zwei Lorbeerbäumen ein Eichenkranz mit der Inschrift *PRO SALVTE IMP. ET CAES. VOTA PERPETVA („Gelübde für das ewige Wohl von Kaiser und Kronprinz")*: Im Abschnitt *S.P.Q. NORIMB. A. XP* (Christusmonogramm) *MDCC. („Stadtrat und Einwohner von Nürnberg im Jahre des Herrn 1700")*

Randschrift: *AETERNITAS DOMVS AVSTRIAC („Ewigkeit des Hauses Österreich")*

P.-H. M.

143

143 Medaille auf die Jahrhundertwende 1700

Philipp Heinrich Müller (1654-1719)
Augsburg, 1700
Silber, geprägt
Dm. 37mm
Stuttgart, Württembergisches Landesmuseum, Münzkabinett, ohne Inv.-Nr.

Vorderseite: *VLTIMORVM TEMPORVM MONVMENTVM („Denkmal der letzten Zeiten")*
Der geflügelte Kronos sitzt mit einer Sense im Arm auf Wolken. Er fügt einer Pyramide aus Steinen, die von 1 bis 17 beschriftet sind, einen 18. hinzu. Dieser Stein symbolisiert das beginnende 18. Jahrhundert. Unten die Signatur *P.H.M.*

Rückseite: *ASTRO MACTA DECORO („Huld dem herrlichen Stern")* (Die Buchstaben M, C und D sind größer geschrieben und ergeben als römische Zahlen gewertet, addiert die Zahl 1700)
Vor der Ansicht von Wien sitzt die Stadtgöttin mit der Rechten den Wappenschild haltend, im Schoß einen Säugling, der das neue Jahrhundert versinnbildlicht.
Im Abschnitt: *EXEUNTE SECVLO XVII. („Am Ende des 17. Jahrhunderts")*

Literatur: Forster, Albert von: Die Erzeugnisse der Stempelschneidekunst zu Augsburg und Ph. M. Müller's nach meiner Sammlung beschrieben und die Augsburger Stadtmünzen, Leipzig 1910, Nr. 706.

P.-H. M.

144

144 Medaille auf die Jahrhundertwende 1700

Johann Kittel (1656-1740)
Breslau, 1700
Silber, geprägt und Zinn, verkupfert, gegossen
Dm. 33 mm
Dresden, Staatliche Kunstsammlungen, Münzkabinett, Inv.-Nr. 6736

Vorderseite: Ein Putto steht verwirrt in einem Reifen mit der Inschrift *SECULUM XVII-SECULU XVIII. („17. Jahrhundert – 18. Jahrhundert")* Links unten die Signatur I.K.
Im Abschnitt: *WO SIND WIR*

Rückseite: In einem Blumenkranz die Inschrift:
HOERT DOCH WUNDER IM JAHR MDXX WUSTEN DIE LEUTHE NICHT WIE ALT SIE WAREN

Die Medaille nimmt satirisch Bezug auf das bis heute von vielen nicht verstandene Problem, ob ein Jahr mit den Endziffern 00 das letzte des alten oder das erste des neuen Jahrhunderts ist. Im konkreten Fall weiß der Putto also nicht, ob das Jahr 1700 nun zum 17. oder 18. Jahrhundert gehört. Das Motiv dieser Medaille ist 100 Jahre später noch einmal aufgegriffen worden (vgl. Kat.-Nr. 210).

Literatur: Lochner, Johann Hieronymus: Sammlung Merkwürdiger Medaillen, 8 Bde., Nürnberg 1737-1744, Bd. I, S. 425 ff.

P.-H. M.

145

145 Medaille auf die Jahrhundertwende 1700
Christian Wermuth (1661-1739)
Gotha, 1700
Silber, geprägt
Dm. 32 mm
Dresden, Staatliche Kunstsammlungen, Münzkabinett, Inv.-Nr. 4706

Vorderseite: *O GRYLLI CAPIENS* (kursiv) *(„Oh du Grillenfänger")*
Unter einem Laubbaum sitzt ein Mann, der versucht, mit einer großen Falle Grillen einzufangen. Unter einem Grillenfänger verstand man einen Mann, der sich ebenso trüb- wie unsinnige Gedanken macht.

Rückseite: *EY WAS WUNDER MDCC SIND NOCH NICHT HERUNDER. WERS NICHT GLÄUBET LIEBER HERR BLEIBT EIN 99ER*

Literatur: Wohlfahrt, Cordula: Christian Wermuth, ein deutscher Medailleur der Barockzeit – a german medallist of the Baroque age, London 1992, Nr. 00 026.

P.-H. M.

146

146 Medaille auf die Jahrhundertwende 1700
Christian Wermuth (1661-1739)
Gotha, 1700
Silber, geprägt
Dm. 32 mm
Dresden, Staatliche Kunstsammlungen, Münzkabinett, Inv.-Nr. 4709

Vorderseite: *WAS HIER WIRD AUSGERICHT FÄLLT DRÜBEN INS GESICHT*
Zwei Männer werfen Gestalten, die Schriftbänder mit der Aufschrift 1699 in den Händen halten, in einen großen Mörser, wo sie von einem dritten mit einer großen Keule, die 1700 beschriftet ist, zerstampft werden. Auf dem Mörser steht *1700 SAECVLI FINIS. („1700 Ende des Jahrhunderts")* Im Abschnitt: *PROV. XXVII V.23.* Offensichtlich handelt es sich hier um einen Irrtum des Medailleurs. Kapitel 27 Vers 23 der Sprüche Salomonis lautet: *„Auf deine Schafe habe Acht und nimm Dich deiner Herde an"*, was in diesem Zusammenhang keinen Sinn ergibt. Offensichtlich hat Wermuth aber den vorhergehenden Vers 22 gemeint: *„Wenn Du den Narren im Mörser zerstießest mit dem Stümpsel wie Grütze, so ließe doch seine Narrheit nicht von ihm"*. Diese Lebensweisheit wird auf der Medaille auf das Trefflichste illustriert.

Rückseite: Wie die Vorderseite von Kat.-Nr. 145.

Literatur: Wohlfahrt, Cordula: Christian Wermuth, ein deutscher Medailleur der Barockzeit – a german medallist of the Baroque age, London 1992, Nr. 00 027.

P.-H. M.

147

147 Medaille auf die Jahrhundertwende 1700
Christian Wermuth (1661-1739)
Gotha, 1700
Silber, geprägt
Dm. 32 mm
Dresden, Staatliche Kunstsammlungen, Münzkabinett, Inv.-Nr. 4707
Stuttgart, Württembergisches Landesmuseum, Münzkabinett, ohne Inv.-Nr.

Vorderseite: Wie die Vorderseite von Kat.-Nr. 146.

Rückseite: Wie die Rückseite von Kat.-Nr. 145.

Mit den drei Medaillen (Kat.-Nrn. 145 bis 147) verspottet Wermuth die Uneinsicht der meisten seiner Zeitgenossen, die, wie wir es heute wieder erleben, nicht begreifen wollten oder konnten, daß ein neues Jahrhundert erst mit dem Jahr mit der Endziffer 01 beginnt. Die Inschrift *„1700 SAECVLI FINIS"* auf dem Mörser besagt völlig korrekt, daß das Jahr 1700 das letzte des 17. Jahrhunderts und nicht das erste des 18. Jahrhunderts ist, so wie heute das dritte Jahrtausend erst mit dem Jahr 2001 beginnt.

Literatur: Wohlfahrt, Cordula: Christian Wermuth, ein deutscher Medailleur der Barockzeit – a german medallist of the Baroque age, London 1992, Nr. 00 030.

P.-H. M.

148

148 Stuttgarter Stadtmedaille

Philipp Heinrich Müller (1654-1719)
Augsburg
Silber, geprägt
Dm. 60 mm
Stuttgart, Württembergisches Landesmuseum, Münzkabinett, Inv.-Nr. MK 17844

Vorderseite: *TVTA SVB HOC CLYPEO („Sicher unter diesem Schild")*
Ansicht der Stadt Stuttgart, umgeben von Obstgärten und Weinbergen. Der aus den Wolken kommende Arm Gottes hält schützend einen Schild über die Stadt. Unten die Signatur *P.H.M.*

Im Abschnitt: *STUTGARDIA DUCATUS WÜRTEMBERGICI METROPOLIS („Stuttgart, Hauptstadt des Herzogtums Württemberg")*

Rückseite: *GNATORUM SEDULA NUTRIX („Eifrige Ernährerin ihrer Kinder")*
Das Wappentier der Stadt Stuttgart, die säugende Stute.

Auftraggeber für diese Medaille war wohl der Stuttgarter Münzmeister Johann Jakob Wagner, der einige Exemplare mit der Randschrift *GOTT VERLEUE ZVM ANFANG MITTEL VND ENDE DES XVIII SECVLI GLVCKH VND SEEGEN I.I.W.* (= Johann Jakob Wagner) versehen ließ. Ohne diese Randschrift war die Medaille auch über die Jahrhundertwende hinaus als Neujahrs-, Geschenk- und Grundsteinmedaille hervorragend geeignet. Daher erwarb die Stadt Stuttgart 1742 die Stempel und verlieh Abschläge davon – auch in Gold – bis ins 19. Jahrhundert hinein an verdiente Bürger; solche Medaillen wurden auch in die Grundsteine wichtiger Bauten gelegt. 1987 ließ die Stadt eine Replik dieses Stückes im Stil unserer Zeit für dieselben Zwecke prägen.

Literatur: Raff, Albert: in: Numismatisches Nachrichtenblatt (1/1996) S. 13-15.

P.-H. M.

149 Nürnberger Lämmleinsdukaten

Georg Friedrich Nürnberger (tätig seit 1655- nach 1721) und Johann Martin Förster (tätig seit 1755- nach 1778)
Nürnberg
Gold geprägt
4 Dukaten, Klippe, H. 32 mm, B. 32 mm
2 Dukaten (2 Exemplare), Dm. 29 mm
1 Dukat (2 Exemplare), Dm. 22 mm
1 Dukat, Klippe, H. 19 mm, B. 19 mm
1/4 Dukat, Klippe (2 Exemplare). H. 12 mm, B. 12 mm
1/32 Dukat, Dm. 5 mm
Karlsruhe, Badisches Landesmuseum, Münzkabinett, Sammlung Siegel und Inv.-Nrn. 1942, 16237

Vorderseite: *SECVLVM NOVVM CELEBRAT RESP. NORI[M]BERGENSIS („Die freie Stadt Nürnberg feiert das neue Jahrhundert")*
(die kleinen Stücke zu 1/4 und 1/32 Dukaten ohne Inschrift)
Die drei Nürnberger Wappen mit Blumen verziert, darüber die Friedenstaube.
Unten die Signaturen *GFN* oder *IMF*
(Beim 1/4 und 1/32 Dukaten nur ein Wappen)

Rückseite: *TEMPORA NOSTRA PATER DONATA PACE CORONA („Vater, kröne unsere Zeiten mit Frieden")*
Die Buchstaben M, D und C sind größer geschrieben und ergeben als lateinische Zahlen gewertet addiert die Jahreszahl 1700. (Die Stücke zu 1/4 und 1/32 Dukaten sind ohne Inschrift.) Das Lamm Gottes über der Weltkugel, auf der Fahne die Inschrift *PAX („Frieden").*

Die Tradition der Nürnberger Lämmleinsdukaten geht auf das Jahr 1632 zurück, als sie mitten im Dreißigjährigen Krieg zum ersten Mal mit einer den Friedenswunsch ausdrückenden Legende geprägt wurden. Der Beginn des neuen Jahrhunderts war Anlaß, die-

149

sen Wunsch in Gold für die kommenden Zeiten zu erneuern. Die Stücke waren weniger für den Umlauf als für Geschenkzwecke gedacht. Sie erfreuten sich auch in späteren Jahren großer Beliebtheit und wurden über lange Zeit mit dem Datum 1700 nachgeprägt, wie die von Johann Martin Förster (1755-1764 Münzmeister) signierte Dukatenklippe und der unsignierte Dukat zeigen. Auch aus jüngster Zeit gibt es private Nachprägungen.

Literatur: Widhalm, Dieter: Die Nürnberger Lammdukatenprägungen von 1632 bis 1806, in: Beiträge zur Süddeutschen Münzgeschichte, Stuttgart 1976, S. 245-279.

P.-H. M.

„Vater, kröne unsere Zeiten mit Frieden."

150 Stutzuhr/Pendeluhr
München, um 1720/30
Eiche, Messing, Zinn (Boulle-Technik)
H. 59,2 cm, B. 37,5 cm (unten), T. 16,7 cm
Karlsruhe, Badisches Landesmuseum, Inv.-Nr. R 711

Im 18. Jahrhundert fanden Uhren mit Minutenanzeige Eingang in die Wohnungen der Wohlhabenden. Stutzuhren sind im Vergleich zu Bodenstanduhren verkürzte Uhren zur Aufstellung in Innenräumen auf Konsolen, Kaminen oder Kommoden. Seit dem 16. Jahrhundert werden sie in großer Zahl hergestellt. Der Antrieb erfolgte durch eine Feder, die Regulierung meist durch ein sichtbares Pendel mit Spindel- oder Hakenhemmung. Die Uhrwerke dieser teuren Gebrauchsuhren waren technisch meist konservativ, die dem jeweiligen Zeitgeschmack entsprechenden Gehäuse dagegen zeigen eine erstaunliche kunsthandwerkliche Formenvielfalt. Sie waren Produkte der hochspezialisierten Zusammenarbeit meist anonym

150

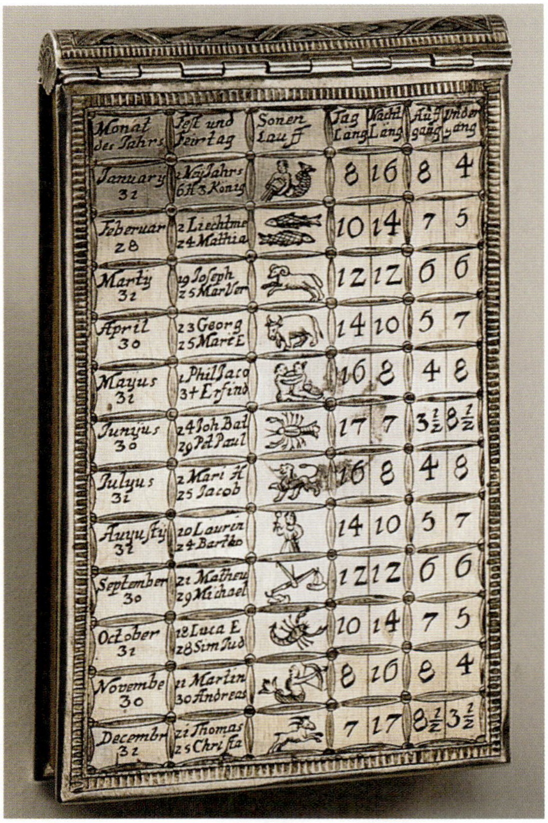

151

gebliebener Schreiner, Kistler, Drechsler, Goldschmiede, Messingschläger, Emailleure und Glaser.

Literatur: Bassermann-Jordan, Ernst von: Uhren. Ein Handbuch für Sammler und Liebhaber, 8. Aufl. Braunschweig 1976, S. 241ff. – Maurice, Klaus: Die deutsche Räderuhr. Zur Kunst und Technik des mechanischen Zeitmessers im deutschen Sprachraum, 2 Bde., München 1976.

G. D.

151 Notizbuch mit „Immerwährendem Kalender"
Deutsch, um 1700
Silber, ziseliert und graviert; Papierblock aus Velinpapier mit vereinzelten Papplagen
H. 6,5 cm, B. 10,4 cm
Karlsruhe, Badisches Landesmuseum, Inv.-Nr. 95/916

Der silberne, mit Blatt und Rankenwerk verzierte Einband des Notizbuches fungiert zugleich als immerwährender Kalender. Auf der Vorderseite befindet sich eine drehbare Scheibe mit den Symbolen der Wochentage und die Umschrift *„CALENDARIUM PERPETUUM"*. Auf der Rückseite sind die Monate mit der Anzahl ihrer Tage, dazu je zwei kirchliche Festtage, der Sonnenlauf mit den Tierkreiszeichen, die durchschnittliche Länge der Tage und der Nächte in Stunden und die ungefähre Zeit des Sonnenauf- und -untergangs angegeben.

Literatur: „Für Baden gerettet", Ausst.-Kat. Karlsruhe 1996, S. 60, Nr. 30.

G. D.

152

„Ich bin in dem Jahr geprägt worden, in dem die Fehler des Kalenders seit Christi Geburt korrigiert worden sind."

152 Alphabet- und Kalendermedaille
Christian Wermuth (1661-1739)
Gotha, 1699
Kupfer, vergoldet und geprägt
Dm. 42 mm
Dresden, Staatliche Kunstsammlungen, Münzkabinett, Inv.-Nr. 3695

Vorderseite: Auf einer Falttafel sind die Buchstaben des Alphabets einmal senkrecht und einmal waagerecht angebracht. Rechts und links davon die Signatur *C W*, darunter die Jahreszahl *1699*.

Rückseite: Die Monatsnamen und die dazu gehörende Anzahl der Tage sind kreisförmig angeordnet.

Medaillen dieser Art waren wohl pädagogische Geschenke für Schulkinder zur Erlernung des Alphabets und des Kalenders.

Literatur: Wohlfahrt, Cordula: Christian Wermuth, ein deutscher Medailleur der Barockzeit – a german medallist of the Baroque age, London 1992, Nr. 99 040.

P.-H. M.

153

153 Medaille auf die Friedensschlüsse von Rijswijk und Karlowitz sowie auf die Einführung des Gregorianischen Kalenders in den protestantischen Ländern
Martin Brunner (1659-1725) und Georg Friedrich Nürnberger (tätig seit 1655 – nach 1721)
Nürnberg, 1700
Silber, geprägt
Dm. 43 mm
Dresden, Staatliche Kunstsammlungen, Münzkabinett, Inv.-Nr. 4270

Vorderseite: *MAGNAS FERTE DEO GRATES PRO PACE RECEPTA / DVPLA PERPETVAM REDDAT VTRAMQ TRIAS („Dankt dem Herrn von Herzen für den gewährten doppelten Frieden, die Dreifaltigkeit gebe, dass beide ewig währen mögen")*
Die Buchstaben M, D und C in der ersten Zeile sind größer geschrieben und ergeben, als römische Zahlen gewertet, die Jahreszahl 1700.
Unter dem strahlenden Auge Gottes steht ein brennender Altar mit der Aufschrift *D.O.M. ET MEM. PACIS VNIVERS. S. MDCC („Dem besten und größten Gott und zur Erinnerung an den allgemeinen Frieden im 17. Jahrhundert")*
Links und rechts des Altarfeuers schweben zwei Putti mit zwei Spruchbändern in den Händen: *PAX GALL.* und *PAX TVRC. („Frieden mit den Franzosen, Frieden mit den Türken")*
Im Abschnitt: *GERECHTES LOBOPFER-DENKMAL*
Hier ergeben die lateinischen Zahlen M, D, C und L wieder die Jahreszahl *1700*. Darunter die ligierte Signatur *MB*

Rückseite: *ANNO, QVO MENDAE CORRECTAE, IPSAEQ. CALENDAE/FASTORVM, A CHRISTO NATO SVM CVSVS ET ISTO („Ich bin in dem Jahr geprägt worden, in dem die Fehler des Kalenders seit Christi Geburt korrigiert worden sind")*
In der ersten Zeile ergeben größer geschriebene lateinische Zahlen die Jahreszahl *1700*.
Ein großer Altar, darauf eine Janusbüste, nach links ein älterer bärtiger Kopf, nach rechts ein jüngerer. Links und rechts des Altars Sonne und Mond.
Auf dem Altar die Inschrift: *FEBR.1700 / 16.FREYTAG. / 17.SONNABEND. / 18.SONNTAG. / MARTIVS / 1. MONTAG. / 2. DIENSTAG. / 3. MITTWOCH. / 4. DONERSTAG*
Im Abschnitt: *GEENDERTN CALENDERS DENKZAHL*
Die lateinischen Zahlen D, C und L ergeben wieder *1700*. Darunter die Signatur *GFN*

Die Vorderseite der Medaille gedenkt der Friedensschlüsse mit den Franzosen in Rijswijk 1697 und mit den Türken in Karlowitz 1699 und drückt den – trügerischen – Wunsch nach deren Fortbestand aus. Die Rückseite ist der Einführung des Gregorianischen Kalenders auch in den evangelischen Ländern des Reiches gewidmet. Die Inschrift des Altars schildert deren praktische Durchführung: Auf Sonntag, den 18. Februar 1700 folgte Montag, der 1. März 1700.

P.-H. M.

154

154 Medaille auf die Einführung des Gregorianischen Kalenders in den protestantischen Ländern
Anonym
1700
Silber, geprägt
Dm. 40 mm
Dresden, Staatliche Kunstsammlungen, Münzkabinett, Inv.-Nr. 5232
München, Staatliche Münzsammlung, ohne Inv.-Nr.

Vorderseite: *IVSTVS AB INTEGRO NVMERORVM NASCITVR ORDO („Ab jetzt werden die Jahre und Tage in richtiger Ordnung gezählt."* [nach: Vergil, Bucolica 4]")
Die Sonne umgeben von einem Reif mit den Tierkreiszeichen, darunter eine Kartusche mit der Inschrift *A.C. MDCC. DIES ST. CORST.N. 18. FEBR. 28. 1. MART. 1 („Im Jahre 1700 folgte auf den 18. Februar der 1. März").*

Rückseite: *ET REDIT IN ORBEM COELI MENSVRA PER ORAS („und des Himmels und der Sterne Lauf werden jetzt richtig gemessen")*
Die geflügelte Fama umschlingt einen mit den lateinischen Zehnerzahlen von X bis C beschrifteten Himmelsglobus mit einem Band.

P.-H. M.

155

155 Medaille auf Herzog Friedrich II. von Sachsen-Gotha-Altenburg und auf die Einführung des Gregorianischen Kalenders in Sachsen
Christian Wermuth (1661-1739)
Gotha, 1700
Silber, geprägt
Dm. 52 mm
Dresden, Staatliche Kunstsammlungen, Münzkabinett, Inv.-Nr. 1595

Vorderseite: *FRIDERICVS D.G. DVX SAX.I.C.M.A.ET W. („Friedrich von Gottes Gnaden Herzog von Sachsen, Jülich, Kleve, Berg, Engern und Westfalen")*
Brustbild Herzog Friedrich II. von Sachsen-Gotha-Altenburg (1693-1732) mit Perücke, Harnisch, Schärpe und dänischem Elefantenorden nach rechts gewendet. Am Armabschnitt die Signatur *C.WERMUTH.*

Rückseite: Himmelsglobus mit verschiedenen Sternbildern umgeben von drei Schriftkreisen: *SACRI ROM IMP STATVVM EVANGELICORVM LIBERTAS AVCTORITASQ ASSERTA / EMENDATO AD SOLIS CVRSVM CALENDARIO Ao IVBILAEO ET SAECVLARI Xo SEPTIO / FRIDERICI DVCIS SAXONIAE SEPTIMO REGIMINIS INEVNTE („Die Freiheit und das Ansehen der evangelischen Stände des Heiligen Römischen Reiches ist sichergestellt, da der Kalender dem Sonnenlauf angepasst wurde im 17. Jubel- und Jahrhundertjahr, zu Beginn des siebenten Regierungsjahres des Herzogs Friedrich von Sachsen.")*

Literatur: Wohlfahrt, Cordula: Christian Wermuth, ein deutscher Medailleur der Barockzeit – a german medallist of the Baroque age, London 1992, Nr. 00 001.

P.-H. M.

„Im Jahre 1700 folgte auf den 18. Februar der 1. März."

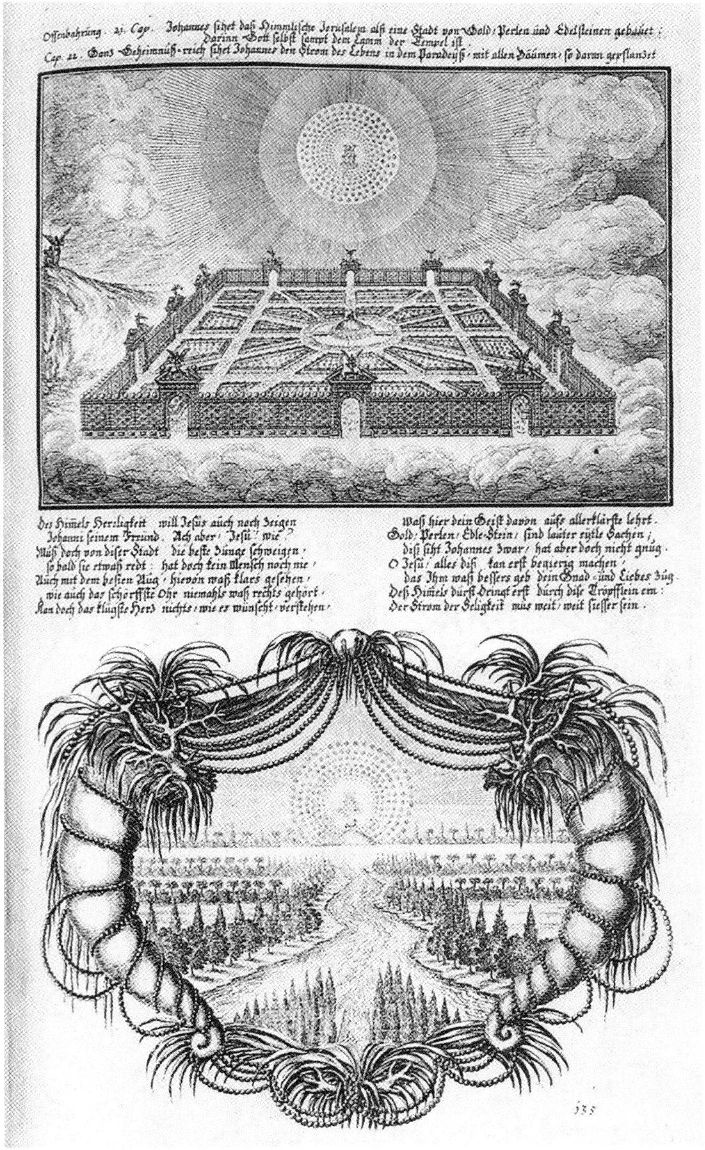

156

156 Illustrationen zur Apokalypse

in: „Historische Bilder-Bibel", 5. Teil
Johann Ulrich Kraus (1655-1719) nach Johann Steislinger (1668-1702)
Augsburg, 2. Auflage 1705
Kupferstich
H. 33,6 cm, B. 23,5 cm (Blatt)
Heidelberg, Universitätsbibliothek, Q 550 fol. Res

Die mit prächtigen Kupferstichen versehene *Historische Bilder-Bibel* des Kupferstechers und Verlegers Johann Ulrich Kraus erschien in den Jahren 1698 bis 1700. Sie enthält auf vier Seiten Illustrationen zur Apokalypseerzählung. Das Hauptaugenmerk gilt den großformatigen Szenen in der oberen Blatthälfte. Sie zeigen den Weltenrichter und das Lamm im Kreise der 24 Ältesten, den Feuer auf die Erde schüttenden Engel, den Weltenrichter mit der Sichel sowie das Himmlische Jerusalem. Unterhalb dieser Hauptszenen illustrierte Kraus in kleinformatigen, in prachtvoller barocker Manier gerahmten Szenen weitere Visionen der Offenbarungsgeschichte.

In Bilderbibeln wie der hier vorliegenden spielt der Text nur eine untergeordnete Rolle. Die Illustrationen sind lediglich in knapper Versform erläutert. Oft dienten diese reich illustrierten Bände als Vorlagenbücher für andere Künstler. So zitieren beispielsweise Malereien in einem serbischen Kloster einige von Johann Ulrich Kraus gestochene Kupfertafeln (vgl. Kat.-Nr. 157).

Literatur: Augsburger Buchdruck und Verlagswesen, hg. von Helmut Gier, Wiesbaden 1997, S. 826-828. – Reichl, Otto: Die Illustrationen in vier geistlichen Büchern des Augsburger Kupferstechers Johann Ulrich Krauss, Straßburg 1933.

H. J.

157

157 Weltuntergangslandschaft mit vier Kometen
in: „Heilige Augen- und Gemueths-Lust"
Johann Ulrich Kraus (1655-1719)
Augsburg, 1706
Kupferstich
H. 10,9 cm, B. 15,8 cm (Platte)
Wolfenbüttel, Herzog August Bibliothek, Wa 4° 122

Der Kupferstich gehört zu einer Anzahl von Bibelillustrationen, die in der 1706 von Johann Ulrich Kraus herausgegebenen Publikation *Heilige Augen- und Gemueths-Lust* enthalten sind (vgl. Kat.-Nr. 156). Die dargestellte Weltuntergangslandschaft enthält mehrere, in der Offenbarung des Johannes erwähnte Motive, unter anderem ein tosendes Gewässer und einen durch ein Erdbeben einstürzenden Turm. Besonders eindrucksvoll und vielfältig sind die apokalyptischen Himmelszeichen: Die verfinsterte Sonne mit Strahlenkranz, die dunkle Mondsichel, die als Feuerstrahlen vom Himmel fallenden Sterne sowie mehrere Kometen. Die halbkreisförmige Lichtscheibe am oberen Bildrand symbolisiert den Weltenrichter.

Kraus bemühte sich insbesondere bei der Darstellung der Kometen um eine wirklichkeitsnahe Wiedergabe. Deren wissenschaftliche Erforschung ermöglichte es den Künstlern, das traditionelle, als *Stern von Bethlehem* bekannte, stilisierte Kometenmotiv durch eine differenzierte, den verschiedenen Ausformungen der Kometen gerecht werdende Wiedergabe zu ersetzen.

Literatur: Augsburger Buchdruck und Verlagswesen, hg. von Helmut Gier, Wiesbaden 1997, S. 830-832. – Heitzer, Elisabeth: Das Bild des Kometen in der Kunst, Berlin 1995, S. 177-184. – Reichl, Otto: Die Illustrationen in vier geistlichen Büchern des Augsburger Kupferstechers Johann Ulrich Krauss, Straßburg 1933, S. 10.

H. J.

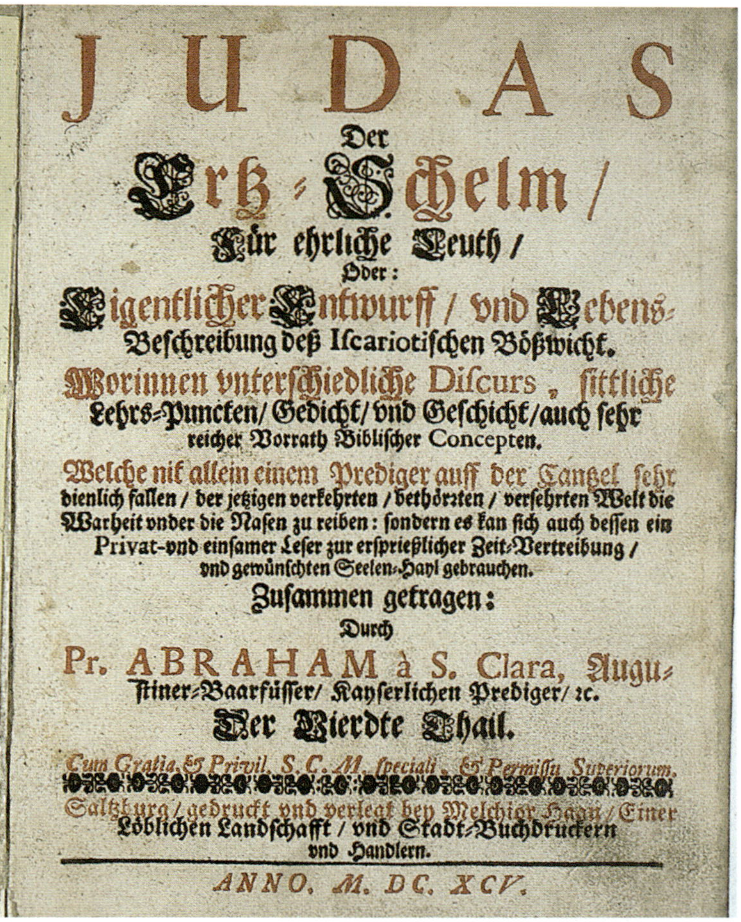

JUDAS
Der
Ertz-Schelm/
Für ehrliche Leuth/
Oder:
Eigentlicher Entwurff/ vnd Lebens-
Beschreibung deß Iscariotischen Bößwicht.
Worinnen vnterschiedliche Discurs, sittliche
Lehrs-Puncten/ Gedicht/ vnd Geschicht/ auch sehr
reicher Vorrath Biblischer Concepten.
Welche nit allein einem Prediger auff der Cantzel sehr
dienlich fallen/ der jetzigen verkehrten/ bethörten/ versehrten Welt die
Warheit vnder die Nasen zu reiben: sondern es kan sich auch dessen ein
Privat- vnd einsamer Leser zur ersprießlicher Zeit-Vertreibung/
vnd gewünschten Seelen-Hayl gebrauchen.
Zusammen getragen:
Durch
Pr. ABRAHAM à S. Clara, Augu-
stiner-Baarfüsser/ Kayserlichen Prediger/ &c.
Der Vierdte Theil.
Cum Gratia, & Privil. S. C. M. speciali, & Permissu Superiorum.
Saltzburg/ gedruckt vnd verlegt bey Melchior Haan/ Einer
Löblichen Landschafft/ vnd Stadt-Buchdruckern
vnd Handlern.
ANNO. M. DC. XCV.

158

158 Teuflischer Seziersaal
in: „Judas der Erz-Schelm", vierter Teil (Titelkupfer)
Abraham a Sancta Clara (1644-1709)
Salzburg, bei Melchior Haan, 1695
Kupferstich, Typendruck
H. 20 cm, B. 15,5 cm
Karlsruhe, Badische Landesbibliothek, 81 A 2375, RH, 4

Die Predigtsammlung des berühmten Barockpredigers und Augustiner-Barfüssers Abraham a Sancta Clara war als Handbuch konzipiert. Es sollte *„einem Prediger auff der Cantzel sehr / dienlich fallen / der jetzigen verkehrten / bethörten / versehrten Welt / die Wahrheit under die Nasen reiben"* und auch sich zum *„gewünschten Seelen-Hayl gebrachen"* lassen, wie der Titel verrät. Die beigegebenen Kupferstiche entsprechen in ihrer Drastik der Bildhaftigkeit der Sprache Abrahams, wenn hier die Teufel der Gelehrsamkeit und der Dienstbarkeit einen Sünder nach den Regeln der Anatomie zerlegen. Höllische Vögel warten bereits auf ihre Beute, während weitere geschwänzte Teufel der utopischen Szene beiwohnen, die das *„unwürdig-groteske Ende eines verdammten Leugners des göttlichen Wortes"* schildert. Damit reiht sich die Darstellung in jene barocken, genrehaften Todesszenen ein, die das traditionelle Totentanzmotiv durch Visionen des individuellen Todes ersetzen.

Literatur: Groteskes Barock, Ausst.-Kat. Stift Altenburg 1975, S. 202-204, Nr. 488, Abb. 60. – Abraham a Sancta Clara, Ausst.-Kat. Karlsruhe 1982.

J. Z.

159

159 Der Pestarzt Theodor Zwinger
Unbekannter Künstler
Basel, um 1700
Öl auf Kupfer
H. 23,8 cm, B. 34,2
Basel, Historisches Museum, Inv.-Nr. 1908.45

Nicht nur in den Jahren nach 1347, sondern bis ins 18. Jahrhundert traten in Europa große Pestepidemien auf und versetzten die Menschen in Angst und Schrecken. So erkrankte z.B. in Basel während eines Pestausbruches 1609-1611 mehr als jeder zweite Einwohner der Stadt, 31,4 Prozent der Bevölkerung starben. Erst 1894 wurde am Institut Pasteur in Paris ein Bakterium als Erreger der Pest entdeckt, das durch die Trägertiere Ratte und Floh auf den Menschen übertragen wird. Davor hielt man – abgesehen von der strafenden Allmacht Gottes – die Verpestung von Luft und Wasser für die Ursache der Krankheit. Daher konnten auch Schutz- und Gegenmaßnahmen gegen die Seuche nicht wirksam treffen. Wirkungslos waren z.B. die mittelalterlichen *Bisamäpfel*, die wohlriechende Duftstoffe gegen die *verpestete Luft* enthielten, und auch zunehmend verschärfte Hygiene- und Straßenreinhaltungsvorschriften konnten nur indirekt, durch die Eindämmung der Rattenplage, nützlich sein. Einen wirksamen Schutz entwickelte 1619 der französische Hofleibarzt Charles de l'Orme mit einer Lederbekleidung, die auch den Kopf ganz bedeckte. Gedacht als Schutz gegen die verseuchte Luft, verhinderte die Kleidung sowohl das Überspringen des Flohs als auch die direkte Tröpfchen-Übertragung vom Kranken auf den behandelnden Arzt. Zu dieser Schutzkleidung gehörte eine Brille – da man auch an eine Krankheitsübertragung durch Augenkontakt glaubte – und eine schnabelförmige lange Nase, in der ein Schwamm mit Essenzen eingebracht war. Das Auftreten des Arztes mit dieser grotesken Schnabelmaske verlieh ihm einen unheimlichen und gruselhaften Effekt, so daß dieses Erscheinungsbild im 17. und 18. Jahrhundert in Grafiken, Karikaturen und sogar der Commedia dell'Arte zur Metapher von Tod, Angst und Schrecken selbst noch in komischer Gestalt wurde.

Literatur: Wettstein – Die Schweiz und Europa 1648, Ausst.-Kat. Basel 1998, Nr. 79. – Allgemein: Stadt im Wandel. Kunst und Kultur des Bürgertums in Norddeutschland 1150-1650, Ausst.-Kat. Braunschweig 1985, Bd. 1, S. 679, Nr. 591 (N. Bulst).

H. S.

160 Andrea Pozzo: „Perspectivae Pictorum atque Architectorum, II. Pars"

(„Der Mahler und Baumeister Perspectiv")
Stecher: Pozzo, Georg Conrad Bodeneer (1673-1710)
Augsburg 1709 (2. Auflage, lateinisch und deutsch – 2 Bde.; Erstausgabe: Rom 1693)
H. 30,5 cm, B. 20 cm
Karlsruhe, Universitätsbibliothek, II E 17-2b

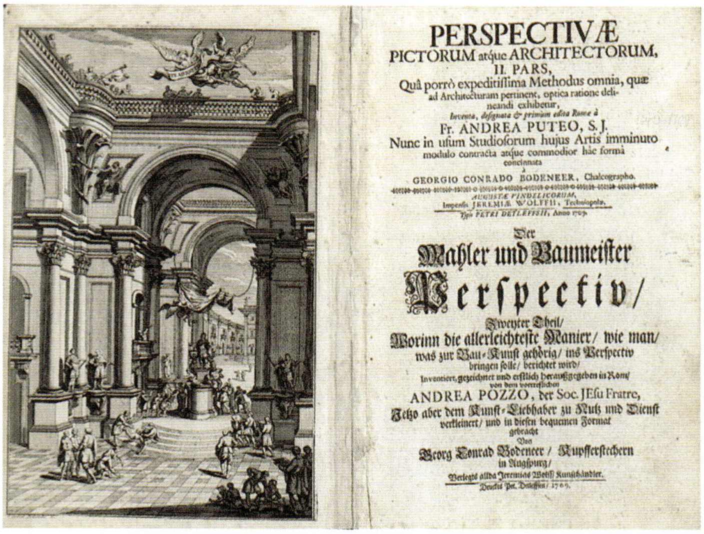

160

Das Architekturtraktat des Architekten und Malers Andrea Pozzo (1642-1709), Laienbruder im Jesuitenorden, war eine der einflußreichsten kunsttheoretischen Schriften der Zeit um 1700. Schon bald nach seinem Erscheinen wurde es in viele Sprachen übersetzt und erwies sich auch als richtungsweisend für die Länder nördlich der Alpen. Das mit zahlreichen Stichen ausgestattete Werk – Band I umfaßt 102 Figuren, Band II sogar 116 Figuren – behandelt in sorgfältig nachvollziehbaren Schritten u.a. die Konstruktion von Deckenperspektiven in Untersicht unter Berücksichtigung verschiedenster Distanzpunkte. Höhepunkt ist die berühmte Konstruktion einer Scheinkuppel im Schrägeinblick, die er zusammen mit der Scheinarchitektur der Langhausdecke in S. Ignazio in Rom, seinem malerischen Hauptwerk, 1685 bzw. 1688/94 ausführte. Diese und andere Arbeiten bestätigen seinen Ruhm als genialen Theoretiker und Praktiker der Perspektive.

Literatur: Architekt & Ingenieur. Baumeister in Krieg & Frieden. Ausst.-Kat. Wolfenbüttel 1984, S. 43f. – Kerber, Bernhard: Andrea Pozzo. Berlin / New York 1971, S. 207-216. – Theorie der Architektur. Ausst.-Kat. Stift Göttweig 1975, S. 65f.

J. Z.

161 Johann Bernhard Fischer von Erlach: „Entwurff einer Historischen Architektur"

Wien, 1721
H. 41 cm, B. 61 cm
Karlsruhe, Badische Landesbibliothek, 70 C 16 RH

Johann Bernhard Fischer von Erlach (1656-1723) war der führende Barock-Architekt in Österreich. Seine Ausbildung erhielt er in Italien bzw. Rom. 1704 wurde Fischer von Erlach Hofarchitekt in Wien, wo er u.a. die Karlskirche (begonnen 1716) mit den beiden auffälligen Säulen erbaute, die an die Trajanssäule in Rom erinnern. Sein Wissen über die Geschichte der Architektur legte er in dem 1721 erschienenen (unvollständig gebliebenen) Tafelwerk *Entwurff einer Historischen Architektur* nieder. Das Werk bezog erstmals auch orientalische und ostasiatische Gebäude ein, z.B. den Kaiserpalast in Peking. So wurde es zur ersten vergleichenden Weltgeschichte der Architektur. Der vorliegende Kupferstich zeigt eine *Vorstellung des Traianischen Marckts [...]*, gemeint ist das Trajans-Forum in Rom. Nach Abbildungen von Gebäuden und Denkmälern auf antiken Münzen und Medaillen, die im Bild links und rechts oben wiedergegeben sind, aber auch nach überlieferten Beschreibungen, stellt Fischer von Erlach die Rekonstruktion einer Platzgestaltung im antiken Rom dar. Zwar konnte er die Gebäude im Wesentlichen wiedergeben, nicht jedoch deren exakte Anordnung zueinander. So befand sich auch das Reiterstandbild Trajans im Zentrum des Platzes. Erst seit dem Jahre 1812 wurde das Forum systematisch ausgegraben und konnte so aufgrund der archäologischen Befunde rekonstruiert werden. Den eigentlichen Trajansmarkt mit Verkaufshallen entdeckte man ab 1928.

Literatur: Kruft, Hanno-Walter: Geschichte der Architekturtheorie. Von der Antike bis zur Gegenwart, München 1986, S. 205-207, Abbn. 116f.

K. S.

161

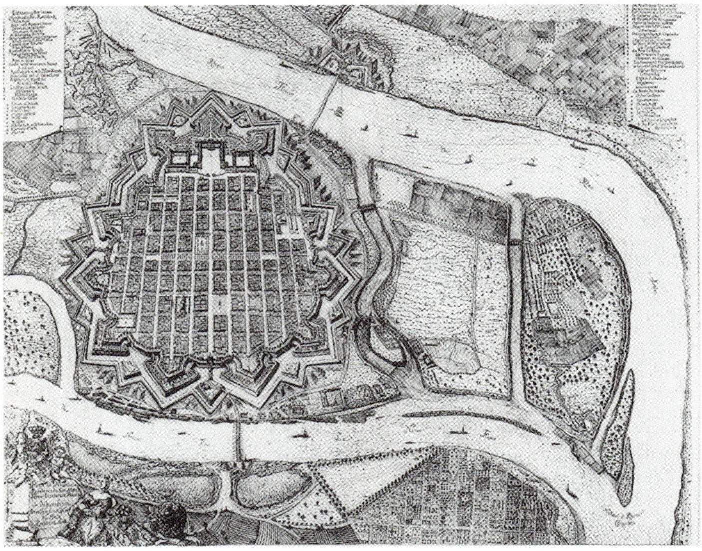

162

162 Planstadt Mannheim
Joseph Anton Baertels
Mannheim, 1758 (Nachdruck)
Kupferstich
H. 65 cm, B. 79 cm
Mannheim, Reiss-Museum, Inv.-Nr. A 35

Nach der zweiten Zerstörung Mannheims im Pfälzischen Erbfolgekrieg 1689 war der holländische Festungsbaumeister Coehorn mit dem Wiederaufbau beauftragt. Am Rasterschema der Bürgerstadt wurde – allein schon wohl wegen der Grundstücksrechte – festgehalten, die trennende Befestigung zur ehemaligen Zitadelle (vgl. Kat.-Nr. 119) fiel weg. Als Mannheim 1720 durch Kurfürst Carl Philipp von der Pfalz zur Residenz erhoben wurde, begann man auf dem Zitadellengelände – einen schon von 1665 stammenden Plan wiederaufnehmend – mit dem Bau eines dreiflügeligen barocken Residenzschlosses. Der Zwischenraum zur Stadt blieb zunächst unbebaut und wurde ab 1743 mit vier weiteren Zeilen der Rasterbebauung gefüllt, so daß die Residenzstadt Mannheim keineswegs so rigide wie Rastatt oder Karlsruhe (vgl. Kat.-Nrn. 163 und 165) absolutistisch auf den Hof ausgerichtet war und ein selbstbewußter bürgerlicher Ausdruck erhalten blieb.

Literatur: Merten, Klaus: Residenzstädte in Baden-Württemberg im 17. und 18. Jahrhundert, in: „Klar und lichtvoll wie eine Regel." Planstädte der Neuzeit. Vom 16. bis zum 18. Jahrhundert, Ausst.-Kat. Karlsruhe 1990, S. 221-230, hier: S. 227f. – Dehio Baden-Württemberg, bearbeitet von Dagmar Zimdars u.a., München, Berlin 1993, S. 493 (D. Rentsch).

H. S.

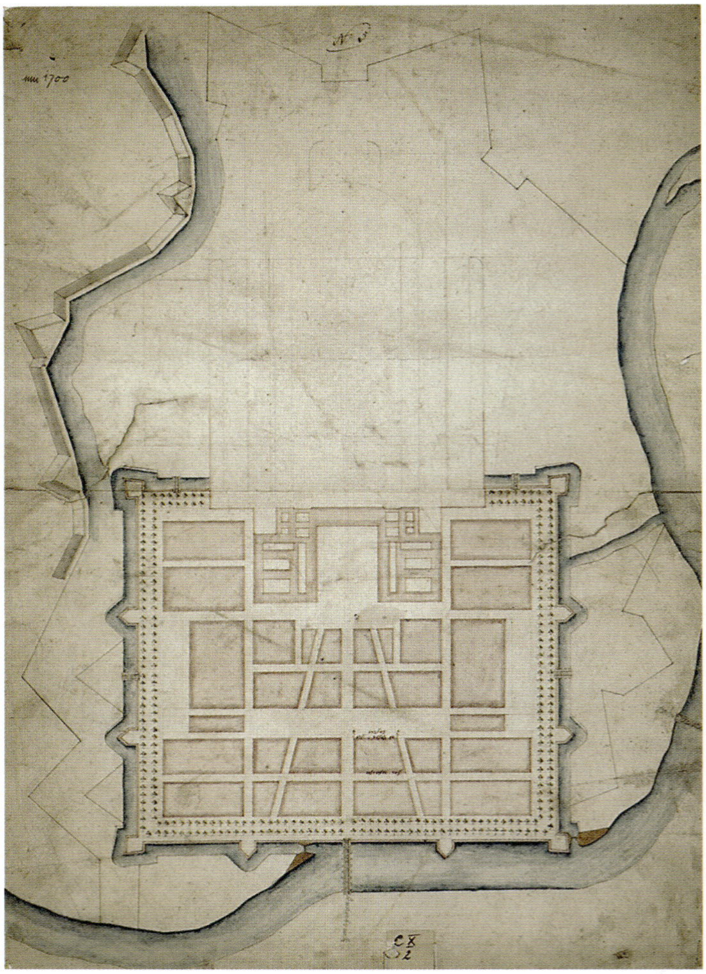

163

163 Planstadt Rastatt
Um 1710
Federzeichnung, koloriert
H. 62 cm, B. 44,5 cm
Rastatt, Stadtarchiv und Museum, Inv.-Nr. K 1513

Rastatt wurde seit 1697 durch Markgraf Ludwig Wilhelm von Baden-Baden zur Hauptresidenz ausgebaut und war beim Tod des Bauherrn im Jahr 1706 beinahe vollendet. Die Entwürfe für Schloß und Stadt lieferte der aus Italien stammende Architekt Domenico Egidio Rossi. Seine Anlage folgt im verkleinerten Maßstab weitgehend derjenigen von Versailles. Die seit 1661 zum Palast erweiterte Residenz des französischen *Sonnenkönigs* Ludwig XIV. gilt in ihrer Gesamtanlage von Schloß, Park und Stadt als Abbild der absolutistischen Staatsidee schlechthin. Wie in Versailles, gehen auch in Rastatt vom Ehrenhof des Schlosses drei Straßen strahlenförmig aus und überlagern das rechtwinklige Straßensystem der Stadt mit seiner parallel zum Schloß verlaufenden Hauptachse. Am Kreuzungspunkt mit den drei Radialstraßen öffnet sich diese Hauptachse zum langgestreckten Marktplatz, der den Mittelpunkt der Stadt bildet. Der Platz wird an seinen Schmalseiten begrenzt von Stadtpfarrkirche und Rathaus. Diese beiden Gebäude repräsentieren das geistliche und das weltliche Regiment der Bürgerschaft. Die Stadt als Ganzes symbolisiert

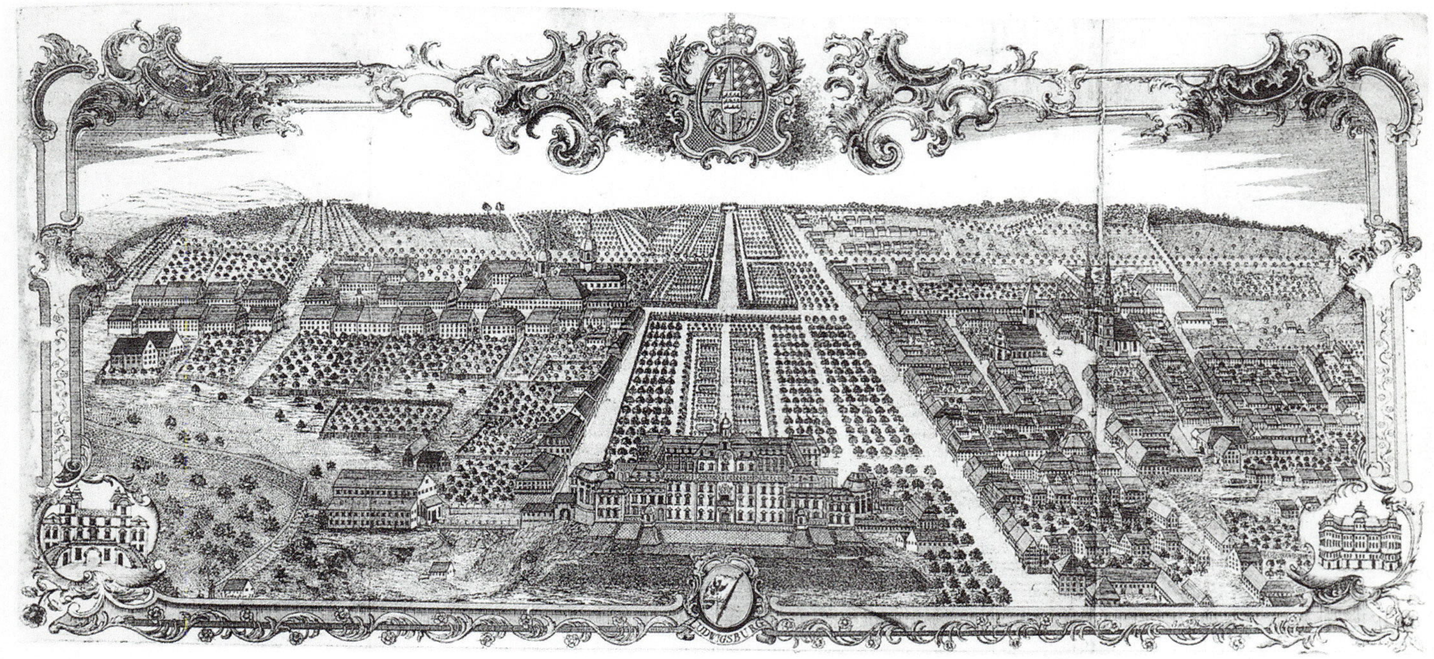

164

die bürgerliche Ordnung. Sie wird überragt vom Schloß, das für den absoluten fürstlichen Herrschaftsanspruch steht.

Literatur: Merten, Klaus: Residenzstädte in Baden-Württemberg im 17. und 18. Jahrhundert, in: „Klar und lichtvoll wie eine Regel." Planstädte der Neuzeit. Vom 16. bis zum 18. Jahrhundert, Ausst.-Kat. Karlsruhe 1990, S. 221-230, hier: S. 223f.

J. D.

164 Planstadt Ludwigsburg
Um 1760
Kupferstich
H. 36,6 cm, B. 47,5 cm
Ludwigsburg, Städtisches Museum, Inv.-Nr. 1010 W 76

Anstelle eines niedergebrannten Jagdschlosses ließ Herzog Eberhard Ludwig von Württemberg ab 1703 Ludwigsburg als ein repräsentatives vierflügeliges Schloß mit ausgedehntem Park errichten. Die in strenger nordsüdlicher Ausrichtung gestaltete Anlage verlieh möglicherweise den Hoffnungen des Herzogs auf die Erhebung Württembergs zum Königtum Ausdruck. Ab 1709 wurde die zum Schloß gehörige Stadt erbaut. Aufgrund der schwierigen topographischen Lage konnte sie nicht in das axiale System von Schloß und Park integriert werden, sondern entstand an seiner westlichen Seite. Die Stadt erhielt ein rechtwinkliges Straßennetz. Als ihr Zentrum wurde ein von Arkaden umstandener rechteckiger Marktplatz angelegt. Dort standen sich die evangelische Stadtkirche und die Kirche der Reformierten gegenüber. Pläne, der bürgerlichen Stadt auf der Ostseite des Schlosses ein Adelsquartier entgegenzusetzen und damit der Gesamtanlage Symmetrie zu verleihen, wurden nur in Ansätzen realisiert. 1718 wurde die Residenz nach Ludwigsburg verlegt. Doch nach dem Tod Herzog Eberhard Ludwigs 1733 kehrten Hof und Regierung nach Stuttgart zurück. Ludwigsburg rutschte in den Rang einer Nebenresidenz ab.

Das ausgestellte Blatt gibt die Ansicht des Schlosses Ludwigsburg auf einem um 1760 entstandenen Meisterbrief wieder.

Literatur: Merten, Klaus: Residenzstädte in Baden-Württemberg im 17. und 18. Jahrhundert, in: „Klar und lichtvoll wie eine Regel." Planstädte der Neuzeit. Vom 16. bis zum 18. Jahrhundert, Ausst.-Kat. Karlsruhe 1990, S. 221-230, hier: S. 224f., S. 352.

J. D.

Die Planstadt war Abbild der absolutistischen Staatsidee.

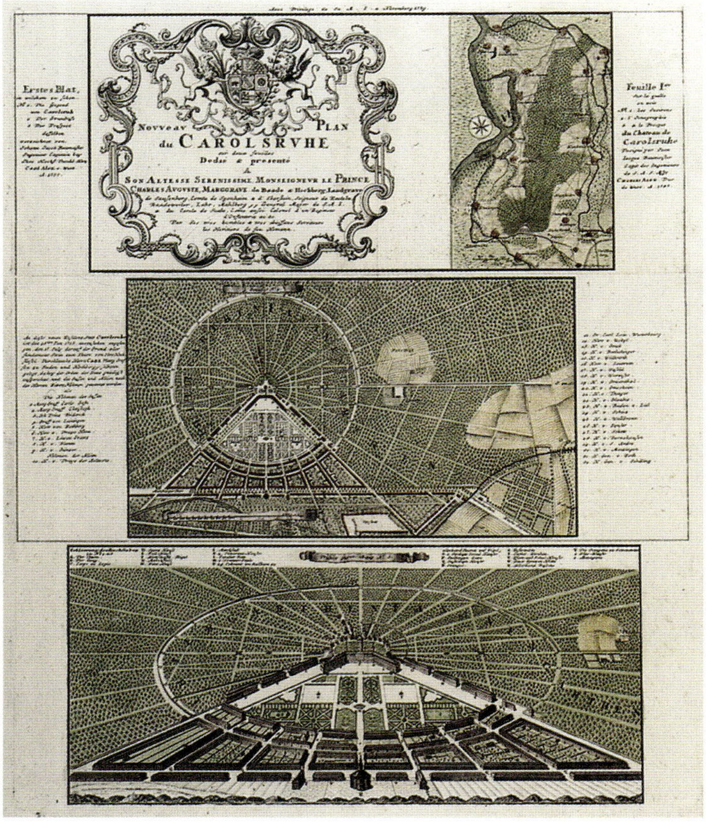

165

165 Planstadt Karlsruhe

Johann Jacob Baumeister (Zeichner), Michael Rößler (Stecher, 1705-1777)
Nürnberg, bei Homann Erben, 1739
Kupferstich, koloriert
H. 59 cm, B. 49,2 cm (Platte)
Karlsruhe, Badisches Landesmuseum, Inv.-Nr. 99/1

Nach dem Rastatter Frieden von 1714 entschloß sich Markgraf Carl Wilhelm von Baden-Durlach, auf die Wiederherstellung des 1689 zerstörten Schlosses in Durlach zu verzichten und in der Rheinebene eine neue Residenz zu errichten: *Carols Ruh* – Karlsruhe. Die Planstadt gilt als perfektes Bild des absolutistischen Herrschaftssystems. Nach Plänen des Baumeisters Friedrich von Batzendorf entstand ein Schloß mit zwei Seitenflügeln, die einen nach Süden hin ausgerichteten rechten Winkel bilden. Der zentrale Turm des Schlosses wurde Mittelpunkt von 32 radial angelegten Straßen, die das Schloß wie Sonnenstrahlen umrahmen. Auf seiner Rückseite durchzogen 23 Alleen den Schloßpark sowie den angrenzenden Wildpark und griffen dann weit ins herrschaftliche Territorium aus. Die auf der Vorderseite des Schlosses gelegene Stadt wurde in das Radialsystem eingebunden. Ihre neun Straßen bildeten die *Fächerstadt* und vollendeten die Gesamtanlage der Straßen zum Kreis, dem Symbol der Vollkommenheit. Die Stadt begann jenseits eines weiten Schloßbezirks. Zwischen ihrem ersten und zweiten Häuserblock verlief eine Zirkelstraße, die rund um den Schloßturm gezogen war; herrschaftliche Residenz und bürgerliche Stadt wurden so ineinander verzahnt. Eine zum Zirkel tangential verlaufende Straße bildete die Ost-West-Achse der Stadt. Die an der Südseite dieser Straße gelegenen Häuser lagen in der Gründungszeit bereits am Stadtrand. An der Zirkelstraße war die Bebauung zweigeschossig und mit Arkaden versehen. Hier waren Verwaltungen untergebracht sowie Adels- und Beamtenwohnungen. Die bürgerliche Bevölkerung bewohnte die an den Radialstraßen gelegenen eingeschossigen Bauten. An den zentralen Straßen des *Fächers* sollten die Kirchen der drei im Land zugelassenen christlichen Konfessionen entstehen. Dabei war die Hauptachse für die lutherische Kirche reserviert, der die markgräfliche Familie angehörte. Östlich davon entstand die kleinere reformierte Kirche. Von der auf der westlichen Seite vorgesehenen katholischen Kirche wurde nur der Turm errichtet – dies wohl einzig um die Symmetrie der Stadt zu vollenden. Um 1800 wurde dieses Zentrum der Fächerstadt im klassizistischen Stil umgebaut.

Literatur: Merten, Klaus: Residenzstädte in Baden-Württemberg im 17. und 18. Jahrhundert, in: „Klar und lichtvoll wie eine Regel." Planstädte der Neuzeit. Vom 16. bis zum 18. Jahrhundert, Ausst.-Kat. Karlsruhe 1990, S. 221-230, hier: S. 225f., S. 350. – Stratmann-Döhler, Rosemarie/Siebenmorgen, Harald: Das Karlsruher Schloß, Karlsruhe 1996.

J. D.

In Karlsruhe umrahmen Radialstraßen wie Sonnenstrahlen das Schloss und formen so ein Symbol der Vollkommenheit.

166 Maria Sybilla Merian: „Metamorphosis Insectorum Surinamensium"
(„Das kleine Buch der Tropenwunder")
Amsterdam, 1705
Papier, kolorierter Umdruck
H. 54 cm, B. 37,5 cm
Stuttgart, Württembergische Landesbibliothek, RA 17 Mer 1

Das Sammeln präparierter Tiere und Pflanzen war um 1700 weit verbreitet. Gelehrte und private Liebhaber besaßen Naturalienkabinette, um Flora und Fauna zu erforschen. Die für die Zoologie so erstaunliche – und für eine Frau in jener Zeit ganz außergewöhnliche – Tat der Maria Sibylla Merian (1647-1717) war es, daß sie sich nicht mit der Betrachtung der Präparationen in den Kabinetten begnügte, sondern nach unmittelbarer Naturbeobachtung strebte. 1699 bis 1701 hielt sich die Tochter des Kupferstechers und Verlegers Matthaeus Merian d.Ä. mit finanzieller Hilfe der Stadt Amsterdam in Surinam auf, einer niederländischen Kolonie in Südamerika (heute: Niederländisch-Guayana). Dort bereitete sie ihr Hauptwerk vor, die *Metamorphosis Insectorum Surinamensium*, das 1705 im Druck erschien. Posthum wurden vier weitere Auflagen gedruckt, die den Umfang des Werks auf 72 Tafeln erweiterten. Auf jeder Tafel ist eine Pflanze und meist zwei Raupen mit dem dazugehörigen Schmetterling in natürlicher Größe dargestellt. Der Künstlerin gelang es meisterhaft, den Pflanzen und Tieren ihre Eigentümlichkeit zu erhalten und sie dennoch in eine ausgewogene Bildkomposition einzufügen. Hier abgebildet ist die Tafel XI mit der Darstellung des Korallenbaumes und des Augenspinners. Die Tafeln machen das Surinam-Werk zu einem der prachtvollsten illustrierten Bücher überhaupt. Für die beigefügten Texttafeln steuerte der Amsterdamer Botaniker Caspar Commelin die Kommentare zu den Pflanzen bei. Die knappen Texte der Merian schildern Farbe, Fundort, Lebensgewohnheiten der Tiere und bei den Insekten die Daten ihrer Metamorphose.

Merians Forschungen in Surinam beschränkten sich nicht auf Tiere und Pflanzen. Sie beobachtete zudem die Lebensgewohnheiten der Kolonialisten, der einheimischen Bevölkerung und der importierten Negersklaven, was sie dann auch auf den Texttafeln ihrer Insektenkunde dokumentierte. Dies macht das Werk nicht zuletzt zu einer aufschlußreichen kulturgeschichtlichen Quelle über das südamerikanische Land und über das Kolonialleben der Zeit um 1700.

Literatur: Maria Sibylla Merian 1647-1717. Ausst.-Kat. Nürnberg 1967, S. 46-60, Nrn. 40-102, Abbn. – Maria Sibylla Merian 1647-1717. Künstlerin und Naturforscherin, Ausst.-Kat. Frankfurt a.M. 1998, S. 176-201, S. 221-239, Nrn.125-143, farb. Abbn.

J. D.

166

167 Die „Entdeckung" des Porzellans in Europa
a) Enghalskrug aus chinesischem Porzellan
China, K'ang-Hsi, 17. Jahrhundert (Montierung: Deutschland, um 1700)
Porzellan mit blauer Unterglasurmalerei; Montierung: Silber, getrieben und vergoldet
H. 22 cm (am Griff), Dm. 8,1 cm (Fuß)
Karlsruhe, Badisches Landesmuseum, Inv.-Nr. 95/863
b) Kanne aus rotem Böttgersteinzeug
Johann Jakob Irminger (Entwurf; erwähnt 1682 - gest. nach 1721)
Meißen, um 1710-15
Rotes Böttgersteinzeug mit mehrfarbiger Emailmalerei
H. 15,5 cm
Karlsruhe, Badisches Landesmuseum, Inv.-Nr. 72/132
c) Teekanne aus weißem Porzellan
Meißen, um 1713-19
Weißes Böttger-Porzellan
H. 13 cm
Karlsruhe, Badisches Landesmuseum, Inv.-Nr. V 19196

Blau-weiß bemalte Porzellane waren in China seit dem 14. Jahrhundert bekannt. Ab dem 17. Jahrhundert kamen sie über die 1602 gegründete holländische Vereinigte Ostindien Compagnie (VOC) in riesigen Mengen nach Europa. Häufig wurden diese weißen,

167

durchscheinenden Porzellane zum Schutz und zur Zierde mit vergoldeten Montierungen versehen (siehe den Enghalskrug). Solche Stücke zierten der Chinamode entsprechend fürstliche Porzellan-Kabinette oder bildeten den Bestand gar eines Porzellanschlosses: Sybilla Augusta von Baden erbaute in diesem Sinne Schloß Favorite bei Rastatt. Dem Geheimnis der Herstellung dieses *weißen Goldes* auf der Spur, erfand Johann Friedrich Böttger (1682-1719) im Auftrag von August dem Starken 1709 zunächst das *rothe Porcellain*, das *Böttger-Steinzeug* (siehe das Kännchen mit Emailmalerei). 1710 erfolgte daraufhin die Gründung einer Porzellan-Manufaktur in Meißen. Ab 1713 schließlich wurde auch weißes Böttger-Porzellan (siehe die Teekanne) produziert, jedoch vermochte man diese nur mit Gold, Silber und Emailmalerei oberflächlich zu verzieren. Erst ab 1720 wurde in der Meißener Manufaktur unter Johann Gregor Höroldt (1696-1775) die Formen- und Farbpalette nach chinesischen und japanischen Vorbildern erweitert, auch gelang schließlich die Unterglasurmalerei in Kobaltblau. Das heute noch weitverbreitete *Zwiebelmuster* ist ein frühes Beispiel dieser Kunst.

Literatur: Die blau-weißen asiatischen Porzellane in Schloß Favorite bei Rastatt, bearbeitet von Fritz W. Grosse, Schwetzingen 1998.

R. W. S.

168 Die Dampfpumpe

in: Denis Diderot, Jean Le Rond d´Alembert: „Encyclopédie raisonné des science“, Paris 1751, 4. Tafelband, Tafel 48
Kupferstich
H. 40 cm, B. 24 cm
Mannheim, Universitätsbibliothek, Zs gr. 2° 59-28

Die Dampfmaschine, also die mit Wasserdampf betriebene Kraftübertragung, war die Technik, die noch im Verlauf des 18. Jahrhunderts die Industrialisierung einleitete. Zum Maschinenbetrieb im Bergbau und in den Fabriken und später als Antrieb im Eisenbahnbau und in der Flußschiffahrt fand sie weiteste Verbreitung. Aufgrund der Entwicklung der experimentellen Physik im Gefolge Galileis und seines Schülers Evangelista Torricelli wurden im Laufe des 17. Jahrhunderts die theoretischen Grundlagen für die Entwicklung der Dampfmaschinen gelegt, nicht zuletzt durch die Erfindung des Sicherheitsventils im Jahre 1687 durch Papin. Um die Wende zum 18. Jahrhundert wurden die ersten in der Industrie einsatzfähigen Maschinen gebaut, etwa Thomas Saverys 1698 zum Patent angemeldete Wasserhebemaschine oder Papins 1706 in Marburg entwickelte Hochdruckdampfpumpe. Mit Newcomens 1705 patentierter Kolbendampfmaschine, die in Kohlegruben zum Einsatz kam, begann um 1710 das eigentliche Industriezeitalter.

Denis Diderot (1713-1784) nahm den Längsschnitt einer dampfbetriebenen Pumpe in seine 1751 bis 1780 in 35 Bänden erschienene *Encyclopédie* auf.

Literatur: Paulinyi, Akos; Troitzsch, Ulrich: Mechanisierung und Maschinisierung. 1600 bis 1840 (Propyläen Technikgeschichte, Bd. 3), Berlin 1991, S. 47-60.

W. Be.

168

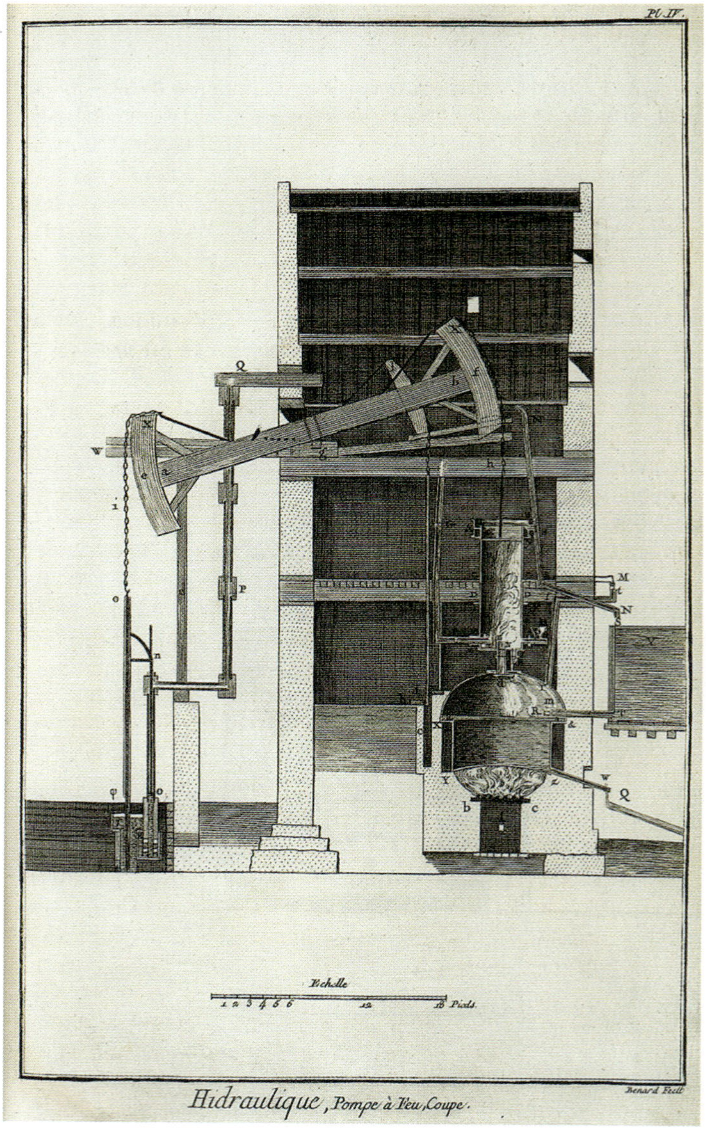

169 Allegorie auf die Gründung der preußischen Akademie der Künste und mechanischen Wissenschaften in Berlin

Mathäus Terwesten (1670-1757)
1696
Feder in braun, blaßgrau laviert
H. 58,1 cm, B. 45,3 cm
Karlsruhe, Staatliche Kunsthalle, Inv.-Nr. VIII 2606

Als richtungsweisende Einrichtung, die erste ihrer Art in Deutschland und nach Paris und Rom die dritte in Europa, wurde 1696 in Berlin die Akademie der Künste und 1701 – auf Anregung von Leibniz (vgl. Kat.-Nr. 170) – die Akademie der Wissenschaften gegründet. Die Zeichnung zeigt den Besuch des Kurfürsten Friedrich III. am 1. Juli 1696 in der noch im Aufbau befindlichen *Kunstuniversität*, in der sich Künstler und Kunsttheoretiker sammeln sollten. Er sitzt inmitten einer monumentalen Thronarchitektur. Auf der linken Seite nähern sich ihm die weiblichen Personifikationen der bildenden Künste, rechts erscheinen diskutierende Gelehrte als Vertreter der theoretischen Fächer, während über ihm die Fama den Ruhm der Berliner *Akademie der Künste und mechanischen Wissenschaften* verkündet, wie sie seit 1704 offiziell heißen sollte.

Literatur: Börsch-Supan, Helmut: Die Kunst in Brandenburg-Preußen, Berlin 1980. – Kunst in Berlin 1648-1987, Ausst.-Kat. Berlin 1987, S.75f. – Pevsner, Nikolaus: Die Geschichte der Kunstakademien. Deutsche Ausgabe, München 1986, S. 123. – Die Kunst hat nie ein Mensch allein besessen. 300 Jahre Akademie der Künste, Ausst.-Kat. Berlin 1996, S. 32f.

J. Z.

169

170 Gottfried Wilhelm Leibniz: „Essais de theodicée sur la bonté de Dieu, la liberté de l'homme et l'origine du mal"

(„Abhandlungen zur Theodizee über die Güte Gottes, die Freiheit des Menschen und den Ursprung des Übels")
Amsterdam, bei Isaac Troyel, 1710 (in französisch; deutsche Ausgabe: Hannover, 1720)
H. 22 cm, B. 14,5 cm
Karlsruhe, Badische Landesbibliothek, 59 A 3337, 1 RH

Leibniz' (1646-1716) *Abhandlungen* sind ein Hauptwerk des theologischen Rationalismus. Sie wollen die uralte und immer neue Grundfrage menschlicher Existenz lösen, die schon der alttestamentliche Hiob aufgeworfen hat: Wie die Erfahrung, daß das Übel, daß Mangel, Schmerz, Leid, Tod, also das Unvollkommene, in der Welt sind, mit der Existenz eines allmächtigen und gütigen Gottes vereinbart werden kann. Darin liegt für Leibniz kein der Vernunft unzugänglicher und nur glaubend hinzunehmender Widerspruch. Die bestehende Welt, so die berühmte, später von Voltaire in seinem *Candide* parodistisch aufgespießte zentrale Bestimmung, ist für Leibniz vielmehr die beste aller möglichen Welten, die Gott in seiner Weisheit und Freiheit aus der nur ihm zugänglichen Fülle aller Möglichkeiten für uns ausgewählt und eingerichtet hat.

Noch einmal sollen also Vernunft, Glaube und Erfahrungswissen miteinander vermittelt werden. Daß Leibniz am Beginn des Jahrhunderts der Aufklärung glaubt, diesen Versuch unternehmen zu müssen (u.a. gegen die skeptische Position des französischen

Theodizee über die Güte Gottes, die Freiheit des Menschen und den Ursprung des Übels.

170

ESSAIS DE THEODICÉE SUR LA BONTÉ DE DIEU, LA LIBERTÉ DE L'HOMME ET L'ORIGINE DU MAL.

A AMSTERDAM, Chez ISAAC TROYEL, Libraire. MDCCX.

Philosophen Pierre Bayle), zeigt jedoch an, wie das Vertrauen in die Möglichkeit einer solchen Vermittlung problematisch zu werden beginnt (vgl. Kat.-Nr. 222).

Literatur: Janssen, Hans-Gerd: Gott – Freiheit – Leid. Das Theodizeeproblem in der Philosophie der Neuzeit, 2. Auflage Darmstadt 1993, S. 17ff. – Kaehler, Klaus Erich: Leibniz' Position der Rationalität. Die Logik im metaphysischen Wissen der „natürlichen Vernunft", Freiburg i. Br. / München 1989. – Lorenz, Stefan: De mundo optimo. Studien zu Leibniz' Theodizee und ihrer Rezeption in Deutschland (1710-1791), Stuttgart 1997. – Ramelow, Tilmann: Gott, Freiheit, Weltenwahl. Der Ursprung des Begriffs der besten aller möglichen Welten in der Metaphysik der Willensfreiheit zwischen Antonio Perez S.J. (1599-1649) und G. W. Leibniz (1646-1716), Leiden 1997.

W. Br.

171 Postkutsche
Modell
Um 1720
Holz, Metall, Leinwand
H. 40 cm, B. 30 cm, T. 74 cm
Frankfurt a. M., Museum für Post und Kommunikation, Inv.-Nr. X 5101

Die Einführung des regelmäßigen Fahrverkehrs stellte eine entscheidende und folgenreiche Innovation dar. Während im 16. Jahrhundert Passagiere auf das Wohlwollen lokaler Fuhrleute angewiesen waren und nur zu den großen Messen aus einigen Städten Kurswagen verkehrten – etwa ein *Rollwagen* von Straßburg nach Frankfurt –, häuften sich seit Beginn des 17. Jahrhunderts kursmäßig verkehrende Fahrdienste. Etwa um 1630 führte die französische Postverwaltung Fahrdienste auf der bestehenden Infrastruktur ihres Postnetzes ein und im Laufe des Jahrhunderts folgten ihr Postverwaltungen in ganz Westeuropa. Erstmals 1698 sah auch die deutsche *Reichspostordnung* Postkutschenverkehr vor.

Die Einführung des regelmäßigen Fahrverkehrs zog eine ganze Reihe von Folgen nach sich. Der Unterhalt der Infrastruktur wurde weit kapitalintensiver als bisher, während die Gewinne stark vom materiellen Zustand der Infrastruktur abhingen. Mit den Postverwaltungen traten erstmals mächtige Lobbies auf, welche den diversen Staaten Straßenbaumaßnahmen abverlangten. Die Folge war eine intensive Brücken- und Wegebautätigkeit, die noch im Laufe des 17. Jahrhunderts in den Chausseebau mündete, also die Anlage aufgeschütteter und befestigter, regelrecht durch Ingenieure angelegter Straßen. Damit einher ging eine Intensivierung der Landvermessung und Kartographie.

Neue Reisehilfsmittel wie Reisebücher, Postroutenkarten und Fahrpläne demonstrieren, daß die Einführung der Fahrposten nicht zuletzt das Verhältnis der Menschen zu Zeit und Raum veränderten. Der verkehrsmäßig erschlossene Raum barg keine Wunder mehr, sondern reizte zur Durchmessung an, war ebenso verfügbar wie die Zeit, die in immer kleinere Portionen unterteilt wurde. Das System der Raumportionierung, als welches das frühneuzeitliche Postwesen betrachtet werden kann, wurde durch die Postkutschen zu großer Popularität und Wirksamkeit gebracht.

Literatur: Zeit der Postkutschen. Die Geschichte des Reisens, hg. von Klaus Beyrer, Karlsruhe 1992.

W. Be.

Die deutsche Reichspostordnung von 1698 sah erstmals den regelmäßigen Postkutschenverkehr vor.

171

172

172 Der Große Kurfürst Friedrich Wilhelm von Brandenburg
Antoine Masson (Erfinder und Stecher; 1636-1700)
1683
Kupferstich
H. 23,2 cm, B. 17,5 cm
Karlsruhe, Staatliche Kunsthalle, Inv.-Nr. VII, 2549

„Friedrich Wilhelm durch Gottes Gnade Kurfürst von Brandenburg, Herzog von Preußen, Magdeburg, Cleve und Pommern", so lautet in Übersetzung die französische Inschrift, die das in Kupfer gestochene Brustbild des 63jährigen rahmt. Der Große Kurfürst (1620-1688), der 1640 an die Regierung gekommen war und bald in ganz Europa Ansehen genoß, war eine jener herausragenden Persönlichkeiten gegen Ende des 17. Jahrhunderts, in denen sich politisches und militärisches Geschick mit Organisationstalent und notwendig erachteter Förderung von Kunst und Wissenschaft verband. Die Kontinuität seiner kulturellen Aufbauleistung unter seinem Nachfolger Friedrich III. manifestiert sich in seinem von Andreas Schlüter im Jahr 1700 gegossenen Reiterdenkmal, das genau an der Schnittstelle zum neuen Jahrhundert entstand und zugleich das Aufblühen der Kultur am brandenburgischen Hof nach dem Dreißigjährigen Krieg erkennen läßt.

Literatur: Börsch-Supan, Helmut: Die Kunst in Brandenburg-Preußen, Berlin 1980. – Der große Kurfürst. Sammler – Bauherr – Mäzen, Ausst.-Kat. Potsdam 1988.

J. Z.

173 „Inneres einer Weberwerkstatt"
Cornelis Beelt (tätig 2. Hälfte 17. Jh. - gest. vor 1702)
Haarlem, um 1700
Öl auf Leinwand
H. 60 cm, B. 79 cm
Karlsruhe, Staatliche Kunsthalle, Inv.-Nr. 1872

Durch große Fenster fällt Licht in einen hohen Werkstattraum und beleuchtet eine kleine Alltagsszene. Der Weber hat in seiner Arbeit innegehalten. Mit der Rechten fasst er das Schiffchen, gerade ist er im Begriff es durch das Fach zu schleudern. Er blickt zu einem jungen Mann, der sich an den Webstuhl lehnt, ein aufgeschlagenes Buch in den Händen. Ein bärtiger Mann sitzt dabei. Man scheint zu diskutieren. Unbeteiligt arbeitet ein Mann an einem Webstuhl im Hintergrund. Im Vordergrund hockt ein Junge am Spinnrad. Während er mit der Rechten das Rad dreht und in der Linken das Spinngut hält, lauscht er den Männern. Vielleicht sehen wir einen Meister im Gespräch mit Nachbarn. In seiner Werkstatt beschäftigt er einen Gesellen und seinen Sohn.

In Haarlem wurden Wolltuche produziert. Verlagswesen und Manufakturen bestimmten bereits das Bild der Textilproduktion. Ihr Zentrum war Leyden. Hier arbeiteten Tausende in den Textilmanufakturen. Die Kinderarbeit war extrem hoch. Schon Sechsjährige mußten in die Fabriken. Die Löhne, vor allem die der Frauen und Kinder, waren gering. In manchen Betrieben wurde bereits rund um die Uhr gearbeitet.

Literatur: Staatliche Kunsthalle Karlsruhe, Katalog Alte Meister, Karlsruhe 1966, S. 41 (Textband), S. 316 (Bildband). – Zumthor, Paul: Daily life in Rembrandt's Holland, London 1962.

F. L.

173

174

174 „Kurze Beschreibung der in Europa befintlichen Völckern Und Ihren Aigenschaften"

Unbekannter Künstler
Steiermark (?), Anfang 18. Jahrhundert
Öl auf Leinwand
H. 104 cm, B. 126 cm
Bad Ausee, Kammerhofmuseum, Inv.-Nr. B 389

Das in Österreich entstandene Bild zeigt vor einer Landschaft zehn Männer in ihrer jeweiligen Landestracht. Von links nach rechts gesehen sind folgende Nationalitäten dargestellt: Spanier, Franzose, Italiener, Deutscher, Engländer, Schwede, Pole, Ungar, Russe (?) und Türke. Darunter sind in einer tabellenartigen Auflistung jeder Figur 17 Begriffe zugeordnet, die das jeweilige Volk charakterisieren. Die genannten Eigenschaften sind zum Teil derb und mit Vorurteilen behaftet, geben aber gerade deshalb einen guten Einblick in das Bild, das die Österreicher um 1700 von anderen Völkern des Kontinents hatten. Als Beispiel seien hier einige Eigenschaften genannt, die dem Deutschen zugeordnet sind: *Sitten – Offenherzig; Verstand – Witzig; Kleidung – Macht alles nach; Untugend – Verschwenderisch; Lieben – Den Trunk; Kriegstugend – Unüberwindlich; Erkennen für ihren Herrn – Einen Kaiser; Haben Überfluß – an Getreide; Ihr Leben Ende – In Wein.*

Literatur: Austria im Rosennetz. L'Autriche visionnaire, Ausst.-Kat. Brüssel 1998, Abb. S. 19. – Frankfurter Allgemeine Zeitung, 1. September 1999, S. N 5, Abb.

J. D.

175 Epitaph für Anna Catharina, Clara Elisabeth und Catharina Magdalena Kern (gest. 1693 und 1694), Töchter des Pfarrers Heinrich Kern und seiner Ehefrau Anna Maria Müllerin

Schwäbisch Hall, 1697, aus der Kirche St. Michael
Öl auf Holz
H. 139 cm, B. 118 cm (oval, mit Rahmen)
Stuttgart, Württembergisches Landesmuseum, Inv.-Nr. 6769

In der protestantischen Frömmigkeit wandelte sich die *memento mori*-Schreckensallmacht des Todes zum Vertrauen auf das himmlische Heil. Künder davon waren Epitaphien, die als Personendenkmale der Verstorbenen ihren Anbringungsort in der Kirche fanden, oft auch als Familienbilder, bei denen Lebende und – durch ein Kreuz gekennzeichnete – Verstorbene zusammen wiedergegeben wurden. Kruzifix oder der im Himmel erscheinende Name Gottes sind Garant der Heilsgewißheit. *„Wir gehen auß der Welt Getümmel / In den schönen Gottes Himmel"*, heißt es auf dem Epitaph der drei im Alter von zwölf, zwanzig und 21 Jahren gestorbenen Töchter des Pfarrers Heinrich Kern und seiner Frau Anna Maria Müllerin, das aus der Stadtpfarrkirche St. Michael in Schwäbisch Hall stammt. Die Heilskronen, auf die ein Strahl der göttlichen Himmelserscheinung fällt, kennzeichnen die drei jungen, in modischer Kleidung gezeigten Frauen als Auserwählte für das paradiesische Glück. Gerade in den Schreckenszeiten von Krieg, Pest und anderen Seuchen um 1700 steht dem der unerschütterte Glaube an die Heilserwartung gegenüber.

Literatur: Barock in Baden-Württemberg. Ausst.-Kat. Bruchsal 1981, Bd. 1, S. 730f., Nr. L 452, farb. Abb. (H.-U.Roller). – Scharfe, Martin: Evangelische Andachtsbilder, Stuttgart 1968. – Wunder, Gerd: Personendenkmale der Michaelskirche in Schwäbisch Hall, Schwäbisch Hall 1987.

H. S.

175

Utopien des 18. Jahrhunderts

176 Louis-Sébastien Mercier: „L'an deux mille quatre cent quarante, rêve s'il en fut jamais"
(„Das Jahr 2440, ein Traum aller Träume")
London, 1772 (entstanden: 1768; Erstausgabe: 1770)
H. 17 cm, B. 12 cm
Heidelberg, Universitätsbibliothek, G 3844

Das 1768 geschriebene und 1770 zunächst anonym erschienene Werk des Dramatikers Louis-Sébastian Mercier (1740-1814) wurde 1772 in Leipzig auf deutsch unter dem Titel *Das Jahr Zweitausend Vierhundert und Vierzig, ein Traum aller Träume* publiziert. Es handelt in Paris im Jahre 2440. Der Ich-Erzähler wacht nach einem Schlaf auf und erlebt seine Heimatstadt als vorbildliches, den Prinzipien der Aufklärung gehorchendes Gemeinwesen, in dem das Feudalsystem abgeschafft und gar die Bastille niedergerissen ist. Merciers Vorstellung des Gemeinwesens bleibt dem Gedanken des kollektiven Erziehungsstaates von Campanella oder Bacon (vgl. Kat.-Nrn. 112 und 134) verpflichtet, verlegt seine Utopie aber nicht in eine räumliche Ferne, sondern erstmals in die zeitliche Zukunft. Anders als spätere Zukunftsutopien enthält sein Werk noch kaum Motive, die mit dem technischen Fortschritt zu tun haben. Wohl haben sich die gesellschaftlichen und kulturellen Umgangsformen verändert: Die Straßen sind schöner und reinlicher, der Verkehr vollzieht sich geordnet, das Kutschfahren ist zugunsten des Laufens vermindert, man trägt angenehme und gesunde Kleidung. Mit seiner Kritik an den Rücksichtslosigkeiten und der Affektiertheit des Adels trug die Zukunftsutopie von Mercier, obwohl er an einem erblichen Königtum festhielt, zur vorrevolutionären Stimmung im Frankreich seiner Zeit bei.

H. S.

177 „Große Post-Luft-Kugel" mit Erläuterung
Balthasar Anton Dunker (1746-1807)
Um 1785
a) Kolorierte Umrißradierung
H. 37,2 cm, B. 29,5 cm
b) Radierung
H. 20,5 cm, B. 71,2 cm
Bern, Kunstmuseum, Gottfried Keller Stiftung, Inv.-Nrn. S 2610, S 2610 b

Als die Brüder Montgolfier 1783 den ersten Heißluftballon steigen ließen, realisierte sich für den Menschen der Traum vom Fliegen. Als Zukunftsvisionen entstanden Vorstellungen von Schiffen, deren Segel durch Ballone ersetzt waren. Das Prinzip des Luftschiffs, das 1900 im Zeppelin seine erste Realisierung erfuhr (vgl. Kat.-Nr. 300), wurde als Prinzip des Fliegens über weite Zeitspannen hinweg vorausgedacht. Schon zwei Jahre nach dem ersten Flug einer Montgolfiere schuf der Schweizer Künstler Balthasar Anton Dunker seine Vision eines ballonbetriebenen Luftschiffs, die *„Große Post-Luft-Kugel; Welche den 10ten Merz des Jahres 2440 nach China und umliegenden Gegenden [...] fliegen wird"* (Erläuterung). Obwohl es keinerlei inhaltliche Parallelen gibt, datierte Dunker seine Utopie weit voraus und exakt in dasselbe Jahr, in dem auch Louis-Sébastien Merciers phantastischer Roman von 1768 handelt (vgl. Kat.-Nr. 176). (Übrigens hat Dunker 1787 Merciers berühmte Sittengeschichte *Ein Gemälde von Paris* illustriert.) Dunker stellte sich die Reise mit seinem Luftschiff als Vergnügungsreise für Männer [! – J.D.] vor. In der Erläuterung heißt es weiter: *„Die Ueberfahrt für* Passagers *kostet 30* Louis d'or, *und 50* Louis d'or *mit Capitains-Kost. [...] Zur Belustigung der Herrn* Passagers, *hat man für eine Gesellschaft guter Luftmusikanten gesorgt, welche während dem Flug bey Concert und Ball gebraucht werden. Die ehrenden Städte, welche mit einer Serenade von der großen Ballons-Orgel wünschten bedient zu werden, sind ersucht die Summe von 25* Louis d'or *ins chinesische Posthaus, gegen den Empfangsschein, zu schiken."* Es folgt die Legende zur Erläuterung der einzelnen Teile des Luftschiffs:

„AAA. Die Kugel.
B. Stand-Bildsäule, in deren Kopf das Obsertorium *angebracht ist.*
C. Der Wimpfel.
D. Die Gallerie.
E. Röhre, die brennbare Luft ausdünsten zu lassen.
F. Luft-Officiere.
G. Das Schif, die große Breloque *genennt.*
H. Das Steuerruder.
I. Wohnung des Steuermanns.
K. Kirche und Spital.
L. Capitains-Quartier.
M. Große ärostatische Röhre.
NN. Segel.
OO. Strikleitern, woran zugleich das Schif hängt.
P. Passagers-Zimmer.
Q. Großes Magazin der brennbaren Materien.
R. Gutherzige Mädchen, samt der Treppe zu ihrem Käficht [!!! – J. D.]
S. Wohnung des Chirurgi.
TT. Decorations-Flügel.
V. Abtritte.
X. Gastwirthe, und Caffeschenken.
Y. Luft-Musikanten auf ihrem Balcon.
Z. Kleiner Ballon von 30 Schuhe, wird als ein Boot gebraucht.
2. Allgemeines großes Telescop.
3. Große Orgel zum Gebrauch bey Sérénaden.
4. Große Canone, den Städten das Zeichen zur Sérénade *zu geben.*
5. Zelt, in welchem sich der Ober-Strikinspektor Tag und Nacht aufhält.
6. Casernen der Luft-Matrosen, und was zum Pompwerk gehört.
N.B. Matrosen und Passagers, die auf den feinen Gedanken gerathen möchten, im Hinwegfliegen über Städte, oder Dörfer, übelriechende und faule Materien zu werfen oder fallen zu lassen, sind hiemit benachrichtiget, daß sie ohne Nachsicht und Aufschub an kleine Ballons angebunden und so ihrem Schiksal werden überlassen werden."

Literatur: Balthasar Anton Dunker, 1746-1807, Ausst.-Kat. Bern 1990, S. 133, Nr. 169, Tafel 55. – Glaser, Hermann/Werner, Thomas: Die Post in ihrer Zeit, Heidelberg 1990, farb. Abb. S. 95.

J. D.

177

1700 1710 1720 1730 1440 175

Absolutistisches Staatenkonzert, bürgerliche Revolution

Parlamentarische Kontrolle

England und Schottland vereinten sich **1707** zu Großbritannien. Die parlamentarische Demokratie wurde weiter ausgebaut. Die großen Parteien waren die Tories (anglikanische Kirche sowie ländlicher Grundbesitz) und die Whigs (Großgrundbesitz sowie Bürgertum). Der englische Handel florierte: Sklaven wurden von Afrika nach Amerika transportiert, Produkte der Kolonien ins Mutterland gebracht. Kanada geriet 1760 in britische Hand. In Indien konnte die britische Ostindienkompanie gegenüber der französischen an Boden gewinnen.

Zaristische Westorientierung

Zar Peter I. („der Große") starb **1725**. Unter seiner Herrschaft erkämpfte sich Rußland eine überragende Stellung an der Ostsee. Die Gründung der Stadt St. Petersburg zeugte davon. Als Zar säkularisierte Peter das russische Reich und führte es auf den Weg der Aufklärung. Oberstes Gebot für alle Russen sollte es sein, dem Wohle des Staates zu dienen. Der Adel hatte zwar erhebliche Privilegien, doch war ihm dafür der lebenslange Dienst für den Zaren auferlegt.

Nachvollzug der Menschheitsentwicklung

Der Roman „Robinson Crusoe" erschien **1719**. Darin erzählt der englische Schriftsteller Daniel Defoe von einem Schiffbrüchigen, der allein auf einer Insel strandet und sich als Meister des Überlebens erweist. Beschrieben werden auch die besonderen Tugenden des bürgerlichen Mittelstandes, deren segensreiche Folgen Freude, Friede und Überfluß seien.

Der „alte Fritz"

In Preußen waren die Hohenzollern aufgestiegen. Der „Soldatenkönig" Friedrich Wilhelm I. formte Preußen mit Hilfe seiner Beamtenschaft und eines schlagkräftigen Heeres zu einem innerlich geschlossenen Staat. Sein Sohn Friedrich II. („der Große") bestieg **1740** den Thron. Er war musisch und musikalisch interessiert sowie der Aufklärung verbunden. Mit dem französischen Schriftsteller und Philosophen Voltaire stand er in enger Verbindung. Nach seiner Ideenskizze entstanden Schloß und Park Sanssouci. Friedrich II. wollte erster Diener seines Staates sein. Doch war er auch ein rücksichtslos-zynischer Herrscher. Krieg erschien ihm als legitimes Mittel der Politik.

Die Habsburgerin

1740 bestieg eine Frau den österreichischen Thron: Maria Theresia. Ihr Vater Karl VI. hatte nur unter großen Schwierigkeiten bei den europäischen Mächten die Anerkennung dieser Erbfolge erreichen können. Der preußische König Friedrich II. wollte sich seine Unterstützung der Habsburgerin mit Schlesien „bezahlen" lassen. Darüber kam es zu zwei Kriegen. Nützlichkeitsdenken und Staatsräson bestimmten die inneren Reformen Maria Theresias: Hebung des Exportes, Schutz der Bauern, Verstaatlichung des Schulwesens, Abschaffung der Folter. Seit 1780 führte ihr Sohn Joseph II., der ein leidenschaftlicher Anhänger der Aufklärung war, diese Politik verstärkt fort. Sein Ziel war es, die Länder der vielgestaltigen Monarchie zu einem Einheits-, Rechts- und Wohlfahrtsstaat zu verschmelzen.

Musik der Vollendung

Johann Sebastian Bach starb **1750**. In kleinbürgerlicher Enge lebend, war er ab 1723 Kantor der Thomas-Kirche in Leipzig. Bach errichtete ein „Universalreich der Musik". Dieses ging von der Funktion der Musik im kirchlichen, staatlichen und öffentlichen Leben aus und pries mit kompositorischer Strenge wie gebändigtem Gefühlsreichtum Gott als den Schöpfer aller Ordnung.

1760 1770 1780 1790 **1800**

Machtakrobatik

Die beste aller Welten?

Habe Mut, dich deines eigenen Verstandes zu bedienen

Die gefährdete Theodizee

Ein schweres Erdbeben zerstörte **1755** Lissabon und forderte mehr als 30.000 Tote. Das Beben erschütterte aber auch die vorherrschende Überzeugung, daß die Welt eine sinnvolle Ordnung darstelle, die von Gott als beste unter allen Möglichkeiten ausgewählt worden sei. Für Gottfried Wilhelm Leibniz war das Universum aus „Monaden" aufgebaut, also aus lebendigen Ureinheiten, deren gegenseitige Entsprechung durch den göttlichen Schöpfer gewährleistet sei. Das Ganze der Welt stelle eine in Gott vom Ursprung her gegebene Harmonie dar. In dieser Harmonie gäbe es nichts Überflüssiges und Schädliches.

Der edle Wilde

Auf seiner Weltreise von **1766 bis 1771** empfand der Seefahrer Louis Antoine Bougainville die Insel Tahiti als einen Garten Eden. Die Lobpreisung des paradiesischen Lebens dort stand für eine die Epoche charakterisierende Zuwendung zur „Natürlichkeit". Der „edle Wilde" galt als Gegenbild zum verkünstelten Rokoko-Typus, dessen hektische Lebensfreude die Untergangsstimmung einer höfischen Gesellschaft zu überspielen suchte. 1750 hatte Jean-Jacques Rousseau die Ausbreitung der Kultur für den sittlichen Verfall verantwortlich gemacht und den zivilisatorischen Fortschritt als Entartungsprozeß bezeichnet. Der Mensch im Schoße der Natur sei hingegen gut, rechtschaffen, glücklich. Zur Natur müsse man zurückkehren: „Retour à la nature."

Zeitalter der Aufklärung

1784 fragte Immanuel Kant: „Was ist Aufklärung?" und faßte mit seiner Antwort die Hoffnung der nun anbrechenden Geistesepoche der Moderne zusammen: „Aufklärung ist der Ausgang des Menschen aus seiner selbstverschuldeten Unmündigkeit. Unmündigkeit ist das Unvermögen, sich seines Verstandes ohne Leitung eines anderen zu bedienen." In der Dichtung erwies sich Gotthold Ephraim Lessing als Protagonist bürgerlicher Vernunft und eines toleranten Miteinander der Religionen. In „Nathan der Weise" (1779) heißt es: „Es eifre jeder seiner unbestochnen / von Vorurteilen freien Liebe nach!"

Unabhängigkeit der amerikanischen Kolonien

Großbritannien wollte seine amerikanischen Kolonien, in denen sich Gewaltenteilung und Selbstverwaltung durchgesetzt hatten, wieder stärker an sein absolutistisches System binden. Daraufhin kam es 1776 zu deren Unabhängigkeitserklärung. Der folgende Krieg, mit George Washington als amerikanischem Oberbefehlshaber, endete mit der Niederlage Großbritanniens. **1787** wurde die amerikanische Verfassung beschlossen. Sie basierte auf der „Volkssouveränität", „repräsentiert" durch den Kongreß (Senat und Repräsentantenhaus), garantierte Rechtsstaatlichkeit sowie persönliche Freiheit. Als praktische Erprobung der Aufklärungsideen zog Amerika die Aufmerksamkeit Europas auf sich und reizte zur Nachahmung.

Die revolutionäre Botschaft

Die Französische Revolution stürzte **1789** das morsche, von den zwei Ständen Adel und Geistlichkeit getragene absolutistisch-feudale System. Der „dritte Stand" der Bürger, Handwerker und Bauern erhob sich. In einer Menschenrechtserklärung wurden die „natürlichen, unveräußerlichen und heiligen Rechte der Menschen" festgeschrieben. Zudem erhielt Frankreich eine Verfassung. Die Leitbegriffe „Freiheit, Gleichheit, Brüderlichkeit" gingen jedoch im revolutionären Terror unter. 1794 kam es zur Diktatur unter Maximilien de Robespierre: Die Revolution „fraß ihre Kinder". An ihrem Ende stand Napoleon Bonaparte: zunächst Feldherr der Heere, welche die revolutionäre Botschaft nach Europa hinaustrugen, dann „Konsul auf Lebenszeit" und seit 1804 erblicher Kaiser der Franzosen. Das „Empire" begann.

„Die östliche Halbkugel der Erde“
In: „Kleiner Atlas der neuen Geographie“
Wien, 1807
Berlin, Staatsbibliothek zu Berlin – Preußischer Kulturbesitz, Kartenabteilung

Die Karte gibt lediglich die östliche Halbkugel der Erde wieder. Sie zeigt deutlich das mit „Neu-Holland“ bezeichnete Australien, dessen Küstenverlauf um 1800 vollständig erforscht war.

1800

An der Wende zum Friedensjahrhundert

Um 1800 war bekannt, „in welchem Jahrhundert" man lebte. Die Zeit war geprägt von einer Sehnsucht nach Frieden. Die Aufklärung hatte Wege aufgezeigt, die Frieden grundsätzlich möglich machen sollten. Tatsächlich aber griff das revolutionäre Frankreich kriegerisch auf Europa aus. So bestand um 1800 allgemein die Hoffnung, mit dem neuen Jahrhundert möge ein Zeitalter des Friedens beginnen. Die Jahrhundertwende wurde 1800 und 1801 gefeiert. In Frankreich aber galt seit 1792 der Republikanische Kalender, der 1800 erst das Jahr VIII zählte.

Anders als in den romanischen Sprachen, in denen sich der gleiche Wandel lediglich im Gewinn einer neuen und zusätzlichen Bedeutung für ein altes Wort – *siècle, secolo, siglo* – bemerkbar macht, kann im Deutschen die neue Art der Gliederung des Zeitflusses am allmählichen Aufkommen und schließlich an der Etablierung einer sprachlichen Neubildung festgemacht werden: *das Jahrhundert*. Mit der im Grimmschen Wörterbuch gegebenen Datierung dieses Wortes – *„seit dem ende des 17. jahrh. ist es vollständig durchgedrungen"*[1] – stimmt überein, daß an der Wende vom 17. zum 18. Jahrhundert zum ersten Mal ein Bewußtsein des Übergangs im Rahmen dieser starren (und wohl deswegen nur zögerlich als wenigstens leidlich nützlich empfundenen) Periodisierung nachgewiesen werden kann. Voraussetzung war natürlich die Verbindung des neuen Worts (das anfänglich – wie das englische *century*[2] – nur ganz allgemein für die Bezeichnung einer *Zeit von hundert Jahren*[3] verwendet worden war) mit den Ordnungszahlen: *das erste*, das zweite und schließlich: *das achtzehnte Jahrhundert* – das somit zum ersten wird, *in dem* der Mensch bewußt lebt[4].

Die Jahrhundertwende 1800 wurde erstmals auf breiter Ebene als solche wahrgenommen und gefeiert.

Diesem neuen Jahrhundertbewußtsein entsprechend wurde die Jahrhundertwende 1800 einerseits erstmals auf breiter Ebene als solche wahrgenommen und gefeiert. Andererseits durfte sie gar nicht sein, weil das revolutionäre Frankreich, das in eben diesen Jahren die Herrschaft über ganz Europa zu gewinnen trachtete, am 22. September 1792 mit einer neuen Zeitrechnung begonnen hatte und dieser *Französische Revolutionskalender* infolgedessen am 1. Januar 1800 ein zufällig-beliebiges Datum schrieb: den 12. Nivôse des Jahres VIII.

Ein wunderbares frühes Zeugnis, in dem das Jahrhundertbewußtsein exemplarisch und emphatisch (und gleichzeitig mit einem Anflug von ironischer Skepsis) zum Ausdruck kommt, sind die 1784 im *Göttingischen Magazin der Wissenschaften und Litteratur* erschienenen *Vermischten Gedanken über die aërostatischen Maschinen* von Georg Christoph Lichtenberg[5]. Dort heißt es:

„Unser achtzehntes Jahrhundert wird sich sicherlich nicht zu schämen haben, wenn es dereinst sein Inventarium von neu erworbnen Kenntnissen und angeschafften Sachen an das neunzehnte übergeben wird, auch selbst wenn die Überreichung morgen geschehen müßte. Wir wollen einmal einen ganz flüchtigen Blick auf dasjenige werfen, was es seinem Nachfolger antworten könnte, wenn es morgen von ihm gefragt würde: was hast du geliefert und was hast du Neues gesehen? Es könnte kühn antworten: Ich habe die Gestalt der Erde bestimmt; ich habe dem Donner Trotz bieten gelernt; ich habe den Blitz wie Champagner auf Bouteillen gezogen; ich habe Tiere ausgefunden, die an Wunder selbst die Fabel der Lernäischen Schlange übertreffen; Fische entdeckt, die, was der olympische Jupiter nicht konnte, die schwächern, selbst unter dem Wasser, mit unsichtbarem Blitz töden; ich habe durch Linné das erste brauchbare Inventarium über die Werke der Natur entwerfen lassen; ich habe einen Kometen wiederkehren sehen, als der Urlaub aus war, den ihm mein Halley gegeben hatte, und im meinem 89sten Jahr erwarte ich den zweiten; statt einer einzigen Luft, die meine Vorfahren kannten, zähle ich dreizehn Arten; ich habe Luft in feste Körper und feste Körper in Luft verwandelt; ich habe Quecksilber geschmiedet; ungeheure Lasten mit Feuer gehoben; mit Wasser geschossen wie mit Schießpulver; ich habe Pflanzen verführt, Kinder außer der Ehe zu zeugen; Stahl mit brennendem Zunder wie Butter fließen gemacht; ich habe Glas unter dem Wasser geschmolzen; das Gold von seinem Thron, den es als schwerster Körper Jahrtausende usurpierte, heruntergeschmissen und ein weißes Metall eingesetzt; ich habe eine neue Art vortrefflicher Fernröhre angegeben, die selbst Newton für unmöglich hielt; ich habe die Pole des natürlichen Magneten in einer Sekunde umgekehrt und wieder umgekehrt; ich habe Eier ohne Henne und ohne Brütwärme ausgebrütet. Ich habe gemacht, daß man jetzt einen Bischof zu Rom hat so gut wie einen zu Hildesheim. Ich habe einer mächtigen und gefährlichen Ordens-Hydra den Kopf zertreten; Und was ich gesehen habe? O genug. Ich habe Peter den Ersten gesehen, und Katharina und Friederich und Joseph und Leibnitz und Newton und Euler und Winckelmann und Harrison und Cook und Garrick. [...] und sieh hier endlich habe ich in meinem 83sten Jahr ein Luftschiff gemacht [...]."

Was Lichtenberg in diesem kurzen Prosastück der Personifikation des 18. Jahrhunderts in den Mund legt, ist die bereits in der Mitte seines neunten Jahrzehnts vorweggenommene Bilanz eines Jahrhunderts, das nicht erst retrospektiv mit Beiwörtern bedacht wurde, in denen seine Leistungen auf den Punkt gebracht werden: das *Jahrhundert der Aufklärung – le siècle des lumières*; das *philosophische* Jahrhundert[6]; das *„Jahrhundert der Klassifikationen und der Taxonomien"*[7] (mit der zwischen 1751 und 1772 in Paris erschienenen *Encyclopédie* von Diderot und d'Alembert als der Summe des akkumulierten Wissens). Das Luftschiff aber, in dem Lichtenberg seine Liste der Errungenschaften des 18. Jahrhunderts hatte gipfeln lassen, sollte an der Wende zum 19. Jahrhundert in kaum einem Rückblick auf das achtzehnte fehlen.

Allerdings sind die mit dem Bild der Luftfahrt verbundenen Konnotationen nun keineswegs nur positiv. Da schwebt zwar in der zeitgenössischen Druckgraphik auf der einen Seite die Montgolfiere als Symbol für die im Denken der aufgeklärten Philosophen und in der Französischen Revolution errungenen Freiheiten beziehungsweise (auf dem Ankündigungsblatt einer Karlsruher *Ballonerie*) als ein *„in die Höhe gelassenes Denkmal des uns den Frieden bringenden Neunzehenten Seculi"* – wie überhaupt die seit Kants aufklärerischem Entwurf *Zum ewigen Frieden* und mit den Erfahrungen der kriegerischen Ausdehnung des napoleonischen Machtbereichs über Europa vielfach formulierte Friedenshoffnung als ein Leitmotiv die Zeugnisse zum Jahrhundertwechsel durchzieht.

Da gibt es aber auf der anderen Seite auch die zahlreichen zu diesem Anlaß verfaßten sogenannten *Säkulardichtungen*[8], in denen auf die Ballonfahrt vorwiegend in kritischer Kommentierung angespielt wird[9]. Nun sind zwar die meisten dieser nicht selten anonymen Verseschmiedereien bieder genug; doch steht ihnen mit Jean Pauls *Des Luftschiffers Giannozzo Seebuch*, geschrieben zwischen August 1800 und April 1801[10], eine *Ballon-Dichtung* allerersten Ranges gegenüber, in der – wenn auch in radikaler satirischer Zuspitzung – ein vernichtender Blick auf jene *„aufgeklärte[n] Achtzehnjahrhunderter"* geworfen wird, die *„ganz für Friedrich II. [standen], für die gemäßigte Freiheit und gute Erholungs-Lektüre und einen gemäßigten Deismus – und eine gemäßigte Philosophie"*; die *„sich sehr gegen Geistererscheinungen, Schwärmerei und Extreme"* erklärten; die *„die große Sphinx, die uns das Rätsel des Lebens aufgibt, totgemacht"* hatten und *„den ausgestopften Balg bei sich [führten] und [...] es für ein Wunder halten [mußten], daß ein anderer eines annimmt."*[11]

Damit wird aber bei Jean Paul, der an einer anderen, überwältigend schönen Stelle seinen *„Frühprediger"* am Neujahrmorgen des Jahres 1800 die Sonne mit dem Wunsch hatte begrüßen lassen: *„O gib Liebe der alten Welt und Freiheit der neuen! – –"*[12], bei dem ferner im letzten Satz eines anderen Prosastücks, das in der Nacht vom 31. Dezember 1800 auf den 1. Januar 1801 spielt, die Jahrhunderte *„sanft und kaum bemerkt einander ablöseten"*[13], schonungslos auf jene Dialektik der Aufklärung verwiesen, die auch das Thema des programmatischsten Blattes von Francisco Goyas 1799 publizierten *Caprichos* ist: *„El sueño de la razon produce monstruos"* – *„Der Schlaf der Vernunft gebiert Ungeheuer"*.

Anmerkungen:

1 Grimm, Jacob und Wilhelm: Deutsches Wörterbuch, Bd. 4., 2. Abt., Leipzig 1877, Sp. 2243.

2 Vgl. dazu die entsprechende Gliederung des Stichworts *century*, Ziffer 4 (*„A period of 100 years; originally expressed in full a century of years"*) und Ziffer 5 (*„Each of the successive periods of 100 years, reckoning from a received chronological epoch, esp. from the assumed date of the birth of Christ: thus the hundred years from that date to the year A.D. 100 were the first century of the Christian Era; those from 1801 to 1900 inclusive are the nineteenth century"*) in: Murray, James A. H.: A New English Dictionary on Historical Principles, Bd. 2, Oxford 1891, S. 227, mit aufschlußreichen Beispielen; früheste Belege: 1626 für die Bedeutung unter Ziffer 4, 1638 für Ziffer 5.

3 So noch, mit nur einem beiläufigen Hinweis auf eine Numerierung der *„Secula vor der Sündfluth, nach der Sündfluth, vor und nach Christi Geburth"* in: Zedler, Johann Heinrich: Großes vollständiges Universal-Lexicon aller Wissenschaften und Künste, welche bishero durch menschlichen Verstand und Witz erfunden und verbessert worden [...], Bd. 36, Leipzig/Halle 1743, Sp. 953, Stichwort *„seculum"* (auf das in Bd. 14, 1735, S. 170, unter dem Stichwort *„Jahrhundert"* ohne weitere Ausführungen verwiesen wird).

4 So heißt es denn drei Jahrzehnte nach Zedler bei Adelung unter dem Stichwort *„Das Jahrhundert"*: *„eine Zeit von hundert Jahren. Besonders in der Jahreszahl. Das gegenwärtige Jahrhundert, die Zeit von 1700 bis 1800, in welcher wir jetzt leben"*. Allerdings scheint das Wort noch immer erklärungsbedürftig: *„Eine seltene Art der Zusammensetzung, welche vermuthlich von der ehemaligen Art die Jahre nach Christi Geburt zu schreiben, ihren Ursprung hat, da man mit Weglassung des Tausend nur die Zahl der Hunderte bezeichnete, welches die mindere Zahl genannt wurde; im Jahre fünf hundert und zehen, für tausend fünf hundert und zehen"* (Adelung, Johann Christoph: Versuch eines vollständigen grammatisch-kritischen Wörterbuches der Hochdeutschen Mundart, mit beständiger Vergleichung der übrigen Mundarten, besonders aber der oberdeutschen, 2. Theil, von F-K, Leipzig 1775, Sp. 1422).

5 Vermischte Gedanken über die aërostatischen Maschinen, von G. C. L., in: Göttingisches Magazin der Wissenschaften und Litteratur, 3. Jahrgang, 6. Stück, 1783 [tatsächlich: 1784], S. 930-953; im folgenden zitiert nach: Georg Christoph Lichtenberg, Schriften und Briefe, hg. von Wolfgang Promies, Bd. 3.: Aufsätze, Entwürfe, Gedichte, Erklärung der Hogarthischen Kupferstiche, München 1972, S. 63-75 (Zitat S. 63-64); vgl. dazu – insbesondere zur Identifizierung der im folgenden Zitat genannten Entdeckungen und Erfindungen des 18. Jahrhunderts – auch den Kommentar zu Bd. 3, S. 26-35.

6 Pezzl, Johann: Faustin oder das philosophische Jahrhundert, Zürich 1783.

7 Heesen, Anke te: Die Umordnung der Aufklärung – zwei Neuerscheinungen zur Sammlungsgeschichte des 18. Jahrhunderts, in: Das achtzehnte Jahrhundert. Zeitschrift der Deutschen Gesellschaft für die Erforschung des achtzehnten Jahrhunderts 23, 1999, Heft 1, S. 105.

8 Die deutschen Säkulardichtungen an der Wende des 18. und 19. Jahrhunderts, hg. von August Sauer, Berlin 1901.

9 Vgl. dazu auch: Schinkel, Eckhard: Der Ballon in der Literatur, in: Leichter als Luft. Zur Geschichte der Ballonfahrt, Ausst.-Kat. Münster 1978, S. 204-205.

10 Zu dieser Datierung siehe: Berend, Eduard: Einleitung zum achten und neunten Bande, in: Jean Pauls Sämtliche Werke. Historisch-kritische Ausgabe, 1. Abteilung, 8. Band (Titan 1. und 2. Band, Komischer Anhang zum Titan), hg. von Eduard Berend, Weimar 1933, S. XCI.

11 Jean Paul, Des Luftschiffers Giannozzo Seebuch, in: Jean Paul, Werke, hg. von Norbert Miller, Bd. 3 (Titan, Komischer Anhang zum Titan, Clavis Fichtiana seu Leibgeberiana), München 1961, S. 950.

12 Jean Paul, Huldigungpredigt vor und unter dem Regierungsantritt der Sonne, gehalten am Neujahr 1800 vom Frühprediger dahier, in: Jean Paul, Werke, hrsg. von Norbert Miller, Bd. 6, München 1963, S. 144.

13 Jean Paul, Die wunderbare Gesellschaft in der Neujahrsnacht, in: Jean Paul, Werke, hg. von Norbert Miller, Bd. 4 (Kleinere erzählende Schriften 1796-1801), München 1962, S. 1138.

Marcel Baumgartner

Das Luftschiff
fehlt in kaum einem Rückblick auf
das 18. Jahrhundert.

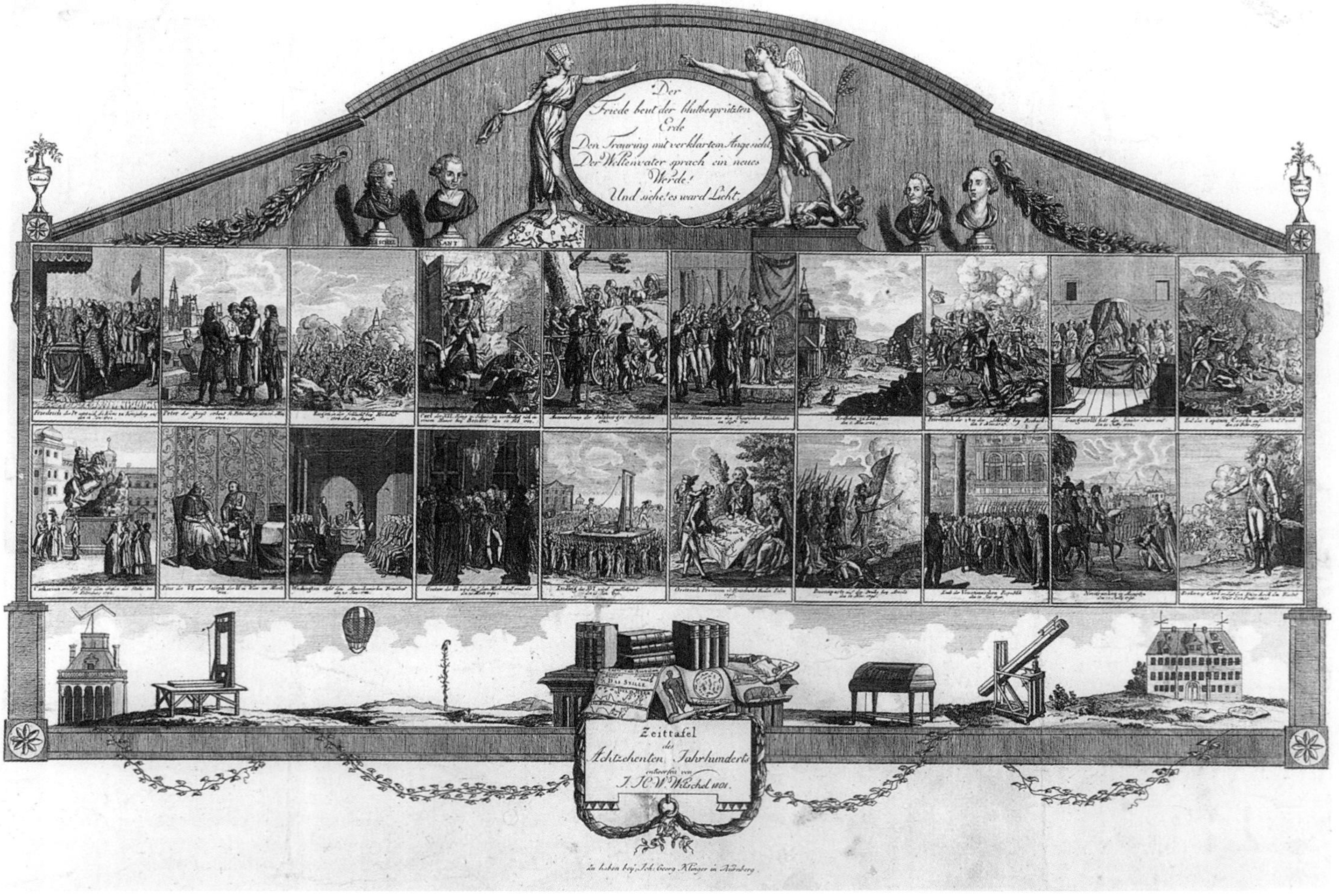

178

178 „Zeittafel des Achtzehenten Jahrhunderts"
Johann Georg Klinger (geb. 1764) nach einem Entwurf von Johann Heinrich Wilhelm Witschel (1769-1847)
Nürnberg, bei Johann Georg Klinger, 1801
Kupferstich
H. 37,7 cm, B. 59,5 cm (Platte)
Nürnberg, Germanisches Nationalmuseum, Inv.-Nr. HB 1219
Kapsel 1333b

Die *Zeittafel des Achtzehenten Jahrhunderts* wurde vom Nürnberger Zeichner und Stecher Johann Georg Klinger nach einem von Johann H. W. Witschel konzipierten Programm geschaffen. Witschel war zu dieser Zeit Mittagsprediger an der Dominikanerkirche. Die Tafel ist ein schöner Beleg für die Tatsache, daß mit der Ausprägung eines Wendebewußtseins auch die Besichtigung eines Jahrhunderts als einer (mehr oder weniger sinnvollen) Einheit möglich geworden ist. Vor einer Landschaft sind wichtige Erfindungen (drahtlose Telegraphie, Ballon, Blitzableiter) und andere für das 18. Jahrhundert signifikante Gerätschaften (Guillotine, aufgepflanzte Jakobinermütze) aufgereiht. Darüber wird in zwei übereinander angeordneten Registern der Lauf des Jahrhunderts in zwanzig Szenen nachgezeichnet, die für historisch wichtig erachtetet wurden. Daß dabei versucht wird, auch inhaltlich einen festen Rahmen zu schaffen, wird belegt durch die Wahl von zwei Gründungsereignissen am Beginn – die Selbstkrönung Friedrichs I. zum *König in Preußen* am 18. Januar 1701 in Königsberg und die Gründung von St. Petersburg im Mai 1703 durch Zar Peter den Großen – sowie durch die Stilisierung des (historisch wenig bedeutungsvollen) Waffenstillstandes von Steyr zwischen Österreich und Frankreich zum Signal der Friedenshoffnung für die (wie sie im Titel benannt wird) *„blutbesprützte Erde"* am Ende des Bilderbogens.

Literatur: Leichter als Luft. Zur Geschichte der Ballonfahrt, Ausst.-Kat. Münster 1978, Nr. 430, Abb. S. 207.

M. B.

179

179 „La Liberté"
Thérèse-Éléonore Lingée (geb. um 1753) nach Boizet
Frankreich, um 1790
Farbpunktierstich
H. 32,3 cm, B. 24,3 cm (Blatt)
Nürnberg, Germanisches Nationalmuseum, Inv.-Nr. K 18210, Kapsel 380

Die Bilddarstellung, die das Motiv der *Freiheit* als wichtigste, zumindest universellste Errungenschaft der Revolution symbolisiert, wurde in Frankreich, aber auch in Deutschland immer wieder reproduziert. Die allegorische Gestalt ist mit einer Vielzahl von Attributen ausgestattet, von denen jedes für sich die propagandistische Intention zum Ausdruck bringt: die Schärpe in den Farben der *Tricolore*, die Freiheitsmütze (*bonnet*) auf einem Szepter, das zerbrochene Joch (der Knechtschaft), die Katze als Tier besonderer Freiheitsliebe, der von der zerrissenen Leine entfliehende Vogel. Das Füllhorn zur Seite spielt – anstatt obrigkeitlich verheißenen Überflusses – auf den durch die Freiheit erzeugten *Gewerbefleiß* an. Die Revolution als Förderin einer neuen bürgerlichen (kapitalistischen) Wirtschaftsordnung – in dieser Form waren die revolutionären Ideen in Frankreich und ganz Europa beim Wirtschaftsbürgertum gerne gesehen. Das vorliegende Blatt befand sich im Besitz der Korporation der Nürnberger Großhandelskaufleute.

Literatur: Freiheit-Gleichheit-Brüderlichkeit. 200 Jahre Französische Revolution in Deutschland, Ausst.-Kat. Nürnberg 1989, S. 381f., Nr. 236, Abb. – Siebenmorgen, Harald: Illustrationen und Bildkommentare zur Französischen Revolution in der Mannheimer Graphik um 1800, in: Städel-Jahrbuch, N.F. Bd. 9 (1983) S. 228.

H. S.

180 „La République Française"
Jacques-Louis Copia (1764-1799) nach Alexandre-Evariste Fragonard (1780-1850)
Frankreich, 1797/98
Kupferstich und Radierung in Punktiermanier
H. 26,6 cm, B. 34,1 cm
Hamburg, Kunsthalle, Inv.-Nr. 1988/245

Die Revolutionspropaganda der Französischen Republik setzte in ihren Bildmitteln zwar hauptsächlich auf eingängige Symbole und Zeichen (Jakobinermütze, Kokarde, Freiheitsbaum) und neue Kommunikationsmittel wie Flugblatt, Plakat und Zeitung, verzichtete aber auch nicht auf die Inanspruchnahme der traditionellen Allegorie. Anders als ihre barocke Verwendung in elitären und eingeweihten Sinngebungen waren die revolutionären Allegorien eingängig, universell und appellativ. Der Triumph der Allegorie der *Republik*, der auch der der *Liberté* ist (vgl. Kat.-Nr. 179), ist umgeben von den Allegorien der Vernunft, des Friedens und des Überflusses. Aus dem Licht ins Dunkel verbannt, werden vom Triumphwagen der Republik die Vertreter der alten monarchischen und absolutistischen Ordnungen überwunden. Eine für alle verständliche Bildsprache im Sinne der neuen Kommunikationsformen der *„bürgerlichen Öffentlichkeit"* (Habermas).

Literatur: Europa 1789. Aufklärung-Verklärung-Verfall, Ausst. Kat. Hamburg 1989, Nr. 403.

H. S.

180

tische Architekturmotive und altrömisches Heldentum, aber auch die modernen Revolutionsallegorien der *Republik*, von Gleichheit, Gesetz und Vernunft.

Ende des 18. Jahrhunderts sorgte die Erklärung der Menschenrechte in zahlreichen Ländern sogar über Europa hinaus für politischen Sprengstoff an den Fundamenten der alten absolutistischen Ordnungen und zur Entstehung oppositioneller aufgeklärt bürgerlicher Bewegungen, die allerdings großenteils durch die Praktiken des *terreurs* in Frankreich 1794 desillusioniert wurden. Die wesentlichen Inhalte der Menschenrechte – Gleichheit aller Menschen, Freiheit, Eigentum, Recht auf Opposition und Meinungsfreiheit, Gewaltenteilung und Kontrolle der staatlichen Macht – blieben vielerorts noch lange Zeit Ziel und Anliegen von Revolutionen und Reformen.

Literatur: Europa 1789. Aufklärung-Verklärung-Verfall, Ausst.-Kat. Hamburg 1989, Nr. 361.

H. S.

Gleichheit aller Menschen, Freiheit, Eigentum, Recht auf Opposition und Meinungsfreiheit, Gewaltenteilung und Kontrolle der staatlichen Macht.

181

181 „Droits de l'Homme et du Citoyen"
Jacques-Louis Copia (1764-1799) nach Alexandre-Evariste Fragonard (1780-1850)
Frankreich, vor 1799
Kupferstich
H. 44 cm, B. 28,5 cm
Hamburg, Kunsthalle, Inv.-Nr. 1980/72

Die Deklaration der Menschenrechte war – nach amerikanischem Beispiel – der Kern der neuen Gesellschaftsordnung Frankreichs seit 1789. Sie wurden bereits am 26. August 1789 von der Nationalversammlung angenommen, vom König Ludwig XVI. akzeptiert und wurden Teil der am 14. September 1791 verabschiedeten neuen konstitutionellen Verfassung. Seit 1789 wurden die 17 Paragraphen der Menschenrechte immer wieder in Gestalt feierlicher Bildformen wie Gesetzestafeln oder eines Altars abgedruckt. Die Bildfassung Fragonards zitiert – zur Steigerung der Würde – altägyp-

182 Napoleon Bonaparte
Antoine Chaudet (1763-1810)
Um 1808/09
Marmor
H. 50,5 cm
Speyer, Historisches Museum der Pfalz, Inv.-Nr. H.M.8.11.1911

Napoleon Bonaparte (1769-1821) ist eine Leitfigur der Zeit um 1800. Durch die Niederschlagung des royalistischen Aufstandes in Paris trat er 1795 ins Rampenlicht. Als Folge stieg er rasch zum Oberbefehlshaber auf. Mit seinen Feldzügen nach Italien (1796/97) und Ägypten (1798) erreichte er eine erste Machtposition. 1799 stürzte er das Direktorium und wurde Erster Konsul. 1802 machte er sich zum Konsul auf Lebenszeit und krönte sich 1804 selbst zum erblichen Kaiser der Franzosen. Napoleon überzog Europa mit mehreren Kriegen und dehnte dabei seinen Machtbereich mehr und mehr aus. Nach der Niederwerfung Österreichs (1805) und Preußens (1806) und dem Bündnisschluß mit Zar Alexander I. von Rußland (1807) war er auf dem Gipfel seiner Macht. Interessengegensätze mit dem Zar führten jedoch 1812 zum Bruch und zum Rußlandfeldzug, der Wendepunkt der napoleonischen Herrschaft über Europa wurde. Die Befreiungskriege (mit der Völkerschlacht bei Leipzig im Oktober 1813) führten zum Rückzug Napoleons auf französisches

182

Territorium und zu seinem Sturz. Er wurde auf die Mittelmeerinsel Elba verbannt und nach kurzer Rückkehr 1815 auf die englische Südatlantikinsel Sankt Helena verbracht, wo er auch starb.

Die Marmorbüste stellt Napoleon Bonaparte in idealisierter Weise mit jugendlichen, ruhigen Gesichtszügen dar. Der Bildhauer verzichtet auf jegliche Insignien der Macht, im antikisierenden Sinne auch auf Kleidung. Napoleon-Büsten dieser Art gehören zu den offiziellen Bildnissen des Kaisers, die in Amtsstuben und öffentlichen Gebäuden aufgestellt wurden. So soll auch der Speyrer Unterpräfekt Verny solch eine als Massenware verbreitete Büste erworben haben. Im Rückgriff auf antike Kunst gibt das Bildnis einen überzeitlichen und damit omnipotenten Herrscher wieder.

Literatur: Mainz in napoleonischer Zeit. Kultur- und Kunstgeschichtliche Aspekte, Ausst.-Kat. Mainz 1982, S. 140f., S. 161, Nr. 29, Abb. S. 141.

K. S.

183 „Der Schlaf [der Traum] der Vernunft gebiert Ungeheuer"
(„El sueño de la razon produce monstruos" – „Caprichos" Nr. 43)
Francisco de Goya (1746-1828)
Madrid, 1799
Radierung und Aquatinta
H. 21,6 cm, B. 15,2 cm (Platte)
Oldenburg, Stadtmuseum, Inv.-Nr. ER 55

Ursprünglich hatte Goya das Blatt als Titelblatt für einen seit 1797 unter dem Titel *Sueños (Träume)* in Arbeit befindlichen Zyklus druckgraphischer Blätter konzipiert. Als die achtzig Radierungen zwei Jahre später als *Caprichos (Launen, Einfälle)* erschienen, war es zwar als Nr. 43 in die Mitte gerückt, doch hat es bis auf den heutigen Tag nichts von seinem programmatischen Charakter verloren. In einem (vielleicht von Goya selbst stammenden) zeitgenössischen Kommentar, in dem die in den Bildern vorgetragene Kritik eher abgeschwächt wird, heißt es zur Erläuterung von *Capricho* Nr. 43: *„Die Phantasie, von der Vernunft verlassen, bringt unmögliche Monstren hervor; vereint mit ihr ist sie die Mutter der Künste und der Ursprung der Wunder."* Weil indes *sueño* nicht nur *Schlaf*, sondern auch *Traum* bedeutet, kann das Blatt auch so verstanden werden, daß die Monstren in den Träumen der Vernunft selbst ihren Ursprung haben. Bei dieser Lesart aber erweisen sich die *Caprichos* als eine zutiefst skeptische Beurteilung des sich dem Ende nähernden *aufgeklärten* Jahrhunderts.

Literatur: Goya and the Spirit of Enlightenment, Ausst.-Kat. Madrid / Boston / New York 1988/89, Boston 1989, S. XCVIII-CIV, 110-116. – Hofmann, Werner: Der Traum der Vernunft, oder: Täter und Opfer, in: Goya. Das Zeitalter der Revolutionen, 1789-1830, Ausst.-Kat. Hamburg 1980/81, S. 52-61, Nr. 3, Abb. – Hofmann, Werner: Notizen zu Goyas Capricho 43 [1964], in: Derselbe: Bruchlinien. Aufsätze zur Kunst des 19. Jahrhunderts, München 1979, S. 90-94. – Nordström, Folke: Goya, Saturn and Melancholy. Studies in the Art of Goya, Stockholm / Göteborg / Uppsala 1962, S. 116-132.

M. B.

Napoleon Bonaparte war eine Leitfigur der Zeit um 1800.

183

184 Johann Pezzl: „Faustin oder das philosophische Jahrhundert“
Zürich, 1783
Typendruck
H. 17,7 cm, B. 11 cm
Heidelberg, Universitätsbibliothek, G 7179

Johannes Pezzls (1756-1823) Roman *Faustin oder das philosophische Jahrhundert* war ein großer literarischer Erfolg, der mehrere Nachahmungen provozierte. Sein Held, Faustin, wird auf seinen leidvollen Streifzügen durch die Welt von der Idee des *„philosophischen, aufgeklärten Jahrhunderts“* vorangetrieben, das er freilich ebensowenig findet, wie Voltaires Romanheld Candide die *„beste aller Welten“*. Diese Hoffnung Faustins auf das *bessere* Jahrhundert führt jedoch vor Augen, wie sehr sich am Ende des 18. Jahrhunderts die Zukunftserwartungen und Sprachspiele der Aufklärung mit der Kategorie des Jahrhunderts verbunden hatten. Auf diesem Weg wurde der Jahrhundertwechsel zu einer symbolischen Schwelle, hinter der man eine veränderte Welt erwarten konnte.

Edition: Pezzl, Johann: Faustin oder das philosophische Jahrhundert. [Nachdruck der Ausgabe Zürich 1783] Mit Erläuterungen, Dokumenten und einem Nachwort von Wolfgang Griep, Hildesheim 1982.

Literatur: Bodi, Leslie: Tauwetter in Wien. Zur Prosa der österreichischen Aufklärung 1781-1795. 2. erweiterte Auflage Wien / Köln / Weimar 1995.

A. B.

185 Friedrich Schiller: „Die Götter Griechenlands“
Leipzig, 1804 (Erstausgabe: Weimar, 1788)
Typendruck
H. 17,9 cm, B. 11,2 cm
Marbach, Deutsches Literaturarchiv, H. Zugangsnummer V, 347

Friedrich Schillers (1759-1805) Gedicht veranschaulicht das in der spätaufklärerischen Religionskritik viel diskutierte Problem, wie sich der bildervolle polytheistische Mythos der heidnischen Antike mit dem christlichen Monotheismus in die strenge Würde der Gesetzlichkeit verwandelt hat. Das *„holde Blütenalter“* einer in all ihren Erscheinungen beseelt erscheinenden Natur ist der Herrschaft eines *„Andre[n] in des Äthers Reichen / Auf Saturnus umgestürztem Thron“* gewichen, der *„in dem langen Strom der Zeiten / Ewig nur – sein eignes Bild“* beschaut (V. 179 ff.). Der christliche Bildersturm der antiken Mythen als einer ersten, weit vor der Moderne liegenden Säkularisierung stellt die Dichtung – nach der zweiten Säkularisierung im Laufe des 18. Jahrhunderts – vor eine doppelte Aufgabe: einerseits die Erinnerung an die *„goldne Spur“* des Altertums *„in dem Feenland der Lieder“* zu beschwören, andererseits sich der größeren Herausforderung einer neuen Form der Dichtung zu stellen. Sie soll in diesen göttlichen Selbstbespiegelungsprozeß eintreten, um so den Menschen in dem Ideal einer Selbstheiligung durch die Kunst vielleicht wieder neu zu vergöttlichen.

Literatur: Koopmann, Helmut: Poetischer Rückruf. Die Götter Griechenlands, in: Interpretation. Gedichte von Friedrich Schiller, hg. von Norbert Oellers, Stuttgart 1996, S. 64-83.

L. v. L.

186 Friedrich Schiller: „Über die ästhetische Erziehung des Menschen in einer Reihe von Briefen“
in: „Die Horen. Eine Monatsschrift“
Weimar, 1795 (geschrieben: 1793)
Typendruck
H. 21,2 cm, B. 12,6 cm
Marbach, Deutsches Literaturarchiv, H. Zugangsnummer 4167

Friedrich Schillers (1759-1805) kritische Diagnose des revolutionären Zeitalters im fünften der 27 Briefe *Über die ästhetische Erziehung* sieht den Menschen *„aus seiner langen Indolenz und Selbsttäuschung aufgewacht, und mit nachdrücklicher Stimmenmehrheit fordert er die Wiederherstellung in seine unverlierbaren Rechte.“* Doch sowohl diese emanzipatorische Forderung als auch deren politische Umsetzung in Frankreich muß ihm unvollkommen erscheinen, solange dem Individuum noch die moralische Reife fehlt. Mittels der Kunst soll diese innere Freiheit des Menschen befördert werden. So entwirft Schiller im letzten Brief die Utopie eines *„ästhetischen Staats“*. Im *„Reiche des ästhetischen Scheins“* und – so ließe sich kritisch zu Schillers Rückwendung von der politischen Emanzipation auf die Erziehung des Individuums durch die Kunst anfügen – auch nur zum Schein *„wird das Ideal der Gleichheit erfüllt“*. Gleichwohl verzichtet Schiller in seiner Kritik an der (auch kulturellen) Entfremdung der modernen Zeit nicht auf die Formulierung des weltbürgerlichen Ideals, nach dem *„der Mensch durch die verwickelsten Verhältnisse mit kühner Einfalt und ruhiger Unschuld geht und weder nötig hat, fremde Freiheit zu kränken, um die seinige zu behaupten, noch seine Würde wegzuwerfen, um Anmut zu zeigen.“* Dieses soziale und individuelle Humanitätsideal – das ist die ungelöste politische Frage – hält sich jedoch nur in den Schranken der Kunst.

Literatur: Borchmeyer, Dieter: Weimarer Klassik. Porträt einer Epoche, 2. Auflage Weinheim 1998. – Friedrich Schiller. Zur Geschichtlichkeit seines Werkes, hg. von, Klaus L. Berghahn, Kronberg 1975. – Janz, Rolf Peter: Autonomie und soziale Funktion der Kunst. Studien zur Ästhetik von Schiller und Novalis, Stuttgart 1973.

L. v. L.

Kant beschreibt die Bedingungen, die gegeben sein müssen, damit Frieden grundsätzlich möglich sein wird.

187 Wilhelm Heinrich Wackenroder: „Herzensergießungen eines Kunstliebenden Klosterbruders"

Berlin, bei Johann Friedrich Unger, 1797 (anonym erschienen)
Typendruck
H. 15,6 cm, B. 10,3 cm
Marbach, Deutsches Literaturarchiv, JPA. Zugangsnummer 75. 1938

Das erzählend, beschreibend und zugleich kunsttheoretisch reflektierend angelegte schmale Buch von Wilhelm Heinrich Wackenroder (1773-1798), zu dem auch Ludwig Tieck beigetragen hat, ist das zentrale Werk romantischer Kunstreligion und ein Schlüsseltext der Frühromantik überhaupt. Aus der Perspektive eines Klosterbruders stellt es im empfindsam-schwärmerischen Ton religiöser Ergriffenheit vor allem die Lebensläufe der *„großen, gebenedeiten Kunstheiligen"* der Renaissance dar: Raffael, Leonardo, Michelangelo, Dürer. So soll beim Leser eine noch *„tiefere", „heilige Ehrfurcht"* für sie geweckt werden. Nach der aufklärerischen Religionskritik wird Kunst hier als neues Heiliges, als *„Allerheiligstes"* eingesetzt. Ohne Religion scheint es also auch in der Moderne nicht zu gehen. Gegenüber dieser heiligen Kunst sei *„die religiöse Liebe"* die allein angemessene Haltung: *„Harret, wie beim Gebet, auf die seligen Stunden, da die Gunst des Himmels euer Inneres mit höherer Offenbarung erleuchtet; nur dann wird eure Seele sich mit den Werken der Künstler zu einem Ganzen vereinigen."*

Die theoretischen Grundlagen für diesen Kult der Kunst, der um die Wenden zum 19. und 20. Jahrhundert besonders inszeniert wird, hatten die Schriften der Autonomieästhetik gelegt (Moritz, Kant). In ihnen war das Kunstwerk als eine in seinem Sinn unausschöpfbare, nie durch das Verstehen einholbare Totalität gesetzt worden. Den *Herzensergießungen* ist als zweiter Teil die Lebensgeschichte *des Tonkünstlers Joseph Berglinger* beigegeben. Dieses Leben verläuft katastrophal. Es läßt sich deshalb auch als skeptischer Kommentar einer Verabsolutierung der Kunst verstehen, wie sie der Klosterbruder praktiziert.

Literatur: Kemper, Dirk: Sprache der Dichtung. Wilhelm Heinrich Wackenroder im Kontext der Spätaufklärung, Stuttgart 1993. – Pikulik, Lothar: Frühromantik. Epoche – Werke – Wirkung, München 1992, S. 269ff.

W. Br.

188 Immanuel Kant: „Zum ewigen Frieden. Ein philosophischer Entwurf"

Königsberg, bei Friedrich Nicolovius, 1795
Typendruck
H. 19,5 cm, B. 12,7 cm
Marbach, Deutsches Literaturarchiv, R. Zugangsnummer D 87.0819

Schon im späten Mittelalter und im Humanismus wurde die Idee eines universalen, ewigen säkularen Friedens formuliert. Das naturrechtlich begründete Völkerrecht des 17. Jahrhunderts mußte freilich die Option des Krieges zur Sicherung der souveränen Zentralgewalt grundsätzlich vorsehen. Immanuel Kants (1724-1804) *philosophischer Entwurf* ist der wohl bedeutendste klassische philosophische Text zur Politik. Er ist der Aufklärung und zugleich auch Kants transzendentalphilosophischem Ansatz verpflichtet und erschien in einer Zeit, in der die Französische Revolution bei vielen Intellektuellen in Deutschland zunächst große Hoffnungen geweckt und dann durch ihren realen Verlauf enttäuscht hatte.

Kant geht es nicht primär um konkrete, praktische Vorkehrungen der Politik zur Sicherung eines etwa schon bestehenden Friedens, sondern um die allgemeinen Bedingungen und Voraussetzungen, die gegeben sein müßten, damit Frieden grundsätzlich möglich wird. Die freie, selbstbestimmte Vernunft muß Gesetzgeberin eines solchen universalen Friedens sein; und deshalb werden diese Bedingungen als Gesetzesparagraphen formuliert. Insbesondere sind dies: eine republikanische Verfassung; die Preisgabe einer naturrechtlichen Begründung zwischenstaatlicher Beziehungen; ein *„freier Föderalismus"* der Staaten und ihre Organisation als Völkerbund auf völkerrechtlicher Basis; ein allgemeines Weltbürgerrecht; das Verbot gewaltsamer Einmischung; die grundsätzliche Vermeidung aller Maßnahmen, die das Vertrauen zwischen den Staaten gefährden; die Abschaffung stehender Heere.

Im *ewigen Frieden* wäre dann realisiert, was die eigentliche Bestimmung des Menschen als ein moralisches, freies Vernunftwesen ist. *Ewiger Friede* ist für Kant deshalb keine bloß *„leere Idee, sondern eine Aufgabe, die, nach und nach aufgelöst, ihrem Ziele [...] beständig näher kommt."* Kants Entwurf wurde rasch lebhaft und kontrovers diskutiert.

Edition: Kant, Immanuel: „Zum ewigen Frieden", Berlin 1995.

Literatur: Cavallar, Georg: Pax Kantiana. Systematisch-historische Untersuchung des Entwurfs „Zum ewigen Frieden" (1795) von Immanuel Kant, Böhlau u.a. 1992. – Merkel, Reinhard: „Zum ewigen Frieden". Grundlagen, Aktualität und Aussichten einer Idee von Immanuel Kant, Frankfurt a.M. 1996.

W. Br.

189 Novalis: „Die Christenheit oder Europa"
Hamburg, 1946 (entstanden: 1799; Erstausgabe: Hamburg,1826)
Typendruck
H. 19,7 cm, B. 11,6 cm
Marbach, Deutsches Literaturarchiv, W. Zugangsnummer 83.0813

Die posthume Veröffentlichung von Novalis' (d. i. Friedrich von Hardenberg, 1772-1801) Essay *Die Christenheit oder Europa* in der Ära der Heiligen Allianz ließ ihn als ein politisch obskurer oder gar reaktionärer Text erscheinen. Vor dem Hintergrund der Jahrhundertwende um 1800 jedoch erweist er sich als ein literarisch-philosophischer Eingriff in die zeitgenössischen Debatten *„Zum ewigen Frieden"* (vgl. Kat.-Nr. 188). Anspielungen auf Kants gleichnamige Schrift finden sich ebenso wie Anknüpfungen an die frühromantische Theoriebildung, an Fichte und Schlegel, aber auch an Lessing und Herder. Deren Überlegungen zur Vervollkommnung des Menschengeschlechts im Gang durch die Geschichte schließt Novalis in einem triadischen Geschichtsmodell an die tausendjährige Geschichte des Christentums an. Diese beginnt in einem romantisch verstandenen Mittelalter, entfremdet sich in den Jahrhunderten der Reformation und der Aufklärung und soll nun vor den revolutionären Umwälzungen der Moderne zu einem neuen Zeitalter führen, wenn *„[die Nationen] Werke des Friedens vornehmen, und ein großes Liebesmahl, als Friedensfest, auf den rauchenden Wahlstätten mit heißen Tränen [feiern ...]. Nur die Religion kann Europa wieder aufwecken und die Völker sichern, und die Christenheit mit neuer Herrlichkeit sichtbar auf Erden in ihr altes friedenstiftendes Amt installiren."* Dichtung als religiöse Poesie ist Novalis' Konzept für diese Herausforderungen der Zeitenwende um 1800.

Literatur: Malsch, Wilfried: Europa, poetische Rede des Novalis. Deutung der französischen Revolution und Reflexion auf die Poesie in der Geschichte, Stuttgart 1965.

L. v. L.

Das Brandenburger Tor in Berlin sollte 1792 als „Friedenstor" benannt werden.

Das Brandenburger Thor (in Berlin).

190

190 „Das Brandenburger Thor (in Berlin)"
Anonym
1833
Holzschnitt
H. 9,7 cm, B. 13,9 cm (Druckstock)
Karlsruhe, Badisches Landesmuseum, Inv.-Nr. 99/108

Am 3. April 1792 erging an die Berliner Akademie der Künste ein Erlaß, das 1788 nach Plänen von Carl Gotthard Langhans (1732-1808) begonnene, 1790 im Rohbau vollendete und im August 1791 dem Verkehr übergebene Brandenburger Tor in Verbindung mit seinem 1789 in Auftrag gegebenen figürlichen Schmuck auch in einer – allerdings nie realisierten – Inschrift als *„Friedensthor"* zu benennen. Diese explizite Form war möglicherweise deshalb vorgeschlagen worden, weil zwar der sein Schwert in die Scheide steckende Kriegsgott Mars im Durchgang und das Attikarelief mit dem *Zug des Friedens*, nicht jedoch die bekrönende Siegesgöttin mit der Quadriga als eindeutiges Sinnbild für den nach einer von Kriegen bestimmten Periode erhofften Frieden begriffen werden konnte. Vielleicht hatte der um 1800 übermächtig werdende Gedanke des im kommenden Jahrhundert ersehnten Friedens aber schon bei der Wahl der architektonischen Gestalt eine Rolle gespielt – hatte sich doch der Architekt bewußt von der traditionellen, am römischen Triumphbogen orientierten Form des Stadttores abgewandt und statt dessen als Vorbild das *Stadt-Thor von Athen* (für das er die Propyläen der Akropolis hielt) gewählt.

Literatur: Das Brandenburger Tor 1791-1991. Eine Monographie , hg. von Willmuth Arvenhoevel und Rolf Bothe, Berlin 1991. – Krenzlin, Ulrike: „Indem solche Colossus nur alle Jahrhunderte vorfallen". Das Brandenburger Tor, in: Johann Gottfried Schadow und die Kunst seiner Zeit, Ausst.-Kat. Düsseldorf / Nürnberg / Berlin 1994/95, S. 72-79.

M. B.

191

191 Medaille auf König Friedrich Wilhelm III. von Preußen mit Dank für Frieden am Ende des 18. Jahrhunderts
Daniel Friedrich Loos (1735-1819) und Johann Veit Döll (1750-1835)
Berlin, 1800
Silber und Bronze, geprägt
Dm. 36 mm
Dresden, Staatliche Kunstsammlungen, Münzkabinett, Inv.-Nrn. 925 und 3415

Vorderseite: *FRIEDRICH WILHELM III KOENIG VON PREUSSEN*
Brustbild des Königs (1797-1840) in Uniform mit dem Stern des Schwarzen Adler Ordens nach links. Unten die Signatur *LOOS*

Rückseite: *IHM DANKEN WIR AM SCHLUSSE DES JAHRHUNDERTS*
Auf einer Anhäufung von Symbolen des Friedens, des Handels und der Prosperität sitzt der preußische Adler mit einem Ölkranz im Schnabel.
Im Abschnitt: *DES FRIEDENS SEGNUNGEN 1800*

Literatur: Sommer, Klaus: Die Medaillen des Königlich Preussischen Hof-Medailleurs Daniel Friedrich Loos und seines Ateliers, Osnabrück 1981, Nr. A 68.

P.-H. M.

192 „Die Lage von Mannheim am Ende des 18. Jahrhunderts"
Albert Friedrich (anonym erschienen)
Mannheim, bei Ferdinand Kaufmann, 1798
Typendruck; Titelkupfer, koloriert
H. 18,7 cm, B. 12 cm
Mannheim, Reiss-Museum, Bibliothek, M 1895

Nachdem Frankreich in den Revolutionskriegen das linke Rheinufer in Besitz genommen hatte, war Mannheim zur Grenzstadt geworden. Die Hauptstadt der Pfalz war damit von ihrem Hinterland abgeschnitten und Grenzfestung geworden. Sie drohte ihre Funktion als Sitz der Landesbehörden (und damit als Beamtenstadt) sowie als Standort von Kultur- und Wissenschaftseinrichtungen zu verlieren. Der anonyme Autor, hinter dem sich der ortskundige Regierungsrat Albert Friedrich verbarg, thematisierte diese Situation Mannheims *in Beziehung auf eine zu erwartende Transplantation im Verhältnisse als Hauptstadt und Gränzfestung der Pfalz am Rhein* (Untertitel). Er sprach sich für die Beibehaltung der bisherigen Funktionen aus, zumal alle früheren Bemühungen, Mannheim zur Industrie- oder Handelsstadt zu machen, erfolglos geblieben waren.

Das Titelblatt der Schrift ziert die farbige Darstellung einer Engelsgestalt, die Blüten über dem Erdball ausstreut. Die Bildunterschrift lautet: *„Frieden und Gedeihen der ganzen Welt"*. Damit ist auch dieses kleine Buch ein Zeugnis der Friedenshoffnungen am Ende des 18. Jahrhunderts.

Literatur: Walter, Friedrich: Geschichte Mannheims von den ersten Anfängen bis zum Übergang an Baden (1802), Mannheim 1907, Bd. 1, S. 863f.

J. D.

192

Die Lage
von
Mannheim
am
Ende des achtzehnten Jahrhunderts.

in Beziehung auf eine zu erwartende Transplantation, im Verhältnisse als Hauptstadt und Gränzfestung der Pfalz am Rhein.

Frieden und Gedeihen der ganzen Welt!

bei Ferdinand Kaufmann in Mannheim
1798.

193 Georg Christoph Lichtenberg: „Rede der Ziffer 8 am jüngsten Tage des 1798ten Jahres im Großen Rat der Ziffern gehalten"

in: „Göttinger Taschen Calender für das Jahr 1799"
Göttingen, bei Johann Christian Dietrich, 1799
Typendruck
H. 10,5 cm, B. 6,2 cm
Marbach, Deutsches Literaturarchiv, D4. Zugangsnummer 70.1084

Am 31. Dezember 1798, einen Tag vor ihrem Abgang von der *„Bank der Einer"*, ein Jahr und einen Tag vor ihrer Rückkehr auf *„die [Bank] der Hunderte"*, auf der sie, wie sie sagt, *„nun seit ultimo Decembris 899 nicht gesessen"* habe, hält die Ziffer 8 im *„Großen Rat der Ziffern"* eine ziemlich geschwätzige Rede, in der es in der Hauptsache um die Frage geht, *„wann und an welchem Tage [...] Personen, die viel auf Geburtstags-Schmäuse halten, den Geburtstag des neunzehenten Jahrhunderts feiern"* sollen: *„am 1ten Jänner 1800 oder 1801?"*. Obwohl ihr dabei *„das Herz blutet"*, räumt sie ein, daß ihr *„Antrittsjahr 1800 noch an das vergangene"* Jahrhundert werde *„abgeliefert werden müssen"*. Von besonderem Interesse ist dabei die von Lichtenberg (1742-1799) der Ziffer 8 in den Mund gelegte Feststellung, daß bisher von keiner ihrer Schwestern *„bei ähnlichen Gelegenheiten öffentlich im großen Rat wäre gesprochen worden"*: Ein Hinweis auf die Tatsache, daß die Wende vom 18. zum 19. Jahrhundert die erste ist, die in weiteren Kreisen als solche begriffen wird.

Edition: Georg Christoph Lichtenberg: Schriften und Briefe, hg. von Wolfgang Promies, Bd. 3: Aufsätze, Entwürfe, Gedichte, Erklärung der Hogarthischen Kupferstiche, München 1972, S. 458-469; Kommentar zu Bd. 3, S. 215-220.

Literatur: Mautner, Franz H.: Lichtenberg. Geschichte seines Geistes, Berlin 1968, S. 406-409.

M. B.

194

194 Medaille zum Schluß des 18. Jahrhunderts

Daniel Friedrich Loos (1765-1819)
Berlin, um 1800
Silber, geprägt
Dm. 46 mm
Karlsruhe, Badisches Landesmuseum, Münzkabinett, Sammlung Siegel
Stuttgart, Württembergisches Landesmuseum, Münzkabinett, ohne Inv.-Nr.

Vorderseite: *VERGANGEN SEY DAS ÜBEL, FROH DIE ZUKUNFT*
Eine Herme mit einem Januskopf, nach links ein älteres, bärtiges Gesicht, nach rechts ein jugendliches. Die Köpfe sind mit Ähren, Weinlaub und Rosen geschmückt. Unter dem älteren Gesicht eine verlöschende Fackel, unter dem jüngeren ein Füllhorn. Auf dem Sockel der Herme die Signatur *L.*
Im Abschnitt: *ZUM SCHLUSS DES ACHTZEHNTEN JAHRHUNDERTS.*

Rückseite: *DER EDLE BAUM VERBREITE SCHIRM UND FRUCHTE*
In bäuerlicher Landschaft sitzt ein Hirte unter einem früchtetragenden Baum und bläst eine Schalmei. Links die Strahlen der aufgehenden Sonne des neuen Jahrhunderts.
Im Abschnitt: *WUNSCH ZUM NEUNZEHNTEN JAHRHUNDERT*

Literatur: Sommer, Klaus: Die Medaillen des Königlich Preussischen Hof-Medailleurs Daniel Friedrich Loos und seines Ateliers, Osnabrück 1981, Nr. B 77/2.

P.-H. M.

195 Jean Paul: „Titan"

Berlin, bei Matzdorff, 1800
Typendruck
H. 18 cm, B. 11,5 cm
Karlsruhe, Badische Landesbibliothek, 50 A 1457,1

Für Jean Paul (1763-1825) selbst war der *Titan* sein *„General- und Kardinalroman"*. Zugleich ist es sein geschlossenster Roman. Die sonst üblichen Exkurse werden in den Anhang ausgelagert; das Humoristische tritt zurück. Indem Jean Paul die Bildungsgeschichte des *„Hohen Menschen"* erzählt, nimmt er implizit auch Stellung zur noch jungen Gattung des Bildungsromans (Wieland, Hölderlin, Goethe). Er bezieht die epochalen Diskurse der Zeit um 1800 ein und relativiert sie alle, freilich ohne sie einfach zu verwerfen und zu vergessen, wieviel er ihnen selbst verdankt: so den aufklärerisch-pädagogischen Diskurs, dem er im utopisch-versöhnlichen Schluß nur scheinbar uneingeschränkt zustimmt; den poetisch-ästhetischen, wie er sich um 1800 in der Weimarer Klassik und der Romantik darstellt; den philosophischen des deutschen Idealismus (Kant, Fichte); den politischen, der im Zeichen der Französischen Revolution und ihrer realen Entwicklung steht. Der Roman läßt sich so als umfassende Bilanz und Kritik des *„Säkulums"* lesen, in der solche Offenheit und Vielstimmigkeit gestaltend zu leben aus der Geselligkeit des Herzens heraus zur *conditio humana* wird.

Literatur: Golz, Jochen: Welt und Gegen-Welt in Jean Pauls Titan, Stuttgart 1996. – Jacobs, Jürgen / Krause, Markus: Der deutsche Bildungsroman. Gattungsgeschichte vom 18. bis zum 20. Jahrhundert, München 1989, S. 117ff.

W. Br.

196 „Denckmal bei dem Wechsel des Jahrhunderts MDCCCI"

Johann Peter Beer (1782-1851, Stecher), K. Mahler (Entwurf)
Frankfurt a. M., 1800
Kupferstich
H. 29,3 cm, B. 45 cm
Frankfurt a. M., Historisches Museum, Inv.-Nr. C 9723

Auf ein in der endgültigen Anlage pyramidenartig gedachtes, in der bislang realisierten Form aus siebzehn Steinblöcken gefügtes Mal wuchtet Kronos/Saturn, die Personifikation der Zeit, den achtzehnten, das zu Ende gehende Jahrhundert symbolisierenden Quader. Während im Vordergrund links ein geflügelter Genius noch über einige wichtige Erfindungen des 18. Jahrhunderts – Blitzableiter, Telegraph und Ballon – nachdenkt, schaffen rechts vier die Erdteile Europa, Asien, Afrika und Amerika vorstellende Kinder den Stein für das 19. Jahrhundert herbei. In der himmlischen Region scheint sich eben eine Auseinandersetzung zwischen den Göttern des Friedens und des Krieges zugunsten des letzteren entschieden zu haben.

Würdigt der im Jahr 1800 entstandene Kupferstich auf diese Weise das Ereignis der Jahrhundertwende in allegorischer Form, liefert er gleichzeitig einen Hinweis auf die Relativität und auf die kulturelle Bedingtheit jeder Zeitrechnung und jedes Kalenders – wächst doch im Hintergrund ein zweiter, nach jüdischer Zeitrechnung seit der Erschaffung der Welt (im Jahr 3761 v. Chr.) aus bisher 57 Jahrhundertblöcken errichteter Pyramidenstumpf empor.

Literatur: FFM 1200. Tradition und Perspektiven einer Stadt, Ausst.-Kat. Frankfurt 1994, S. 182, Nr. 5/41, farb. Abb.

M. B.

197 Jean Paul: „Die wundersame Gesellschaft in der Neujahrsnacht"

Bremen, bei Friedrich Wilmans, 1801 (geschrieben: 1800)
Typendruck
H. 16 cm, B. 10,5 cm
Stuttgart, Württembergische Landesbibliothek, d.D.oct.9837

Die Erzählung ist eine der für Jean Pauls (1763-1825) Werk – und die Literatur um 1800 überhaupt – wichtigen Traumdichtungen und einer der wenigen literarischen Texte, die sich *explizit* mit der Jahrhundertwende selbst auseinandersetzen. Sie war ursprünglich für F. H. Jacobis *Taschenbuch auf 1801* gedacht, wurde dann aber zusammen mit der Erzählung *Das heimliche Klaglied der jetzigen Männer* in einem eigenen Bändchen veröffentlicht.

Der Erzähler bezweifelt zunächst den Sinn, angesichts des unmittelbar bevorstehenden Jahrhundertwechsels in die Zukunft vorausschauen zu wollen. Nur die Retrospektive verleihe *„muthige Jugend-Gefühle"*; *„vorauszublicken"* jedoch, *„weit über unsern letzten Tag hinweg"*, *„verfinstert und belastet das freie Herz. Dadurch verdorrt uns die Gegenwart zur Vergangenheit"*. Damit relativiert die Erzählung ein modernes und doch nur naiv aufgeklärtes Denken, wenn es sich ganz auf die Zukunft hin ausrichtet. Denn so wird die Gegenwart zum bloßen Durchgangsstadium entwertet.

Dann erscheint dem Erzähler eine Gruppe Traumfiguren, deren Visionen anspielungsreich, angesichts *„der Gruft des Jahrhunderts"*, die Tage des *„letzten Menschen"* auf der *„kleinen Erde"* und das Ende der ganzen *„Geisterstunde der Erd-Erscheinungen"* imaginieren. Doch die apokalyptische Vision verschwindet, als *„meine Hermina"* ins Zimmer kommt und der Erzähler so daran erinnert wird, daß *„der Mensch nur durch den Menschen in das Tageslicht des Lebens eintritt"*. Die Gemeinschaft der Herzen hat das letzte Wort; sie ist zwar ironisch getönt, wird dabei aber doch nicht völlig relativiert: *„wir feierten sanft die ernste Stunde"*.

W. Br.

198 Jean Paul: „Huldigungspredigt vor und unter dem Regierungsantritt der Sonne, gehalten am Neujahr 1800 vom Frühprediger dahier"

Erstabdruck in: „Überflüssiges Taschenbuch auf das Jahr 1800", hg. von Friedrich Heinrich Jacobi
Hamburg, bei Friedrich Perthes, 1800
Typendruck
H. 15,4 cm, B. 10,2 cm
Marbach, Deutsches Literaturarchiv, Glück: D 4. Zugangsnummer FG. 1591

Der astrologische Zusammenhang wird in der ersten Anmerkung erläutert: *„Der Kalenderanhang nimmt unter die Heptarchie der 7 regierenden Planeten auch die Sonne auf und gibt ihr gerade auf das Valetjahr des Säkulums den Zepter."* Eine Huldigung ist das Treuegelöbnis der Untertanen, das in eine Reihe weiterer zeremonieller Akte eingelassen ist. Diese politische Anspielung ist wichtig: Angesichts des *„scheidenden Jahrhunderts"* huldigt Jean Pauls (1763-1825) literarische Predigt in einem Parforceritt durch die Kulturgeschichte der Sonne, *„dieser Himmelskönigin"* und *„Mutter der Erden und Blüten und Früchte"*, um mit einem zugleich emphatischen und skeptischen Wunsch für das neue Jahrhundert zu schließen: *„Ach! wirst du dann noch, segnendes Gestirn, unter unsern Füßen auf eine ganz neue Welt voll geraubter, mit Narben und Schweiß bedeckter Menschen scheinen, welche dein heiliges Licht nur quälen kann? – O gib Liebe der alten Welt und Freiheit der neuen! —"*

Die als selbständiger Text entstandene Predigt wurde später weitgehend unverändert zwischen das erste und zweite *Bändchen* des 1809 erschienenen Romans *Dr. Katzenbergers Badereise* eingefügt.

Literatur: Neumann, Peter Horst: Die Werkchen als Werk. Zur Form- und Wirkungsgeschichte des Katzenberger-Korpus von Jean Paul, in: Jahrbuch der Jean-Paul-Gesellschaft 10 (1975) S. 151-186. – Schaer, M.: Ex negativo. Dr. Katzenbergers Badereise als Beitrag Jean Pauls zur ästhetischen Theorie, Göttingen 1983.

W. Br.

XVI. Luther u. Calvin bewirckendie Reformation
XVII. Westphälischer Religions=Frieden.
XVIII. Friedrich
XIII. Völlige Landes hoheit der Reichs Stände und VII Kurfürsten
XIV. Der Mönch Schwartz erfindet das Schieß pulver
XV. Columbus entdeckt die neue Welt
X. Regirt der erste Römische Pabst als Papst
XI. Deutschland wird ein Wahl Reich
XII. Stiftung des Deutschen Ritter Ordens
VII. Paul Anafeste erster Doge der Venetianer
VIII. zu Frankfurt am Main wird die erste Kirchen=versamlung gehalten
IX. Ludwig Stiftet das Deutsche Reich
IV. Das Christenthum breitet sich in Deutschland aus
V. Zerstöhrung des Abendländischen Kaiserthums
VI. Zerstöhrung des Ostgothischen Reichs in Italien
I. Christus Stiftet seine Religion
II. Verfolgungen der Christen durch die Heyden
III. Die deutschen Bewohner des Rhein und Mains fangen an wichtig zu werden
XIX
Inventirt u. gezeichnet von … Möhler
Denckmal bei dem Wechsel des Jahrhunderts MDCCCI
Radirt von J. P. … 1800 Franckfurt …
Eine Pyramide auf welcher die 18 verflossenen Jahrhunderte eingegraben sind, Saturn stellt so eben das 18 Sacul: bei; vier Kinder, die vier Welttheile vorstellend bringen das 19) Sacul: hervor. Ein sitzender Genius überdenckt die Erfindungen der Menschen; In einer Paradiesischen Gegend zeigt sich eine zweite Pyramide von 57 Sacul: die von Erschaffung der Welt bis auf diese zeit verflossen sind, Jupiter sitzt auf seinem Wolcken thron, befiehlt dem Mars nochmals sein Schwerdt zu zücken, die Göttin des Friedens entfernt sich vom Throne, die Hoffnung sucht sie auf zu halten; die bedrängte Erde sieht ihr sehnsuchts voll nach u. flehet um Rettung; Minerva zeigt auf den festlichen Tag; ein Genius bekränzt ihn mit Blumen.

196

„Und auf Blindheit und Nacht folge nun Licht und Vernunft."

199 August von Kotzebue: „Das neue Jahrhundert. Eine Posse in Einem Akt"

in: „Neue Schauspiele, Bd. 5"
Leipzig, bei Paul Gotthelf Kummer, 1801
Typendruck
H. 17 cm, B. 11 cm
Karlsruhe, Badische Landesbibliothek, 61 A 2357, 5

Der politisch reaktionäre August von Kotzebue (1761-1819) beherrschte um 1800 mit seinen platten, aber geschickt gemachten bürgerlichen Theaterstücken die deutschen Bühnen – weit mehr als Goethe und Schiller. Sein Theaterstück *Das neue Jahrhundert. Eine Posse in Einem Akt* wurde am Silvesterabend 1799 uraufgeführt. Es handelt mit allen gängigen Argumenten den Terminstreit um den Beginn des 19. Jahrhunderts ab. Die Hauptfiguren treten mit ganz persönlichen Argumenten für das ein oder andere Datum ein: Wilhelmine, die Tochter des vermögenden Kaufmanns Werlhof, hat vor Jahren dem Landjunker Schmalbauch versprochen, ihm am letzten Tag des alten Jahrhunderts auf seinen Heiratsantrag zu antworten. Obwohl sie sich ihrer negativen Gefühle sicher ist, würde sie die Antwort gerne ein Jahr hinauszögern und plädiert deswegen für 1801. Schmalbauch dagegen wünscht sich ein rasches Eheversprechen, da er Wilhelmines Geld möchte und spricht sich also für das Jahr 1800 aus. Kaufmann Werlhof erwartet von Schmalbauchs Vater am ersten Tag des neuen Jahrhunderts die Rückzahlung eines Kredits und erklärt deswegen das Jahr 1800 als Beginn des 19. Jahrhunderts. Schmalbauch senior ist der einzige, der zwischen den Daten hin- und herschwankt: Einerseits wünscht er die baldige Heirat seines Sohnes, die ihm genug Geld einbringen wird, um den Wechsel zu begleichen; die Rückzahlung soll aber erst in einem Jahr geschehen; andererseits hat ihm eine Wahrsagerin prophezeit, er werde am *„letzten Tage des 18ten philosophischen Jahrhunderts"* sterben, weswegen er inständig auf den späteren Termin hofft.

J. D.

200 Karl Ludwig von Knebel: „Dem neuen Jahrhundert"

in: „Oster Taschenbuch von Weimar, auf das Jahr 1801"
Weimar, bei den Gebrüdern Gädicke, 1801
Typendruck
H. 14,7 cm, B. 9,0 cm
Marbach, Deutsches Literaturarchiv, D 4. Zugangsnummer 55.160

„Unter Thränen beginnt den lieblichsten Tag Aurora,
Und aus düsterer Nacht stralet die Sonne hervor.
Möge dein Bild dies sein, Jahrhundert! das uns emporsteigt,
Und auf Blindheit und Nacht folge nun Licht und Vernunft."

Mit dem Bild der aufgehenden Sonne wurden häufig die positiven Erwartungen an das beginnende 19. Jahrhundert charakterisiert (vgl. Kat.-Nr. 201). Zudem ist erneut die Hoffnung zum Ausdruck gebracht, mit dem neuen Jahrhundert möge ein Zeitalter der Vernunft beginnen.

Karl Ludwig von Knebel (1744-1834) gehörte in Weimar dem Kreis um Goethe und Schiller an. Er war Mitarbeiter an den Horen, der Literaturzeitschrift der deutschen Klassik. Knebel sandte das Gedicht mit einem Gruß zum neuen Jahrhundert an Johann Gottfried von Herder und dessen Ehefrau Caroline. In einem Antwortschreiben vom 21. Januar 1801 zeigte sich Caroline von Herder gerührt über *„diese vier goldenen Zeilen"*. Mit dem Abdruck im *Oster Taschenbuch [...]* war Knebel wegen dessen sonstigem Inhalt unzufrieden.

Literatur: Die deutschen Säculardichtungen an der Wende des 18. und 19. Jahrhunderts, hg. und eingeleitet von August Sauer, Berlin 1901, S. 294, Nr. 114, S. 594.

J. D.

201

gehen konnte, so sind wir doch recht lustig gewesen. Das angekündigte Feuerwerk machte rasend Effect, es dauerte am 31. December 1800 Abends von 6 Uhr 8 Minuten genau bis 6 Uhr $9\frac{3}{4}$ Minuten, es war auch eine Glitsche auf dem Norderfelde, zu Hause aber eine transparente Erleuchtung präcise in der ersten Minute des neuen Jahrhunderts, die Worte lauteten:

Vivat 1801.

Leuchte freundlich, o Sonne! der Kunst im neuen Jahrhundert!

Das Licht wurde durch den Knall eines kleinen Vexierglases ausgethan und der Dunst dieser Erleuchtung schimmerte uns aus der Kammerthür in die Augen. Lieber, ich drücke dich von gan-

201 Philipp Otto Runge: Brief an den Bruder Daniel mit der Zeichnung einer aufgehenden Sonne, geschrieben in Kopenhagen am 6. Januar 1801
in: „Hinterlassene Schriften von Philipp Otto Runge, Mahler, hg. von dessen älterem Bruder, 2. Teyl", Hamburg 1841, S. 62f.
Typendruck
H. 21,5 cm, B. 13,9 cm
Marbach, Deutsches Literaturarchiv, Glück: S 1, Zugangsnummer FG. 4679

Aus Kopenhagen, wo er von Ende 1799 bis Ende März 1801 zur Ausbildung weilte, berichtete Philipp Otto Runge (1777-1810) am 6. Januar 1801 seinem Bruder Daniel in Hamburg über die kalendarisch korrekte Begrüßung des neuen Jahrhunderts in der Nacht vom 31. Dezember 1800 auf den 1. Januar 1801. (Der Brief ist im Original nicht erhalten.) Neben dem Hinweis, daß *„die eigentlich öffentliche und allgemeine Feyer des neuen Jahrhunderts hier und im ganzen Königreich ausdrücklich verbeten und verboten"* gewesen sei, ist vor allem die Beschreibung einer im privaten Rahmen vorgeführten *„transparente[n] Erleuchtung präcise in der ersten Minute des neuen Jahrhunderts"* von Interesse, bei der über und unter dem Bild einer aufgehenden Sonne die Worte *„Vivat 1801."* und *„Leuchte freundlich, o Sonne! der Kunst im neuen Jahrhundert!"* zu lesen waren. Wenn in dieser Zeichnung mit Jörg Traeger eine Keimzelle für die strenge Frontalisierung der aufgehenden Sonne in den beiden späteren *Morgen*-Gemälden (vgl. Kat. Nr. 202) gesehen werden kann, dann darf vielleicht auch eine Verbindung zwischen dem Jahrhundertwende-Bewußtsein und dem Bewußtsein der historischen Wendezeit, die dem Zeiten-Zyklus zugrundeliegt, nicht ausgeschlossen werden.

Literatur: Traeger, Jörg: Philipp Otto Runge und sein Werk. Monographie und kritischer Katalog, München 1975, S. 306, Nr. 185, Abb.

M. B.

202

202 „Der Morgen" („Der Kleine Morgen")
Philipp Otto Runge (1777-1810)
Erwin und Otto Speckter (Stecher)
1825 (nach einer vor Mitte Februar 1808 entstandenen Feder- und Pinselzeichnung)
Lithographie
H. 43,3 cm, B. 33,9 cm
Hamburg, Kunsthalle, Inv.-Nr. 17393

In den beiden Gemälden in der Hamburger Kunsthalle *Kleiner Morgen* (1808) und *Großer Morgen* (1808-1810; nur fragmentarisch erhalten) kulminiert Philipp Otto Runges durch seinen frühen Tod unvollendet gebliebenes Projekt eines *Zeiten-Zyklus,* an dem er seit 1802 gearbeitet hatte. Mit den nach den vier Tageszeiten benannten Bildern, die darüber hinaus aber auch stehen für die vier Jahreszeiten, für die Lebenszeiten des Menschen, für die Weltzeiten und schließlich für Zeit und Ewigkeit schlechthin, hatte Runge eine umfassende Aussage über eine grundlegend neue Kunst im Sinn, die seiner Überzeugung nach in der historischen Wendezeit, in der zu leben er überzeugt war, im Entstehen begriffen sein mußte. Diese Neugeburt findet naturgemäß im Morgen – in der Vorstellung der Entstehung der Welt aus der Scheidung von Finsternis und Licht und im Bild der aufgehenden Sonne – ihren angemessensten Ausdruck.

Literatur: Traeger, Jörg: Philipp Otto Runge und sein Werk. Monographie und kritischer Katalog, München 1975, S. 46-52, 343-363, 417-433, bes. S. 425-427, Nr. 395/I, Abb. – Derselbe: Philipp Otto Runge oder Die Geburt einer neuen Kunst, München 1977, S. 126-129.

M. B.

*„Vivat 1801.
Leuchte freundlich, o Sonne!
der Kunst im neuen
Jahrhundert!"*

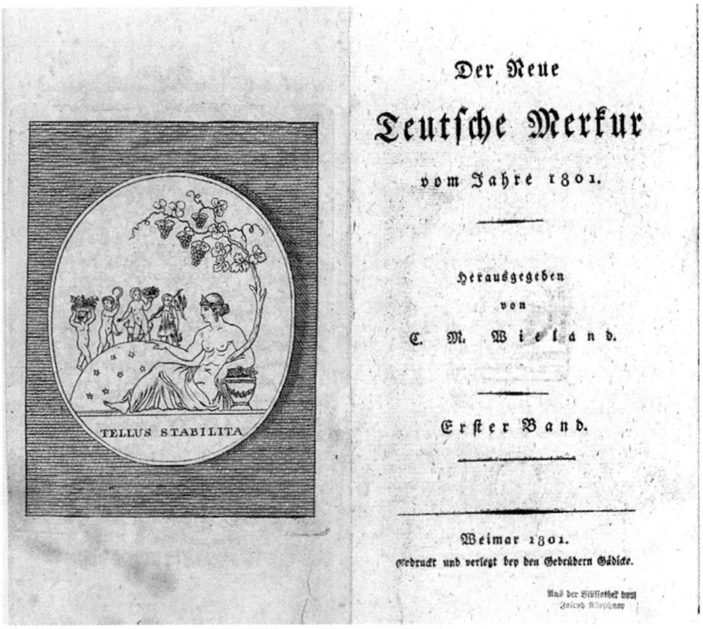
TELLUS STABILITA

Der Neue
Teutsche Merkur
vom Jahre 1801.

Herausgegeben
von
C. M. Wieland.

Erster Band.

Weimar 1801.
gedruckt und verlegt bey den Gebrüdern Gädicke.

203

Literatur: Miquet, Claude: C. M. Wieland, directeur du „Mercure allemand" (1773-1789). Un dessein ambitieux, une réussite intellectuelle et commerciale, Frankfurt a. M. u. a. 1990. – Sahmland, Irmtraut: Christoph Martin Wieland und die deutsche Nation. Zwischen Patriotismus, Kosmopolitismus und Griechentum, Tübingen 1990. – Starnes, Thomas C.: Der Teutsche Merkur. Ein Repertorium, Sigmaringen 1994.

L. v. L.

204

203 Karl August Böttiger: „Die beruhigte Welt (Zur Erklärung des Titelkupfers)"

in: „Der Neue Teutsche Merkur vom Jahre 1801, erstes Stück", hg. von Christoph Martin Wieland
Weimar, bei Gebrüdern Gädicke, Januar 1801
Typendruck, Kupferstich
H. 18,2 cm, B. 11,5 cm
Marbach, Deutsches Literaturarchiv, X. Zugangsnummer 5466

Fast über sein ganzes langes literarisches Schaffen begleitete Wieland sein 1773 ins Leben gerufener *Teutscher Merkur,* der von 1790 bis 1810 dann als *Neuer Teutscher Merkur* mit wechselnden Mitherausgebern weitergeführt wurde. Publizistisches Vorbild war der *Mercure de France.* Im *Merkur* findet sich eine breite Vielfalt an Beiträgen aus Dichtung, Wissenschaft, Kultur und Politik. Für die Französische Revolution zeigte sich der *Merkur* erst aufgeschlossen, dann aber zunehmend skeptisch. Das als instabil erfahrene *„Zeitalter der Extreme"* mit seiner *„chaotischen Verwirrung und schwankenden Unsicherheit"* findet auch Ausdruck im Text Karl August Böttigers (1760-1835) zum Titelkupfer der Ausgabe auf das neue Jahrhundert. Es zeigt ein allegorisches Münzbild der wieder beruhigten Erde aus der historischen *„goldnen Zeit"* Kaiser Hadrians. Von ihr leitet Böttiger – *„nach einem Titanenkampf, der alle [...] politischen und moralischen Vesten von Grund aus erschütterte und in seiner beispiellosen Erbitterung und Zerstörungssucht selbst der Natur und den Jahreszeiten eisern trotzte!"* – die Hoffnung auf eine friedvollere neue Zeit, einen *„ewigen Frieden"* (vgl. Kat-Nr. 188) ab: *„Dann erst mag sichs zeigen, ob die so oft verlästerte, zweideutige Aussaat des Achtzehnten Jahrhunderts der Sichel des Neunzehnten in vollen, nährenden Aehren entgegenreift."*

204 Medaille auf den Beginn des 19. Jahrhunderts

Johannes Thomas Stettner (geb. 1786)
Nürnberg, 1800/01
Silber, geprägt
Dm. 37 mm
München, Staatliche Münzsammlung, ohne Inv.-Nr.
Nürnberg, Germanisches Nationalmuseum, Münzkabinett, Inv.-Nr. 12077

Vorderseite: *SCHAU WIE ALLES SICH FREUT*
Der geflügelte Genius der Zeit und Fortuna umarmen sich vor einer Säule, die mit der römischen Zahl *XIX* beschriftet ist. Zu Füßen der Säule ein kleiner Phönix in Flammen. Rechts unten die Signatur *ST.*

Rückseite: *DES KOMMENDEN WONNEJAHRHUNDERTS*
Phoibos Apollon fährt in einer Quadriga über Wolken. Über den Pferden streut ein geflügelter Putto Blumen.

P.-H. M.

205

205 Medaille auf die Jahrhundertwende 1801
Daniel Friedrich Loos (1735-1819)
Berlin, 1800
Silber, geprägt
Dm. 37 mm
Dresden, Staatliche Kunstsammlungen, Münzkabinett, Inv.-Nr. 905
Nürnberg, Germanisches Nationalmuseum, Münzkabinett, Inv.-Nr. 1357

Vorderseite: *ALLES VERGEHT*
Der geflügelte Kronos, auf dem Kopf ein Stundenglas, in der Rechten eine Sense, schwebt über einer Ruinenlandschaft (angeblich das Grabmal der Caecilia Metella an der Via Appia bei Rom). Unten die Signatur *LOOS*

Rückseite: In einem Sternenkranz die Inschrift
ABER DIE LIEBE, DIE LIEBE DES EWIGEN, LIEBE ZU GUTEN MENSCHEN VERGEHT NIE – DEM SCHEIDENDEN UND KOMMENDEN JAHRHUNDERT – 1801

Literatur: Sommer, Klaus: Die Medaillen des Königlich Preussischen Hof-Medailleurs Daniel Friedrich Loos und seines Ateliers, Osnabrück 1981, Nr. B 25/1.

P.-H. M.

206

206 Hamburger Kommerz-Portugaleser
Abraham Abramson (1754-1811)
Berlin, 1801
Silber, geprägt
Dm. 41 mm
Hamburg, Museum für Hamburgische Geschichte, Münzkabinett, Inv.-Nr. 326

Vorderseite: *ANNO VERTENTE MILLESIMO („Zur Jahrtausendwende")*
Die stehende Personifikation Hamburgs *(Hammonia)* stützt den linken Arm auf eine Säule und hält mit der Rechten ein Steuerruder.
Im Abschnitt: *HAMBVRGI MDCCCI*
Auf der Basis der Säule die Signatur *A*

Rückseite: *SECVRITAS („Sicherheit")*
Die Personifikation der Sicherheit sitzt auf einem aus Füllhörnern gebildeten Sessel, in der Rechten hält sie einen Merkurstab. Zu ihren Füßen liegen Silberbarren. (Die Darstellung ist römischen Münzen nachempfunden.)
Im Abschnitt: *COMMERCIVM HAMB. („Hamburger Handel")*
Der Portugaleser bezieht sich nicht nur auf die Jahrhundertwende, sondern auch auf die angebliche tausendjährige Wiederkehr der Gründung Hamburgs, für die man damals das Jahr 800 annahm.

Literatur: Gaedechens, Otto Christian: Hamburgische Münzen und Medaillen, 3 Bde., Hamburg 1843-1876 (Nachdruck Hamburg und Leipzig 1975), Nr. 1988. – Hoffmann, Tassilo: Jacob Abraham und Abraham Abramson, 55 Jahre Berliner Medaillenkunst 1755-1810, Frankfurt am Main 1927, Nr. 134.

P.-H. M.

207

207 Hamburger Admiralitäts-Portugaleser
Anonym
1801
Silber, geprägt
Dm. 46 mm
Hamburg, Museum für Hamburgische Geschichte, Münzkabinett, Inv.-Nr. 339

Vorderseite: *FORTDAUERNDES GELINGEN*
Der bärtige und geflügelte Kronos bekränzt einen Schild mit dem Medusenhaupt und der Inschrift *1801*. Der Schild hängt an einer Säule, die mit antiken Schiffsschnäbeln bestückt ist, sie steht auf einem Podest mit dem Wappen der Hamburgischen Admiralität. Rechts von der Säule die Attribute von Schifffahrt, Handel und Wohlstand.

Rückseite: In einem Kranz aus Eichenlaub und Schilf die Inschrift:
DEM NEUEN JAHRHUNDERTE – DIE HAMBURGISCHE ADMIRALITÄT IM JAHR 1801

Literatur: Gaedechens, Otto Christian: Hamburgische Münzen und Medaillen, 3 Bde., Hamburg 1843-1876 (Nachdruck Hamburg und Leipzig 1975), Nr. 1986.

P.-H. M.

208

208 Hamburger Bank-Portugaleser
Abraham Abramson (1754-1811)
Berlin, 1801
Gold, geprägt
Dm. 44,5 mm
Hamburg, Museum für Hamburgische Geschichte, Münzkabinett, Inv.-Nr. 303

Vorderseite: *DEM VATERLANDE HEIL*
Die stehende Personifikation Hamburgs *(Hammonia)* umfaßt mit dem linken Arm ein neben ihr stehendes Rutenbündel und opfert mit der Rechten aus einer Schale über einem Brandaltar mit dem Stadtwappen.
Im Abschnitt: *HAMBURG*
Am Fuße des Altars die Signatur *A*

Rückseite: *FRIEDEN DEM JAHRHUNDERTE*
Der geflügelte jugendliche Genius des Friedens hält nach links schreitend einen Ölzweig in der gesenkten Rechten.
Im Abschnitt: *1801*

Literatur: Gaedechens, Otto Christian: Hamburgische Münzen und Medaillen, 3 Bde., Hamburg 1843-1876 (Nachdruck Hamburg und Leipzig 1975), Nr. 1984. – Hoffmann, Tassilo: Jacob Abraham und Abraham Abramson, 55 Jahre Berliner Medaillenkunst 1755-1810, Frankfurt am Main 1927, Nr. 136.

P.-H. M.

„Frieden dem Jahrhundert"
„Jubeljahr und Frieden"

209 Hamburger halber Bank-Portugaleser
Abraham Abramson (1754-1811)
Berlin, 1801
Silber, geprägt
Dm. 38 mm
Hamburg, Museum für Hamburgische Geschichte, Münzkabinett, Inv.-Nr. 305

Kleinere Version des Portugalesers Kat.-Nr. 208.

Literatur: Gaedechens, Otto Christian: Hamburgische Münzen und Medaillen, 3 Bde., Hamburg 1843-1876 (Nachdruck Hamburg und Leipzig 1975), Nr. 1985. – Hoffmann, Tassilo: Jacob Abraham und Abraham Abramson, 55 Jahre Berliner Medaillenkunst 1755-1810, Frankfurt am Main 1927, Nr. 137.

P.-H. M.

210

210 Medaille auf das Datum des Jahrhundertwechsels und Hoffnung auf Frieden
Anonym
1801
Silber, geprägt; Zinn, geprägt
Dm. 33 mm
Dresden, Staatliche Kunstsammlungen, Münzkabinett, Inv.-Nrn. 2811 und 4936

Vorderseite: *NUN ISTS ENTSCHIEDEN*
Ein Putto steht in einem Reif mit der Aufschrift *1800-1801*
Im Abschnitt: *WO SIND WIR*

Rückseite: *IUBELJAHR UND FRIEDEN*
Die geflügelte Friedensgöttin schwebt mit einem Palmzweig und einer Fanfare über einer Weltkugel mit der Aufschrift *EUROPA*. Unter der Fanfare steht *PAX („Frieden")*.

Die Vorderseite der Medaille nimmt das Motiv der Prägung von Johann Kittel aus dem Jahre 1700 wieder auf (vgl. Kat.-Nr. 144). Nun ist der Datumsstreit entschieden, das neue Jahrhundert beginnt 1801. Die Medaille gedenkt nicht nur der Jahrhundertwende, sondern auch des Friedens von Lunéville (9. Februar 1801), in den man damals viele – vergebliche – Hoffnungen setzte.

P.-H. M.

„Denkmal des uns den Frieden bringenden Neunzehenten Seculi"

211

211 Medaille auf die Jahrhundertwende und den Frieden von Lunéville

Anonym
1801
Zinn mit Kupferstift, geprägt
Dm. 38 mm
Nürnberg, Germanisches Nationalmuseum, Münzkabinett, Inv.-Nr. 4145

Vorderseite: *ERLOESE UNS VOM ÜBEL*
Der geflügelte Kronos ruht mit seiner Sense auf einer Wolke, in der ausgestreckten Rechten hält er einen Ring aus einer Schlange, die sich in den Schwanz beißt, das Symbol der Ewigkeit, darin *1801.*
Im Abschnitt: *ZUM NEUEN IAHRHUNDERT*

Rückseite: *FRIEDE AUF ERDEN.*
Die nach links stehende Pax mit Palmzweig streut Weihrauchkörner in das Feuer eines Dreifußes. Rechts eine Aschenurne als Symbol des vergangenen 18. Jahrhunderts.
Im Abschnitt: *D. 9. FEBRUAR 1801*

Die Medaille nimmt Bezug auf den Frieden von Lunéville und die damit verbundenen Hoffnungen auf ein friedliches 19. Jahrhundert.

P.-H. M.

212 Werbeblatt für eine Ballonerie in Karlsruhe als Denkmal des den Frieden bringenden 19. Jahrhunderts

Friedrich Drechsler (Erfinder), Aigler (Stecher)
Karlsruhe, 1801
Kupferstich, koloriert
H. 38 cm, B. 23 cm
Karlsruhe, Stadtarchiv, 8 PBS XI 8

Aus Anlaß des Friedens von Lunéville (9. Februar 1801) konzipierte der Karlsruher Mechanikus Friedrich Drechsler eine *Ballonerie,* die er nach eigenen Angaben in Straßburg und Nancy veranstaltete. Als England und Frankreich am 1. Oktober 1801 Präliminarien unterzeichneten und damit der Weg frei war für den Kongreß von Amièns, der am 27. März 1802 zum Friedensschluß führte, hoffte ganz Europa auf Frieden. Friedrich Drechsler war dies Anlaß, seine Ballonerie in Karlsruhe zu wiederholen. Noch im Oktober 1801 annoncierte er in der *Karlsruher Zeitung*: *„Nach dem Wunsch mehrerer aerostatischer Freunde werde ich meinen 20 Schuh* [1 Schuh = ca. 30 cm – J. D.] *hohen Ballon mit einer 15schuhigen, den Frieden verkündigenden Fama und Deutschlands Genius mit der Harpfe für den Frieden dankend [...] auch dahier steigen lassen, wenn so viele Kupferstiche, worauf das hiesige Schloß samt der ganzen Ballonerie zu sehen [... ist,] verkauft werden, daß meine Kosten dabey herauskommen [...]"* (zitiert nach Weech). Die in deutscher und französischer Sprache gedruckte Unterschrift des Kupferstichs drückt noch einmal die Friedenshoffnung der Jahrhundertwende aus. Sie lautet: *„Abbildung Des von dem Mechanicus Drechsler auf dem Schloß Platz zu Carlsruhe in die Hoehe gelassenen Denkmals des uns den Frieden bringenden Neunzehenten Seculi."* (Das 19. Jahrhundert hatte in Baden mit dem Jahr 1801 begonnen.)

Der Absatz der Kupferstiche scheint jedoch nicht ausreichend gewesen zu sein – womöglich deshalb, weil Drechsler nachgesagt wurde, die *Ballonerien* in Straßburg und Nancy wären mißlungen. Jedenfalls ist von der Realisierung des Spektakels in Karlsruhe nichts überliefert.

Literatur: Baden und Württemberg im Zeitalter Napoleons, Ausst.-Kat. Stuttgart 1987, Bd. 1.2, S. 1068, Nr. 1847, farb. Abb. – Weech, Friedrich von: Karlsruhe. Geschichte der Stadt und ihrer Verwaltung, Bd. 1: 1715-1830, Karlsruhe 1895, S. 173f., Abb. nach S. 172.

J. D.

Das zweitemal wiederholt zu Nancy, den 24 Prai: 1801.
Das drittemal zu Strasburg den 19 Mai: 1801.
Renouvelée pour la seconde fois à Nancy le 24 Prai 1801
La troisième fois à Strasbourg, le 19 Mai 1801.
Friede
Drechsler inv.
Aigler Sculp.
ABBILDUNG
Des von dem Mechanicus Drechsler auf dem Schloss Platz zu Carlsruhe in die Hoehe gelassenen Denkmals des uns den Frieden bringenden Neunzehenten Seculi.
ESTAMPE
de l'Aërostat lancé par le Mécanicien Drechsler sur la place du Château de Carlsrouhe en memoire de la paix que nous donne le dix-neuvième Siècle

212

213 Badische Huldigungsmedaillen zum Reichsdeputationshauptschluss 1803

Johann Heinrich Boltschauser (1754-1812)
Mannheim, 1803

a) Stadt Mannheim
Gold, geprägt; Silber, geprägt
Dm. 32 mm
Karlsruhe, Badisches Landesmuseum, Münzkabinett, Inv.-Nrn. 1929 u. 14277 (Gold), Sammlung Siegel (Silber)

Vorderseite: *KARL FRIEDRICH KURFURST*
Büste Karl Friedrichs nach links auf einem Sockel, dessen Basis eine Ansicht Mannheims trägt. Zu beiden Seiten lagern die Flussgötter von Rhein und Neckar. Im Abschnitt die Signatur *H. BOLTSCHAUSER F.*

Rückseite: *SEINEM ERSTEN REGENTEN AUS DEM HAUSE BADEN HULDIGT MANNHEIM 1803*

b) Pfalzgrafschaft
Rheingold, geprägt; Silber, geprägt
Dm. 36 mm
Karlsruhe, Badisches Landesmuseum, Münzkabinett, Sammlung Siegel (Rheingold), Inv.-Nr. I. 34.21 (Silber)

Vorderseite: *KARL FRIEDRICH KURFURST VON BADEN*
Brustbild des Kurfürsten mit Zopf und Haarschleife nach rechts. Darunter die Signatur *H. BOLTSCHAUSER F.*

Rückseite: *ANDENKEN DER HULDIGUNG IN DER BADISCHEN PFALZGRAFSCHAFT MANNHEIM D. 7. IUNI 1803*

c) Stadt Lahr
Rheingold, geprägt; Silber, geprägt
Dm. 36 mm
Karlsruhe, Badisches Landesmuseum, Münzkabinett, Inv.-Nrn. I. 25.15 (Rheingold), I. 34.24 (Silber)

Vorderseite: Wie Kat.-Nr. 213b

Rückseite: *ANDENKEN DER KUR-BADISCHEN HULDIGUNG ZU LAHR IM SEPTEMBER 1803*

213a

213 b-d Vorderseite

213b Rückseite

213c Rückseite

213d Rückseite

d) Stadt Meersburg
Rheingold, geprägt; Silber, geprägt
Dm. 36 mm
Karlsruhe, Badisches Landesmuseum, Inv.-Nr. I. 25.16 (Rheingold), I. 34.25 (Silber)

Vorderseite: Wie Kat.-Nr. 213b

Rückseite: *ANDENKEN DER KUR-BADISCHEN HULDIGUNG ZU MOERSBURG IM SEPTEMBER 1803*

Durch den Reichsdeputationshauptschluss von 1803 wurde die Markgrafschaft Baden zum Kurfürstentum erhoben und das Territorium um fast das doppelte erweitert. In den neu erworbenen Landesteilen wurde dem neuen Landesherren in barocker Weise gehuldigt. Auf diese Feierlichkeiten in den Städten Mannheim, Lahr und Meersburg sowie in der bisher bayerischen rechtsrheinischen Pfalzgrafschaft wurden Medaillen geprägt. Für die goldenen Exemplare für die Pfalzgrafschaft, Lahr und Meersburg wurde Rheingold verwendet, wie aus der Randschrift *EX SABULIIS RHENI* hervorgeht. Für die Mannheimer Prägungen kann man das nur vermuten.

Literatur: Wielandt, Friedrich / Zeitz, Joachim: Die Medaillen des Hauses Baden. Denkmünzen zur Geschichte des zähringen-badischen Fürstenhauses aus der Zeit von 1499 bis 1871, Karlsruhe 1980, Nrn. 130-133.

P.-H. M.

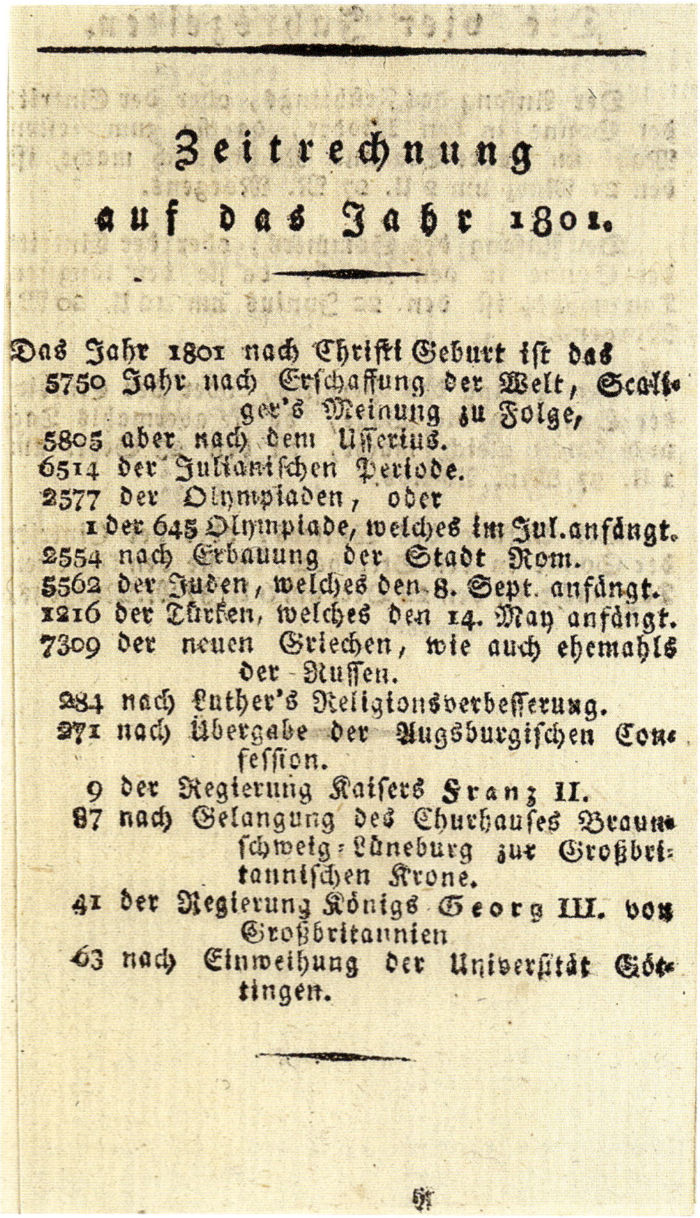

Zeitrechnung
auf das Jahr 1801.

Das Jahr 1801 nach Christi Geburt ist das
5750 Jahr nach Erschaffung der Welt, Scaliger's Meinung zu Folge,
5805 aber nach dem Usserius.
6514 der Julianischen Periode.
2577 der Olympiaden, oder
1 der 645 Olympiade, welches im Jul. anfängt.
2554 nach Erbauung der Stadt Rom.
5562 der Juden, welches den 8. Sept. anfängt.
1216 der Türken, welches den 14. May anfängt.
7309 der neuen Griechen, wie auch ehemahls der Russen.
284 nach Luther's Religionsverbesserung.
271 nach Übergabe der Augsburgischen Confession.
9 der Regierung Kaisers Franz II.
87 nach Gelangung des Churhauses Braunschweig-Lüneburg zur Großbritannischen Krone.
41 der Regierung Königs Georg III. von Großbritannien
63 nach Einweihung der Universität Göttingen.

214

214 „Zeitrechnung auf das Jahr 1801."
in: „Göttinger Musenalmanach 1801"
Göttingen, 1801
Typendruck
H. 10,5 cm, B. 6,1 cm
Marbach, Deutsches Literaturarchiv, D 4. Zugangsnummer 14225

Ein sogenannter *Musenalmanach* war ein jährlich erscheinendes Publikationsorgan für Belletristik, beliebt beim gebildeten Bürgertum seit der Mitte des 18. bis ins 19. Jahrhundert. Neben Auszügen aus Dramen und Lyrik sowie Illustrationen enthielten sie häufig Kalendarien. Der *Göttinger Musenalmanach* erschien von 1770 bis 1802. Hier wurden zahlreiche Schriften des literarischen Freundschaftsbundes *Hain* (nach Klopstocks Ode *Der Hügel und der Hain)* veröffentlicht. Der vorliegende Band aus dem Jahre 1801 enthält anläßlich des Jahrhundertwechsels eine Tabelle mit weltgeschichtlich bedeutenden Ereignissen in ihrem zeitlichen Abstand zum Jahr 1801: Die *„Erschaffung der Welt"* ist gemäß verschiedener Forschungen 5750 bzw. 5805 Jahre zurückdatiert; die *„Erbauung der Stadt Rom"* erfolgte vor 2554 Jahren. Ebenso werden Zeitrechnungen anderer Kulturen berücksichtigt: Die Juden zählen im Jahr 1801 christlicher Zeitrechnung das Jahr 5562; die Türken das Jahr 1216. Genannt wird auch der 41 Jahre zurückliegende Regierungsantritt des britischen Königs Georg III., der dem Hause Hannover zugehörig und dadurch mit Göttingen verbunden war. Selbstverständlich darf auch der Hinweis auf die Gründung der Göttinger Universität vor 63 Jahren nicht fehlen. Die *Zeitrechnung* offenbart das geschichtliche Bewußtsein der gebildeten Schicht, die vom Weltganzen in politischen, religiösen und kulturellen Aspekten berichtet, sowie auf den engeren Kreis der Universitätsstadt Göttingen verweist.

K. S.

215 Französischer Revolutionskalender: „Kalender der fränkischen Republik mit vorausgehendem Dekret über die Zeitrechnung, über den Anfang und die Einrichtung des Jahres, so wie auch über die Namen der Tage und Monate."
Metz, bei J. B. Collignon, 1793/94
Typendruck (Umfang 71 Seiten)
H. 22,3 cm, B. 14 cm
Karlsruhe, Badische Landesbibliothek, 65 A 4272

Nach der Beseitigung des Königtums und der Gründung der Republik in Frankreich sollte der revolutionäre Einschnitt als Beginn eines neuen Zeitalters durch die Einführung eines neuen Kalenders unterstrichen werden. Der alte Kalender mit seinen kirchlichen Festen und Heiligennamen wurde als Werkzeug der Unwissenheit und des Aberglaubens denunziert. Wie bei der Reform der Maße und Gewichte waren Übereinstimmung mit Vernunftprinzipien und möglichste Einheitlichkeit die leitenden Ideen. Nach dem am 24. November 1793 vom Nationalkonvent beschlossenen Dekret sollte das *Jahr I* der Republik mit dem Tag ihrer Ausrufung (22. September 1792) beginnen. Das Jahr 1800 war nach dem *Revolutionskalender* also keine Jahrhundertwende. Das neue Jahr sollte in 12 gleiche Monate zu dreißig Tagen und der Monat anstelle der Wochen in drei Dekaden zu zehn Tagen geteilt werden (vgl. Kat.-Nr. 217). Die fünf bzw. sechs verbleibenden Tage wurden keinem Monat zugeordnet und für Feste zur Erinnerung an die Revolution vorgesehen. Die Dekadentage wurden nach der Zählzahl benannt, *Eintag, Zweitag* etc. Der *Zehntag,* der *Dekadi,* wurde zum staatlich verordneten Ruhetag. Die Monate erhielten Namen nach jahreszeitlichen Naturphänomenen und landwirtschaftlichen Tätigkeiten, z.B. im Herbst *Weinmonat, Nebelmonat, Reifemonat.* Der revolutionäre Gegenkalender vereinigte Bestrebungen der abstrakten Rationalisierung mit romantischem Naturgefühl. Weil zukünftig alle öffentlichen Rechtsakte nach dem *Revolutionskalender* datiert werden mußten, war der Bedarf nach Umrechnungstafeln auch in den von Napoleon besetzten Gebieten groß. Im Bereich der Verwaltung ließ sich der neue Kalender zwar durchsetzen, aber die Bevölkerung hielt weitgehend an den traditionellen Tagesbezeichnungen und den kirchlichen Festen fest. Nachdem Napoleon sich 1804 zum Kaiser proklamiert hatte, wurde der – im übrigen Europa nie akzeptierte – republikanische Jahresbeginn politisch untragbar. Der neue Kalender wurde abgeschafft und mit dem Jahreswechsel 1805/6 kehrte Frankreich zum *Gregorianischen Kalender* zurück.

Literatur: Maier, Hans: Die christliche Zeitrechnung, Freiburg / Basel / Wien 1991, S. 45ff. – Meinzer, Michael: Der französische Revolutionskalender (1792-1805). Planung, Durchführung und Scheitern einer politischen Zeitrechnung, München 1992.

G. D.

216

216 Medaille auf die Einführung des Französischen Revolutionskalenders

Pierre Simon Benjamin Duvivier (1728-1819)
Paris, 1791/93
Kupfer, geprägt
Dm. 42 mm
Karlsruhe, Badisches Landesmuseum, Münzkabinett, ohne Inv.-Nr.

Vorderseite: *REPUBLIQUE UNE ET INDIVISIBLE* („Alleinige und unteilbare Republik")
Die Personifikation der Republik sitzt nach links an einen Altar gelehnt, mit der Rechten hält sie ein Rutenbündel mit Speer, im linken Arm einen Stab mit Freiheitsmütze. Im Abschnitt *NATION FRANCAISE („Französische Nation")* und die kleine Signatur *DUVIVIER.*
Rückseite: Unter den Tierkreiszeichen Waage, Krebs und Schütze die Inschrift: *ÉRE FRANCAISE COMMENCÉE A L'ÉQUINOXE D'-AUTOMN. 22. SEPT. 1792 9 HEURES 18 MIN 30 SD. DU MATIN A PARIS („Die französische Ära begann zu Herbstbeginn am 22. September 1792 um 9 Uhr, 18 Minuten, 30 Sekunden morgens Pariser Zeit.")*

In Frankreich rechnete man seit dem 14. Juli 1790 – auch ein Jahr zurückblickend – nach Jahren der Freiheit. Seit dem 10. August 1792 fügte man das Jahr der Gleichheit hinzu. Am 5. Oktober 1793 wurde der Kalender der französischen Republik eingeführt, dessen Beginn auf den 22. September 1792 festgesetzt wurde. Dieser Tag, gleichzeitig der Tag der Verkündung der Republik, galt bis 1805 als Jahresanfang. Ab dem 1. Januar 1806 ging Frankreich wieder auf den *Gregorianischen Kalender* zurück.

Literatur: Hennin, Michel: Histoire numismatique de la Révolution Française, ou description raisonnée des médailles, monnaies, et autre monumens [sic!] numismatiques relatifs aux affaires de la France, depuis l'ouverture des États-Généraux jusqu'à l'établissement du gouvernement consulaire, 2 Bde., Paris 1826 (Nachdruck: Maastricht 1977), Nr. 374.

P.-H. M.

217 Taschenuhr mit Dezimalzifferblatt

Frankreich, um 1794/95
Silber, Emailzifferblatt
Dm. 4,5 cm
Furtwangen, Deutsches Uhrenmuseum, Inv.-Nr. K-741

Mit dem Dekret zur Einführung des republikanischen Kalenders in Frankreich vom 24. November 1793 (vgl. Kat.-Nrn. 215 und 216) wurde auch über die dezimale Teilung des Tages verfügt. Von Mitternacht sollte der Tag in 10 gleiche Teile bzw. Stunden, die neue Stunde in hundert Dezimalminuten und diese wiederum in hundert Dezimalsekunden geteilt werden. Die Schwierigkeiten der Umstellung der öffentlichen und privaten Uhren versuchten die Uhrma-

217

cher meist durch Anbringung von Zifferblättern zu begegnen, die die alte und die neue Tagesteilung anzeigten. Mehr noch als beim neuen Kalender zeigte sich bei der Uhr die Langlebigkeit alter Gewohnheiten. Anders als die Einführung des Normalmeters fand die Dezimalisierung der Tagesteilung außerhalb Frankreichs kein Echo. Auch der französische Uhrenexport wurde behindert. Schon im April 1795 wurde die Pflicht zur Verwendung der neuen Stundenrechnung in Frankreich wieder aufgehoben.

Literatur: Droz, Y. / Flores, F.: Les heures révolutionnaires, Besançon 1989. – La révolution dans la mesure du temps: Calendrier républicain heure décimale 1793-1805, hg. von C. Cardinal, La Chaux-de-Fonds 1989.

G. D.

218

218 Medaille auf den mit Datumsangabe in republikanischer und gregorianischer Zeitrechnung

Rambert Dumarest (1760-1806)
Paris, 1802
Kupfer, geprägt
Dm. 49 mm
Karlsruhe, Badisches Landesmuseum, Münzkabinett, ohne Inv.-Nr.
Stuttgart, Württembergisches Landesmuseum, Münzkabinett, ohne Inv.-Nr.

Vorderseite: NAPOLEON BONAPARTE PREMIER CONSUL („Napoleon Bonaparte Erster Konsul")
Büste Napoleons mit Lorbeerkranz nach links, darunter die Signatur *DUMAREST F.*

Rückseite: *PAIX D'AMIENS („Frieden von Amiéns"):*
Der stehende, nach links gewandte Mars mit den Zügen Napoleons hält in der Linken eine Statuette der Victoria auf einer Weltkugel. Er reicht der am Boden liegenden, sich auf einen Löwen stützenden Personifikation Englands einen Ölzweig. Links im Feld die Signatur *DUMAREST F.* Im Abschnitt die Datumsangabe des Friedens zwischen Frankreich und England nach dem republikanischen und gregorianischen Kalender: *LE VI. GERMINAL AN X./XXVII. MARS MDCCCII („Am 6. Tag des Keimmonats des Jahres X / 27. März 1802")*

Literatur: Bramsen, Ludwig Ernst: Médaillier Napoléon le Grand ou description des médailles, clichés, repoussés et médailles-décorations relatives aux affaires de la France pendant le consulat et l'empire, 3 Bde., Paris und Kopenhagen 1904-1913 (Nachdruck Hamburg 1977), Nr. 195.

P.-H. M.

Datum des Friedensschlusses von Amiéns:
6. Tag des Keimmonats des Jahres X
27. März 1802

219

219 Schiffschronometer Nr. 87
John Arnold (1736-1799)
London, 1795
T. 8,5 cm, Dm. 14,2 cm
Furtwangen, Deutsches Uhrenmuseum, Inv.-Nr. K-1542

Lange war bekannt, daß für die Ortsbestimmung auf hoher See der astronomisch leicht zu bestimmende Breitengrad (Nord-Süd-Position) und der nur umständlich zu bestimmende Längengrad (Ost-West-Position) benötigt wurden. Seit dem 16. Jahrhundert waren für die Lösung dieses Problems Uhren vorgeschlagen, die die Differenz der Ortszeit des Schiffes von der Ortszeit des Heimathafens vergleichen sollten. Die vorhandenen Uhren waren jedoch bei weitem nicht genau und ausdauernd genug und auf See auch nicht in Gang zu halten. Außer den Schiffsbewegungen bereiteten die noch kaum erforschten Fragen der Schmierung, des Ausgleichs von Temperatur und Luftdruck und die Schwankungen der Schwerkraft aus damaliger Sicht schier unlösbare Probleme. Wegen der enormen wirtschaftlichen und militärischen Bedeutung der Hochseenavigation und eingedenk der Erfahrung katastrophaler Schiffsverluste durch Navigationsfehler, hatte das britische Parlament im Juli 1714 durch den *Longitude Act* die riesige Summe von £ 20.000 als Preis für eine praktikable, bei einer Reise in die neue Welt auf einem britischen Schiff zu prüfende Methode zur Bestimmung des Längengrads mit einer Abweichung von nicht mehr als einem halben Grad (am Äquator ca. 30 Seemeilen) ausgeschrieben. Für eine nicht-astronomische Bestimmung mußte also eine Uhr entwickelt werden, die in 24 Stunden nicht mehr als 3 Sekunden abwich. Das Jahrhundert hatte ein Thema gefunden, das viele faszinierte und zu zum Teil absonderlichen Lösungsvorschlägen führte. Im Bereich der Uhrmacherei führte die Herausforderung zu einer großen Zahl bedeutender Erfindungen und Verbesserungen. Die seit 1714 bekannte Bezeichnung *Chronometer* bürgerte sich für diese Uhren ein. Nach mehreren Versuchen hatte der englische Uhrmacher John Harrison mit seinem *Timekeeper Nr. 4* Erfolg, erhielt den Preis endgültig aber erst im Jahre 1773.

Unter vielen bekannten Uhrmachern war John Arnold einer der Pioniere der Entwicklung vereinfachter und in größeren Stückzahlen herzustellender Chronometer hoher Qualität.

Literatur: Gould, R. J.: The Marine Chronometer; its History and Development, London 1923 (Neudruck 1989). – Landes, D. S.: Revolution in Time. Clocks and the Making of the Modern World, London / Cambridge 1983, S. 171ff. – Sobel, Dava: „Längengrad". Die wahre Geschichte eines einsamen Genies, welches das größte wissenschaftliche Problem seiner Zeit löste, Berlin 1996.

G. D.

Das Chronometer durfte in 24 Stunden nicht mehr als 3 Sekunden abweichen.

220 Jean Paul: „Rede des toten Christus vom Weltgebäude herab daß kein Gott sei".
in: „Blumen- Frucht- und Dornenstükke oder Ehestand, Tod und Hochzeit des Armenadvokaten F. St. Siebenkäs im Reichsmarktflecken Kuhschnappel", Erstes Blumenstück
Leipzig, 1796
Typendruck
H. 17,6 cm, B. 10,3 cm
Marbach, Deutsches Literaturarchiv, JPA. Zugangsnummer 75. 2896

Jean Pauls (1763-1825) Traumdichtung ist zunächst unabhängig von seinem Roman *Siebenkäs* (1796/97) entstanden, in dem sie dann aber einen prominenten Platz als *„Erstes Blumenstück"* gefunden hat: ziemlich genau in der Mitte nach dem *„Zweiten Bändchen"*. Die Rede ist das wohl sprachgewaltigste Dokument des poetischen Nihilismus der Zeit um 1800; Jean Paul war sich ihrer *„Kühnheit"* (Vorbericht) durchaus bewußt. Sie ist ein poetisches Experiment, das ungeheuer bildmächtig am Anbruch der Moderne Möglichkeit und Konsequenz des Atheismus und also radikal menschliche Autonomie durchdenkt. Christus selbst wird hier zum Gottesleugner: *„Ich ging durch die Welten, ich stieg in die Sonnen und flog mit den Milchstraßen durch die Wüsten des Himmels; aber es ist kein Gott. Ich stieg herab, soweit das Sein seine Schatten wirft, und schauete in den Abgrund und rief: »Vater, wo bist du?« aber ich hörte nur den ewigen Sturm [...]. Und als ich aufblickte zur unermeßlichen Welt nach dem göttlichen Auge, starrte sie mich mit einer leeren bodenlosen Augenhöhle an; und die Ewigkeit lag auf dem Chaos und zernagte es und wiederkäuete sich."* Daß der Erzähler schließlich erwacht, seinen Schreckens-Traum als solchen entlarvt und sich seinem Gott wieder freudig zuwendet, nimmt dieser Vision nichts von ihrer Radikalität.

Literatur: Arendt, Dieter: Der „poetische Nihilismus" in der Romantik. Studien zum Verhältnis von Dichtung und Wirklichkeit in der Frühromantik, Tübingen 1972. – Müller, Götz: Jean Paul im Kontext. Gesammelte Aufsätze, Würzburg 1996. – Pietzcker, Carl: Einführung in die Psychoanalyse des literarischen Kunstwerks. Am Beispiel von Jean Pauls „Rede des toten Christus", 2. Auflage Würzburg 1985.

W. Br.

„Ich ging durch die Welten,
ich stieg in die Sonnen und flog
mit den Milchstraßen durch
die Wüsten des Himmels;
aber es ist kein Gott."

„Nur eine Nacht der Wonne –
Ein ewiges Gedicht –
Und unser aller Sonne
Ist Gottes Angesicht."

221 Novalis: „Hymnen an die Nacht"
in: „Schriften, 2. Teil"
Berlin, 1802 (Erstveröffentlichung: Berlin, in der Buchhandlung der Realschule, 1800)
Typendruck
H. 16,3 cm, B. 10,5 cm
Marbach, Deutsches Literaturarchiv, H. Zugangsnummer 66. 3013

Novalis' (d. i. Friedrich von Hardenberg, 1772-1801) sechs *Hymnen an die Nacht* stellen eine poetische Welt- und Geschichtsdeutung dar: Dem Heilsverlust und der Entzauberung einer säkularen Welt soll die Poesie, die durch Leben und Tod gegangen ist und Licht und Schatten, Tag und Nacht, in all ihren Potenzen kennengelernt hat, die Utopie einer *„neuen Schöpfung"* entgegensetzen, wie sie in der geschichtsphilosophisch durchdrungenen fünften Hymne entworfen wird. Nach dem Durchgang durch die geschichtliche Nacht, die individuell nachvollzogen wird als Gang abwärts ins eigene Innere, eröffnet sich trennungsloser Weltgenuß und sich vollendende Todessehnsucht. So endet die fünfte Hymne: *„Die Lieb ist frei gegeben, / Und keine Trennung mehr. / Es wogt das volle Leben / Wie ein unendlich Meer. / Nur eine Nacht der Wonne – / Ein ewiges Gedicht – / Und unser aller Sonne / Ist Gottes Angesicht."* Die sechste Hymne läßt dem lakonisch und weltüberwindend nachklingen: *„Das Herz ist satt – die Welt ist leer."* Die erlösende, eschatologische Leistung der Poesie aber – das ist die Hoffnung dieser Dichtung in neuer Zeit – bleibt.

Literatur: Mähl, Hans-Joachim: Die Idee des goldenen Zeitalters im Werk des Novalis. Studien zur Wesensbestimmung der frühromantischen Utopie und zu ihren ideengeschichtlichen Voraussetzungen, Heidelberg 1965.

L. v. L.

222 Heinrich von Kleist: „Das Erdbeben von Chili"

Berlin, 1859 (Erstpublikation in Cottas „Morgenblatt für gebildete Stände", Tübingen 1807)
Typendruck
H. 15,4 cm, B. 11,8 cm
Marbach, Deutsches Literaturarchiv, H. Zugangsnummer 17039

Als im Jahr 1755 das Erdbeben von Lissabon den Optimismus der Aufklärer nachhaltig erschütterte, reagierte Voltaire mit dem *Poème sur le Désastre de Lisbonne,* um Leibniz' Rechtfertigung Gottes und seiner Schöpfung als der *„besten aller möglichen Welten"* kritisch zu überprüfen (vgl. Kat.-Nr. 170). Heinrich von Kleist (1777-1811) verlagert seine – apokalyptisch verdüsterte – Theodizee in das Chile der vorherigen Jahrhundertmitte, in das Santiago des Jahres 1647. In einer Welt, die in ihren Grundfesten erbebt und *„das Wesen, das über den Wolken waltet",* den Opfern *„fürchterlich"* erscheint, entfaltet die Erzählung am Rand der Katastrophe mit der Ikonographie einer *Heiligen Familie* das Bild einer *„Seligkeit, als ob es das Tal von Eden gewesen wäre".* Doch es muß für dieses momentane Glück und die Rührung der Protagonisten Jeronimo und Josephe – *„wenn sie dachten, wie viel Elend über die Welt kommen mußte, damit sie glücklich würden!"* – am Ende der Erzählung ein so grausamer Blutzoll entrichtet werden, daß sich menschliches Glück als extrem zerbrechlich erweist und nur in der künstlerischen Darstellung des *als-ob* zutage treten kann. Die Freude am Dasein und der Geborgenheit in der Natur als einer Schöpfung Gottes weicht vor dem apokalyptischen Hintergrund einem Gefühl *„so war es ihm fast, als müßt er sich freuen".* Darin klingt aber auch die Verunsicherung an, die der Mensch in der modernen Welt verspürt.

Literatur: Ledanff, Susanne: Kleist und die „beste aller Welten". „Das Erdbeben in Chili" – gesehen im Spiegel der philosophischen und literarischen Stellungnahmen zur Theodizee im 18. Jahrhundert, in: Kleist-Jahrbuch (1986), S. 125-155. – Positionen der Literaturwissenschaft. Acht Modellanalysen am Beispiel von Kleists „Das Erdbeben in Chili", hg. von David Wellbery, 3. Auflage München 1993.

L. v. L.

Die Welt erbebte in ihren Grundfesten.

223 Claude-Nicolas Ledoux: „L'architecture considerée sous le rapport de l'art, des moeurs et de la législation"

aufgeschlagen: Perspektivische Idealansicht von Chaux
Paris, 1804
Kupferstich
H. 36 cm, B. 52 cm (Platte)
Karlsruhe, Universitätsbibliothek, III J 135

Die Idealstadt Chaux von Claude-Nicolas Ledoux (1736-1806) ist die bedeutendste bildlich formulierte Stadtutopie um 1800.

Angefangen hat alles freilich aus kleinen und pragmatischen Anfängen. 1775 bis 1779 erbaut Ledoux als königlicher Kommissar für die Salinenanlagen in der Franche-Comté und Lothringen eine neue Produktionsstätte für die Salzgewinnung im Wald von Chaux südwestlich von Besançon. Die (heute noch existente) Anlage im Halboval mit Sudhäusern, Werkstätten, Direktionshaus, Remise, Wohnungen für Angestellte und Arbeiter, Kapelle und Lager stellt eines der bedeutendsten Zeugnisse architektonisch gestalteter Fabrikarchitektur des 18. Jahrhunderts dar.

In der 1804 veröffentlichten Idealansicht von Chaux ist diese gebaute Anlage im Vordergrund wiedergegeben. Sie ist jedoch ergänzt zu einem vollständigen Oval und umgeben von einer Vielzahl freistehender Einzelgebäude. Nichts davon war je gebaut. Im fiktiv ergänzten hinteren Teil des Ovals stellte sich Ledoux die Unterbringung der Kommunalverwaltung, ein Rathaus und Kasernen für eine Garnison vor.

Erst in den locker das Oval umgebenden Gebäuden entfaltet Ledoux in der perspektivischen Idealansicht seine utopischen Vorstellungen. Seine Fiktion entwickelt er erst, als er nach 1789 als ehemaliger Hofarchitekt politisch mißliebig geworden war und alle öffentlichen Aufträge verloren hatte, also wohl erst gegen das Jahr 1800. Ledoux macht aus der Fabriksiedlung Chaux eine Gemeinschaft, die einer neuen Lebensweise folgt: der Rückkehr zur Natur im Geiste Rousseaus. Ihr gibt er in zahlreichen Entwürfen zu Gemeinschafts- und Wohngebäuden Ausdruck, die locker im Wald, in der Natur angeordnet sind. Dazu gehören öffentliche Bäder, ein Hospiz, ein Bordell, eine Börse, ein Friedenshaus, ein Haus der Tugenden, Dienstgebäude für unterschiedliche Behörden. Ledoux entwickelt dafür – parallel zu Boullée – die Stilsprache der *architecture parlante,* die die Funktion und Bedeutung eines Gebäudes durch die Form der Architektur symbolisch in radikaler Weise zum Ausdruck bringt. Im Entwurf zum Friedhof der Anlage steigert sich Ledoux' Vorstellung zur kosmischen, symbolistischen Vision, die ihn in die Rolle des radikal subjektiven Außenseiters versetzt. Darin dürfte sein utopisches Architekturwerk in der Moderne von Trachsel (vgl. Kat.-Nr. 287) bis Corbusier Wirkung besessen haben.

Literatur: Langner, Johannes: Chaux – die Regel der Natur, in: „Klar und lichtvoll wie eine Regel". Planstädte der Neuzeit. Vom 16. bis zum 18. Jahrhundert, Ausst.-Kat. Karlsruhe 1990, S. 159-168, Abbn. – Kruft, Hanno-Walter: Städte in Utopia. Die Idealstadt vom 15. bis zum 18. Jahrhundert, München 1989, S. 112ff.

H. S.

223

Die Idealstadt
Chaux von Claude-Nicolas Ledoux
ist die bedeutendste
bildlich formulierte Stadtutopie um 1800.

224 „Vorstellung der Festung Schleifung Mannheims im Jahr 1799"
Anonym
Mannheim, 1799
Radierung, koloriert
H. 21,5 cm, B. 34,2 cm
Mannheim, Reiss-Museum, Inv.-Nr. Kat. A 159

Die grundlegenden Veränderungen in Politik und Denken, die sich Ende des 18. Jahrhunderts vollzogen, führten vielerorts zum Abbruch der Stadtmauern, die von den Bürgern jetzt als Einschränkung empfunden wurden. Kurfürst Carl Theodor von der Pfalz verfügte im Dezember 1798 die Schleifung der Mannheimer Festungswerke. Im Juni 1799 forderte dann der Mannheimer Stadtrat die Einwohnerschaft auf, sich am Abriß der Stadtmauern zu beteiligen. Männer, Frauen und Kinder folgten diesem Aufruf mit so großer Begeisterung, daß die mit Hacken und Schaufeln vollzogenen Arbeiten bisweilen Volksfestcharakter annahmen. Der Abriß und seine Bedeutung für die Bevölkerung wurde in einem Lied auf die *Mannheimer freiwilligen Festungsschleifer* dokumentiert. Darin heißt es:

„Länger sollen diese Wälle,
Diese Mauern nicht mehr stehn;
Durch sie nie mehr unsrer Enkel
Lebensfreuden untergehen!
Laßt uns fern von feiger Ruhe
Mit gestähltem Arm den Sand,
Der uns so viel Leiden brachte,
Stürzen von der Mauern Rand!"

Es dauerte zwar einige Jahre, bis Mannheim vollständig entfestet war, doch bedeutete der Abriß der Festungsmauern für die Stadt den Neubeginn städtebaulicher Entwicklung (vgl. Kat.-Nr. 225).

Literatur: Baden und Württemberg im Zeitalter Napoleons, Ausst.-Kat. Stuttgart 1987, Bd. 1.1, S. 118, Nr. 245, Abb. – Deutschland und die Französische Revolution 1789/1989, Wanderausst. des Goethe-Instituts, Stuttgart 1989, S. 222f., Nr. XII, Tafel 6.2, Abb. – Walter, Friedrich: Geschichte Mannheims von den ersten Anfängen bis zum Übergang an Baden (1802), Mannheim 1907, Bd. 1, S. 872f., Abb. – (Dr. Grit Arnscheidt, Reiss-Museum Mannheim, sei für die Informationen zu diesem Blatt und für den Hinweis auf das Lied herzlich gedankt.)

J. D.

224

225

225 „Spaziergang vor den Toren Mannheims"
Carl Kuntz (1770-1838)
Mannheim, um 1815
Radierung, koloriert
H. 40,9 cm, B. 49,2 cm
Mannheim, Reiss-Museum, Inv.-Nr. A 76

Nach der Entfestigung der Städte (vgl. Kat.-Nr. 224) nahmen die Bürger das bis dahin von ihrem Lebensraum abgegrenzte Umland in Besitz. Der Spaziergang vor den Toren der Stadt wurde zum Freizeitvergnügen der Bürger. Sie erlebten nun Stadt und Umland aus einem völlig neuen Blickwinkel. In Mannheim wurde anstelle der Bastion ein Grüngürtel mit Spazierwegen angelegt, auf denen die Städter in die Natur vordrangen. Auch der Rhein geriet nun in ihr Blickfeld.

Die Niederlegung der Stadtmauern führte seit dem Beginn des 19. Jahrhunderts auch zur Ausdehnung der Städte über ihre bisherigen Bebauungsgrenzen hinaus. Zudem ermöglichte sie die Ansiedlung neuer Industrien und trug somit zur wirtschaftlichen Entwicklung der Gemeinden bei.

Literatur: Deutschland und die Französische Revolution 1789/1989, Wanderausst. des Goethe-Instituts, Stuttgart 1989, S. 223, Nr. XII, Tafel 6.3.

J. D.

226

226 Automat in Gestalt eines Hahns

Um 1780
Uhrwerk mit Kette und Schnecke (ganz aus Messing); großer Blasebalg mit zwei Metallpfeifen
H. 49 cm, B. 16 cm, T. 43 cm
Zürich, Sammlung Annette Beyer

Das ganze 18. Jahrhundert war geprägt von Diskussionen, wieweit lebensähnliche, künstliche Wesen in Form von Maschinen und Automaten geschaffen werden könnten. Das Denken der Aufklärung gipfelte hierbei in den Gedanken des radikalen Materialisten Julien Offray de la Mettrie (1748), wonach der Mensch selber eine Maschine sei und mittels des Fortschritts der mechanischen Künste von Menschenhand nachgebildet werden könne. Nach allerlei auf Täuschung und Trick beruhenden Versuchen gelang es Uhrmachern und Mechanikern wie Jacques de Vaucanson oder Pierre und Henri-Louis Jacquet-Droz, bewegliche Menschenautomaten herzustellen. Vaucanson stellte um 1738 eine mechanische, fressende und verdauende Ente, die als Wunder des Jahrhunderts galt, und einen mechanisch musizierenden Flötenspieler vor, die Goethe noch im Jahre 1805 besichtigte.

Vater und Sohn Jacquet-Droz schufen 1772-74 einen Zeichner, einen Schriftsteller und eine Musikantin (heute im Museum Neuchâtel), die in ganz Europa – sogar noch im 19. Jahrhundert – zur Schau gestellt wurden. Auch der um 1780 entstandene Hahn in natürlicher Größe konnte mittels eines Uhrwerkes Flügel, Kopf und Schnabel bewegen und *Kikeriki* krähen.

Die Automatenbegeisterung hielt auch unter seriösen philosophischen und wissenschaftlichen Gesichtspunkten das ausgehende 18. Jahrhundert an, so daß Jean Paul 1798 den *Maschinenmann* geradezu als *„Genius des achtzehnten Jahrhunderts"* bezeichnen konnte. *Anfang des 19. Jahrhunderts* wurde der *Automatenmensch* in der Literatur der Romantik, insbesondere für E.T.A. Hoffmann, zur Personifikation kalter und *entfremdeter Seelenlosigkeit – der Beginn der Diskussion über die Dämonie des Roboters.*

Literatur: Beyer, Annette: Faszinierende Welt der Automaten, München 1983, Abb. 145f. – Menschen aus Menschenhand. Zur Geschichte der Androiden, hg. von Rudolf Drux, Stuttgart 1989. – Richter, Siegfried: Wunderbares Menschenwerk. Aus der Geschichte der mechanischen Automaten, Leipzig 1989.

H. S.

227 Georg Christoph Lichtenberg: „Vermischte Gedanken über die aërostatischen Maschinen"

in: „Göttingisches Magazin der Wissenschaften und Litteratur. Dritten Jahrgangs sechstes Stück"
Göttingen, 1784
Typendruck
H. 17,2 cm, B. 10,3 cm
Marbach, Deutsches Literaturarchiv, X. Zugangsnummer 75.4524, 6

Den Anlaß für Georg Christoph Lichtenbergs (1742-1799) *Vermischte Gedanken* lieferte ein Ereignis, das die Menschen des 18. Jahrhunderts in hohem Maß bewegt hatte: der erste Aufstieg eines (noch unbemannten) Ballons durch die Brüder Joseph (1740-1810) und Etienne (1745-1799) Montgolfier mittels Heißluft am 5. Juni 1783 in Annonay bei Lyon. (Die bereits am 21. November des selben Jahres realisierte erste Luftfahrt von Menschen wird von Lichtenberg noch zu den künftigen Nutzungsmöglichkeiten gerechnet.) Den Einstieg in das Thema bildet eine fiktive Rede *„unseres achtzehnten Jahrhunderts"*, das beim Jahrhundertwechsel seinem Nachfolger, dem 19. Jahrhundert, Rechenschaft ablegen wird über *„sein Inventarium von neu erworbnen Kenntnissen und angeschafften Sachen"*. Diese Verknüpfung der Gedanken über die aerostatischen Maschinen mit dem Jahrhundertwechsel ist insofern programmatisch, als in der Zeit um 1800 das Luftschiff tatsächlich in unterschiedlichster Weise als Ausdruck des Wendebewußtseins zum Einsatz kommen wird: optimistisch als Symbol für Freiheit und Frieden (vgl. Kat.-Nr. 212), oder aber abgrundtief pessimistisch, wenn bei Jean Paul der Luftschiffer Giannozzo am Fuß der Schweizer Alpen – eines anderen Freiheitssymbols – zerschellt.

Edition: Lichtenberg, Georg Christoph: Schriften und Briefe, hg. von Wolfgang Promies, Bd. 3: Aufsätze, Entwürfe, Gedichte, Erklärung der Hogarthischen Kupferstiche, München 1972, S. 63-75; Kommentar zu Bd. 3, S. 26-35.
Literatur: Promies, Wolfgang: Lichtenberg in Selbstzeugnissen und Bilddokumenten, Reinbek bei Hamburg 1964, S. 93-98.

M. B.

228 Der optische Telegraph nach Claude Chappe
Modell
Ausführung: Dr. Karl Pichol und Paul Zurstraßen, Institut für Technik und ihre Didaktik der Universität Münster
H. 85 cm, B. 50 cm, T. 50 cm
Karlsruhe, Badisches Landesmuseum

Bekanntlich bestand schon in den großen Reichen der Antike das Bedürfnis nach sicherer und schneller Kommunikation über große Distanzen hinweg, vor allem für Machthaber und Militärs. Technikgestützte Lösungen dieses Problems basierten bis weit in die Neuzeit einzig auf Hilfsmitteln, die direkt die optischen oder akustischen menschlichen Fähigkeiten einbezogen. Einen erfolgreichen Höhepunkt erlangte diese Entwicklung um die Wende vom 18. zum 19. Jahrhundert. Nach längerem Experimentieren und Problemen mit mißtrauischen Bevölkerungsschichten führte Claude Chappe (1763-1805) im Jahr 1792 mit seinen Brüdern in Paris dem Nationalkonvent erfolgreich einen optischen Telegraphen vor. Dieser ließ aufgrund klarer und geschickt codierter Zeichen eine hohe Übertragungssicherheit und -geschwindigkeit erwarten. Seine wesentliche Funktionsweise wird durch das hier gezeigte Modell veranschaulicht: ein Flügel mit beweglichen Armen wird mit Hilfe von Seilzügen in unterschiedliche Stellungen gebracht, wobei jede Stellung einen bestimmten Buchstaben, eine Ziffer oder ein Satzzeichen bedeutet. Nach dem Alphabet von J. L. Böckmann ist im Modell gerade das Signal für „V" eingestellt.

Die ideale Distanz zwischen zwei Telegraphenstationen betrug 14 Kilometer. In jeder Station arbeiteten zwei Bediener. Der eine schaute mit einem Fernrohr zum nächstgelegenen Telegraphen und gab seinem Kollegen an dem Signalmast die zu übertragende Stellung vom Regulator und den Indikatoren an. Strecken, für die Boten viele Stunden oder Tage benötigten, wurden so in Minuten überbrückt, z.B. die rund 400 Kilometer zwischen Straßburg und Paris in sechs Minuten. (In der Gegend des elsässischen Saverne sind noch originale Gebäude erhalten.) Den Ausbau der Telegraphenlinien leistete nicht allein der finanzschwache französische Staat, sondern vor allem die Lotterie, die dadurch die Betrugsgefahr verminderte und ihre Gewinne erhöhte. Chappe machte auch den Handel und die Börsen auf die Vorteile des neuen Systems aufmerksam. Der optische Telegraph wurde rund 50 Jahre lang eingesetzt (vgl. Kat.-Nrn. 229 und 230).

Literatur: Oberliesen, Rolf: Information, Daten und Signale, Reinbek 1982. – So weit das Auge reicht. Die Geschichte der optischen Telegraphie, hg. von Klaus Beyrer, Karlsruhe 1995.

K. P.

228

Anfang des 19. Jahrhunderts wurde der Automatenmensch Symbol entfremdeter Seelenlosigkeit – der Beginn der Diskussion über die Dämonie des Roboters.

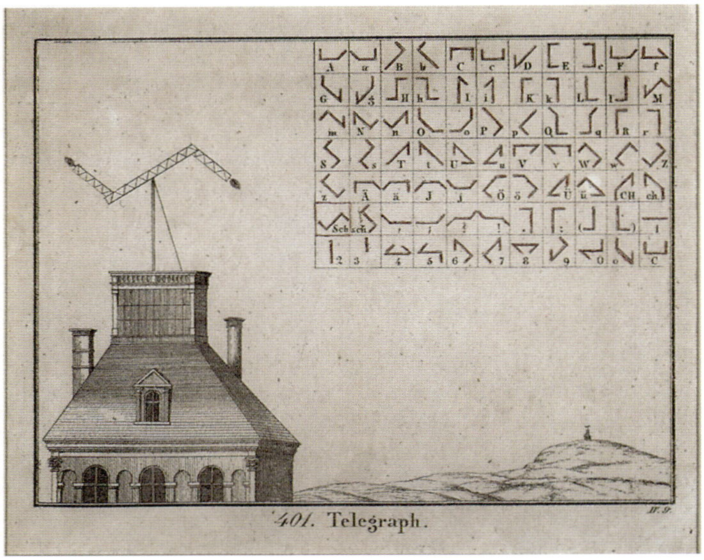

229

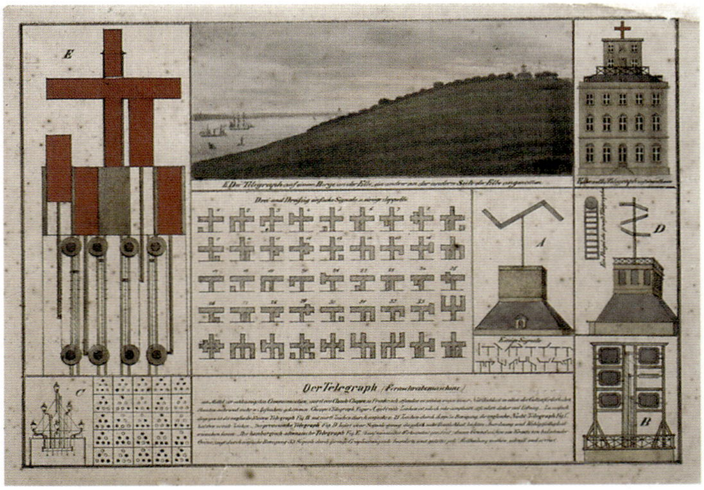

230

229 Der optische Telegraph
Um 1830
Lithographie nach Kupferstich
H. 16,8 cm, B. 20,3 cm
Frankfurt, Museum für Post und Kommunikation, Inv.-Nr.
G 13506 (5.1.2.)

Die Lithographie zeigt eine Telegraphenstation und in der Ferne die auf einem Hügel gelegene Nachbarstation. Zudem sind die verschiedenen Flügelstellungen angegeben, aus denen sich die Signale für das Alphabet bilden ließen (vgl. Kat.-Nrn. 228 und 230).

Literatur: So weit das Auge reicht. Die Geschichte der optischen Telegraphie, hg. von Klaus Beyrer, Karlsruhe 1995.

J. D.

230 „Optische Telegraphie – Der Telegraph an der Elbe"
Hamburg (?), um 1830
Lithographie
H. 27,8 cm, B. 39,9 cm
Frankfurt, Museum für Post und Kommunikation, Inv.-Nr.
G 13505 (5.2.1.)

Die Vorteile des von Claude Chappe in Frankreich entwickelten Flügeltelegraphen (vgl. Kat.-Nrn. 228 und 229) bei der Übermittlung von Nachrichten wurden rasch erkannt. Andere europäische Staaten übernahmen das Prinzip, modifizierten es jedoch nach eigenen Vorstellungen. Die Graphik zeigt den Chappetelegraphen (Figur A), den englischen Küstentelegaphen (Figur B), den englischen Nachttelegraphen (Figur C), den preußischen Telegraphen (Figur D) sowie den hamburgisch-altonaischen Telegraphen (Figur E und vier weitere Bilder).

Literatur: So weit das Auge reicht. Die Geschichte der optischen Telegraphie, hg. von Klaus Beyrer, Karlsruhe 1995.

J. D.

Mit dem optischen Telegraphen dauerte die Nachrichtenübermittlung von Paris nach Straßburg nur sechs Minuten.

231 Friederike Christiane von Landsee
Johann Baptist Seele (1774-1814)
Um 1800/03
Öl auf Leinwand
H. 55 cm, B. 44,5 cm
Stuttgart, Staatsgalerie, Inv.-Nr. 1904

Christiane Kösel, verheiratete von Landsee (1777-1841), war seit 1792 Tänzerin am Stuttgarter Hoftheater. 1793 heiratete sie den verarmten adeligen Offizier von Landsee, von dem sie sich jedoch 1799 trennte und 1803 geschieden wurde. Seit 1799 lebte sie mit dem württembergischen Hofmaler Johann Baptist Seele zusammen, den sie 1803 heiratete. Im selben Jahr gab sie ihren Beruf als Tänzerin auf. Zu den Kindern aus ihrer ersten Ehe gebar sie bis 1815 sechs weitere Kinder. Das vor ihrer Eheschließung entstandene Portrait dokumentiert die Zuneigung und den Respekt des Künstlers gegenüber seiner späteren Ehefrau. Es entstand ein unmittelbares Bildnis, das ohne Idealisierung und ohne Zurschaustellung weiblicher Mode- und Schönheitsattribute auskommt. Die Kurzhaarfrisur der Dargestellten war für die Zeit um 1800 sehr ungewöhnlich. Aber gerade deshalb ist es das Bildnis einer selbstbewußten Frau aus dem Bürgertum, die ihren eigenen Platz in der Gesellschaft einzunehmen weiß.

Literatur: Sklavin oder Bürgerin? Französische Revolution und neue Weiblichkeit 1760-1830, Ausst.-Kat. Frankfurt a.M. 1989, S. 663, Nr. 6.14, farb. Abb. S. 410.

J. D.

231

Utopien des 19. Jahrhunderts

232 Charles Fourier: „La Phalange – Journal de la science sociale", Bd. 1
Paris, 1836/37
Typendruck, Kupferstich
H. 32,4 cm, B. 22,5 cm
Tübingen, Universitätsbibliothek, Kb 4, 2-1

Fourier (1772-1837) war Sozialphilosoph, von Saint-Simon geprägt und Mitbegründer des *utopischen Sozialismus,* der das Frühwerk von Karl Marx und Friedrich Engels beeinflußte. Für die Stadt, in der er seine Gesellschaftsutopie gleicher Menschen ohne privaten Besitz beheimatete, sah er einen Renaissancegrundriß nach Renaissancevorbild vor; für die *Phalanstères,* die Wohneinheiten der Arbeiter, gar die Adaption absolutistischer Gebäudeformen wie das Schloß von Versailles. So wäre das äußerste *Oben* zugunsten des bisherigen *Unten* umgewertet worden.

Literatur: Bollerey, Franziska: Architekturkonzeption der utopischen Sozialisten, München 1977. – Kruft, Hanno-Walter: Geschichte der Architekturtheorie, München 1985, S326f., Abb. 157.

H. S.

233 Jules Verne: „De la Terre à la Lune. Trajet direct en 97 heures 20 minutes"
(„Von der Erde zum Mond. Direktflug in 97 Stunden 20 Minuten")
Paris, 1866 (Erstveröffentlichung: 1865)
Typendruck
H. 27 cm, B. 18,5 cm
Tübingen, Universitätsbibliothek, DK VI 111.4

Jules Verne (1828-1905) beschreibt in dem phantastischen Roman *Von der Erde zum Mond* und in dessen Fortsetzung *Um den Mond herum* (erschienen 1870) die erste Expedition zum Erdtrabanten – ein Unternehmen, das für die Zeitgenossen des Autors völlig unrealisierbar schien. Die Geschichte spielt in den USA. Kurz nach dem Unabhängigkeitskrieg beschließt eine Vereinigung von Artillerie-Veteranen, ein Geschoß auf den Mond zu schießen. Das Experiment wird wissenschaftlich und technisch gründlich vorbereitet. Auf Vorschlag eines Franzosen starten schließlich drei Raumfahrer mit dem Mondfahrzeug, das ein Mittelding zwischen Hohlgranate, plüschgepolstertem Eisenbahnwaggon und Arche Noah ist. Doch das Unternehmen mißlingt. Die Rakete gerät in den Gravitationsbereich des Mondes und schwenkt in eine Umlaufbahn ein, aus der es scheinbar kein Entrinnen gibt. Der Fortsetzungsband, der auch ausführliche astronomische Dispute enthält, schildert die letztendlich erfolgreichen Versuche der Mondfahrer, wieder zur Erde zurückzukehren. Dieser erfolgreiche Abschluß der Expedition eröffnet am Ende die Perspektive einer dauernden Verkehrsverbindung zwischen Erde und Mond. Die beiden Bücher gehören zu den frühesten Beispielen des *Science Fiction*-Romans. Denn sie sind nicht nur unterhaltende Abenteuer- und Reiseerzählung, sondern stellen

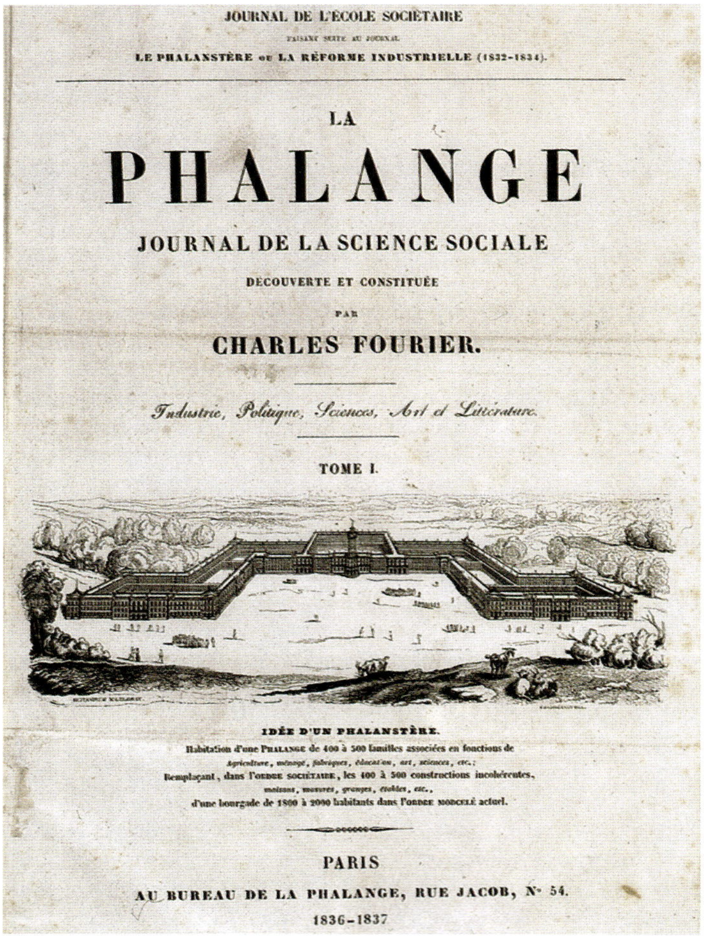
JOURNAL DE L'ÉCOLE SOCIÉTAIRE
FAISANT SUITE AU JOURNAL
LE PHALANSTÈRE OU LA RÉFORME INDUSTRIELLE (1832-1834).

LA
PHALANGE
JOURNAL DE LA SCIENCE SOCIALE
DÉCOUVERTE ET CONSTITUÉE
PAR
CHARLES FOURIER.

Industrie, Politique, Sciences, Art et Littérature.

TOME I.

IDÉE D'UN PHALANSTÈRE.
Habitation d'une PHALANGE de 400 à 500 familles associées en fonctions de
Agriculture, ménage, fabriques, éducation, art, sciences, etc.;
Remplaçant, dans l'ORDRE SOCIÉTAIRE, les 400 à 500 constructions incohérentes,
maisons, masures, granges, étables, etc.,
d'une bourgade de 1800 à 2000 habitants dans l'ORDRE MORCELÉ actuel.

PARIS
AU BUREAU DE LA PHALANGE, RUE JACOB, N° 54.
1836-1837

232

auch – in einer Mischung aus damaligem Wissen und kühnen Hypothesen – die technisch-utopische Seite des Mondfluges dar. (Fast genau 100 Jahre später, am 20. Juli 1969, landeten die ersten Menschen tatsächlich auf dem Mond.)

J. D.

234 Edward Bellamy: „Rückblick aus dem Jahr 2000 auf das Jahr 1887"

(„Looking Backward: 2000 – 1887)
Halle a.d. Saale, bei Otto Hendel, 1886
Typendruck
H. 18 cm, B. 12,5 cm
Berlin, Staatsbibliothek zu Berlin – Preußischer Kulturbesitz, 1 A 70872

Die Zukunftsutopie des Amerikaners Edward Bellamy (1850-1898) ist nur zum Teil eine prophetische Vision der Welt weit 100 Jahre nach ihrer Niederschrift, sondern – wie im Grunde jede bedeutende utopische Schrift – Kritik an den Verhältnissen der eigenen Zeit. Im Rückblick aus dem Jahr 2000, in dem das Buch handelt, auf die eigene Zeit entfaltet Bellamy eine radikale Sozial- und Gesellschaftskritik der Verhältnisse im ausgehenden 19. Jahrhundert. Im Jahr 2000 herrscht der Weltfriede. Das Militär, aber auch Parteien und Parlamente sind abgeschafft. Ein sozialistisches Wirtschafts- und Sozialsystem sorgt für das Wohlergehen, die Ausbildung und Sicherheit aller Weltbewohner; genossenschaftliches Arbeiten (bei einer Altersgrenze von 45 Jahren) ersetzt das Wirtschaften mit Geld, Kapital und Banken. Damit verbinden sich der technische Fortschritt, eine universale kulturelle Bildung und materieller Wohlstand. Der Mensch dient dem Gemeinwohl, hat den Egoismus abgelegt und wird für seine Gemeinschaftsleistungen durch öffentliches Ansehen belohnt. *„Die menschlichen Lebensbedingungen haben sich geändert, und mit ihnen die Motive des menschlichen Handelns."*

Die reale Welt des Jahres 2000 hat sich wohl mit dem weltweiten Siegeszug von Kapitalismus und Neoliberalismus zum Gegenteil der Utopie Bellamys entwickelt. Ob die Fäden, die von Morus' *Utopia* (vgl. Kat.-Nr. 99) über Bellamy bis zur 68er Bewegung (vgl. Kat.-Nr. 329) Verbindungen herstellen, im 21. Jahrhundert wieder aufgegriffen werden, wird Teil kommender *Zukunftsdiskussionen* sein.

H. S.

235 Löhl: „Freiburg im Frühling 1980. Auszug aus einer Reisebeschreibung am Ende des 20. Jahrhunderts"

Freiburg i. Br., bei H. Schick, 1890
Typendruck
H. 20 cm, B. 14 cm
Freiburg Universitätsbibliothek, Rara H 4549

Das zu Ende des 19. Jahrhunderts geschriebene Werk konkretisiert die *Stadtutopie* ganz realiter auf die Zukunft der Stadt Freiburg i.Br. neunzig Jahre später und verbindet dabei phantastische, irreale Elemente mit den damals gängigen Vorstellungen von der technischen Zukunft. Die Stadt besitzt einen Hafen, der durch einen Kanal bei Breisach an den Rhein angeschlossen ist, eine Hochbahn, bewegliche Bürgersteige und einen Ausflugssee unterhalb des Lorettoberges. Den Turm des Freiburger Münsters hat man in jahrzehntelanger Tätigkeit verdreifacht. 1980 gehört Freiburg zum *„blühenden Königreich Elsbaden";* nach Abspaltung und Teilung Lothringens unter Frankreich, Preußen und Bayern haben sich das Elsaß und das Großherzogtum Baden im Vorfeld eines Weltfriedenskongresses zu einem Königreich vereinigt mit der Hauptstadt Straßburg und der Zweitresidenz Freiburg.

Edition: Löhl: Freiburg im Frühling 1980. Auszug aus einer Reisebeschreibung am Ende des 20. Jahrhunderts, Freiburg i. Br. 1890, (Veränderter Nachdruck: Freiburg 1979 – mit im Original nicht existenten Abbildungen).

Literatur: Hartmann, Andreas: Freiburg 1900. Zum städtischen Selbstbewußtsein der Jahrhundertwende, Waldkirch 1985, S. 139ff.

H. S.

236 Herbert George Wells: „The Time Maschine. An Invention"

(„Die Zeitmaschine. Eine Erfindung")
Minden, bei J.C.C. Bruns Verlag, 1904 (Erstveröffentlichung: 1895)
Typendruck
H. 17,9 cm, B. 13,5 cm
Marbach, Deutsches Literaturarchiv, QH3. Zugangsnummer 67.2592

Der Roman des britischen Schriftsteller H. G. Wells (1866-1946) kehrt zentrale Merkmale naturwissenschaftlich orientierter Utopien seit der Neuzeit um und wird damit zur ersten *Anti-Utopie* der Weltliteratur. Seine *Erfindung* präsentiert eine von einem *Zeitreisenden* konstruierte Maschine, die Fahrten in die Zukunft wie in die Vergangenheit ermöglicht. Der Bericht von einer Reise in das Jahr 802701 ist in eine Rahmenhandlung integriert, die im London der Erzählgegenwart spielt. In der Zukunft begegnet der Zeitreisende einer befriedeten Welt, die von uniformen, androgynen und einfältigen Menschen bevölkert ist. Die vermeintliche Verbesserung der Lebensverhältnisse gerät zunehmend unter die negativen Vorzeichen der Dekadenz: *„Unter den neuen Bedingungen einer völlig bequemen und sicheren Umwelt mußte jene rastlose Energie, die unsere Stärke bildet, in Schwäche umschlagen."* Die glücklichen *Eloi* stehen nämlich in Abhängigkeit von den *Morlocks*, lemurenhaften menschenähnlichen Wesen, die in einem unterirdischen Höhlensystem leben und sich die Bewohner der Oberwelt als eine Art Schlachtvieh halten. Dieses pessimistische Szenario ist die Konsequenz einer Menschheitsentwicklung, die Wells aus der beobachteten Entwicklung zur Zwei-Klassengesellschaft am Ausgang des 19. Jahrhunderts herleitet. Das zeitgenössische *Fin-de-siècle*-Bewußtsein liest aus dem Fortschrittsoptimismus und Technisierungswahn den notwendigen Niedergang der Menschheit ab. Auf die negativen Utopien des 20. Jahrhunderts (Zamjatins *Wir*, Huxleys *Schöne neue Welt*, Orwells *1984;* vgl. Kat.-Nrn. 320 und 322) hatte der Roman wegweisenden Einfluß.

C. S. / St. S.

237 Herbert George Wells: „The War of the Worlds"

(„Der Krieg der Welten")
Wien, bei Moritz Perles, 1917 (2. deutsche Auflage; englische Erstausgabe: 1897)
Typendruck
H. 19,5 cm, B. 14,5 cm
Tübingen, Universitätsbibliothek, DK VII 5741

Der Roman *Der Krieg der Welten* des britischen Schriftstellers Herbert George Wells (1866-1946) schildert die Invasion der Marsbewohner, die sich von der englischen Grafschaft Surrey bis nach London ausbreitet. Immer mehr Flugkörper landen und bringen Wesen aus dem All, die nur aus Gehirn, Händen und einem Kreislaufsystem bestehen. Die technologisch weit überlegenen Marsianer fallen über die Menschen her. Sie ernähren sich von deren Blut und mit den Hitzestrahlen ihrer Waffen verbrennen sie ganze Armeen. Mit Giftgas wird das Leben in weiten Landstrichen vernichtet. Verzweifelt fliehen die Menschen zur Küste. Dort versuchen sie, Schiffe zu erreichen, um auf andere Kontinente zu fliehen. Dabei bricht die Gesellschaftsordnung zusammen; zivilisierte Menschen fallen in die Barbarei zurück. Die Lage erscheint ausweglos. Die Überlebenden sehen sich dazu verurteilt, sich der fremden Herrschaft zu unterwerfen oder im Untergrund Widerstand zu leisten. Doch tritt am Ende eine überraschende Wendung ein: Denn sämtliche Marsianer fallen irdischen Krankheitserregern zum Opfer.

Wells arbeitete mit exakten Orts- und Zeitangaben und verortete damit seinen Roman in der Gegenwart und in der vertrauten Umgebung der zeitgenössischen britischen Leser. So schreckte er die vicktorianische Gesellschaft schockartig aus ihrem Fortschrittsoptimismus auf und übte gleichzeitig drastisch Kritik an der nationalen Selbstgerechtigkeit der Briten. Denn Wells setzte die Invasoren vom Mars gleich mit den britischen Imperialisten, die eben mit realen Invasionen Kolonien eroberten und dort reale Vernichtungskriege gegen die einheimische Bevölkerung führten.

Vier Jahrzehnte später hatte die Geschichte nichts von ihrer Wirkung verloren. Als Orson Welles 1938 in Amerika den Stoff als Hörspiel ausstrahlte, brach im ganzen Land Panik aus (vgl. Kat.-Nr. 321).

J. D.

Jede bedeutende utopische Schrift ist Kritik an den Verhältnissen der eigenen Zeit.

Der Weg in die Moderne

Reformen in Preußen

Die Niederlage Preußens gegen die napoleonische Armee von **1806** leitete Reformen ein, die der Minister Carl Freiherr vom und zum Stein in Angriff nahm. Das Edikt zur Bauernbefreiung (1807), die Städteordnung (1808) und die Heeresreform wollten Untertanengesinnung durch Mitverantwortung ersetzen. Wilhelm von Humboldt organisierte die Schulreform: Zur zentralen Bildungsanstalt für die Spitzen und Stützen der Nation sollte das Gymnasium mit seinen antik-christlich orientierten Bildungsfächern werden. Stein war überzeugt, daß Deutschlands Aufstieg zu äußerer und innerer Freiheit am ehesten von einem gewandelten Preußen ausgehen könne – eine Hoffnung, die dann durch die reaktionäre Gesinnung der Potentaten vereitelt wurde.

Die Front nach innen

In einem Siegeszug brachte Napoleon Europa unter seine Herrschaft bzw. Vorherrschaft. Das Fiasko seines Rußlandfeldzuges von 1812 und die Gegenallianz von Preußen, Österreich und Rußland bewirkten jedoch sein Scheitern. Dieses wurde 1813 in der Völkerschlacht bei Leipzig besiegelt. Der Wiener Kongreß zog **1815** einen Schlußstrich unter die napoleonische Ära. Die siegreichen Großmächte versuchten, die alten absolutistischen Zustände zu restaurieren. Hierbei mußten sie eine Front nach innen errichten. Denn mittlerweile hatten sich freiheitliche nationale Bewegungen gebildet, die sich zwar gegen Napoleon gewandt hatten, aber doch vom Geist der Französischen Revolution inspiriert waren.

Edel sei der Mensch, hilfreich und gut

1829 beendete Johann Wolfgang von Goethe seinen großen Bildungsroman „Wilhelm Meisters Lehr- und Wanderjahre". Der letzte Teil blickt auf Amerika – Ausdruck der Ahnung, daß dieser Kontinent die heraufziehende Epoche dominieren werde. Auf Initiative des Herzogs von Weimar Karl August kamen Dichter und Denker wie Goethe, Friedrich Schiller, Johann Gottfried Herder und Christoph Martin Wieland nach Weimar. Ihr dortiges Wirken führte zur „deutschen Klassik", für die der Menschheitsgedanke und das Ideal einer möglichst allseitigen und harmonischen Entwicklung der Persönlichkeit im Mittelpunkt stand.

Die Herrschenden zittern

Die Restauration hatte sich beim Wiener Kongreß ein Instrument der Unterdrückung freiheitlicher Bewegungen geschaffen. Aber **1848** kam es europaweit zu einer Revolution liberaler und demokratischer Kräfte. In Deutschland pochte das Bürgertum auf politischen Führungsanspruch, die Arbeiterschaft forderte soziale Sicherheit. Doch scheiterte die Frankfurter Nationalversammlung bei dem Versuch, eine Verfassung durchzusetzen. Ebenfalls 1848 veröffentlichte Karl Marx das „Kommunistische Manifest": „Mögen die herrschenden Klassen vor einer kommunistischen Revolution zittern. Die Proletarier haben nichts in ihr zu verlieren als ihre Ketten. Sie haben eine Welt zu gewinnen."

Vernetzungstraum

1835 wurde die erste deutsche Eisenbahn zwischen Nürnberg und Fürth eröffnet. Der Plan, Städte und Regionen „durch Dampf und eiserne Bänder aneinander zu ziehen", war wesentlich von Friedrich List propagiert worden. Der Tübinger Professor für Staatspraxis hatte seiner liberalen Anschauungen wegen in die USA auswandern müssen. Nach seiner Rückkehr forderte er den Ausbau des Eisenbahnwesens nach amerikanischem Vorbild. Auf diese Weise könnten „demokratische Nationalzustände" geschaffen werden. Das rasch zunehmende Eisenbahnnetz und die Industrialisierung bewirkten einen umfassenden wirtschaftlichen und gesellschaftlichen Strukturwandel. Die Fabrik wurde zur zentralen Produktionsstätte, die Städte wuchsen rapide.

Bildungsbürgertum

Liberale und industrielle Revolution

Kampf ums Dasein

Apotheose des Fortschritts

Die erste Weltausstellung fand 1851 in London statt. Sie eröffnete eine Serie solcher internationaler Mammutschauen, die Wallfahrtsstätten zum Fetisch Ware wurden. Industrie, Wissenschaft und Kunst bekundeten dort ihren Fortschrittsglauben. Für die Londoner Schau hatten 20.000 Arbeiter im Hydepark den stilprägenden Glaspalast errichtet. 17.000 Aussteller waren vertreten. Es kamen rund sieben Millionen Besucher. Die englische Königin Victoria, die der Epoche ihren Namen gab, bezeichnete den Eröffnungstag als den glücklichsten und stolzesten Tag ihres Lebens.

Überleben der Besten

1859 erschien das Monumentalwerk „Über die Entstehung der Arten durch natürliche Zuchtwahl" des englischen Biologen Charles Darwin. Sein Grundgedanke war, daß die heutigen Lebewesen sich aus älteren, niederen Arten allmählich emporentwickelt hätten, weil im Kampf ums Dasein nur diejenigen überlebten, die am besten angepaßt und damit die stärksten seien. Dies entsprach dem materialistischen Denken der Zeit. Auf soziale Verhältnisse übertragen, schien damit auch der Kapitalismus mit seiner „sozialdarwinistischen" Härte gerechtfertigt. Beim Imperialismus und Kolonialismus wurde die behauptete europäisch-abendländische Überlegenheit dazu benutzt, andere Erdteile zu unterwerfen und auszubeuten. Auch der Antisemitismus war bestimmt von rassistisch begründeten Vorurteilen.

Das zweite Reich

Preußen war Hauptträger der Idee eines deutschen Nationalstaates. Dieser wurde vom Ministerpräsidenten und Außenminister Otto von Bismarck vorangetrieben. Der erfolgreiche Krieg gegen Österreich von 1866 festigte die preußische Vormacht. 1870 siegten die Preußen im Verbund mit den süddeutschen Staaten über Frankreich. Am 18. Januar 1871 wurde im Spiegelsaal von Versailles der preußische König als deutscher Kaiser Wilhelm I. ausgerufen. Das zweite Reich begann. Friedrich Nietzsche kritisierte die Vorstellung, damit habe die deutsche Kultur gesiegt. Angesichts der starken antiliberalen, antidemokratischen und antisozialistischen Ressentiments der Herrschenden konnte man in der Tat die „Exstirpation [operative Entfernung] des deutschen Geistes zugunsten des deutschen Reiches!" befürchten.

Nervosität durch Beschleunigungsdruck

1896 konstruierte Guglielmo Marconi den ersten brauchbaren Apparat für drahtlose Telegraphie. Im selben Jahr fand Konrad Röntgen die nach ihm benannten X-Strahlen. Insgesamt überstürzten sich die Entdeckungen: Straßenbahn, Auto und Fahrrad, elektrisches Licht, Zeppelin und Flugzeug, Film, Telefon, neuartiger Postverkehr, Rotationspresse für den Zeitungsdruck. Es entstand eine Verkehrs- und Kommunikationsdichte, die von den einen als optimale Möglichkeit für Aufklärung, von den anderen als Informationsverwirrung empfunden wurde. Individuelle und kollektive „Neurasthenie" (ein Modewort der Zeit) bzw. „Nervosität" war die Folge.

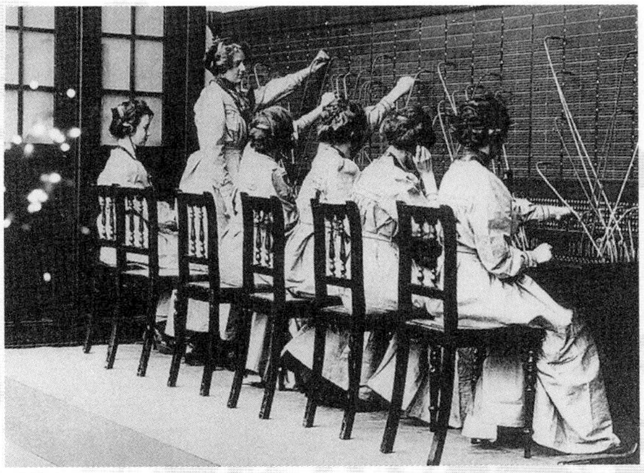

„Weltkarte in Mercator Projektion mit Eintragung der Kolonien und Schutzgebiete"
In: „Stielers Hand-Atlas"
Gotha, 1908
Berlin, Staatsbibliothek zu Berlin – Preußischer Kulturbesitz, Kartenabteilung

Die Weltkarte hebt durch verschieden farbige Umrandungen die verschiedenen Kolonien der europäischen Weltmächte hervor. Die übrigen Staaten sind durch helleres Kolorit unterschieden. Das heutige Namibia ist beispielsweise als „Deutsch- Südwest-Afrika" bezeichnet.

1900

Jahrhundertwende zwischen Décadence und Moderne

Kaiser Wilhelm II. entschied höchstpersönlich, dass in Deutschland das 20. Jahrhundert mit dem Jahr 1900 beginnen sollte. Zur Jahrhundertwende gab es einerseits die pessimistischen Stimmungen des „Fin de Siècle". Andererseits hatte das Zeitalter der „Moderne" bereits begonnen. Ihre Anhänger sahen die Zukunft optimistisch und vom technischen Fortschritt (Elektrizität, Automobil, Luftschifffahrt etc.) bestimmt.

Als kurz vor der letzten Jahrhundertwende unterschiedliche Auffassungen unter den deutschen Bundesstaaten herrschten, ob das neue Jahrhundert am 1. Januar 1900 oder am 1. Januar 1901 beginne, legte Reichskanzler Fürst Chlodwig zu Hohenlohe-Schillingsfürst die Frage dem deutschen Kaiser Wilhelm II. persönlich zur Entscheidung vor. Der schrieb auf die Depesche: *„am 1. Januar 1899."*

Die Anweisung sorgte dafür, daß man allgemein in Deutschland am 1. Januar 1900 das neue Jahrhundert feierte; man wußte beim Verschreiben des Kaisers, was er meinte. Dennoch war dessen Schreibfehler vielleicht mehr; eine – um in der Zeit zu bleiben – *Freud'sche Fehlleistung*. Wilhelm II. konnte es mit dem Beginn des neuen Jahrhunderts nicht schnell genug gehen. Er sah sich als Monarch der Zukunft – einer glänzenden Zukunft von Technik und Fortschritt und der wachsenden Stärke und Macht des Deutschen Reiches. Den *„Traum vom endlosen Fortschritt"* (Frank Möller) hat man das Denken jener Zeit genannt. Nicht zufällig wurde vom Kaiser selbst 1899 für die technischen Hochschulen das – bislang nur den Universitäten zustehende – Promotionsrecht durchgesetzt, wurden 1900 die Realgymnasien und Oberrealschulen durch kaiserlichen Erlaß den humanistischen Gymnasien gleichgestellt, trat am 1. Januar desselben Jahres das *Bürgerliche Gesetzbuch* als modernes ziviles Recht in Kraft. Der technische und zivilisatorische Fortschritt verband sich mit dem Beginn des neuen Jahrhunderts. Der Schriftsteller Max Haushofer schloß sein 1899 verfaßtes Gedicht *An des Jahrhunderts Neige* mit den Zeilen: *„Die Weltuhr schläft, Ihr großer Zeiger schreitet / Voran, sein Gang ist schicksalsfroh und stät; / Der Menschheit Hoffnung aber und ihr Segen, / Sie geh'n mit ihm der Zukunft froh entgegen!"*

Allerorten in den deutschen Bundesstaaten, auch in den Dörfern und den Städten, wurde der Beginn des 20. Jahrhunderts mit biederen Festakten und Blaskapellen gefeiert (Otto Borst). In Ansprachen, in Zeitungsartikeln, in Illustrationen und mit der Herausgabe von Jubiläumsmedaillen wurde die Wende mit dem Motto *Heil dem neuen Jahrhundert* gewürdigt.

Die große Weltausstellung des Jahres 1900 verstand sich als Rückblick auf die Errungenschaften des 19. Jahrhunderts, aber ebenso als Focus der kommenden neuen Jahrhundertzeit (siehe den Beitrag von Claudia Kanowski): Krönung des 19. und Eröffnung des 20. Jahrhunderts zugleich. Es lag wohl an den traditionell konservativen Strukturen von Weltausstellungen, wenn die avantgardistische Kunst jener Zeit nur am Rande integriert war. Ohnedies galt das Interesse der Veranstalter hauptsächlich den Fragen des technischen Fortschritts. Damals spekulierte man selbst bis ins Medium der populären Reklame-Sammelbilder über die Welt der Zukunft, des – wie man gerne ausgriff – Jahres 2000. Eine euphorisch geschilderte Welt, technisch beherrscht und für das vollkommene Glück der Menschen garantierend.

Im Rückblick war das 19. Jahrhundert das *„stymphalische Zeitalter"* (Dolf Sternberger) der Maschinenwelt oder das *„revolutionäre Jahrhundert"* (August Bebel) der Emanzipation des Bürgertums und der arbeitenden Klassen. Die Jahrhundertwende 1900 war jedoch vor allem Reflexionsgegenstand für Künstler, Schriftsteller und Intellektuelle, die mit dem Ende des 19. Jahrhunderts den Untergang langwährender abendländischer Kulturtraditionen befürchteten, verursacht durch Materialismus, Kapitalismus und ökonomische Zweckherrschaft. *Décadence* und *Fin de siècle* waren Stichworte endzeitlichen Bewußtseins seit Mitte der achtziger Jahre. Seit 1886 erschien in Paris die Zeitschrift *Le Décadent*, und darin schrieb Anatole Baju (1861-1903): *„Sich den Stand der Dekadenz, den wir erreicht haben, zu verhehlen wäre der Gipfel des Wahnwitzes. Die Gesellschaft zersetzt sich unter der ätzenden Wirkung einer Zivilisation in Auflösung. Der moderne Mensch ist ein Übersättigter. Verfeinerung der Begierden, der Empfindungen, des Geschmacks, des Luxus, der Genüsse; Neurose, Hysterie, Hypnotismus, Morphiumsucht, wissenschaftliche Scharlatanerie, Schopenhauerismus über alle Maßen – das sind die Vorboten der gesellschaftlichen Veränderung."*

Intellektuelle fürchteten mit dem Ende des 19. Jahrhunderts den Untergang langwährender abendländischer Kulturtraditionen.

Charles Baudelaire – als Vorläufer –, Joris-Karl Huysmans, Georges Rodenbach, Oscar Wilde, Robert de Montesquiou, Barbey d'Aurevilly, Mallarmé, Rimbaud, Verlaine, D'Annunzio, Rilke, Schnitzler, Hofmannsthal, Strindberg und viele andere Dichter waren Wortführer des Untergangsbewußtseins jener Zeit, ausgedrückt in Melancholie, Ennui, Agonie und Todessehnsucht. Bildende Künstler des Symbolismus wie Gustave Moreau, Odilon Redon, Fernand Khnopff, James Ensor, Edward Munch und viele andere beschworen Todessehnsucht und Weltuntergang in poetischen Metaphern in der Malerei und Grafik. Diese Stimmungslage war jedoch auf kleine intellektuelle und künstlerische Kreise beschränkt und darf für das allgemeine Zeitgefühl der 1900-Wende keineswegs überschätzt werden.

Les contraires l'attirent – die Gegensätze ziehen sich an. Dies gilt besonders für das Wendebewußtsein um 1900. Dekadenz-Bewußtsein und zukunftswillener Tataktivismus standen dialektisch zueinander: zu Ende des 19. Jahrhunderts regredierten viele *Décadence*-Künstler in Erlösungsstrategien der Heimatfindung und Versöhnung. Als Huysmans 1884 seinen radikalen *Décadence*-Roman *A rebours (Gegen den Strich)* veröffentlichte, schrieb Barbey d'Aurevilly darüber: *„Nach einem solchen Roman muß sich der Verfasser eine Kugel in den Kopf schießen oder zu Kreuze kriechen."* Huysmans, Oscar Wilde, Maurice Barrès oder zeitweilig auch Strindberg fanden tatsächlich ihre Versöhnung mit der Welt des Jahrhundertendes im Katholizismus und der Klosteridee; andere fanden ihren Ausgleich mit der vordem verfeindeten Welt im Gewaltkult, der Technikeuphorie bis hin zum faschistischen Tataktionismus. Gabriele D'Annunzio veröffentlichte genau im Jahr 1900 gleichzeitig auf italienisch und deutsch seinen Roman *Il fuoco (Das*

Feuer), in dem er Venedig als *„Citta morta"*, als Stadt *„versteinerter Jahrhunderte"*, des *„in Nichts zerfallenen Prunks"*, als *„verfallene Größe"*, dem Untergang geweiht, als Seelenstimmung beschwor, dagegen jedoch die Sehnsucht nach der *„siegreichen Tat"*, *„in der Welt Taten zu vollbringen, Eroberungen auszuführen"* abverlangte. Und der Agonie des *Forse che si, forse che no (Vielleicht – vielleicht auch nicht)* des Untergangs einer verwelkenden Kultur setzte D'Annunzio in seinem gleichnamigen späteren Roman hart den heldischen Rausch des Fliegens und der Automobilgeschwindigkeit entgegen; die Antinomien seines späteren Gesamtkunstwerks *Vittoriale* zwischen dekadentem Märtyrer und übermenschlichem Held, heiligem Sebastian und Maschinengewehr, von seiner pseudofaschistischen Wahnsinnseroberung Fiume (und die des Futurismus) nahm er so literarisch vorweg. Als sich ein Stil, der sich bewußt *Jugendstil, art nouveau* bzw. *Modern style* nannte, gerade etabliert hatte, wurde er – von Adolf Loos – gerade im Jahre 1900 bereits als besonders raffinierte Form der Vergangenheitsorientiertheit im neuen Gewand kritisiert. In diesen Brüchen lebt die Wendezeit 1900, mit ihnen mußte auch das ganze 20. Jahrhundert leben.

Literatur:

Borst, Otto: Silvester 1900, in: Ein Jahrhundert beginnt. Baden und Württemberg, 1900 bis 1914, hg. vom Haus der Geschichte Baden-Württemberg durch Otto Borst, Tübingen 1996, S. 7-19.

Naumann, Michael: Bildung und Gehorsam. Zur ästhetischen Ideologie des Bildungsbürgertums, in: Das wilhelminische Bildungsbürgertum. Zur Sozialgeschichte seiner Ideen, hg. von Klaus Vondung, Göttingen 1976, S. 34ff.

Rasch, Wolfdietrich: Die literarische Décadence um 1900, München 1986.

Siebenmorgen, Harald: Avantgarde und Restauration. Die Verbindlichkeit des ideellen Bildthemas um 1900, in: Ästhetische und religiöse Erfahrungen der Jahrhundertwenden, Bd.II: um 1900, hg. von Wolfgang Braungart / Gotthard Fuchs / Manfred Koch, Paderborn 1998, S. 233-265.

Sternberger, Dolf: Panorama oder Ansichten vom 19. Jahrhundert, Hamburg 1938.

Harald Siebenmorgen

Dekadenz-Bewusstsein und zukunftswillener Tataktivismus standen um 1900 dialektisch zueinander.

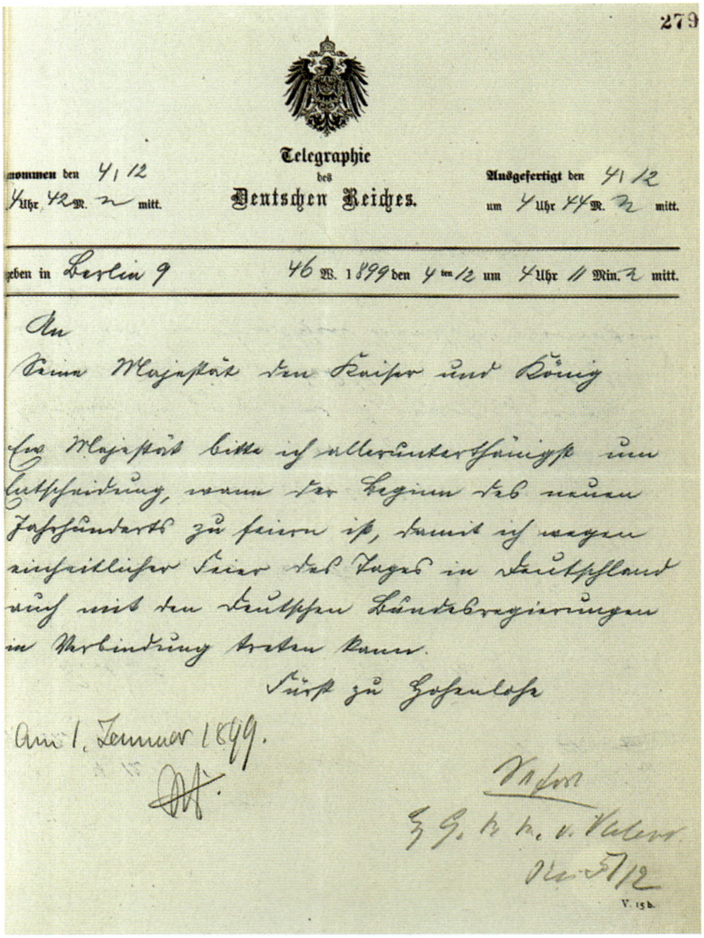
279

Telegraphie des Deutschen Reiches

...ommen den 4/12 ... Uhr 42 M. n mitt.

Ausgefertigt den 4/12 um 4 Uhr 44 M. N mitt.

...geben in Berlin 9 46 W. 1899 den 4ten/12 um 4 Uhr 11 Min. N mitt.

An

Seine Majestät den Kaiser und König

Euer Majestät bitte ich allerunterthänigst um Entscheidung, wann der Beginn des neuen Jahrhunderts zu feiern ist, damit ich wegen einheitlicher Feier des Tages in Deutschland auch mit den deutschen Bundesregierungen in Verbindung treten kann.

Fürst zu Hohenlohe

Am 1. Januar 1899.

W.

238

238 Telegramm des Reichskanzlers Fürst zu Hohenlohe-Schillingfürst an Kaiser Wilhelm II. mit der Bitte um Entscheidung, wann der Beginn des 20. Jahrhunderts zu feiern ist.

Berlin, 4. Dezember 1899
Reproduktion
Berlin, Geheimes Staatsarchiv Stiftung Preußischer Kulturbesitz, I. HA Rep. 89 Geheimes Zivilkabinett, Jüngere Periode, Nr. 23515, Bl. 279 (Original)

Die Frage, wann das Jahrhundert beginnt, beschäftigt die Menschen seit 1700. Kalendarisch korrekt ist es, den Wechsel vom Jahr 00 auf das Jahr 01 zu feiern, da die christliche Jahreszählung mit dem *ersten Jahr des Herrn* beginnt, nicht mit dem *nullten*. Während die Jahrhundertwende 1800/1801 in vielen Ländern, etwa im Königreich Preußen, am kalendarisch korrekten Termin gefeiert wurde, entschied sich das Deutsche Reich hundert Jahre später für den früheren und falschen Festtermin. Die Entscheidung fällte Kaiser Wilhelm II. höchstpersönlich, wie das Telegramm vom 4. Dezember 1899 zeigt: Reichskanzler Hohenlohe-Schillingfürst fragte bei ihm an: *„Euer Majestät bitte ich allerunterthänigst um Entscheidung, wann der Beginn des neuen Jahrhunderts zu feiern ist, damit ich wegen einheitlicher Feier des Tages in Deutschland auch mit den deutschen Bundesregierungen in Verbindung treten kann."* – Die Antwort, die der Kaisers darunter schrieb, enthält einen Schreibfehler, der zeigt, wie schwer die neue Jahreszahl 1900 dem Kaiser noch von der Hand ging: *„Am 1. Januar 1899. W[ilhelm]."*

Literatur: Brendecke, Arndt: Die Jahrhundertwenden. Eine Geschichte ihrer Wahrnehmung und Wirkung. Frankfurt am Main, New York 1999.

A. B.

239 „Karlsruher Zeitung" vom 31. Dezember 1899

Typendruck
H. 43,7 cm, B. 33,5 cm
Karlsruhe, Stadtarchiv, 8/Ze 17, 1899

Die Beiträge der Zeitungen vom 30. und 31. Dezember 1899 zur bevorstehenden Jahrhundertwende sind sehr unterschiedlichen Inhalts. Im Rückblick auf das 19. Jahrhundert hebt die *Karlsruher Zeitung* den *„Bau des neuen Deutschen Reiches als Wahrzeichen selbstgeschaffener Größe"* hervor. Es folgt eine eindringliche Mahnung zu Kaisertreue und geistiger Einigkeit des deutschen Volkes. Auch in Zukunft könnten die Führer nur dann Großes leisten, wenn *„jeder Einzelne im Volke an seinem Theile mithilft zum Wohle der Allgemeinheit"*.

Während das *Badener Tagblatt* das neue Jahrhundert mit einer gereimten Grabrede auf das alte einläutet, thematisieren *Badischer Beobachter* und *Volksfreund* den Streit um den Zeitpunkt der Jahrhundertwende. Obwohl nach genauer Berechnung feststehe, daß das neue Jahrhundert erst ein Jahr später beginne, sei nach dem Willen von Kaiser, Papst, Bundesrat und Reichstag offiziell *„auf ihren Befehl morgen Abend Jahrhundertwechsel"*. Unterschiedlich ist die Haltung der Zeitungen zu diesem Beschluß: Der *Badische Beobachter* beklagt den Spott französischer Kollegen über die deutsche Kaisertreue, er schlägt vor, das Wort *„Jahrhundertwende"* zu vermeiden und durch *„Jahrhundertfeier"* zu ersetzen. Anders der *Volksfreund:* Man beschließt, in dieser Angelegenheit ausnahmsweise zu Kaiser und Papst zu halten, da die verfrühte Feier der Jahrhundertwende dem Volksgeist entspräche.

C. I.

Das 20. Jahrhundert beginnt
„Am 1. Januar 1899. Wilhelm."

240a

240b

240 Zwei Titelblätter der Zeitschrift „Jugend" zur Jahrhundertwende

a) Janus-Kopf als Zeichen des Übergangs vom 19. ins 20. Jahrhundert
Reinhold Max. Eichler (geb. 1872)
München, Nr. 1, 1. Januar 1900
Vierfarbiger Druck
H. 30,2 cm, B. 24,1 cm
Marbach, Deutsches Literaturarchiv, Y. Zugangsnummer 55. 741
b) Das Schicksal des 20. Jahrhunderts
Titelblatt der Zeitschrift „Die Jugend", Jg. 5, Nr. 2
Otolia Gräfin Kraszewska (geb. 1859)
München, 8. Januar 1900
Dreifarbiger Druck
H. 29,6 cm, B. 22,5 cm
Karlsruhe, Staatliche Kunsthalle, Bibliothek

Gemeinsam mit den Zeitschriften *Pan* und *Simplicissimus* reformierte die seit 1896 erscheinende *Jugend* die deutsche Kunstpublizistik. Die *Jugend*, die den Untertitel *Münchner Illustrierte Wochenschrift für Kunst und Leben* trug, wurde namensgebend für den *Jugendstil*. Das Titelblatt ihrer ersten Ausgabe des Jahres 1900, das auch auf dem Einband des Halbjahresbandes seinen Platz fand, wird beherrscht vom Bild einer monumentalen, wie aus Sandstein gehauenen Doppelbüste. Auf der abgewandten Seite trägt sie den Kopf einer greisenhaften Frau, die das vergangene 19. Jahrhundert symbolisiert. Auf der zugewandten Seite erscheint der Kopf einer jungen Frau. Sie steht für das beginnende 20. Jahrhundert. Unter ihrem Halsansatz ist die Jahreszahl *„1900"* in den Sockel gemeißelt. Ein Jüngling ist an diesen Sockel gelehnt und blickt über einen blühenden Busch, der Zeichen für den Neubeginn ist, in die Ferne und damit in die Zukunft. Die Doppelbüste steht in der Tradition der antiken Darstellungen des Janus, des römischen Gottes des Eingangs und des Ausgangs sowie aller Übergänge und Anfänge. Janus steht auch für den Jahreswechsel. Der Januar, der erste Monat des Jahres, ist nach ihm benannt. Schon 1700 und 1800 fand der Januskopf Verwendung als Bild für den Jahrhundertwechsel (vgl. Kat.-Nrn. 140, 153, 194).

Auf dem Titelblatt ihrer zweiten Ausgabe von 1900 zeigt die *Jugend* noch einmal ein Motiv zur Jahrhundertwende. Im Zentrum der Darstellung findet sich eine Uhr, das Symbol der Zeit. Sie ist als goldgelbe Sonne gestaltet, deren Strahlen über das Zifferblatt hinaus in die nachtblaue Umgebung leuchten. Schon 1800 hatte die

241

Sonne als Symbol des neuen Jahrhunderts Verwendung gefunden (vgl. Kat.-Nr. 201). Im Zentrum der Sonnen-Uhr lodern Flammen. Dort winden sich sechs Salamander derart, daß Buchstaben, die über ihre Körper gelegt sind, den Zeitschriftentitel *Jugend* bilden. Schon in der Antike wurde dem Salamander die Eigenschaft zugesprochen, im Feuer nicht nur überleben zu können, sondern sich dort sogar zu verjüngen. Im Kontext des Bildes bedeuten die Salamander, daß mit der Jahrhundertwende eine Erneuerung bevorsteht. Die Art des Wandels bleibt jedoch ungewiß, denn vor der Sonnen-Uhr steht die Schicksalsgöttin Fortuna mit den für sie typischen Attributen Füllhorn (Überfülle des Glücks), Rad (flüchtiges, vergängliches Glück) und Augenbinde (wahllose Verteilung des Glücks).

J. D.

241 Neujahrsausgabe der Zeitschrift „Illustrirte Welt“:
Martin Wiegand (geb. 1867)
1900
Stich
H. 38,5 cm, B. 30 cm (Blatt)
Stuttgart, Württembergische Landesbibliothek, Ztg 9069, 47/48. 1899/1900

Die in Stuttgart erscheinende Zeitschrift *Illustrirte Welt* verstand sich – so der Untertitel – als *Blätter aus Natur und Leben, Wissenschaft und Kunst zur Unterhaltung und Belehrung für die Familie.* In ihrer Neujahrsausgabe 1900 findet sich eine Darstellung, auf der Putten und eine Engelsfigur unter den Devisen *„Mit Gott“* und *„Prosit Neujahr!“* das neue Jahr mit Glockengeläut und Posaunenklängen begrüßen. Der Putto oben auf der Glocke hält zudem ein Stundenglas als Symbol der Zeit und der Vergänglichkeit sowie ein Sektglas, ein Accessoire der Silvesterfeier, empor. Ein dezidierter Bezug auf die Jahrhundertwende ist nicht gegeben.

J. D.

Nr. 52. **Die Gartenlaube** 1900.

Illustriertes Familienblatt. Begründet von **Ernst Keil 1853.**

Preis des Jahrgangs: 7 M. Zu beziehen in **Wochennummern** vierteljährlich **1 M. 75 Pf.**, auch in 28 **Halbheften** zu **25 Pf.** oder in 14 **Heften** zu **50 Pf.**

Dem neuen Jahrhundert

Ich grüss' im tiefen mitternächt'gen Schweigen,
Du neu Jahrhundert, deinen ersten Tag.
Wie Schatten seh' ich's auf- und niedersteigen,
Ablösung halten mit dem Glockenschlag.
Trug ist die Zeit und Trug der Tanz der Stunden —
Das Ew'ge ist an keine Zeit gebunden.

Doch stets verhüllt sind uns der Zukunft Lose;
Uns schreckt das Dunkel nicht, das sie umschwebt,
Da sonnenhell das Schöne, Wahre, Grosse
Der Zeiten Wechsel siegreich überlebt.
Vergang'nen Ruhm mag unser Dank verklären,
Die neue Zeit soll neuen Ruhm gebären!

Nicht in den Grüften schläft die Weltgeschichte,
Kein marmorn Denkmal hat sie festgebannt:
Sie strebt dem Adler gleich empor zum Lichte,
Stets neuen Zielen ist sie zugewandt,
Und ist die Zeit zu Grossem auserkoren,
Wird auch der Held, der es vollbringt, geboren.

Du deutsches Volk, in fernen Oceanen
Lass deine Flotten ihre Pfade gehn;
In fernen Zonen mögen deine Fahnen
Glorreich geschmückt mit Siegeskränzen wehn!
Die Welt erobre dir mit andern Waffen,
Mit dem, was deine Hand, dein Geist geschaffen!

Des Denkers Mut zu neuen Geistesflügen,
Der Forschung täglich wachsender Gewinn,
Am stillen Herd ein trauliches Genügen,
Im Kampfgewühl ein ritterlicher Sinn,
Den Geistern Licht, den Herzen Trost und Frieden,
Du neu Jahrhundert, sei von dir beschieden!

Rudolf von Gottschall.

242

242

242 Jahrhundertwendeausgabe der Zeitschrift „Die Gartenlaube"

Leipzig, Verlag Ernst Keil's Nachfolger, 1900, Heft 52
H. 32 cm, B. 25,5 cm
Lithographie
Karlsruhe, Badische Landesbibliothek, ZB 486, 1900

Die Gartenlaube, ein 1853 gegründetes *illustriertes Familienblatt* (Untertitel), war um die Jahrhundertwende 1900 sehr populär. Sie brachte einem breiten Publikum vor allem belehrende Beiträge sowie leichte Kunst und Literatur. Der Beginn des 20. Jahrhunderts wurde in der *Gartenlaube* erst am Jahreswechsel 1900 auf 1901 gewürdigt. Auf der Titelseite findet sich ein Gedicht Rudolf von Gottschalls mit dem Titel *„Dem neuen Jahrhundert".* Darin hält der den Nationalkonservativen zugerechnete Autor den deutschen Weltmachtgedanken hoch. Der zugehörige Holzschnitt zeigt einen zur Sonne auffliegenden Adler. In derselben Ausgabe findet sich die Darstellung einer bürgerlich-familiären Silvesterfeier unter dem Titel *Im neuen Jahrhundert:* Ein Ehepaar sitzt am Eßtisch; die Wanduhr steht auf wenigen Minuten nach Mitternacht. Noch hängt unter der Uhr der Kalender des alten Jahres mit dem Datum *„31. Dezember 1900".* Doch eben bringt das Dienstmädchen, das an der Feier teilnehmen durfte, seiner Herrschaft den neuen Kalender, der das Datum *„1. Januar 1901"* zeigt.

J. D.

243

243 Jahrhundertwendeausgabe der englischen Satire-Zeitschrift „Punch“

London, bei Bradbury, Agnew & Co., 2. Januar 1901
Typendruck
H. 28,3 cm, B. 23,5 cm
Karlsruhe, Badische Landesbibliothek, ZB 2352, 120 1901

In England begann das 20. Jahrhundert mit dem Jahr 1901. Die in London erscheinende satirische Zeitschrift *Punch* widmete ihre Ausgabe vom 2. Januar 1901 in großen Teilen diesem Ereignis: In einem unter der Überschrift *„New Century Greetings“ („Grüße zum neuen Jahrhundert“)* in deutscher Sprache abgedruckten Brief an Reichskanzler Bernhard von Bülow heißt es (S. 16): *„Jetzt war ich im Begriff Ihnen meine herzliche Glückwünsche für das neue Jahrhundert zu schicken, aber ich erinnere mich dass der Kaiser immer so previous ist, dass es in Deutschland ein Jahr zu früh begann.“* (vgl. Kat.-Nr. 238) Eine doppelseitige (S. 10/11) Radierung mit dem Titel *Time's Appeal („Mahnung der Zeit“)* thematisiert den Jahrhundertwechsel und drückt gleichzeitig die Forderung nach einer Epoche des Friedens aus. Ein alter, bärtiger Mann in einer Art Mönchskutte und mit Sanduhr am Gürtel personifiziert das ausgehende 19. Jahrhundert. Er trägt einen Säugling, über dessen Kopf die Jahreszahl *„1901“* erscheint; das Kind verkörpert also das beginnende 20. Jahrhundert. Rechts steht eine engelsgleiche Allegorie des Friedens. Mit Einhalt gebietender Geste schirmt der Alte den Frieden gegenüber einer Personifikation des Krieges ab, die links auf einem Streitwagen erscheint.

J. D.

244 August Bebel: „Ein Rückblick ins alte und ein Ausblick ins neue Jahrhundert.“

in: Zeitschrift „Der Wahre Jacob“
1900
H. 31 cm, B. 23,5 cm
Tübingen, Universitätsbibliothek, Fm 21.4

Die Wende vom 19. zum 20. Jahrhundert diente dem sozialdemokratischen Parteiführer August Bebel (1840-1913) als Anlaß zu einer skizzenhaften Beschreibung der gesellschaftlichen Zustände. Entgegen dem Titel konzentrierte er sich dabei auf die Entwicklung bis zu seiner Gegenwart. Auf Grundlage der Lehren von Marx und Engels beschreibt Bebel die im 19. Jahrhundert ausgebildete bürgerlich-kapitalistische Gesellschaft und ihren zu erwartenden Untergang: Nach außen kämpfen die Nationen um neue Einflußgebiete. Militarismus und Imperialismus machen einen Weltkrieg immer wahrscheinlicher. Im Inneren des Deutschen Reichs wächst die Zahl der unter immer elenderen Bedingungen lebenden Proletarier. Kirche und Staat werden von großen Teilen der Bevölkerung als entsittlicht, korrupt und ungerecht angesehen. Die um sich greifende Unzufriedenheit mit den Zuständen steigert den Zulauf zur Arbeiter- und zur Frauenbewegung und läutet das Ende der bürgerlichen Gesellschaft ein: *„Die Gesellschaft befindet sich in einem Zustand latenter Revolution, in dem sie in das zwanzigste Jahrhundert tritt.“* Dieses Jahrhundert wird den Proletariern und den Frauen gehören.

V. S.

„Die Gesellschaft befindet sich in einem Zustand latenter Revolution, in dem sie in das zwanzigste Jahrhundert tritt.“

245

Eine geflügelte jugendliche Frau, das neue Jahrhundert, stürzt einen geflügelten Greis, das alte Jahrhundert, in die Tiefe.

245 Medaille zur Jahrhundertwende 1900
Nürnberg, Prägeanstalt Ludwig Christoph Lauer, um 1900
Silber, geprägt
Dm. 35 mm
Nürnberg, Germanisches Nationalmuseum, Münzkabinett, Inv.-Nr. 7670

Vorderseite: Eine geflügelte jugendliche Frau, das neue Jahrhundert, stürzt einen geflügelten Greis, das alte Jahrhundert, in die Tiefe. Rechts von beiden schwebt ein jugendlicher Putto mit zwei Fackeln in der Hand. Über der Szene groß die strahlende Jahreszahl *1900,* unter dem Greis klein *1899.*

Rückseite: *JAHRHUNDERTWENDE 1900* zwischen Palmzweigen.

Literatur: Heidemann, Martin: Medaillenkunst in Deutschland von 1895 bis 1914, Berlin 1998 (Die Kunstmedaille in Deutschland, ed. Wolfgang Steguweit, Bd. 8), Nr. 858.

P.-H. M.

246

246 Medaille zur Jahrhundertwende 1901
Nürnberg, Prägeanstalt Ludwig Christoph Lauer, um 1901
Bronze, geprägt
Dm. 50 mm
Nürnberg, Germanisches Nationalmuseum, Münzkabinett, Inv.-Nr. 4532

Vorderseite: Der geflügelte bärtige Kronos, ein Stundenglas auf dem Kopf, steht auf einer Weltkugel und holt mit seiner Sense zum Schwung aus. Auf der Weltkugel ein Totenkopf auf einer zerbrochenen Tafel mit der Aufschrift *1900,* links streckt eine Hand eine geflügelte und von Strahlen umgebene Tafel mit *1901* empor. Im Abschnitt *KRONOS* und die kleine Signatur *LAUER*

Rückseite: In einem Lorbeerkranz die Inschrift *ZUR JAHRHUNDERTWENDE*

P.-H. M.

247

247 Reduktionsmodell für eine Plakette zur Jahrhundertwende
Franz Xaver Pawlik (1865-1906)
Wien, um 1900
Eisen, gegossen
H. 29,5 cm, B. 21,5 cm
Karlsruhe, Badisches Landesmuseum, Münzkabinett, Inv.-Nr. 79/14

Die drei Nornen, die nordischen Schicksalsgöttinnen mit Namen Urdur, Verdandi und Skuld, beraten unter der Weltesche Yggdrasil im Asgard, dem Sitz der germanischen Götter, an der Quelle Urdh über das Schicksal des deutschen Volkes im kommenden Jahrhundert. Links sitzt die jüngste Norne mit einem Raben des Odin auf der Schulter, in der Mitte spinnt eine zweite mit einem Spinnrocken den Schicksalsfaden, rechts steht die dritte, eine Hand sinnend an das Kinn gelegt. Unten die Signatur *FXP* ligiert. Die Plakette ist im Auftrag des österreichischen Industriellen und Kunstmäzens Karl Adolf Bachofen von Echt entstanden, der über eine ganze Reihe von Jahren Neujahrsplaketten für seine Familie bestellte (vgl. Kat.-Nr. 248). Für die Prägung wurde das Gußmodell maschinell reduziert (H. 55 mm, B. 38 mm). Es wurde auf dem rechten Felsen die trügerische Weissagung für das 20. Jahrhundert *HEIL DIR VOLK DES TEUT 1900* in Runenschrift hinzugefügt und die Künstlersignatur auf den linken Felsen übertragen.

Literatur: Ernst, Karl von: Neue Schaumünzen der Familie Bachofen von Echt, in: Numismatische Zeitschrift, (41) NF1 (1908) S. 271-282, Nr. 52.

P.-H. M.

248

248 Plakette zur Jahrhundertwende
Franz Xaver Pawlik (1865-1906)
Wien, 1901
Bronze, geprägt
H. 38 mm, B. 55 mm
Nürnberg, Germanisches Nationalmuseum, Münzkabinett, Inv.-Nr. 4506

Germania steht mit Panzer und Flügelhelm im Bug eines Wikingerschiffes, das von zwei nordischen Kriegern gelenkt wird. Sie stützt sich auf ein breites Schwert und grüßt mit der erhobenen Linken die am Horizont des Meeres aufgehende Sonne des neuen Jahrhunderts. Auf dem geblähten Segel die Inschrift *HEIL DEM NEUEN JAHRHUNDERT 1901*. Links unten die ligierte Signatur *FXP*. Auch diese Plakette ist im Auftrag von Karl Adolf Bachofen von Echt entstanden (vgl. Kat.-Nr. 247).

Literatur: Ernst, Karl von: Neue Schaumünzen der Familie Bachofen von Echt, Numismatische Zeitschrift, (41) NF1 (1908) S. 271-282, Nr. 53.

P.-H. M.

249 Stechuhr
A. Lambert
Valenciennes, um 1900
Holz, Metall
H. 147 cm, B. 46,7 cm. T. 17,7 cm
Karlsruhe, Sammlung „Öffentliche Uhren", Peter Leonardy, Rittnerthof

Mit der Industrialisierung waren Fabrikglocke und Fabrikuhr zu allgemein beachteten Kontrollmitteln und zu Symbolen der sozialen Herrschaft der Fabrikbesitzer geworden. Vielfach war die Fabrikuhr zur Normaluhr von Arbeitersiedlungen geworden und bestimmte deren Alltag in allen Lebensbereichen. Zahlreich, aber nicht immer glaubwürdig sind die Berichte von Manipulationen der Uhren durch die Arbeitgeber. Durch die Stechuhr wurde die früher übliche handschriftliche Registrierung der Anwesenheit an der Arbeitsstätte durch Zeitstempelvorrichtungen automatisiert. Auch die Stechuhr wurde zum Symbol moderner fabrikindustrieller Arbeit. Im zweiten Jahrzehnt des 19. Jahrhunderts wurden durch die *Grundsätze der wissenschaftlichen Betriebsführung* des amerikanischen Ingenieurs Frederick Winslow Taylor auch die einzelnen Arbeitsvorgänge mithilfe von Stoppuhren analysiert, zerlegt, getaktet und normiert. Seit der Verbreitung des Taylorismus wird der Industriearbeiter als Rädchen einer anonymen Produktionsmaschine beschrieben. Die Stechuhr von Lambert verbirgt das moderne Kontrollinstrument im Gehäuse eines Regulators, wie er damals in vielen Wohnzimmern anzutreffen war.

Literatur: Arbeitszeit – Zeiterfassung, Ausst.-Kat. Chemnitz 1996.

G. D.

Die Stechuhr registrierte die Anwesenheit an der Arbeitsstätte.

249

250 Arbeitertaschenuhren
Firma Roskopf
Frühes 20. Jahrhundert
Furtwangen, Deutsches Uhrenmuseum, Inv.-Nr. 1996 – 202, 205, 206, 208, 210, 211, 213, 215, 218, 222, 224, 226, 227, 229, 231, 232; 1997 – 2, 3, 4, 6

Die fabrikindustrielle Produktion von Taschenuhren ließ die Preise stetig fallen. Die Taschenuhr wurde in Europa und Amerika zum Gegenstand des alltäglichen Gebrauchs für Arbeiter, Beamte und Soldaten. Die Bedeutung der öffentlichen Uhren ging entsprechend zurück. Die Schweizer Firma Roskopf stellte seit 1867 preiswerte Volksuhren her. Für billige Uhren auch anderer Hersteller bürgerte sich die Bezeichnung Roskopf-Uhren ein.

Literatur: Abeler, Jürgen: Meister der Uhrmacherkunst, Wuppertal 1977. – Boufat, E.: La montre Roskopf, in: Horlogerie Ancienne 10 (1981).

G. D.

250

251

251 „Deutsche Reichs-Colonial-Uhr"
Furtwangen, Badische Uhrenfabrik AG, um 1905
Metallschild, Chromolithografie
H. 40 cm, B. 32 cm, T. 5 cm
Furtwangen, Deutsches Uhrenmuseum, Inv.-Nr. 1997-29

Das geschweifte Uhrenschild ist bedruckt mit Szenen aus den deutschen Kolonien. Darauf verweisen zum einen die Bezeichnung *Deutsche Reichs-Colonial-Uhr* auf einer Fahne in den Farben des Deutschen Reiches, zum anderen enthält das Zifferblatt in Form eines Schiffskompasses die Namen deutscher Kolonien. Im Zifferblatt dreht sich mit dem Stundenzeiger eine Scheibe, die die Zeit in den Kolonialgebieten anzeigt. Der Satz *„Kein Sonnenuntergang in unserem Reich"* um das von Schlangen gestützte Zifferblatt verkündet den Anspruch auf weltweites Besitztum und bezieht sich auf Kaiser Karl V., *„in dessen Reich die Sonne nicht unterging"*. Dieses Ziel wollte Kaiser Wilhelm II. durch den forcierten Ausbau der deutschen Flotte erreichen. Unter der von ihm geprägten Parole *„Unsere Zukunft liegt auf dem Wasser"* ist links unten auf dem Uhrenschild ein entsprechendes Kriegsschiff in voller Fahrt dargestellt. Den Höhepunkt und zugleich den Abschluss der deutschen Kolonialgeschichte bildete die Besetzung der Bucht von Kiautschou in China im Jahre 1898, die mit der Stadt Tsingtau dem Reichsmarineamt unterstand. Mit Ausbruch des Ersten Weltkrieges fand die deutsche Kolonialherrlichkeit 1914 ihr Ende.

K. S.

Im Kolonialreich Kaiser Wilhelms II. sollte die Sonne nie untergehen.

252 Joséphin Péladan
a) Porträt
Marcellin Desboutin (1823-1902)
Frankreich, 1891
Öl auf Leinwand
H. 121 cm, B. 81 cm
Angers, Musées D'Angers, Inv.-Nr. MBA 1053
b) Le Sar Péladan
L'art idéaliste & mystique. Doctrine de L'Ordre et du Salon annuel des Rose+Croix
Paris, 1884
Privatbesitz
c) Weitere Schriften Péladans in deutscher Übersetzung
Privatbesitz

Die Sammelschrift enthält u.a. die berühmte *Exhortation (Ermahnung),* die als Manifest dem Katalog des ersten *Salon de la Rose+Croix* 1892 beigefügt war und die beschwörenden Formulierungen enthielt: *„Artiste, tu es prêtre [...] Artiste, tu es roi [...] Artiste, tu es mage [...]"* (*„Künstler, Du bist Priester [...] Künstler, Du bis König [...] Künstler, Du bis Magier [...]"*)

Mit den Schriften und Taten des Joséphin Péladan (1859-1918), der sich *Sar Merodack* nannte, erfuhr Ende des 19. Jahrhunderts in Paris das Bewußtsein von *Fin de siècle – Décadence* und *Ästhetizismus* – seinen unverblümtesten und populärsten Höhepunkt. Mit den von ihm veranstalteten *Salons de la Rose+Croix* in der Galerie Durand-Ruel, vor allem dem ersten von 1892, wußte Péladan zahlreiche wichtige Künstler des *Fin de siècle-Symbolismus* wie Jean Delville, Fernand Khnopff, Carlos Schwabe (vgl. Kat.-Nr. 255), Jan Toorop, Albert Trachsel (vgl. Kat.-Nr. 287), aber auch Fernerstehende wie Emile Bernard, Charles Filiger, Ferdinand Hodler (vgl. Kat.-Nr. 271) oder Felix Vallotton zu versammeln und ein großes Publikum zu mobilisieren. Zu den Klängen von Erik Satie gedachte man des Untergangs des ausgehenden Jahrhunderts. Okkultismus, Schwarze Magie, Theosophie und Eingeweihtenglaube fanden hier ein vielfältig vermischtes Forum, das die *Fin de siècle*-Stimmung spiegelte.

In seinen zahlreichen, auch ins Deutsche übersetzten Romanen (Folge *La Décadence Latine,* 1884ff.) und programmatischen Schriften (*Amphithéatre des sciences mortes,* 1891-94; *La décadence esthétique,* 1884ff.) hat Péladan sein Kunstprogramm der ästhetischen Revolution, die am materialistischen Zeitgeist scheitert, in umfassender Weise zum Ausdruck gebracht.

Literatur: French Symbolist painters, Ausst.-Kat. London / Liverpool 1972, Nr. 52. – Pincus-Witten, Robert: Occult Symbolism in France. – Joséphin Péladan and the Salons de la Rose-Croix, New York / London 1976.

H. S.

252a

„Künstler, Du bist Priester…
Künstler, Du bist König…
Künstler, Du bist Magier."

253 Georges Rodenbach: „Bruges-la-Morte"
(„Das tote Brügge")
Paris, 1930 (Erstausgabe: 1892, mit einem Frontispiz von Fernand Khnopff)
Typendruck
H. 17,6 cm, B. 12,5 cm
Colmar, Bibliothèque de la Ville de Colmar, No. 23093

Rodenbachs (1855-1898) Erzählung – und späteres Drama – *Bruges-la-Morte* sublimiert die Idee der *toten Stadt* Ende des 19. Jahrhunderts zu ihrem höchsten Ausdruck. Das *Fin de siècle*-Bewußtsein jener Zeit spiegelte sich in Städten, die nach früherer Blütezeit in den Zustand der Agonie und das Bewußtsein des Untergangs gerieten: Venedig, Toledo, Brügge. *Tote Städte* wurden zum Inbegriff der *Décadence* (H. Hinterhäuser). Dabei spiegelte die Stadt einen *Seelenzustand,* der für das Absterben der abendländischen Kultur schlechthin stand. In der Erzählung von Georges Rodenbach, die als Libretto zur Oper *Die tote Stadt* von Erich Wolfgang Korngold 1920 Bekanntheit erhielt, spiegelt sich die tote Geliebte als Seelenzustand im Bild der toten Stadt. *„Der toten Gattin mußte eine tote Stadt entsprechen";* so wählt sich Hugo Viane, die Hauptfigur der Erzählung, Brügge als absterbende Stadt voll Untergangsbewußtsein als Wohnsitz. Er beschwört das verlorene Bild der toten Geliebten herauf; und ihr ähnliches Trugbild, von dem sich der Erzähler zuletzt durch Gewalt befreit, droht das Bewußtsein von *Ennui,* Schwermut und Trauer zu zerstören. Auflösung, Lebensekel und Untergang reflektieren das *Décadence*-Bewußtsein der untergangsprophetischen Intellektuellen am Ende des 19. Jahrhunderts, als deren höchstes Anbetungsziel *Vergangenheit* erschien.

253

Literatur: Hinterhäuser, Hans: Tote Städte, in: Derselbe: „Fin de Siècle". Gestalten und Mythen, München 1977, S. 45ff. – Metken, Günter: Nachwort zu: Georges Rodenbach, Das tote Brügge, Stuttgart 1966. – Maäs, Pierre: Georges Rodenbach 1855-1898, Paris 1926.

H. S.

254 „Ein moderner Totentanz"
Folge in 16 Bildern
Joseph Sattler (1867-1931)
Berlin, bei J. A. Stargardt, 1912 (2. Auflage; erste Auflage: 1894)
Heliogravuren, z.T. farbig
H. 35,8 cm, B. 25,5 cm
Privatbesitz

Aus der Folge sind ausgestellt:
Blatt 4: *Der Brand*
Blatt 5: *Die Eisenbahnbrücke*
Blatt 6: *Der Zecher und der Tod*
Blatt 7: *Der letzte Akt: Eine That*
Blatt 10: *Der letzte Sprung des Todes – (Ein Meteor)*
Blatt 11: *Die Augenhöhle des Pessimisten*

Joseph Sattler erlernte die Kunst der Radierung bei Peter Halm in München und war, 1891 als Lehrer an die Kunstgewerbeschule in Straßburg berufen, lange Zeit im Umkreis des elsässischen Jugendstils um Charles Spindler tätig. Sein – ausdrücklich so genannter – *moderner Totentanz* wandelt das jahrhundertealte Bildthema in ein *memento mori* des modernen Industriezeitalters. Eisenbahnverkehr, Wettleidenschaft beim modischen Pferderennen, das politische Programm der Anarchie oder das – sozial bedingte – Eifersuchtsdrama sind die modernen Boten des Todes. In den Grafiken Sattlers, die er 1895 mit viel Erfolg im Pariser Salon ausgestellt hatte, lauert die Suggestion des Unheils und der Katastrophe. Mit den Mitteln des Simultanbildes, surrealer Symbolik und der protokubistischen Perspektivbrechung verdichtet er seine Motivik zu neuen Ausdrucksformen der uralten Vergänglichkeitsängste, die der Untergangsstimmung und dem Kulturpessimismus Ende des 19. Jahrhunderts entsprachen.

Literatur: Thema Totentanz. Kontinuität und Wandel eines Bildthemas vom Mittelalter bis heute, Ausst.-Kat. Mannheim, 1986.

H. S.

254, 4

254, 5

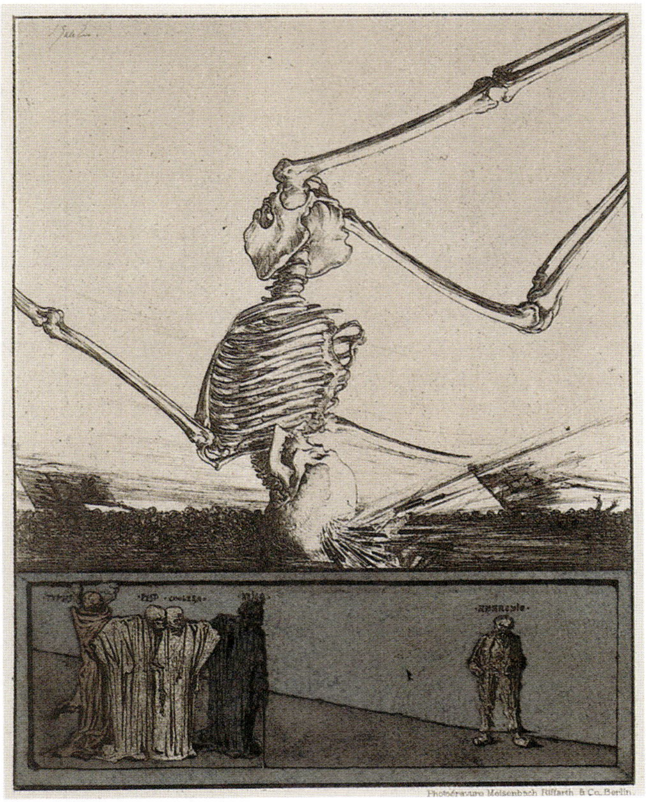

254, 10

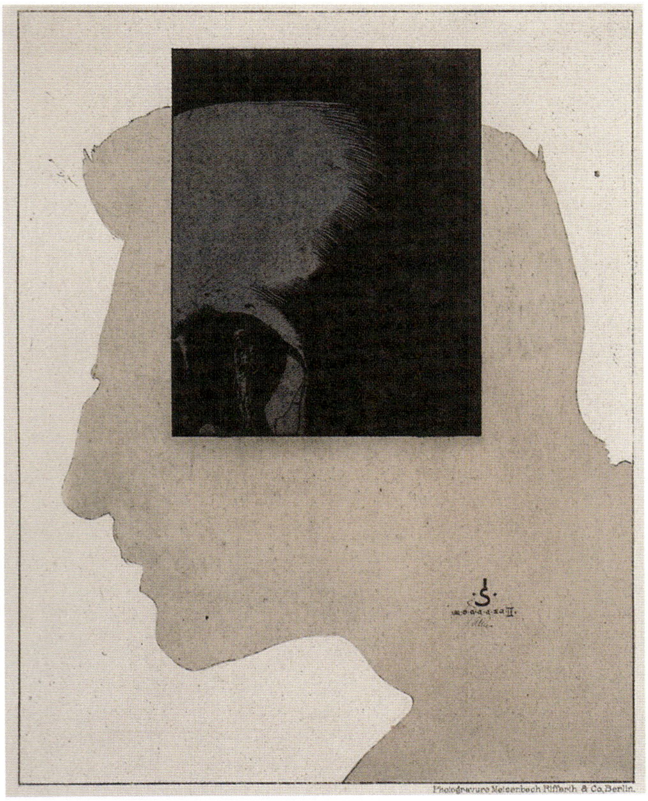

254, 11

255

255 „L'Evangile de L'enfance de Notre Seigneur Jésus-Christ selon St. Pierre"

(„Das Evangelium der Kindheit unseres Herrn Jesu Christi nach dem hl. Petrus")
Text: Catulle Mendès (1841-1909)
Illustrationen: Carlos Schwabe (1866-1926)
Paris, o.J. (Erstveröffentlichung: Paris, Edition de la Revue illustrée, Armand Colin,1894)
H. 40 cm, B. 25 cm
Stuttgart, Württembergische Landesbibliothek, Slg. Lütze IV, Nr. 118

Das apokryphe *Evangelium der Kindheit Christi* wurde von dem symbolistischen Dichter Catulle Mendès nach einer Handschrift in St. Wolfgang, Salzkammergut, neu ins Französische übersetzt und von Carlos Schwabe illustriert. Der Text galt Ende des 19. Jahrhunderts als das *Evangile symboliste* schlechthin, das geradezu von mysteriösen Erscheinungen, Wundertaten und übersinnlichen Erlebnissen wimmelt.

Die Illustration *Il étendit sa main (Er streckte seine Hand aus.* – Titel nach der Publikation der Aquarellvorlage, Paris 1974, Nr. 70) gehört zur Begegnung des Christuskindes mit dem Pharao nach der Ankunft der Hl. Familie in Ägypten und dem Sturz der heidnischen Idole. Vom Pharao aufgefordert, einen Fluß in Blut zu verwandeln, erhob Jesus einen Zweig in seiner Hand, worauf das Wasser sich in wohlschmeckende Milch verwandelte und die Bewohner des Landes nährte. Schwabe konzentrierte das Geschehen in seiner – nach japanischen Vorbildern komponierten – Darstellung auf die Suggestion, die die Weite der weißen Flüssigkeit auslöst. Text, Illustrationen und ornamentaler Schmuck machen das Werk zu einem der frühesten Buchkunstwerke des symbolistischen Jugendstils.

Carlos Schwabe, westschweizer Künstler aus Genf, wenn auch in Altona bei Hamburg geboren, beteiligte sich mit den Aquarellentwürfen zum *Evangile de l'Enfance* 1892 an Péladans erstem Rosenkreuzersalon (vgl. Kat.-Nr. 252) und schuf für die Ausstellung auch das weitbekannte symbolistische Plakat.

Literatur: Carlos Schwabe 1866-926, Ausst.-Kat. Genf 1988, Nr. 52. – L'Evangile symboliste. Carlos Schwabe 1892, Ausst.-Kat. Paris 1974 (Einführung von Philippe Jullian). – Kulling, Catherine: Carlos Schwabe et sa fortune critique, in: Revue suisse d'Art et d'Archéologie, Bd. 40 (1983) S. 60- 85.

H. S.

256 „Triumph des Todes"

James Ensor (1860-1949)
1896
Radierung
H. 24,1 cm, B. 18,2 cm
Mannheim, Städtische Kunsthalle, Inv.-Nr. G 2409

Der Belgier James Ensor schuf in der Radierung *Triumph des Todes* kurz vor Ende des 19. Jahrhunderts ein gewaltiges Weltuntergangsszenarium, in dem er Elemente der Apokalypsedarstellungen und des Totentanzes vereinte: Über einer Straßenschlucht schwebt der Tod in Gestalt eines Gerippes mit großen vogelartigen Füßen und schwingt eine riesige Sense. Er hat Gehilfen bei sich, die aus der Luft in die Häuser eindringen, von denen einige schon in Flammen stehen. Vor die noch hoch am Himmel stehende Sonne schiebt sich ein riesiges, vom oberen Bildrand überschnittenes Gestirn mit grinsender Fratze. Das dämonische Ensemble treibt eine dichtgedrängte Menschenmenge durch die Straße. Niemand wird verschont, denn im Gedränge sind alle Altersstufen und Gesellschaftsschichten auszumachen: Frau und Mann, Kind und Greis, Bürger und Proletarier, König und Mörder. Während in der traditionellen Ikonographie des Totentanzes der Sensenmann stets einem Individuum begegnet und dieses zum Mitkommen auffordert, wird hier die gesamte Bevölkerung wie eine Schafherde in den kollektiven Untergang getrieben.

Literatur: Apokalypse, ein Prinzip Hoffnung?, Ausst.-Kat. Ludwigshafen a. Rh. 1985, Heidelberg 1985, S. 148, Nr. 67, Abb. S. 151. – Heusinger von Waldegg, Joachim: Kunsthalle Mannheim. Kunst auf Papier. 19. und 20. Jahrhundert, Mannheim 1983, S. 194f., Abb.

J. D.

256

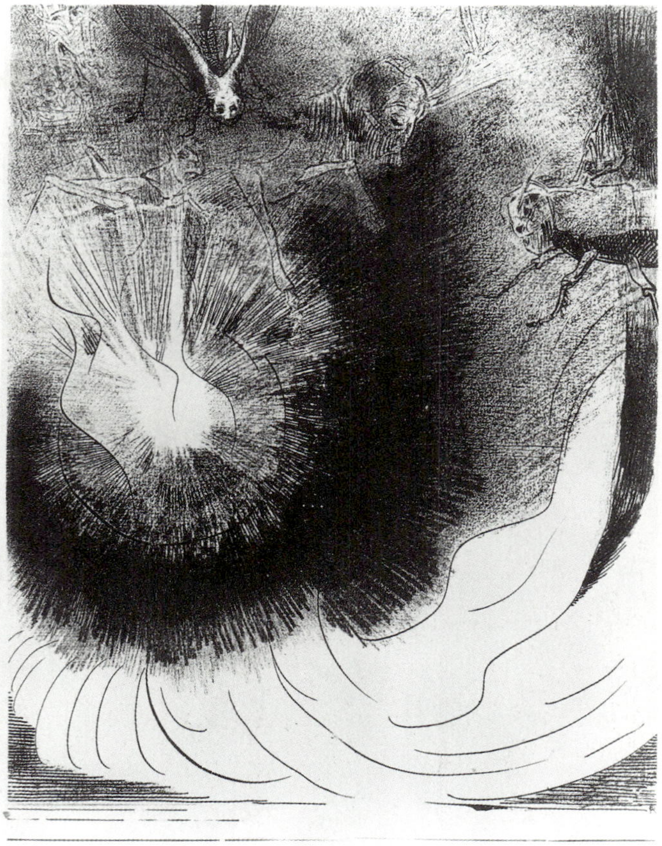

257, 5

257 „Apocalypse de Saint-Jean"
(„Die Apokalypse des Heiligen Johannes")
Folge mit Titelblatt und 12 Blättern
Odilon Redon (1840-1916)
1899
Lithographien
H. jeweils ca. 56 cm, B. jeweils ca. 42 cm
Genf, Cabinet des Estampes, Inv.-Nr. E 76/2-13

Die Blätter der Folge sind:
Frontispiz
Blatt 1: *Die Berufungsvision*
Blatt 2: *Der himmlische Thronsaal*
Blatt 3: *Der Reiter Treu und Wahrhaftig*
Blatt 4: *Der Engel mit dem Rauchfaß*
Blatt 5: *Das Heuschreckenheer*
Blatt 6: *Das Apokalyptische Weib*
Blatt 7: *Der Ernte-Engel*
Blatt 8: *Der Engel, der den Satan für 1000 Jahre binden wird*
Blatt 9: *Die im Abgrund gefesselte Schlange*
Blatt 10: *Der Satan*
Blatt 11: *Das himmlische Jerusalem*
Blatt 12: *Der Seher Johannes*

Nachdem die Apokalypse des Johannes lange Zeit kein Thema zyklischer Darstellungen war, schuf Odilon Redon am Ende des 19. Jahrhunderts wieder eine große Folge zum Thema. Während Albrecht Dürer in seiner berühmten Holzschnittfolge *Apokalypsis cum figuris* von 1498 (vgl. Kat.-Nr. 76) die biblische Erzählung in höchstem Maße szenisch verdichtet hatte, suchte Redon sowohl künstlerisch als auch inhaltlich die Reduktion. Auf seinen Lithographien sind die agierenden Gestalten nicht nur aus ihrem jeweiligen Textzusammenhang isoliert, sondern auch aus einem undefinierten, meist dunklen Raum auftauchend dargestellt. Damit lenkt Redon den Blick des Betrachters nicht auf die im Bibeltext beschriebenen Aktionen, sondern auf die sie verübenden Wesen an sich, die jedoch als Symbol für ihr Handeln stehen.

Literatur: Apokalypse, ein Prinzip Hoffnung?, Ausst.-Kat. Ludwigshafen a. Rh. 1985, Heidelberg 1985, S. 156-158, Nr. 69, Abbn.

J. D.

258 „Vom Tode II. Teil, Opus XIII"
Folge mit 12 Blättern
Max Klinger (1857-1920)
1895-1898 (erste Ausgabe)
Radierungen
H. jeweils ca. 62 cm, B. jeweils ca. 46 cm
Oldenburg, Stadtmuseum, Inv.-Nr. VI/A/1796/1290, VI/A/1785/1279, VI/A/1795/1289, VI/A/1794/1288, VI/A/1787/1281, VI/A/1796/1280, VI/A/1788/1282, VI/A/1789/1283, VI/A/1791/1285, VI/A/1790/1284, VI/A/1792/1286, VI/A/1793/1287

Die Blätter der Folge sind:
Blatt 1: *Integer Vitae*
Blatt 2: *Herrscher*
Blatt 3: *Philosoph*
Blatt 4: *Künstler*
Blatt 5: *Pest*
Blatt 6: *Krieg*
Blatt 7: *Elend*
Blatt 8: *„Und doch"*
Blatt 9: *Mutter und Kind*
Blatt 10: *Versuchung*
Blatt 11: *Zeit und Ruhm*
Blatt 12: *An die Schönheit*

Mit der Radierfolge *Vom Tode II. Teil, Opus XIII* hat sich Max Klinger über einen langen Zeitraum hinweg beschäftigt und das Werk dabei mehrfach abgewandelt. Erste Arbeiten gehen auf das Jahr 1879 zurück, erste Probedrucke entstanden 1885. Doch dann hat der Künstler die Konzeption noch einmal völlig abgewandelt. Die Erstveröffentlichung von sechs vollendeten Blättern erfolgte 1898. Im selben Jahr wurden diese Radierungen in einer zweiten Auflage von der Verbindung für Historische Kunst, einem Zusammenschluß der deutschen Kunstvereine, herausgegeben. Drei weitere Blätter erschienen 1904, die restlichen drei erst 1910. Die Grundidee der Graphikfolge geht auf eine Auseinandersetzung Klingers mit dem Werk Arthur Schopenhauers zurück und möchte den Tod in einem übergeordneten gedanklichen Zusammenhang darstellen. Noch vor der endgültigen Festlegung der Abfolge der Blätter hat Klinger die Konzeption folgendermaßen beschrieben: *„Die Blätter [...] sind so angeordnet, daß nach diesem Titelblatt, die allgemeine Vergänglichkeit darstellend, drei Blätter die armen Massen der Menschheit darstellen von ihren Hauptfeinden, Massentod, 1. Krieg, 2. Pest, 3. Elend [bedrängt]: dann [folgen] 3 Blätter, die Gipfelpunkte der Menschheit, der Herrscher, das Genie und der Philosoph [...] Die Idee dieser Gegenstellung ist, – mit der Summe der Erkenntnis der Ehren, wächst die Fähigkeit des Leidens. Ein Blatt »Und doch« führt aus diesen ausschließlich düsteren, erschreckenden Ideen zu der in vier Blättern dargestellten Anschauung 1 »Das Individuum stirbt – das Geschlecht lebt«– ihm entspricht 2, »An die Selbstverläugnung« – 3 »Die That stirbt, vergeht – die Natur lebt«, ihm entspricht 4 »An die Schönheit«"* (Zitiert nach Katalog Hildesheim).

Literatur: Max Klinger, Wege zum Gesamtkunstwerk. Ausst.-Kat. Hildesheim 1984, Mainz 1984, S. 285f., Nrn. 277-288, Abbn. 259-270.

J. D.

259 „Seele, ein Cyklus von 30 Tuschzeichnungen"
Willi Geiger (geb. 1878)
München, bei Dr. J. Marchleroski, 1903
Lichtdrucke
H. 35,1 cm, B. 28 cm
Privatbesitz

Aus der Folge sind ausgestellt:
Blatt 9: *Mittag des Lebens*
Blatt 10: *Lebensabend*
Blatt 12: *Selbstmord*
Blatt 14: *Der Narr*
Blatt 26: *Medizin*
Blatt 30: *Ende aller Dinge*

Die dreißig im Lichtdruck in zweihundert Exemplaren reproduzierten Tuschzeichnungen stellen das erste, 1901 bis 1903 entstandene Hauptwerk des jungen Grafikers und Malers Willy Geiger dar. Kühn wie kaum ein anderer zu seiner Zeit kreist der Schüler von Franz von Stuck und Peter Halm um die Existenzthemen der Wendezeit zwischen Lebensphilosophie und Todesbewußtsein. Dem Werden und Wachsen stehen Bildschöpfungen entgegen, die totentanzartig von Vergänglichkeit und Nichtigkeit, vom zynischen allgegenwärtigen Wirken des Gevatters Tod zeugen. Er ist es, der in jede Lebensäußerung, in jede Lebensritze kriecht und an unerwartetster Stelle seine gräßliche Gestalt offenbart. Geiger erfindet dies mit den Mitteln surrealer Bildpoesie und expressiver Phantasie auf bildnerisch neue Weise, die allenfalls an Kubin, Kokoschka und den frühen Paul Klee erinnert.

Literatur: Thieme, Ulrich / Becker, Felix: Allgemeines Lexikon der bildenden Künstler Bd. XIII (1920) S. 345-347. – Vollmer, Hans: Allgemeines Lexikon der bildenden Künstler des 20. Jahrhunderts, Bd. 2, Leipzig 1955, 217f.

H. S.

Existenzthemen der Wendezeit zwischen Lebensphilosophie und Todesbewusstsein

258, 1

258, 3

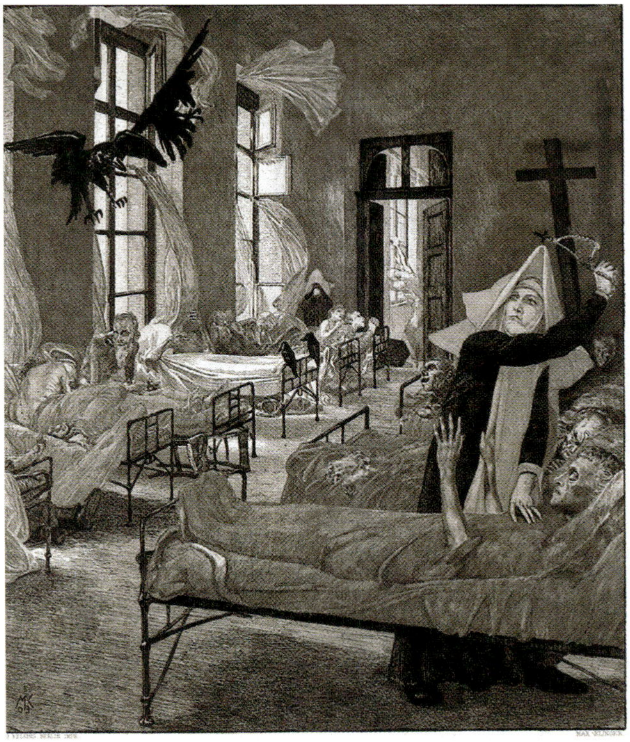

258, 5

258, 12

259, 9

259, 10

259, 12

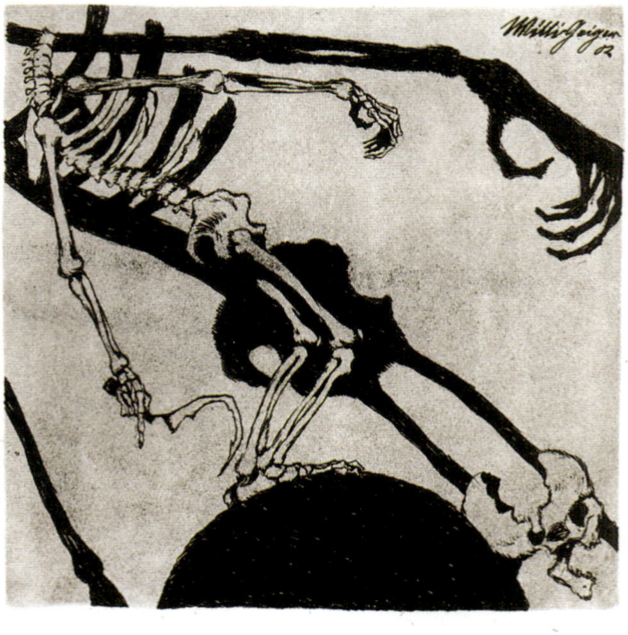

259, 30

260 Friedrich Nietzsche
Hans Olde (1855-1917)
1899 (Kunstbeilage zur Zeitschrift „Pan" 4/1899)
Radierung
H. 17 cm, B. 12, 4 cm (Platte)
Marbach, Deutsches Literaturarchiv, Z. Zugangsnummer G 75. 1320, 4

Der Altphilologe und Philosoph Friedrich Nietzsche (1844-1900) ist eine zentrale, wenn auch nicht unumstrittene Gestalt des deutschen Geisteslebens im ausgehenden 19. Jahrhundert. In seinem Hauptwerk *Zarathustra* (vgl. Kat.-Nr. 261) entwickelte er die Idealgestalt des *Übermenschen*, der alles Lebensfeindliche überwindet.

Vom bereits todkranken, in geistiger Umnachtung dahindämmernden Nietzsche schuf Hans Olde, der spätere Direktor der Kasseler Kunstakademie, ein photographisches Portrait, das sich ganz auf den Kopf des Dargestellten konzentriert. Nach dieser Aufnahme fertigte Olde eine Radierung, die der Kunst- und Literaturzeitschrift *Pan* im vierten Heft des Jahres 1899 als Kunstbeilage beigegeben wurde. *Pan* war das Sprachrohr der zeitgenössischen Kunst in Deutschland und besonders der Jugendstilbewegung zugeneigt. Mit Ende des Jahres 1899 stellte die Zeitschrift jedoch ihr Erscheinen ein.

J. D.

260

261 Friedrich Nietzsche: „Also sprach Zarathustra"
a) Leipzig, 1893 (Erstveröffentlichung in vier Teilen: Chemnitz und Leipzig 1883-1885)
Typendruck
H. 22 cm, B. 16,5 cm
Karlsruhe, Badische Landesbibliothek, Mo 1910
b) Luxusausgabe
Exemplar 386 von 530 (die ersten 100 Exemplare in Leder gebunden)
Leipzig, Insel Verlag, 1908
Schrift Georges Lemmen, Ornamente und Einband Henry van de Velde, Druck Offizin W. Drugulin, Leipzig
Papier: Bütten, Einband: Ganzpergament
H. 38 cm, B. 26 cm
Privatbesitz

Friedrich Nietzsches (1844-1900; vgl. Kat.-Nr. 260) philosophisch-literarisches Werk erschien vor der Buchausgabe zunächst in vier Teilen 1883-1885. In *Ecce Homo* (Vorwort) hat Nietzsche selbst die singuläre Stellung des *Zarathustra* in seinem Gesamtwerk hervorgehoben: Kein Prophet, kein Prediger spreche hier, kein *„Glauben"* werde verlangt. Den heiteren *„Ton richtig [zu] hören"*, darauf komme es an. Diesem *„Ton"* verdankt das Buch ein Gutteil seiner enormen Wirkung: Es erscheint leicht zugänglich; es mischt die verschiedensten literarischen Formen bis hin zu lyrischen; es ist zugleich An-Sprache an den Leser, dem es auch Formeln und Spruchweisheiten anbietet. In ihm finden sich viele der Themen und Motive, die Nietzsches Philosophie der 80er Jahre überhaupt bestimmen. Ziel ist keineswegs die Durchsetzung eines Nihilismus, sondern seine Überwindung in Gestalt der welt- und lebensverneinenden, christlich-abendländischen Metaphysik. Das Werk läuft im Grunde auf eine radikale Bejahung der Immanenz hinaus. So läßt sich der zentrale Gedanke der *„ewigen Wiederkunft"*, zu dessen Lehrer sich Zarathustra entwickelt, verstehen. Insofern ist es ein epochales Buch: Es will das Ende der christlich-abendländischen Epoche markieren und eine neue eröffnen.

Die kaum zu überschätzende Wirkung des *Zarathustra* setzte rasch ein und ging weit über den deutschen Sprachraum hinaus.

Literatur: Bennholdt-Thomsen, Anke: Nietzsches „Also sprach Zarathustra" als literarisches Phänomen. Eine Revision, Frankfurt a. M. 1974 (zugl. Berlin, Freie Universität, Habil. Schr.). – Meyer, Theo: Nietzsche und die Kunst, Tübingen u. Basel 1993. – Schmidt, Rüdiger / Spreckelsen, Cord: Nietzsche für Anfänger. Also sprach Zarathustra. Eine Lese-Einführung, 3. Auflage München 1997.

W. Br.

Schon 1898 vermittelte Harry Graf Kessler dem belgischen Künstler Henry van de Velde den Auftrag für den Buchschmuck einer Luxusausgabe des *Zarathustra*. Aus der Zusammenarbeit van de Veldes und Georges Lemmens, dessen neue Schrifttype Anfang 1900 entwickelt war, mit Graf Kessler, der seinerseits genaue Vorstellungen für Papier, Schrift und Druck in das Projekt einbrachte, entstand ein kleines *Gesamtkunstwerk*, das allerdings erst nach et-

261b

lichen Verlagwechseln 1908 im Insel-Verlag erscheinen konnte. Van de Velde verzichtet bei seinen Illustrationen auf Anspielungen auf Nietzsches Sprachbilder, im Gegensatz zu Peter Behrens' verschollenem Prachteinband (1902) für *Zarathustra*. Er konzentriert sich auf reiche Ornamentik bei den Doppelseiten, den Zwischentiteln, den Kopfleisten, Schlußstücken und der Einbandgestaltung. Die Farben Purpur, Schwarz und Gold unterstreichen die majestätische Wirkung des Buches, das überzeugend noch einmal die Verehrung für Nietzsche bündelt.

Literatur: Aufstieg und Fall der Moderne, Ausst.-Kat. Weimer, Ostfildern-Ruit 1999, S. 47, S. 239 und Kat.-Nr. 147. – Block, Jane: The Insel Verlag „Zarathustra": An Untold Tale of Art and Printing, in : Pantheon XLV (1987) S. 129-137. – Pese, Claus: Manches Haus gibt es noch zu Bauen! Henry van de Velde und Peter Behrens im Vergleich, in: Henry van de Velde, Ein europäischer Künstler seiner Zeit, hg. von Klaus-Jürgen Sembach und Birgit Schulte, Köln 1992, S. 230-236.

I. F.

262 Stefan George: „Algabal"
Paris, 1892
Typendruck
H. 21 cm, B. 15 cm
Stuttgart, Württembergische Landesbibliothek, 30/90 146

Algabal ist Stefan Georges (1868-1933) dritter Gedichtband und der wichtigste, formal und thematisch geschlossenste des Frühwerks. Er ist mit großer Konsequenz als Zyklus angelegt, was einem symbolistischen Formideal entsprach. Die Figur des Dichter-Kaisers Algabal ist vom spätrömischen Kaiser Heliogabalus (Elagabal, 204-222) inspiriert, zeigt aber auch, wie sehr der junge George dem europäischen Symbolismus und Ästhetizismus verbunden war: Sie findet sich nämlich ebenso im Werk Baudelaires, Verlaines, Gautiers, Wildes. George war für die deutsche Literatur der Jahrhundertwende der entscheidende Vermittler der modernen europäischen Poesie.

Gewidmet ist der Zyklus *„dem Gedächtnis Ludwigs des Zweiten"*, also dem König, dessen Leben dem Kult der Schönheit gewidmet war. Dem Kult der Kunst und der Schönheit hatte sich George selbst verpflichtet. Er war der prominenteste Autor der Wende zum 20. Jahrhundert, der die Kunst sakralisierte und so ein Zentrum für die kleine, auserwählte Schar von Jüngern schuf. Dieser Kult der Schönheit aber war ein Kult der Form. Die Provokation des *Algabal*-Zyklus für die bürgerliche Gesellschaft, seine *ästhetische Opposition,* lag in Algabals radikalem ästhetischen Immoralismus, der auf Nietzsche verweist, und im Rigorismus, mit dem er sich in den Dienst der Schönheit stellt. Schroff steht Algabals Kunstreich gegen jeden Anspruch der Wilhelminischen Epoche, die Kunst – in welcher Weise auch immer – in Dienst zu nehmen.

Literatur: Durzak, Manfred: Der junge Stefan George. Kunsttheorie und Dichtung, München 1968. – Mattenklott, Gert: Bilderdienst. Ästhetische Opposition bei Beardsley und George, 2. erw. Auflage Frankfurt a. M. 1985.

W. Br.

263 Houston Stewart Chamberlain: „Die Grundlagen des 19. Jahrhunderts"
München, 1899
Typendruck
H. 25,5 cm, B. 19 cm
Karlsruhe, Badische Landesbibliothek, 43 A 4489,1

Der in England geborene Wahldeutsche Houston Stewart Chamberlain (1855-1927) war Schwiegersohn des Komponisten Richard Wagner und von dessen Kunst und Persönlichkeit fasziniert – Wagner verkörperte für ihn das *„vollkommene Deutschbewußtsein"*. Seit 1916 war Chamberlain deutscher Staatsbürger; er lernte Hitler persönlich in der Villa Wahnfried kennen und korrespondierte mit ihm.

Mit den wirkungsmächtigen *Grundlagen des 19. Jahrhunderts* (28 Auflagen bis 1942) formuliert Chamberlain, beeinflußt von Gobineau, eine Rassentheorie, nach der die Rasse das grundlegende Moment in der Geschichte der Kulturen sein soll. Rasse ist für ihn nicht ein für allemal durch natürliche Grundlagen gegeben, sondern bildet sich durch die *„Zuchtwahl"* im Verlauf des kulturellen Prozesses heraus. Höhepunkt dieser kulturbiologistisch verstandenen Rasse-Entwicklung ist für Chamberlain die germanische Rasse, die er, wie andere Kulturkritiker seiner Zeit, durch die spezifischen Tendenzen der Moderne – Materialismus bzw. Kapitalismus, Demokratismus, Rationalismus, Massenkultur – bedroht sieht. Ähnlich wie Langbehn (vgl. Kat.-Nr. 264) feiert er das große, geniale Individuum, das höchster Ausdruck der germanischen Rasse sei (Kant, Goethe). In dieser Perspektive wird auch Jesus zum Arier. Chamberlain hatte mit seiner Schrift großen Einfluß auf Autoren der Völkischen Bewegung. Nach der Jahrhundertwende verschärfte er seine antisemitischen Tiraden.

Literatur: Field, Geoffrey G.: Evangelist of Race. The Germanic Vision of Houston Stewart Chamberlain, New York 1981. – Schmidt, Jochen: Die Geschichte des Genie-Gedankens der deutschen Literatur, Philosophie und Politik 1750-1945, Darmstadt 1985, Bd. 2, S. 222ff.

W. Br.

264 August Julius Langbehn: „Rembrandt als Erzieher"
Leipzig, 1890
Typendruck
H. 24,5 cm, B. 15,5 cm
Karlsruhe, Staatliche Kunsthalle, Bibliothek, 1.3 D, 008

August Julius Langbehn (1851-1907) zählt zu den schärfsten und einflußreichsten, zugleich wirrsten und trivialsten Kulturkritikern um 1900. Öffentlichkeitswirksam konvertierte er genau im Jahr 1900 zum Katholizismus, von dem er, wie andere Schriftsteller und Künstler seiner Zeit, sich angezogen fühlte: Ausdruck einer tiefen weltanschaulichen Orientierungslosigkeit und Ordnungssehnsucht am Ende des 19. Jahrhunderts.

Langbehns kulturkritisches, schroff antimodernes Pamphlet *Rembrandt als Erzieher* spielt mit diesem Titel vermutlich auf Nietzsches Aufsatz *Schopenhauer als Erzieher* (1874) an. Es ordnet sich ein in die Rembrandt-Renaissance und den Künstler-Kult der Jahrhundertwende und wurde zu einem der großen Bucherfolge der Zeit. So wurde es in populären Volksausgaben immer wieder nachgedruckt und erreichte damit auch kleinbürgerliche Schichten. Bis 1938 erschienen 90 Auflagen. Es beeinflußte die Völkische Bewegung, aber auch Jugend- und Kunsterziehungsbewegung. So trug es nicht unerheblich zur ideologischen Vorbereitung des Nationalsozialismus bei.

Im Künstler Rembrandt feiert Langbehn das große Individuum. Dafür wird aus ihm kurzerhand ein Niederdeutscher, *„der deutscheste aller deutschen Künstler"* gemacht. *„Leonardo, Shakespeare, Rembrandt, Bach, Bismarck"* sind für Langbehn „die heimlichen Kaiser der Deutschen". In der Kunst soll die Synthese der *zerstiebenden, atomisierenden* Tendenzen des Zeitalters wieder gelingen. Falscher Individualismus in seinen zeittypischen Erscheinungsformen von Verwissenschaftlichung und Materialismus, Demokratismus und Egoismus werden verworfen; wahre, große Individualität als Ausdruck echten Deutschtums dagegen gefordert. Im zum charismatischen Führer geeigneten, geschichtsmächtigen Künstler-Erlöser soll sich solche Individualität am reinsten manifestieren. So sei *„der Deutsche"* zur *„Weltherrschaft"* berufen.

Literatur: Behrendt, Bernd: Zwischen Paradox und Paralogismus. Weltanschauliche Grundzüge einer Kulturkritik in den neunziger Jahren des 19. Jahrhunderts am Beispiel August Julius Langbehn, Frankfurt a. M. / Bern / New York 1984. – Derselbe: August Julius Langbehn, der „Rembrandtdeutsche", in: Handbuch zur „Völkischen Bewegung", hg. von Uwe Puschner, München 1996. – Mendlewitsch, Doris: Volk und Heil. Vordenker des Nationalsozialismus, Rheda-Wiedenbrück 1988. – Stern, Fritz: Kulturpessimismus als politische Gefahr. Eine Analyse nationaler Ideologie in Deutschland, Bern / Stuttgart / Wien 1963, S. 127ff.

W. Br.

265 Ernst Haeckel: „Die Welträtsel. Gemeinverständliche Studien über Monistische Philosophie"
Bonn, bei Emile Strauß, 1899
Typendruck
H. 24 cm, B. 17,5 cm
Karlsruhe, Badische Landesbibliothek, 49 A 716

In seinen zum Ende des 19. Jahrhunderts erschienenen populärwissenschaftlichen Abhandlungen zieht der Jenaer Biologe Ernst Haeckel (1834-1919) die Summe des naturwissenschaftlichen Weltbilds seiner Zeit, in der die Biologie zu einer Leitwissenschaft der Lebensphilosophie aufgestiegen ist. Ideengeschichtlich steht seine Kritik am philosophischen Dualismus in einer Linie von Schopenhauer über Feuerbach zu Nietzsche; der Naturforscher Haeckel orientiert sich an der Evolutionstheorie Darwins. Auf empirischer Grundlage gewinnt er allgemeine mechanisch-kausale Gesetzmäßigkeiten, die auf das monistische Grundgesetz der Einheit der Welt zurückgeführt werden. An einzelnen Themen wie Körperbau, Seele, Natur und Religion wird der Zusammenhang von Individual- und Weltgeschichte nachgewiesen. Demzufolge bilden die *„materielle Körperwelt und immaterielle Geisteswelt"* *„ein einziges untrennbares und allumfassendes Universum"*, in dem nichts verloren geht. Weil die Substanz damit bewahrt bleibt, ist auch die Seele unsterblich. Auf diese Weise werden Grundfragen der Menschheit als naturwissenschaftlich erklärbar betrachtet. Die behauptete *„Einheit von Gott und Welt"* macht den Monismus zum *„Band zwischen Religion und Wissenschaft"*. Die durchschlagende Wirkung dieser monistischen Weltanschauung beruht auf ihrem Optimismus, in der Synthese von Empirie und Spekulation den goldenen Weg zur Lösung aller *Welträtsel* gefunden zu haben. Dem Zerfall der metaphysischen Ordnung, die mit der Durchsetzung einer materialistischen Weltauffassung einhergeht und ins Krisenbewußtsein um 1900 mündet, wird so eine tröstliche Perspektive entgegengestellt (vgl. Kat.-Nr. 292).

C. S. / St. S.

Die Biologie stieg zu einer Leitwissenschaft der Lebensphilosophie auf.

266

266 „Kritiker"
Gabriel von Max (1840-1915)
Um 1895/1900
Öl auf Leinwand
H. 68 cm, B. 88,5 cm
Süddeutscher Privatbesitz

In rasendem Furor hat ein Affe einen Pinsel ergriffen, um ein Ölgemälde zu zerstören, Utensilien eines Malers liegen im Atelier wild verstreut wie nach einem Überfall herum. Die Zerstörung der Leinwand nimmt die Kunst des 20. Jahrhunderts mit ihrer Infragestellung des herkömmlichen Bildbegriffs vorweg (Lucio Fontana). Gabriel von Max nimmt in seinem Bild eine radikal kulturkritische Position ein. Sein Werk ist kein Spott- oder Anklagebild gegen Kritiker, die das schaffende Bemühen eines Künstlers zunichte machten, sondern eine radikale Absage an den ganzen Kulturbetrieb, in den er durchaus auch sein eigenes Werk einbezog. Max ist gleichsam selber der Kritiker, mit dessen Position er sich identifiziert, und das Opfer zugleich.

Gabriel von Max, Jugendfreund von Lenbach, Makart und Defregger, machte anfänglich Karriere in München als *Malerfürst* und Professor für Historienmalerei, zog sich jedoch Mitte der achtziger Jahre ganz aus dem Kunstleben – hauptsächlich in sein Haus in Ammerland am Starnberger See – zurück, ein *Aussteiger*. Nach seinen symbolistischen Erfolgsbildern somnambuler und okkulter Phänomene vergrub sich Max, leidenschaftlicher Sammler, ganz in die parapsychologischen Phänomene der Naturwissenschaften und seine *Affentheorie*, bei der er auch den Kontakt zu Ernst Haeckel (vgl. Kat.-Nrn.265 und 292) suchte. Für Max war der Affe Ausdruck der reinen, edlen unverbildeten Menschennatur, die noch nicht durch die Zivilisation verkommen sei. So stellt sich – wie später bei Franz Marc – das Tier als paradiesischer Urzustand dar, zu dem der Mensch wieder zurückzustreben habe. *„Glaube also, daß es der*

Natur gegenüber eine Art Schande ist, Mensch zu sein", schrieb Max 1902. Sein Außenseitertum verbindet ihn mit den weltanschaulichen Reform- und Erweckungsbewegungen, die um 1900 mit vielerlei Stimmen die *Rückkehr zur Natur* propagierten und – über die Jugendstilbewegung hinaus – im *Monte Verità* bei Ascona ihr Wallfahrtszentrum besaßen.

Literatur: Neumeister Auktionskatalog Nr. 194, München 1980, Nr. 1402. – Siebenmorgen, Harald: Gabriel von Max und die Moderne, in: Festschrift für Johannes Langner zum 65. Geburtstag am 1. Februar 1997, Münster 1997, S. 215-240, bes. S. 224f., Abb. 9.

H. S.

267 Sigmund Freud: „Traumdeutung"
Leipzig und Wien, bei Franz Deuticke, 1899/1900
Typendruck
H. 20,5 cm, B. 14,5 cm
Tübingen, Universitätsbibliothek, Ae 657

Die *Traumdeutung* kann als der Gründungstext der Psychoanalyse gelten. Der Systematisierung der neuen Theorie, die Sigmund Freud (1856-1939) hier vornahm, gingen intensive medizinisch-psychologische Studien voraus, zuletzt über Hysterie (publiziert 1895 mit J. Breuer). Freud griff damit auch in den Nervositätsdiskurs um 1900 ein, in dem sich die tiefe Verunsicherung der Wilhelminischen Epoche artikulierte. Kern der Traumdeutung ist die Annahme einer frühkindlichen, *„polymorph-perversen"* Sexualität. Spätere neurotische Störungen seien auf Störungen einer *normalen* sexuellen Entwicklung im Kindesalter zurückzuführen. Aber was ist *normal?* Im Grunde bleibt Freud in der Tradition der Aufklärung, wenn es ihm darum geht, das *Ich* des psychisch Erkrankten, das nicht mehr *Herr sein im eigenen Haus*, wieder in seine alten Rechte einzusetzen. Freud selbst hat den epochalen Rang seiner *Traumdeutung* gesehen. Obwohl sie schon 1899 vorlag, datierte er das Buch auf 1900. Ohne seine Lehre vom Unbewußten wäre die Geschichte der Künste (Surrealismus), Medizin, der Geistes- und Sozialwissenschaften im 20. Jahrhundert anders verlaufen. Die *Traumdeutung* läßt sich auch als Hermeneutik lesen, als Verstehenslehre, in der gerade das Nebensächliche und Chaotische, die scheinbar disparaten Details systematisch als symbolisch bedeutsam verstanden und Regeln entwickelt werden, wie damit methodisch kontrolliert umzugehen ist.

Literatur: Porter, Laurence M.: The Interpretation of Dreams. Freud's theories revisited, Boston 1987. – Ricoeur, Paul: Die Interpretation. Ein Versuch über Freud, Frankfurt a. M. 1974. – Strunz, Franz: Die Traumdeutung zwischen Freud und Jung, Regensburg 1995.

W. Br.

268 Die Haager Friedenskonferenz
Karikatur in der Zeitschrift „Simplicissimus", Jg. 4, Nr. 12, S. 93
Mai/Juni 1899
Mehrfarbiger Druck
H. 21,5 cm, B. 20,5 cm (Platte)
Karlsruhe, Staatliche Kunsthalle, Bibliothek

268

Auf Anregung des russischen Zaren Nikolaus II. kamen im Mai 1899 Delegierte aus 26 Staaten in Den Haag zusammen, um über Rüstungsbegrenzung, Kriegsrecht und ein internationales Schiedsgericht zu beraten. Ein Grund für die russische Initiative war die Sorge um den Staatshaushalt, den die sprunghaft steigenden Rüstungskosten immer stärker belasteten. Mit der Haager Friedenskonferenz wurden seit Jahrzehnten von der Friedensbewegung diskutierte Forderungen erstmals auf das internationale politische Parkett getragen. Zwar verhinderten die Eigeninteressen der Großmächte konkrete Ergebnisse in der Rüstungsbegrenzung, zur Schaffung einer Institution zur internationalen Streitschlichtung aber waren die Beteiligten bereit. In der Folge wurde 1901 der Schiedshof in Den Haag eingerichtet. In der Karikatur verkörpern die beiden Chinesen die skeptische Haltung zur Haager Konferenz. Während die europäischen Großmächte im Haag über Rüstungsbegrenzung und Kriegsvermeidung verhandeln, setzen sie – auch mit militärischen Mitteln – die Ausweitung ihrer Einflußsphären in China fort.

Literatur: Dülffer, Jost: Regeln gegen den Krieg? Die Haager Friedenskonferenzen von 1899 und 1907 in der internationalen Politik, Berlin / Frankfurt a.M. / Wien 1981.

V. S.

269

269 „Die Fahrt ins XX. Jahrhundert“
Albert Welti (1862-1912)
1899
Stahlradierung
H. 39,2 cm, B. 62,8 cm (Platte)
Hamburg, Kunsthalle, Inv.-Nr. 1914-527

Der Schweizer Maler und Radierer Albert Welti war nach seiner Ausbildung an der Münchner Akademie als Famulus bei Arnold Böcklin tätig. Die hier gezeigte figurenreiche Stahlradierung ist kennzeichnend für Weltis überquellende Phantasie, wobei er in diesem Blatt eine satirisch scharfe, gesellschaftskritische Analyse des ausgehenden 19. Jahrhunderts gibt. Welti, den die Jahrhundertwende stark beschäftigte, kritisierte die materielle Einstellung seiner Zeit, die sich insbesondere im Burenkrieg (1899-1903) dokumentierte. Das Blatt zeigt einen furiosen und unheimlichen Zug. Auf Schienen, die von riesenhaften Gestalten gestützt werden, fährt er über einen Abgrund. Gezogen wird das ungeheure Gefährt von einem satanischen Wesen in einem riesigen Laufrad, auf dem Führerstand steht Sir Cecil Rhodes, Premier der britischen Kap-Kolonie während des Krieges gegen die Burenrepubliken. Ein fragwürdiger Aufbruch ins neue Säkulum: eine sittenlose Gesellschaft, die geführt wird von imperialistischen Machtbestrebungen.

Literatur: Luther und die Folgen für die Kunst, Ausst.-Kat. Hamburg 1983/84, München 1983, S. 538, Nr. 410, Abb.

H. F.

270 Zwei Postkarten zum Ausgang des 19. Jahrhunderts
a) „Zur Erinnerung an die Letzte hl. Christnacht des XIX. Jahrhunderts"
Berlin, Internationale Ansichtskarten Gesellschaft, 1899 (Poststempel: 24.12.1899)
Rasterfarbdruck
H. 9 cm, B. 14 cm
Karlsruhe, Badisches Landesmuseum, Inv.-Nr. 91/112-32
b) Postkarte zur Jahrhundertwende
Köln, 1899 (Poststempel: 31.12.1899)
Rasterfarbdruck
H. 9,2 cm, B. 14 cm
Karlsruhe, Badisches Landesmuseum, Inv.-Nr. 91/112-5

270a

270b

Die beiden Postkarten thematisieren die bevorstehende Jahrhundertwende auf unterschiedliche Weise. Die Karte mit dem Gruß *„Zur Erinnerung an die Letzte hl. Christnacht des XIX. Jahrhunderts"* ist eine traditionelle, mit der Darstellung einer Heiligen Familie *geschmückte Weihnachtskarte*, die den Adressaten auf die Besonderheit des bevorstehenden Christfestes hinweist: es ist die letzte Christnacht des ausgehenden 19. Jahrhunderts. Die Karte trägt drei Poststempel: Am 24. Dezember 1899 wurde sie in Bethlehem und am 25. Dezember in Jerusalem bei der Österreichischen Post abgestempelt. Bereits am 10. Januar 1900 traf sie bei der Adressatin in Straßburg ein.

Ein schlichtes Beispiel für Grußkarten zur Jahrhundertwende ist eine am 31. Dezember 1899 in Karlsruhe abgestempelte Postkarte. Als Schmuckmotiv dient der vor die Sonne gesetzte Schriftzug *1900*. Das Motiv der aufgehenden, von einem Strahlenkranz umgebenen Sonne ist ein ganz typisches Symbol für ein beginnendes Jahrhundert oder eine neu anbrechende Zeit (vgl. Kat.-Nr. 201).

Literatur: Das ABC des Luxuspapiers. Herstellung, Verarbeitung und Gebrauch, Ausst.-Kat. Berlin 1983/84, S. 129f.

H. J.

„Die Fahrt ins XX. Jahrhundert"

271

271 „Der Tag" (Kompositionsstudie)
Ferdinand Hodler (1853-1918)
Genf, 1899
Feder in Schwarz, stellenweise in Rot, Aquarell- und Deckfarbe über Bleistift und Farbstift, 1., 4. und 5. Figur ausgeschnitten und aufgeklebt, auf Papier
H. 22,5 cm, B. 51 cm
Zürich, Kunsthaus, Inv.-Nr. Z 1919/37

Mit der 1889/90 gemalten *Nacht* hatte der Schweizer Maler Ferdinand Hodler seine erste internationale Anerkennung – 1891 in Paris, 1894 in Berlin, 1897 in München – erzielt. Vielleicht schon gleichzeitig mit diesem Erfolgsbild hatte er als eine Art Gegenstück einen *Tag* konzipiert. In der schließlich realisierten Form greifbar wird die Bildidee allerdings erst um 1898/99; die erste von drei gemalten Fassungen (Bern, Kunstmuseum) entstand 1899/1900. Ohne Zweifel ist das Bild der fünf erwachenden Frauen, von denen die einen (nach des Künstlers eigenem Kommentar) noch durch *„das heitere Tageslicht"* am Sehen der *„Pracht des Tages"* gehindert werden, ein Ausdruck der persönlichen Triumphe, die Hodler in dieser Zeit zu feiern begann. Doch stand der *Tag* (der eigentlich eher ein Morgen ist) aus zeitgenössischer Perspektive ebenso zweifellos auch für den Morgen einer neuen Kunst und einer neuen Jugend, die nicht nur in der Malerei Hodlers mit dem neuen Jahrhundert anzubrechen schien.

Literatur: Ferdinand Hodler, vom Frühwerk bis zur Jahrhundertwende. Zeichnungen aus der Graphischen Sammlung des Kunsthauses Zürich, Ausst.-Kat. Zürich und Hannover 1990/91, S. 130-146, bes. S. 140-141, 277.

M. B.

272 Ludwig Hevesi: „Von Jahrhundert zu Jahrhundert. Eine Phantasie"
in: „Die fünfte Dimension. Humore der Zeit, des Lebens, der Kunst", S. 97-108.
Wien, bei Carl Konegen, 1906
Typendruck
H. 22 cm, B. 15,5 cm
Marbach, Deutsches Literaturarchiv, Glück: I. Zugangsnummer FG. 6629

Ludwig Hevesi (1843-1910) gehörte als Schriftsteller und Kunstkritiker in den Kreis um die Wiener Sezession. In der satirischen Fiktion der Begegnung des 19. Jahrhunderts mit dem 20. in der Billionstel-Sekunde der Wende bleibt von allen menschlichen Errungenschaften der vergangenen hundert Jahre aus Zukunftssicht so gut wie nichts, außer: die Sezession.

Abdruck des Textes siehe S. 14-16.

H. S.

273 „Dem neuen Jahrhundert. Musenalmanach Berliner Studenten zur Jahrhundertwende"
Leopold von Wiese (Hg.)
Berlin, 1900
Typendruck
H. 22,5 cm, B. 15,5 cm
Karlsruhe, Badische Landesbibliothek, 66 A 1630

1899 veröffentlichte eine Gruppe Berliner Studenten einen Aufruf an ihre Kommilitonen, an einem *„poetischen Sammelbuch"* anläßlich der Jahrhundertwende mitzuwirken. Noch im selben Jahr erschien in Zusammenarbeit mit der *Akademischen Lesehalle* der Sammelband mit Beiträgen von 31 Autoren. Trotz des Titels und des Titelbilds, das die freudige Erwartung des neuen Jahrhunderts allegorisch darstellt, befaßt sich keiner der Beiträge mit dem Jahrhundertwechsel. Vielmehr beschäftigen sich fast alle Gedichte und Kurzgeschichten in meist schwärmerischer Weise mit den Themenkreisen Natur, Jugend/Alter und Liebe. Politische, religiöse und soziale Bezüge sind die Ausnahme. Einige der Autoren traten auch nach ihrem Studium als Schriftsteller in Erscheinung. Der bekannteste Autor des Sammelbandes aber ist der Jurist Gustav Radbruch (1878-1949).

V. S.

274 Otto Borngräber: „Giordano Bruno. Das neue Jahrhundert. Eine Tragödie"
a) Text
Vorwort: Ernst Haeckel
Bonn, bei Emil Strauß, 1900
Typendruck
H. 20,5 cm, B. 14,3 cm
Privatbesitz
b) Plakat der Aufführungen im Alten Theater Leipzig
Fidus (eigentlich Hugo Höppener, 1868-1948)
1902
Farblithographie
H. 77 cm, B. 50 cm
Berlin, Staatliche Museen zu Berlin – Preußischer Kulturbesitz, Kunstbibliothek, Kat. No. 885

Auf Befehl des Papstes Clemens VIII. wurde der Dominikanermönch Giordano Bruno am 17. Februar 1600 in Rom als *Ketzer* verbrannt (vgl. Kat.-Nr.104). Als Kämpfer und Märtyrer für die Geistesfreiheit und gegen die Unterdrückung wurde seine Gestalt gerade im 19. Jahrhundert vor allem gegen Papsttum und katholischen Klerus benutzt. Ostentativ setzte ihm das Königreich Italien 1889 ein Denkmal am Platz der Hinrichtungsstätte als Zeichen des Triumphes über den Kirchenstaat. Bruno stand damals für die durch ein neues Jahrhundert erstrebte Freiheit aus den Fesseln des vergangenen. Ernst Haeckel (vgl. Kat.-Nrn. 265 und 292) verglich ihn – neben Luther – mit Cavour und Bismarck im Kampf gegen die Papstherrschaft.

Otto Borngräbers Drama stilisierte seinen Helden zum visionären Messias einer neuen Weltanschauung und Künder einer kommenden Zeit, des *„neuen Jahrhunderts"* als Jahrhundert des Frühlings. Borngräber bezieht dies in zahlreichen Anspielungen auf das begonnene 20. Jahrhundert als Zeit des *„neuen Menschen"* und *„neuen Gotts"*, womit auch ein *„großes Deutschland"* gemeint ist.

273

Literatur: Berlin um 1900, Ausst.-Kat. Berlin 1984, S. 389, Nr. 1405, Tafel 31 (Plakat).

H. S.

Giordano Bruno war Symbol für die Befreiung aus den Fesseln des vergangenen Jahrhunderts.

274 b

275 Hugo von Hofmannsthal: „Ein Brief (des Lord Chandos)"

Oktober 1902 (Erstveröffentlichung in der Zeitschrift „Der Tag")
Typendruck
H. 42,1 cm, B. 30,5 cm
Marbach, Deutsches Literaturarchiv, Sammlung Alewyn

Der Text, seines fiktiven Autors Lord Chandos wegen zumeist als Chandos-Brief zitiert, gehört in eine Reihe fiktiver Gespräche und Briefe, in denen Hugo von Hofmannsthal (1874-1929) seine ästhetische Position zu klären versucht. Der Chandos-Brief ist ein zentraler Text der Sprachkritik, in der sich um 1900 zugleich ein tiefes Krisenbewußtsein artikuliert (Nietzsche, Mauthner, später auch Wittgenstein). Denn mit der Sprache steht die Verläßlichkeit der kulturellen Ordnung zur Disposition, die, nach der kommunikativen Konzeption von Vernunft durch die Aufklärung, menschliches Dasein in der Welt wirklich begründet. Darum ist es auch nicht nebensächlich, daß Chandos seinen Brief an Francis Bacon richtet, dessen empirische, induktive Methode der modernen Naturwissenschaft den Weg geebnet hat: Mit der Sprache wird hier das Projekt der Moderne selbst verhandelt. Chandos' *„Fall ist, in Kürze, dieser: Es ist mir völlig die Fähigkeit abhanden gekommen, über irgend etwas zusammenhängend zu denken oder zu reden."* Die *„abstrakten Worte zerfallen"* Chandos *„im Munde wie modrige Pilze"*. Damit ist aber auch die Möglichkeit dahin, sozial verläßlich und ethisch verantwortbar zu urteilen. Nichts kann Chandos noch mit Gewißheit sagen. Allein im Umgang mit den alltäglichen Dingen kann es zur epiphanischen Erfahrung einer erfüllten *Gegenwart* kommen, aus der freilich nichts folgt, weil sie nur augenblickshaft und nicht mitteilbar ist. Diese ganz andere Sprache zu finden, *„in welcher die stummen Dinge zu mir sprechen"*, wird die moderne Poesie sich zur Aufgabe machen.

Literatur: Bomers, Jost: Der Chandosbrief - die nova poetica Hofmannsthals, Stuttgart 1991. – Göttsche, Dirk: Die Produktivität der Sprachkrise in der modernen Prosa, Frankfurt a. M. 1987.

W. Br.

276 „Das Bürgerliche Gesetzbuch"

a) „Gesamtausgabe der am 1. Januar in Kraft getretenen Reichsgesetze und Verordnungen nebst den Preußischen Ausführungsgesetzen, Verordnungen und Verfügungen"
Otto Hentig (Hrsg.)
Berlin, 1900
Typendruck
H. 25 cm, B. 18 cm
Karlsruhe, Bundesverfassungsgericht, Bibliothek, DB 308
b) Ausgabe Freiburg, 1900 (4. und 5. Auflage), mit Erläuterungen von Augustin Lehmkuhl S.J.
Typendruck
H. 19,6 cm, B. 13,5 cm
Karlsruhe, Bundesgerichtshof, Bibliothek, B 7135

Zwei Jahre nach der Gründung des Deutschen Reichs, 1873, beschloß der Reichstag, die Kompetenz des Reiches auch auf das bürgerliche Recht auszudehnen. Eine Kommission sollte ein reichsweit geltendes *Bürgerliches Gesetzbuch* als weiteren Schritt zur nationalen Einigung ausarbeiten. Dies war notwendig, da neben den drei großen Rechtstraditionen, dem preußischen Allgemeinen Landrecht, dem französischen und dem gemeinen Recht noch zahlreiche lokale Rechtstraditionen existierten. Zudem wollte man auf die gesellschaftlichen Veränderungen des 19. Jahrhunderts reagieren. Nach dem Bruch mit der alten ständischen Ordnung sollte ein Privatrecht für freie und gleiche Eigentümer geschaffen werden. Auch die Einrichtung der Zivilehe war einheitlich zu regeln. Entsprechend der Komplexität der Aufgabe brauchten die Kommissionen über zwanzig Jahre, um einen konsensfähigen Entwurf zu erarbeiten, der schließlich 1896 vom Reichstag angenommen wurde und am 1. Januar 1900 in Kraft trat. Das *BGB* ist noch heute gültiges Zivilrecht in Deutschland. Es hat jedoch im Laufe des Jahrhunderts zahlreiche Neuorientierungen (z.B. durch das Grundgesetz) oder durch gesellschaftliche Entwicklungen (besonders im Familienrecht) erfahren.

Literatur: J. von Staudingers Kommentar zum Bürgerlichen Gesetzbuch mit Einführungsgesetz und Nebengesetzen. Geleitwort von Jutta Limbach. Einleitung zum Bürgerlichen Gesetzbuch. Erstes Buch. Allgemeiner Teil. §§ 1-12; Verschollenheitsgesetz. Berlin (13) 1995. S. 7-73.

V. S.

277 „Ein Zukunftsbild"

Titel-Karikatur der Zeitschrift „Simplicissimus", 6. Jg., Nr. 52
Thomas Theodor Heine (1867-1948)
München, 1902
Mehrfarbiger Druck
H. 39,1 cm, B. 28,7 cm (Blatt)
Karlsruhe, Staatliche Kunsthalle, Bibliothek

Das Titelblatt der satirischen Zeitschrift *Simplicissimus* zeigt vor tiefblauem Himmel eine große Pyramide und mehrere kleinere auf hellem Wüstensand. Im Vordergrund liegt eine Sphinx; gemeint sind also die Pyramiden von Gizeh in Ägypten. Auffallend ist der gotische Turm auf der Spitze der Pyramide sowie die obere Hälfte eines gotischen Portals mit Wimperg. Die Sphinx schließlich trägt nicht den Löwenkopf mit Haube, sondern einen Portraitkopf des alten Kaisers Wilhelm I. mit Pickelhaube. Ein kurzer Text erläutert das *Zukunftsbild: „Endlich sind alle Ruinen des deutschen Reiches restauriert und unsere Regierung macht sich daran, auf Kosten der deutschen Steuerzahler die ägyptischen Pyramiden auszubauen, natürlich im gotischen Stil. Um den Aegyptern noch mehr zu imponieren, erhält ein Berliner Denkmalfabrikant* [wohl die Gießerei Noack – K. S.] *den Auftrag, die Sphinx in ein deutsches Nationaldenkmal umzuwandeln."*

Die Karikatur des Münchner Zeichners Thomas Theodor Heine spielt zum einen auf die Denkmalswut Ende des späten 19. Jahrhunderts an, zum anderen auf die kolonialen Bestrebungen des Deutschen Reiches, hier ausgedrückt in der Rivalität mit Großbritannien, unter dessen Herrschaft sich Ägypten damals befand. Den restaurativen Aspekt dieser Bestrebungen verdeutlicht in diesem ironischen *Zukunftsbild* die Darstellung Wilhelms I., dem nach seinem Tod im Jahr 1888 in einer wahren *Denkmalseuche* (Richard Muther) in nahezu jeder deutschen Stadt ein Monument errichtet wurde. Die gotisierenden, *vaterländisch* verstandenen Formen des nach 1900 bereits überwundenen historistischen Stils verweisen ebenfalls auf die von kritischen Zeitgenossen als überholt bewertete Politik.

K. S.

277

„Ein Zukunftsbild"
Karikatur aus der Zeitschrift „Simplicissimus"

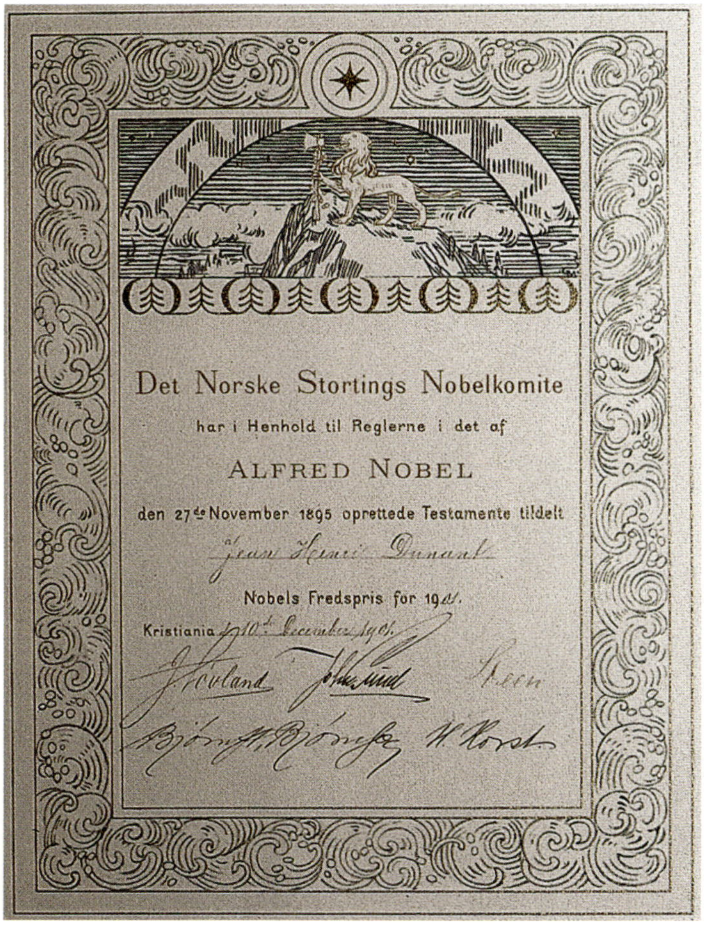
Det Norske Stortings Nobelkomite
har i Henhold til Reglerne i det af
ALFRED NOBEL
den 27de November 1895 oprettede Testamente tildelt
Jean Henri Dunant
Nobels Fredspris for 1901.
Kristiania d. 10. December 1901.

278

278 Urkunde zum Friedensnobelpreis an Henri Dunant
Faksimile
1901
H. 35 cm, B. 28 cm
Genf, Internationales Rotkreuz- und Rothalbmondmuseum, Inv.-Nr. BBT-1987-89

1901 wurden erstmals die von Alfred Nobel gestifteten Preise für Chemie, Physik, Medizin, Literatur und für Verdienste um den Völkerfrieden verliehen. Der Friedensnobelpreis wurde zwischen dem langjährigen französischen Friedensaktivisten Frédéric Passy und dem Schweizer Henry Dunant geteilt. Dieser hatte unter dem Eindruck seiner Erlebnisse auf dem Schlachtfeld bei Solferino (1859), auf dem Tausende unversorgter Verwundeter zurückblieben, den Plan entwickelt, eine internationale Organisation freiwilliger Helfer zur Versorgung Kriegsverwundeter zu schaffen. Sein Engagement führte 1863 zur Gründung erster Hilfsvereine und eines Internationalen Komitees in Genf. Durch intensive Kontaktpflege zu den europäischen Fürstenhöfen erreichte er im Jahr darauf die Anerkennung der Hilfsvereine durch zahlreiche Staaten. Mit der *Genfer Konvention* wurden Kriegsverwundete und ihre Helfer für neutral erklärt und das Symbol des Roten Kreuzes für die Helfer international eingeführt. Der Nobelpreis bedeutete für Henri Dunant, der nach einem Bankrott 1867 seine führende Rolle beim Roten Kreuz verloren hatte und danach Jahrzehnte in Armut lebte, eine späte Anerkennung seiner humanitären Verdienste.

Literatur: Descombes, Marc: Henry Dunant. Finanzmann-Phantast-Gründer des Roten Kreuzes. Eine Bildbiographie, Zürich 1988.

V. S.

1901 wurde erstmals der Friedensnobelpreis verliehen.

279 Wladimir Iljitsch Lenin: „Womit beginnen"
in „Iskra", Heft 4, 1901
Reprint
Typendruck
H. 26 cm, B. 16,5 cm
Freiburg, Universitätsbibliothek, ZT 22

Dieser Artikel, 1901 veröffentlicht in der ersten gesamtrussischen illegalen Zeitung *Iskra (Der Funke)*, die im Jahr zuvor von Lenin (1870-1924) gegründet wurde, behandelt die Frage nach *„System und [...] Plan"* der praktischen Tätigkeit der russischen Sozialdemokraten. Aus der Kritik am voreiligen und konzeptlosen Auftreten einzelner politischer Strömungen (z.B. der Ökonomisten), denen ein fester Standpunkt fehle, formuliert er die Notwendigkeit einer Kampforganisation und von Agitation. Für ihn besteht die unmittelbare Aufgabe der Partei darin, *„eine revolutionäre Organisation zu schaffen, die fähig ist, alle Kräfte zu vereinigen"*. Den ersten praktischen Schritt sieht er in der Schaffung einer regelmäßig erscheinenden, gesamtrussischen politischen Zeitung, ohne die *„jene systematische Durchführung einer prinzipienfesten und allseitigen Propaganda und Agitation unmöglich"* sei. Diese Zeitung soll die zersplitterten revolutionären Kräfte im ganzen Land zu einer einheitlichen gesamtrussischen Bewegung einen, Tribüne für politische Enthüllungen sein und so die politische Unzufriedenheit konzentrieren. Als *„kollektiver Organisator"* soll sie das Zusammenwirken der örtlichen Vertreter und Komitees der Partei sichern.

Edition: Lenin, Wladimir Iljitsch: Werke, Bd. 5 (ins Deutsche übertragen nach der 4. russ. Ausgabe), Berlin 1959.

B. S.

280

280 Clara Zetkin und Rosa Luxemburg
1910
Fotografie
H. 14,5 cm, B. 21 cm
Foto: Berlin, Ullstein Bilderdienst

Die deutsche Frauenbewegung konnte um 1900 einige Fortschritte erzielen, wenn es auch beispielsweise bis 1919 dauerte, ehe die Frauen das aktive und passive Wahlrecht erhielten. Allerdings ist die Gleichberechtigung der Frau auch zu Beginn des dritten Jahrtausends noch nicht vollendet.

Zwei Protagonistinnen der sozialistischen Frauenbewegung seien hier herausgestellt: Clara Zetkin und Rosa Luxemburg. Das ausgestellte Photo entstand 1910 und zeigt die beiden auf dem Weg zum Magdeburger SPD-Parteitag. Rosa Luxemburg (1870-1919; auf dem Foto rechts) gehörte zu den Führern des linken Parteiflügels der SPD. Konsequent trat sie gegen den Militarismus und gegen die imperialistischen Kriege auf, so 1900 in Paris auf dem Internationalen Sozialistenkongreß. Zusammen mit Karl Liebknecht gründete sie 1918 die Kommunistische Partei; während des Januaraufstandes der Berliner Arbeiter wurden beide verhaftet und ermordet. Clara Zetkin (1857-1933) war die Führerin der proletarischen Frauenbewegung in Deutschland. 1889 hielt sie in Paris auf dem Gründungskongreß der 2. Sozialistischen Internationalen ein Grundsatzreferat über die Gleichberechtigung der Frau und ihre Rolle im Kampf der Arbeiter. 1892 übernahm sie die Redaktion der Zeitschrift *Die Gleichheit*, dem Sprachrohr der sozialistischen Frauenbewegung. 1896 legte sie auf dem SPD-Parteitag die Richtlinien für die proletarische Frauenbewegung fest und zog dabei eine Trennungslinie zur bürgerlichen Frauenbewegung. 1900 organisierte sie in Mainz die erste Frauenkonferenz der SPD. Daß Clara Zetkin sich mit der zukünftigen Gestaltung eines sozialistischen Staates auseinandersetzte, zeigt sich darin, daß sie Edward Bellamys utopischen Roman *Ein Rückblick aus dem Jahr 2000 auf 1887* ins Deutsche übersetzte (vgl. Kat.-Nr. 234).

J. D.

281

281 Die Schweiz im 20. Jahrhundert
Folge von 6 Sammelbildern von Linde's Essenz für Kaffee
Um 1895-1899
Farblithographie
H. je 7,3 cm, B. je 11 cm
Karlsruhe, Badisches Landesmuseum, Inv.-Nr. 98/377/1-6

Die Illustrationen richten den Blick lediglich etwa fünf Jahre voraus, aber damit über die Jahrhundertwende hinweg ins neue *20. Jahrhundert*. Alles wird schöner, *moderner* und für den vermehrten Tourismus komfortabler. Immerhin treten Ballonflüge auf das Matterhorn und Unterseebootfahrten im Genfer See hinzu. Im Coupé der Gotthardeisenbahn ist eine rauchende Dame zu sehen, die jedoch vom Kondukteur zur Ordnung gerufen wird.

Literatur: Ciolina, Erhard und Evamaria: Reklamebilder und Sammelalben, Augsburg 1995.

H. S.

282 Szenenbilder des Stummfilms von George Méliès: „Voyage dans la lune"
(„Der Flug zum Mond")
Uraufführung: 1902
H. 24 cm, B. 17,7 cm
Frankfurt, Deutsches Filmmuseum, ohne Inv.-Nr.

Science Fiction im Stil der *Belle Epoque*: In diesem nur elf minütigen Stummfilm von George Méliès (1861-1938) lassen sich sechs kühne Forscher auf den Mond schießen. Neckische Tanzgirls schieben eine granatartige Rakete in eine überdimensionale Kanone; auf dieselbe Weise wird schon in Jules Vernes *De la terre à la lune* (1865; vgl. Kat.-Nr. 233) die irdische Schwerkraft überwunden. Die Rakete landet im linken Auge des Mondgesichts – ein schockierender und komischer *Grand Guignol*-Effekt. Die Mondlandschaft gleicht einem surrealen Dschungel. Riesige Pilze schießen auf, und die Forscher werden von den Seleniten, affengleich hüpfenden Eingeborenen, gefangengenommen und zu ihrem König geführt. Nur mit Mühe können sie entkommen. Die zur Erde zurückgekehrte Rakete stürzt ins Meer und die Forscher entdecken eine phantastische Unterwasserwelt. Nach ihrer Bergung wird ihnen an Land ein triumphaler Empfang bereitet. Bevor Méliès das Kino entdeckte, arbeitete er als Zauberer; seine Arbeiten als Regisseur sind die unmittelbare Fortsetzung seines früheren Metiers. In diesem Verständnis des Mediums als unerschöpfliche Trickkiste liegen die Größe und die Grenzen von Méliès: Für Geschichten und Charaktere hat er sich nie interessiert, aber seine Special effects beeindrukken noch heute.

C. H.

282

283 Zukunftsvisionen auf zwei Karlsruher Postkarten
a) „Karlsruhe i.B. Lauterberg im Jahre 2000"
Karlsruhe, um 1900
Postkartendruck nach Fotocollage
H. 8,8 cm, B. 13,8 cm
Karlsruhe, Stadtarchiv, 8 PBS O XIII c 417
b) „Karlsruhe in der Zukunft – Marktplatz"
Karlsruhe, vor 1904
Postkartendruck nach Fotocollage
H. 8,8 cm, B. 13,8 cm
Karlsruhe, Stadtarchiv, 8/Alben 8,23a

Fortschrittsglaube und Zukunftsoptimismus waren die prägenden Züge an der Wende zum 20. Jahrhundert. Der Phantasie, wie die Zukunft aussehen könnte, waren dabei keine Grenzen gesetzt. Die beiden Postkarten zeigen ganz typische, auch häufig auf Sammelbildern abgedruckte Motive. Insbesondere die fliegenden Straßenbahnen, Heißluftballons oder Automobile zeugen von einem besonderen Interesse an neuen, schnelleren Transportmitteln. Postkarten mit derartigen phantastischen Stadtbildern lassen sich für mehrere Städte nachweisen und gehörten zu den beliebten Souvenirs der Zeit. Fotografien von bekannten Stadtansichten wie Markt- oder Rathausplatz bilden die reale Grundlage. Durch aufgeklebte Motive entsteht ein phantasievolles Zukunftsbild, das kommende Entwicklungen – wie der über der Evangelischen Stadtkirche erscheinende Gleitschirm – oft erstaunlich genau voraussagt. Zukunftsträume sollten jedoch die abgebildete Gondelbahn von Karlsruhe nach München sowie die Ballonflüge nach New York bleiben.

Literatur: Bräunche, Ernst Otto / Koch, Manfred: Karlsruhe in Alten Ansichten, Zaltbommel 1995, o.p., Abbn. 6f.

H. J.

283a

283b

Fortschrittsglaube und Zukunftsoptimismus waren prägende Züge an der Wende zum 20. Jahrhundert.

284

284 „Hamburg im Jahr 2000". Theaterplakat des Ernst Drucker Theater

Hamburg, Lithographische Anstalt von Adolph Friedländer, 1896
Farblithographie
H. 84,4 cm, B. 64,4 cm
Hamburg, Museum für Kunst und Gewerbe, Inv.-Nr. E 1897, 667

Mobiltelefon, Gleitschirmflieger, eine Schwebebahn *„nach Berlin, Wien Constantinopel alle 5 Minuten"* und eine viertelstündlich verkehrende *„Mond-Bahn"*: So zeichnet das Theaterplakat die sensationelle Zukunft von *Hamburg im Jahre 2000,* das zur Premiere des gleichnamigen Volksstückes von Theodor Franke im Jahr 1896 entstanden ist. Ernst Drucker, der Leiter des Theaters, gab das Plakat bei der Hamburger Druckerei von Adolph Friedländer in Auftrag. Das lindenblattförmige Signet am unteren rechten Bildrand galt als Markenzeichen der *lithographischen Kunstanstalt*, eine der bedeutendsten in Europa.

Das farbenfrohe Reklame-Plakat spiegelt Technikglaube und Zukunftsoptimismus des ausgehenden 19. Jahrhunderts wider: internationale Verkehrsverbindungen und grenzenlose Mobilität, die zur Unterhaltung einer unbeschwerten Freizeitgesellschaft gehören. Den technischen Fortschritt glorifiziert die entschwebende Allegorie des elektrischen Lichts, die in Konkurrenz mit der Sonne erstrahlt. Aber auch mit einem Augenzwinkern wird der Zukunftsoptimismus gezeichnet, denn die kleinen Mißgeschicke, Clownerien und Zänkereien der Menschen bleiben bestehen. Wahrscheinlich gehörte zum amüsantesten Teil der Zukunftsvision die Vorstellung von Frauen in Hosen!

Literatur: Ehses, Andrea: Die Versprechen der Werbung, frühe Plakate, in: Bilderbunter Alltag. 200 Jahre Lithographie, Ausst.-Kat. Hamburg 1999, S. 85-90. – Malhotra, Ruth: Manege frei. Artisten- und Circusplakate von Adolph Friedländer, Dortmund 1979, S.162, Abb. S.163. – Das frühe Plakat in Europa und den USA: ein Bestandskatalog, hg. von Popitz, Klaus u.a., Bd. 3 Deutschland, Teil 1: Text, bearb. von Hollmann, Helga u.a., Berlin 1980, S. 337f., S. 347, Nr. 4029, Teil 2: Abb. Nr. 4029.

H. F.

Mobiltelefon, Gleitschirmflieger, Schwebebahn und eine viertelstündlich verkehrende Bahn zum Mond.

285 Theodor Fritsch: „Die Stadt der Zukunft"
Leipzig, 1896
Typendruck
H. 26 cm, B. 16,5 cm
Freiburg, Universitätsbibliothek, KA 69/2399

Die rasche Industrialisierung und der damit verbundene Zustrom der Arbeitermassen in die Großstädte ließ dort triste Mietskasernen und Hinterhofarchitekturen entstehen, die die Menschen in eine elende Wohnsituation zwang. An der Wende zum 20. Jahrhundert entstanden erste alternative Stadtplanungskonzepte, darunter Theodor Fritschs programmatische *Stadt der Zukunft* von 1896. Fritsch gilt als Vorläufer der *Gartenstadt-Bewegung*. Diese wurde dann vom Briten Ebenezer Howard mit sozialreformerischer Zielsetzung konzipiert und 1898 veröffentlicht. Nahe der überbevölkerten Großstädte sollten im Grünen eigenständige, quasi autarke Siedlungsgemeinschaften entstehen. Die *Gartenstadt* sollte sowohl Wohnsiedlung als auch Arbeitsstätte mit landwirtschaftlichen, handwerklichen und kleinindustriellen Betrieben sein, die zur Selbstversorgung der Bewohner dienten. Auch kulturelle Einrichtungen sollten zur Struktur der *Gartenstadt* gehören.

J. D.

286 Skizzenblatt mit Varianten des „Tempel der Erde"
Fidus (eigentlich: Hugo Höppener, 1868-1948)
1897
Bleistift auf weißem Papier
H. 28,4 cm, B. 22 cm
Privatbesitz

Fidus war der wichtigste und populärste Künstler der Lebensreformbewegung, die gegen Ende des 19. Jahrhunderts aus einem starken kritischen Impuls gegenüber der modernen Kultur heraus entstand und sich in verschiedene Strömungen differenzierte. Stilistisch war Fidus besonders dem Jugendstil verpflichtet, weltanschaulich von Anthroposophie und Theosophie geprägt. Seine (und seiner Zeit) Sehnsucht nach dem *neuen Menschen* formulierte er in eingängigen, symbolischen und religiös aufgeladenen Illustrationen und Gemälden, die dem nackten Leib, dem Licht, der Natur huldigen.

Das Projekt eines *Tempels der Erde* beschäftigte Fidus zwischen 1895 und 1901. Es ist in jeder Hinsicht eklektizistisch und ordnet sich ein in eine Vielzahl utopischer Architekturentwürfe, die im Kontext der Jahrhundertwende und des Expressionismus entstanden und unter denen sich weitere Tempel, Weihehallen und sakralisierend interpretierte Versammlungsstätten für die aus dem Boden schießenden *neuen Gemeinschaften* finden. Je mehr sich Fidus völkisch-germanophil orientierte, desto problematischer wurde ihm selbst das Projekt in seinen ästhetischen Anleihen bei der ägyptischen und indischen Architektur. Durch einen spiritistischen Mäzen schien sich 1903 die Möglichkeit zu eröffnen, einen Tempel tatsächlich zu bauen, die sich aber später zerschlug.

286

Literatur: Bibo, Claudia: Naturalismus als Weltanschauung? Biologistische, theosophische und deutsch-völkische Bildlichkeit in der von Fidus illustrierten Lyrik (1893-1902). Mit einem Anhang: Organisationen der Deutschgläubigen Bewegung, Frankfurt a. M. 1995. – Frecot, Janos / Geist, Johann Friedrich / Kerbs, Diethart: Fidus 1868-1948. Zur ästhetischen Praxis bürgerlicher Fluchtbewegungen, München 1972. – Hermand, Jost: Avantgarde und Regression. 200 Jahre deutscher Kunst, Leipzig 1995, S. 72ff. – Y, Rainer: Fidus, der Tempelkünstler. Interpretation im kunsthistorischen Zusammenhang mit Katalog der utopischen Architekturentwürfe, 2 Bde., Göppingen 1985.

W. Br.

287, 1

287 „Les fêtes réelles"
Albert Trachsel (1863-1929)
Paris, Société du Mercure de France, 1897
Heliotypie
H. 26,3 , B. 35 cm (Platte)
Privatbesitz

Abgebildet:
Tafel 1: *Le semeur (Der Sämann)*
Tafel 10: *Fête de la Nature (Fest der Natur)*

Den *„Edgar Allan Poe der Architektur"* nannte Félix Vallotton seinen Schweizer Künstlerfreund Albert Trachsel. Der zu Lebzeiten völlig unverstandene Künstler, der von jung an auch mit Ferdinand Hodler (vgl. Kat.-Nr. 271) befreundet war, verdankte diesen Ruf nicht seinen – wenigen – gebauten Architekturen, sondern seinem 1897 nach längerjährigen Vorarbeiten veröffentlichten Album *Les fêtes réelles* mit 50 utopischen Architekturdarstellungen. Trachsel verstand seine visionäre Bilderfolge als Teil eines Gesamtkunstwerks mit dem Titel *L'harmonie,* zu dem drei literarische Bände rhythmischer Prosa (*Le cycle*, erschienen 1893) und drei Bilderalben gehören sollten. *Les fêtes réelles,* das als erstes und einziges davon erschien, sollte die Orte der subjektiven Vision einer utopischen, extraterrestrischen Menschheit verbildlichen, eine *„humanité ideale",* ein *„dehors du Temps et de l'Espace".*

Die fünfzig Entwürfe des Albums sind eine Abfolge von Tempeln, Kultbauten und Monumenten. Unwirklich – und zeichnerisch in eine verfremdete Abwicklung aus der Zentralperspektive gebracht – stehen sie in einer öden, flachen Landschaft und sind vor ein finsteres Firmament gerückt. In den zu knapp der Hälfte der Blätter erhaltenen Aquarellentwürfen – ein Dutzend davon war in Péladans erstem Rosenkreuzsalon ausgestellt (vgl. Kat.-Nr. 252) – ist dieser Weltraumhimmel teilweise in Gelb, Zinnoberrot und Violett gefärbt: den kosmischen Visionen *(„nuit citrine", „Ciel orangé"* oder *„crupuscules violets")* in den Texten von *Le Cycle* entsprechend. Geometrische Grundformen – vom nackten Kubus bis zu vielgliedrigen Anlagen – bestimmen die Architektur, stets von Treppenanlagen, Arkaturen, Toren und Höfen assistiert, die Feierlichkeit ausstrahlen und das Betreten zum Zeremoniell, gar zum Ritual machen.

Trachsels Tempelvisionen sind die Kultbauten seiner *idealen Menschheit*. Sie sind religiösen Werten und Begriffen, dem Kosmos und der Natur, der Erziehung der Menschheit und ihren Tugenden gewidmet und steigern sich sodann in die Bilder von Festschauplätzen der geläuterten Idealgesellschaft: Foren der Schönheit, Gerechtigkeit, Freiheit, Brüderlichkeit, des Heldenmuts, des Friedens (Tafeln 33-39). Zuletzt schließt der Zyklus mit Architekturparaphrasen auf die Melancholie, den Schrecken, den Schmerz und den Tod; das letzte Blatt zeigt das *Grab eines Dichters*: der Künstler, Priester und Künder einer utopischen Menschheit im Angesicht von Trachsels realem Außenseitertum.

Aus der Tradition des Idealstadtgedankens heraus und in gewisser Anlehnung an die Architekturideen der *Revolutionsarchitektur* von Boullée und Ledoux (Kat.-Nr. 223) schuf Trachsel mit den *fêtes reelles* visionäre Gebäudeentwürfe, die die Architektur zum symbolistischen Träger von Stimmungen, Gefühlen und des subjektiven Ausdrucks macht. Die Kunst um 1900 ist, gerade im Umfeld von Symbolismus und Jugendstil, reich an utopischen, esoterischen Architekturentwürfen: Richard Wagner, Gaudí, Mucha, Fidus (vgl. Kat.-Nr. 286), Klinger, in der Dichtung von Huysmans, Péladan oder Robert de Montesquiou. Zu Ende des 19. Jahrhunderts ließ Trachsel einerseits noch einmal die Idee der utopischen *Idealstadt* – nur in Form von Kultbauten – aufleben, überführte die Architekturutopie in die Sphäre der visionären Bildphantasien, die im 20. Jahrhundert von der *Gläsernen Kette*, Paul Klee oder sogar Kandinsky geschaffen wurden. Im Geiste der *ästhetischen Opposition* der Künstler um 1900 gegen ihre Zeit schuf Trachsel mit den Motiven der Architektur einen subjektiven Mythos, der sich der vulgären Wirklichkeit vollständig verweigerte.

Literatur: Siebenmorgen, Harald: Albert Trachsels „Les fêtes réelles". Die subjektive Entgrenzung der Architektur im Symbolismus, in : Albert Trachsel 1863-1929. Ausst.-Kat. Genf 1984/85, S. 13-29.

H. S.

287, 10

288 Werke des Jugendstils aus der „Schule von Nancy"
a) Speisezimmer-Buffet
Louis Majorelle (1859-1926)
Nancy, 1898
Ahorn, furniert, mit reicher Marketerie in Eiche, Palisander und verschiedenen Edelhölzern; Bronzebeschläge
H. 241,5 cm, B. 160,5 cm, T. 55 cm
Karlsruhe, Badisches Landesmuseum, Inv.-Nr. 72/19
b) Beistelltisch
Emile Gallé (1846-1904)
Nancy, um 1898
Eiche, Ahorn, Nußbaum, Palisander, Esche
H. 74,5 cm, B. 61,5 cm, T. 39 cm
Karlsruhe, Badisches Landesmuseum, Inv.-Nr. 95/941
c) Vase in Blütenform
Emile Gallé (1846-1904)
Nancy, um 1898-1900
Überfangglas mit Fadeneinlagen und Marqueterie-de-verre, Bronzefuß
H. 35,5 cm
Karlsruhe, Badisches Landesmuseum, Inv.-Nr. 79/902
d) Vase mit Knabenkraut
Emile Gallé (1846-1904)
Nancy, um 1900
Überfangglas, geätzt und geschnitten
H. 28,4 cm
Karlsruhe, Badisches Landesmuseum, Inv.-Nr. 70/159
e) Bauchige Vase
Gebrüder Louis-Auguste und Jean-Antonin Daum
Nancy, um 1898
Überfangglas, geätzt und geschnitten
H. 16,6 cm, Dm. 9,2 cm
Karlsruhe, Badisches Landesmuseum, Inv.-Nr.70/133

Der bewegte Umriss und die reiche Intarsienarbeit mit den aus der Natur entnommenen Motiven weisen die beiden Möbel und die Überfanggläser im Buffet als typische Arbeiten der *Schule von Nancy* aus. Diese war 1901 als eine Art Künstlervereinigung gegründet worden. Neben Emile Gallé als Initiator der Bewegung und Louis Majorelle sind es die Brüder Louis-Auguste und Jean-Antonin Daum, die zum Ruhme der Kunstbewegung um 1900 beigetragen haben. Alle waren vielseitig tätig: Majorelle für Möbel und Metallarbeiten, Gallé für Möbel und Glasarbeiten, abgesehen von seinen frühen keramischen Entwürfen, Daum für Glasgefäße und Glasfenster. Vom kostbaren Einzelstück bis zur Kleinserie und zur Massenware, von der Werkstätte zur industriellen Fertigung geht der Weg der Firmen in Nancy. Sie

Werke des Jugendstils aus der „Schule von Nancy"

288a

288c

288e

288b

feiern Triumphe auf der Pariser Weltausstellung 1900, wo sie noch getrennt nach Unternehmen präsent sind, und 1903 im *Pavillon de Marsan* in Paris, wo sie gemeinsam als *Schule von Nancy* auftreten.

Literatur: Bouvier, Roselyne: Majorelle, Une aventure moderne, Paris 1991, S. 158 (Majorelle). – L'École de Nancy, 1889-1909, Ausst.-Kat. Nancy 1999, Paris 1999, S. 321, Nr. 232 (Majorelle). – Franzke, Irmela: Badisches Landesmuseum Karlsruhe. Bestandskatalog Jugendstil, 1. Auflage Karlsruhe 1978, S. 232f., Nrn. 12-13, Abbn. (Majorelle); 2. Auflage Karlsruhe 1987, S. 235, Nr. 11, Abb. (Majorelle), S. 263, Nr. 85; S. 264, Nr. 87; S. 314, Nr. 310 (Vasen) – „Für Baden gerettet", Ausst.-Kat. Karlsruhe 1996, S. 258f., Nr. 202, farb. Abb.(Gallé).

I. F.

289 „Les Fleurs" (vier dekorative Panneaux)
Alfons Mucha (1860-1939)
1898
Farblithographien auf Seidenatlas
H. 100,7 cm (Bildfelder), B. 41,5 cm (Bildfelder)
Karlsruhe, Badisches Landesmuseum, Inv.-Nrn. 73/167 (Nelke), 73/168 (Schwertlilie), 74/48 (Rose), 74/49 (Lilie)

Alfons Mucha erreichte mit seinen Plakatentwürfen und mit den dekorativen Panneaux ungeheure Erfolge. Nach der 1896 erschienenen Folge der *Vier Jahreszeiten* ließ Mucha die der Blumen folgen. In einer Auflage von 1000 Exemplaren auf Bütten zum Preis von 40 Franken bzw. 100 Franken für die Luxusausgabe auf Stoff, waren die Personifikationen der Rose, Lilie, Nelke und Iris preisgünstig zu erwerben. Noch preisgünstiger war die auf einem Blatt gedruckte Folge für 8 Franken und die Postkarten, die ersten Postkarten Muchas überhaupt.

In diesen Folgen werden die Frauen als Personifikationen der Jahreszeiten, der Künste, der Monate oder der Tierkreiszeichen mit dekorativen Lilienschwüngen in ein schmales Hochrechteck eingebunden. Dieses Format erlaubte die Anbringung der Folge auf Stellschirmen, einem seit der Kenntnis japanischer Kunst auch in Europa beliebtem Möbelstück.

Literatur: Franzke, Irmela: Badisches Landesmuseum Karlsruhe. Bestandskatalog Jugendstil, 1. Auflage Karlsruhe 1978, S. 249, Nr. 60, Abbn.; 2. Auflage Karlsruhe 1987, S. 257, Nr. 68, Abbn. – Mucha, Ausst.-Kat. Paris 1980, Nr. 84-87.

I. F.

290 Armlehnstuhl
Nachbau: für Bd. ediciones de diseño, Barcelona 1998
Antoni Gaudí (1852-1926)
Original: Barcelona, 1901/02
Eiche, gebeizt
H. 95 cm, B. 66 cm, T. 57 cm
Karlsruhe, Badisches Landesmuseum, Inv.-Nr. 99/94

1897 erhielt Gaudí den Auftrag, das Stadthaus des Stofffabrikanten Calvet in Barcelona komplett umzubauen und die entsprechenden Möbel zu liefern. Die Armlehnstühle dienten zur Möblierung der Geschäftsräume im Untergeschoss des Hauses. Die Linienführung findet ihre Entsprechung in der gebauten Umgebung. Der Stuhl erinnert trotz Voluten und Rocaillenzitaten an Organisches, auch an ein Knochengerüst. Umso erstaunlicher ist, daß es sich auf ihm sehr gut sitzen läßt. Der Originalarmlehnstuhl aus dem Calvet-Haus des auch als Bildhauer-Architekten bezeichneten Künstlers befindet sich im Casa Museu Gaudí in Barcelona. Wie die Architektur so sind auch die Möbel Gaudís Beispiele eines einzigartigen Sonderwegs innerhalb der Kunst um 1900.

Literatur: Antoni Gaudí, Ausst.-Kat. München 1986, S. 156.

I. F.

291 Adolf Loos: „Von einem armen reichen Manne"
in: Gesammelte Schriften, Bd. 1
Wien und Leipzig, 1962 (Erstveröffentlichung: „Neues Wiener Tageblatt", 26. 4. 1900)
H. 21 cm, B. 13 cm
Karlsruhe, Badisches Landesmuseum, Bibliothek

Der Architekt Adolf Loos (1870-1933) entfachte in Wien, noch bevor er 1899 das berühmte Café Museum eingerichtet hatte, eine rege publizistische Aktivität – vergleichbar der seines Freundes Karl Kraus –, in der er sich zur Situation des österreichischen Kunsthandwerks äußerte. Die Erzählung *Von einem armen reichen Manne* ist erstmals am 26. April 1900 im *Neuen Wiener Tagblatt* erschienen und erneut 1921 in dem Aufsatzband mit dem provokanten Titel *Ins Leere gesprochen.* Die frühen Texte und die folgenden erregten nicht nur zum Zeitpunkt ihres Erscheinens Aufsehen, später wurden sie für ganze Architektengenerationen eine wichtige Quelle.

In der Erzählung prangert Loos die Tendenzen der Wiener Moderne, insbesondere die Macht des Architekten und die Ohnmacht des Auftraggebers an. Dieser wird gezwungen, sein ganzes Leben der Ästhetik des vom Architekten gestalteten Raumes unterzuordnen. Die Idee des Gesamtkunstwerkes, letztlich das Ziel aller Künstler um 1900, das ein Durchgestalten von der Türklinke bis zum Besteck und der Kleidung forderte, wird in der Erzählung ad absurdum geführt, da es dem Auftraggeber keine Möglichkeit mehr zu einem individuellen Leben läßt. Damit beginnt auch die Kritik am Gesamtkunstwerk des Ästhetizismus im Zeichen der Moderne.

289

Edition: Adolf Loos (1870-1933), Gesammelte Schriften, Band 1, hg. von Franz Glück, Wien / München 1962.

Literatur: Lustenberger, Kurt: Adolf Loos, Zürich / München / London 1994, S. 14-19.

I. F.

290

292

292 Ernst Haeckel: „Kunstformen der Natur"
Leipzig und Wien, 1904
Typendruck
H. 28 cm, B. 20 cm (Platte)
Karlsruhe, Badisches Landesmuseum, Bibliothek

Die zwischen 1899 und 1904 publizierte Sammlung von 100 Lithographien visualisierte Ernst Haeckels (1834-1919) monistische Weltanschauung und trug so zur Popularisierung der zeitgleich erschienenen *Welträtsel* bei (vgl. Kat.-Nr. 265). Gezeigt werden u.a. Quallen, Korallen, Schildtiere, Algen oder auch Kolibris und Antilopen. Das Prinzip der allumfassenden Einheit der Welt wird dadurch anschaulich gemacht, daß die Abbildung beobachteter Phänomene der Natur Kompositionsprinzipien zwischen mikroskopischer Detailgenauigkeit und Stilisierung unterlegt, die deren symmetrische Ordnung erweisen sollen. Die Darstellung organisiert sich folglich vor allem nach zwei Aspekten: Der Symmetrie des Einzelphänomens korrespondiert die ebenso symmetrische Anordnung des Ganzen, wobei nicht selten die einzelnen Figuren einer Zentralfigur radial oder rahmenförmig zugeordnet werden. Das daraus entstehende Ornament setzt die schöne Ordnung der organischen Natur ins Bild, die sich so als Kunstform zu erkennen gibt. Die Vielfalt der Erscheinungen spiegelt die Einheit des Lebendigen. Sie offenbart die grundlegende Ähnlichkeit aller Lebensformen, die unter der Voraussetzung der monistischen Philosophie in der zeitgenössischen Kunst wiederkehrt: Im Jugendstil verselbständigt sich die Linie zum dekorativen Ornament.

Edition: Haeckel, Ernst: Kunstformen der Natur, Nachdruck der Ausgabe Leipzig/Wien 1904, München/New York 1998.

C.S. / St. S.

293 „La Nature"
Alfons Mucha (1860-1939)
Um 1899-1900
Ausführung: Gießerei Pinedo, Paris, 1899-1900
Bronze, teilweise versilbert und vergoldet
H. 70,7 cm
Karlsruhe, Badisches Landesmuseum, Inv.-Nr. 76/197

Obwohl nicht selten mit der Schauspielerin Sarah Bernhardt oder der Tänzerin Cléo de Merode in Verbindung gebracht, ist die Büste jedoch keineswegs ein Porträt. Sie war auf der Weltausstellung 1900 in der österreichischen Abteilung unter der Bezeichnung *La Nature* ausgestellt. Als Allegorie des Tierkreises hatte Mucha 1896 einen vergleichbaren Frauenkopf mit Diadem lithographiert. In den Vorzeichnungen für die Ladenausstattung des Juweliers Georges Fouquet in Paris – Muchas großes Gesamtkunstwerk – war eine der *Natur* ähnelnde Büste auf einem Kamin vor einem Spiegel vorgesehen, in der Ausführung aber durch eine andere Büste ersetzt worden. Trotz des dekorativen Linienschwungs der Haare, die spiralförmig sogleich als Sockel enden und damit die Zweiteilung von Büste und Sockel aufheben, bleibt *La Nature* majestätisch und geheimnisvoll, anziehend und unnahbar zugleich.

Literatur: Alfons Mucha 1860-1939, Ausst.-Kat. Darmstadt 1980, München 1980, Nr. 149. – The Colour of Sculpture 1840-1910, Ausst.-Kat. Amsterdam 1996, Zwolle 1996, S. 232, Nr. 92. – Franzke, Irmela: Badisches Landesmuseum Karlsruhe. Bestandskatalog Jugendstil, 1. Auflage Karlsruhe 1978, S. 230, Nrn. 6-7, Abbn.; 2. Auflage Karlsruhe 1987, S. 233, Nr. 6, Abbn. – Alfons Mucha, Ausst.-Kat. Paris 1980, Nr. 145.

I. F.

Die schöne Ordnung der organischen Natur wird im Jugendstil zum dekorativen Ornament.

293

294

294 Plakat der „Ausstellung für Elektrotechnik und Kunstgewerbe. Stuttgart 1896"
Entwurf: Ferdinand Keller (1842-1922)
Stuttgart, 1896
Farblithographie
H. 108,5 cm, B. 74 cm
Stuttgart, Haus der Geschichte Baden-Württemberg, A-89/1428

Mit der von Thomas Alva Edison 1881 auf der elektrotechnischen Ausstellung in Paris vorgestellten Glühlampe zeichnete sich die allgemeine Nutzbarmachung der Elektrizität ab. In den 1890er Jahren warben in zahlreichen deutschen Städten *Elektrische Ausstellungen* für die neue Energieform. Der Karlsruher Historienmaler und Akademieprofessor Ferdinand Keller entwarf das Plakat zur *Ausstellung für Elektrotechnik und Kunstgewerbe* in Stuttgart im Jahre 1896. Wie seinerzeit üblich, personifizierte er die Elektrizität und lehnte sich dabei an die antike Ikonographie an. Eine weibliche, geflügelte Gestalt hält in der erhobenen rechten Hand ein hell brennendes Licht. Mit der Linken rollt sie ein geflügeltes Rad, damals ein allgemein bekanntes Symbol für technischen Fortschritt. Die am Boden auf einem Lorbeerzweig liegende griechische Vase verweist auf den unaufhaltsamen, da kraftvollen Siegeszug der weiblichen Gestalt. Deren Ikonographie geht letztlich zurück auf die griechische Göttin Selene, d.h. *die Strahlende*, die als Personifikation des Mondes die Nacht erhellt.

Literatur: Die elektrisierte Gesellschaft, Ausst.-Kat. Karlsruhe 1996.

K. S.

295 Tischlampe „Snowball"
Louis Comfort Tiffany (1848-1933)
Tiffany Studios New York, um 1902-06
Favrileglas, Bronze
H. 63 cm, Dm. 41 cm (Schirm)
Karlsruhe, Badisches Landesmuseum, Inv.-Nr. 70/237

Schon 1880 befaßt sich Tiffany, den der Erfinder der Glühbirne Thomas Alva Edison für das elektrische Licht begeistert hatte, intensiv mit Entwürfen für Lampen neben solchen für Glasfenster und Metallarbeiten. Auf der Weltausstellung 1900 hatte Tiffany noch Öl- und Elektrolampen nebeneinander ausgestellt, bei letzteren vornehmlich Decken- und Hängelampen. Die eigentliche Entwicklung der Tischlampen, deren Schirm aus der Krone eines Baumes oder aus Blüten wie Goldregen, Glyzinien, Mohn, Pfingstrosen, Magnolien, Narzissen oder wie hier Schneeball (Modellnummer 1571) bestehen, fand zwischen 1902 und 1906 statt. Die Leuchtkraft des Lichts, die man damals als zu hell empfand, wurde durch das farbige Opaleszentglas gemildert und erzeugte gleichzeitig eine malerische Stimmung. Alle Gläser von Tiffany wurden unter der Bezeichnung *Favrile Glass* vermarktet, einem Namen, den er sich 1894 hatte patentieren lassen. Der Verkauf in Europa lief über Samuel Bings Galerie *L'Art Nouveau* in Paris.

Literatur: Franzke, Irmela: Badisches Landesmuseum Karlsruhe. Bestandskatalog Jugendstil, 1. Auflage Karlsruhe 1978, S. 221, Nr. VII, farb. Abb.; 2. Auflage Karlsruhe 1987, S. 266, Nr. 95, farb. Abb.

I. F.

Um 1900 war die Elektrizität Sinnbild des Fortschritts.

295

296

296 Tischlampe in Gestalt der Schleiertänzerin Loïe Fuller
Raoul Larche (1860-1912)
Paris 1901, Ausführung: Gießerei Sio-Decauville
Bronze, vergoldet
H. 33 cm
Karlsruhe, Badisches Landesmuseum, Inv.-Nr. 66/8

Die erst bei näherem Hinsehen sich als Lampe präsentierende Statuette einer Tänzerin ist angeregt von der amerikanischen Tänzerin Loïe Fuller (1869-1928), die als Schleiertänzerin in Paris, auf Gastspielreisen und insbesondere auf der Weltausstellung 1900 in einem eigenen Pavillon mit ihren Darstellungen berühmter Frauengestalten auf raffiniert beleuchteten Bühnen auftrat. Loïe Fuller hat in dieser Zeit viele Bildhauer, Maler und Literaten fasziniert. Dementsprechend gibt es zahlreiche Darstellungen, die von der Tänzerin inspiriert wurden.

Von dieser Lampe gibt es – abgesehen von Ausführungen in unterschiedlichen Größen – zwei Varianten in Bezug auf Gesichtsausdruck und die Form des Schleierbausches. Dieses Exemplar ist eine frühe Ausformung, da es neben der Signatur und dem Gießerstempel eine Widmung mit der Datierung 1901 trägt.

Literatur: Franzke, Irmela: Badisches Landesmuseum Karlsruhe. Bestandskatalog Jugendstil, 1. Auflage Karlsruhe 1978, S. 231, Nr. 8, Abb.; 2. Auflage Karlsruhe 1987, S. 234, Nr. 7, farb. Abb.

I. F.

297 Drucktelegraph
Um 1900
Metalle, Holz
H. 150 cm, B. 75 cm, T. 60 cm
Frankfurt a. M., Museum für Post und Kommunikation, Inv.-Nr. F 8524

Telegraphie ist die Übermittlung von Nachrichten mit Hilfe elektrischen Stroms auf dem Drahtwege. Sender und Empfänger müssen also über eine Drahtleitung miteinander verbunden sein. Die telegraphische Nachrichtenübermittlung wurde von staatlichen und privaten Telegraphenbüros betrieben. David Edward Hughes (1831-1900) ist der Erfinder des ausgestellten ältesten Drucktelegraphen, der bis weit ins 20. Jahrhundert hinein Verwendung fand. Sein Verfahren ermöglichte die Übermittlung von 90 bis 125 Zeichen pro Minute, die beim Empfänger auf einem Papierstreifen abgedruckt wurden (vgl. Kat.-Nr. 298).

J. D.

298

297

298 Telefonstation mit Individualwählscheibe
Siemens & Halske
Um 1920
Metalle, Kunststoffe, Textilien
H. 26 cm, B. 32 cm, T. 18 cm
Frankfurt a. M., Museum für Post und Kommunikation, Inv.-Nr. F 6703

Das Telefon, das in den 1880er Jahren in die größeren europäischen Städte Einzug gehalten hatte, wurde um 1900 in seiner revolutionären Bedeutung erkannt. Der sprunghafte Ausbau des Telefonnetzes – um 1890 gab es erst ca. 200 Orte mit Anschluß, doch 1900 waren es im Deutschen Reich bereits über 12.000 mit zusammen etwa 200.000 Anschlüssen – zeigte, daß dies die Kommunikationstechnologie der Zukunft sein würde. Mit dem Selbstwählsystem kam um 1900 eine Technik hinzu, welche das Telefon zu einem Kommunikationssystem individuellen Zuschnitts machte, indem man in Jetztzeit ohne Behinderung durch eine Behörde – wie etwa bei der Telegraphie (vgl. Kat.-Nr. 297) – mit einem anderen Individuum in Verbindung treten konnte. Auf dem Höhepunkt des Nationalismus wurde damit zudem eine Technologie entwikkelt, die grenzüberschreitende Kommunikation ermöglichte.

Literatur: Brooks, John: Telephone. The First Hundred Years, New York 1975. – Wessel, Horst A: Die Rolle des Telefons in der Kommunikationsrevolution des 19. Jahrhunderts, in: Kommunikationsrevolutionen: die neuen Medien des 16. und 19. Jahrhundert, hg. von Michael North, Köln 1995, S. 101-128.

W. Be.

Das Automobil eröffnete um 1900 der Mobilität neue Dimensionen.

299

299 Automobil
Typ: Liliput
Hersteller: Bergmann's Industriewerke, Gaggenau
Baujahr: 1904
Technische Daten: 1 Zylinder, 1400 ccm, 3 KW (4 PS), Höchstgeschwindigkeit: 25-30 km/h
L. max. 232 cm, H. max. 126 cm, B. max. 117 cm
Karlsruhe, Verkehrsmuseum der Deutschen Verkehrswacht Karlsruhe e.V.

Mit der ersten Ausfahrt des Patent-Motorwagens von Carl Benz begann am 3. Juli 1886 der Siegeszug des Automobils, das der Mobilität neue Dimensionen eröffnete. Die erste internationale Motorwagenausstellung in Berlin zog im September 1899 in nur drei Wochen mehr als 100.000 Besucher an, was von einer allgemeinen Begeisterung für das Automobil zeugt. Der kurz zuvor gegründete Deutsche Automobil-Club sah sich insbesondere dem Automobilsport verpflichtet. Der allgemeinen Tendenz zur Herstellung immer schnellerer Autos für vermögende Gesellschaftsschichten trat der Automobilbauer Theodor Bergmann entgegen. Die *Bergmann's Industriewerke* in Gaggenau, die von 1905 an als *Süddeutsche Automobil Fabrik GmbH* weitergeführt wurden, brachten 1904 den *Liliput* auf den Markt. Ein 4 PS starker Benzinmotor beschleunigte das kleine und leichte Auto auf bis zu 30 km/h. Dies entsprach der doppelten Geschwindigkeit eines gut trabenden Pferdes, wurde vom Hersteller jedoch als eine für die anderen Verkehrsteilnehmer, insbesondere für Fußgänger, noch ungefährliche Geschwindigkeit bezeichnet. In einem Firmenprospekt von 1905 wurde der *Liliput* als erstes *„Volks-Automobil"* und als der *„billigste kleine Motorwagen der Welt"* bezeichnet. Er kostete 2.500 Mark und damit etwa ein Zehntel des vom selben Hersteller gleichzeitig angebotenen Rennwagens, dessen 40 PS eine Höchstgeschwindigkeit von bis zu 100 km/h ermöglichten. Ein Verkaufserfolg war dem *Liliput* jedoch nicht vergönnt. 1907 wurde seine Produktion eingestellt.

Literatur: „Liliput" Volks-Automobil und leichter Gebrauchtwagen, Firmenprospekt der Süddeutschen Automobil Fabrik GmbH Gaggenau (Baden), 1905, Nachdruck: Gaggenau 1989. – Räder, Autos und Traktoren, Erfindungen aus Mannheim. Wegbereiter der mobilen Gesellschaft, Ausst.-Kat. Mannheim 1986, insbesondere S. X, S. 53f. – Wessel, Michael: 100 Jahre Automobilbau in Gaggenau – Die Anfänge, in: Heimatbuch des Landkreises Rastatt 1995, S. 133-150.

J. D.

300

300 Start des ersten Zeppelins am 2. Juli 1900
1900
Fotografie
H. 13 cm, B. 18 cm
Friedrichshafen, Zeppelinmuseum, LZF 1-18 (A)

Die Entwicklung des Benzinmotors hat nicht nur den Verkehr auf der Straße revolutioniert, sondern auch der Luftfahrt neue Dimensionen eröffnet, weil sie die Luftschiffe lenkbar machte. So war das Starrluftschiff *LZ1*, mit dem Graf Ferdinand von Zeppelin am 2. Juli 1900 von Friedrichshafen am Bodensee aus die erste Versuchsfahrt unternahm, mit zwei Daimler-Benzinmotoren ausgestattet. Ihre Kraft wurde auf Propeller übertragen, die an den Seiten des Ballonkörpers angebracht waren. Das 128 Meter lange zigarrenförmige Fahrzeug war in einer auf dem See schwimmenden Halle gebaut worden, aus der es vor dem Start mit Hilfe von Schiffen leicht herausgezogen werden konnte. Dem Prototyp folgten über 100 weitere Luftschiffe. Als *LZ4* im Jahr 1908 auf einer Fernfahrt über Basel, Straßburg, Speyer, Mannheim, Mainz, Worms und Stuttgart in Echterdingen durch eine elektrische Entladung zerstört wurde, brachte eine großangelegte Spendenaktion rund sechs Millionen Mark ein, so daß Graf Zeppelin sein Unternehmen weiterführen konnte. Spätestens jetzt war der Luftschiffbau zur nationalen Angelegenheit geworden. Ihren Höhepunkt hatten die Luftschiffe im Ersten Weltkrieg, als allein das deutsche Heer 97 Luftschiffe in Dienst stellte. Wegen enormer Verluste wurde der militärische Luftschiffbetrieb jedoch 1917 eingestellt.

J. D.

301

301 Zwei Postkarten mit Ansichten von der Pariser Weltausstellung 1900

Leipzig, Druckerei Hermann Ludewig, 1900
Rasterfarbdruck
H. 9 cm, B. 13,9 cm
Privatbesitz

Vom 14. April bis 12. November 1900 fand in Paris die zehnte Weltausstellung statt. Sie bot einen internationalen Überblick über die aktuellen Entwicklungen in Technik, Industrie und Gesellschaft. An Ausmaßen und Besucherzahlen übertraf die Schau alle bisherigen Weltausstellungen.

Die beiden Postkarten, die erstaunlicherweise nicht in Frankreich, sondern in einer Leipziger Druckerei hergestellt wurden, zeugen von der Anziehungskraft, die die Pariser Weltausstellung auf die Zeitgenossen ausübte. Der Weinheimer Schlossermeister Heinrich Grimm sandte sie von einem Ausstellungsbesuch im September 1900 nach Hause. Auf der einen Karte ist die *Rue des Nations* am Quai d'Orsay abgebildet. Dort hatten die an der Ausstellung beteiligten Länder Gelegenheit, eigene Pavillons zu errichten. Architektur, Innenausstattung und Restaurants sollten den Besuchern die landestypischen Besonderheiten vor Augen führen. Von links nach rechts sind der norwegische, der belgische, der deutsche (vgl. Kat.-Nr. 302) und der spanische Pavillon zu erkennen. Die andere Karte zeigt das *Marsfeld*. Man blickt vom Eiffelturm in südöstliche Richtung auf drei große Ausstellungsbauten: links der Palast für Bekleidungswesen, rechts der Palast für Transportwesen, Optik und Mechanik und im Hintergrund der berühmte Elektrizitätspalast. Vor letzterem befand sich das *Château d'Eau*, das von Glühbirnen illuminierte Wasserspiele zeigte. Nach Ende der Ausstellung im November 1900 wurden die meisten der Bauten abgerissen.

C. Ka.

302 Kuchenplatte mit Darstellung des Deutschen Pavillons auf der Pariser Weltausstellung 1900

Dresden, Villeroy & Boch (?), um 1900
Steingut, farbiger Druckdekor; Fassung, Griff und Kugelfüße aus Metallblech (ein Griff fehlt), an der Unterseite eine blaue Ziffer in Unterglasur
Dm. 32,5 cm (ohne Griff)
Karlsruhe, Badisches Landesmuseum, Inv. Nr. 99/225

Die Platte war sicherlich ein seriell hergestelltes Massenprodukt. Gerade deshalb ist sie von Interesse, dokumentiert sie doch die Popularität der Pariser Weltausstellung von 1900. Man kann sie sich in einem bürgerlichen Haushalt als Souvenir vorstellen. Es ist möglich, daß Villeroy & Boch in Dresden die Platte aus Anlass der Ausstellung hergestellt hat. Allerdings ist der Dekor nicht nachweisbar (freundliche Auskunft von Frau Ester Schneider, Keramikmuseum Mettlach). Villeroy & Boch war selbst auf der Weltausstellung mit diversen Produkten vertreten und errang mehrere Auszeichnungen.

Das zentrale Schmuckmotiv bildet eine Ansicht des deutschen Pavillons am Quai d'Orsay, die in Jugendstilmanier von Blumengebinden eingerahmt wird. Der von Johannes Radke errichtete Ausstellungspavillon des Deutschen Reichs war stilistisch noch ganz dem

302

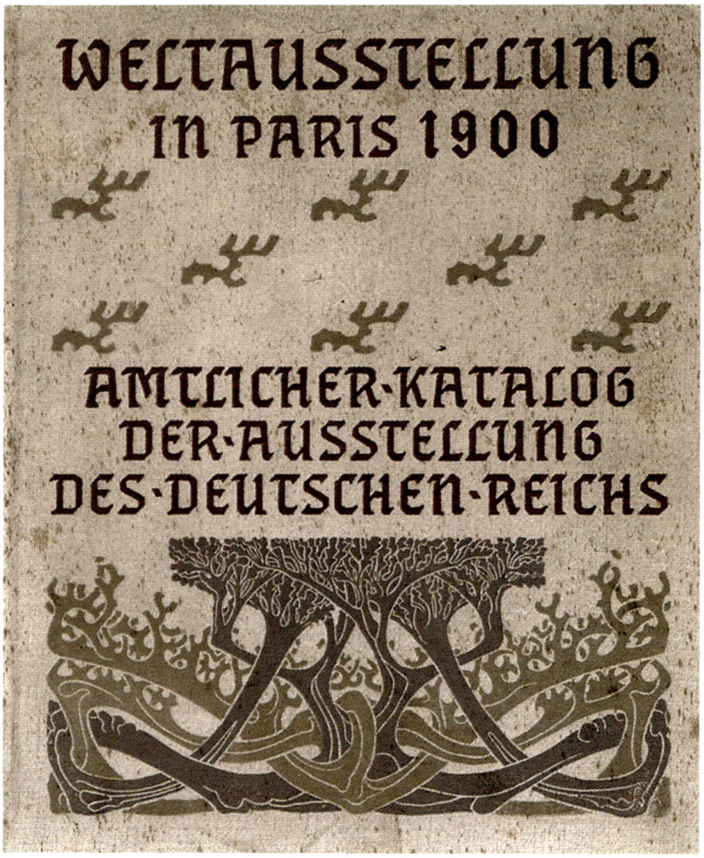

303

Historismus verpflichtet. In Anlehnung an die altdeutschen Rathäuser zeigte er einen Mischstil aus Vorbildern der Spätgotik und Renaissance. Hier befanden sich neben Ausstellungen zur Fotografie, zum Buchgewerbe und zur sozialen Wohlfahrtspflege auch die offiziellen Repräsentationsräume des Deutschen Reichs. Im Untergeschoss (unterhalb der Galerie) konnte man das deutsche Weinrestaurant besuchen.

Literatur: Villeroy & Boch Dresden. Zur Geschichte der Steingutfabrik von 1856 bis 1947, Ausst.-Kat. Dresden 1992, Mettlach 1992.

C. Ka.

303 „Weltausstellung in Paris 1900 – Amtlicher Katalog der Ausstellung des Deutschen Reichs"

Redaktion: Dr. Otto N. Witt (Geh. Regierungsrat und Professor, Berlin)
Buchschmuck und künstlerische Leitung der Drucklegung: Bernhard Pankok, München
Berlin, 1900, Selbstverlag des Reichskommissariats; Kommissionsverlag: J. R. Stargardt
Papier, farbiger Buchdruck, Ganzleinenband
H. 24 cm, B. 19,5 cm
Staatliche Kunsthalle Karlsruhe, Bibliothek

Das einbändige Werk erschien anlässlich der Pariser Weltausstellung von 1900 als offizieller Katalog des Deutschen Reichs. Das Buch kostete damals 2,40 Mark. Es enthält detaillierte Pläne, Beschreibungen und Listen der deutschen Ausstellungsbeiträge und hat somit hohe dokumentarische Bedeutung. Zugleich ist der Katalog ein interessantes Beispiel für die Buchgestaltung um 1900. Der Münchener Jugendstilkünstler Bernhard Pankok lieferte die Entwürfe für den Einband, das Vorsatzpapier und die Vignetten. Die linear-vegetabilen, zart kolorierten Ornamente empfanden die Zeitgenossen als sehr modern. In der Zeitschrift *Dekorative Kunst* von 1901 geht Gustav Kühl auf die Ausstattung des Katalogs ein. Der *„diskrete bildnerische Schmuck"* von Pankok erscheine durch die matten Farben *„wie in einen Schleier gehüllt"*. Die Ornamente seien *„von ganz sonderlicher Gestalt, völlig neu, frei von Anlehnungen an geläufige Stilformen, und seitab stehend von der Natur"*. Es entstehe eine künstlerische Einheit von Ornament, Illustration und Schrifttype, so dass den zeitgemäßen Anforderungen des Buchschmucks entsprochen werde.

Literatur: Kühl, Gustav: Buchschmuck und Typen. Zwei Weltausstellungskataloge, in: Dekorative Kunst. Illustrierte Zeitschrift für angewandte Kunst, Bd. 7 (1901) S. 1-8.

C. Ka.

304

304 Offizielle Plakette der Pariser Weltausstellung 1900

Louis Oscar Roty (1846-1911)
Wohl 1900
Bronze, versilbert
H. 50 mm, B. 36 mm
Karlsruhe, Badisches Landesmuseum, Münzkabinett, ohne Inv.-Nr.

Vorderseite: Dem sterbenden 19. Jahrhundert, in Gestalt eines zusammengesunkenen jungen Mädchens, entreißt ein kindlicher geflügelter Genius mit einer Flamme über der Stirn die Fackel des Fortschrittes aus der rechten, gerade noch mühsam erhobenen Hand. Die weibliche Figur lehnt an einer alten knorrigen Eiche und hat Rosenblüten auf dem Schoß. Rechts die erklärende Legende *1801-1900 LVMEN VENTVRIS TRADIT MORITVRA PERENNE* *(„1801-1900 Das sterbende Zeitalter übergibt das ewige Licht den Kommenden")*
Links unten die Signatur O. ROTY

Die Weltausstellung 1900 in Paris bot einen internationalen Überblick über die Entwicklungen in Technik, Industrie und Gesellschaft.

Rückseite: Blick über die neu angelegte Avenue Alexandre III. auf den Invalidendom. Links und rechts die beiden für die Weltausstellung errichteten Ausstellungsgebäude *Petit Palais* und *Grand Palais*. Darüber in Wolken eine Girlande aus Lorbeer- und Rosenzweigen und die Legende
EXPOSITION UNIVERSELLE INTERNATIONALE DE 1900 PARIS
(„Internationale Weltausstellung Paris 1900")
Am rechten unteren Rand die Signatur O. ROTY

Literatur: Augustin, Ines: Die Medaillen und Plaketten der großen Weltausstellungen 1851-1904. Diss. Karlsruhe 1985, S. 155, S. 440, Nr. 580.

P.-H. M.

305 Medaille zur Weltausstellung Paris 1900
Rudolf Mayer (1846-1916)
Karlsruhe, wohl 1900
Bronze, geprägt
Dm. 80 mm
Karlsruhe, Badisches Landesmuseum, Münzkabinett, ohne Inv.-Nr.

Vorderseite: *PARIS 1900* Auf einem mit *RF* bezeichneten Thron sitzt die personifizierte französische Republik in Gestalt einer antikisch gewandeten jungen Frau. Sie hält in der rechten Hand eine Minervastatuette und begrüßt die vor ihr stehende Germania (oder Badenia?), die zwei, Keramik und Goldschmiedekunst darstellende, Kinder zu ihr führt. Im Hintergrund *Grand Palais* und *Petit Palais*.
Unter dem Thron signiert: *R. Mayer*
Rechts der Name der Pforzheimer Prägeanstalt *B.H. MAYER.*

Rückseite: *IN DIE NÄCHTE DER ZEITEN TAUCHT EIN MÜDES JAHRHUNDERT / MORGENFRISCH WIE DAS LICHT KÜNDET EIN NEUES SICH AN.*
Ein nackter jugendlicher Genius löscht mit der Rechten die zu Boden gestoßene Fackel des alten Jahrhunderts, mit der Linken grüßt er die im Hintergrund aufgehende Sonne des neuen. Rechts unten signiert *RM* (kursiv), links der Name der Prägeanstalt *B.H. MAYER.*

Literatur: Rudolf Mayer. Medaillen und Metallarbeiten der Jahrhundertwende, Ausst.-Kat. Karlsruhe 1977, bearbeitet von Monika Bachmayer und Peter-Hugo Martin, Nr. 169.

P.-H. M.

305

306

306 Plakette zur Pariser Weltausstellung 1900
Rudolf Mayer (1846-1916)
Karlsruhe, 1900
Bronze, gegossen
Dm. 150 mm
Karlsruhe, Badisches Landesmuseum, Münzkabinett, ohne Inv.-Nr.

EUROPA Brustbild einer jungen Frau mit Diadem nach links, im Haar und hinter der Büste ein Lorbeerzweig.

Obwohl diese Plakette nicht datiert ist und auch keinen direkten Bezug zur Jahrhundertwende hat, so ist doch zeitgenössisch überliefert, daß der badische Hofmedailleur sie für die Pariser Weltausstellung 1900 schuf, wo sein Werk viel Beachtung fand.

Literatur: Rudolf Mayer. Medaillen und Metallarbeiten der Jahrhundertwende, Ausst.-Kat. Karlsruhe 1977, bearbeitet von Monika Bachmayer und Peter-Hugo Martin, Nr. 141.

P.-H. M.

307 Die neugotische Kunstuhr der Firma Junghans auf der Pariser Weltausstellung 1900
Lorenz Ritter (1832-1921)
Um 1899
1897/1900
Lithografie, handkoloriert
H. 61 cm, B. 40 cm (Blatt)
Schramberg, Stadtmuseum, ohne Inv.-Nr.

Auf der Pariser Weltausstellung von 1900 war in der deutschen Uhrenabteilung eine monumentale Kunstuhr zu sehen. Sie maß eine Höhe von 4,85 Metern. Hersteller war die damals größte Uhrenfabrik der Welt, die Firma Junghans aus Schramberg. Mit der

307

308

309

Ausführung beauftragt war der Nürnberger Hofuhrmacher Gustav Speckhart. Die kolorierte Lithografie zeigt die Uhr in allen Details. Sie diente als Vorlage für das Gedenkblatt, das die Firma eigens für die Weltausstellung drucken ließ.

Interessant ist die Uhr durch die zeittypische Vermengung traditioneller und fortschrittlicher Elemente. Mit ihrer arbeitsteiligen, maschinellen Produktionsweise zählte Junghans zu den modernsten Uhrenfirmen der Zeit. Mit der Kunstuhr wollte sie aber auch beweisen, dass sie alte handwerkliche Traditionen in Ehren hielt. In ihren aufwendigen Schnitzereien folgt die Uhr gotischen Vorbildern. Ein Passionsspiel aus acht beweglichen Gruppenbildern bildet das zentrale Motiv. Im Kontrast dazu erscheint unter dem Zifferblatt ein Relief mit Industriedarstellungen: Lokomotive, Dampfer, Fabrikanlage sowie Zahnrad, Hammer, Amboss und Zange. Bekrönt wird die Uhr von einer weiblichen Allegorie der Elektrizität, zu deren Füßen die männlichen Allegorien für Telefon und Telegraf sitzen. (Die Firma Junghans betrieb seit 1898 ein eigenes Elektrizitätswerk!) Auf der Weltausstellung erhielt die Uhr den *Grand Prix.* Sie wurde 1901 noch einmal in Stuttgart gezeigt, bevor sie in Arthur Junghans' *Deutsches Museum für Zeitmeßkunst* in Schramberg kam. Seit 1967 befindet sie sich im Schramberger Stadtmuseum.

Literatur: Dittrich-Wagner, Ursula: Die Arthur Junghans'sche Kunstuhr im Stadtmuseum Schramberg, Schramberg 1990. – Jüttemann, Herbert: Figurenuhren aus dem Schwarzwald, Waldkirch 1988, S. 153, Abb. 154.

C. Ka.

308 Doppelkürbisvase
Max Laeuger (1864-1952)
1899-1900, Ausführung: Tonwerke Kandern
Irdenware mit Schlickermalerei, Bleiglasur
H. 20,6 cm, Dm. 15,9 cm
Karlsruhe, Badisches Landesmuseum, Inv.-Nr. 67/120

Die Henkelvase mit der Modellnummer 159 nimmt eine Sonderstellung im Oeuvre des Künstlers ein. Sie erinnert an ostasiatische Doppelkürbisse und verzichtet auf den stilisierten Baum- und Blütendekor zugunsten von Bändern, die in die spiralförmigen Henkel übergehen. Seit 1897 werden Laeugers Keramikentwürfe in der neuangegliederten Kunstabteilung der Tonwerke Kandern in vielen Variationen in Farbe, Dekor und Größe ausgeführt.

Max Laeuger war auf der Weltausstellung 1900 in Paris mit ganzen Raumausstattungen, Wanddekorationen aus Fliesen und Textilien vertreten sowie mit einer Gruppe von Keramiken, für die er eine Goldmedaille erhielt. Zu diesen gehörte auch diese Vase.

Literatur: Franzke, Irmela: Badisches Landesmuseum Karlsruhe. Bestandskatalog Jugendstil, 1. Auflage Karlsruhe 1978, S. 225, Nr. XV, farb. Abb.; 2. Auflage Karlsruhe 1987, S. 299, Nr. 192, Abb. – Kessler-Slotta, Elisabeth: Max Laeuger (1864-1952). Sein graphisches, kunsthandwerkliches und keramisches Oeuvre, Saarbrücken 1985, S. 174, Nr. 44.

I. F.

309 Vase „Exposition 1900 Paris"
Max Laeuger (1864-1952)
1900, Ausführung: Tonwerke Kandern
Irdenware, Schlickermalerei unter Bleiglasur
H. 21,5 cm
Freiburg, Augustinermuseum, Inv.-Nr. K 75/12

Zur Erinnerung an die Weltausstellung 1900 in Paris wurden von Julius Meier-Graefes Pariser Kunsthandlung *La Maison Moderne* zwei Vasen herausgebracht, die in Größe und Beschriftung variieren. Auf dem eiförmigen Gefäß sind stilisierte Bäume dargestellt. Während auf dem einen die Beschriftung *EXPOSITION 1900 PARIS* am Halsring umläuft, sind bei der anderen Vase die freien Flächen zwischen den Bäumchen mit den großen Lettern *PARIS, ANNO DOMINI, 1900* ausgefüllt.

Im Gegensatz zu der ostasiatisch inspirierten Doppelkürbisvase (vgl. Kat.-Nr. 308) betont diese Vase durch die Sockelzone des Bodens, aus dem die Bäume herauswachsen, den organischen Charakter der Gefäßform.

Literatur: Kessler-Slotta, Elisabeth: Max Laeuger (1864-1952). Sein graphisches, kunsthandwerkliches und keramisches Oeuvre, Saarbrücken 1985, S. 176, Nr. 51.

I. F.

310 Betriebsjubiläumsurkunde für Direktor Friedrich Schott
Leimen, 1900
Pappe, Tusche, Wasserfarben, Schwarz-Weiss-Fotografien
H. 48 cm, B. 61 cm
Leimen, Heidelberger Zement AG, Firmenarchiv, HV 108

Am 1. Juli 1875 begann der studierte Chemiker Friedrich Schott (1850-1931) als Betriebsleiter seine Tätigkeit in der Firma Portland-Cement-Werk Heidelberg, Schifferdecker & Söhne OHG. Durch seine kluge und ambitionierte Leitung erlebte das Unternehmen einen großen wirtschaftlichen Aufschwung. 1888 wurde Schott Technischer Direktor der neu gegründeten Aktiengesellschaft und blieb für 30 Jahre deren Vorstandsvorsitzender. Durch mehrere Firmenübernahmen wuchs das Werk zu einem der führenden Unternehmen in der Zementbranche an. Der 1895 in Leimen bei Heidelberg errichtete Fabrikneubau, damals das größte Industriegebäude des Deutschen Reiches, galt nicht nur in Bezug auf die maschinelle Produktion als richtungsweisend. Den Angestellten standen eine Speise- und Versammlungshalle, ein Schwimmbad, eine Kleinkinderschule sowie eine später hinzugefügte Arbeiterfesthalle zur Verfügung. Nicht nur durch die Schaffung derartiger Gemeinschaftsräume bewies Schott sein engagiertes, sozial geprägtes Unternehmertum. Dienstalterprämien, Genesungsfürsorge oder ein Unterstützungsfond für bedürftige Arbeiter zeugten ebenfalls von seinem ausgeprägten Wohlfahrtsdenken.

An seinem 25jährigen Dienstjubiläum erhielt Schott die ausgestellte Urkunde, mit der ihm die Belegschaft für sein vorbildliches soziales Engagement dankte. Neben dem von Lorbeer umrankten Porträt Schotts und einer Gesamtaufnahme des Fabrikgeländes gewähren Fotografien Einblicke in verschiedene Büro- und Direktionsräume sowie in zwei Labore.

Literatur: Setzler, Wilfried u.a: Von Menschen und Maschinen. Industriekultur in Baden-Württemberg, Stuttgart Weimar 1998, Abb. S. 158. – (Herrn Dietmar Cramer vom Archiv der Firma Heidelberger Zement in Leimen sei für seine Informationen vielmals gedankt.)

H. J.

1875
1900
HEIDELBERG
Herrn
Director Friedrich Schott
zur Erinnerung an seine 25 jährige segensreiche Thätigkeit
im Portland Cementwerk Heidelberg vormals Schifferdecker & Söhne
verehrungsvoll gewidmet von den Beamten u. Angestellten des Werkes.

310

311, 5

311 „Ein Weberaufstand"
Folge mit 6 Blättern
Käthe Kollwitz (1867-1945)
1893-1898
Lithographien, Radierungen
H. jeweils ca. 24 cm, B. jeweils ca. 30 cm (Blatt)
Köln, Käthe-Kollwitz-Museum, Träger: Kreissparkasse Köln,
Inv.-Nrn. KL 34 PL; – KL 36 PL; KL 32 IV b; KL 33 V b; KL 37.

Die Blätter der Folge sind:
Blatt 1: *Not, 1897*
Blatt 2: *Tod, 1897*
Blatt 3: *Beratung, 1898*
Blatt 4: *Weberzug, 1897*
Blatt 5: *Sturm, 1897*
Blatt 6: *Ende, 1897*

Der letztlich erfolglose Aufstand der von ihren Fabrik- und Handelsherren ausgebeuteten schlesischen Weber im Jahr 1844 wurde schon in der zeitgenössischen Kunst thematisiert (Heinrich Heine, Wilhelm Hübner). Am Ende des 19. Jahrhunderts wurde der Aufstand als Sinnbild für gegenwärtiges soziales Elend wieder aufgegriffen. Der Dramatiker Gerhart Hauptmann behandelte den Stoff in seinem sozialkritischen Schauspiel *Die Weber*, dessen Uraufführung von der Polizei mehrfach verhindert wurde, ehe es 1893 im Berliner Theater *Freie Bühne* erstmals gespielt werden konnte. Käthe Kollwitz wohnte dieser Uraufführung bei und war so beeindruckt, daß sie sich selbst zur Bearbeitung dieses Themas entschloß. Bis 1898 entstand ihre Graphikfolge *Ein Weberaufstand,* der zu den eindrucksvollsten Beispielen der sozial engagierten Kunst um 1900 gehört. In der Bearbeitung des historischen Stoffes reagierte Käthe Kollwitz auf die aktuellen miserablen sozialen Zustände der proletarischen Bevölkerung. Sie erhob die elenden

Menschen zu Heroen ihrer Kunst, indem sie ungeschönt, wenn auch bisweilen dramatisch gesteigert ihre ausgemergelten Körper, ihre ärmliche Umgebung und ihr verzweifeltes Aufbegehren gegen ihr Schicksal darstellte. Wie sehr diese eindringlichen Menschenbilder auf die damalige Gesellschaft einwirkten, läßt sich an der unmittelbaren Rezeption erkennen: Die Folge wurde 1898 auf der *Großen Berliner Kunstausstellung* gezeigt und sollte mit einer kleinen goldenen Medaille prämiert werden. Kaiser Wilhelm II. lehnte diese Auszeichnung ab. Für ihn waren solche naturalistischen Darstellungen der zeitgenössischen Wirklichkeit *Rinnsteinkunst.*

Literatur: Kollwitz, Käthe: Aus meinem Leben, München 1967, S. 48f.

J. D.

Auguste Rodin erklärte das als Fragment konzipierte Menschenbild zum vollkommenen Kunstwerk.

312 „Homme qui marche"
(„Schreitender Mann")
Auguste Rodin (1840-1917)
Frankreich, 1900
Bronze, grün und schwarz patiniert
H. 84,5 cm, B. 58,9 cm, T. 29 cm
Karlsruhe, Staatliche Kunsthalle, Inv.-Nr. P 150

Auguste Rodin gilt als Protagonist der modernen Bildhauerei. Mit seiner Kunst der aus *Buckeln und Höhlungen* gestalteten Oberfläche (*l'art du trou et de la bosse*) befreite er die Plastik von der akademischen Abbildung des Körpers und führte die vom Zusammenspiel von Licht und Schatten geprägte, also impressionistische Auffassung ein. Mit dem 1900 entstandenen *Homme qui marche* definierte er zudem den autonomen Torso in der bildenden Kunst, indem er das bewußt als Fragment konzipierte Menschenbild zum vollkommenen Kunstwerk erklärte. Es war dies ein absoluter Bruch mit der künstlerischen Tradition. Mit dem *Schreitenden* schuf Rodin gleich einen radikalen Torso, denn er verzichtete vollständig auf die Darstellung der Arme und des Kopfes – und damit auf Gestik und Mimik als den beiden grundlegenden Elementen zwischenmenschlichen Erkennens und der Kommunikation. Der *Schreitende* verkörpert damit die äußerste Verdichtung leiblicher Existenz im Torso und ist gleichzeitig Sinnbild von Rodins symbolistischem Vitalismus.
Im *Schreitenden* variierte Rodin sein Standbild *Johannes der Täufer* von 1878, indem er zwei hierfür geschaffene, jedoch an sich unabhängige Studien von Rumpf und Beinen an der Beckenlinie neu zusammenfügte. Rodin stellte einen Gipsabguß der Figur (für die Präsentation auf eine hohe Säule aufgesockelt) erstmals aus in der umfangreichen Gesamtschau seines Schaffens, die von Juni bis November 1900 in Paris stattfand, also zeitlich parallel zur Weltausstellung, auf der er allerdings nicht offiziell zugelassen war.

Literatur: Eichler, Anja / Holsten, Siegmar: Staatliche Kunsthalle Karlsruhe. Katalog der Skulpturen, Karlsruhe 1994, S. 107-110, Abb. S .197 (mit Bibliographie). – Schmoll gen. Eisenwerth, Josef A.: Zur Genesis des Torso-Motivs und der Deutung des fragmentarischen Stils bei Rodin, in: Das Unvollendete als künstlerische Form, hg. von Demselben, München 1958, S. 117-139, hier: S.131f., Abb. 55. – Derselbe: Rodin-Studien: Persönlichkeit-Werke-Wirkung-Bibliographie, München 1983, S. 135-142, Abb. 87.

J. D.

312

Utopien des 20. Jahrhunderts

314

313 Alfred Kubin: „Die andere Seite"
München und Leipzig, bei Georg Müller, 1909
Typendruck
H. 21,5 cm, B. 15,3 cm
Marbach, Deutsches Literaturarchiv, K. Zugangsnummer 56.2485

Alfred Kubin (1877-1959) schrieb den Roman 1907 und illustrierte ihn selbst. Er wendet darin das Thema der *utopischen Stadt* ins Apokalyptische und Schreckbildnishafte. Seine Stadt *Perle*, jenseits von Samarkand, aber eigentlich im *Nirgendwo* gelegen, ist eine öde, triste Ansiedlung, in der Menschen leben, die aus ihrer eigenen Zeit in die Vergangenheit entfliehen, eine *Traumstadt*, die von dem undurchsichtigen Herrscher Patera gelenkt wird. Das Eindringen der Moderne in Form einer Revolte durch den Pökelfleischkönig Herkules Bell führt schließlich zum Untergang des todessüchtigen Traumreichs Perle. Die Verderbenssehnsucht des *Fin de siècle* hat in Kubins Roman einen späten Ausdruck gefunden, der aber zugleich schon auf die *Apokalyptik der Moderne* voraus weist.

Literatur: Hinterhäuser, Hans: Tote Städte, in: Derselbe: Fin de siècle. Gestalten und Mythen, München 1975, S. 63ff. – Alfred Kubin, Ausst.-Kat. Göttingen 1980, Nr. 4.

H. S.

314 „Die Welt in 100 Jahren"
Arthur Brehmer (Hg.), Ernst Lübbert (Illustrator)
Berlin, Verlagsanstalt Buntdruck, 1910
Typendruck
H. 26 cm, B. 19,7 cm
Marbach, Deutsches Literaturarchiv, D 3:4°, Zugangsnummer 74.2177

Der Band vereint Aufsätze zu vielfältigen gesellschaftlichen Themen (Kultur, Technik, Religion etc.) unter der Fragestellung, wie die Welt in 100 Jahren – also im ersten Jahrzehnt des 21. Jahrhunderts – aussehen könnte. So entwickelt Bertha von Suttner (*Die Waffen nieder!*, 1889), Friedensnobelpreisträgerin 1905, eine optimistische Vorstellung vom *Frieden in 100 Jahren*. Ihrer Auffassung nach wird die *„gegenseitige Hilfe"* zum wichtigsten Faktor der Gesellschaft werden. Ein düsteres Bild zum Thema *Die Frau in 100 Jahren* zeichnet dagegen die schwedische Pädagogin Ellen Key (*Das Jahrhundert des Kindes*, 1900). Ihre Ausführungen zum gesellschaftlichen Leben und zur Familie erinnern an A. Huxleys *Brave New World* (vgl. Kat.-Nr. 320). Bevor es aber 2009 zu einer *„Zwangsimpfung"* gegen die *„Individualitäts- und Originalitätssucht"* kommen kann, führt eine Revolution zu den ursprünglichen *„lebens- und liebenswerten"* Verhältnissen. Eine Zukunftsvorstellung anhand empirischer Daten der Wirtschafts- und Bevölkerungsstatistik entwirft Eduard Bernstein (seit 1872 Mitglied der SPD) in *Das soziale Leben in 100 Jahren*. Schlußfolgerung seiner Überlegungen zum unaufhaltsamen Wachstum der Industrie, der Arbeiterklasse und der Verbreitung ihrer sozialen Ideen ist die Entwicklung eines Sozialismus *„nicht als Uniformierung"*, sondern *„als maßgebende Rechtsgrundlage des ganzen sozialen Lebens"*.

Edition: Die Welt in 100 Jahren, hg. von Arthur Brehmer, Nachdruck der Ausgabe Berlin 1910, Hildesheim / Zürich / New York 1988.

B. S.

315 Karl Kraus: „Die letzten Tage der Menschheit"
Wien und Leipzig, 1922 (erste Fassung: 1915-17; Erstausgabe: 1919 in der Zeitschrift „Fackel")
Typendruck
H. 18,8 cm, B. 12 cm
Marbach, Deutsches Literaturarchiv, Glück: K. Zugangsnummer FG. 10264

Karl Kraus (1874-1936) schrieb die erste Fassung des Stücks in den Kriegsjahren 1915 bis 1917. So dokumentiert die *Tragödie in fünf Akten mit Vorspiel und Epilog* (Untertitel) parallel zum Ersten Weltkrieg die Monstrosität der Kriegsführung unter den neuartigen technischen Bedingungen (Gas- und Luftkrieg, Nachrichtentechnik). An der Überfülle der Situationen (über 200 Szenen) und Figuren (um die 500 Personen), deren heterogene Anordnung durch die

316

Figur des *Nörglers* zusammengehalten wird, spiegelt der ausufernde Text im Sprechen über den Krieg dessen Zurichtung zur Phrase. Er läßt sich vornehmlich beschreiben als eine szenische Montage aus dokumentarischem Material: Zeitungsberichte, literarische Zitate, reale Personen aus Politik, Gesellschaft, Literatur und Feuilleton werden ebenso integriert wie Photographien oder Partituren, operettenhafte Lieder oder filmartige Sequenzen. Die Satire funktioniert nicht nur nach den gängigen Verfahren der Übertreibung oder Herabsetzung (der Kaiser als lächerliche Figur), sondern vor allem durch die Reproduktion des phrasenhaften Sprechens, indem das Dokument zitiert oder ein bestimmtes (z.B. dialektales) Sprechen nachgeahmt wird: *„Das Dokument ist Figur"* – *„Phrasen stehen auf zwei Beinen"* (Vorwort). Hauptangriffspunkt der Satire ist damit in erster Linie die Presse, deren Sprache die öffentliche Meinung über den Krieg völlig durchdringt, und weniger einzelne gesellschaftliche Institutionen (Politik, Kirche, Wirtschaft) oder Situationen (Krieg). Krieg ist von der Presse vorgegebene Rede über den Krieg, und seine Inhumanität wird im (halb-)öffentlichen Gespräch fortgesetzt, verdoppelt und verstärkt.

C. St. / St. S.

316 Szenenbildentwurf zum Film von Fritz Lang „Metropolis"

Otto Hunte (1881-1960)
1925/26
Tusche, Deckweiß, Bleistift auf Pappe
H. 72,6 cm, B. 50,8 cm
Frankfurt, Deutsches Filmmuseum, ohne Inv.-Nr.

Metropolis zählt zu den wenigen Stummfilmen, die auch heute noch ein größeres Publikum finden. Kaum ein Film hat das kollektive Bild der modernen Großstadt so stark beeinflußt. Die ersten Zeichnungen Erich Kettelhuts, der neben Otto Hunte und Karl Vollbrecht für die Filmarchitektur verantwortlich war, zeigen noch ein recht beschauliches urbanes Zentrum, in dem neben Hochhäusern und vielbefahrenen, mehrspurigen Straßen auch eine gotische Kathedrale, alte, niedrige Bauten und Grünflächen ihren Platz finden. Fritz Lang aber – der 1924 eine Werbereise nach New York unternommen hatte – wollte die Stadt als faszinierenden Moloch zeigen: Die Wolkenkratzer in *Metropolis* sind so gigantisch, daß sie auf halber Höhe von Flugzeugen gekreuzt werden. Die Handlung des 1927 fertiggestellten Films irritiert heute wegen ihres kryptoreligiösen und expressionistischen Pathos. Gerade in seiner Mischung aus Grandiosem und Lächerlichem, in seiner Zerrissenheit zwischen Faszination an der Moderne und Angst vor ihr ist *Metropolis* aber ein getreues Abbild der geistigen Situation im Deutschland seiner Zeit (vgl. Kat.-Nr. 317).

Literatur: Otto Hunte. Architekt für den Film, Frankfurt a. M. 1996, S. 117, Abb. S. 79.

C. H.

Im Film „Metropolis" wird die Stadt als faszinierender Moloch gezeigt.

317

317 Plakatentwurf zum Film von Fritz Lang „Die Frau im Mond"
Otto Hunte (1881-1960)
1929
Gouache, Bleistift auf Pappe
H. 72,5, B. 50,8 cm
Frankfurt, Deutsches Filmmuseum, ohne Inv.-Nr.

Zu Fritz Langs zahlreichen Meisterwerken zählt *Die Frau im Mond* sicherlich nicht. Immerhin handelt es sich aber um den ersten *Science Fiction*-Film, dessen Herstellung von wissenschaftlich kompetenten Beratern unterstützt wurde. Nahezu alle eindrucksvollen Momente verdanken sich den weit ihrer Zeit vorauseilenden Überlegungen Hermann Oberths (*„Die Rakete zu den Planetenräumen"*, 1923) und Willi Leys (*„Die Möglichkeit der Weltraumfahrt"*, 1926). Der Bau der Mondrakete, die Vorbereitungen zum Start, der *Countdown* von zehn bis null (eine Idee Langs), die Gefahren der durch die enorme Beschleunigung verstärkten Schwerkraft, dann der Schwerelosigkeit – all dies verblüfft durch die Präzision, mit der die Fiktion die späteren realen Entwicklungen und Erfahrungen zu antizipieren versteht. Die triviale Liebes- und Eifersuchtsgeschichte, die sich zwischen zwei der Astronauten und der einen Astronautin abspielt, enttäuscht freilich ebenso wie die Tatsache, daß Lang, auf dem reichlich mit Ostseesand versehenen Mond angekommen, alle vorherige wissenschaftliche Korrektheit vergißt. Der Entwurf zum Filmplakat stammt von Fritz Hunte, der als Filmarchitekt an den Szenenbildern mitwirkte (vgl. Kat.-Nr. 316).

Literatur: Otto Hunte. Architekt für den Film, Frankfurt a. M. 1996, S. 116f., farb. Abb. – Schwerelos. Der Traum vom Fliegen in der Kunst der Moderne, Ausst.-Kat. Berlin 1991, Stuttgart 1991, S. 32f., farb. Abb.

C. H.

318 „Zukunftsfantasien"
Echte Wagner-Album Nr. 3, Serie Nr. 12, 1-6, Serie Nr. 13, 7-12
Elmshorn, 1930
Pappe, Rasterdruck
H. 7 cm, B. 11 cm
Karlsruhe, Badisches Landesmuseum, Inv.-Nr. 98/376/1-12

Das in der Zeit der Weimarer Republik herausgebrachte Album einer Margarine-Firma zeigt sich im gestalterischen Zuschnitt erstaunlich modern an der Neuen Sachlichkeit ausgerichtet. Neben einer Darstellung des *Bildtelefons* und einer *Großstadtstraße („Alle Menschen tragen Einheitskleidung: Rock und Hose, beides mit Reißverschluß.")* widmen sich fast alle Bilder den künftigen Neuerungen des Fahrverkehrs, wobei dem Raketenantrieb und der Atomkraft entscheidende Bedeutung beigemessen wird. Dazu gehören auch die Landung eines Raumschiffes auf dem Mond und ein Weltraumbahnhof, den eine A.G. zum Mineralienabbau auf dem Mond angelegt hat.

Literatur: Weyers, Dorle / Köck, Christoph: Die Eroberung der Welt. Sammelbilder vermitteln Zeitbilder, Detmold 1992, S. 33f., Abb.

H. S.

318

319 Projekt Atlantropa
Hermann Sörgel (1885-1952)
a) Neue Geographie im mittleren Mittelmeer
1931
Tusche, Gouache auf Papier
H. 54,6 cm, B. 45 cm
München, Deutsches Museum, Archiv, TZ 04826
b) Plakat der Atlantropa-Ausstellung in Dortmund 1932
1932
Druck
H. 51 cm; B. 36,5 cm
München, Deutsches Museum, Archiv, TZ 04776

Im Rahmen einer Wanderausstellung, die Anfang der 30er Jahre durch Deutschland und die Schweiz tourte, stellte der Münchener Architekt Hermann Sörgel sein Projekt *Atlantropa* vor und erregte damit größtes Aufsehen. Man sprach vom *„kühnsten Plan seit Menschengedenken"* und vom *„größten Projekt der Welt". Atlantropa* ist die gigantischste technisch-architektonische Utopie des 20. Jahrhunderts. Angeregt von H. G. Wells Buch *The Outline of history* (deutsche Ausgabe 1928: *Die Weltgeschichte*; vgl. Kat.-Nrn. 236 und 237), in dem der englische Autor eine in den Urzeiten vor Gibraltar liegende Gebirgsschranke beschrieb, entwickelte Sörgel das Projekt, den Wasserspiegel des Mittelmeeres abzusenken. Zentrales Element sollte dabei ein Staudamm mit Wasserkraftwerk vor Gibraltar sein. Mit der Abriegelung des Wasserzuflusses aus dem Atlantik würde sich der Wasserspiegel des Mittelmeers langsam senken, da aufgrund der starken Verdunstung im warmen Klima die übrigen Zuflüsse und die Niederschläge nicht ausreichen, seinen Wasserstand aufrecht zu erhalten. Nach einer Bauzeit von nur zehn Jahren wäre das Projekt initiiert. Die Vollendung *Atlantropas* mit einer Wasserabsenkung von rund 200 Metern würde allerdings erst nach 250 Jahren erreicht werden. Sörgel versprach den Europäern neues Land, billige Energie aus Wasserkraftwerken in gigantischen Mengen und neue Verkehrswege. *Atlantropa* sollte die Geographie des Mittelmeerraumes und Afrikas vollkommen verändern: Die Adria sollte nahezu verlanden, Italien und das größer gewordene Sizilien sollten miteinander verbunden werden; über die neu entstandene Meerenge bei Tunis sollte eine durchgehende Bahnverbindung zwischen Europa und Kapstadt möglich sein; die Sahara sollte bewässert und so die Kornkammer Afrikas wiederbelebt werden. Das Projekt *Atlantropa* wurde nach der Machtergreifung der Nationalsozialisten gestoppt.

Literatur: Voigt, Wolfgang: Atlantropa: Weltbauen am Mittelmeer; ein Architekturtraum der Moderne, Hamburg 1998, Abb. S. 65.

J. D.

319

„Schöne neue Welt"

320 Aldous Huxley: „Welt wohin" / „Schöne neue Welt"
(„Brave new World")
Leipzig, 1932 (englische Originalausgabe: London 1932)
Typendruck
H. 20,7 cm, B. 13 cm
Marbach, Deutsches Literaturarchiv, Kipp. I/554, Zugangsnummer 67

Der Titel stammt aus Shakespeares *Der Sturm* und ist als Motto vorangestellt: *„Was gibt's für herrliche Geschöpfe hier! Wie schön der Mensch ist! Schöne neue Welt, die solche Bürger trägt!"* Aldous Huxley (1894-1963) projiziert seine Utopie 600 Jahre in die Zukunft; er schildert den durch entsprechende Psychopharmaka perfekt angepaßten und funktionierenden Menschen in einer naturwissenschaftlich und technisch durchorganisierten Gesellschaft. Die Konditionierung beginnt im Säuglingsalter. Es gibt ein wahres Füllhorn an Zerstreuungen und Vergnügungen (was Neil Postman später zum Titel seines Weltbestsellers führte: *Wir amüsieren uns zu Tode*). Das Übermaß an Information läßt die Wahrheit nicht mehr erkennen, genormtes Glück ist allgegenwärtig, aber völlig entindividualisiert. Die Mittel zur *„Stärkung der sittlichen und sozialen Gefühle"* sind so ausgeklügelt, daß die Menschen freudig ihrer totalitären Vereinnahmung in der *schönen neuen Welt* zustimmen. (Zur Beurteilung der Entwicklung nach 1932 veröffentlichte Huxley 1958 *Brave new World revisted*; deutsch: *Dreißig Jahre danach*, erschienen 1960).

B. S.

321 Hörspiel „The War of the Worlds"
Romanvorlage: Herbert George Wells (1866-1946) „Der Krieg der Welten"
Hörspielbearbeitung: Howard Koch
Inszenierung: Orson Welles (1915-1985) mit The Mecury Theater on Air
Aufführung: New York, 30. Oktober 1938 für CBS

Nach Howard Kochs Hörspielfassung von H.G. Wells' Roman *Der Krieg der Welten* (vgl. Kat.-Nr. 237), die das Geschehen nach New Jersey verlegte, inszenierte Orson Welles das Stück 1938 für den New Yorker Radiosender CBS und verursachte damit eines der mediengeschichtlichen Großereignisse des 20. Jahrhunderts.

Orson Welles hatte schon seit einiger Zeit erfolgreich für das Radio gearbeitet als Sprecher der Nachrichtensendung *The March of Time,* in der aktuelle politische Ereignisse als inszenierte Dokumentation präsentiert wurden. Diese Mischung aus Fakt und Fiktion, bei der Schauspieler die Rollen von Reportern, Politikern und anderen Zeitzeugen übernahmen, erfreute sich bei den Hörern einer großen Beliebtheit. Die durch solche Sendungen geschaffenen Hörergewohnheiten bildeten auch die Voraussetzung dafür, daß die Live-Sendung am 30. Oktober 1938 solch unerwartete Folgen haben konnte: Noch während des vermeintlichen Live-Berichts einer Invasion aus dem All brach eine Massenhysterie aus. Obwohl immer wieder auf den fiktiven Charakter der Sendung hingewiesen wurde, gerieten die Hörer zu Tausenden in Panik, flüchteten aufs Land oder suchten verzweifelt in Kirchen und Krankenhäusern Schutz. Selbst Orson Welles hatte die Wirkung seines *Halloween*-Scherzes unterschätzt: *„Uns dämmerte allmählich – während wir uns mit der Zerstörung New Jerseys weiter abplagten –, daß wir die Zahl der Spinner in Amerika unterschätzt hatten."*

N. G.

322 George Orwell: „1984"
Rastatt, 1950 (englische Erstausgabe: 1949)
Typendruck
H. 16,6 cm, B. 11,8 cm
Augsburg, Universitätsbibliothek, HM 3854 N71.950

George Orwells (1903-1977) 1949 in der englischen Erstausgabe und 1950 in deutscher Sprache erschienenes Buch *1984* ist der wohl bekannteste Roman einer negativen Utopie. Er wurde zum Welterfolg und führte – nicht zuletzt durch mehrere Verfilmungen – zur anschaulichen Vision eines totalitären Regimes. *„Big Brother is watching you"* – diese überall präsente Mahnung bzw. Drohung wurde zum geflügelten Wort. Der große Bruder sieht alles, weiß alles – bis in die letzten psychologischen Verästelungen des Seelenlebens. Alle menschlichen Werte sind abhanden gekommen oder in ihr Gegenteil verkehrt. Sie müssen in einem leidvollen Prozeß neu erlernt werden. Es gibt keine Freude, keine Schönheit, keine Anmut, nur graues Einerlei. *„Das Ministerium für Liebe war das furchterregendste von allen"*, heißt es gleich zu Beginn. Der Mensch ist ein williges Arbeitstier im Dienste des übermächtigen *„Big Brother"*. Es gibt keine Vergangenheit; Erinnerungen sind vernichtet; alle Wünsche sind abgetötet. Nach 40 Jahren Kampf des Romanhelden Winston heißt es zum Schluß über ihn: *„Er liebte den Großen Bruder"*.

B. S.

„Big Brother is watching you."

323a, d

323b

323 Roboter und Weltraumfahrzeuge als Blechspielzeug

a) Roboter „Robot ST 1"
Firmen Georg Köhler und L. Streng & Co.
Nürnberg, Produktionsbeginn 1954
Blech, farbig bemalt („funkensprühend und mit rasselndem Geräusch")
H. 18,5 cm
Privatbesitz

b) Fliegende Untertasse „Apollo 562"
Firma Blomer & Schüler
Nürnberg, Produktionsbeginn 1955
Blech, farbig bemalt
Dm. 10 cm
Privatbesitz

c) Raketenauto
Ungarn, 1950er Jahre (?)
Blech, farbig bemalt
H. 12 cm, B. 35 cm, T. 13 cm
Privatbesitz

323c

d) Roboter
Japan, um 1960 (?)
Plastik, zum Batteriebetrieb
H. 29 cm
Privatbesitz

Die technischen Utopien der Mitte des 20. Jahrhunderts – Roboter und Weltraumfahrzeuge – waren nicht nur als Sammelbildserien beliebt, sondern fanden als Spielzeug ihren Weg auch in die Kinderzimmer.

Literatur: Kraus, Alfred / Kunze, Dominique: Deutsches Blechspielzeug nach 1945, Mannheim 1998, S. 48, farb. Abb. (=b), S. 191, farb. Abb. (=a).

J. D.

324 Wernher von Braun: „Start in den Weltraum. Ein Buch über Raketen, Satelliten und Raumfahrzeuge"

Frankfurt, 1952
Typendruck
H. 21 cm, B. 16 cm
Privatbesitz

Der deutsche Raketenkonstrukteur Wernher von Braun (1912-1977) war seit 1937 technischer Direktor an der Heeresversuchsanstalt in Peenemünde und leitete dort die Entwicklung der Flüssigkeitsrakete A4 (später V2). Ab 1945 führte er seine Tätigkeit in den USA fort und wurde leitender Mitarbeiter der Raumfahrtbehörde NASA. Braun wollte die Idee der Raumfahrt populär machen. Mit seinen phantastisch anmutenden Beiträgen in *Collier's Magazine* oder beispielsweise in einer von Walt Disney produzierten Fernsehserie gelang es ihm dann auch rasch, den Menschheitstraum von der Eroberung des Weltalls für die Allgemeinheit greifbar zu machen. Vor allem bei der Jugend rief er Begeisterung hervor. *Start in den Weltraum* faßt Beiträge aus dem *Collier's Magazine* zusammen. Hier entwarf Braun u.a. die Vision einer radförmigen Weltraumstation (ganz ähnlich der Raumstation im Film *2001. Odysee im Weltraum* – vgl. Kat.-Nr. 331). Mit einem Durchmesser von 75 Metern kreist sie in einer Höhe von 1730 Kilometern alle zwei Stunden einmal um die Erde und rotiert dabei dreimal in der Minute um die eigene Achse, um eine künstliche Schwerkraft herzustellen. Auch der Flug zum Mars ist in diesem Buch beschrieben.

Literatur: Stuhlinger, Ernst / Ordway, Frederick I.: Wernher von Braun. Aufbruch in den Weltraum, Eßlingen / München 1992.

J. D.

324

326 „Die Welt von morgen“
Sammelbildalbum B. Birkel und Söhne
Endersbach bei Stuttgart, 1962 (2. Auflage; 1. Auflage: 1959)
Rasterdruck, Typensatz
H. 20,9 cm, B. 29,5 cm
Privatbesitz

Auch dieses Album führt uns in Wort und Bild durch die Zukunft. Anders als das Album *Im Jahr 2000* (vgl. Kat.-Nr. 327) werden hier die Auswirkungen der Zukunftstechnik auch auf das Alltagsleben der Menschen gezeigt: das erste Kapitel lautet *So werden wir leben*. Dazu gehört die automatisierte Küche, die Wohnung und die Kleidung aus Kunststoff, das Büro im Bett oder die künstliche Wetterherstellung. Viele der Vorhersagen von 1959, die teilweise eher auf einen zeitlichen Nahbereich um 1980 herum ausgelegt sind, trafen längst bis heute ein. Im Bereich der Technik sind dies etwa Sonnen-Elektrizitätswerke, Unterwasserkameras, Hühnerfabriken, künstlicher Rasen und vielerlei Verkehrsmittel. Phantastisch und im Glauben an alles technisch Machbare grotesk sind die *Riesenernte im Atomgarten* (durch Kobaltbeschuß im Hausgarten erhalten Früchte Riesenwuchs), die Zucht von Sauriern im Blumentopf und der neutronenbeschossene *Atomweizen*. Viele Darstellungen gelten den üblichen neuen Fortbewegungsmitteln (fliegende Autos, Luftfahrräder und U-Boote). Die Folge kulminiert im letzten Kapitel mit der üblichen *Eroberung des Weltraums* und schließt mit dem wie apotheotischen Bild *Riesenstädte auf dem Mond*. Im Nachwort heißt es: *„Vor unseren Augen und Sinnen zog wie ein großes Abenteuer die bunte Welt der nahen Zukunft vorbei. Erstaunen und Bewunderung ergriffen uns.“*

Literatur: Ciolina, Erhard und Evamaria: Reklamebilder und Sammelalben, Augsburg, 1995, S. 218. – Weyers, Dorle / Köck, Christoph: Die Eroberung der Welt. Sammelbilder vermitteln Zeitbilder, Detmold 1992, farb. Abb. S. 55.

H. S.

325 „Fliegende Untertassen. Ein Geheimnis geistert um die Welt“
Sammelbildalbum Firma Oldenkott-Rees, Rauchtabak- und Zigarettenfabrik
Wanne-Eickel, 1955
Typensatz, Rasterdruck
H. 20,4 cm, B. 29,4 cm
Karlsruhe, Badisches Landesmuseum, Inv.-Nr. 98/378

Neben den immer wieder kolportierten Geschichten von *Fliegenden Untertassen* mit kleinen grünen (gelben) Männchen, die vor allem in den fünfziger Jahren die Öffentlichkeit beunruhigten, illustriert ein Großbild des Albums auch das Szenario, das Orson Welles in dem 1938 gesendeten Hörspiel *Krieg der Welten* schilderte (vgl. Kat.-Nr. 321): die Landung von Raumschiffen auf der Erde und den Angriff der Mars-Bewohner. Der Autor des Albums zweifelte jedoch an, daß *Außerirdische* den Erdbewohnern feindlich entgegentreten müßten.

H. S.

325

326

326

sem kommenden Zeitalter das Gesicht geben." „Wenn dann die Neujahrsglocken das Jahr 2000 einläuten": Dann wird, laut diesem Album, die Weltraumfahrt zum Mars stattgefunden haben, werden *Fliegende Untertassen* verkehren, die Windkraft und die Erdwärme wesentliche Energieträger sein (an Atomkraftwerke dachte man noch nicht), der Meeresgrund erforscht, das Mittelmeer von Gibraltar bis Sizilien trockengelegt und zu fruchtbarem Land verwandelt sein (vgl. Kat.-Nr. 319) und Häuser vom Fließband mit Glaskuppeln gebaut werden. Manche Prognosen sind auch eingetroffen: der Flugzeug-Schleudersitz, der Tunnel unter dem Ärmelkanal, Fernseh-Konferenzübertragung, Großraumflugzeuge und Roboter-Minenräumer. Das Design stellt sich im Gewande eines etwas spießigen Nierentisch-Kurvenschwungs dar, besonders das sechsteilige Großbild eines *Autorennens im Jahre 2000.*

Literatur: Ciolina, Erhard und Evamaria: Reklamebilder und Sammelalben, Augsburg, 1995, S. 195. – Weyers, Dorle / Köck, Christoph: Die Eroberung der Welt. Sammelbilder vermitteln Zeitbilder, Detmold 1992.

H. S.

Im Jahr 2000 wird die Weltraumfahrt zum Mars stattgefunden haben, werden Windkraft und Erdwärme wesentliche Energieträger sein.

327 „Im Jahr 2000"
Sammelbildalbum verschiedener Bilderdienste
1962
Rasterdruck, Typensatz
H. 21,1 cm, B. 29,8 cm
Karlsruhe, Badisches Landesmuseum, Inv.-Nr. 98/379

Das Album, das offenbar von verschiedenen Firmen (Eskimo, Heinerle u.a.) eingesetzt wurde, stellt in 102 Bild- und Textzeugnissen eine wahre Phantasmagorie des offenbar vollkommenen Glückszustandes im Jahre 2000 dar.

Das Album richtet sich an Kinder. Sie werden als die künftigen Träger des technischen Fortschritts angesprochen, die alle jene Errungenschaften der Zukunft erarbeiten und praktizieren werden. *„Ihr seid in das Zeitalter hineingeboren, in dem der Mensch sich anschickt, sich vollends die Materie untertan zu machen". „Ihr Kinder werdet das Jahr 2000 erleben. Aus euren Reihen kommen die Wissenschaftler, Techniker, Facharbeiter und Unternehmer, die die-*

327

328 Herman Kahn, Anthony Wiener: „Ihr werdet es erleben. Voraussagen der Wissenschaft bis zum Jahr 2000"

(„The Year 2000")
Reinbek bei Hamburg, 1971 (amerikanische Erstausgabe: 1967)
Typendruck
H. 24,5 cm, B. 17,5 cm
Karlsruhe, Universtität (TH), Institut für Soziologie, Bibliothek, L 8 45

Auf dem Höhepunkt der Diskussion um den Beitrag der Zukunftsforschung (auch Futurologie genannt) und der rationalen Planung der späten 60er Jahre zur Entwicklung von Mensch, Technik und Gesellschaft erschien vorliegende Ausgabe. Hermann Kahn (eigentlich Physiker und Mathematiker) hatte sich mit verschiedenen Veröffentlichungen und Prognosen (u.a. über den phänomenalen Aufstieg Japans) bereits weltweit einen Namen als damals wohl bekanntester Zukunftsforscher gemacht. Wie in allen seinen Schriften zur Futurologie basiert auch vorliegendes Werk auf umfangreichen Statistiken, Tatsachenanalysen und deren Extrapolation (Weiterführung) in das (damals) letzte Drittel dieses Jahrhunderts. Kaum ein Bereich aus Wissenschaft und Technik, privater Lebensführung und Politik, globaler Entwicklung, Arbeit und Kommunikation wird ausgelassen. Betrachtet man die ca. 500 Prognosen zu den *„hochwahrscheinlichen Entwicklungen"* heute, am Ende des Prognosezeitraums, so gibt es erstaunliche Übereinstimmungen (z.B. die Bevölkerungsentwicklung betreffend), aber auch Fehleinschätzungen, die z.B. das amerikanisch-sowjetische Verhältnis und den nicht erahnten Zusammenbruch der kommunistischen Systeme berühren. In der Prognose für 1985 heißt es: *„Die Demokratie scheint ihren Kampf mit dem Kommunismus zu verlieren"* (S. 304).

B. S.

329 „Ein Gespräch über die Zukunft mit Rudi Dutschke, Bernd Rabehl und Christian Semler"

in: Kursbuch 14
Berlin, 1967
Typendruck
H. 22,5 cm, B. 14 cm
Karlsruhe, Privatsammlung

Das *Kursbuch*, 1965 von Hans Magnus Enzensberger begründet, entwickelte sich seit Ausbruch der Studentenrevolte (Juni 1967) zu einem der wichtigsten Organe der kritischen Intelligenz. Heft 14 ist, dem damaligen Zeitgeist entsprechend (Planungseuphorie und Futurologie waren auf dem Höhepunkt), der *Kritik der Zukunft* gewidmet. Im Gespräch, das Enzensberger im Oktober 1967 mit dem bekanntesten Studentenführer, Rudi Dutschke, und seinen Mitstreitern führte, fragt Enzensberger einleitend: Wie könnte in hochindustrialisierten Ländern eine *„revolutionäre Zukunft"* aussehen. Seine Gesprächspartner nennen als Stichworte: Veränderung (im Sinne von anderem Einsatz) der Technologie; Abschaffung der Bürokratie als Herrschafts- und Zwangsapparat; Veränderung des Bewußtseins; Veränderung der Zustände in der Dritten Welt (mit ihren immer subtileren Formen kolonialer Ausbeutung). Dutschke: *„Erst die auf ein Minimum reduzierte Arbeitszeit ermöglicht die Universalisierung des Individuums und damit das Begreifen und die Kontrolle der industriellen Struktur im Ganzen"*. Enzensberger im Schlußwort: *„Ein lückenloses Denken über die Zukunft ist nicht möglich."*

B. S.

Die Futurologie basiert auf umfangreichen Statistiken, Tatsachenanalysen und deren Weiterführung in die Zukunft.

330 Modell für den „Tour Schoeffer" in Paris 1972
Nicolas Schoeffer (1912-1992)
Paris, 1967
Stahl
H. 200 cm, B. 42 cm, T. 42 cm
Paris, Galerie Denise René

Das Projekt steht in Zusammenhang mit utopischen Plänen des Bildhauers und Lichtkinetikers Nicolas Schoeffer zu einer *kybernetischen Stadt.* Im Sinne eines alleinfassenden *Gesamtkunstwerks* konzipierte Schoeffer einen stählernen Turm für mehr als 50.000 Bewohner. Vorläufer war der Plan des 347 Meter hohen *Tour Schoeffer* in La Defense/Paris für gleichzeitig bis zu 15.000 Menschen. Raum, Licht, Farbe, Bewegung, Geruch und Drogen sollten jeden Besucher in eine synästhetische Gesamtwirkung eintreten, mit ihr sogar eins werden lassen. Der Mensch der Zukunft wird *„danach streben, sich in ein reines ästhetisches Produkt zu verwandeln, indem er selbst zum Kunstwerk wird"* (Schoeffer 1968).

Literatur: Nicolas Schöffer. Kinetische Plastik-Licht-Raum-Bewegung, Ausst.-Kat. Düsseldorf 1968. – Forjar el espacio. La escultura forjada del siglo XX. Ausst.-Kat. Las Palmas-Valencia-Calais 1998, S. 389f.

H. S.

331 Plakat zum Film von Stanley Kubrick „2001. Odysee im Weltraum"
1968
Farbdruck
H. 84 cm, B. 59,5 cm
Frankfurt, Deutsches Filmmuseum, Inv.-Nr. 95: G17107

Die zwei großen Themen von Stanley Kubricks Film *2001 – A Space Odyssey (2001 – Odyssee im Weltraum)* sind die menschliche Evolution und das Verhältnis von Mensch und Maschine. Ein schwarzer Monolith landet auf der Erde und regt auf telepathischem Wege eine Gruppe menschenähnlicher Affen dazu an, die Knochen toter Tiere als Waffen zu verwenden. Vier Millionen Jahre später, im Jahre 2001, entdecken irdische Forscher auf dem Mond einen ähnlichen Monolithen, der starke Radiowellen in Richtung Jupiter sendet. Ein Raumschiff wird auf den Flug geschickt. Kurz vor Erreichen des Jupiters meldet *HAL 9000,* der angeblich perfekte Bordcomputer, fälschlich einen technischen Fehler. Sagt *HAL* die Wahrheit, wenn er behauptet, ein derartiger Vorfall könne nur auf einen Programmierungsfehler, auf menschliches Versagen also, zurückzuführen sein? Oder lügt der Computer, weil er selbst eine Seele entwickelt hat und zu einem fehlbaren Menschen geworden ist? Den Kampf auf Leben und Tod mit *HAL*, der nicht abgeschaltet werden will, überlebt nur einer der Astronauten. In der Umlaufbahn des Jupiters begegnet er einem weiteren Monolithen. Nach einer psychedelischen Reise durch Zeit und Raum stirbt der Astronaut, wird aber, offenbar in einer höheren Existenzform, wiedergeboren. Als riesiger Fötus schwebt er auf die Erde zu. Auch in seinem vergleichsweise optimistischen Film wahrt Kubrick einen pessimistischen Unterton: Die Menschheit erscheint als hilfloses Manipulationsobjekt unbekannter, göttlicher Mächte.

C. H.

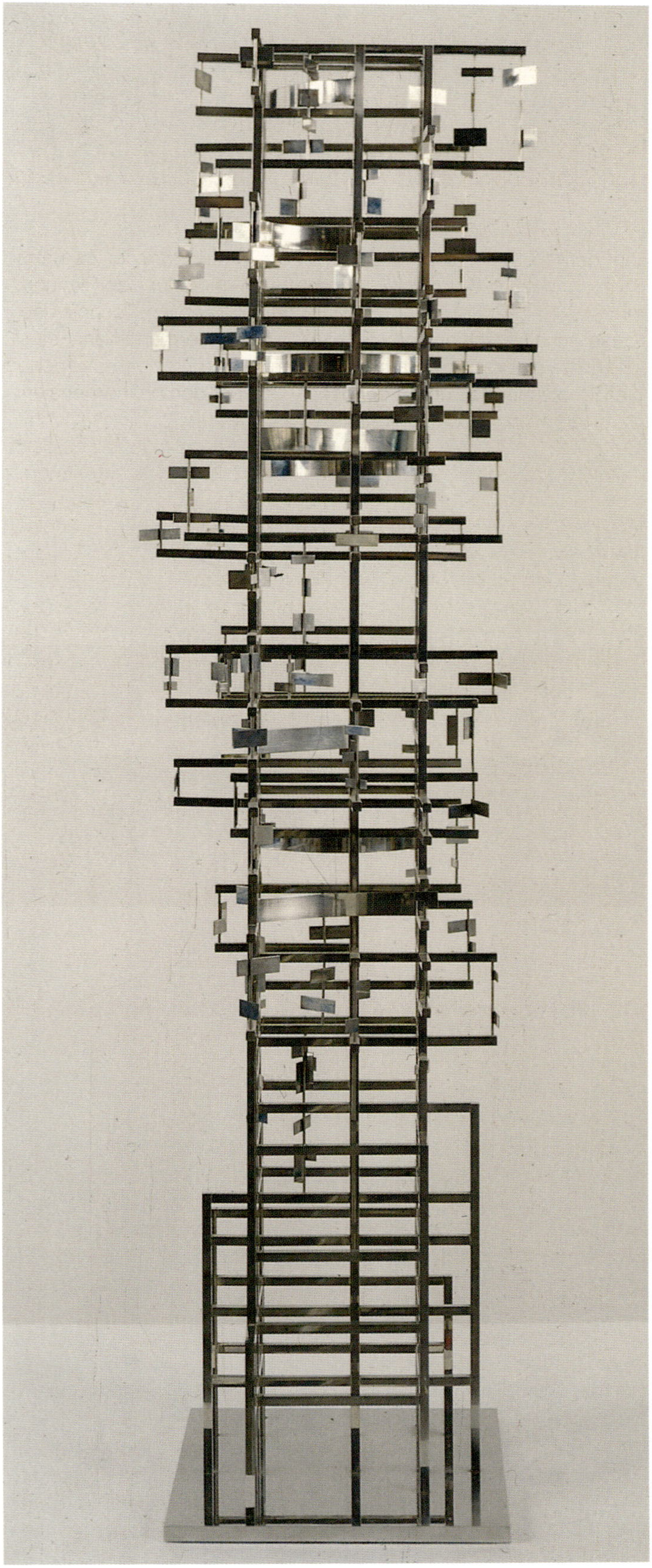
330

331

332 Plakat zum Film von Ridley Scott „Blade Runner"
1982
Farbdruck
H. 98 cm, B. 68 cm
Frankfurt, Deutsches Filmmuseum, Inv.-Nr. 94: G15005

Regennasse Großstadtstraßen, ein abgebrüht-melancholischer Killer im Trenchcoat, dämmerige Interieurs und eine rätselhafte, hochelegante Schöne: Ridley Scotts Film *Blade Runner* spielt zwar im Los Angeles des Jahres 2019, zitiert aber ausgiebig die visuellen und erzählerischen Versatzstücke des *Film noir* der 40er Jahre. Der postmoderne *Science Fiction*-Film liebt es, die Zukunft im Design der Vergangenheit zu zeigen. Aber auch in einer solchen Kunstwelt leben die alten Menschheitsprobleme fort. Vier Androiden haben sich der Kontrolle ihrer Herrscher entzogen und streifen frei durch die Stadt. Der Titelheld soll sie im Auftrag der Polizei suchen und töten. Allein: Die Androiden sind keine Kriminellen, sie sind nur auf der Suche nach sich selbst. Als sie endlich zu ihrem Erzeuger, dem mächtigen Konzernchef, vorgedrungen sind, stellen sie ihm die Fragen, die schon Generationen von richtigen Menschen beschäftigt haben: *Wo kommen wir her? Wer sind wir? Wo gehen wir hin?* So werbespotglatt die Bilder in *Blade Runner* auch sind – so ergreifend versteht es dieser Film zugleich, von Identitätszweifeln und einer vergeblichen Suche nach Sinn zu erzählen.

C. H.

333 Jean Baudrillard: „Das Jahr 2000 findet nicht statt"
Berlin, 1990
Typendruck
H. 21 cm, B. 15 cm
Karlsruhe, Badisches Landesmuseum, Bibliothek

Mit dieser Sammlung von Einzelartikeln kündigt der dem französischen Poststrukturalismus zugerechnete Philosoph Jean Baudrillard (geb. 1929) jedes utopische Denken auf. Seine These vom Ende der Geschichte bezieht polemisch Stellung gegen den seit 1989 aufkommenden Zukunftsoptimismus, der den Zusammenbruch des Ostblocks als Chance für eine neue Weltordnung begreift. Baudrillard bestreitet die vor diesem Hintergrund aufgestellte These von der *Wiederkehr der Geschichte*, denn Geschichte vollziehe sich nur noch als bloßer Prozeß ohne Ziel, so daß *„die Zeit schließlich in reiner Zirkulation aufgeht"*. Dieser Geschichtsauffassung liegen Baudrillards Überlegungen zur Simulation zugrunde, die ausgehend von der Erfahrung extremer Beschleunigung (Nachrichtentechnik, Computersimulation, Internet) alle Wahrnehmung unter dem Aspekt des Unwirklichwerdens der Welt beschreiben. Weil damit auch die Zeitverhältnisse irreal werden, kann er behaupten, daß der Jahrtausendwechsel nicht stattfinden wird. Schon Anfang der 90er Jahre ironisiert Baudrillard damit die momentan verbreitete Endzeit- und Übergangshysterie: *„Ich schlage vor, daß die neunziger Jahre im voraus gestrichen werden und wir direkt aus dem Jahr 1990 ins Jahr 2000 springen. Daß das Ende dieses Jahrhunderts bereits da ist, mit all seinem nekro-kulturellen Pathos, seinen Klagen, seinen Gedenkfeiern, seinen nicht endenden musealen Inszenierungen, wollen wir uns da wirklich noch einmal 10 Jahre in dieser Mühle langweilen?"*

C. S. / St. S.

Wo kommen wir her?
Wer sind wir?
Wo gehen wir hin?

334 Francis Fukuyama: „Das Ende der Geschichte. Wo stehen wir?"
München, 1992 (amerikanische Erstausgabe: 1991)
Typendruck
H. 21,5 cm, B. 14 cm
Karlsruhe, Badisches Landesmuseum, Bibliothek

Dieses Buch erregte unmittelbar nach Erscheinen in der amerikanischen Originalfassung im Jahr 1991 großes Aufsehen: Nach Beendigung des von der Sowjetunion dominierten kommunistischen Regimes verkündete ein renommierter Historiker, daß sich *„weltweit ein bemerkenswerter Konsens über die Legitimität der liberalen Demokratie als Regierungssystem herausgebildet"* habe. Das wurde wie die triumphierende Fanfare des Sieges der USA und der Verbündeten im Kalten Krieg verstanden – und kritisiert. Im Kern ist das Werk jedoch ein interessanter, universalgeschichtlich angelegter Versuch, vom Ersten Menschen bis zum *Letzten Menschen* (in Auseinandersetzung mit Friedrich Nietzsche) die Entwicklung zur liberalen Demokratie als einen (vorläufigen?) Höhepunkt der Menschheitsgeschichte zu interpretieren. Sie wird deshalb als *„Endpunkt der ideologischen Evolution der Menschheit"* gesehen, weil sie die Verwirklichung der Freiheit eines jeden einzelnen gebracht und die Neigung zum Kriegführen bei entsprechend strukturierten Gesellschaften deutlich reduziert hat. Im Zentrum der Argumentation steht die wechselseitige Anerkennung der Menschen und der liberalen Staaten als Gleichberechtigte.

B. S.

335 Plakat zum Film von Roland Emmerich „Independence Day"
1996
Farbdruck
H. 84 cm, B. 59,2 cm
Frankfurt, Deutsches Filmmuseum, ohne Inv.-Nr.

Ein riesiges, 550 Kilometer durchmessendes Raumschiff erscheint über der Erde. Seine Insassen sind ebenso häßlich wie böse: eine Rasse von Heuschreckenwesen, die plündernd und mordend von Planet zu Planet reist. Mit radikaler Entschiedenheit verneint Roland Emmerich alle Sophistikation, die der Science Fiction-Film seit *2001 – A Space Odysee* (vgl. Kat.-Nr. 331) gewonnen hatte. *Independence Day* rekapituliert die von UFO- und Kommunistenhysterie geprägten Invasionsfilme der 50er Jahre und ist zugleich eine zeitgemäße Variation von H.G. Wells 1897 erschienenem Roman *The War of the Worlds* (vgl. Kat.-Nrn. 237 und 321). Bei Wells stoppen allein irdische Viren den unaufhaltsamen Siegeszug der technologisch weit überlegenen, gesundheitlich aber labilen Marsianer. Bei Emmerich erfüllt dieselbe Aufgabe ein von einem listigen Fernsehtechniker gesteuerter Computervirus, der die Energieschilde der feindlichen Luftflotte deaktiviert. Der Tag des triumphalen, unter amerikanischer Führung erkämpften Siegs ist ein 4. Juli, der amerikanische Nationalfeiertag – der *Independence Day* mutiert zum Weltfeiertag. In der Politik ist der Traum von der Neuen Weltordnung vorerst ausgeträumt; im patriotischen Kinospektakel lebt er weiter.

C. H.

336 Ronald Wright: „Die Schönheit jener fernen Stadt"
München 1998, (Englische Erstausgabe: 1998)
Typendruck
H. 21 cm, B. 13,5 cm
Karlsruhe, Badisches Landesmuseum, Bibliothek

Der *Science Fiction*-Roman des in England geborenen Historikers Ronald Wright knüpft an die *Zeitmaschine* von H.G. Wells aus dem Jahr 1895 und dessen Zeitreise ins Jahr 802701 an (vgl. Kat.-Nr. 236). Die Hauptperson des Textes, der Industriearchäologe und Museumsbeschäftige David Lambert, gelangt, aufgrund einer Verfügung von Wells, anfangs des Jahres 2000 in den Besitz der gelandeten *Zeitmaschine* und katapultiert sich ins Jahr 2500. Er erlebt London, England und Schottland als untergegangene Welt, durch Klimaerwärmung, Bürgerkriege und BSE von Urwald überwuchert und – bis auf ein kleines, primitives Volk im Norden – menschenleer. Als Archäologe (*„Müllmänner"*) erforscht er Spuren, deren letzte – vor der apokalyptischen Katastrophe – er auf 2389 datieren kann. Wright steht in der Tradition der utopischen Zivilisationskritik: *„[...] die Zivilisation hatte durchaus ihre Reize, ehe der Aufklärung schwindlig wurde, der Kommunismus sich selbst erschoß und der Kapitalismus in einem wilden Amoklauf die letzten Ressourcen an Arbeitskraft und Rohstoffen aufbrauchte. Das Ende der Geschichte!"* (S. 385).

H. S.

Die Krise Europas

Kolonialismus

Ein u.a. von Deutschland, Frankreich und Großbritannien getragenes Invasionsheer schlug 1900 in China den Aufstand der Boxer, eines gegen die fremden Mächte aufbegehrenden Geheimbundes, nieder. Zu dieser Zeit lebten rund 25% der

Weltbevölkerung in Kolonien, vor allem in Afrika, Indien und auf den Inseln der Südsee. Den Imperialismus der Europäer, die Überheblichkeit des „weißen Mannes" spiegelt die „Hunnenrede" des deutschen Kaisers Wilhelm II. wider: „Pardon wird nicht gegeben, Gefangene werden nicht gemacht [...] Öffnet der Kultur den Weg ein für allemal."

Der neue Mensch

Am Beginn des 20. Jahrhunderts propagierten viele Strömungen den „neuen Menschen". Wissenschaft, Technik und gesellschaftliche Umbrüche beförderten utopische Entwürfe, die eine „ideale" Welt zum Ziel hatten. Die pathetischen Glücksverheißungen waren voller Widersprüche: autoritär und liberal, elitär und demokratisch, revolutionär und evolutionär, psychotherapeutisch und rassistisch, sozialistisch und ästhetisch. Der Expressionismus in Literatur und bildender Kunst war bestimmt von den Leitideen: Erweckung des Herzens – Aufruf und Empörung – Sturz und Schrei. Er hoffte nicht nur auf „Menschheitswerdung", sondern sah auch die „Menschheitsdämmerung" voraus.

Desaster der Seefahrt

Das britische Passagierschiff „Titanic" war das größte Schiff seiner Zeit und galt als unsinkbar. Doch schon auf der Jungfernfahrt von Southampton nach New York stieß die „Titanic" 1912 mit einem Eisberg zusammen und sank in wenigen Stunden. Rund 1.500 Menschen kamen ums Leben. Der Untergang der „Titanic" erschütterte nachhaltig den bis dahin vorherrschenden Glauben an die Unfehlbarkeit des technisch Machbaren.

Die letzten Tage der Menschheit

Serbische Nationalisten töteten 1914 in Sarajewo den österreichischen Thronfolger. Dieses Attentat führte zum Ersten Weltkrieg: Die panslawistischen Bestrebungen auf dem Balkan gefährdeten den österreichischen Vielvölkerstaat. Die Großmächte waren bis in die breiten Massen hinein nationalistisch gesinnt. Wirtschaftliche Konkurrenz kam hinzu. Die auf Gleichgewicht ausgerichteten Bündnissysteme reagierten auf das Attentat „automatisch". Bei Kriegsausbruch standen einander gegenüber 3,8 Millionen Soldaten des Zweibundes (Deutschland – Österreich/Ungarn, erweitert durch die Türkei) und 5,8 Millionen Soldaten der Alliierten (Frankreich, Rußland, Großbritannien, mit denen Japan und später die USA sich verbündeten). Es kam zum Stellungskrieg, der 1916 in der „Hölle von Verdun" einen ersten furchtbaren Höhepunkt erreichte. Als Folge einer zynisch geplanten „Verblutungsstrategie" starben dort 240.000 Deutsche und 275.000 Franzosen. Sigmund Freud, der Ergründer des Tiefenbewußtseins, sprach vom Zerfall des Kulturweltbürgertums unter dem Ansturm der Barbarei. Der Publizist und Satiriker Karl Kraus sah die letzten Tage der Menschheit gekommen.

Terror als politische Methode

In Rußland unterdrückte das Zarenregime alle freiheitlichen und sozialen Bewegungen. Dies bewirkte seit 1905 Unruhen, die blutig niedergeschlagen wurden. 1917 kam es zu einer zunächst bürgerlichen, dann marxistischen Revolution. Ausgelöst wurde sie durch die Bolschewiken, die kommunistische Partei Rußlands. Unter der Führung Lenins gelang es den Kommunisten in einem jahrelangen Bürgerkrieg, ihr Herrschaftssystem durchzusetzen. Dabei war Terror politische Methode. Ganze Gesellschaftsklassen sollten liquidiert werden. Nach dem Tod Lenins 1924 errichtete der Generalsekretär des Zentralkomitees der KPdSU Jossif Stalin eine bis zu seinem Tod 1953 dauernde Gewaltherrschaft.

Das Ringen um Demokratie
Der Zivilisationsbruch
Offene Zukunft

Weimar als Programm

Nach freien Wahlen trat **1919** in Weimar die Verfassunggebende Nationalversammlung zusammen, die Deutschland zum ersten Mal eine republikanisch-demokratische Verfassung gab. Weimar repräsentierte das neue Staatswesen: als Anknüpfung an Aufklärung und Klassik sowie als Bekenntnis zum Primat des Geistes. Vorausgegangen waren die Niederlage im Ersten Weltkrieg, die Abdankung des Kaisers und eine Revolution, die eine Räterepublik anstrebte. Doch konnten sich die gemäßigten Kräfte mit den Sozialdemokraten an der Spitze durchsetzen: Friedrich Ebert wurde erster Reichspräsident. In der Weimarer Republik erblühte die Kunst. Es entstand eine von den USA beeinflußte kosmopolitische Urbanität mit Berlin als Zentrum. Man sprach von den „goldenen Zwanziger Jahren".

Gefährdung der Demokratie

Europa war in den **1930er Jahren** geprägt durch die Krise der Demokratie und das Vordringen des totalitären Nationalismus. Stabil blieben die demokratischen Staatsordnungen Großbritanniens, Frankreichs, Belgiens, der Niederlande, der skandinavischen Länder, der Schweiz und der USA. Eine labile Zone bildeten wirtschaftlich schwache, von einer feudalen Oberschicht und einem antiliberalen katholischen Klerus dominierte Länder wie Spanien, Portugal, Italien. Hier entstanden Diktaturen: In Italien kam 1922 mit Benito Mussolini der Faschismus an die Macht. In Spanien siegte nach einem blutigen Bürgerkrieg 1939 die rechtsradikale Falange-Bewegung unter Francisco Franco. Die jungen Demokratien Österreich, Ungarn, die Tschechoslowakei, Estland, Lettland, Litauen, Polen, Rumänien und Jugoslawien hatten mit großen inneren Problemen zu kämpfen, was zu autokratischen oder diktatorischen Systemen führte.

Die gescheiterte Republik

Die legale Ernennung Adolf Hitlers zum Reichskanzler **1933** und der damit verbundene Sieg der in den Reichstagswahlen stark gewordenen Nationalsozialistischen Deut-

schen Arbeiterpartei (NSDAP) führten zum Untergang der Weimarer Republik. Das Versailler Friedensdiktat der Alliierten hatte die Demokratie belastet. Deutschland war aber auch politisch zerrissen gewesen durch den Kampf antidemokratischer Kräfte und Parteien. Zudem hatten Inflation, Weltwirtschaftskrise und Arbeitslosigkeit die Republik gefährdet.

Der Rückfall in die Barbarei

Die Nationalsozialisten machten aus Deutschland ein Land menschenverachtender, freilich von den Massen bejubelter Barbarei. Menschen- und Bürgerrechte wurden abgeschafft. Widerstand leistende Personen wurden in Konzentrationslagern gefangen gehalten und vielfach getötet, Kunst und Medien waren gleichgeschaltet sowie weltanschaulich nicht genehme Strömungen als „entartet" unterdrückt. Rassenwahn und Rassenhaß bewirkten die Diskriminierung und Verfolgung von Minderheiten. Der Haß auf die Juden führte zur Ermordung von Millionen in Vernichtungslagern. Erst am Ende des Zweiten Weltkrieges, der von **1939 bis 1945** über 40 Millionen Tote forderte, konnten die Alliierten die Macht des Diktators brechen. Die totale Niederlage Deutschlands ermöglichte einen Neuanfang unter der Leitung der Siegermächte USA, Rußland, Großbritannien und Frankreich. Das in seinem Umfang reduzierte „Großdeutsche Reich" wurde in vier Besatzungszonen aufgeteilt.

Perestroika und deutsche Vereinigung

Das vom Generalsekretär der KPdSU und Staatsoberhaupt Michail Gorbatschow durchgesetzte Reformprogramm (Perestroika) führte nicht nur zur Demokratisierung Rußlands, sondern auch zur Auflösung des kommunistischen Machtblocks. So konnte die Bürgerrechtsbewegung der DDR 1989 eine friedliche Revolution bewirken: „Wir sind das Volk." Nach dem Fall der Mauer kam es **1990** zur Vereinigung der beiden deutschen Staaten.

Seit 1949 war Deutschland gespalten gewesen in die freiheitlich demokratische Bundesrepublik und in die diktatorisch regierte Deutsche Demokratische Republik. Mit dem Zerfall der sowjetrussischen Weltmacht ging der Ost-West-Konflikt, der „Kalte Krieg", zu Ende. Doch hat sich die Hoffnung der 1945 gegründeten Vereinten Nationen auf eine friedliche Welt nicht erfüllt. Seit Ende des Zweiten Weltkrieges kam es zu über fünfzig „lokalen" Kriegen und neuen Völkermorden. Auch war der Aufstieg des kommunistischen Chinas unter Mao Tse-tung mit Millionen Opfern verbunden. Nach 1000 Jahren Geschichte bleibt das „Projekt Aufklärung" unvollendet.

„Satellitenbildkarte Europa"

Die Satellitentechnik liefert aus dem Weltall die bislang genaueste Wiedergabe der Erde. Landesgrenzen sind hierauf natürlich nicht vermerkt. Deutlich zeichnen sich hingegen die Gebirge und Gewässer sowie die Lage der großen städtischen Ballungszentren ab.

2000

Jahrhundertwende im Kommunikationszeitalter

Das Jahr 2000 wird weltweit als Jahrhundert- und als Jahrtausendwende gewürdigt. Die wirtschaftliche und politische Dominanz der westlichen Welt sowie der globale Zusammenschluss durch Computertechnologien und neue Kommunikationsmedien sind Gründe dafür, dass die Zeitenwende auch in den Staaten beachtet wird, deren Kalender nicht der christlichen Zeitrechnung folgen.

Als man seit 1700 den Jahrhundertwenden größere Bedeutung zumaß, kam es auch zum Streit über den korrekten Termin des Wechsels. Heute haben wir genauen Einblick in die Methoden der Zeitmessung und der kalendarischen Konstruktionen; die Religionsforschung hat zudem aufgezeigt, dass ein Jesus von Nazareth nicht im Jahr 1 unserer christlich bedingten Zeitrechnung (ein Jahr Null gibt es sowieso nicht!), sondern früher geboren wurde. Dennoch fehlt die Auseinandersetzung ums genaue Datum weitgehend; wenig relevant ist, ob wir die Jahrtausendwende schon hinter uns haben, oder eventuell diese gar – wegen historischer Ungenauigkeiten – noch länger auf sich warten ließe. Denn die digitale Globalisierung, das chipbedingte Vorrücken der Zahl 1999 auf 2000 in unseren Denkmaschinen lässt Jahrhundert- bzw. Jahrtausend-Wende-Bewusstsein nachdrücklich entstehen. Weil in den 60er Jahren bei vielen elektronischen Rechnern aus Speicherkapazitäts- oder anderen Gründen der Platz für Jahresangaben auf zwei Stellen verkürzt wurde (etwa *66* statt *1966*), können viele dieser unser Leben auf unübersehbare Weise bestimmenden Apparate den Jahrtausendsprung nicht nachvollziehen. Das bewirkt die Angst, dass die Computer verrückt spielen werden. Die Apokalypse hat ein neues Gesicht bekommen: *Jahrtausend-Crash, Millennium-Bug* (Programmierfehler), *Y2K* (Year zwei Kilo – Kilo: Abkürzung für Tausend) wird sie benannt. Vor allem in den USA, wo hoch entwickelte technische Standards oft mit primitiv-sektiererischer Religiosität Hand in Hand gehen, waltet Panikstimmung. Das Grundproblem sei, so Klaus Brunnstein, Leiter der Computervirenforschung an der Hamburger Universität, *„daß wir eine Technik einsetzen, die so komplex geworden ist, daß selbst Experten sie nicht mehr beherrschen"*. Wie groß das Chaos 2000 sein wird – der Datumsfehler ist deshalb so spektakulär, weil er in vielen Computern der Welt gleichzeitig aufzutreten droht –, wird freilich unterschiedlich beurteilt.

Während die Genforschung in Erwartung des neuen Jahrtausends von der Machbarkeit des Menschen bzw. seiner Organe nach Bestellung träumt, gilt zugleich die makrokosmische Erkenntnis, dass das Universum seit dem *Big-Bang* (dem Urknall vor rund 15 Milliarden Jahren) mit ungeheurer Geschwindigkeit auseinander strebt und somit dem Menschen keine Sonderstellung im Kosmos zukommt. Dieser Mensch steht mehr denn je vor der Frage, die schon 1486 der vom Papst verfolgte italienische Humanist Pico della Mirandola in seinem Traktat *Über die Würde des Menschen* aufwarf; er lässt Gott zu Adam sagen: *„Du kannst zu den niedersten Geschöpfen der Tierwelt entarten. Du kannst dich aus eigenem Willensentschluß in die höheren, das heißt die göttlichen Regionen wiedergebären."* Das autonome Subjekt, das seit der Renaissance das *experimentum medietatis*, den Versuch, sich an die Stelle Gottes zu setzen, wagte, hat dabei eine furchtbare Blutspur hinterlassen; die bittere Feststellung, die Sigmund Freud schon 1930 (*Das Unbehagen in der Kultur*) traf, hat sich immer mehr bewahrheitet: *„Das gern verleugnete Stück Wirklichkeit hinter alledem ist, daß der Mensch nicht ein sanftes, liebebedürftiges Wesen ist, das sich höchstens, wenn angegriffen, auch zu verteidigen vermag, sondern daß er zu seinen Triebbegabungen auch einen mächtigen Anteil von Aggressionsneigung rechnen darf. Infolgedessen ist ihm der nächste nicht nur möglicher Helfer und Sexualobjekt, sondern auch eine Versuchung, seine Aggression an ihm zu befriedigen, seine Arbeitskraft ohne Entschädigung auszunützen, ihn ohne seine Einwilligung sexuell zu gebrauchen, sich in den Besitz seiner Habe zu setzen, ihn zu demütigen, ihm Schmerzen zu bereiten, zu martern und zu töten. Homo homini lupus, wer hat nach allen Erfahrungen des Lebens und der Geschichte den Mut, diesen Satz zu bestreiten?"*

Die zu Beginn des Jahrhunderts viele Reformbewegungen bestimmende Vision vom schönen, strahlenden neuen Menschen verkehrte sich ins Gegenteil: totalitäre Regime wie Faschismus, vor allem der leninistisch-stalinistische Kommunismus und der vom Rassenwahn bestimmte Nationalsozialismus führten zu ungeheuerlichen Staats- bzw. Menschheitsverbrechen. Das Wüten totalitärer Regime ist keineswegs überwunden; man denke an den Völkermord in Kambodscha, in Ruanda und die *„ethnischen Säuberungsaktionen"* im ehemaligen Jugoslawien. Die Menschenrechte, deren internationale Verbindlichkeit die Vereinten Nationen (1945 gegründet) nach den furchtbaren Erfahrungen des Zweiten Weltkrieges durchzusetzen hofften, sind angesichts des überall zunehmenden Fundamentalismus wieder besonders gefährdet.

Der Blick auf Europa und Deutschland bietet im Jahr 2000 freundlichere Aspekte: die jahrzehntelange Spaltung zwischen Ost und West ist überwunden; die durch Michail Gorbatschow bewirkte revolutionäre Demokratisierung der Sowjetunion ermöglicht ein gemeinsames *europäisches Haus*, das sich als ausbaufähig erweist. Das vereinte Deutschland gibt sich mit Berlin ein Zentrum, das Provinzialismus transzendiert und Weltgeltung beansprucht. Die lange bestehende oder auch nur gespielte staatliche Bescheidenheit wird abgelegt. Von der geistigen, wirtschaftlichen und politischen Infrastruktur her ermöglicht die mit Berlin gegebene *Republik-Mitte* eine bessere Integration des so lange geteilten Deutschland. Die Zeit nach 2000 wird deutlich machen müssen, dass – im Gegensatz zu den golden-hässlichen Jahren der Weimarer Republik – der Föderalismus der beste Garant für den Bestand der Bundesrepublik ist; dies schließt kulturelle Gleichgewichtigkeit, einen besonders auch durch die Gemeinden und Städte ermöglichten Polyzentrismus ein.

Gleichgewichtigkeit ist überhaupt ein wichtiges Stichwort bei der Beschreibung der ambivalenten Situation an der Schwelle des neuen Jahrtausends. Nach dem Aufstieg und Fall Menschen verachtender Ideologien wird es darauf ankommen, dass der Identitätsbe-

Das chipbedingte Vorrücken der Zahl 1999 auf 2000 in unseren Denkmaschinen lässt Jahrhundertwendebewusstsein entstehen.

griff relativiert bzw. pluralisiert, aus den Fesseln monolithischen Ausschließlichkeitsdenkens befreit wird. Die Aufklärung, die immer noch ein *unvollendetes Projekt* darstellt, kämpft gegen die dem Fundamentalismus zu eigene, das interkulturelle Miteinander der Menschen verhindernde Monopolisierung von Wahrheit. Immanuel Kant hat Aufklärung als den *„Ausgang des Menschen aus seiner selbst verschuldeten Unmündigkeit"* definiert: *„Unmündigkeit ist das Unvermögen, sich seines Verstandes ohne Leitung eines anderen zu bedienen. Selbst verschuldet ist diese Unmündigkeit, wenn die Ursache derselben nicht am Mangel des Verstandes, sondern der Entschließung und des Mutes liegt, sich seiner ohne Leitung eines andern zu bedienen. Sapere aude! Habe Mut, dich deines eigenen Verstandes zu bedienen! ist also der Wahlspruch der Aufklärung."* In Gotthold Ephraim Lessings Ringparabel (*Nathan der Weise*, 1779) heißt es vom Toleranzgedanken: *„Es eifre jeder seiner unbestochnen, / von Vorurteilen freien Liebe nach."*

Solche Gebote (Angebote) sind die Basis einer pluralen Identität, welche die Verwurzelung in Heimat – als Sprache, als geschichtliche und kulturelle, regionale und landsmannschaftliche Zugehörigkeit – mit einer *radikalen* Offenheit für den menschlichen Menschen, *jenseits* aller Begrenzung, zu verbinden weiß. *Erziehungskunst* heißt dementsprechend: kulturelle Vielfalt und Gleichgewichtigkeit vermitteln und interkulturelle Einfühlung ermöglichen wie fördern.

Der amerikanische Politologe Samuel P. Huntington (*Kampf der Kulturen*) spricht von sieben zeitgenössischen, mit ihren Gegensätzen den Beginn des neuen Jahrtausends überschattenden Kulturkreisen: dem chinesischen, japanischen, hinduistischen, islamischen, westlichen, lateinamerikanischen, afrikanischen Kulturkreis. Der Weltfriede sei dagegen abhängig von einer Einigung auf universelle Werte. Im Kampf zwischen Zivilisation und Barbarei müssten die Weltkulturen vereinte Anstrengungen machen, die Humanisierung der Welt voran zu bringen.

Kants Diktum weist dafür einen Weg. Das idealistisch überhöhte Denken der damaligen Zeit zeigt jedoch auch ein erhebliches Defizit: das *Sapere aude* (wie Lessings *„Es-eifre-jeder"*) verkennt, dass der Wille und Mut zu Vernunft wie Toleranz keineswegs nur *souverän* waltet, sondern auch von den *Verhältnissen*, in denen sich die Menschen befinden, abhängig ist. Gerade dieses Jahrhundert hat deutlich gemacht, wie stark das *Sein*, d.h. die sozio-ökonomischen, sozialpsychischen, vor allem ideologischen Gegebenheiten, das Bewusstsein zu bestimmen und vom Weg der Vernunft abzubringen vermag. Zu befürchten ist, dass solche Gefahr auch in Zukunft besteht.

Der amerikanische Philosoph Richard Rorty hat kürzlich pessimistisch darauf hingewiesen, dass man angesichts einer Bestandsaufnahme am Ende dieses Jahrhunderts kaum davon ausgehen kann, dass die zivilisatorischen und kulturellen Niveaus in den einzelnen Teilen der Welt sich zu einem Netzwerk zusammenschließen lassen, sondern dass das Gefälle zwischen Arm und Reich sich als unüberbrückbar erweisen mag. Erörterungen der Zukunft bestünden vielfach aus Projektionen derzeit gegebener technischer Trends; man höre von schnelleren, intelligenteren und billigeren Computern, von neuen lebensverlängernden medizinischen Behandlungsweisen wie Gentherapie, von noch mehr Überschallflugzeugen, von helleren und schlankeren Fernseh-Bildschirmen. Wer sich bei solchen Projektionen aufhalte, schränke die Betrachtung auf den heute schon im Wohlstand lebenden Teil der Weltbevölkerung ein und male sich aus, dass es diesen Leuten noch besser gehen werde. Die Mehrheit der im nächsten Jahrhundert Geborenen werde aber nie dahin gelangen, einen Computer zu benutzen, im Krankenhaus behandelt zu werden oder im Flugzeug zu reisen. Diese Menschen könnten von Glück reden, wenn sie mit Bleistift und Papier umzugehen lernten und von noch mehr Glück, wenn sie mit kostspieligeren Arzneien als Aspirin behandelt würden.

www – world wide web: Ein Paradies der Informations- und Kommunikationsmöglichkeiten.

Bei der Lösung der angesichts des 21. Jahrhunderts dominant in Erscheinung tretenden Problemlagen erweist sich *Vernetzung* als Hoffnung; doch ist auch dieser Begriff durch Ambivalenz bestimmt. *www – world wide web*: Als Abbreviatur für die vernetzte Welt faszinieren die drei stabreimenden Worte die Menschen der Industriegesellschaften; sie charakterisieren ein Paradies der Informations- und Kommunikationsmöglichkeiten, die der grundmenschlichen, geradezu archetypischen Neugier ungeahnte Möglichkeiten erschließt. Vernetzte Systeme sind jedoch besonders störanfällig; dem Domino-Effekt sind Monaden, d.h. in sich geschlossene und selbstständige (autonome) Einheiten, nicht ausgesetzt. Aber das Zeitalter der Globalisierung kann man nicht zurückdrehen. *www*: mit *Wachsamkeit* ist jedoch der *Wandel* zu *wägen*. – Wägen verweist auf die Möglichkeit, durch ausgleichende Gewichtung Gleichgewicht herzustellen und bedeutet im übertragenen Sinne *prüfendes Bedenken*, vor allem Risiko-Abwägung bei technischen und wissenschaftlichen Errungenschaften. Bei der Ressourcen-Ausbeutung und der so genannten friedlichen Nutzung der Atomkraft wurde dies zum Beispiel versäumt.

Eine paradoxe Situation besteht auch darin, dass Worte wie *Vernetzung* und *Globalisierung* zwar eine große Karriere gemacht haben und in aller Munde sind; das Bewusstsein, dass alles zusammenhängt, ist außerordentlich stark ausgeprägt – und sei es auch nur auf Grund der monetären Transaktionen der Shareholder-Gesellschaft. Zugleich aber hat sich das Wahrnehmungsvermögen des Menschen für Zusammenhänge immer mehr zurückgebildet; Spezialisierung ist eine Selbstverständlichkeit. Das bedeutet, dass man von immer weniger immer mehr weiß (ironisch fortgeführt: bis man von Nichts alles kennt). Wenn man stattdessen *Ganzheit*, also die Synthesis (auch Synergie) von Teilbereichen, erreichen will, müsste man mit Hilfe des *Projekts Aufklärung* eine Gleichgewichtigkeit der verschiedenen Möglichkeiten, *vernünftig* zu sein, herstellen. Dominant ist seit dem 19. Jahrhundert die analytische Vernunft, die der Vernetzung entgegensteht. Das wesentlichste Kennzeichen der Dialektik der Aufklärung, der Verkehrung von Aufklärung in ihr Gegenteil, ist die einseitige Vorherrschaft der zergliedernden Vernunft; als instrumentelle Vernunft ist sie zweckhaft ausgerichtet. Die Sinnfrage tritt zurück. Man kennt zum Beispiel von allem den Preis, aber von wenig den Wert. Innerhalb von durch Funktionsteilung geschaffenen Bereichen wird der Erkenntnisvorgang maximiert. Das hat den Prozess der Zivilisation ungemein beflügelt; aber die *W-Fragen*: *Was* tun wir *warum*? Mit *welchem* Sinn? *Woher* kommen wir? *Wohin* gehen wir? werden zurückgedrängt bzw. gering erachtet.

Die demokratische Gesellschaft wird nur überleben, wenn sie von Verfassungspatriotismus und sozialstaatlichem Engagement getragen ist.

Schule und Universität zum Beispiel sind nicht durch einen Kosmos von Fächern bestimmt, sondern durch die Perfektionierung innerhalb des jeweiligen Bruchstücks. Ob Medizin oder Wirtschaft, Verwaltung oder Politik: Aufteilung ohne Vernetzung bestimmt unser Denken und Tun. Man weiß zwar, dass bei Gesundheit wie Krankheit das Wechselspiel von Seele und Körper sehr wichtig ist; aber Psychosomatik als Prinzip wird im medizinischen Alltag wenig und oft genug wenig kompetent beachtet. Betriebswirtschaftlich geht es darum, dass etwas sich rechnet, die Rendite sich möglichst schnell einstellt. Volkswirtschaftliche Kalkulation wird dagegen in ihrer Bedeutung verkannt.

Das Defizit an vernetzender Bemühung spiegelt auch die heutige Beschleunigungskrise; sie besteht darin, dass das Motto *Immer schneller* nur hinsichtlich der dadurch sich ergebenden Vorteile beurteilt wird; die dabei entstehenden Schäden bleiben weitgehend unbeachtet. Erst im Stau – also reflexiv, nicht reflektierend – merken die Menschen die Problematik, wobei *Stau* natürlich eine Metapher für den Beschleunigungsinfarkt insgesamt bedeutet. Überall drohe, so der Soziologe Ulrich Beck, eine allgemeine Verstopfung und Überflutung, beispielsweise auch in den Massenmedien, wo mit tausend Kanälen dem öffentlich-rechtlichen System das Ende bereitet und der Beliebigkeit Tor und Tür geöffnet werden soll. Die *Risikogesellschaft* zu Ende dieses Jahrhunderts hat sich als Folge des Selbstlaufs folgenblinder, gefahrentauber Modernisierungsprozesse ergeben; ihre Konstellationen seien erzeugt worden, weil im Denken und Handeln der Menschen und der Institutionen die Selbstverständlichkeiten der Industriegesellschaft (der Fortschrittskonsens, die Abstraktion von ökologischen Folgen und Gefahren, der Kontrolloptimismus) nach längerer Dominanz brüchig wurden.

Über viele Jahrzehnte war die moderne Produktionsphilosophie und damit zentral die Fabrik durch den *Taylorismus* bzw. *Fordismus* bestimmt. Die Chip-Revolution ermöglicht die Zurücknahme der Roboterisierung des Menschen: jede Maschine kann nun mit einem Hirn ausgestattet werden. Notwendig ist nicht mehr der mechanisch reagierende Maschinenbediener, sondern der geschickte, diagnosefähige und in seinem Verhalten souveräne Fachmann, der in einem Klima arbeitet, das *Reprofessionalisierung* ermöglicht. Gemeint ist damit die Trias von Spezialqualifikation, Schlüsselqualifikation und soziokultureller Kompetenz. Schlüsselqualifikation wie soziokulturelle Kompetenz bedürfen im besonderen einer Atmosphäre der Freiheit, in einem allgemeinen Sinne der Kultur.

Ohne kulturelle Durchdringung ist die moderne Industriegesellschaft auf Sand gebaut: denn das so wichtige *Prinzip Verantwortung* ergibt sich nicht durch Ausbildung, sondern durch Bildung. Es gibt wohl keinen Beruf, in dem nicht (mehr oder weniger) die individuelle Verantwortung von größter Bedeutung ist; beziehungsweise, wenn diese fehlt, katastrophale Folgen sich einstellen. Man spricht dann vom *menschlichen Versagen*, macht sich aber zu wenig bewusst, dass dieses oft eine Folge fehlender Vernetzung ist und immer stärker in Erscheinung treten wird, wenn das *Behagen in der Kultur* zurückgeht bzw. nicht genügend berücksichtigt wird. Das hier angesprochene Netzwerk besteht in der Ganzheit von Lebensbedingungen, Lebenssinn, Arbeitsintention, gesellschaftlicher Verantwortung und Handlungsmotivation. Zudem wird die moderne Gesellschaft als demokratische Gesellschaft nur überleben, wenn sie von Verfassungspatriotismus und sozialstaatlichem Engagement getragen ist. Der östliche Sozialismus ist gescheitert, weil er nicht real existierte; der ungezähmte Kapitalismus wird scheitern, weil er existiert.

Die Geschichte der Jahrhundertwenden zeigt, dass Prognosen höchst fragwürdig sind und, wenn sie versucht wurden, meist danebengingen. Die in der zweiten Hälfte des 20. Jahrhunderts lange Zeit auf dem Wissenschaftsmarkt hoch notierte Futurologie ist ein Musterbeispiel für prognostisches Scheitern. Nicht zuletzt hat dies Herman Kahn, der amerikanische Superstar der Zukunftsforscher, deutlich gemacht. Mit Ausnahme des Tourismusbooms, ist nichts, was er für 2000 voraussah, eingetroffen. (Der Zusammenbruch des kommunistischen Machtblocks und in dessen Gefolge die Vereinigung Deutschlands erschien bei ihm nicht einmal als Andeutung.) Für Günter Haaf lag der tiefere Grund für das Scheitern der Futurologie in dem seit der Renaissance sich ausbildenden, in der Moderne mit der Amerikanisierung der Welt seinen Höhepunkt erreichenden *„mechanistisch-kausalen Denken"*. Es handelte sich um die Ära eines geradezu heroischen Kampfes konkurrierender Machbarkeitswahnideen: Nachdem sie den Hitler-Faschismus und den japanischen Militarismus unter ungeheuerlichen Verlusten niedergerungen hatte, habe sich die technokratisch-militärische Elite Amerikas von einer noch größeren Bedrohung konfrontiert gesehen – von der totalitären, mit Wasserstoffbomben gerüsteten Sowjetunion. Es war zugleich die Ära eines gewaltigen wissenschaftlich-technischen Schubs: Computer, Laser und Düsenverkehrsflugzeuge, Antibiotika, moderne Impfstoffe und Molekularbiologie veränderten das Leben.

Gibt es auch keine Sicherheit bei und für Prognosen: die anthropologische Fähigkeit des Menschen zu hoffen, ist und bleibt eine große Hoffnung. Robert Musil spricht in seinem Roman *Der Mann ohne Eigenschaften* (1930/33) davon, dass, wenn es einen Wirklichkeitssinn gibt, es auch etwas gebe, was man *Möglichkeitssinn* nennen könne. *„Wer ihn besitzt, sagt beispielsweise nicht: Hier ist dies oder das geschehen, wird geschehen, muß geschehen; sondern er erfindet: Hier könnte, sollte oder müßte geschehen; und wenn man ihm von irgend etwas erklärt, daß es so sei, wie es sei, dann denkt er: Nun, es könnte wahrscheinlich auch anders sein. So ließe sich der Möglichkeitssinn geradezu als die Fähigkeit definieren, alles, was ebensogut sein könnte, zu denken und das, was ist, nicht wichtiger zu nehmen als das, was nicht ist. Man sieht, daß die Folgen solcher schöpferischen Anlage bemerkenswert sein können, und bedauerlicherweise lassen sie nicht selten das, was die Menschen bewundern, als falsch erscheinen und das, was sie verbieten, als erlaubt oder wohl auch beides als gleichgültig. Solche Möglichkeitsmenschen leben, wie man sagt, in einem feineren Gespinst, in einem Gespinst von Dunst, Einbildung, Träumerei und Konjunktiven."*

Ein mögliches Erlebnis oder eine mögliche Wahrheit hätten etwas sehr Göttliches in sich, ein Feuer, einen Flug, einen Bauwillen und bewussten Utopismus, der die Wirklichkeit nicht scheut, wohl aber als Aufgabe und Erfindung behandelt. Ideen, so weit sie nicht müßige Hirngespinste bedeuten, erwiesen sich als noch nicht geborene Wirklichkeiten; der *Möglichkeitssinn* bedeutet so zugleich *Wirklichkeitssinn*: er ist ein Sinn für mögliche Wirklichkeit.

Wenn wir in Erwartung des 21. Jahrhunderts von *Vernetzung* in einem sehr grundsätzlichen Sinne träumen, dann bestünde diese nicht zuletzt darin, dass der Mensch als potentielles Vernunftwesen (als ein Wesen, das auch – trotz allem – der Vernunft fähig ist) eine ganzheitliche Vernunft entwickelt, also eine Vernunft, die nicht nur analytisch, zergliedernd und auf Subsysteme bezogen, denkt und handelt; die nicht nur durch den Augenblick (okkasionell) bestimmt und nicht nur instrumentell auf Zwecke ausgerichtet ist; die stattdessen antizipatorisch vorgeht (mit Fantasie für die Zukunft Alternativen zu entwickeln vermag); die Dinge, die zusammengehören, mit wissenschaftlichem Verstand zu verbinden weiß; die emotional und intuitiv sich für eine gemeinsame Weltethik engagiert; die im Nachvollzug des über Jahrhunderte hinweg entstandenen Wertebewusstseins in Gegenwart und Zukunft dieses nicht nur erhält, sondern vertieft und immer mehr als bestimmendes Element von Praxis realisiert.

Die naturwissenschaftliche Chaos-Theorie kann utopisches Träumen ermutigen, indem sie deutlich macht, dass ein scheinbar schwaches *Ich* durchaus verändernd wirken kann; in diesem Sinne ist die im Nirgendwo angesiedelte Zukunft auch als gegenwärtige Aufgabe zu begreifen: *nowhere* als *now-here*. In dynamischen Systemen können winzige Störungen bzw. Abweichungen im Laufe der Zeit dramatisch sich vergrößern; minimale Unterschiede in den Anfangsbedingungen mögen zu riesigen Unterschieden in den jeweiligen Endresultaten führen. Ein Schmetterlingsflügelschlag über China kann einen Hurrikan in der Südsee hervorrufen (Edward Lorenz) – im Sinne kultureller Hoffnung: einen Hurrikan verhindern. Ein wachträumerisches Sonntagswort zur Jahrhundert- bzw. Jahrtausendwende könnte lauten (Sonntagsworte verlieren ihre pejorative Konnotation, wenn sie am Werktag beachtet werden):

Nein, schlaft nicht, während die Ordner der Welt geschäftig sind!
Seid mißtrauisch gegen ihre Macht, die sie vorgeben für euch erwerben zu müssen!
Wacht darüber, dass eure Herzen nicht leer sind, wenn mit der Leere eurer Herzen gerechnet wird!
Tut das Unnütze, singt die Lieder, die man aus eurem Mund nicht erwartet!
Seid unbequem, seid Sand, nicht das Öl im Getriebe der Welt!
(Günter Eich)

Hermann Glaser

In Erwartung des 21. Jahrhunderts besteht die Hoffnung, dass historisch entstandenes Wertebewusstsein vertieft und realisiert wird.

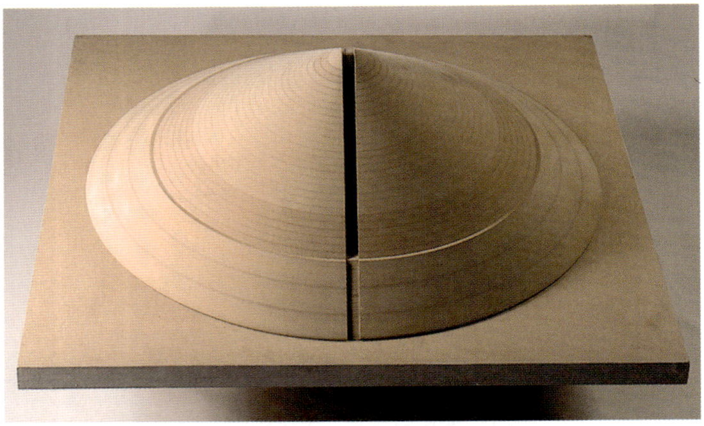

337a

337b

337 „Erdkegel – Projekt 2000"
Hannsjörg Voth (geb. 1940- lebt in München)
1979
a) Modell
Holz
H. 50 cm, B. 100 cm, T. 100 cm
Im Besitz des Künstlers
b) Entwurfszeichnung
Zeichung auf Transparent, Mischtechnik
H. 30 cm, B. 42 cm
Im Besitz des Künstlers

Auf Veranlassung eines seinerzeit existenten *Commitee 2000*, das sich bereits Ende der siebziger Jahre Gedanken zur künstlerischen Würdigung der Jahrtausendwende machte (vgl. Kat.-Nrn. 338 und 339), entwarf der in München ansässige Künstler Hannsjörg Voth das Projekt *Erdkegel*. Als Monument der Verständigung aller Völker und Länder sollte ein 50 Meter hoher Erdkegel mit 200 Metern Durchmesser entstehen, der aus den unterschiedlich farbigen Erden der verschiedensten Regionen der Welt geschichtet ist. Auf der Höhe eines 20 Meter hohen Podests wird das Kegelinnere durch einen 3,5 Meter breiten Einschnitt erschlossen; in dessen Mitte liegt der Zugang zu einer tieferliegenden Krypta, die wiederum kleine Kegel aller verwendeten Erden mit den Daten ihrer Herkunft enthält.

Hannsjörg Voth setzt suggestive Zeichen mittels räumlicher, mythisch erscheinender Monumente und Bildwerke, die Verwandtschaften zu den erratischen Zeugnissen früher Hochkulturen besitzen und auch das Werk von Albert Trachsel beeinflußten (vgl. Kat.-Nr. 287). Seine zeichnerischen Visionen hat er verschiedentlich in die Wirklichkeit umsetzen können (*Reise ins Meer*, 1978; *Himmelstreppe*, 1985-87). Das Projekt *Erdkegel* wurde allerdings nach einiger Zeit aufgegeben.

Literatur: Bode, Peter M.: Aktionist Voth. Ein Berg fürs Jahr 2000, in: Zeit-Magazin, 6. Juli 1979, S. 14ff., Abbn. – Voth. Zeichen der Erinnerung. Arbeiten von 1973-1986, Ausst.-Kat. Frankfurt am Main 1987, S. 140ff. – Hansjörg Voth. Zeitzeichen Lebensreisen, Ausst.-Kat. Siegen und Bremen, München 1994, S. 127, farb. Abbn.

H. S.

338 „Countdown 2000"
Joseph Beuys (1921-1986)
1981
Offsetlithographie auf Maschinenbütten
H. 87,5 cm, B. 63,5 cm
Stuttgart, Manus-Presse

Wie eine Vorwegnahme der vor der Jahrtausendwende so intensiv diskutierten Frage, ob die Computer die Datumsgrenze schaffen oder mit Beginn des Jahres 2000 zusammenbrechen und die modernen Industriegesellschaften ins Chaos stürzen (vgl. Kat.-Nr. 2),

„Erdkegel – Projekt 2000" ein Monument der Verständigung aller Völker und Länder.

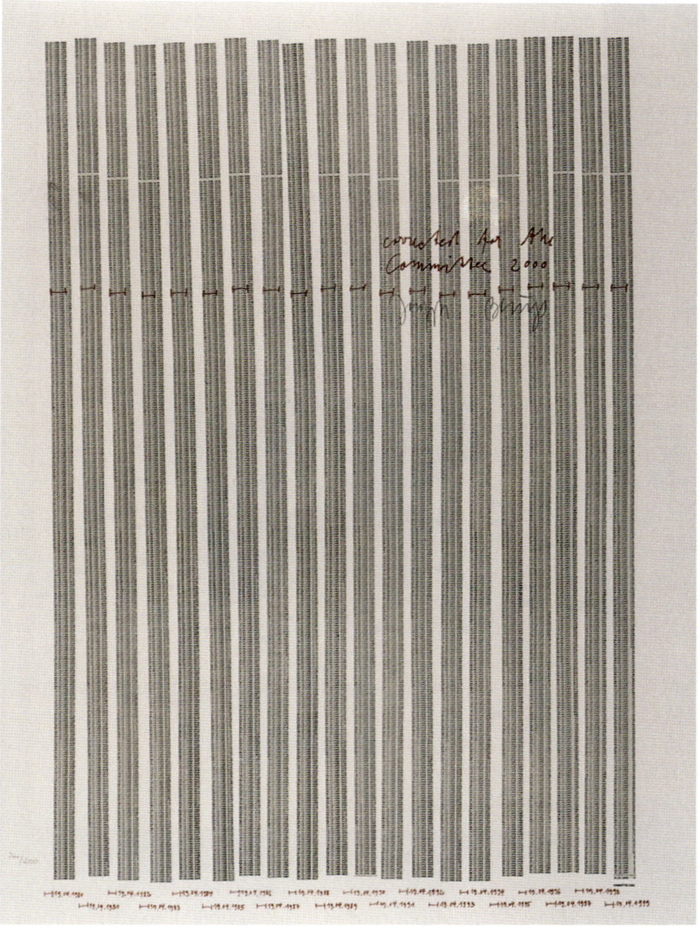

338

339

mutet Joseph Beuys' Graphik *Countdown* 2000 aus dem Jahr 1981 an. Die Lithographie basiert auf einem Computerausdruck mit sämtlichen Tagesdaten vom 1. 1. 1980 bis zum 1. 1. 2000, wobei jeweils auch die Anzahl der verbleibenden Tage bis zur Jahrtausendwende (am 1. Januar 2000!) angegeben ist. Auf jeder der zwanzig Jahreskolonnen entdeckte Beuys den gleichen Fehler: Statt *„19.4.1980"* etc. hat der Computer stets irrtümlich *„12.4.1980"* etc. ausgedruckt. Beuys markierte diese Fehler mit roten Korrekturzeichen und gab am unteren Blattrand die korrekten Daten an. *„Was ihn an dieser Arbeit faszinierte, war der Sieg des menschlichen Verstandes über die elektronische Maschine. Und so schrieb er nicht ohne Stolz in roter Tinte über seine Korrekturzeichen »corrected for the Committee 2000«"* (Katalog Stuttgart). Das *Committee 2000* wollte Künstler mit Graphiken für die Jahrtausendwende beauftragen. Doch nur Beuys und Warhol sowie Hannsjörg Voth (vgl. Kat.-Nrn. 337 und 339) kamen diesem Aufruf nach.

Literatur: Joseph Beuys. Die Multiples, München / New York, hg. von Schellmann, Jörg, 7. Auflage 1992, S. 302, Nr. 377, Abb., S. 478. – Magie der Zahl in der Kunst des 20. Jahrhunderts, Ausst.-Kat. Stuttgart 1997, S. 163, S. 174, Nr. 7.35, Abb., S. 267.

J. D.

339 „Committee 2000"
Andy Warhol (1928-1887)
New York, 1982
Screenprint
H. 76,2 cm, B. 50,8 cm
Stuttgart, Manus-Presse

Der *Pop Art*-Künstler Andy Warhol wählte stillebenhaft angeordnete Sektgläser und damit die typischen Accessoires der Silvesterfeier zum Motiv seiner dekorativen Graphik für das *Committee 2000* (vgl. Kat.-Nrn. 337 und 338). Dasselbe Motiv machte er auch zum Gegenstand eines Gemäldes.

Literatur: Andy Warhol. Prints. Werkverzeichnis Druckgraphik, München / New York 1995, S. 92, Nr. 289, farb. Abb., S. 115.

J. D.

340 Lebensläufe – Zivilisation – Kulturelles Erbe
3 Videosequenzen mit Bild, Schrift und gesprochenem Wort
Beitrag der Universität Karlsruhe (TH)
Studienzentrum Multimedia der Fakultät für Geistes- und Sozialwissenschaften
Prof. Bernd Thum; Dipl. Kunst Ulrich Höhne

a) Lebensläufe
Das Video stellt zur Diskussion, in welchen Szenarien sich das Leben der Menschen heute entfaltet. Wird es aufgrund der unübersichtlichen Prozesse von Modernisierung, Internationalisierung, Pluralisierung und Differenzierung in Zukunft nur noch das patchwork, den Flickenteppich als Bild für Lebensläufe geben? Wird ein Leben nicht mehr als zusammenhängende Lebens-Geschichte zu erzählen sein? Das Video macht auf den Gegensatz zu geschichtlichen Mustern aufmerksam, die die Erwartungen teilweise auch heute noch prägen. Es zeigt in Kontrasten, welche Möglichkeiten die Menschen hatten und welche ihnen vorgegeben waren, sich mit ihren Lebensläufen in die gesellschaftliche Welt einzuordnen. Zwischen den beiden Polen gesellschaftliche Struktur und individuelles Handeln lag und liegt der Raum der Lebensgestaltung. Wird er noch genutzt?

b) Zivilisation
Das Video ermutigt, über Vergangenheit und Zukunft der Zivilisation nachzudenken. Zivilisation befand und befindet sich stets im Wandel. Immer aber war und ist sie ein System von Normen und Regeln, die das friedliche Zusammenleben der Menschen ermöglichen. Zivilisation wird stets in Epochen tiefgreifenden gesellschaftlichen Wandels zum Thema. Meist geht es dabei um die Ordnung des Zusammenlebens von Menschen unterschiedlicher Herkunft mit zunächst unterschiedlichen Lebensformen. Im Video werden mit Blick auf Vergangenheit, Gegenwart und Zukunft Schnitte durch verschiedene Epochen gelegt: vom Hochmittelalter über die Frühe Neuzeit, das Zeitalter von Revolution und Restauration, die Epoche der Industrialisierung bis zur Gegenwart des globalen Informationszeitalters und der Weltinnenpolitik. Dabei weitet sich der Blick auch auf Kulturen außerhalb der europäisch-nordamerikanisch geprägten Welt. Hat die Zivilisation eine Zukunft?

c) Kulturelles Erbe
Das Millennium beinhaltet in der Geschichte älterer Kulturen gelegentlich die Vorstellung vom novus mundus, der gänzlich neuen Welt. Kann man an der Schwelle ins dritte Jahrtausend etwa alles vergessen, was bisher Orientierung gab? Ist alles so anders, daß die Beschäftigung mit Vergangenheit und Geschichte nurmehr Archiv-Arbeit ist? Das Video fragt, ob unsere heutige europäisch geprägte Kultur nicht vielmehr als ein kulturelles Erbe verstanden werden kann, mit Wurzeln bis in die Antike und in das Mittelalter. Es soll aber auch die Frage aufgeworfen werden, ob unser kollektives Gedächtnis und traditionelles Bild von der Geschichte heute noch ausreicht, Ereignissen und Strukturen weltweiter Internationalisierung einen historischen Rahmen und damit eine geschichtliche Deutung zu geben.

B. T.

341

341 Armbanduhr mit Funk-Solar-Technik „Mega Solar Ceramic"
1999
Keramikgehäuse, Solarzellen, Lederarmband
Firma Junghans Uhren
Schramberg, Firma Junghans Uhren GmbH

In der von der Firma Junghans entwickelten Armbanduhr *Mega Solar Ceramic* vereint sich modernste Uhrentechnik. Die kombinierte Funk-Solar-Technolgie gewährt eine ewige Laufzeit und eine überragende Präzision der Zeitangabe mit einer Abweichung von nur einer Sekunde in einer Millionen Jahren; das Gehäuse ist aus kratzfester, extrem harter Keramik gefertigt. Ihre Energie erhält die Uhr durch hochempfindliche, in das Ziffernblatt eingelassene Solarzellen. Diese reagieren nicht nur auf Sonnenlicht, sondern funktionieren auch bei künstlichem Licht oder einer schwachen Lichtquelle wie Kerzenlicht. Die Funksteuerung stellt die exakte Zeit ein. Sie richtet sich – je nach Aufenthaltsort – nach den Funksignalen der genauesten Uhren der Welt. In Deutschland sind dies zwei Cäsium-Atomuhren der Physikalisch-Technischen Bundesanstalt in Braunschweig. Hochsensible, in das Armband oder das Gehäuse integrierte Antennen empfangen diese Signale und setzen sie in präzise Sekundenschritte um. Alle notwendigen Zeitumstellungen wie Sommer- und Winterzeit, Zeitzonenanpassung oder gar die Einfügung einer Schaltsekunde erfolgen automatisch.

Literatur: H. Enslin, H.: Die Entwicklung der bürgerlichen Zeit seit 1800, in: Alte Uhren und moderne Zeitmessung 11 (1988), S. 60-75.

H. J.

342 „Utopia non est". Emblematische Assemblage
Konrad Balder Schäuffelen (geb. 1929 - lebt in München)
1990
Gußeisen, Schrift
H. 32,5 cm (ohne Sockel)
Im Besitz des Künstlers

Als *emblematische Assemblage* hat der Bild- und Wortkünstler Konrad Balder Schäuffelen, konkreter Poet, Psychoanalytiker und bildender Künstler, die 1990 entstandene Arbeit bezeichnet. Der Eisenguß einer achtfach getreppten sechseckigen Pyramide spielt auf das kunstgeschichtliche Motiv des *Turmbaues zu Babel* an. Mit der emblematischen Devise *Utopia non est* zerstört und desillusioniert Schäuffelen alle Zukunftshoffnung, die freilich schon im alttestamentarischen Bericht über den Turmbau als menschliche Hybris gescheitert waren. Seine Treppungen besitzen zudem – anders als die Bilddarstellungen des 16. und 17. Jahrhunderts (vgl. Kat.-Nr. 111) – keinerlei Höhenaufgang; jede Ebene ist für sich gefangen. Diese zutiefst zukunftsskeptische Sicht ist, wenngleich witzig-ironisch verpackt, *Fin de siècle*-Pessimismus des ausgehenden 20. Jahrhunderts.

Literatur: Schäuffelen, Konrad Balder: Aus dem Auge. Aus dem Sinn. Objekte Installationen Embleme Dialoge Protokolle, Tübingen/Berlin 1999, S. 13.

H. S.

342

343

343 „Countdown zur Jahrtausendwende. Endzeit-Angst"
Titelblatt der Zeitschrift „Der Spiegel" vom 1. Januar 1996
Collage von Andrej Barov
Nr 1., 1. Januar 1996
H. 28,1 cm, B. 21,2 cm
Privatbesitz

Bereits in seiner Ausgabe vom 1. Januar 1996 widmete *Der Spiegel* seine Titelgeschichte unter dem Motto *Endzeit-Angst* dem *Countdown zur Jahrtausendwende.* Das Titelbild ist eine Collage aus realen Katastrophenbildern ([Atom]-Krieg, hungernde Kinder, Massenelend, zerstörte Umwelt), denen Darstellungen historischer Propheten des Weltuntergangs beigesellt sind: Nostradamus, Figur eines Verdammten aus Michelangelos *Jüngstem Gericht* in der Sixtinischen Kapelle, zwei engelsgleiche Allegorien aus Prud'hons Gemälde *Die Gerechtigkeit und die göttliche Rache, die das Verbrechen verfolgen.*

Die Endzeitstimmung vor dem Jahr 2000 wird im Text wie folgt angekündigt: *„Die nahende Jahrtausendwende löst Endzeitgefühle aus. Kriege und Umweltängste verschaffen den Propheten des Weltuntergangs wieder Gehör, Kritiker beklagen schon das »apokalyptische Geschwafel«. Wiederholt sich nur die Fin-de-siècle-Stimmung des letzten Jahrhunderts? oder ist wirklich das »Ende der Geschichte« angebrochen?"* (S. 124)

J. D.

„*Wir leben in einer Epoche, die nicht mehr voraussagen kann, weil sie nicht mehr weiß, wo die Zukunft liegt.*"

344 Georges Minois: „Geschichte der Zukunft. Orakel – Prophezeiungen – Utopien – Prognosen"
Düsseldorf/Zürich 1998 (Französische Originalausgabe: 1996)
Typendruck
H. 22,5 cm, B. 16 cm
Karlsruhe, Badisches Landesmuseum, Bibliothek

Das Werk des französischen Historikers unterteilt im Hinblick *„auf die Eigentümlichkeit des Menschen, Voraussagen zu machen"* (Einführung), die Menschheitsgeschichte in fünf Phasen, entsprechend den fünf Teilen seines Buches: Das Zeitalter der Orakel, in dem die primitive, biblische und griechisch-römische Wahrsagung im Dienst des individuellen Schicksals und der Politik steht; das Zeitalter der Prophezeiungen, das die apokalyptischen und millennaristischen Verheißungen des Mittelalters umfaßt; das Zeitalter der Astrologie, in dem im 15. bis 17. Jahrhundert die Sterne die Zukunft regeln; das Zeitalter der Utopien, das von den strahlenden Städten der Klassik zum Optimismus der sozialistischen Utopien des 17. bis 19. Jahrhunderts reicht, und das Zeitalter der wissenschaftlichen Voraussagen (es umfaßt das 20. Jahrhundert und reicht vom Pessimismus der *Science-Fiction* und der Gegenutopie zur Vorsicht der Wahrscheinlichkeitsrechnungen und der gesicherten Prognosen). Diese fünf Phasen werden in insgesamt 16 Kapiteln abgehandelt. In der *Schlußfolgerung* heißt es: Wir leben in einer Epoche, *„die nicht mehr voraussagen kann, weil sie nicht mehr weiß, wo die Zukunft liegt"* (S. 760).

B. S.

345 Michuo Kaku: „Zukunftsvisionen. Wie Wissenschaft und Technik des 21. Jahrhunderts unser Leben revolutionieren"
München, 1998 (Amerikanische Originalausgabe: 1997)
Typendruck
H. 22 cm, B. 15 cm
Karlsruhe, Badisches Landesmuseum, Bibliothek

Michuo Kaku geht aus von einer *„grenzenlosen Zukunft von Wissenschaft und Technik, insbesondere in den kommenden hundert Jahren"*. Um dies unter Beweis zu stellen, hat er 150 Wissenschaftler v.a. der Fachrichtungen befragt, die an den drei nunmehr zentralen wissenschaftlichen Revolutionen maßgeblich beteiligt sind: Computertechnik, Molekularbiologie, Quantenmechanik. Vorausgestellt sind in Teil I *Visionen* unter dem Titel: *Die Choreographie von Materie, Leben und Intelligenz.* Teil II behandelt die Entwicklung und die heute bereits sichtbaren Umwälzungen der Computertechnik für Berufsleben, Kommunikation, Lebensformen usw. Teil III konzentriert sich auf die *biomolekulare Revolution* (mit den individuellen DNS-Codes als Basis). Teil IV (*Quantenrevolution*) birgt besonders viele Überraschungen, geht er doch aus von der engen Verbindung zwischen Quantenmechanik, Erforschung der DNS und den weiteren Entwicklungen der Molekularbiologie. Das Buch ist mit dem vorsichtigen Optimismus geschrieben, daß die Menschen in ferner Zukunft definitiv *„zu Herren über Raum und Zeit werden"*. In den nächsten 100 bis 200 Jahren ist in der ersten von insgesamt noch vier zu absolvierenden Zivilisationsstufen damit zu rechnen, daß die Menschheit *„zu einer echten planetaren Gesellschaft"* (S.145) zusammenwächst.

B. S.

In den nächsten 100 bis 200 Jahren ist damit zu rechnen, dass die Menschheit zu einer echten planetaren Gesellschaft zusammenwächst.

346 Ray Kurzweil: „Homo s@piens. Eben im 21. Jahrhundert. – Was bleibt vom Menschen?“

Köln, 1999 (amerikanische Originalausgabe: 1999)
Typendruck
H. 22 cm, B. 14,5 cm
Karlsruhe, Badisches Landesmuseum, Bibliothek

Der Prolog des Buches faßt den Inhalt zusammen: *„Vor Ablauf des nächsten Jahrhunderts wird der Mensch seine Stellung als das intelligenteste und leistungsfähigste Wesen auf der Erde verloren haben.“* Die insgesamt zwölf Kapitel kreisen um die Themen: Evolution der Intelligenz und Intelligenz der Evolution; Anfänge der Künstlichen Intelligenz; Bewußtsein und Maschinen. Eine der Schlüsselfragen lautet: *„Kann eine Intelligenz eine andere Intelligenz hervorbringen, die intelligenter ist als sie selbst?“* Die Antwort lautet: ja. Konkrete Prognosen werden im abschließenden Teil, *Blick in die Zukunft*, für die Jahre 2009, 2019, 2029 und 2099 gemacht. Bereits im Jahr 2009 kommunizieren die meisten Menschen bei Routinetransaktionen und Kommunikationen mit virtuellen Ansprechpartnern und sind synchron übersetzende Telefone überall im Einsatz. Im Jahr 2099 wird das menschliche Denken mit der ursprünglich vom Menschen erschaffenen Maschinenintelligenz verschmelzen; auf erweiterten Modellen der menschlichen Intelligenz basierende Maschinen werden sich als menschlich definieren.

B. S.

„Vor Ablauf des nächsten Jahrhunderts wird der Mensch seine Stellung als das intelligenteste Wesen auf der Erde verloren haben.“

347 „Arboform“ – flüssiges Holz für technische Anwendungen

Rohstoffe, „Arboform“-Granulat, Formteile
Pfinztal, Fraunhofer – Institut für Chemische Technologie (ICT)

Ausgangspunkt für einen neuen thermoplastischen Werkstoff aus nachwachsenden Rohstoffen ist das Polymer Lignin, welches zu etwa 30% in jedem Baum und jeder verholzenden Pflanze durch Photosynthese gebildet wird. Durch Lignin erhält das natürlich gewachsene Holz seine Festigkeit. Lignin ist ein Beiprodukt der Zellstoffindustrie und fällt weltweit jährlich zu etwa 50 Millionen Tonnen an. Die bisherige Verwendung von Lignin beschränkt sich zu etwa 95% auf dessen thermische Verwertung in Verbrennungsanlagen zur Energiegewinnung. *Arboform* ist ein thermoplastischer Holzwerkstoff, welcher großteils aus Lignin als Binder für Naturfasern besteht. *Arboform* ist auf herkömmlichen Kunststoffverarbeitungsmaschinen wie aus Erdöl hergestellte Thermoplaste zu Granulat oder Formteilen jeglicher Gestaltung verarbeitbar.

Nach der Nutzungsphase eines Produktes aus Lignin und Naturfasern kann dieses bedenkenlos in professionellen Verbrennungsanlagen thermisch entsorgt werden, da *Arboform* zu 100% aus nachwachsenden Rohstoffen besteht. Dies bedeutet, daß nur soviel CO_2 bei der Verbrennung in die Atmosphäre emittiert wird, wie die Pflanze zuvor durch ihr Wachstum aus der Atmosphäre entnommen hat. Dadurch ist der CO_2-Kreislauf geschlossen und es findet keine Akkumulation von CO_2 in der Atmosphäre und somit keine Steigerung des Treibhauseffektes mehr statt. Neben den positiven Umwelteigenschaften der nachwachsenden Rohstoffbasis haben Ligninсompounds im Gegensatz zu synthetischen Kunststoffen weitere technische Vorteile als hochwertiger Konstruktionswerkstoff entweder alleine oder im Verbund mit natürlich gewachsenem Holz.

Ng.

347

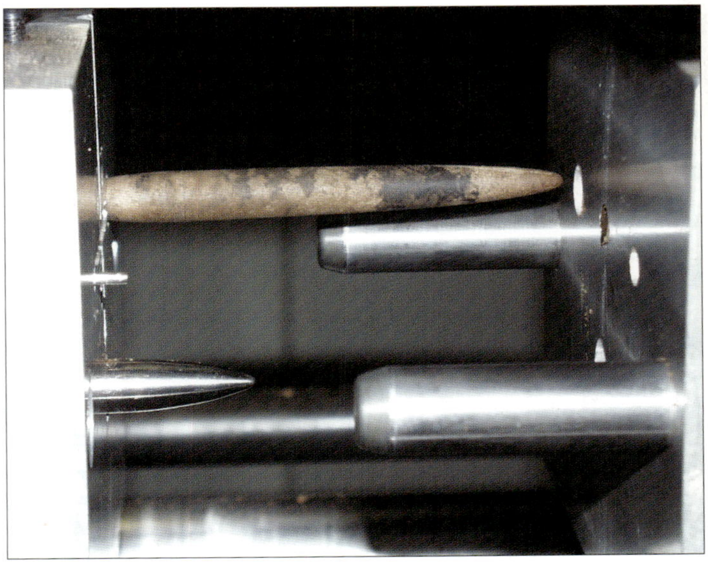

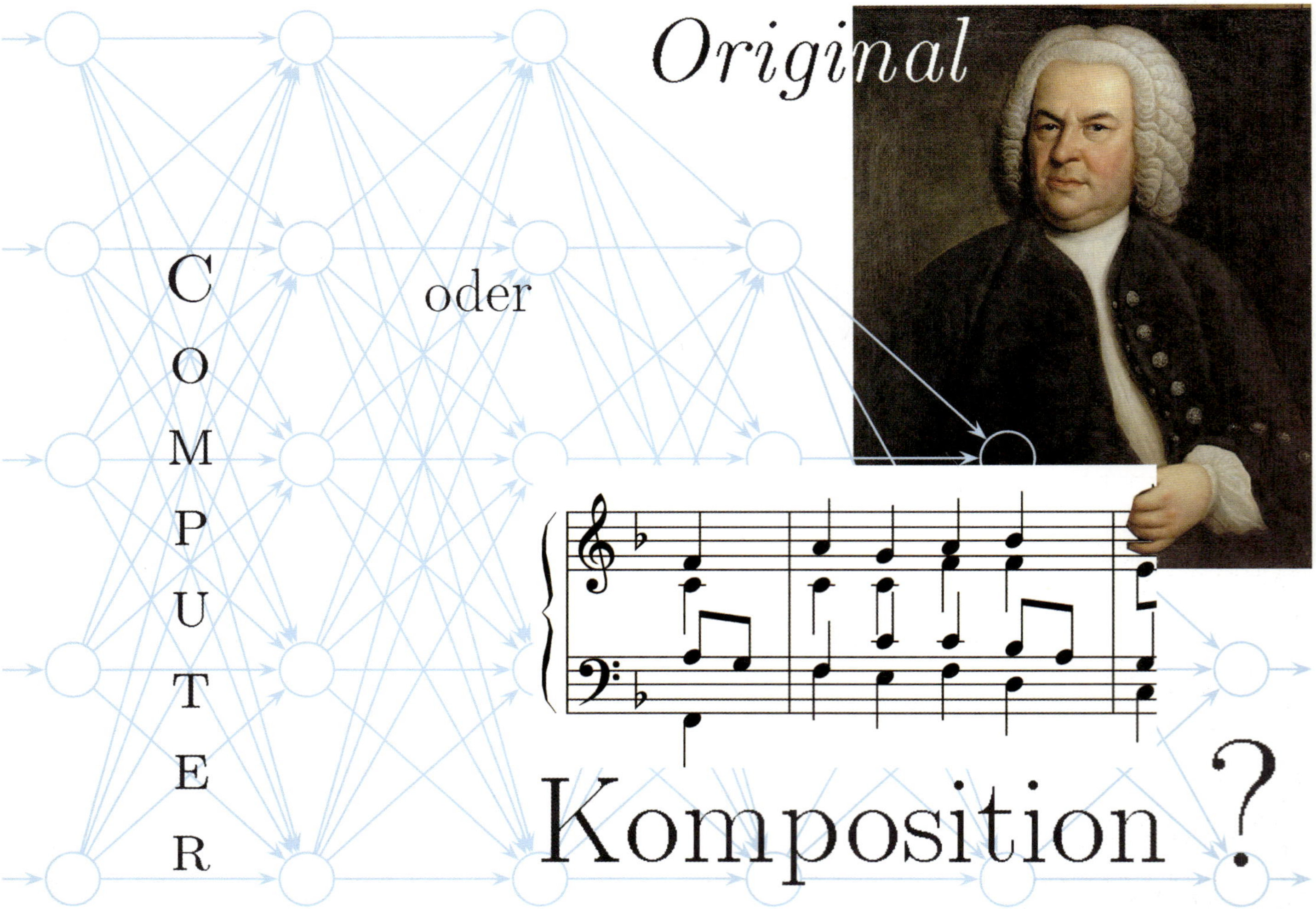

348

348 Neuronale Netze komponieren

Beitrag der Universität Karlsruhe (TH)
Fakultät für Informatik
Institut für Logik, Komplexität und Deduktionssysteme
Logik und Grundlagen, Neuroinformatik
Prof. Dr. phil. nat. Wolfram Menzel; Dipl. Inform. Dominik Hörnel; Dipl. Math. Karin Höthker

Künstliche neuronale Netze verdanken ihren Namen den Nervennetzen von Lebewesen. Sie sind Werkzeuge der Informatik, um Aufgaben ein wenig *lebendiger* zu lösen als in der klassischen Vorgehensweise mathematischer Modellbildung: Wenn für ein Stück Wirklichkeit ein solches Modell nicht habhaft oder zu kompliziert ist, dann kann oft auch direkt aus empirischen Daten der Lösungsweg gebahnt werden. Man nennt das Lernen, ein wenig tollkühn vielleicht, aber doch nicht ganz zu unrecht.

Der angehende Organist braucht ein bis zwei Jahre, um zu lernen, eine einstimmig vorgelegte Melodie direkt im vierstimmigen Satz zu spielen. *Harmonet*, das hier ausgestellte Team aus neuronalen Netzen, hat nach entsprechender Vorbereitung sehr rasch diese Fähigkeit erlangt: allein aus vorgelegten Beispielen von Johann Sebastian Bach, also ohne daß Harmonisierungsregeln des Meisters erkundet oder verwendet worden wären. Der Besucher der Ausstellung ist eingeladen, den Lernvorgang nachzuvollziehen.

Die Gruppe an der Universität Karlsruhe, die *Harmonet* entwikkelt hat, hat an einer Vielfalt realer Aufgaben die methodische Stärke der neuronalen Netze ausweisen können: Verbrennungsregelung in Motoren, Bahnsteuerung von Robotern, Stabbalancieren, Pläne zur optimalen Maschinenbelegung und Arbeitsteilung, simulierte Fußballmannschaft (*Robocup*), Prognosen von Börsendaten, Prognose von Absatzzahlen, in der Musik auch das Variieren und Fortführen von Melodien. Neuronale Netze sind ein Schritt auf dem Wege, den Rechner in erfinderisches Problemlösen, wie es Menschen vertraut ist, miteinzubeziehen. Weitere solche Schritte werden folgen.

W. M.

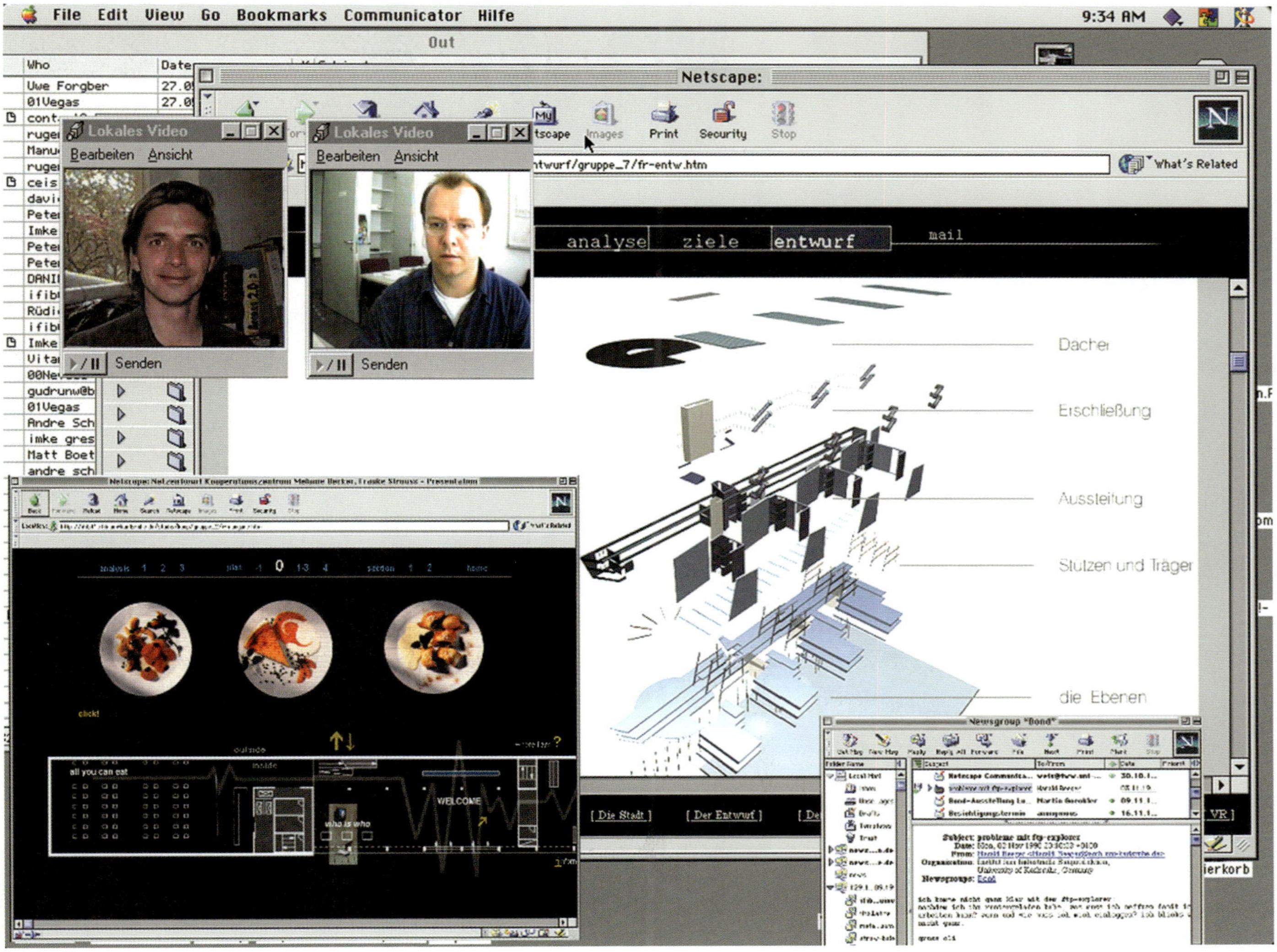

349

349 Der Netzentwurf™
Beitrag der Universität Karlsruhe (TH)
Fakultät für Architektur
Institut für Industrielle Bauproduktion
Prof. Dr. Sc. techn. Nikolaus Kohler; M. Arch. Dipl.-Ing. Jörg Rügemer; Dipl. Ing. Peter Russell; Dipl.-Ing. Volker Koch

Das Institut für Industrielle Bauproduktion der Universität Karlsruhe befaßt sich mit technologischen Innovationen im Baubereich, die zu neuen Paradigmen führen, und mit dem gezielten Einsatz der Informationstechnologien in der Architektur. Ziel dieser Anwendungen ist die Verbesserung der Zusammenarbeit verschiedener, räumlich getrennter Teams von Architekten und Ingenieuren. Die integralen rechnergestützten Planungsmethoden werden im Berufsbild der Architekten in Zukunft einen sehr hohen Stellenwert einnehmen. Informationsrecherche, Sichtung und Aufbereitung von Suchergebnissen werden dabei durch ständige Erweiterung des verfügbaren Wissens zu immer wichtigeren Tätigkeiten. Deshalb wird die Informationsgewinnung im Sinne eines *learning on demand*-Prozesses trainiert, um den Studierenden auf einen lebenslangen Lernprozess vorzubereiten.

Der Netzentwurf™ benutzt vorhandene Technologien, um eine Planungsplattform zu schaffen, die eine intensive Kommunikation zwischen den Teilnehmern ermöglicht. Dazu gehören das Internet, E-Mail, Diskussionsgruppen, strukturierte Datenbanken etc. Im Rahmen eines formal oder thematisch unkonventionellen Entwurfsthemas fordern diese Werkzeuge von den Teilnehmern, sich der Entwurfsproblematik mit nicht-traditionellen Methoden zu stellen. Dabei sind ausschließlich Internet-basierte Präsentationsmethoden erlaubt, um einen globalen Zugang zu den Arbeiten zu ermöglichen.

J. R.

350 „Die Schwelle zum 21. Jahrhundert"
Thomas Gerwin (1955- lebt in Karlsruhe)
Karlsruhe, 1999
Multimediale Inszenierung
Karlsruhe, Badisches Landesmuseum

Am Ende der Ausstellung geleitet die multimediale Inszenierung von Thomas Gerwin *Die Schwelle zum 21. Jahrhundert* die Besucher symbolisch über die Jahrtausendgrenze. Hier wird der Wechsel vom 20. ins 21. Jahrhundert aus der Dimension *Zeit* in die Dimension *Raum* zurückgeführt und dadurch zu einem unmittelbareren sinnlichen Erlebnis gemacht – gesteigert noch dadurch, daß über Bild- und Tonprojektionen gleichzeitig Auge und Ohr angesprochen werden. So eröffnet das – auch wiederholt erlebbare – Überschreiten der *Schwelle* Reflexionsmöglichkeiten für die individuellen Gefühle, Wünsche und Befürchtungen an dieser aktuellen Jahrhundert- / Jahrtausendwende.

Der Besucher betritt einen abgedunkelten Raum und geht auf einen beleuchteten, türgroßen Durchgang zu. Er hört murmelnde Stimmen auf arabisch (Sprichwort: *„Ich bitte Dich sehr, hasse nichts zu sehr. Das wird gut für Dich sein."*), hebräisch (Anfang der Heiligen Schrift) und chinesisch (Anfangsgruß einer *Chat group*: *„Hallo, ist da draußen jemand?"*). Hier wird der Europäer also mit fremden Kulturen konfrontiert – auch mit einem ironischen Seitenblick auf die christlich-europäische Zentrierung unserer Zeitrechnung, denn Araber, Juden und Asiaten zählen die Jahre nach ganz anderen Kalendern. Indem sich der Besucher der Tür nähert, schwellen die Stimmen an. Durch den Türrahmen sieht er sich selbst entgegenkommen, allerdings optisch verfremdet und zusammengeblendet mit typischen Bildern einer Jahrhundertwende: Höllenfeuer, Feuerwerk, Sonnenfinsternis, das *Überqueren des großen Wassers*. Beim Überschreiten der Schwelle erlischt das Bild und der mittlerweile laut gewordene Klangteppich der fremden Stimmen und eigenartigen Klänge bricht ab. Der Besucher erlebt in diesem Nullpunkt den Jahrhundertwechsel. Dann wird seine Aufmerksamkeit auf den Ausgang gelenkt, wo neues Licht und neue, aus dem akustisch signifikanten Treppenhaus des Karlsruher Schlosses live überspielte Geräusche lokalisiert sind. Am Ende der *Schwelle* wird der Besucher in die Realität der Ausstellung zurückgeführt. Er ist in der neuen Zeit, die im unmittelbarem Erleben doch auch die alte ist.

J. D.

Das Zukunftsforum in der Ausstellung

Die Prophezeiung steht im letzten Buch der Bibel, der Offenbarung des Johannes geschrieben: Die große Apokalypse, die Katastrophe des Weltuntergangs, ereignet sich im tausendsten Jahre des Herrn. Die Voraussage erfüllte sich nicht, doch erwarteten damals viele Menschen, wie wir wissen, das mythische Datum mit panischer Angst. Jahrhundertwenden und erst recht der Schritt in ein neues Jahrtausend faszinieren und erschrekken zugleich. Sie sind für die Menschen, schreibt der Soziologe Wolf Lepenies, *„psychologische Barriere und Hoffnungsschwelle zugleich"* (1999). Auch an der Schwelle zum dritten Jahrtausend, spiegelt sich die Zeitenwende im Bewußtsein vieler als Angst vor der unbekannten Zukunft, aber auch als Hoffnung an die Epoche, die kommt. Der aufgeklärte Mensch der Moderne weiß freilich, daß das Ende des Jahrtausends nicht das Ende der Welt bedeutet, zumindest, daß es nicht durch außerirdische oder übernatürliche Kräfte herbeigeführt werden wird. Dennoch wächst das Unbehagen vor den Veränderungen, die mit Sicherheit kommen – aber wir kennen sie nicht.

Was bringt die neue Epoche? Wandeln sich im Zeitalter des Internets und der Microchips vielleicht die Fragen, die die Menschen an die Zukunft stellen? Wer von Nostradamus nichts weiß, und wen auch die Schlagzeilen über das Scheitern der Computer im Jahr 2000 nicht schrecken, erahnt vielleicht die Möglichkeiten der neuen Zeit. Sich darauf einzulassen, heißt, die Herausforderungen zu erkennen und sich ihnen zu stellen, auch wenn wir nicht wissen, wie sie aussehen werden: Droht die Vergiftung der Flüsse, der Ozeane und der Wälder, die Menschheit zu ersticken – oder bietet sie uns eine letzte Chance dazu, uns selbst zu retten und den Planeten dazu? Wird der immer gigantischer werdende Informationsfluß auf die Bildung unserer Nachkommen einen unheilvollen Einfluß ausüben? Oder trägt er, umgekehrt, dazu bei, daß wir dem goldenen Zeitalter einer globalen Kultur entgegensehen?

Aus der veröffentlichten Diskussion um die Zukunft geht nicht immer hervor, daß es vor allem die eigenen Sorgen der Menschen sind, die sie bedrängen und sie den Blick nach vorne richten lassen. Die Fragen, die sie an die Zukunft stellen, mögen strukturelle Ähnlichkeiten aufweisen, sie folgen aber sehr persönlichen Wünschen, Motiven und Interessen. Jugendliche fragen danach, wie sie ihren Lebensweg in die Zukunft planen sollen – ob es ihnen die Gesellschaft von morgen überhaupt ermöglichen wird: *„Welche neuen Berufsbilder kommen auf mich zu, welche beruflichen Perspektiven habe ich?"* Eltern treibt die Sorge um, was aus ihren Kindern werden mag, wenn sie erwachsen sind. Ältere Menschen sorgen sich um die Qualität und den Fortbestand der Gesundheitsvorsorge. Oder: *„Was bringt mir die Rentenreform, werde ich auch im hohen Alter von meinen Einkünften leben können?"*

In Bewußtsein der Menschen erscheint die Zukunft eher als ein offener und nur diffus wahrnehmbarer Raum. Dabei ist das Bild, das sie sich von ihr machen, von mancherlei Leitbildern geprägt. Maßgebliche Bedeutung gewinnt, welches Bild wir uns vorstellen und ob wir bereit sind, es entscheidend mitzugestalten: Ohne daß wir vorausschauend denken und handeln, erfüllt sich die Zukunft nicht.

Auf diesen Überlegungen basiert die Konzeption des *Zukunftsforums* unserer Landesausstellung. Es handelt sich um ein interaktives Angebot und setzt sich zum Ziel, der Besucherschaft ein Instrument an die Hand zu geben, das es erlaubt, mit den Erfahrungen der Vergangenheit den Blick nach vorne zu richten und zugleich das, was kommt, mit der Gegenwart zu verbinden.

Im *Zukunftsforum* laden die Museumsleute die Besucherinnen und Besucher dazu ein, die Zukunft zu befragen und sich mit dem auseinanderzusetzen, was sie ihnen persönlich bringen mag. Es möchte sie dazu anregen, daß sie sich ihrer eigenen Interessen, Wünsche, Hoffnungen und Ängste vergewissern und Stellung dazu nehmen. Welche Fragen richten die Menschen an das 21. Jahrhundert? Welche Ideen, welche Visionen schweben ihnen vor? Die BesucherInnen sehen, erleben und hinterfragen die in der Ausstellung gezeigten Bilder, Objekte, Texte und die Themen, denen die Exponate zugeordnet sind. Sie werden ermuntert, ihre Assoziationen, Gedanken und Fragen dem Internet und damit anderen Menschen anzuvertrauen. Im Zusammenspiel realer und virtueller Kommunikation fungiert das *Zukunftsforum* als öffentlicher Raum in der Ausstellung.

Zur Kommunikation zwischen dem Museum und seinen BesucherInnen wie auch der Besucherinnen und Besucher untereinander werden im *Zukunftsforum* der Ausstellung moderne elektronische Medien eingesetzt. Zahlreiche Computer ermöglichen es den BesucherInnen, sich an verschiedenen Diskussionsforen im Internet zu beteiligen. Wie in der Ausstellung, so wechseln auch hier die Themen. Zur Diskussion steht zum Beispiel die *Stadt der Zukunft*. Das *Zukunftsforum* richtet Fragen an die Umwelt oder an die Mobilität von morgen, an die Zukunft der Kommunikation und der Arbeit.

Das Zukunftsforum möchte die BesucherInnen dazu anregen, sich ihrer eigenen Hoffnungen und Ängste zu vergewissern und Stellung dazu zu nehmen.

Den jeweiligen Diskussionsforen sind Thesen vorangestellt. Zu Wort kommen dabei Zukunftsforscher, Politiker und Journalisten, Unternehmer ebenso wie Schüler und Studenten. Ergänzt werden die Äußerungen durch Abbildungen von Objekten der Ausstellung und von Zitaten aus utopischen Schriften. Wer sich darauf einläßt, erhält die Möglichkeit, seine eigenen Vorstellungen und Visionen in den Computer einzugeben. Dabei sammeln sich im Laufe der Ausstellung viele Fragen und Ideen an, die den Dialog unabhängig von Zeit und Ort ermöglichen. Das Internet übernimmt dabei die Aufgabe, die Ergebnisse zu speichern, zu ordnen und damit einer systematischen Auswertung zuzuführen. Die Besucherinnen und Besucher schreiben damit die Ausstellung fort. Fachleute aus der Wissenschaft und aus dem Museum reagieren (in den sogenannten *chatrooms*) darauf.

Die Zukunft kommt. Daß das nicht nur ein Thema des Museums meint, demonstriert ein Film, der am Beginn der Ausstellung gezeigt wird: Das *Zukunftsforum* der Ausstellung fängt in Wahrheit auf den Straßen unserer Stadt an. Der Medienkünstler Thomas Gerwin hat dort die Leute nach ihren Ängsten, ihren Sorgen und Hoffnungen im Hinblick auf die Zukunft befragt. Was immer die Botschaft des Films mit der interaktiven Diskussion im *Zukunftsforum* der Ausstellung zu tun haben wird: Die Antworten findet das Publikum.

Wer die Ausstellung aufmerksam betrachtet, dem wird nicht entgehen, wie oft sich historische Fakten mit der alltäglichen Wirklichkeit von heute verknüpfen: Hat nicht, um ein Beispiel zu nennen, der Fanatismus der Kreuzzüge im Mittelalter mit Rassenhaß und religiösem Fundamentalismus unserer Tage zu tun? So stimmt auch die Rauminstallation einer *Schwelle zum 21. Jahrhundert* den Besucher der Ausstellung auf das ein, was ihn im *Zukunftsforum* erwartet. Übrigens: An dessen Eingang durchschreitet er eines von zwei Toren: das eine, wenn er zuversichtlich in die Zukunft schaut – das andere, wenn er sich zu den Pessimisten rechnet.

Die jungen Leute entscheiden sich vielleicht für die *Zukunftswerkstatt*: Schüler drehen dort mit digitalen Videokameras Nachrichtensendungen für das Jahr *2000+X* und stellen, in Zusammenarbeit mit der Landesbildstelle Baden, sog. Online-Zeitungen her. Das Material dafür liefern Interviews mit den Besucherinnen und Besuchern wie auch Exponate der Ausstellung. Die jungen Leute verbringen hier *Webcamps*: Sie setzen ihre Zukunftsvorstellungen in eine *Webseite* um, die mit der Museums-*Website* verbunden werden kann. Eine Schreibwerkstatt regt zum kreativen Schreiben an.

Nicht nur über die Zukunft zu diskutieren, sondern diese auch handelnd zu gestalten, das ermöglicht das Ausbildungsmodell *Theo-Prax* des Fraunhoferinstituts: Mit interessierten BesucherInnen werden hier Zukunftsprobleme und deren Lösungsmöglichkeiten diskutiert. Das Internet hält die Ergebnisse fest und stellt sie anschließend weltweit einem aus Unternehmern und Wissenschaftlern bestehenden Auditorium zur Diskussion.

Der besondere Dank der Veranstalter gilt dem Fraunhofer ICT Pfinztal sowie der Universität Karlsruhe / Studienzentrum Multimedia der Fakultät für Geistes- und Sozialwissenschaften. Erst das wissenschaftliche Know-how und das technische Equipment dieser beiden Institute ermöglichten die Einrichtung des *Zukunftsforums* der Landesausstellung. Weitere Kooperationspartner sind im Impressum dankbar genannt.

Gabriele Kindler und Folker Metzger

ZeitKlang.
1000 Jahre Musikgeschichte komprimiert-gedehnt

Thomas Gerwin

Diese Klanginstallation ist als musikhistorisch-künstlerische Ergänzung zu den vielfältigen Näherungsweisen und Blickwinkeln der Ausstellung *Jahrhundertwenden 1000-2000. Rückblicke in die Zukunft* gedacht, sie umfaßt das gesamte Ausstellungsareal. Eine akustische Ebene mit zwölf verschiedenen *Hörwinkeln* soll das Erfahrungsspektrum abrunden und die Besucher noch in einem anderen, teilweise unbewußten Bereich ansprechen.

Das Konzept konnte so nur heute, im Computer- und Medien-Zeitalter entstehen und wirft ein Jetztzeit-typisches, subjektives Schlaglicht auf die letzten tausend Jahre unserer abendländischen Musikgeschichte. Dabei steht vor allem ein musikalischer Parameter im Vordergrund: der Klang. Die musikalische Ästhetik und das Lebensgefühl verschiedener Zeiten werden durch typische Klangbilder thematisiert. Für jedes Jahrhundert habe ich im Computerstudio aus entsprechender alter Originalmusik mittels Spuren-Überlagerung, Stretching, Schneiden und Loopen eine idealtypische Musikmischung produziert. Daraus habe ich dann jeweils einen sehr leisen, stehenden Klang extrahiert, abstrahiert, herausmodelliert. Ein paar Sekunden eines für eine bestimmte Zeitspanne idealtypischen musikalischen Klangeindrucks wurden durch digitale Methoden zeitlich unendlich ausgedehnt, sozusagen *eingefroren.*

Auf diese Weise entstanden bestimmte, zuweilen leicht rhythmisierte Klangwolken, die die unterschiedlichen Bereiche einer jeden Jahrhundertwende in der Ausstellung auf eine ganz spezifische Weise *musikalisch-akustisch einfärben.* Nachvollziehbare musikalische Strukturen, Melodiefetzen oder Klangfiguren tauchen von Zeit zu Zeit daraus hervor und verschwinden wieder darin. In der Ausstellungsarchitektur wurde mit Bedacht keine Schalldämmung zur akustischen Isolation der einzelnen Jahrhundertwenden-Bereiche vorgesehen. Die verschiedenen, sehr leisen Klangfelder verschmelzen zu einer *ZeitKlang-Symphonie*, erscheinen langsam und verschwinden wieder. Nach einem übergeordneten kompositorischen Prinzip sind in jedem Bereich verschieden lange Pausen, so daß immer nur drei bis vier *JahrhundertwendenKlangfelder* gleichzeitig zu hören sind.

Im folgenden möchte ich einen ganz knappen Überblick über die jeweilige musikgeschichtliche Situation zu den Jahrhundertwenden geben. Diese Orientierungspunkte dienten mir als Inspiration. Musik dieser Zeit und aus dem folgenden Jahrhundert war das Material für die jeweiligen Klangfelder. Allerdings sind diese *Stichproben* jeweils zu einem runden Datum sehr willkürlich, da sich die Geschichte normaler(- und glücklicher)weise nicht in Zehner- oder Hunderterschritten weiterentwickelt. Gleichwohl diente ein zu Ende gehendes und ein beginnendes Jahrhundert schon manches Mal als Anlaß für die Proklamation neuer Ideen; der abrupte Bruch mit der Tradition und das programmatische Einläuten einer *neuen Zeit* gehört eben fest zur Tradition des christlichen Abendlandes.

Um 1000
nach Christi Geburt ist in den Kirchen hauptsächlich der Gregorianische Choral zu hören. Eine einstimmige Vokalmusik, die sehr kunstvoll im liturgischen Wechsel zwischen Solist, Kleingruppen und Chören (antiphonal und responsorial) vorgetragen wird. Guido von Arezzo entwickelt durch seine Solmisationslehre die Musik praktisch und theoretisch weiter.

Um 1100
entstehen in der Kirche Notre-Dame in Paris bereits die Anfänge der Mehrstimmigkeit, die die Musik des Abendlandes im kommenden Jahrtausend nachhaltig und einzigartig prägt. Die *Clausulae* von Leoninus Magnus und seinem Schüler Perotinus entwickeln sich zu *Organa* mit reich ausgeschmückter (melismatischer) Oberstimme weiter.

Um 1200
ist die Blütezeit des Minnesangs. Klare, einfache Liedformen von Walther von der Vogelweide, Heinrich von Ofterdingen u.a. werden zumeist auf Saiteninstrumenten begleitet. Volksinstrumente sind Fidel, Sackpfeife, Trumscheit, Klanghölzer und Trommeln.

Um 1300
vollzieht sich der Übergang zur *Ars Nova.* Guillaume de Machaut und Philipp de Vitry prägen neben dem zwei- bis dreistimmig gesungenen Motetus in Balladen, Rondeaus und Virelais auch instrumentale Mehrstimmigkeit aus.

Um 1400
wird Guillaume Dufay geboren, der erste große Meister der Renaissance. Es entstehen mehrstimmige (polyphone) Messen von expressiver Farbigkeit und ausgefeilter modaler Rhythmik (die rhythmische Betonung der gesungenen Silben orientiert sich am alten griechischen Versmaß). Die *burgundisch-niederländische Schule* entwickelt sich durch Johannes Ockeghem und Josquin de Prés in mehreren Generationen zu höchster Blüte weiter.

Um 1500
erscheint der erste Musikdruck in Venedig. Polyrhythmische Texturen (Werke, in denen die verschiedenen Stimmen ganz verschiedenen rhythmischen Mustern folgen) beziehen die Instrumente vollständig in die Komposition mit ein. Im nun folgenden Jahrhundert entstehen subtile Madrigalen von Orlando di Lasso und Gesualdo di Venosa, schwermütige Virginalmusik von William Byrd und Thomas Morley, die Mehrchörigkeit von Andrea und Giovanni Gabrieli und der reine, bis heute für die Kirchenmusik verbindliche *A-cappella*-Satz (= Chor ohne Instrumentenbegleitung) von Giovanni Pierluigi Palestrina.

Um 1600
ist die modale Rhythmik in die metrische übergegangen, nun wird

die musikalische Zeit in Takten ausgedrückt, die in gleich große Teile wie Halbe, Viertel, Achtel, etc. eingeteilt werden und ihren Charakter hierdurch definieren (3/4-Takt, 4/4-Takt, etc.). Die vorher nur Tonleitern folgende (modale) Polyphonie wird durch den Generalbaß abgelöst, der die mehrstimmigen Akkorde vom Baß in ihrer harmonischen Funktion zueinander definiert. Mit *Dafne* von Jacobo Peri entsteht die erste Oper. Im Folgenden treten mit Claudio Monteverdi, Heinrich Schütz und Girolamo Frescobaldi die ersten barocken Meister hervor. Wichtige musikalische Formen werden Fuga, Tokkata, Kantate und Suite.

Um 1700
ist die Zeit des musikalischen Hochbarock. Meister wie Johann Sebastian Bach und Georg Friedrich Händel erschließen durch die *wohltemperierte Stimmung* alle Dur- und Molltonarten und schaffen in Fuge, Messe und Oratorium bis heute mustergültige Werke. In der zweiten Jahrhunderthälfte entsteht das erste Streichquartett Joseph Haydns und die *Mannheimer Schule* läutet mit dem ersten Crescendo (stufenloses dynamisches Anschwellen der Lautstärke) und der Sonatenform die Epoche der Klassik ein.

Um 1800
entsteht die erste Symphonie von Ludwig van Beethoven, der neben Wolfgang Amadeus Mozart die Wiener Klassik zur Blüte führt und abschließt. Gleichzeitig entstehen romantische Instrumentalwerke von Frederic Chopin und Robert Schumann, dem im Verlauf des Jahrhunderts Richard Wagners *Gesamtkunstwerk*, Giuseppe Verdis Opern und Antonin Dvořáks *symphonische Dichtung* weitere Glanzlichter hinzufügen.

Um 1900
hat das Orchester als Klangapparat mit zum Teil mehreren hundert Mitwirkenden höchste Differenzierung erreicht. Gleichzeitig erstrebt die Spätromantik in kleineren Formen wie dem Schubertschen Kunstlied hoch emotionale Subjektivität. Die funktionale Dur-Moll-Harmonik beginnt sich mit Claude Debussy im *Impressionismus* aufzulösen. Wenig später entwickelt Arnold Schönberg seine *Zwölftontechnik*, während Igor Strawinsky und Béla Bartók Werke kühnster Rhythmik und Harmonik schaffen. Es entstehen in kurzer Folge immer neue Stile und Richtungen.

Um 2000
hat die Musik die vielfältigsten Wandlungen und Neuerungen durchgemacht. Durch zwei Weltkriege gab es abrupte Brüche mit der Tradition von der Moderne zur *Neuen Musik* mit Zwölftönigkeit, Serialismus, Stochastik und Klangfarbenkomposition bis hin zur Postmoderne. Komponisten wie John Cage und Karlheinz Stockhausen, György Ligeti, Luciano Berio, Pierre Schaeffer und R. Murray Schafer haben auf verschiedene Art das Hören revolutioniert. Dies alles fließt zusammen mit Jazz, elektronischer und außereuropäischer Musik, Rap. Durch die explosionsartige Entwicklung der Medien zur Produktion, Verbreitung und Speicherung von Musik zeichnet sich im kommunikationstechnisch vernetzten *globalen Dorf* Erde ein (Klang-)Bild ab, in dem gleichzeitig alle Stilepochen in Konzertpraxis und auf Tonträgern präsent sind.

Im Zukunftsforum der Ausstellung
schließlich ist klangliches Neuland. Es scheint wenig sinnvoll, aus den Erfahrungen der Vergangenheit Zukunftsvoraussagen extrapolieren zu wollen. Deshalb erklingt in diesem Ausstellungsbereich lediglich eine musikalische Reflexion der Situation der Kommunikation und Vernetzung. Ein leises Band aus einer in einem stetigen Rhythmus klappernden Computertastatur bildet eine rhythmische Basis, auf die sich JedeR NutzerIn unwillkürlich bezieht indem sie/er die Tastatur der dort bereitgestellten Computer-Terminals zum Internet-Surfen und zum Einbringen der eigenen Gedanken und Ideen bedient. Auf diese Weise sind die BesucherInnen dieses Raumes interaktiv einbezogen und werden durch ihre Stimmen und Bewegungen selbst zu musikalischen Gestaltern dieses Raumes.

„Hoffnung und Angst zur Jahrhundertwende" Eine Video-Installation von Thomas Gerwin

Auf drei Videomonitoren werden im Foyer der Ausstellung *Jahrhundertwenden 1000 – 2000. Rückblicke in die Zukunft* Aufnahmen von ganz unterschiedlichen Menschen gezeigt, die ihre Hoffnungen und ihre Ängste für das neue Jahrtausend artikulieren. Diese sehr persönlichen Aussagen sollen die BesucherInnen dazu anregen, ihre eigenen Wünsche und Ängste zu reflektieren, bevor sie die Ausstellung betreten.

Für das Projekt *Hoffnung und Angst zur Jahrhundertwende* wurden im Sommer 1999 dreißig möglichst unterschiedliche Menschen eingeladen, ihre Meinung zur bevorstehenden Jahrtausendwende vor laufender Kamera auszudrücken. Die meisten Interviews fanden bei der ERB Medien GmbH in Karlsruhe statt, dazu kamen einige wenige Vor-Ort-Termine.

Wichtige Aspekte dieser Befragung waren:
1. daß Menschen aller Alters- und verschiedenster Bevölkerungsgruppen zu Wort kommen
2. daß die Aussagen eine persönliche Sicht darstellen
3. daß die Aussagen kurz sind und auf einfache, elementare Fragen antworten wie *„Was erhoffen Sie sich vom neuen Jahrhundert?" „Was befürchten Sie, wovor haben Sie Angst?"*

Bei der gezielten Nachfrage durch die Interviewerin wurden zur inhaltlichen Vertiefung je nach befragter Person weiterhin die Themen *Mensch und Natur, Krieg und Frieden, Berufliches, Familie/Beziehung, Wirtschaft* und *seelisch/religiöse Fragestellungen* angesprochen.

Die zehn- bis zwanzigminütigen Interviews wurden im Computerstudio auf ganz kurze Statements verdichtet. Im Interesse einer größeren Deutlichkeit wurden einzelne Aussagen der befragten Personen herausgehoben und in schneller Folge aneinander geschnitten. Die Besucher sind also, während sie sich den Prolog der Ausstellung anschauen, mit den ganz unterschiedlichen Kernaussagen von Zeitgenossen aus der Region konfrontiert. Alle wichtigen Inhalte der Interviews werden berücksichtigt und provozieren Zustimmung oder Ablehnung. Auf diese Weise sollen die BesucherInnen vor der Reise in die Vergangenheit in ihrer Gegenwartserfahrung abgeholt und persönlich in das sie erwartende Geschehen involviert werden.

Aus den aufgenommenen Materialien entstand zudem ein experimentelles Hörspiel (eine Text-Klang-Komposition) von Thomas Gerwin für das Radio, die ERB Medien GmbH nutzte die Aufnahmen zur Produktion von Rundfunk- und Fernsehbeiträgen (z.B. für das regelmäßig ausgestrahlte TV-Magazin *Von Himmel und Erde* von Hanno Gerwin). Desweiteren ist ein experimenteller Dokumentarfilm von Thomas Gerwin geplant, der künstlerisch subjektiv die verschiedenen Blickwinkel der Befragten beleuchtet, kontrapunktiert und pointiert gestaltet. Die Aufnahmen wurden im *Green-Box-Verfahren* aufgenommen, das heißt die Befragten befanden sich alle vor einem grünen Hintergrund. Dieser Hintergrund kann bei der Studio-Bearbeitung durch völlig andere, auch bewegte Hintergründe ersetzt werden und bietet daher weitere interessante Gestaltungsmöglichkeiten.

Hoffnung und Angst zur Jahrhundertwende entstand in Kooperation zwischen dem Badischen Landesmuseum Karlsruhe, der ERB Medien GmbH und inter art project – Studio für Medienkunst und akustische Gestaltung.

Künstlerische Leitung: Thomas Gerwin
Produktionsleitung: Hanno Gerwin
Kuratorische Betreuung beim Badischen Landesmuseum: Dr. Jutta Dresch
Für die ERB Medien GmbH führte Eva Frien die Interviews.
Die Fernsehaufnahmen besorgte Werner Jakobs.

Bildnachweis

Angers, Musées d´Angers: 252a
Augsburg, Staats- und Stadtbibliothek: 85
Bad Aussee, Ausseer Kammerhofmuseum: 174
Bad Homburg, Saalburgmuseum: 1
Basel, Historisches Museum, Foto: Maurice Babey: 159
Berlin, Geheimes Staatsarchiv - Preußischer Kulturbesitz: 238
Berlin, Staatsbibliothek zu Berlin – Preußischer Kulturbesitz: 88, S. 130, S. 162, S. 194, S. 228, S. 268
Berlin, Staatliche Museen - Preußischer Kulturbesitz, Kunstbibliothek, Foto: Dietmar Katz: 274b
Berlin, Ullstein Bilderdienst: 280
Bern, Kunstmuseum: 177
Biberach a. d. Riß, Zimmerer-Ausbildungszentrum: 44
Bregenz, Voralberger Landesmuseum: 71
Bremerhaven, Deutsches Schiffahrtsmuseum, Foto: Egbert Laska: 87
Calw, Stadtmuseum, Foto: Fotostudio Spektrum, Dietmar Schläger: 133b
Colmar, Bibliotèque de la Ville de Colmar, Foto: Christian Kempf: 67
Dresden, Staatliche Kunstsammlungen, Münzkabinett: 95, 144, 145, 146, 147, 152, 153, 155, 191, 205, 210
Düsseldorf, Kunstmuseum: 77a, b
Frankfurt, Deutsches Filmmuseum: 282, 316, 317 (Foto: Klaus Kramer, Schramberg), 331
Frankfurt, Historisches Museum der Stadt Frankfurt, Foto: Ursula Seitz-Gray: 196
Frankfurt, Liebieghaus, Foto: Werner Neumeister, München: 97
Freiburg, Augustinermuseum, Foto: Hans-Peter Vieser: 36, 43, 53, 309
Freiburg, Münsterbauverein: 37
Freiburg, Universitätsbibliothek: 89, 92, 94
Friedrichshafen, Zeppelinmuseum: 300
Furtwangen, Deutsches Uhrenmuseum, Foto: Gerhard Grieshaber, München: 105, 217, 219, 250, 251
Genf, Cabinet des Estampes: 257
Genf, Rotkreuz- und Rothalbmondmuseum: 278
Göppingen, Städtisches Museum, Foto: Dehnert: 30
Göttingen, Hans Starosta, Studio für Fotografie: 45
Göttingen, Niedersächsische Staats- und Universitätsbibliothek: 59
Hamburg, Kunsthalle, © Elke Walford: 180, 181, 202, 269
Hamburg, Museum für Hamburgische Geschichte, Münzkabinett: 206, 207, 208, 209
Hamburg, Museum für Kunst und Gewerbe: 284
Hannover, Kestner-Museum, Foto: M. Lindner: 41
Heidelberg, Universität, © Kunsthistorisches Institut mit Bewilligung des Rektors Prof. Dr. Siebke, Foto: I. L. Klinger: 60
Heidelberg, Universitätsbibliothek: 51, 65, 101, 113, 131, 156
Hildesheim, Roemer- und Pelizaeusmuseum, Foto: Sh Shalchi: 18
Karlsruhe, Badische Landesbibliothek: 14, 15, 20, 33, 40, 74, 93, 116, 135, 158, 161, 170, 242, 242a+b, 273
Karlsruhe, Badisches Landesmuseum, Foto: Thomas Goldschmidt: 2, 4, 7, 12, 13, 16, 17, 18, 26, 31, 32, 38, 46, 49, 50, 54, 57, 62, 63, 64 a+b, 81, 82, 86, 96, 106, 109, 122 a-c, 128, 129, 130, 149, 150, 151, 160, 165, 167, 171, 190, 194, 213a-d, 216, 218, 223, 226, 228, 229, 230, 240a+b, 243, 247, 249, 254, 255, 259, 261b, 268, 270 a+b, 277, 281, 283 a+b, 287, 288, 289, 290, 292, 293, 295, 296, 297, 298, 299, 301, 302, 303, 304, 305, 306, 308, 318, 323, 324, 325, 326, 327, 337a, 338, 339, 342, 343,
Karlsruhe, Generallandesarchiv: 11, 107
Karlsruhe, Staatliche Kunsthalle: 75, 80, 84, 110, 111, 123, 169, 172, 173, 312
Karlsruhe, Stadtarchiv: 212
Karlsruhe, Thomas Gerwin, © inter art project: 350
Karlsruhe, Universität (TH), Fakultät für Architektur, Institut für Baugeschichte: 115, 118
Karlsruhe, Universität (TH), Fakultät für Architektur, Institut für Industrielle Bauproduktion: 349
Karlsruhe, Universität (TH), Fakultät für Informatik, Institut für Logik, Komplexität und Deduktionssysteme, Lehrstuhl für Logik und Grundlagen, Neuroinformatik: 348
Köln, Rheinisches Bildarchiv: 28, 58, 311
Konstanz, Rosgartenmuseum, Foto: Franz-Josef Stiele-Werdermann: 55, 121
Leimen, Heidelberger Zement: 310
Lübeck, Museum für Kunst und Kulturgeschichte: 48
Ludwigsburg, Städtisches Museum: 164
Lüneburg, Fotostudie W. Krenzien: S. 88
Mailand, Biblioteca Ambrosiana: 42
Mainz, Römisch-Germanisches-Zentralmuseum: 20
Mannheim, Städtische Kunsthalle, Foto: Margita Wickenhäuser: 256
Mannheim, Städtisches Reiss-Museum: 119, 162, 192, 224, 225
Mannheim, Universitätsbibliothek: 168
Marbach, Deutsches Literaturarchiv: 201, 203, 214, 260, 314
München, Deutsches Museum: 319
München, Hansjörg Voth: 337 b

München, Pinakothek: 266
München, Staatliche Münzsammlungen: 139, 140, 141, 142, 154, 204
Nürnberg, Germanisches Nationalmuseum: 72, 76, 136, 178, 179, 211, 245, 246, 248
Nürnberg, Museen der Stadt Nürnberg: 98
Oberkochen, Optisches Museum: 47
Oldenburg, Stadtmuseum: 183, 258
Paris, Bibliothèque Nationale: 5, 6, 23, S. 54, S. 74, S. 104, S. 116
Paris, Galerie René, Foto: André Morain: 330
Passau, Gregor F. Peda: 24
Pfinztal, Fraunhofer Institut Chemische Technologie (JCT): 347
Rastatt, Stadtarchiv, Foto: Matthias Hoffmann: 163
Regensburg, Museen der Stadt Regensburg – Historisches Museum: 25
Rosgarten-Ehestorf, Freilichtmuseum am Kiekeberg: 39
Schramberg, Firma Junghans: 341
Schramberg, Stadtmuseum: 307
Schwäbisch Hall, Hällisch-Fränkisches Museum: 61
Schwäbisch Hall, Stadtarchiv: 79
Speyer, Historisches Museum der Pfalz, Foto: Kurt Diehl, 1999: 182
Straßburg, Fondation Saint-Thomas: 125
St. Peter, Erzbischöfliches Priesterseminar: 21
Stuttgart, Haus der Geschichte Baden-Württemberg: 294
Stuttgart, Hendrik Zwietasch: 286
Stuttgart, Staatsgalerie: 231
Stuttgart, Stadtarchiv: 120
Stuttgart, Württembergische Landesbibliothek, Foto: Joachim Siener: 27, 29, 34, 35, 69, 78, 103, 114, 117, 133a, 166, 241
Stuttgart, Württembergisches Landesmuseum: 52, 70, 143, 148, 175
Tübingen, Universität, Institut für Mineralogie, Petrologie und Geochemie: 73
Tübingen, Universitätsbibliothek: 3b, 102, 124, 127, 232
Wolfenbüttel, Herzog-August-Bibliothek: 3a, 22, 66, 68, 99, 104, 108, 112, 132, 134, 157
Zittau, Christian-Weise-Bibliothek: 137
Zürich, Kunsthaus: 271